SŁOWNIK

angielsko-polski
polsko-angielski

+ idiomy
i gramatyka

Część pierwsza

Słownik angielsko-polski polsko-angielski

Tadeusz J. Grzebieniowski
Andrzej Kaznowski

Część druga

Idiomy angielskie

Lidia Simbierowicz

Część trzecia

Zarys gramatyki angielskiej

Sylwia Twardo

Harald G

SŁOWNIK

angielsko-polski
polsko-angielski

+ idiomy
i gramatyka

zbiór
niezbędnych informacji
– trzy w jednym

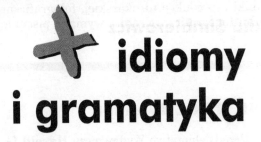

Projekt okładki i stron tytułowych
Ireneusz Sakowski

Redakcja
Monika Tomaszewska
Natalia Celer

Wydanie I

Przedsiębiorstwo Wydawnicze **Harald G**
ul. Kolejowa 11/13, 01-217 Warszawa
tel. (0-22) 631-41-30, (0-22) 631-80-72
tel./fax (0-22) 631-40-86
e-mail wydawnictwo@haraldg.pl
www.haraldg.pl

ISBN 83-86773-80-4

Układ książki

Od Wydawcy

Książka, którą oddajemy do rąk Czytelników, składa się z trzech części, to **trzy w jednym**, czyli **słownik**, **idiomy** i **gramatyka** razem. Cyfra trzy jest bardzo umowna, gdyż w *Słowniku angielsko-polskim polsko-angielskim* znajduje się: lista angielskich czasowników nieregularnych, nazwy geograficzne (angielskie i polskie) oraz przewodnik kulinarny, a *Idiomy angielskie* posiadają dwa indeksy: angielski i polski, czyli wszystkie wyrażenia i zwroty w układzie alfabetycznym z podanym hasłem głównym oraz numerem strony.

W erze postępu technicznego, komputeryzacji, Internetu, publikacji wydawanych w formie elektronicznej przygotowaliśmy książkę, która zawiera **kilka źródeł informacji w jednym tomie**. Ułatwia, więc szybkie znalezienie wielu różnych wiadomości. We współczesnym świecie, w którym tempo życia wciąż wzrasta, taka publikacja staje się nieocenioną pomocą.

Zebrane słownictwo zarówno w słowniku, jak i w idiomach dotyczy wielu dziedzin życia oraz jest współczesne i aktualne.

Układ całej książki jest niezwykle przejrzysty i klarowny. Wyraźnie oznaczono podział na trzy części, z których każda posiada numerację stron zaczynającą się od cyfry 1. Duża czcionka oraz żywa pagina ułatwiają korzystanie ze słownika.

Mamy nadzieję, że nasi Czytelnicy dostrzegą zalety tej publikacji.

Część pierwsza

Słownik

Spis treści

Słownik angielsko-polski polsko-angielski

PRZEDMOWA

Słownik angielsko-polski polsko-angielski zawiera około 33 000 haseł i zwrotów, listę angielskich czasowników nieregularnych, nazwy geograficzne oraz krótki przewodnik kulinarny.

Słownik jest przeznaczony dla polskich i anglojęzycznych turystów, a także dla osób rozpoczynających naukę obydwu języków.

PREFACE

English-Polish Polish-English Dictionary contains about 33 000 entries and phrases as well as lists of English irregular verbs, geographical names, and a brief food guide.

The dictionary is intented for use by Polish and English-speaking tourists and for beginners in both languages.

WSKAZÓWKI DLA UŻYTKOWNIKA
GUIDE TO THE USE OF THE DICTIONARY

Hasła

Wyrazy hasłowe podano pismem półgrubym w ścisłym porządku alfabetycznym. Opatrzono je odpowiednimi skrótami sygnalizującymi ich przynależność do poszczególnych części mowy oraz do poszczególnych dziedzin życia.

Jeżeli wyraz hasłowy ma kilka odpowiedników polskich, to na pierwszym miejscu podano znaczenie bliższe lub pierwotne, a potem, kolejno, znaczenia dalsze lub pochodne, np.:

Headwords

The headwords are printed in boldfaced type in strictly alphabetical order. They are labelled by pertinent abbreviations indicating their grammatical categories to which they belong. Some other symbols denote the particular branches of learning or the special walks of life.

If the English headword is followed by several Polish equivalents, it is the basic meaning or etymologically the earliest one that comes first. E.g.:

gath•er [`gæðə(r)] *vt vi* zbierać (się); sądzić; wnioskować

Homonimy podano w osobnych hasłach oznaczonych kolejnymi cyframi, np.:

Homonyms are grouped under separate entries and marked with successive numerals, e.g.:

graze¹ [greɪz] *vt vi* paść (się)
graze² [greɪz] *vt* musnąć; drasnąć; *s* zadraśnięcie

Pominięto podstawowe formy gramatyczne czasowników, które tworzą się regularnie przez dodanie końcówki **-ed** lub **-d**. Nieregularne formy czasowników podano bezpośrednio po transkrypcji wyrazu hasłowego; na drugim miejscu podano formę czasu przeszłego, na trzecim – imiesłów czasu przeszłego.

The basic forms of the regular verbs, ending in **-ed, -ed (-d, -d)**, are omitted. As far as the irregular verbs are concerned, three successive main forms have been singled out: infinitive, past tense and past participle.

Transkrypcja fonetyczna

Przy każdym wyrazie hasłowym podano w nawiasie kwadratowym transkrypcję fonetyczną. Zastosowano symbole ogólnie przyjętej transkrypcji międzynarodowej, opierając się na wydaniach renomowanych słowników brytyjskich (A.S. Hornby, Oxford Advanced Learner's Dictionary of Current English, wydanie piąte i Cambridge International Dictionary of English) z nieznacznymi zmianami.

Phonetic Transcription

The successive headwords are followed by the phonetic script, each particular English word being transcribed and placed within square brackets. The symbols used here are those of the International Phonetic Association, based on the editions of standard British dictionaries (Oxford Advanced Learner's Dictionary of Current English by A.S. Hornby, fifth edition and Cambridge International Dictionary of English) with slight modifications.

Znak graficzny dźwięku	Zbliżony polski odpowiednik	Przykład użycia i wymowa
samogłoski		
i	i	eat [it]
ɪ	y	sit [sɪt]
e	e	bed [bed]
æ	a/e	bad [bæd]
ɑ	a (długie)	half [hɑf]
o	o (krótkie)	not [not]

ɔ	o (długie)	law [lɔ]
ʊ	u (krótkie)	put [pʊt]
u	u (długie)	food [fud]
ʌ	a (krótkie)	luck [lʌk]
ɜ	e (długie)	first [fɜst]
ə	e (nie akcentowane)	ago [ə`gəʊ]

dwugłoski

eɪ	ei (łącznie)	late [leɪt]
əʊ	eu (łącznie)	stone [stəʊn]
ɑɪ	ai (łącznie)	nice [nɑɪs]
ɑʊ	au (łącznie)	loud [lɑʊd]
oɪ	oi (łącznie)	point [poɪnt]
ɪə	ie (łącznie)	fear [fɪə(r)]
eə	ea	hair [heə(r)]
ʊə	ue	sure [ʃʊə(r)]

niektóre spółgłoski

tʃ	cz	chin [tʃɪn]
dʒ	dż	just [dʒʌst]
v	w	voice [voɪs]
θ	–	thick [θɪk]
ð	–	then [ðen]
ʃ	sz	sharp [ʃɑp]
ʒ	ż	vision [`vɪʒn]
ŋ	n (nosowe)	sing [sɪŋ]
w	ł	wet [wet]
(r)	r *bryt.* wymawia się, gdy następujące słowo zaczyna się od samogłoski, *am.* wymawia się zawsze	

Pisownia

W niniejszym słowniku zastosowano pisownię brytyjską, obowiązującą powszechnie w Wielkiej Brytanii i w innych krajach, gdzie mówi się po angielsku, z wyjątkiem Stanów Zjednoczonych.

Uwzględniono również pewne oboczne formy ortograficzne, przyjęte w obydwu odmianach języka, takie jak np. **cosy** albo **cozy, gipsy** albo **gypsy** itd.

Spelling

The spelling used throughout the present dictionary is that of Great Britain and most English-speaking countries, except the U.S.A.

Some slight variants found both in Britain and in the U.S.A., e.g. **cosy** or **cozy, gipsy** or **gypsy** are also provided.

SKRÓTY
ABBREVIATIONS

adj	przymiotnik	adjective
adv	przysłówek	adverb
am.	amerykański	American
anat.	anatomia	anatomy
arch.	architektura	architecture
astr.	astronomia	astronomy
attr	przydawka	attribute
bank.	bankowość	banking
biol.	biologia	biology
bot.	botanika	botany
bryt.	brytyjski	British
chem.	chemia	chemistry
comp	stopień wyższy	comparative (degree)
conj	spójnik	conjunction
dent.	dentystyka	dentistry
dial.	dialekt	dialect
dod.	znaczenie dodatnie	positive (meaning)
dosł.	dosłowny	literal
druk.	drukarstwo	printing
ekon.	ekonomia	economics
elektr.	elektryczność	electricity
f	(rodzaj) żeński	feminine (gender)
filat.	filatelistyka	philately
film.	filmowy	film
filoz.	filozofia	philosophy
fin.	finanse	finances
fiz.	fizyka	physics

fon.	fonetyka	phonetics
fot.	fotografia	photography
fut	czas przyszły	future tense
genit	dopełniacz	genitive
geogr.	geografia	geography
geol.	geologia	geology
górn.	górnictwo	mining
gram.	gramatyka	grammar
handl.	handlowy	commerce
hist.	historia	history
imp	forma nieosobowa	impersonal form
imperf	forma niedokonana (czasownika)	imperfect
inf	bezokolicznik	infinitive
int	wykrzyknik	interjection
interrog	pytający	interrogative
itp.	i tym podobne	and the like
kin.	kinematografia	cinematography
kolej.	kolejnictwo	railways
komp.	komputery	computers
kulin.	kulinarny	culinary
lit.	wyraz literacki	literary use
lotn.	lotnictwo	aviation
łac.	wyraz łaciński	Latin word
m	(rodzaj) męski	masculine (gender)
mal.	malarstwo	painting
mat.	matematyka	mathematics
med.	medycyna	medicine
miner.	mineralogia	mineralogy
mors.	termin morski	marine term
mot.	motoryzacja	motoring
muz.	muzyka	music
n	(rodzaj) nijaki	neuter (gender)
neg.	forma przecząca	negative form
nieodm.	wyraz nieodmienny	indeclinable word
np.	na przykład	for example
num	liczebnik	numeral
one's	swój	one's (your, his, her, etc.)
o.s.	się	oneself

p	czas przeszły	past tense
part	partykuła	particle
pejor.	pejoratywny	pejorative
perf	forma dokonana (czasownika)	perfect
pers	osoba	person
pieszcz.	pieszczotliwie	term of endearment
pl	liczba mnoga	plural
poet.	wyraz poetycki	poetic use
polit.	polityka	politics
por.	porównaj	compare
pot.	wyraz potoczny	colloquialism
pp	imiesłów czasu przeszłego	past participle
ppraes	imiesłów czasu teraźniejszego	present participle
praed	orzecznik, orzecznikowy	predicative
praef	przedrostek	prefix
praep	przyimek	preposition
praes	czas teraźniejszy	present tense
prawn.	termin prawniczy	legal term
pron	zaimek	pronoun
przen.	przenośnie	figurative
psych.	psychologia	psychology
rel.	religia	religion
s	rzeczownik	substantive
sb, sb's	ktoś, czyjś	somebody, somebody's
sing	liczba pojedyncza	singular
skr.	skrót	abbreviation
slang	slang	slang
s pl	rzeczownik w liczbie mnogiej	plural noun
sport.	sportowy	sports
sth	coś	something
suf	przyrostek	suffix
sup	stopień najwyższy	superlative (degree)
szk.	szkolny	school word
teatr.	teatralny	theatre

techn.	technika	echnology
v	czasownik	verb
v aux	czasownik posiłkowy	auxiliary verb
vi	czasownik nieprzechodni	intransitive verb
v imp	czasownik nieosobowy	impersonal verb
vr	czasownik zwrotny	reflexive verb
vt	czasownik przechodni	transitive verb
woj.	wojskowy	military
wulg.	wulgarny	vulgar, obscene
zbior.	rzeczownik zbiorowy	collective noun
zdrob.	zdrobnienie	diminutive
zob.	zobacz	see
zool.	zoologia	zoology
zw.	zwykle	usually
żart.	żartobliwie	jocular

ZNAKI OBJAŚNIAJĄCE
EXPLANATORY SIGNS

` Pochylony w lewo znak akcentu (w formie transkrybowanej wyrazu hasłowego) poprzedza główną akcentowaną sylabę.

The grave stress mark denotes that the following syllable bears the primary stress.

' Pionowy znak akcentu wskazuje na to, że następująca po nim sylaba ma akcent poboczny, słabszy od głównego.

The vertical stress mark denotes that the following syllable bears a secondary stress, weaker than the primary.

• Kropka wskazuje miejsca podziału wyrazu zgodnie z ortografią angielską.

The dot is a sign of syllable separation. Thus it shows how to divide the word.

[ ] W nawiasach kwadratowych umieszczono transkrypcję fonetyczną wyrazów hasłowych.

Square brackets enclose the phonetic transcription of the headword.

( ) W nawiasach okrągłych zamieszczono objaśnienia, formy gramatycznie i leksykalnie łączliwe, wyrazy i litery, które mogą być opuszczone.

Round brackets enclose the explanatory information, grammatical and lexical collocations, words and letters which can be omitted.

<> W nawiasach trójkątnych umieszczono wymienne wy-

Angular brackets enclose words and parts of the ex-

	razy lub człony związków frazeologicznych.	pressions which are interchangeable.
~	Tylda zastępuje hasło lub jego część.	The tilde replaces the headword or its part.
...[1]	Cyfry arabskie w górnej części hasła wyróżniają homonimy.	Numerals denote the sequence of headwords having the same spelling, but differing in etymology and meaning.
;	Średnik oddziela odpowiedniki o różnych znaczeniach, związki frazeologiczne oraz objaśnienia i kategorie gramatyczne.	The semicolon is used to denote distinct meanings of two or more equivalents of the headword and to separate phrases as well as particular items of grammatical information and grammatical categories.
,	Przecinek oddziela odpowiedniki bliskie znaczeniowo.	The comma is used to separate equivalents close in meaning.
|	Kreska pionowa oddziela część hasła zastąpioną w zwrotach tyldą.	The vertical line separates that part of the headword which has been replaced in phrases by the tilde.

Słownik angielsko-polski

ALFABET ANGIELSKI
THE ENGLISH ALPHABET

a	[eɪ]	n	[en]
b	[bi]	o	[əʊ]
c	[si]	p	[pi]
d	[di]	q	[kju]
e	[i]	r	[ɑ(r)]
f	[ef]	s	[es]
g	[dʒi]	t	[ti]
h	[eɪtʃ]	u	[ju]
i	[ɑɪ]	v	[vi]
j	[dʒeɪ]	w	[ˋdʌblju]
k	[keɪ]	x	[eks]
l	[el]	y	[wɑɪ]
m	[em]	z	[zed, *am.* zi]

A

a [ə, eɪ] *przedimek <rodzajnik> nieokreślony* (*przed spółgłoską*)

a•back [əˋbæk] *adv* w tył, wstecz; *przen.* **be taken ~** być zaskoczonym

a•ban•don [əˋbændən] *vt* opuścić, porzucić; zaniechać, zaprzestać (*zajęcia*); **~ hope** porzucić nadzieję (**of doing sth** na zrobienie czegoś)

ab•bey [ˋæbɪ] *s* opactwo

ab•bre•vi•a•tion [əbrivɪˋeɪʃən] *s* skrót

ab•do•men [ˋæbdəmən] *s* brzuch

a•bil•i•ty [əˋbɪlɪtɪ] *s* zdolność; *pl* **abilities** talent, uzdolnienia; **to the best of my abilities** najlepiej jak potrafię

a•blaze [əˋbleɪz] *adv* w płomieniach; *adj* płonący; **~ with light** rozświetlony; **~ with anger** pałający gniewem

a•ble [ˋeɪbl] *adj* zdolny, zręczny; **be ~** móc, być w stanie, potrafić (**to do sth** coś zrobić)

ab•nor•mal [əbˋnɔml] *adj* anormalny, nieprawidłowy

a•board [əˋbɔd] *praep* na pokładzie (*statku, samolotu*); *adv* na pokład

a•bol•ish [əˋbolɪʃ] *vt* znieść, usunąć, skasować, obalić

a•bom•i•na•ble [əˋbomɪnəbl] *adj* wstrętny, obrzydliwy, odrażający

a•bor•tion [əˋbɔʃən] *s* przerwanie ciąży, aborcja; **have an ~** przerwać ciążę

a•bor•tive [əˋbɔtɪv] *adj* poroniony; *przen.* nieudany

a•bout [əˋbaʊt] *adv* wokół; tu i tam; około; **at ~ two o'clock** około godziny drugiej; **be ~ to do sth** mieć właśnie coś zrobić; *praep* przy, dookoła; o (*kimś <czymś>*); **what <how> ~ leaving?** a może byśmy wyszli?

a•bove [əˋbʌv] *adv* w górze, powyżej; *praep* nad, ponad; *adj attr* powyższy; **~ all** przede wszystkim

a•broad [əˋbrɔd] *adv* za granicą, za granicę; szeroko i daleko; **go ~** jechać za granicę; **there is a rumour ~ that...** krążą plotki, że...

ab•rupt [əˋbrʌpt] *adj* oderwany; nagły, niespodziewany; stromy; szorstki, opryskliwy

ab•scess [ˋæbsɪs] *s* (*pl* **~es** [ˋæbsɪsɪz]) wrzód, ropień

ab•sence [ˋæbsəns] *s* nieobecność, brak; ~ **of mind** roztargnienie

ab•sent [`æbsənt] *adj* nieobecny; brakujący

ab•sent-mind•ed ['æbsənt`maɪndɪd] *adj* roztargniony

ab•so•lute [`æbsəlut] *adj* absolutny, bezwarunkowy; nieograniczony; stanowczy; *s* absolut

ab•so•lute•ly [`æbsəlutlɪ] *adv* absolutnie, bezwzględnie; *int* na pewno!, oczywiście!

ab•sorb [əb`sɔb] *vt* wchłaniać (*ciecz*); absorbować, pochłaniać, przyswajać; **be ~ed in sth** być pochłoniętym czymś

ab•stain [əb`steɪn] *vi* powstrzymywać się (**from sth** od czegoś)

ab•stract [`æbstrækt] *adj* abstrakcyjny, oderwany; *s* abstrakt, wyciąg, streszczenie; *vt* [əb`strækt] wyciągnąć, wychwycić (*najważniejsze informacje*); streścić; ~ **sb's attention from sth** odwracać czyjąś uwagę od czegoś

ab•surd [əb`sɜd] *adj* niedorzeczny; bezsensowny, absurdalny

a•buse [ə`bjus] *s* nadużycie; obraza; znęcanie się; *vt* [ə`bjuz] nadużywać; obrażać; znęcać się (**sb** nad kimś), maltretować

a•byss [ə`bɪs] *s* przepaść, otchłań

a•cad•e•mic [ækə`demɪk] *adj* akademicki, uczony; jałowy; *s* naukowiec

ac•cel•er•a•te [ək`seləreɪt] *vt vi* przyspieszać

ac•cel•er•a•tor [ək`seləreɪtə(r)] *s* akcelerator; *mot.* pedał gazu

ac•cent [`æksənt] *s* akcent; sposób wymawiania; *vt* [æk`sent] akcentować, kłaść nacisk (**sth** na coś); *przen.* uwydatniać, podkreślać

ac•cept [ək`sept] *vt vi* przyjmować (*dar, propozycję*); zgadzać się; akceptować (*czek*); ~ **blame <responsibility>** wziąć na siebie winę <odpowiedzialność>

ac•cept•ance [ək`septəns] *s* akceptacja, zgoda (**of sth** na coś); uznanie

ac•cess [`ækses] *s* dostęp, dojście, dojazd; **have ~ to the children** mieć prawo widywania dzieci

ac•ces•si•ble [ək`sesɪbl] *adj* dostępny, osiągalny, przystępny

ac•ces•so•ry [ək`sesərɪ] *adj* dodatkowy, pomocniczy; *s* dodatek (*do ubrania*); *pl* **accessories** akcesoria, dodatki; *prawn.* ~ **to** współwinny

ac•ci•dent [`æksɪdənt] *s* wypadek; przypadek, traf; **by ~** przypadkowo

ac•ci•den•tal ['æksɪ`dentl] *adj* przypadkowy; nieistotny, uboczny

ac•claim [ə`kleɪm] *vt* oklaskiwać, obwoływać; obdarzać uznaniem; *s* uznanie

ac•cli•mate [ə`klaɪmeɪt] *vt vi am.* *zob.* **acclimatize**

ac•cli•ma•tize [əˋklaɪmətaɪz] *vt vi* aklimatyzować (się)
ac•com•mo•date [əˋkomədeɪt] *vt* dostosować; zaopatrzyć (**with sth** w coś); ulokować, zakwaterować; załagodzić spór, wyświadczyć przysługę; **~ sb with a loan** udzielić komuś pożyczki
ac•com•mo•da•tion [əˈkoməˋdeɪʃən] *s* zakwaterowanie, mieszkanie; miejsce (*w samolocie*); *am.* nocleg
ac•com•pa•ni•ment [əˋkʌmpənɪmənt] *s* towarzyszenie; *muz.* akompaniament
ac•com•pa•ny [əˋkʌmpənɪ] *vt* towarzyszyć; wtórować; *muz.* akompaniować
ac•com•plice [əˋkʌmplɪs] *s* wspólnik; współwinny
ac•com•plish [əˋkʌmplɪʃ] *vt* wykonać; dokonać (**sth** czegoś), osiągnąć, spełnić
ac•cord•ance [əˋkɔdəns] *s* zgodność; **in ~ with sth** zgodnie z czymś
ac•cord•ing [əˋkɔdɪŋ] *praep*: **~ to** według, zgodnie z
ac•cord•ing•ly [əˋkɔdɪŋlɪ] *adv* stosownie do tego; odpowiednio; zatem, więc
ac•cor•di•on [əˋkɔdɪən] *s* akordeon
ac•count [əˋkaʊnt] *s* relacja, sprawozdanie; konto, rachunek (*w banku*); *pl* **~s** rozliczenie; księgowość; **take into ~** brać pod uwagę, uwzględniać; **by all ~s** podobno; **on ~** na rachunek; **on ~ of** ze względu na, z uwagi; **on no ~** w żadnym wypadku; *vt* uważać (**sb to be** kogoś za); *vi* tłumaczyć (**for sth** coś); odpowiadać (**for sth** za coś); **~ for** wyjaśnić; stanowić
ac•count•a•ble [əˋkaʊntəbl] *adj* odpowiedzialny (**to sb** przed kimś, **for sth** za coś)
ac•cu•mu•late [əˋkjumjʊeɪt] *vt* gromadzić, akumulować; *vi* gromadzić się, narastać
ac•cu•rate [ˋækjʊrɪt] *adj* dokładny, precyzyjny
ac•cuse [əˋkjuz] *vt* oskarżać (**sb of sth** kogoś o coś)
ac•cus•tom [əˋkʌstəm] *vt* przyzwyczajać; *vr* **~ o.s.** przyzwyczajać się (**to sth** do czegoś)
ace [eɪs] *s* as; **have an ~ up one's sleeve** mieć asa w rękawie, mieć atut w ręku
ache [eɪk] *s* ból; *vi* boleć
a•chieve [əˋtʃiv] *vt* osiągnąć, zdobyć; odnieść (*sukces*)
a•chieve•ment [əˋtʃivmənt] *s* osiągnięcie; zdobycz
ac•id [ˋæsɪd] *s* kwas; *adj attr* kwaśny
ac•knowl•edge [əkˋnolɪdʒ] *vt* uznawać, przyznawać się (**sth** do czegoś); potwierdzać (*odbiór*); wyrażać podziękowanie (**sth** za coś)
ac•knowl•edg•ment [əkˋnolɪdʒmənt] *s* uznanie; potwierdze-

nie; podziękowanie; **in ~ of** w dowód uznania <wdzięczności>

ac•quaint [əˋkweɪnt] *vt* zaznajomić (**sb with sth** kogoś z czymś); **get <become> ~ed** zaznajomić się (**with sb <sth>** z kimś <czymś>); **be ~ed (with sb <sth>)** znać (kogoś <coś>)

ac•quaint•ance [əˋkweɪntəns] *s* znajomy (*człowiek*); znajomość (**with sb <sth>** z kimś <czegoś>); **make sb's ~** zawierać z kimś znajomość

ac•quire [əˋkwɑɪə(r)] *vt* nabywać; osiągać (*sławę*); rozwijać (*umiejętności*); uzyskiwać, przyswajać sobie

ac•qui•si•tion ['ækwɪˋzɪʃən] *s* nabycie; uzyskanie; przyswojenie; nabytek, dorobek

ac•quit [əˋkwɪt] *vt* uniewinnić; *vr*: **~ o.s. well** dobrze się spisać

ac•ro•bat [ˋækrəbæt] *s* akrobata

ac•ro•ba•tic [ækrəˋbætɪk] *adj* akrobatyczny

a•cross [əˋkros] *praep* przez (*ulicę*); na, po; *adv* na krzyż; wszerz; po drugiej stronie; na przełaj; **three metres ~** szerokości trzech metrów

act [ækt] *s* czyn; uczynek, postępek; akt; ustawa; *teatr.* akt; **in the ~ of** w trakcie; **catch sb in the ~** złapać kogoś na gorącym uczynku; *vi* czynić, działać; zachowywać się; występować, grać (*na scenie*); spełniać funkcję; *vt* grać (*rolę*); udawać

ac•tion [ˋækʃən] *s* akcja; działanie; czyn; **take ~** podejmować działanie; **bring an ~** wnieść powództwo (**against sb** przeciw komuś); **put a plan into ~** wprowadzać plan w życie

ac•tive [ˋæktɪv] *adj* aktywny, czynny, żywy, obrotny; *gram.* **~ voice** strona czynna

ac•tiv•i•ty [ækˋtɪvɪtɪ] *s* działanie; działalność; zajęcie

ac•tor [ˋæktə(r)] *s* aktor

ac•tress [ˋæktrɪs] *s* aktorka

ac•tu•al [ˋæktʃʊəl] *adj* rzeczywisty, faktyczny

ac•tu•al•ly [ˋæktʃʊəlɪ] *adv* naprawdę, faktycznie; właściwie

a•cute [əˋkjut] *adj* ostry (*ból, kąt*); bystry, wnikliwy, przenikliwy (*obserwator*); silny (*niepokój*)

ad [æd] *s pot. zob.* **advertisement**

a•dapt [əˋdæpt] *vt* dostosować, adaptować; przerobić; *vi* przystosować się (**to sth** do czegoś)

add [æd] *vt* dodawać, dołączać; *vi* powiększać (**to sth** coś); **~ up** podsumować, dodawać

ad•dict [ˋædɪkt] *s* osoba uzależniona; **drug ~** narkoman

ad•dic•tion [əˋdɪkʃən] *s* uzależnienie (**to sth** od czegoś)

ad•di•tion [əˋdɪʃən] *s* dodatek; dodawanie; **in ~** w dodatku, ponadto

ad•di•tion•al [ə`dıʃənl] *adj* dodatkowy
ad•dress [ə`dres] *s* adres; przemówienie; **change of ~** zmiana adresu; *vt* adresować; zwracać się (**sb** do kogoś)
ad•dres•see [ædre`si] *s* adresat
ad•e•quate [`ædıkwıt] *adj* właściwy, odpowiedni, stosowny; wystarczający, dostateczny
ad•here [əd`hıə(r)] *vi*: **~ to** przylegać do; stosować się do; obstawać przy
ad•he•sive [əd`hisıv] *adj* klejący (się), przyczepny; **~ tape** przylepiec, plaster
ad•jec•tive [`ædʒıktıv] *s gram.* przymiotnik
ad•join [ə`dʒoın] *vt* dołączać, przyłączać; *vi* stykać się, przylegać
ad•just [ə`dʒʌst] *vt* modyfikować, poprawiać; regulować, dostosować; *vi* przystosować się (**to sth** do czegoś)
ad•mi•ni•ster [əd`mınıstə(r)] *vt* administrować, zarządzać; wymierzać (**justice** sprawiedliwość); podawać (*lekarstwo*)
ad•mi•ni•stra•tion [əd'mını`streıʃən] *s* administracja, zarządzanie; zarząd; *am.* **the Administration** rząd
ad•mir•able [`ædmərəbl] *adj* godny podziwu, zachwycający
ad•mi•ral [`ædmərəl] *s* admirał
ad•mi•ra•tion ['ædmə`reıʃən] *s* podziw, zachwyt
ad•mire [əd`mɑıə(r)] *vt* podziwiać, zachwycać się
ad•mis•si•ble [əd`mısəbl] *adj* dopuszczalny
ad•mis•sion [əd`mıʃən] *s* przyznanie się (**of sth** do czegoś); przyjęcie (*do szkoły*); wstęp, dostęp (*do klubu, do budynku*); opłata za wstęp; **free ~** wstęp wolny
ad•mit [əd`mıt] *vt* przyznać; wpuszczać (*na stadion*); przyjmować (*do klubu*)
ad•mit•tance [əd`mıtəns] *s* dopuszczenie, dostęp; przyjęcie; **no ~** wstęp wzbroniony
ad•mo•ni•tion [ədmə`nıʃən] *s* upominanie; upomnienie
ad•o•les•cent [ædə`lesənt] *s* nieletni, małoletni; *adj* młodociany
a•dopt [ə`dopt] *vt* adoptować; przyjmować (*pozycję*); zastosować (*podejście*)
a•dop•tion [ə`dopʃən] *s* adopcja; wybór; przyjęcie (*pomysłu*)
a•dore [ə`dɔ(r)] *vt* uwielbiać, czcić; *pot.* bardzo lubić
a•dorn [ə`dɔn] *vt* zdobić, upiększać
a•dult [`ædʌlt] *adj* dorosły, pełnoletni; *s* dorosły
ad•vance [əd`vɑns] *vt* posuwać naprzód; udoskonalać; przyśpieszać; awansować; *vi* posuwać się naprzód, robić postępy; awansować; *s* posuwanie się naprzód, postęp; udoskonalenie; awans; zaliczka; **in ~**

z góry, zawczasu; **a year in ~** z rocznym wyprzedzeniem; **be in ~** wyprzedzać (**of sb <sth>** kogoś <coś>); *pl* **~s** uprzejmości; zaloty

ad•vanced [əd`vɑnst] *adj* zaawansowany; udoskonalony; podeszły (*wiek*); późny (*czas*)

ad•van•tage [əd`vɑntɪdʒ] *s* korzyść; przewaga; zaleta, dobra strona; **have an ~** mieć przewagę (**over sb** nad kimś); **take ~** wykorzystać (**of sth** coś)

ad•ven•ture [əd`ventʃə(r)] *s* przygoda, ryzykowne przedsięwzięcie; ryzyko

ad•ven•tur•ous [əd`ventʃərəs] *adj* odważny; ryzykowny; pełen przygód

ad•verb [`ædvɜb] *s gram.* przysłówek

ad•ver•sa•ry [`ædvəsərɪ] *s* przeciwnik, przeciwniczka

ad•verse [`ædvɜs] *adj* przeciwny, wrogi; nie sprzyjający

ad•ver•tise [`ædvətɑɪz] *vt vi* reklamować (się); ogłaszać (się) (*w gazecie*); **~ for** poszukiwać (*przez ogłoszenie*)

ad•ver•tise•ment [əd`vɜtɪsmənt] *s* reklama; ogłoszenie, anons

ad•vice [əd`vɑɪs] *s* rada, porada; **a piece of ~** rada; **take <ask, seek> sb's ~** posłuchać <zasięgać> czyjejś rady; **~ note** awizo

ad•vise [əd`vɑɪz] *vt* radzić (**sb** komuś); **~ sb against sth** odradzać komuś coś; *vi* radzić się (**with sb** kogoś)

ad•vis•er [əd`vɑɪzə(r)] *s* doradca; **legal ~** radca prawny

ad•vo•cate [`ædvəkɪt] *s* adwokat, obrońca; zwolennik; *vt* [`ædvəkeɪt] występować w obronie (**sth** czegoś); przemawiać (**sth** za czymś); zalecać

aer•i•al [`eərɪəl] *s* antena; *adj* powietrzny, lotniczy

aer•o•bics [eə`rəubɪks] *s* aerobik

aer•o•plane [`eərəpleɪn] *s bryt.* samolot

aes•thet•ic ['is`θetɪk] *adj* estetyczny

af•fair [ə`feə(r)] *s* sprawa, interes; **(love) ~** romans; *pl* **~s** wydarzenia

af•fect [ə`fekt] *vt* oddziaływać, wpływać (**sb <sth>** na kogoś <coś>); wzruszać; udawać; *med.* atakować

af•fec•tion [ə`fekʃən] *s* przywiązanie, uczucie, sentyment

af•fec•tion•ate [ə`fekʃənɪt] *adj* kochający, czuły, przywiązany

af•fin•i•ty [ə`fɪnɪtɪ] *s* pokrewieństwo, więź; sympatia

af•fir•ma•tion ['æfə`meɪʃən] *s* stwierdzenie, zapewnienie; *prawn.* oświadczenie

af•flict [ə`flɪkt] *vt* gnębić; dotknąć (*chorobą*); **~ed with sth** chory na coś

af•ford [ə`fɔd] *vt* pozwolić sobie (**sth** na coś); **I can ~ it** stać mnie na to

a•flame [əˈfleɪm] *adv adj praed* w płomieniach; płonący; *przen.* w podnieceniu, w zakłopotaniu

a•float [əˈfləʊt] *adv adj praed* na falach, na wodzie; w powietrzu; unoszący się

a•foot [əˈfʊt] *adv*: **there is sth ~** coś się święci

a•fraid [əˈfreɪd] *adj praed* przestraszony; **be ~ of sth** bać się czegoś; **I'm ~ I can't do that** przykro mi, ale nie mogę tego zrobić

Af•ri•can [ˈæfrɪkən] *s* Afrykanin; *adj* afrykański

af•ter [ˈɑftə(r)] *praep* po; za; według; **~ all** mimo wszystko; a jednak; *adv* potem, następnie; z tyłu; *conj* po tym jak, gdy; (*ustępując pierwszeństwa*) **~ you!** proszę bardzo!

af•ter•noon [ɑftəˈnun] *s* popołudnie; *adj attr* popołudniowy; **~ tea** podwieczorek; **good ~!** dzień dobry!

af•ter•thought [ˈɑftəθɔt] *s* refleksja

af•ter•ward(s) [ˈɑftəwəd(z)] *adv* następnie, później, potem

a•gain [əˈgen] *adv* znowu, jeszcze raz; ponadto; **~ and ~** wielokrotnie; **never ~** nigdy więcej; **now and ~** od czasu do czasu

a•gainst [əˈgenst] *praep* przeciw; wbrew; o (*np. o podłogę*); **~ a background** na tle (**of sth** czegoś); **~ the law** wbrew prawu; **be ~** być przeciw

age [eɪdʒ] *s* wiek; epoka; **what ~ is he?** ile on ma lat?; **come of ~** osiągnąć pełnoletność; **of ~** pełnoletni; **under ~** niepełnoletni; **at the ~ of twenty** w wieku dwudziestu lat; **for ~s** od (wielu) lat; *vi* zestarzeć się; *vt* postarzać

ag•ed [ˈeɪdʒɪd] *adj* stary, sędziwy; [ˈeɪdʒd] **~ 70** w wieku 70 lat

a•gen•cy [ˈeɪdʒənsɪ] *s* pośrednictwo; agencja, urząd, biuro; **travel ~** biuro podróży; **through <by> the ~ of** za pośrednictwem

a•gen•da [əˈdʒendə] *s pl* plan zajęć, terminarz; porządek dnia

a•gent [ˈeɪdʒənt] *s* agent; pośrednik; czynnik; *chem.*, *fiz.*, *med.* (od)czynnik

ag•gres•sive [əˈgresɪv] *adj* napastliwy, agresywny

a•ghast [əˈgɑst] *adj praed* przerażony, oszołomiony, osłupiały

a•gile [ˈædʒɑɪl] *adj* zwinny, zręczny; sprawny (*umysłowo*)

ag•i•tate [ˈædʒɪteɪt] *vt* poruszać, niepokoić, podburzać; roztrząsać; *vi* agitować

ago [əˈgəʊ] *adv*: **long ~** dawno temu; **two years ~** dwa lata temu

ag•o•nize [ˈægənaɪz] *vt* dręczyć, męczyć; *vi* zadręczać się; **he ~d over his situation** zadręczał się swoją sytuacją

a•go•ny [`ægənı] *s* cierpienie; udręka; agonia; męczarnia; **be in ~** cierpieć katusze; **~ column** dział porad osobistych (*w gazecie*)

a•gree [ə`gri] *vi* zgadzać się (**to <on> sth** na coś, w sprawie czegoś, **with sb** z kimś); umawiać się, porozumiewać się (**on <upon> sth** w sprawie czegoś)

a•gree•a•ble [ə`griəbl] *adj* przyjemny, miły

a•gree•ment [ə`grimənt] *s* zgoda, ugoda; *prawn.* umowa, porozumienie, układ; **reach an ~** osiągnąć porozumienie

ag•ri•cul•ture [`ægrıkʌltʃə(r)] *s* rolnictwo

a•head [ə`hed] *adv* na czele, z przodu, na przodzie; naprzód; przed; **straight ~** prosto przed siebie; **~ of time <schedule>** przed czasem <terminem>; **go ~** robić postępy; kontynuować

aid [eıd] *s* pomoc; **teaching ~s** pomoce naukowe; **first ~** pierwsza pomoc; **in ~ of** na rzecz; *vt* pomagać (**sb** komuś)

aide [eıd] *s polit.* doradca; asystent

AIDS [eıdz] *s* (*skr. od* **Acquired Immune Deficiency Syndrome**) AIDS, zespół nabytego niedoboru odporności

ail•ment [`eılmənt] *s* dolegliwość, choroba

aim [eım] *s* cel, zamiar; *vi* celować (*z broni*); mieć na celu; dążyć (**at sth** do czegoś); *vt* celować, mierzyć (**sth at sb** czymś w kogoś); kierować (*uwagę*); **~ to do sth** zamierzać coś zrobić

ain't [eint] *pot. skr. od* **is not, am not, are not; have/has not**

air [eə(r)] *s* powietrze; *muz.* aria; wygląd; *pot.* klimatyzacja; **by ~** drogą powietrzną; **on the ~** na antenie; *vt* wietrzyć; suszyć (*na wietrze*); głosić

air con•di•tion•ing [`eəkən'dıʃənıŋ] *s* klimatyzacja

air•craft [`eəkrɑft] *s* samolot

air host•ess [`eə'həʊstıs] *s bryt.* stewardesa

air•line [`eəlaın] *s* linia lotnicza

air•mail [`eəmeıl] *s* poczta lotnicza

air•plane [`eəpleın] *s am.* samolot

air•port [`eəpɔt] *s* lotnisko

air•y [`eərı] *adj* przewiewny; powiewny; beztroski; **~ promises** obiecanki

a•jar [ə`dʒɑ(r)] *adj praed* (*o drzwiach, o bramie*) półotwarty, uchylony

a•kin [ə`kın] *adj praed* spokrewniony; podobny, przypominający

a•larm [ə`lɑm] *s* zaniepokojenie, popłoch; alarm; *vt* niepokoić, alarmować

a•larm clock [ə`lɑmklok] *s* budzik

a•las! [ə`læs] *int* niestety!

al•bum [`ælbəm] *s* album

al•co•hol [`ælkəhol] *s* alkohol, napój alkoholowy
ale [eɪl] *s* jasne mocne piwo angielskie
a•lert [ə`lɜt] *adj* czujny; żwawy; *vt* alarmować; uświadamiać (**sb to sth** komuś coś); *s* alarm; pogotowie; **on the ~** na baczności, w pogotowiu
al•ge•bra [`ældʒɪbrə] *s* algebra
al•i•bi [`ælɪbɑɪ] *s* alibi
al•ien [`eɪlɪən] *adj* obcy; cudzoziemski; pozaziemski; *s* cudzoziemiec, obcy
a•like [ə`lɑɪk] *adj praed* podobny, jednakowy; *adv* podobnie, jednakowo; zarówno
a•live [ə`lɑɪv] *adj praed* żywy; żwawy, pełen życia; **be ~ to sth** zdawać sobie sprawę z czegoś
all [ɔl] *adj pron* cały, całkowity, wszystek, każdy; **~ men** wszyscy ludzie; **~ the time** cały czas; **after ~** mimo wszystko; ostatecznie; **~ in ~** całkowicie, razem wziąwszy; **at ~** w ogóle; **in ~** w całości, ogółem; **most of ~** najbardziej, przede wszystkim; **not at ~** wcale nie, nie ma za co (dziękować); *s* wszystko, całość; *adv* całkowicie, w pełni; **~ right** wszystko w porządku, dobrze; **~ the same** wszystko jedno; mimo wszystko; **~ the better** tym lepiej; **~ over** wszędzie, na całej przestrzeni; **be ~ ears** zamienić się w słuch
al•le•ga•tion [ælɪ`geɪʃən] *s* twierdzenie, zarzut
al•leged [ə`ledʒd] *adj* rzekomy, domniemany
al•le•giance [ə`lidʒəns] *s* wierność, posłuszeństwo
al•ler•gy [`ælədʒɪ] *s* alergia (**to sth** na coś)
al•ley [`ælɪ] *s* aleja; uliczka; zaułek; **blind ~** ślepy zaułek
al•liance [ə`lɑɪəns] *s* przymierze, sojusz; powiązanie
al•lied [ə`lɑɪd] *adj* sprzymierzony; pokrewny, bliski
al•lo•ca•tion [ælə`keɪʃən] *s* przydział, przeznaczenie (*pieniędzy, funduszy*); *pl* **~s** fundusze, środki finansowe
al•lot [ə`lot] *vt* przydzielić; wyznaczyć; rozdzielić
al•lot•ment [ə`lotmənt] *s* przydział; cząstka; działka
al•low [ə`lɑʊ] *vt* pozwalać; przeznaczać (*czas, pieniądze*); *vi* dopuszczać (**of sth** do czegoś); **~ for sth** brać coś pod uwagę, uwzględniać; **he is (not) ~ed to...** (nie) wolno mu...
al•low•ance [ə`lɑʊəns] *s* dieta; zasiłek; przydział, racja; dodatek; *am.* kieszonkowe; **family ~** dodatek rodzinny
al•lude [ə`lud] *vi* napomykać, robić aluzje (**to sth** do czegoś)
al•lu•sion [ə`luʒən] *s* aluzja, przytyk
al•ly [ə`lɑɪ] *vt* łączyć, sprzymierzać; *vi* połączyć się, sprzy-

mierzyć się; *s* [`ælaɪ] sprzymierzeniec, sojusznik

al•might•y [ɔl`maɪtɪ] *adj* wszechmocny; **the Almighty** Wszechmogący

al•mond [`ɑmənd] *s* migdał; migdałowiec

al•most [`ɔlməʊst] *adv* prawie

a•lone [ə`ləʊn] *adj praed* sam, sam jeden; samotny; **leave <let> sb <sth> ~** pozostawić kogoś <coś> w spokoju; *adv* tylko, jedynie; **let ~...** nie mówiąc o..., a co dopiero...

a•long [ə`lɔŋ] *praep* wzdłuż; **~ the street** ulicą; *adv* naprzód, dalej; **take ~** zabrać; **~ with** razem, wraz z; **all ~** przez cały czas; **come ~!** chodź tu!

a•long•side [ə`lɔŋ'saɪd] *adv* w jednym rzędzie, obok; *praep* obok, przy

a•loof [ə`luf] *adv* z daleka, na uboczu; *adj* powściągliwy

a•loud [ə`laʊd] *adv* głośno, na głos

al•pha•bet [`ælfəbet] *s* alfabet, abecadło

al•read•y [ɔl`redɪ] *adv* już, przedtem, poprzednio

al•so [`ɔlsəʊ] *adv* też, także, również

al•tar [`ɔltə(r)] *s* ołtarz

al•ter [`ɔltə(r)] *vt vi* zmieniać (się); odmieniać, przerabiać

al•ter•nate•ly [ɔl`tɜnɪtlɪ] *adv* na przemian, kolejno

al•ter•na•tive [ɔl`tɜnətɪv] *s* alternatywa; *adj* alternatywny; **~ medicine** medycyna niekonwencjonalna

al•though [ɔl`ðəʊ] *conj* chociaż, mimo że

al•ti•tude [`æltɪtjud] *s geogr.* wysokość (*nad poziomem morza*)

al•to•geth•er [ɔltə`geðə(r)] *adv* całkowicie, w pełni; ogółem; **how much is that ~?** ile to będzie (kosztowało) w sumie?

al•ways [`ɔlweɪz] *adv* zawsze, ciągle, wciąż

am *zob.* **be**

am•a•teur [`æmətə(r)] *s* amator, dyletant

a•maze [ə`meɪz] *vt* zdumiewać, wprawiać w zdumienie; **be ~d at sth** być czymś zdumionym

a•maz•ing [ə`meɪzɪŋ] *ppraes adj* zdumiewający

am•bas•sa•dor [æm`bæsədə(r)] *s* ambasador (**to France** we Francji)

am•ber [`æmbə(r)] *s* bursztyn

am•big•u•ous [æm`bɪgjʊəs] *adj* dwuznaczny, niejasny

am•bi•tion [æm`bɪʃən] *s* ambicja, aspiracja

am•bi•tious [æm`bɪʃəs] *adj* ambitny

am•bu•lance [`æmbjʊləns] *s* karetka pogotowia

am•bush [`æmbʊʃ] *s* pułapka, zasadzka; *vt* wciągać w pułapkę

a•mend [ə`mend] *vt* poprawiać, wnosić poprawki, naprawiać

a•me•ni•ty [əˋminɪtɪ] *s* udogodnienie
A•mer•i•can [əˋmerɪkən] *s* Amerykanin; *adj* amerykański
a•mi•a•ble [ˋeɪmɪəbl] *adj* miły, uprzejmy (**to sb** dla kogoś)
a•mid [əˋmɪd], **a•midst** [əˋmɪdst] *praep* pomiędzy, pośród
am•ne•sty [ˋæmnɪstɪ] *s* amnestia; **to grant an ~ to sb** udzielić komuś amnestii
a•mok [əˋmok] *adv zob.* **amuck**
a•mong [əˋmʌŋ], **a•mongst** [əˋmʌŋst] *praep* pomiędzy, wśród, pośród
a•mount [əˋmaʊnt] *s* suma, kwota; ilość, liczba; *vi* wynosić; równać się (**to sth** czemuś)
am•ple [ˋæmpl] *adj* obszerny; obfity, dostatni; wystarczający; rozłożysty
am•pli•fier [ˋæmplɪfaɪə(r)] *s* wzmacniacz
am•pli•fy [ˋæmplɪfaɪ] *vt* rozszerzać, rozwijać; wzmacniać
a•muck, amock [əˋmʌk] *adv* w szale; **run ~** wpaść w szał
a•muse [əˋmjuz] *vt* zabawiać, rozśmieszać
a•muse•ment [əˋmjuzmənt] *s* rozrywka, zabawa; *am.* **~ park** wesołe miasteczko
an [ən, æn] *przedimek <rodzajnik> nieokreślony* (*przed samogłoską*); *zob.* **a**
an•a•lo•gy [əˋnælədʒɪ] *s* analogia; **by ~** przez analogię
an•a•lyse, *am.* **analyze** [ˋænəlaɪz] *vt* analizować
a•nal•y•sis [əˋnæləsɪs] (*pl* **analyses** [əˋnæləsiz]) *s* analiza
an•ar•chy [ˋænəkɪ] *s* anarchia
a•nat•o•my [əˋnætəmɪ] *s* anatomia
an•ces•tor [ˋænsɪstə] *s* przodek, antenat
an•ces•try [ˋænsɪstrɪ] *s zbior.* przodkowie; ród
an•chor [ˋæŋkə(r)] *s* kotwica; *vt* zakotwiczyć; *przen.* umocować
an•cient [ˋeɪnʃənt] *adj* dawny; starożytny; wiekowy, sędziwy
and [ænd, ənd, ən] *conj* i, a; **~ so on (~ so forth)** i tak dalej (i tak dalej); **better ~ better** coraz lepiej; **try ~ come** spróbuj przyjść
an•ec•dote [ˋænɪkdəʊt] *s* anegdota
a•new [əˋnju] *adv* na nowo, powtórnie; inaczej
an•gel [ˋeɪndʒəl] *s* anioł
an•ger [ˋæŋgə(r)] *s* gniew, złość; *vt* gniewać, złościć
an•gie [ˋændʒɪ] *s slang* kokaina
an•gi•na [ænˋdʒaɪnə] *s* angina
an•gle[1] [ˋæŋgl] *s* kąt; róg; *przen.* punkt widzenia
an•gle[2] [ˋæŋgl] *vi* łowić ryby na wędkę
An•gli•can [ˋæŋglɪkən] *adj* anglikański; *s* anglikanin
an•gry [ˋæŋgrɪ] *adj* zły, rozgniewany; gniewny; **be ~ with sb <at sth>** gniewać się na kogoś <o coś>; **get ~** rozgniewać się

an•guish [`æŋgwɪʃ] *s* cierpienie, ból

an•gu•lar [`æŋgjʊlə(r)] *adj* kanciasty; narożny

an•i•mal [`ænɪməl] *s* zwierzę; *adj* zwierzęcy

an•i•mate [`ænɪmɪt] *adj* ożywiony; żywy; *vt* [`ænɪmeɪt] ożywiać; pobudzać

an•i•mos•i•ty ['ænɪ`mosɪtɪ] *s* animozja, uraz

an•kle [`æŋkl] *s* kostka (*u nogi*); ~ **deep** po kostki

an•nex [`ænəks] *s* (*także bryt.* **annexe**) aneks, dodatek; przybudówka; *vt* [ə`neks] dołączyć, anektować

an•ni•hi•late [ə`nɑɪəleɪt] *vt* zniszczyć, zniweczyć, unicestwić

an•ni•ver•sa•ry ['ænɪ`vɜsərɪ] *s* rocznica; **wedding** ~ rocznica ślubu

an•no•tate [`ænəʊteɪt] *vt* zaopatrzyć (*książkę*) w przypisy; komentować (*autora*)

an•nounce [ə`nɑʊns] *vt* zapowiadać, ogłaszać, zawiadamiać

an•nounce•ment [ə`nɑʊnsmənt] *s* zawiadomienie, zapowiedź, ogłoszenie

an•noy [ə`noɪ] *vt* dokuczać, niepokoić, drażnić; naprzykrzać się (**sb** komuś), nękać

an•noyed [ə`noɪd] *adj* zagniewany, rozdrażniony; strapiony; **be ~ with sb** gniewać się na kogoś; **get ~ at sth** zmartwić, zirytować się czymś; *zob.* **annoy**

an•noy•ing [ə`noɪɪŋ] *adj* irytujący, dokuczliwy

an•nu•al [`ænjʊəl] *adj* roczny, coroczny; *s* rocznik

a•nom•a•ly [ə`noməlɪ] *s* anomalia, nieprawidłowość

an•oth•er [ə`nʌðə(r)] *adj pron* inny, drugi, jeszcze jeden; **in ~ way** inaczej; **~ two hours** jeszcze dwie godziny

an•swer [`ɑnsə(r)] *s* odpowiedź (**to sth** na coś), replika; rozwiązanie; **in ~** w odpowiedzi (**to sth** na coś); *vt* odpowiadać; spełniać (*wymagania*); **~ the phone** odebrać telefon

ant [ænt] *s* mrówka

an•tag•o•nism [æn`tægənɪzm] *s* antagonizm

an•tag•o•nist [æn`tægənɪst] *s* przeciwnik, oponent

an•tag•o•nize [æn`tægənɑɪz] *vt* wzbudzać wrogość (**sb** u kogoś); zrażać sobie (**sb** kogoś)

ant•arc•tic [ænt`ɑktɪk] *adj* antarktyczny; *s* **the Antarctic** Antarktyda

an•te•lope [`æntɪləʊp] *s* antylopa

an•ten•na [æn`tenə] *s* (*pl* **antennae** [æn`teni]) antena; *zool.* czułek

an•them [`ænθəm] *s* hymn

an•ti•bi•o•tic [`æntɪbɑɪ`otɪk] *s* antybiotyk

an•tic•i•pate [æn`tɪsɪpeɪt] *vt* oczekiwać, przewidywać; uprzedzać

an•tique [æn`tik] *adj* antyczny; zabytkowy; *s* antyk, sztuka

starożytna; ~ **shop** sklep z antykami, antykwariat
an•tiq•ui•ty [æn`tɪkwɪtɪ] *s* starożytność; antyk
anx•iety [æŋ`zaɪətɪ] *s* niepokój, trwoga; troska; pożądanie (**for sth** czegoś)
anx•ious [`æŋkʃəs] *adj* niespokojny, pełen troski (**for <about> sth** o coś); **he is ~ to go abroad** on pragnie wyjechać za granicę
an•y [`enɪ] *pron* każdy; którykolwiek; (*w pytaniach*) jakiś, trochę; (*w przeczeniach*) żaden, ani trochę; *adv* nieco, trochę, jeszcze; **~ farther** trochę dalej; **in ~ case** w każdym razie
an•y•bod•y [`enɪbodɪ] *pron* ktokolwiek, ktoś; każdy
an•y•how [`enɪhaʊ] *adv* jakkolwiek, byle jak; w każdym razie, tak czy owak; **I will buy it ~** i tak to kupię; **not... ~** w żaden sposób
an•y•one [`enɪwʌn] *pron zob.* **anybody**
an•y•thing [`enɪθɪŋ] *pron* cokolwiek, coś; wszystko; (*z przeczeniem*) nic; **she doesn't do ~** ona nic nie robi; **~ you like** wszystko, co chcecie
an•y•way [`enɪweɪ] *adv zob.* **anyhow**
an•y•where [`enɪweə(r)] *adv* gdziekolwiek, gdzieś; wszędzie; (*z przeczeniem*) nigdzie
a•part [ə`pɑt] *adv* oddzielnie; osobno; w odległości; na boku; **~ from** pomijając, z wyjątkiem; **tell ~** odróżniać; **take ~** rozkładać, rozbierać na części
a•part•ment [ə`pɑtmənt] *s am.* mieszkanie; *am.* **~ building <house>** blok <budynek> mieszkalny
ap•a•thy [`æpəθɪ] *s* apatia, obojętność
ape [eɪp] *s* małpa człekokształtna; *vt* małpować
a•pol•o•gize [ə`polədʒaɪz] *vi* przepraszać (**to sb for sth** kogoś za coś)
ap•o•plex•y [`æpəpleksɪ] *s* apopleksja, udar
a•pos•tle [ə`posl] *s* apostoł; orędownik
ap•pal [ə`pɔl] *vt* trwożyć, przerażać
ap•pal•ling [ə`pɔlɪŋ] *adj* przerażający, zatrważający
ap•pa•ra•tus ['æpə`reɪtəs] *s* (*pl* ~ lub **~es** [`æpə`reɪtəsɪz]) aparatura, przyrząd, urządzenie; narząd
ap•par•ent [ə`pærənt] *adj* widoczny, oczywisty; pozorny
ap•par•ent•ly [ə`pærəntlɪ] *adv* najwyraźniej, wyraźnie
ap•peal [ə`pil] *s* apel, wezwanie; atrakcyjność, urok; *prawn.* apelacja; *vi* apelować, odwoływać się; wzywać, usilnie prosić (**to sb for sth** kogoś o coś); pociągać; oddziaływać (**to sb** na kogoś), podobać się; przemawiać (*np. do wyobraźni*)

ap•pear [ə`pɪə(r)] *vi* zjawiać się, pokazywać się; stawiać się (*przed sądem*); wydawać się, mieć wygląd (*smutny, wesoły*); okazywać się

ap•pear•ance [ə`pɪərəns] *s* wygląd zewnętrzny; pojawienie się; wystąpienie; pozór; **keep up ~s** zachowywać pozory

ap•pen•di•ci•tis [ə`pendə`saɪtɪs] *s med.* zapalenie wyrostka robaczkowego

ap•pen•dix [ə`pendɪks] *s* (*pl* **~es** [ə`pendɪksɪz] *lub* **appendices** [ə`pendɪsiz]) dodatek, uzupełnienie; *anat.* wyrostek robaczkowy

ap•pe•tite [`æpətaɪt] *s* apetyt (**for sth** na coś)

ap•pe•tiz•er [`æpətaɪzə(r)] *s* zakąska, przystawka

ap•plaud [ə`plɔd] *vt* oklaskiwać; przyklasnąć; *vi* klaskać

ap•plause [ə`plɔz] *s* aplauz, oklaski, pochwała

ap•ple [`æpl] *s* jabłko; **~ tree** jabłoń; **the ~ of sb's eye** czyjeś oczko w głowie

ap•pli•ance [ə`plaɪəns] *s* urządzenie; narzędzie, przyrząd

ap•pli•ca•tion [æplɪ`keɪʃən] *s* podanie; zastosowanie; pilność; **~ form** formularz podania

ap•ply [ə`plaɪ] *vt* stosować, używać; *vi* składać wniosek, zwracać się (**to sb for sth** do kogoś o coś), starać się, ubiegać się (**for sth** o coś); odnosić się, stosować się (**to sth** do czegoś)

ap•point [ə`pɔɪnt] *vt* wyznaczać; mianować

ap•point•ment [ə`pɔɪntmənt] *s* umówione spotkanie; wyznaczenie; nominacja; stanowisko; **keep an ~** przyjść na spotkanie; **make an ~** umawiać się na spotkanie

ap•pre•ci•ate [ə`priʃɪeɪt] *vt* doceniać, wysoko sobie cenić; dziękować (**sth** za coś); podwyższać wartość (*pieniędzy*); *vi* zyskać na wartości

ap•pre•ci•a•tion [ə'priʃɪ`eɪʃən] *s* uznanie; docenianie; wdzięczność, podziękowanie; podwyższenie <wzrost> wartości

ap•proach [ə`prəʊtʃ] *vt* zbliżać się, podchodzić (**sb <sth>** do kogoś <czegoś>); zwracać się (**sb about sth** do kogoś o coś); *vi* zbliżać się, nadchodzić; *s* zbliżanie się, nadejście; dostęp; **easy of ~** łatwo dostępny

ap•prob•a•tion ['æprə`beɪʃən] *s* aprobata, uznanie

ap•pro•pri•ate [ə`prəʊprɪət] *adj* odpowiedni, stosowny; *vt* [ə`prəʊprɪeɪt] przywłaszczać sobie; przypisywać sobie; przeznaczyć (**to <for> a purpose** na jakiś cel)

ap•pro•val [ə`pruvəl] *s* aprobata, uznanie

ap•prove [ə`pruv] *vt* aprobować, akceptować, pochwalać (**of sth** coś); zatwierdzać

ap•prox•i•mate [ə`proksɪmɪt] *adj*

zbliżony, przybliżony; *vt vi* [ə`proksımeıt] zbliżać (się), (**to sb <sth>** do kogoś <czegoś>); **the cost will ~ 9 pounds** koszt wyniesie w przybliżeniu 9 funtów

a•pri•cot [`eıprıkot] *s* morela

A•pril [`eıprəl] *s* kwiecień; **~ Fools' Day** prima aprilis

a•pron [`eıprən] *s* fartuszek; **be tied to mother's ~ strings** trzymać się maminej spódnicy

apt [æpt] *adj* odpowiedni; skłonny; zdolny; nadający się (**for sth** do czegoś)

Ar•ab [`ærəb] *s* Arab; arab (*koń*)

A•ra•bian [ə`reıbıən] *adj* arabski

A•ra•bic [`ærəbık] *adj* arabski; *s* język arabski

arch [ɑtʃ] *s arch.* łuk, sklepienie; *vt vi* wyginać (się) (*w łuk*)

ar•cha•ic [ɑ`keıık] *adj* archaiczny

ar•ch(a)e•ol•o•gy [ɑkı`olədʒı] *s* archeologia

arch•bish•op [ɑtʃ`bıʃəp] *s* arcybiskup

ar•chi•tect [`ɑkıtekt] *s* architekt

ar•chi•tec•ture [`ɑkıtektʃə(r)] *s* architektura

ar•chive(s) [`ɑkaıv(z)] *s* archiwum

arc•tic [`ɑktık] *adj* arktyczny; *s*: **the Arctic** Arktyka

ar•dent [`ɑdənt] *adj* żarliwy; zapalony

are [ɑ(r)] *zob.* **be**

a•re•a [`eərıə] *s* powierzchnia; obszar; teren; okolica; dziedzina (**of sth** czegoś); **in the London ~** w rejonie Londynu; **~ code** numer kierunkowy

aren't [ɑnt] *skr. od* **are not**; *zob.* **be**

Ar•gen•tin•ian [ɑdʒən`tınıən] *s* Argentyńczyk; *adj* argentyński

ar•gue [`ɑgju] *vi* argumentować; sprzeczać się (**about <for> sth** o coś); *vt* dowodzić, perswadować, przekonywać

ar•gu•ment [`ɑgjυmənt] *s* argument; dyskusja, sprzeczka; kłótnia

aria [`ɑrıə] *s muz.* aria

a•rise [ə`rɑız], **a•rose** [ə`rəυz], **a•risen** [ə`rızn] *vi* powstawać; ukazywać się, wyłaniać się; wynikać

a•rith•me•tic [ə`rıθmətık] *s* arytmetyka

arm [ɑm] *s* ramię; ręka; poręcz krzesła; rękaw; **hold sb at ~'s length** trzymać kogoś na dystans; *pl* **~s** broń; **in ~s** pod bronią; *vt vi* zbroić (się)

arm•chair [`ɑmtʃeə(r)] *s* fotel

ar•mo(u)r [`ɑmə(r)] *s* zbroja, pancerz; opancerzenie; *vt* uzbroić

arm•pit [`ɑmpıt] *s* pacha

ar•my [`ɑmı] *s* wojsko, armia; **join the ~** pójść do wojska

a•rose *zob.* **arise**

a•round [ə`rɑυnd] *adv praep* naokoło, dookoła; na wszystkie strony; *pot.* tu i tam; około; ~ **two (o'clock)** około (godziny) drugiej

a•rouse [ə`raʊz] *vt* budzić; wzbudzać, podniecać

ar•range [ə`reɪndʒ] *vt* urządzać, porządkować; umawiać, ustalać; załatwiać; *muz.* aranżować; *vi* umawiać się; zarządzić

ar•range•ment [ə`reɪndʒmənt] *s* urządzenie, rozmieszczenie; umowa, układ; uporządkowanie; *pl* **~s** plany, przygotowania; **make ~s** poczynić kroki

ar•rest [ə`rest] *vt* aresztować; zatrzymywać; *s* areszt; **you are under ~** jest pan aresztowany

ar•ri•val [ə`raɪvl] *s* przybycie, przyjazd, przylot (**at <in> sth** do czegoś); ~ **hall** hala przylotów

ar•rive [ə`raɪv] *vi* przybyć, przyjechać (**at <in>** do); *przen.* ~ **at a conclusion** dojść do wniosku

ar•ro•gant [`ærəgənt] *adj* arogancki

ar•row [`ærəʊ] *s* strzała, strzałka

arse [ɑs] *s bryt. wulg.* dupa

ar•son [`ɑsn] *s* podpalenie

art [ɑt] *s* sztuka; *pl* **~s** nauki humanistyczne; ~ **gallery** galeria sztuki

ar•te•ry [`ɑtərɪ] *s* arteria, tętnica

ar•thri•tis [ɑ`θraɪtɪs] *s* artretyzm

ar•ti•cle [`ɑtɪkl] *s* artykuł; paragraf; *gram.* rodzajnik, przedimek; ~ **of clothing** część odzieży

ar•ti•fi•cial [ɑtɪ`fɪʃəl] *adj* sztuczny; udawany, symulowany; ~ **intelligence** sztuczna inteligencja; ~ **respiration** sztuczne oddychanie

ar•tist [`ɑtɪst] *s* artysta, artystka

ar•tis•tic [ɑ`tɪstɪk] *adj* artystyczny

as [æz, əz] *adv* jak; jako; za; *conj* ponieważ, skoro; jak; jako że; kiedy, (podczas) gdy; **as... as** tak... jak, równie... jak; **as far as** aż do, o ile; **as for** co się tyczy; co do; **as if, as though** jak gdyby; **as it is** faktycznie, rzeczywiście; **as a rule** z reguły, zasadniczo; **as much <many>** aż tyle; **as soon as** skoro tylko; **as to** co się tyczy, odnośnie do; **as well** również; także; **as well as** równie dobrze, jak również; (*w przeczeniach*) **as yet** jak dotąd

as•cend [ə`send] *vi* wznosić się, iść w górę; wspinać się; *vt* wstąpić (**the throne** na tron)

as•cent [ə`sent] *s* wznoszenie (się); wchodzenie (*na górę*), wspinanie się (*na szczyt*)

as•ce•t•ic [ə`setɪk] *s* asceta; *adj* ascetyczny

ash [æʃ] *s* popiół; *bot.* jesion; **Ash Wednesday** środa popielcowa

a•shamed [ə`ʃeɪmd] *adj praed* zawstydzony; **be ~** wstydzić się (**of sth** czegoś)
a•shore [ə`ʃɔ(r)] *adv* na brzeg, na brzegu, na ląd, na lądzie; **run <be driven> ~** osiąść na mieliźnie
ash•tray [`æʃtreɪ] *s* popielniczka
A•sian [`eɪʃən] *adj* azjatycki; *s* Azjata
a•side [ə`saɪd] *adv* na bok, na boku; **put ~** odkładać; *s* uwaga na marginesie; **~ from** poza, oprócz
ask [ɑsk] *vt vi* pytać (**sb about sth** kogoś o coś); **~ a question** zadawać pytanie; prosić (**sb for sth** kogoś o coś; **sb to do sth** kogoś, żeby coś zrobił); zapraszać (**sb to <for> sth** kogoś na coś); **~ after sb** pytać o kogoś (*co u kogoś słychać*); **~ for trouble** szukać guza
askew [əs`kju] *adv* krzywo
a•sleep [ə`slip] *adj praed adv* śpiący, pogrążony we śnie; zdrętwiały (*o nogach*); **be ~** spać; **fall ~** zasnąć
as•pect [`æspekt] *s* aspekt; wygląd; widok; zapatrywanie; wzgląd
as•pi•ra•tion ['æspə`reɪʃən] *s* aspiracja, dążenie (**after <for> sth** do czegoś)
as•pire [əs`paɪə(r)] *vi* mieć aspiracje, aspirować (**to sth** do czegoś)
as•pi•rin [`æsprɪn] *s* aspiryna
ass [æs] *s am. wulg.* dupa
as•sail [ə`seɪl] *vt* napaść (**sb <sth>** na kogoś <coś>), atakować; **she was ~ed by doubts** nękały ją wątpliwości
as•sas•sin [ə`sæsɪn] *s* morderca, zamachowiec
as•sas•si•nate [ə`sæsɪneɪt] *vt* zamordować, zabić (*w zamachu*)
as•sas•sin•ation [ə'sæsɪ`neɪʃən] *s* morderstwo, zabójstwo
as•sault [ə`sɔlt] *s* atak, napaść; pobicie; *vt* zaatakować, napaść; pobić
as•sem•ble [ə`sembl] *vt* gromadzić; składać; *techn.* montować; *vi* gromadzić się
as•sem•bly [ə`semblɪ] *s* zebranie, zgromadzenie; *techn.* montaż; **~ line** linia montażowa
as•sert [ə`sɜt] *vt* twierdzić, zapewniać (**sth** o czymś)
as•ser•tion [ə`sɜʃən] *s* twierdzenie (*stanowcze*); zapewnienie (**of sth** o czymś)
as•sess [ə`ses] *vt* szacować, oceniać; wymierzyć, nałożyć (*np. podatek*)
as•sess•ment [ə`sesmənt] *s* oszacowanie, ocena; opodatkowanie
as•set [`æset] *s* rzecz wartościowa, zabezpieczenie; zaleta, plus; *pl* **~s** aktywa
ass•hole [`æshəʊl] *s am. wulg.* dupek
as•sign [ə`saɪn] *vt* wyznaczać;

ustalać, określać; przydzielać, przypisywać
as•sign•ment [əˋsaınmənt] *s* wyznaczenie, przydział; zadanie; *szk.* zadanie domowe
as•sim•i•late [əˋsımıleıt] *vt vi* asymilować (się), przyswajać; upodabniać (się)
as•sist [əˋsıst] *vt* asystować; pomagać; *vi* być obecnym
as•sist•ance [əˋsıstəns] *s* asysta; pomoc, poparcie; obecność
as•sist•ant [əˋsıstənt] *s* pomocnik, asystent; ~ **manager** wicedyrektor; **shop** ~ ekspedient, ekspedientka
as•so•ci•ate [əˋsəʊʃıeıt] *vt* łączyć, wiązać, kojarzyć; *vi* obcować, współdziałać, łączyć się; *s* [əˋsəʊʃııt] współpracownik, kolega; *adj* związany; dołączony
as•so•ci•a•tion [ə'səʊsıˋeıʃən] *s* stowarzyszenie, zrzeszenie; związek; skojarzenie
as•sume [əˋsjum] *vt* przyjmować; brać na siebie; obejmować (*np. urząd*); przypuszczać, zakładać; udawać
as•sump•tion [əˋsʌmpʃən] *s* przyjęcie; objęcie; przypuszczenie, założenie; udawanie
as•sur•ance [əˋʃʊərəns] *s* zapewnienie; upewnienie się; pewność (siebie); ubezpieczenie; **life** ~ ubezpieczenie na życie
as•sure [əˋʃʊə(r)] *vt* zapewniać (**sb of sth** kogoś o czymś); ubezpieczać
as•te•risk [ˋæstərısk] *s druk.* gwiazdka, odsyłacz
asth•ma [ˋæsmə] *s* astma
a•ston•ish [əˋstonıʃ] *vt* zdziwić, zdumieć
a•ston•ish•ment [əˋstonıʃmənt] *s* zdumienie
as•tound [əˋstaʊnd] *vt* zdumiewać
a•stray [əsˋtreı] *adj* zabłąkany; **go** ~ zabłąkać się
as•trol•o•gy [əˋstrolədʒı] *s* astrologia
as•tron•o•my [əˋstronəmı] *s* astronomia
a•sy•lum [əˋsaıləm] *s* azyl, schronienie; przytułek; szpital psychiatryczny
at [æt, ət] *praep* (*oznaczenie miejsca*) przy, u, na, w; **at school** w szkole; **at sea** na morzu; (*oznaczenie czasu*) w, o, na; **at nine o'clock** o godzinie dziewiątej; **at night** w nocy; (*oznaczenie sposobu <celu, stanu, ceny>*) na, za, z, po, w; **at once** natychmiast; **at last** w końcu; nareszcie; **at least** przynajmniej; (*odpowiedź na podziękowania*) **not at all!** nie ma za co!
ate *zob.* **eat**
ath•lete [ˋæθlit] *s* sportowiec
ath•let•ics [æθˋletıks] *s* lekkoatletyka
At•lan•tic [ətˋlæntık] *adj* atlantycki; *s*: **the** ~ Atlantyk
at•las [ˋætləs] *s* atlas

at•mos•phere [`ætməsfɪə(r)] *s fiz. przen.* atmosfera
at•om [`ætəm] *s* atom; *przen.* odrobina; **~ bomb** bomba atomowa
a•tom•ic [ə`tomɪk] *adj* atomowy
a•troc•i•ty [ə`trosɪtɪ] *s* okrucieństwo; okropność
at•tach [ə`tætʃ] *vt* przymocować; dołączać; przywiązać; **be ~ed to sb <sth>** być przywiązanym do kogoś <czegoś>
at•tach•ment [ə`tætʃmənt] *s* przywiązanie, więź (*uczuciowa*); dodatek, załącznik
at•tack [ə`tæk] *vt* atakować; *s* atak
at•tain [ə`teɪn] *vt vi* osiągnąć, zdobyć, dojść (**sth <to sth, at sth>** do czegoś)
at•tempt [ə`tempt] *vt* próbować, usiłować; *s* próba, usiłowanie; **~ on sb's life** usiłowanie zabójstwa, zamach
at•tend [ə`tend] *vt* uczęszczać (**school <lectures>** do szkoły <na wykłady>); towarzyszyć (*jako ochrona <pomoc>*); **~ to** zajmować się; obsługiwać (*klienta*); uważać (**to sth** na coś)
at•tend•ance [ə`tendəns] *s* obecność, frekwencja; uwaga, baczenie; obsługa; opieka
at•tend•ant [ə`tendənt] *adj* towarzyszący; *s* osoba obsługująca
at•ten•tion [ə`tenʃən] *s* uwaga; opieka; **pay ~ to sth** zwracać na coś uwagę; **~!** baczność!; uwaga!
at•ten•tive [ə`tentɪv] *adj* uważny; troskliwy; usłużny
at•test [ə`test] *vt* stwierdzać, zaświadczać; świadczyć
at•tic [`ætɪk] *s* poddasze, strych
at•ti•tude [`ætɪtjud] *s* pogląd, stanowisko, nastawienie, stosunek (**to sth** do czegoś)
at•tor•ney [ə`tɜnɪ] *s* adwokat, rzecznik, pełnomocnik; **letter <power> of ~** pełnomocnictwo
at•tract [ə`trækt] *vt* przyciągać, pociągać
at•trac•tion [ə`trækʃən] *s* atrakcyjność; atrakcja; przyciąganie; powab
at•tract•ive [ə`træktɪv] *adj* atrakcyjny, pociągający; przyciągający
at•trib•ute [`ætrɪbjut] [ə`trɪbjut] *s* atrybut, właściwość; *gram.* przydawka; *vt* przypisywać
auc•tion [`ɔkʃən] *s* aukcja, licytacja; *vt* sprzedawać na licytacji; **put sth up for ~** wystawiać coś na licytację
au•da•cious [ɔ`deɪʃəs] *adj* śmiały, zuchwały
au•di•ble [`ɔdɪbl] *adj* słyszalny
au•di•ence [`ɔdɪəns] *s* publiczność, widownia, słuchacze; audiencja
au•di•to•ri•um [ɔdɪ`tɔrɪəm] *s* audytorium, sala
Au•gust [`ɔgəst] *s* sierpień
aunt [ɑnt] *s* ciotka

aus•pi•ces [`ɔspɪsɪz] *s pl* piecza, patronat; **under the ~ of** pod auspicjami
Aus•tra•lian [ɔ`streɪlɪən] *adj* australijski; *s* Australijczyk
Aus•tri•an [`ɔstrɪən] *adj* austriacki; *s* Austriak
au•then•tic [ɔ`θentɪk] *adj* autentyczny
au•then•tic•ate [ɔ`θentɪkeɪt] *vt* poświadczyć, nadać ważność
au•thor [`ɔθə(r)] *s* autor, autorka
au•thor•i•ty [ɔ`θorɪtɪ] *s* autorytet; władza; pełnomocnictwo, upoważnienie; *pl* **the authorities** władze
au•thor•ize [`ɔθəraɪz] *vt* autoryzować, upoważniać
au•to•mat•ic [ɔtə`mætɪk] *adj* automatyczny, mechaniczny
au•to•mat•on [ɔ`tomətən] *s* automat
au•to•mo•bile [`ɔtəməbil] *s am.* samochód
au•ton•o•my [ɔ`tonəmɪ] *s* autonomia
au•top•sy [`ɔtopsɪ] *s* autopsja, sekcja zwłok
au•tumn [`ɔtəm] *s* jesień; *adj attr* jesienny
a•vail [ə`veɪl] *vt*: **~ o.s of sth** skorzystać z czegoś; *s*: **of no ~** na próżno
a•vail•a•ble [ə`veɪləbl] *adj* do wykorzystania, dostępny, osiągalny; do nabycia
av•a•lanche [`ævəlɑŋʃ] *s dosł. przen.* lawina
a•venge [ə`vendʒ] *vt* pomścić; *vr*: **~ o.s. on sb** zemścić się na kimś
av•e•nue [`ævənju] *s* aleja; *przen.* droga (*np. do sławy*)
av•er•age [`ævərɪdʒ] *s mat.* średnia; przeciętność; **below <above> ~** poniżej <powyżej> średniej; **on ~** przeciętnie; *adj* przeciętny; *vt* wynosić przeciętnie
a•verse [ə`vɜs] *adj* przeciwny; **be ~ to sth** czuć niechęć <odrazę> do czegoś
a•vers•ion [ə`vɜʃən] *s* awersja, niechęć, odraza, wstręt
a•vert [ə`vɜt] *vt* odwrócić (*oczy, głowę*); zapobiec (**sth** czemuś)
a•vi•a•tion [eɪvɪ`eɪʃən] *s* lotnictwo
av•id [`ævɪd] *adj* chciwy, spragniony (**for <of sth>** czegoś)
a•void [ə`voɪd] *vt* unikać; uchylać się (**sth** od czegoś)
a•void•ance [ə`voɪdəns] *s* unikanie, uchylanie się
a•wake[1] [ə`weɪk], **a•woke** [ə`wəʊk], **a•wo•ken** [ə`wəʊkən] *vt dosł. przen.* budzić; *vi* budzić się; uświadomić sobie (**to sth** coś); *adj praed* przebudzony; czujny; **~ to sth** świadomy czegoś
a•wake[2] [ə`weɪk] *adj praed* czuwający, obudzony; świadomy (**to sth** czegoś)
a•wak•en *zob.* **awake**[1]
a•ward [ə`wɔd] *vt* przyznawać, zasądzać; *s* nagroda; odszkodowanie; **Academy Award** Oscar (*nagroda filmowa*)

a•ware [ə`weə(r)] *adj praed* świadomy, poinformowany; **be ~** uświadamiać sobie (**of sth** coś)

a•ware•ness [ə`weənɪs] *s* świadomość

a•way [ɔ`weɪ] *adv* daleko, na uboczu; poza (*domem*); **three miles ~ from here** trzy mile stąd; *am.* **right ~** natychmiast; **~ with it!** precz z tym!

awe [ɔ] *s* strach, trwoga; *vt* napawać trwogą, wzbudzać strach

awe•some [`ɔsəm] *adj* wzbudzający grozę, przeraźliwy, straszliwy

aw•ful [`ɔfəl] *adj* straszny, okropny

awk•ward [`ɔkwəd] *adj* niezgrabny; niezdarny; krępujący, niewygodny

a•woke *zob.* **awake**[1]

ax(e) [æks] *s* siekiera, topór

ax•is [`æksɪs] *s* (*pl* **axes**) oś

ax•le [`æksl] *s* (*także* **axle-tree**) *mot.* oś

az•ure [`æʒə(r)] *s* lazur, błękit; *adj* błękitny, lazurowy

B

ba•be [beɪb] *s am. pot.* kochanie; laska *pot.*

ba•by [`beɪbɪ] *s* niemowlę; *am. pot.* ukochany; kochanie

ba•by-sit [`beɪbɪ'sɪt] *vi* pilnować dziecka <dzieci>

ba•by-sit•ter [`beɪbɪ sɪtə(r)] *s* osoba do pilnowania dziecka <dzieci>

bach•e•lor [`bætʃələ(r)] *s* kawaler; pierwszy stopień naukowy; **Bachelor of Arts** stopień naukowy w dziedzinie nauk humanistycznych

back [bæk] *s* plecy, grzbiet; tył (*np. domu*); oparcie (*krzesła*); *sport.* obrońca; **at the ~** z tyłu; **~ to front** tył(em) na przód; *adj* tylny; odwrotny; *adv* w tyle, z tyłu; z powrotem; do tyłu; *vt* cofać (*samochód*); podtrzymywać (*moralnie, finansowo*); stawiać (*w grze*) (**sth** na coś); **~ sb up** popierać kogoś; *komp.* robić zapasową kopię; *vi* cofać się, iść do tyłu; **~ out** wycofać się, wykręcić się (**from <of> sth** z czegoś)

back•ache [`bækeɪk] *s* ból w krzyżu

back•bone [`bækbəʊn] *s* kręgosłup; *przen.* siła charakteru; *przen.* ostoja, podpora; **to the ~** gruntownie

back•ground [`bækgraʊnd] *s* dalszy plan; tło (*także polityczne <społeczne>*); pochodzenie; przeszłość; **against a ~** na tle (**of sth** czegoś); **remain in the ~** pozostawać w cieniu

back up [`bækʌp] *s* wsparcie; zaplecze; *komp.* kopia

back•ward [`bækwəd] *adj* tyl-

ny, położony w tyle; zacofany; opóźniony (*np. w nauce, w rozwoju itp.*); *adv*: **~(s)** w tył, ku tyłowi, z powrotem, wstecz; **~s and forwards** tam i z powrotem; **know sth ~** znać coś na wylot
back•yard [ˋbækjɑd] *s* podwórko
ba•con [ˋbeɪkən] *s* boczek, bekon
bad [bæd] *adj* (*comp* **worse** [wɜs], *sup* **worst** [wɜst]) zły, w złym stanie; niezdrowy; bezwartościowy; przykry; niegrzeczny (*o dziecku*); **be ~ at sth** nie umieć czegoś, nie orientować się w czymś; **go ~** zepsuć się (*o jedzeniu*); **~ name** zła reputacja; **not ~!** nieźle!
bade *zob.* **bid**
bad•ly [ˋbædlɪ] *adv* źle; bardzo, intensywnie; **be ~ wounded** być ciężko rannym; **be ~ off** być biednym; **be ~ in need** gwałtownie potrzebować
bad•min•ton [ˋbædmɪntən] *s* badminton, kometka
bag [bæg] *s* torba; torebka (*damska*); worek; *vt* włożyć do torby
bag•gage [ˋbægɪdʒ] *s am.* bagaż; *am.* **~ car** wagon bagażowy
bail [beɪl] *s* kaucja; **on ~** za kaucją; *vt*: **~ sb (out)** zwolnić kogoś za kaucją
bake [beɪk] *vt vi* piec (się); wypalać (się)
ba•ker [ˋbeɪkə(r)] *s* piekarz; **~('s)** piekarnia (*sklep*)
bak•e•ry [ˋbeɪkərɪ] *s* piekarnia
bal•ance [ˋbæləns] *s* równowaga; waga; saldo; bilans; *vt* rozważać (*w myśli*); równoważyć; bilansować; *vi* zachowywać równowagę
bal•co•ny [ˋbælkənɪ] *s* balkon
bald [bɔld] *adj* łysy; (*o drzewach*) nagi; (*o kłamstwie*) jawny
bald•ly [bɔldlɪ] *adv* prosto z mostu, otwarcie
ball[1] [bɔl] *s* piłka; kula, kulka; kłębek; *pl wulg.* **~s** jaja; *pot. wulg.* **have ~s** nie bać się; *vt vi* zwinąć (się); boczyć się (*na coś*)
ball[2] [bɔl] *s* bal
bal•let [ˋbæleɪ] *s* balet
bal•loon [bəˋlun] *s* balon
bal•lot [ˋbælət] *s* tajne głosowanie
bal•lot box [ˋbælətboks] *s* urna wyborcza; *przen.* wybory
ball•point (pen) [ˋbɔlpoɪnt (ˋpen)] *s* długopis
bal•o•ney [bəˋləʊnɪ] *s slang* bzdury
bam•boo [bæmˋbu] *s* bambus
ban [bæn] *vt* zakazać, zabronić; *s* zakaz (**on sth** czegoś)
ba•nal [bəˋnɑl] *adj* banalny
ba•na•na [bəˋnɑnə] *s* banan; *slang* **be <go> ~s** dostać świra; *pot.* wściekać się
band[1] [bænd] *s* wstążka; opaska; taśma; pasmo (*częstotliwości*); **rubber ~** gumka

band² [bænd] *s* grupa; banda, zgraja; orkiestra, zespół muzyczny; *vi* grupować się
band•age [`bændɪdʒ] *s* bandaż; *vt* bandażować
ban•dit [`bændɪt] *s* bandyta
bang [bæŋ] *s* głośne uderzenie; huk; trzask; *vt* huknąć; trzasnąć; walnąć; *adv* gwałtownie; z hukiem; *pot.* w sam raz, właśnie; **~!** bęc!, bach!
bank¹ [bæŋk] *s* bank; *adj attr* bankowy; *vt* składać w banku
bank² [bæŋk] *s* brzeg; wał, nasyp
bank•note [`bæŋknəʊt] *s* banknot
bank•rupt [`bæŋkrʌpt] *s* bankrut; *adj* zbankrutowany; **go ~** zbankrutować
ban•ner [`bænə(r)] *s* chorągiew, sztandar, transparent
bap•tism [`bæptɪzm] *s* chrzest
bar [bɑ(r)] *s* pręt; sztaba; zasuwa; bar; kostka (*mydła*); tabliczka (*czekolady*); *pl* **~s** krata; **behind ~s** za kratkami; *vt* ryglować; kratować (*okno*); barykadować; zagradzać; wykluczać; zabraniać
bar•be•cue [`bɑbɪkju] *s* grill ogrodowy; przyjęcie z grillem
bar•ber [`bɑbə(r)] *s* fryzjer (*męski*)
bare [beə(r)] *adj* nagi; ogołocony; odkryty (*głowa*); otwarty; jedyny; **with ~ hands** gołymi rękami
bare•foot [`beəfʊt] *adv* boso, na bosaka
bare•ly [`beəlɪ] *adv* ledwo, tylko
bar•gain [`bɑgɪn] *s* interes, transakcja; okazyjne kupno, okazja; **into the ~** na dodatek; **strike a ~** ubić interes; **go ~ hunting** szukać okazyjnego kupna; *vi* negocjować; targować się
barge [bɑdʒ] *s* barka; *vi*: **~ in <into>** włazić, pchać się (*np. do towarzystwa*); wtrącać się
bark [bɑk] *vi* szczekać
bar•ley [`bɑlɪ] *s* jęczmień
bar•maid [`bɑmeɪd] *s* barmanka
bar•man [`bɑmən] *s* barman
barn [bɑn] *s* stodoła
ba•rom•e•ter [bə`romɪtə(r)] *s* barometr
bar•rack [`bærək] *s* barak; *pl* **~s** koszary
bar•rel [`bærəl] *s* beczka; lufa; rura; *techn.* cylinder
bar•ri•cade ['bærɪ`keɪd] *s* barykada; *vt* barykadować
bar•ri•er [`bærɪə(r)] *s* bariera, zapora, szlaban
bar•ris•ter [`bærɪstə(r)] *s bryt.* adwokat, obrońca; prawnik
bar•row [`bærəʊ] *s* taczka; wózek (*z warzywami*)
bar•ter [`bɑtə(r)] *s* handel wymienny; *vt vi* wymieniać towary
base¹ [beɪs] *s* baza, podstawa; podłoże; podkład; *vt* opierać (**sth on sth** coś na czymś)
base² [beɪs] *adj* podły, niski, nikczemny

base•ball [ˋbeɪsbɔl] *s sport.* bejsbol
base•ment [ˋbeɪsmənt] *s* suterena, piwnica
ba•sic [ˋbeɪsɪk] *adj* podstawowy, zasadniczy
ba•sic•al•ly [ˋbeɪsɪklɪ] *adv* zasadniczo; w zasadzie
ba•sin [ˋbeɪsn] *s* miska; miednica; umywalka; *geogr.* basen, dorzecze
ba•sis [ˋbeɪsɪs] *s* (*pl* **bases** [ˋbeɪsiz]) baza; podstawa; podłoże
bas•ket [ˋbɑskɪt] *s* kosz, koszyk
bas•ket-ball [ˋbɑskɪtbɔl] *s* koszykówka
bas•tard [ˋbɑstəd, ˋbæstəd] *s* bękart; *wulg.* sukinsyn, gnojek
bat[1] [bæt] *s* nietoperz
bat[2] [bæt] *s* kij; rakieta, rakietka
batch [bætʃ] *s* plik (*listów*); partia (*próbek, towarów*); grupa (*studentów*)
bath [bɑθ] *s* (*pl* **~s** [bɑðz]) kąpiel (*w wannie*); wanna, łazienka; **take <have> a ~** kąpać się; *pl* **~s** łaźnia; *vt* kąpać się (*w wannie*)
bathe [beɪð] *vt vi* kąpać (się), pływać; przemywać; *am.* kąpać się (*w wannie*); *s* kąpiel (*morska, rzeczna*)
bath•room [ˋbɑθrʊm] *s* łazienka
bath•tub [ˋbɑθtʌb] *s* wanna
bat•on [ˋbætən] *s* batuta; pałka (*policyjna*); pałeczka (*sztafetowa*)
bat•ter [ˋbætə(r)] *vi* gwałtownie stukać, walić (**at sth** w coś); *vt* bić, maltretować
bat•te•ry [ˋbætərɪ] *s* bateria; akumulator; zestaw (*narzędzi*)
bat•tle [ˋbætl] *s* bitwa; *vi* walczyć
bawl [bɔl] *vt* wykrzykiwać; *vi* wrzeszczeć; *s* wrzask
bay [beɪ] *s* zatoka; laur, wawrzyn; przęsło; wnęka, wykusz; ujadanie; **~ leaf** liść laurowy; **~ window** okno w wykuszu; **be at ~** być osaczonym; *vi* ujadać, wyć
be [bi], **am** [æm, əm], **is** [ɪz], **are** [ɑ(r)], **was** [woz], **were** [wɜ(r)], **been** [bin, bɪn] *v aux* być; **it is done** to jest zrobione; **I am reading** czytam; **I am to tell you** powinienem <mam> ci powiedzieć; **there are people in the street** na ulicy są <znajdują się> ludzie; **be late** spóźnić się; *vi* być, istnieć; pozostawać; mieć się, czuć się; kosztować; **how are you?** jak się masz?; **I am better** czuję się lepiej; **how much is that?** ile to kosztuje?; **be off** odchodzić, odjeżdżać
beach [bitʃ] *s* plaża
beak [bik] *s* dziób
beam [bim] *s* belka; promień; snop (*światła*); *vt vi* promieniować; przesyłać, nadawać
bean [bin] *s* ziarnko (*grochu, kawy*); (*zw. pl* **~s**) fasola; **broad ~** bób

bear[1] [beə(r)] *s* niedźwiedź
bear[2] [beə(r)], **bore** [bɔ(r)], **borne** [bɔ(r)n] *vt* nosić; wytrzymać; znosić (*ból*); rodzić; *vi* mieć znaczenie; odnosić się (**on sth** do czegoś); **~ out** potwierdzać; **~ up** trzymać się, nie upadać na duchu; **~ in mind** pamiętać, mieć na myśli; **~ sb a grudge** mieć do kogoś urazę
bear•able [`beərəbl] *adj* znośny
beard [bɪəd] *s* broda; zarost
bear•er [`beərə(r)] *s* doręczyciel; posiadacz (*paszportu*); okaziciel (*czeku*)
beast [bist] *s* bydlę, bestia, zwierzę
beat [bit], **beat** [bit], **beaten** [`bitn] *vt* bić; pobić (*wroga, rekord*); ubijać, stukać; **~ about the bush** owijać w bawełnę; *s* uderzenie; bicie (*serca*); rytm
beat•en *zob.* **beat**
beat•ing [`bitɪŋ] *s pot.* lanie; **take a ~** dostać lanie; *przen.* doznać porażki
beau•ti•cian [bju`tɪʃən] *s* kosmetyczka
beau•ti•ful [`bjutɪfʊl] *adj* piękny
beau•ty [`bjutɪ] *s* piękno, uroda; piękność; *przen.* urok
bea•ver [`bivə(r)] *s* bóbr
be•came *zob.* **become**
be•cause [bɪ`koz] *conj* ponieważ; dlatego że; gdyż, bo; *praep*: **~ of** z powodu; **~ of him** przez niego
be•come [bɪ`kʌm], **became** [bɪ`keɪm], **become** [bɪ`kʌm] *vi* zostać (*czymś*), stać się; **~ fat** utyć; **what has ~ of him?** co się z nim stało?
be•com•ing [bɪ`kʌmɪŋ] *adj* stosowny, właściwy; twarzowy
bed [bed] *s* łóżko; grządka, klomb; koryto (*rzeki*); **make the ~** posłać łóżko; **go to ~** iść spać; **~ and breakfast** nocleg ze śniadaniem
bed•clothes [`bedkləʊðz] *s pl* pościel
bed•room [`bedrʊm] *s* sypialnia
beech [bitʃ] *s* buk
bee [bi] *s* pszczoła
beef•cake [`bifkeɪk] *s pot.* mięśniak (*pot.*)
bee•hive [`bihɑɪv] *s* ul
beef [bif] *s* wołowina
beef•steak [`bifsteɪk] *s* befsztyk
been *zob.* **be**
beer [bɪə(r)] *s* piwo
beet [bit] *s* burak
beet•le [bitl] *s* chrząszcz, żuk
beet•root [`bitrut] *s* burak ćwikłowy
be•fore [bɪ`fɔ(r)] *praep* przed; **~ long** wkrótce; **~ now** już przedtem; *adv* przedtem, kiedyś; *conj* zanim
be•fore•hand [bɪ`fɔhænd] *adv* z góry; najpierw; z wyprzedzeniem
beg [beg] *vi* żebrać (**for sth** o coś); *vt* prosić, błagać (**sb for sth** kogoś o coś); **I ~ your**

pardon przepraszam (*nie dosłyszałem*)
be•gan *zob.* **begin**
beg•gar [`begə(r)] *s* żebrak, żebraczka
be•gin [bɪ`gɪn], **be•gan** [bɪ`gæn], **be•gun** [bɪ`gʌn] *vt vi* zaczynać (się); **to ~ with** na początek, przede wszystkim
be•gin•ner [bɪ`gɪnə(r)] *s* początkujący
be•gin•ning [bɪ`gɪnɪŋ] *s* początek; **from the (very) ~** od (samego) początku
be•gun *zob.* **begin**
be•half [bɪ`hɑf] *s*: **on** <*am.* **in**> **~ of sb** w czyimś imieniu; na rzecz kogoś; **on my ~** w moim imieniu
be•have [bɪ`heɪv] *vi* zachowywać (się), postępować (**towards sb** w stosunku do kogoś); dobrze się zachowywać; *vr* **~ o.s.** dobrze się zachowywać
be•hav•iour [bɪ`heɪvjə(r)] *s* zachowanie, postępowanie
be•hind [bɪ`hɑɪnd] *praep* za, poza; **~ schedule** z opóźnieniem; **~ the times** zacofany, przestarzały; *adv* z tyłu, do tyłu, wstecz; **be ~** zalegać, być opóźnionym; **leave ~** zostawić (*za sobą*); *pot.* **~ bars** za kratkami; *s* siedzenie (*część ciała*)
beige [beɪʒ] *s* beż; *adj* beżowy
be•ing [`biɪŋ] *s* istnienie; istota, stworzenie; **human ~** istota ludzka; **for the time ~** (jak) na razie; **come into ~** powstać, zaistnieć
belch [beltʃ] *vt* wypluwać, gwałtownie wyrzucać z siebie; *vi* buchać, zionąć; *vi* czkać
Bel•gian [`beldʒən] *adj* belgijski; *s* Belg
be•lief [bɪ`lif] *s* wiara (**in God** w Boga); przekonanie; **beyond ~** nie do wiary; zaufanie
be•lieve [bɪ`liv] *vt vi* wierzyć, ufać (**sb <sth>** komuś <czemuś>; **in sb <sth>** w kogoś <coś>); myśleć, sądzić; **make ~** udawać; pozorować
bell [bel] *s* dzwon; dzwonek; **ring the ~** dzwonić; *przen.* **that rings a ~** to mi coś przypomina
bel•ly [`belɪ] *s pot.* brzuch
be•long [bɪ`lɒŋ] *vi* należeć (**to sb** do kogoś); **this chair ~s here** miejsce tego krzesła jest tutaj
be•long•ings [bɪ`lɒŋɪŋz] *s pl* rzeczy, dobytek
be•lov•ed [bɪ`lʌvɪd] *adj* ukochany
be•low [bɪ`ləʊ] *praep* pod; *adv* niżej, poniżej
belt [belt] *s* pasek; pas, strefa; **safety ~** pas bezpieczeństwa; **tighten your ~** zacisnąć pasa; *vt pot.* lać pasem; przymocować pasem
bench [bentʃ] *s* ławka, ława; trybunał, sąd
bend [bend], **bent, bent** [bent] *vt vi* zginać (się); skręcać; po-

chylać (się); *s* wygięcie; zakręt (*na drodze*)

be•neath [bɪˋniθ] *praep* pod, poniżej; pod spodem; *adv* niżej, w dole, na dół

ben•e•fit [ˋbenɪfɪt] *s* dobrodziejstwo; korzyść, pożytek; zasiłek; **unemployment ~** zasiłek dla bezrobotnych; *vt* przynosić korzyść; *vi* korzystać (**from sth** z czegoś)

bent [bent] *adj* zgięty, wygięty; wykrzywiony; schylony; zdecydowany; **be ~ on doing sth** koniecznie chcieć coś zrobić; *zob.* **bend**

be•numb [bɪˋnʌm] *vt*: **~ed with cold** zdrętwiały z zimna

ber•ry [ˋberɪ] *s* jagoda

be•side [bɪˋsaɪd] *praep* obok, przy; oprócz; **that's ~ the point** to nie ma nic do rzeczy

be•sides [bɪˋsaɪdz] *adv* oprócz tego, poza tym; *praep* oprócz, poza

best [best] *adj* (*sup od* **good**) najlepszy; *adv* (*sup od* **well**) najlepiej; *s* to, co najlepsze; **make the ~ of sth** zrobić jak najlepszy użytek z czegoś; **at ~** w najlepszym razie; **I will do my ~ to...** zrobię wszystko, co w mojej mocy, żeby...

best•sell•er [best ˋselə(r)] *s* bestseller

bet [bet], **bet, bet** *vt* zakładać się; **I ~ you a pound** zakładam się z tobą o funta; *vi* stawiać (**on sth** na coś); *pot.* **you ~!** no chyba!; *s* zakład (**on sth** o coś)

be•tray [bɪˋtreɪ] *vt* zdradzać; wyjawiać; oszukiwać

be•tray•al [bɪˋtreɪəl] *s* zdrada

bet•ter [ˋbetə(r)] *adj* (*comp od* **good**) lepszy; (*comp od* **well**) zdrowszy, w lepszym stanie; *adv* (*comp od* **well**) lepiej; **~ and ~** coraz lepiej; **all the ~** tym lepiej; **you had ~ go** lepiej już idź

be•tween [bɪˋtwin] *praep* pomiędzy, między; *adv* pośrodku, w środku; **in ~** pośrodku

bev•er•age [ˋbevrɪdʒ] s napój

be•ware [bɪˋweə(r)] *vi*: **~ (of)** wystrzegać się; **~ of the dog!** uwaga, zły pies!

be•wil•der [bɪˋwɪldə(r)] *vt* wprawić w zakłopotanie

be•yond [bɪˋjond] *praep* za, poza; ponad, nad; **~ belief** nie do wiary; **~ recognition** nie do poznania; *adv* dalej

bi•as [ˋbaɪəs] *s* ukos, pochylenie; skłonność, zamiłowanie; uprzedzenie; *vt* ściąć ukośnie; skłonić, nachylić; uprzedzić, źle nastawić

bib [bɪb] *s* śliniak

Bi•ble [ˋbaɪbl] *s* Biblia

bib•li•og•ra•phy [bɪblɪˋogrəfɪ] *s* bibliografia

bi•cy•cle [ˋbaɪsɪkl] *s* rower; *vi* jeździć rowerem

bid [bɪd], **bade** [beɪd], **bid•den** [ˋbɪdn] *lub* **bid, bid** [bɪd] *vt* oferować (*cenę*); zapraszać (**to**

sth na coś); licytować (*w kartach*); ~ **sb do sth** kazać komuś coś zrobić; *s* oferta; odzywka (*w kartach*)

big [bɪg] *adj* duży, gruby; ważny, znaczny; ~ **brother <sister>** starszy brat <starsza siostra>; *pot.* ~ **deal!** wielkie rzeczy!, no i co z tego!; *pot.* ~ **gun <shot>** gruba ryba; ważniak

big•wig [`bɪgwɪg] *s pot.* gruba ryba, szycha

bike [baɪk] *s pot.* rower; motocykl, motor

bi•lin•gual [baɪ`lɪŋgwəl] *adj* dwujęzyczny

bill [bɪl] *s* rachunek; kwit; projekt ustawy; *am.* banknot; dziób; ~ **of exchange** weksel; ~ **of fare** jadłospis; *vt* wystawiać rachunek (**sb for sth** komuś za coś)

bill•board [`bɪlbɔd] *s* tablica reklamowa, billboard

bil•liards [`bɪljədz] *s pl* bilard

bil•lion [`bɪljən] *s* bilion; *am.* miliard

bin [bɪn] *s* pojemnik, skrzynia; *bryt.* kosz na śmieci

bind [baɪnd], **bound, bound** [baʊnd] *vt* wiązać, związywać; oprawiać (*książkę*); zobowiązywać; **be bound to** być zmuszonym do; ~ **up** bandażować

bin•go! [`bɪngəʊ] *s int pot.* tak!, zgadłeś!

bi•noc•u•lars [baɪ`nokjʊləz] *s pl* lornetka

bi•ol•o•gy [baɪ`olədʒɪ] *s* biologia

birch [bɜtʃ] *s* brzoza

bird [bɜd] *s* ptak; ~**'s-eye view** widok z lotu ptaka

birth [bɜθ] *s* narodziny; urodzenie; poród; **give** ~ urodzić, stworzyć (**to sb <sth>** kogoś <coś>)

birth con•trol [`bɜθkən'trəʊl] *s* regulacja urodzeń, zapobieganie ciąży

birth•day [`bɜθdeɪ] *s* urodziny; ~ **cake** tort urodzinowy

bis•cuit [`bɪskɪt] *s bryt.* herbatnik; *am.* biszkopt; ciastko

bish•op [`bɪʃəp] *s* biskup; goniec (*w szachach*)

bit[1] *zob.* **bite**

bit[2] [bɪt] *s* kawałek; odrobina, szczypta; **a** ~ nieco, trochę; ~ **by** ~ po trochu, stopniowo

bitch [bɪtʃ] *s* suka; *wulg.* suka, sukinsyn; *vi: wulg.* ~ **about** narzekać na

bite [baɪt], **bit** [bɪt], **bitten** [`bɪtn] *lub* **bit** *vt vi* gryźć, kąsać; *s* ukąszenie; kęs; *pot.* **have a** ~ przegryźć coś

bit•ter [`bɪtə(r)] *adj* gorzki; zawzięty; (*o mrozie, o wietrze*) przenikliwy

bi•zarre [bɪ`zɑ(r)] *adj* dziwaczny

blab [blæb] *vt vi* paplać, gadać; wypaplać, wygadać

black [blæk] *adj* czarny; ciemny, ponury; czarnoskóry; ~ **eye** podbite oko; *s* czerń; *vt* poczernić; *pot.* ~ **out** stracić (na krótko) przytomność

black•ber•ry [`blækbərɪ] *s bot.* jeżyna
black•bird [`blækbɜd] *s* kos
black•board [`blækbɔd] *s* tablica (*szkolna*)
black•cur•rant ['blæk`kʌrənt] *s* czarna porzeczka
black•mail [`blækmeɪl] *s* szantaż; *vt* szantażować
blad•der [`blædə(r)] *s* pęcherz; *bot.* pęcherzyk
blade [bleɪd] *s* ostrze; klinga; źdźbło (*trawy*)
blame [bleɪm] *vt* obwiniać (**sb for sth** kogoś o coś); **be to ~** być winnym; *s* wina; zarzut
blame•less [`bleɪmlɪs] *adj* bez skazy, nienaganny, niewinny
blank [blæŋk] *adj* czysty (*papier*), nie zapisany; pusty, bez wyrazu (*wzrok*); **~ cheque** czek in blanco; *s* pustka; nie zadrukowane miejsce
blank•et [`blæŋkɪt] *s* koc; pokrycie, warstwa
blast [blɑst] *s* podmuch (*wiatru*); prąd (*powietrza*), strumień (*pary*); eksplozja, wybuch; **at full ~** na cały regulator, pełną parą; *vt* wysadzać w powietrze
blaze [bleɪz] *vi* płonąć; świecić; **~ up** buchnąć płomieniem; *s* płomień; błysk; blask
blaz•er [`bleɪzə(r)] *s* kurtka
bleach [blitʃ] *vt* wybielać, pozbawiać koloru; rozjaśniać (*włosy*); *vi* bieleć
bleed [blid], **bled, bled** [bled] *vi dosł. przen.* krwawić; wykrwawiać się
ble•mish [`blemɪʃ] *s* wada, skaza, plama; *vt* splamić, zeszpecić
blend [blend] *vt vi* mieszać (się); miksować; stapiać (się); *s* mieszanka
bless [bles] *vt* błogosławić; *rel.* poświęcać; **be ~ed with** być obdarzonym; **~ you!** na zdrowie! (*komuś, kto kichnął*)
bless•ing [`blesɪŋ] *s* błogosławieństwo
blew *zob.* **blow**
blind [blɑɪnd] *adj* ślepy, niewidomy; *vt* oślepiać; *s* roleta; **Venetian ~** żaluzja; **the ~** niewidomi; **~ date** randka w ciemno; *przen.* **~ alley** ślepa uliczka
blink [blɪŋk] *vi* mrugać; przymrużać (*oczy*); (*o świetle*) migać, migotać; *vt* przymykać, mrużyć (*oczy*); *s* mignięcie, migotanie; mruganie
blis•ter [`blɪstə(r)] *s* pęcherzyk, bąbel; *vi* pokryć się bąblami
bliz•zard [`blɪzəd] *s* burza <zamieć> śnieżna
bloat [bləʊt] *vt vi* nadymać (się), nabrzmiewać
block [blok] *s* blok; bryła (*lodu*); kloc (*drewna*); duży budynek; *am.* grupa domów między dwiema przecznicami; **~ of flats** blok mieszkalny; *vt* blokować; zatkać

block•ade [bloˋkeɪd] *s* blokada; *vt* zablokować, zrobić blokadę
bloke [bləʊk] *s bryt. pot.* gość, facet
blond [blond] *adj* jasny (*o włosach*); *s* blondyn
blonde [blond] *s* blondynka
blood [blʌd] *s* krew; pokrewieństwo; ród; ~ **group** grupa krwi; **in cold** ~ z zimną krwią
blood•shed [ˋblʌdʃed] *s* rozlew krwi
blood•y [ˋblʌdɪ] *adj* krwawy, zakrwawiony; *wulg.* cholerny
bloom [blum] *vi dosł. przen.* kwitnąć; *s* kwiat (*na drzewie*); kwitnienie; **in full** ~ kwitnący
bloom•er [ˋblumə(r)] *s bryt. pot.* gafa
blot [blot] *s* plama; kleks; skaza; *vt* poplamić; ~ **out** wykreślić, usunąć, zatrzeć
blouse [blaʊz] *s* bluzka
blow[1] [bləʊ] *s* uderzenie, cios; **at a** ~ za jednym uderzeniem; **strike a** ~ zadać cios
blow[2] [bləʊ], **blew** [blu], **blown** [bləʊn] *vi* wiać, dąć; *vt* dmuchać; ~ **out** zgasić, zdmuchnąć; ~ **up** wysadzić w powietrze; wybuchnąć; nadmuchać
blown *zob.* **blow**[2]
blue [blu] *adj* niebieski, błękitny; siny; *pot.* przygnębiony, smutny; **out of the** ~ niespodziewanie; *s* błękit; kolor niebieski; **navy** ~ kolor granatowy
bluff [blʌf] *s* oszustwo, blaga, blef; *vt vi* blagować, blefować
blu•ish [ˋbluɪʃ] *adj* niebieskawy
blunt [blʌnt] *adj* tępy, stępiony; bezceremonialny; *vt* stępić
blur [blɜ(r)] *s* niewyraźna plama; niejasność; *vt* zacierać, zamazywać
blush [blʌʃ] *vi* rumienić się; *s* rumieniec
board [bɔd] *s* deska; karton; tablica (*ogłoszeń*); plansza (*do gry*); pokład; rada, zarząd; wyżywienie; **bed and** ~ nocleg z wyżywieniem; *vt* wchodzić na pokład statku (*do pociągu, do tramwaju*); stołować; szalować
board•ing school [ˋbɔdɪŋskul] *s* szkoła z internatem
boast [bəʊst] *vt vi* przechwalać się; chwalić się (**of <about> sth** czymś); *s* samochwalstwo, przechwałki, chełpienie się
boat [bəʊt] *s* łódź, statek; **by** ~ łodzią, statkiem; *vi* pływać łodzią
bob•by [ˋbobɪ] *s bryt. pot.* policjant
bod•y [ˋbodɪ] *s* ciało; zwłoki; grono, grupa ludzi; gremium; *mot.* karoseria
bo•dy-build•ing [ˋbodɪˋbɪldɪŋ] *s* kulturystyka
bod•y•guard [ˋbodɪgɑd] *s* ochroniarz
bog [bog] *s* bagno, trzęsawisko
boil [boɪl] *vi* gotować się, wrzeć, kipieć; *vt* gotować; ~ **away** wygotować się; *s* czyrak

bold [bəʊld] *adj* śmiały; zuchwały; wyrazisty, krzykliwy

bolt [bəʊlt] *s* zasuwa, rygiel; śruba; piorun; *vi* pędzić, gnać; *vt* zamknąć na zasuwę, zaryglować

bomb [bom] *s* bomba; *vt* bombardować

bomb•shell [`bomʃel] *s przen.* bomba, sensacja

bond [bond] *s* więź; zobowiązanie; obligacja

bon•dage [`bondɪdʒ] *s* niewola; więzy

bone [bəʊn] *s* kość, ość; *vt* wyjmować kości <ości>; *przen.* **a ~ of contention** kość niezgody

bon•net [`bonɪt] *s* czepek; *bryt. mot.* maska

bo•nus [`bəʊnəs] *s* premia; dodatek

bo•ny [`boʊnɪ] *adj* kościsty, ościsty

boob [bub] *s pot.* byk (*błąd*); *pot.* **~s** cycki; *vt pot.* strzelić byka

book [bʊk] *s* księga; książka; bloczek; *pl* **~s** księgi rachunkowe; *vt* rezerwować (*bilet, pokój*)

book•case [`bʊkkeɪs] *s* biblioteka, regał na książki

book•ing [`bʊkɪŋ] *s* rezerwacja; *bryt.* **~ office** kasa biletowa

book-keep•ing [`bʊk'kipɪŋ] *s* księgowość

book•let [`bʊklɪt] *s* książeczka; broszura

book•sel•ler [`bʊkselə(r)] *s* księgarz

book•shelf [`bʊkʃelf] *s* półka na książki

book•shop [`bʊkʃop] *s* księgarnia

book•stall [`bʊkstɔl] *s* stoisko księgarskie

book•store [`bʊkstɔ(r)] *s am.* księgarnia

boom [bum] *s* huk, grzmot; wzrost, koniunktura; *vi* buczeć; (*o formie, o interesach*) zwyżkować

boost [bust] *vt* zwiększać, podnosić; reklamować; promować; *elektr.* zwiększać napięcie; *s* wzrost; zachęta, bodziec

boost•er [`bustə(r)] *s* propagator; *techn.* wzmacniacz (*sygnału*)

boot [but] *s* but; kozaczek; *bryt. mot.* bagażnik; *vt komp.* uruchamiać (*program*)

booth [buð] *s* budka; kabina; stragan; **telephone ~** budka telefoniczna

booze [buz] *s pot.* alkohol

bor•der [`bɔdə(r)] *s* granica; brzeg, krawędź; rąbek; *vt* ograniczać, otaczać; *vi* graniczyć; **~ France** graniczyć z Francją

bore[1] [bɔ(r)] *s* nudziarz; utrapienie; *vt* nudzić

bore[2] [bɔ(r)] *s* kaliber; *vt* wiercić, drążyć

bore[3] *zob.* **bear**[2]

bore•dom [`bɔdəm] *s* nuda

born [bɔn] *adj* urodzony; **be ~**

urodzić się; **a ~ fool** skończony głupiec
borne *zob.* **bear**[2]
bor•row [`borəʊ] *vt vi* pożyczać (**from sb** od kogoś)
boss [bos] *s pot.* szef, kierownik; *vt* rozkazywać, rządzić; **~ about <around>** rządzić się
boss•y [`bosɪ] *adj* apodyktyczny, władczy
both [bəʊθ] *pron adj* oboje; **~ of them** oni obydwaj; **~ books** obydwie książki; *adv conj* **~... and...** nie tylko..., ale też...
both•er [`boðə(r)] *vt* niepokoić; naprzykrzać się; przeszkadzać; *vi* martwić się, przejmować się (**with <about> sth** czymś); *s* kłopot, zawracanie głowy; *int* do licha!
bot•tle [`botl] *s* butelka; **~ opener** otwieracz do butelek; *vt* butelkować
bot•tom [`botəm] *s* dno; spód; *pot.* siedzenie, pupa; **~ up** do góry dnem; **at ~** w gruncie rzeczy; *pot.* **~s up!** no to cyk!; *adj* najniższy, dolny
bought *zob.* **buy**
bound[1] [baʊnd] *adj* zobowiązany (**to do sth** coś zrobić); będący w drodze (*dokądś*); **be ~ up in sth** być w coś zaangażowanym; *s* granica; **beyond all ~s** ponad wszelką miarę; *vt* ograniczać
bound[2] *zob.* **bind**
bound•a•ry [`baʊndrɪ] *s* granica
bou•tique [bu`tik] *s* butik
bow[1] [baʊ] *vi* kłaniać się (**to <before> sb** komuś); schylać się; *vt* zginać; *s* ukłon; dziób (*okrętu*)
bow[2] [bəʊ] *s* łuk; smyczek; kokarda; węzeł; kabłąk
bow•el [`baʊəl] *s* kiszka, jelito; *pl* **~s** wnętrzności; *med.* **~ movement** oddawanie stolca
bowl[1] [bəʊl] *s* miska; waza; puchar
bowl[2] [bəʊl] *s* kula (*do gry*); *pl* **~s** gra w kule; *vt vi* toczyć, rzucać kulę (*w grze*)
bow tie [`bəʊtaɪ] *s* muszka
box[1] [boks] *s* pudło, pudełko, skrzynia; budka; kabina; boks; *vt* pakować do pudełka
box[2] [boks] *vt* uderzać pięścią; *vi* boksować się; **give sb a ~ on the ears** dać komuś po uszach
box•er [`boksə(r)] *s* bokser, pięściarz
box•ing [`boksɪŋ] *s* boks, pięściarstwo; **Boxing Day** drugi dzień świąt Bożego Narodzenia
box of•fice [`boks'ofɪs] *s* kasa (*w teatrze, w kinie itp.*)
boy [boɪ] *s* chłopiec
boy•friend [`boɪfrend] *s* chłopak, sympatia
bra [brɑ] *s pot.* stanik
brace [breɪs] *s* aparat ortodontyczny <korekcyjny>; wiązadło; nawias klamrowy; *pl* **~s** [`breɪsɪz] *bryt.* szelki; *vt* spiąć (*klamrą*)

brace•let [`breɪslɪt] *s* bransoletka

brack•et [`brækɪt] *s* podpórka; nawias; klamra; **income ~** przedział dochodu; *vt* wziąć w nawias

brain [breɪn] *s* mózg; umysł; *pl* **~s** rozum; inteligencja; **rack one's ~s** łamać sobie głowę (**a-bout sth** nad czymś)

brain•storm [`breɪnstɔm] *s* zaćmienie umysłu; *pot.* nagłe olśnienie

brake [breɪk] *s* hamulec; **~ light** światła stopu; *vt vi* hamować

bran [bræn] *s* otręby

branch [brɑntʃ] *s* gałąź; filia, oddział; odnoga; *vi* rozgałęziać się; **~ off** odgałęziać się

brand [brænd] *s* znak firmowy; gatunek, odmiana; piętno; *vt* znakować, piętnować

brand-new [`brænd'nju] *adj* nowiutki; fabrycznie nowy

bran•dy [`brændɪ] *s* brandy

brass [brɑs] s mosiądz; **~ band** orkiestra dęta

bras•siere [`bræzɪə(r)] *s* biustonosz

brave [breɪv] *adj* odważny, dzielny; *vt* stawiać czoło

brave•ry [`breɪvərɪ] *s* dzielność; waleczność

brazen [`breɪzn] *adj* mosiężny; brązowy; bezczelny; **~ lie** bezczelne kłamstwo

Bra•zil•ian [brə`zɪljən] *s* Brazylijczyk; *adj* brazylijski

bread [bred] *s* chleb; **~ and butter** chleb z masłem; **white <brown> ~** chleb biały <ciemny>; *slang* forsa, kasa *pot.*

breadth [bredθ] *s* szerokość

break [breɪk], **broke** [brəʊk], **brok•en** [`brəʊkən] *vt vi* łamać (się); tłuc (się); zepsuć, niszczyć; przerywać (się); (*o wietrze, o burzy*) zerwać się; naruszać (*przepisy*); zerwać (**with sb** z kimś); **~ away** uciec; oderwać się; **~ down** załamać (się); złamać czyjś opór; zepsuć (się); **~ in** włamywać (się); wtrącać się; **~ into tears <laughter>** wybuchnąć płaczem <śmiechem>; **~ out** (*o wojnie*) wybuchnąć; **~ through** przedrzeć (się); **~ up** (*o statku*) rozbić (się); zerwać ze sobą, rozejść się; rozpocząć wakacje (*szkolne*); **~ the record** pobić rekord; *s* przerwa; złamanie; rozbicie; wyłom; *pot.* **give me a ~!** odczep się!

break•age [`breɪkɪdʒ] *s* złamanie, potłuczenie; *pl* **~s** stłuczki; **pay for ~s** płacić za szkody

break•down [`breɪkdɑʊn] *s* awaria; rozpad; załamanie nerwowe; upadek, klęska

break•fast [`brekfəst] *s* śniadanie

break•through [`breɪkθru] *s* wyłom; *przen.* przełom

break-up [`breɪkʌp] *s* rozpad; zerwanie

breast [brest] *s* pierś
breath [breθ] *s* oddech; **out <short> of ~** bez tchu; **hold one's ~** wstrzymać oddech; **draw ~** zaczerpnąć tchu
breathe [brið] *vt vi* oddychać; **~ in** wdychać; **~ out** wydychać
bred *zob.* **breed**
breed [brid], **bred, bred** [bred] *vt vi* rozmnażać (się); płodzić; hodować; wychowywać; *s* pochodzenie; rasa, odmiana
breeze [briz] *s* wiaterek, bryza
brev•i•ty [ˋbrevɪtɪ] *s* krótkotrwałość, krótkość; zwięzłość
brew [bru] *vt vi* parzyć (się), zaparzać (się); *s* odwar, napar; *pot.* browar (*piwo*)
brew•er•y [ˋbruərɪ] *s* browar
bribe [brɑɪb] *s* łapówka; *vt* dać łapówkę, przekupić
brib•er•y [ˋbrɑɪbərɪ] *s* łapownictwo
brick [brɪk] *s* cegła; klocek
bride [brɑɪd] *s* panna młoda
bride•groom [ˋbrɑɪdgrum] *s* pan młody
bridge[1] [brɪdʒ] *s* most; *przen.* pomost; *vt* połączyć mostem, przerzucić most
bridge[2] [brɪdʒ] *s* brydż
brief [brif] *adj* krótki, zwięzły; **in ~** w kilku słowach; *vt* instruować (**on sth** o czymś); *pl* **~s** slipy, figi
brief•case [ˋbrifkeɪs] *s* aktówka
brief•ing [ˋbrifɪŋ] *s* odprawa; instrukcja
bright [brɑɪt] *adj* jasny, promienny; radosny; bystry, błyskotliwy; świetlany
bright•en [ˋbrɑɪtn] *vt vi* rozjaśnić (się); rozświetlić (się); ożywić (się)
bril•liance [ˋbrɪljəns] *s* jasność; blask; błyskotliwość
bril•liant [ˋbrɪljənt] *adj* wspaniały, olśniewający; błyskotliwy
brim [brɪm] *s* krawędź; brzeg (*naczynia*); rondo (*kapelusza*)
bring [brɪŋ], **brought, brought** [brɔt] *vt* przynosić; przyprowadzać; przywozić; sprowadzać; **~ about** powodować; **~ down** obniżać; **~ in** wnosić, wprowadzać; **~ out** wykrywać, wydobywać na światło dzienne; wypuszczać na rynek (*produkt*); **~ up** wychować; poruszyć (*temat*); **~ to light** odkryć
brink [brɪŋk] *s* brzeg, krawędź
brisk [brɪsk] *adj* rześki, żwawy, energiczny; **~ air** orzeźwiające powietrze
Brit•ish [ˋbrɪtɪʃ] *adj* brytyjski; *s pl* **the ~** Brytyjczycy
Brit•ish•er [ˋbrɪtɪʃə(r)] *s am.* Brytyjczyk
broad [brɔd] *adj* szeroki, obszerny; **in ~ daylight** w biały dzień
broad•cast [ˋbrɔdkɑst], **broadcast, broad•cast** *vt vi* transmitować, nadawać; *s* program, audycja; **live ~** transmisja na żywo; *adv* na wszystkie strony

broad•en [ˋbrɔdn] *vt vi* rozszerzać (się)
bro•chure [ˋbrəʊʃjʊə(r)] *s* broszura
broil [broɪl] *vt vi* piec, smażyć się
broke *adj pot.* spłukany; **go ~** splajtować; *zob.* **break**
bro•ken *adj* rozbity; zepsuty; złamany; *zob.* **break**
bro•ken-down ['brəʊknˋdaʊn] *adj* wyczerpany; schorowany; załamany (*duchowo*); uszkodzony, zepsuty
bro•ker [ˋbrəʊkə(r)] *s* makler; broker
bron•chi•tis [broŋˋkaɪtɪs] *s med.* bronchit; zapalenie oskrzeli
bronze [bronz] *s* brąz; rzeźba z brązu
brooch [brəʊtʃ] *s* broszka
broth [broθ] *s* rosół, bulion
broth•er [ˋbrʌðə(r)] *s* brat
broth•er-in-law ['brʌðərɪnˋlɔ] *s* szwagier
brought *zob.* **bring**
brow [braʊ] *s* brew; czoło
brown [braʊn] *adj* brązowy, brunatny; **~ bread** ciemny chleb; *s* brąz
bruise [bruz] *s* siniak; stłuczenie; *vt vi* posiniaczyć (się), potłuc (się)
brunch [brʌntʃ] *s pot.* posiłek spożywany około południa, stanowiący połączenie śniadania z obiadem
bru•nette [bruˋnet] *s* brunetka
brush [brʌʃ] *s* szczotka, pędzel; sprzeczka; *vt* szczotkować; zamiatać
brusque [brusk] *adj* obcesowy, szorstki
Brus•sels sprouts [ˋbrʌslz'spraʊts] *s pl* brukselka
bru•tal [ˋbrutl] *adj* brutalny
brute [brut] *s* bydlę; zwierzę; brutal; *adj* zwierzęcy; brutalny
bub•ble [ˋbʌbl] s bańka (*mydlana*); wrzenie; kipienie; *vi* musować, kipieć; wrzeć; *przen.* entuzjazmować się
buck [bʌk] *s* samiec, kozioł; *am. pot.* dolar; **make a fast ~** szybko zarobić
buck•et [ˋbʌkɪt] *s* wiadro, kubeł; *pot.* **kick the ~** wyciągnąć kopyta *pot.*
buck•le [ˋbʌkl] *s* klamerka, sprzączka; *vt vi* zapinać (się) (*na klamrę*)
bud [bʌd] *s bot.* pąk, pączek; zawiązek, zarodek; *vi* pączkować; rozwijać się
bud•dy [ˋbʌdɪ] *s* kumpel
budg•et [ˋbʌdʒɪt] *s* budżet; *vi* planować wydatki
buff•er [ˋbʌfə(r)] *s* bufor, zderzak
buf•fet [ˋbʊfeɪ] *s* kredens; bufet (*dania*); *bryt.* **~ car** wagon restauracyjny
bug [bʌg] *s* pluskwa; wirus, zarazek; *am.* robak; *pot.* podsłuch, pluskwa *pot.*; *vt pot.* założyć podsłuch

bu•gle [ˋbjugl] *s* fanfara, trąbka; *vi* trąbić
build [bɪld], **built, built** [bɪlt] *vt vi* budować; tworzyć; **~ in** wbudować; **~ on** dobudować; **~ up** rozbudować; *s* budowa (*ciała*)
build•ing [ˋbɪldɪŋ] *s* budynek; *adj* budowlany
built *zob.* **build**
bulb [bʌlb] *s bot.* cebulka; *elektr.* żarówka
Bul•gar•i•an [bʌlˋgeərɪən] *s* Bułgar; *adj* bułgarski
bulge [bʌldʒ] *s* wybrzuszenie; nabrzmienie; *vi* wybrzuszać się; nabrzmiewać
bulk [bʌlk] *s* wielkość, objętość, masa; większa <główna> część; **in ~** hurtem
bulk•y [ˋbʌlkɪ] *adj* duży; masywny
bull [bʊl] *s* byk
bul•let [ˋbʊlɪt] *s* kula, pocisk
bul•le•tin [ˋbʊlɪtɪn] *s* biuletyn
bul•let•proof [ˋbʊlɪtpruf] *adj* kuloodporny
bull•shit [ˋbʊlʃɪt] *s wulg.* bzdury
bum [bʌm] *s bryt. pot.* zadek; *am. pot.* włóczęga, łajza
bump [bʌmp] *vt vi* gwałtownie uderzyć (**sth <against> sth** o coś); zderzyć się; wpadać (**into sb <sth>** na kogoś <coś>); *s* uderzenie; zderzenie; wstrząs; guz; **~s in the road** wyboje
bump•er [ˋbʌmpə(r)] *s mot.* zderzak
bunch [bʌntʃ] *s* wiązka, pęk, bukiet; grupa (*ludzi*); *pl* **~es** kucyki, kitki
bun•dle [ˋbʌndl] *s* tobołek, zawiniątko; wiązka; plik (*banknotów*); **a ~ of nerves** kłębek nerwów; *vt vi* zrobić zawiniątko; bezładnie pakować; **~ off** pozbyć się
bun•ga•low [ˋbʌŋgələʊ] *s* dom parterowy
bun•gee jump•ing [ˋbʌndʒi dʒʌmpɪŋ] *n* skoki na bungee
bun•gle [ˋbʌŋgl] *s* partacka robota, fuszerka; *vt* sfuszerować, spartaczyć
bunk [bʌŋk] *s* kuszetka; *mors.* koja; *bryt. pot.* **do a ~** zwiewać *pot.*
buoy [bɔɪ] *s* boja; *vt* znaczyć bojami; *przen.* **~ up** podtrzymywać na duchu
bur•den [ˋbɜdn] *s* obciążenie; ciężar; brzemię; *vt* obciążyć (**sb with sth** kogoś czymś)
bu•reau [ˋbjʊərəʊ] *s* biurko; sekretarzyk; biuro, urząd; *am.* komoda
bu•reauc•ra•cy [bjʊəˋrokrəsɪ] *s* biurokracja
burg•er [ˋbɜgə(r)] *s pot.* bułka z hamburgerem
bur•glar [ˋbɜglə(r)] *s* włamywacz; **~ alarm** alarm antywłamaniowy
bur•gle [ˋbɜgl] *vt vi* włamać się (**sth** do czegoś)
bur•i•al [ˋberɪəl] *s* pogrzeb
burn [bɜn], **burnt, burnt** [bɜnt] *lub* **burned, burned** [bɜnd] *vt vi*

palić (się); oparzyć (się); wypalić; przypalić; ~ **down** spalić się; ~ **out** wypalić się; *s* oparzenie
burn•er [ˋbɜnə(r)] *s* palnik
burnt *zob.* **burn**
burst, burst, burst [bɜst] *vi* pękać; wybuchać; rozerwać się; *vt* przebijać (*balon*); ~ **into laughter <tears>** wybuchnąć śmiechem <płaczem>; ~ **out** wybuchnąć; ~ **open** gwałtownie (się) otworzyć; *s* pęknięcie; wybuch
bur•y [ˋberɪ] *vt* zakopywać, grzebać, chować
bus [bʌs] *s* autobus; **by** ~ autobusem; ~ **stop** przystanek autobusowy
bush [bʊʃ] *s* krzak; busz; gąszcz
bus•ily [ˋbɪzɪlɪ] *adv* pracowicie, skrzętnie, gorliwie
busi•ness [ˋbɪznɪs] *s* interes(y), biznes; firma; branża; zajęcie; sprawa; ~ **hours** godziny urzędowania; **it's none of your** ~ to nie twoja sprawa; **on** ~ służbowo
busi•ness•man [ˋbɪznɪsmən] *s* biznesmen, człowiek interesu
bust [bʌst] *s anat.* biust; popiersie
bus•y [ˋbɪzɪ] *adj* (*o człowieku, o linii telefonicznej*) zajęty; (*o ulicy*) ruchliwy; **be** ~ **doing sth** być czymś zajętym
bus•y•bod•y [ˋbɪzɪbodɪ] *s* ciekawski
but [bʌt, bət] *conj* ale, lecz; ależ; ~ **how nice!** ależ jakie to miłe!; *praep* oprócz; **all** ~ **me** wszyscy oprócz mnie; **the last** ~ **one** przedostatni; *adv* tylko; **he is** ~ **a child** jest tylko dzieckiem
butch•er [ˋbʊtʃə (r)] *s* rzeźnik; ~**'s** sklep mięsny; *pot.* kat, morderca; *vt* zarzynać, mordować; dokonywać rzezi (*ludzi*)
but•ler [ˋbʌtlə(r)] *s* kamerdyner, lokaj
but•ter [ˋbʌtə(r)] *s* masło; *vt* smarować masłem
but•ter•fly [ˋbʌtəflaɪ] *s zool.* motyl
but•tock [ˋbʌtək] *s* pośladek
but•ton [ˋbʌtn] *s* guzik; przycisk; *vt vi*: ~ **(up)** zapinać (się) (*na guziki*)
but•ton•hole [ˋbʌtnhəʊl] *s* dziurka (*na guzik*); kwiatek w klapie; *vt pot.* wiercić dziurę w brzuchu
buy [baɪ], **bought, bought** [bɔt] *vt* kupować; ~ **sb a drink** postawić komuś drinka; ~ **up** wykupywać; *s pot.* zakup, kupiona rzecz
buy•er [ˋbaɪə(r)] *s* kupujący, nabywca
buzz [bʌz] *s* brzęczenie (*pszczół*); buczenie; *vi* brzęczeć; bzykać; buczeć
buz•zer [ˋbʌzə(r)] *s* brzęczyk, dzwonek; *pot.* domofon
by [baɪ] *praep* przez; przy, u, obok; nad; do; po, za; z, ze; **by the sea** nad morzem; **by moonlight** przy świetle księżyca; **by**

1999 do roku 1999; **one by one** jeden za drugim; **by night** w nocy, nocą; **by myself** ja sam, sam (*jeden*); **by bus <land, sea>** autobusem <lądem, morzem>; **by letter <phone>** listownie <telefonicznie>; **step by step** krok za krokiem; **by chance** przypadkiem; **by heart** na pamięć; **little by little** po trochu; *adv* obok, blisko; **by the way** nawiasem mówiąc, à propos; **by and large** ogólnie mówiąc

bye(-bye) [ˋbaɪ(ˋbaɪ)] *int pot.* cześć!, na razie!; *pot.* pa, pa

by•pass [ˋbaɪpɑs] *s* objazd; *med.* pomost wieńcowy, by-pass, bajpas; *vt* objeżdżać, omijać

by-prod•uct [ˋbaɪprodʌkt] *s* produkt uboczny

bystand•er [ˋbaɪstændə(r)] *s* widz, świadek

byte [baɪt] *s komp.* bajt

C

cab [kæb] *s* taksówka; kabina (*kierowcy*); powóz, dorożka

cab•bage [ˋkæbɪdʒ] *s* kapusta

cab•in [ˋkæbɪn] *s* kajuta; kabina; chata

cab•i•net [ˋkæbɪnɪt] *s* szafa; szafka; gablotka; *polit.* gabinet

ca•ble [ˋkeɪbl] *s* kabel; telegram; **~ TV** telewizja kablowa; *vt vi* telegrafować

ca•fé [ˋkæfeɪ] *s* kawiarnia

caf•e•te•ri•a [kæfɪˋtɪərɪə] *s* stołówka; *am.* bar samoobsługowy; bufet

cage [keɪdʒ] *s* klatka; winda (*w kopalni*); *vt* zamknąć w klatce

cake [keɪk] *s* ciasto; ciastko; **birthday ~** tort; kawałek; kostka (*masła*); tabliczka (*czekolady*); *przen.* **piece of ~** małe piwo *przen.*

caked [keɪkt] *adj* oblepiony (**with mud** błotem)

ca•la•mity [kəˋlæmɪtɪ] *s* klęska, katastrofa

cal•cu•late [ˋkælkjʊleɪt] *vt* obliczać; kalkulować

cal•cu•la•tor [ˋkælkjʊleɪtə(r)] *s* kalkulator

cal•en•dar [ˋkæləndə(r)] *s* kalendarz

calf [kɑf] *s* (*pl* **calves** [kʌvz]) cielę; skóra cielęca; *anat.* łydka

call [kɔl] *vi vt* wołać; telefonować (**sb** do kogoś); *vt* wzywać, przywoływać; nazywać; zwoływać (*wybory*); *vi* odwiedzać (**on sb** kogoś); **~ in** wpadać, wstępować; przyjść (**for sb <sth>** po kogoś <coś>; **at sb's house** do czyjegoś domu); **~ for** wzywać; żądać, domagać się; **~ sth in question** kwestionować coś; **~ off** odwoływać; **~ out** wywoływać; **~ sb**

names przezywać kogoś; wymyślać komuś; *s* wołanie; krzyk; wezwanie; rozmowa telefoniczna; wizyta

call•er [`kɔlə(r)] *s* odwiedzający, gość; osoba telefonująca

calm [kɑm] *adj* cichy, spokojny; *vt vi*: **~ (down)** uspokajać (się), uciszać (się); *s* cisza, spokój

cal•o•rie [`kælərɪ] *s* kaloria

calves *zob.* **calf**

came *zob.* **come**

cam•cor•der [`kæmkɔdə(r)] *s* kamera wideo

came *zob.* **come**

cam•el [`kæml] *s zool.* wielbłąd

cam•er•a [`kæmərə] *s* aparat fotograficzny; *am.* **movie ~** kamera

cam•o•mile [`kæməmɑɪl] *s* rumianek

cam•ou•flage [`kæməflɑʒ] *s* maskowanie, kamuflaż; *vt* maskować, kamuflować

camp [kæmp] *s* obóz, obozowisko; *vi* obozować, biwakować

cam•paign [kæm`peɪn] *s* kampania; *vi* prowadzić kampanię

camp•ing [`kæmpɪŋ] *s* kemping, obozowanie; **go ~** wybrać się na kemping; **~ site** pole namiotowe

cam•pus [`kæmpəs] *s* teren uniwersytetu, miasteczko uniwersyteckie

can[1] [kæn, kən] *v aux* (*p* **could** [kud]) móc, potrafić, umieć; **I ~ speak French** znam (język) francuski; **I ~ see** widzę; **that ~'t be true!** to niemożliwe!

can[2] [kæn] *s am.* puszka; kanister; **~ opener** otwieracz do konserw; *vt* puszkować

Ca•na•dian [kə`neɪdɪən] *s* Kanadyjczyk; *adj* kanadyjski

ca•nal [kə`næl] *s* kanał; kanalik; przewód (*pokarmowy*)

ca•na•ry [kə`neərɪ] *s* kanarek

can•cel [`kænsəl] *vt* odwoływać; anulować, unieważniać

can•cer [`kænsə(r)] *s med.* rak

can•did [`kændɪd] *adj* szczery; otwarty

can•di•date [`kændɪdeɪt] *s* kandydat, kandydatka

can•dle [`kændl] *s* świeca

can•dle•stick[`kændlstɪk] *s* lichtarz

can•dy [`kændɪ] *s am.* cukierek; *am.* słodycze

cane [keɪn] *s* trzcina; laska; chłosta; *vt* wychłostać

can•non [`kænən] *s* działo, armata

can•not [`kænət] *forma przecząca od* **can**[1]

can•ny [`kænɪ] *adj* sprytny, chytry

ca•noe [kə`nu] *s* czółno, kanu; kajak; *vi* płynąć czółnem <kajakiem>

can't [kænt] *skr. od* **can not**

can•teen [kæn`tin] *s* stołówka, kantyna; menażka

can•vas [`kænvəs] *s* płótno żaglowe <malarskie>; obraz olejny

can•yon [ˈkænjən] *s* kanion
cap [kæp] *s* czapka, czepek; zakrętka, kapsel; wieko
ca•pa•ble [ˈkeɪpəbl] *adj* zdolny, nadający się (**of sth** do czegoś); uzdolniony
ca•pac•i•ty [kəˈpæsɪtɪ] *s* pojemność; zdolność (**for sth** do czegoś); charakter, uprawnienia; **in an advisory ~** w charakterze doradcy; **filled to ~** wypełniony po brzegi
cape [keɪp] *s* przylądek
cap•i•tal [ˈkæpɪtl] *s* stolica; kapitał; **~ letter** wielka litera; *adj* główny; stołeczny; **~ punishment** kara śmierci
cap•i•tal•is•m [ˈkæpɪtəlɪzm] *s* kapitalizm
ca•pri•ce [kəˈpris] kaprys
ca•pri•cious [kəˈprɪʃəs] *adj* kapryśny
cap•size [kæpˈsaɪz] *vt vi* (*o statku, o łodzi*) wywrócić (się)
cap•sule [ˈkæpsjul] *s* kapsułka; *techn.* kapsuła
cap•tain [ˈkæptɪn] *s* kapitan; dowódca; *vt* dowodzić
cap•tion [ˈkæpʃən] *s* napis (*na ekranie*); podpis (*pod ilustracją*)
cap•tive [ˈkæptɪv] *adj* schwytany, pojmany; *s* jeniec
cap•tiv•i•ty [kæpˈtɪvɪtɪ] *s* niewola
cap•ture [ˈkæptʃə(r)] *vt* schwytać; pojmać; zdobywać (*miasto*); *przen.* chwycić; *s* schwytanie; pojmanie; zdobycz
car [kɑ(r)] *s* samochód; wagon; *bryt.* **~ park** parking; **~ alarm** alarm samochodowy; **~ wash** myjnia; **~ rental** wynajem samochodów; **~ service** autoserwis
car•a•van [ˈkærəvæn] *s bryt.* przyczepa kempingowa; karawana; wóz cyrkowy
car•a•way [ˈkærəweɪ] *s* kminek
car•bon [ˈkɑbən] *s chem.* węgiel; **~ papier** kalka (*maszynowa*)
car•bu•ret•tor [kɑbjʊˈretə(r)] *s mot.* gaźnik
card [kɑd] *s* karta; bilet; kartka (*okolicznościowa*); **credit ~** karta kredytowa; **playing ~** karta (*do gry*); **visiting ~** wizytówka
card•board [ˈkɑdbɔd] *s* tektura, karton
car•di•nal [ˈkɑdɪnl] *adj* główny, podstawowy; **four ~ points** cztery strony świata; *s* kardynał
care [keə(r)] *s* opieka; troska; niepokój; ostrożność; staranie; **~ of** (*skr.* **c/o**) pod adresem, do rąk; **take ~** dbać (**of sb <sth>** o kogoś <coś>); **take ~!** uważaj na siebie!; *vi* troszczyć się, dbać (**about sth** o coś); **I don't ~** nic mnie to nie obchodzi; *vt*: **~ for** opiekować się; (*w przeczeniach i pytaniach*) lubić
ca•reer [kəˈrɪə(r)] *s* zawód, zaję-

cie; kariera; ~ **woman** kobieta pracująca zawodowo
care•ful [ˋkeəfʊl] *adj* troskliwy; ostrożny; **be ~!** uważaj!
care•less [ˋkeəlɪs] *adj* beztroski; niedbały; nieostrożny
ca•ress [kəˋres] *vt* pieścić; *s* pieszczota
care•tak•er [ˋkeəteɪkə(r)] *s* dozorca, stróż
car•go [ˋkɑgəʊ] *adj* ładunek (*statku, samolotu*)
car•ies [ˋkeərɪiz] *s* próchnica zębów
car•na•tion [kɑˋneɪʃən] *s bot.* goździk; różowy kolor
car•ni•val [ˋkɑnɪvəl] *s* karnawał
car•ni•vor•ous [kɑˋnɪvərəs] *adj zool.* mięsożerny
car•ol [ˋkærəl] *s* kolęda; *vi* kolędować
carp [kɑp] *s* karp
car•pen•ter [ˋkɑpɪntə(r)] *s* stolarz; cieśla
car•pen•try [ˋkɑpɪntrɪ] *s* stolarka
car•pet [ˋkɑpɪt] *s* dywan; **fitted ~** wykładzina dywanowa; *vt* pokrywać dywanami <wykładziną>
car•riage [ˋkærɪdʒ] *s* powóz; *bryt.* wagon; *am.* **baby ~** wózek dziecięcy
car•ri•er [ˋkærɪə(r)] *s* roznosiciel; przewoźnik; *med.* nosiciel
car•rot [ˋkærət] *s* marchew
car•ry [ˋkærɪ] *vt* nosić; wozić; przenosić (*chorobę*); nosić ze sobą; ~ **on** prowadzić dalej, kontynuować; ~ **out** wykonywać, przeprowadzać; ~ **about** **<along>** nosić ze sobą; ~ **away** uprowadzić; ~ **off** zdobyć (*np. nagrodę*); ~ **into effect** wprowadzić w czyn
cart [kɑt] *s* wóz, furmanka; wózek; *vt* wywozić
cart•er [ˋkɑtə(r)] *s* woźnica
car•ton [ˋkɑtn] *s* karton (**of sth** czegoś)
car•toon [kɑˋtun] *s* rysunek satyryczny; film animowany; *bryt.* komiks
car•tridge [ˋkɑtrɪdʒ] *s* nabój; kaseta
carve [kɑv] *vt* rzeźbić; krajać
cas•cade [kæsˋkeɪd] *s* kaskada
case^1 [keɪs] *s* wypadek; przypadek; *prawn.* sprawa; **in ~ of** w razie; **in any ~** tak czy owak; **(just) in ~** na wszelki wypadek
case^2 [keɪs] *s* skrzynka; pudełko; futerał; walizka
cash [kæʃ] *s* gotówka; *pot.* pieniądze; **pay (in) ~** płacić gotówką; ~ **down** płatne przy odbiorze; ~ **on delivery** za zaliczeniem pocztowym; ~ **desk** kasa; *vt* spieniężyć; zrealizować (*czek*)
cash•ier [kəˋʃɪə(r)] *s* kasjer
casino [kəˋsinəʊ] *s* kasyno
cas•se•role [ˋkæsərəʊl] *s* zapiekanka; naczynie do zapiekanek
cas•sette [kəˋset] *s* kaseta; **vi-**

deo ~ wideokaseta; ~ **recorder** magnetofon kasetowy

cast [kɑst], **cast, cast** *vt* rzucać *(cień, urok)*; zarzucać (*sieci*); oddać głos (*w wyborach*); *techn.* odlewać; ~ **out** wyrzucić; *s teatr., film.* obsada; rzut; odlew

cast•a•way [ˋkɑstəweɪ] *s* rozbitek; *przen.* wyrzutek

cas•tle [ˋkɑsl] *s* zamek; wieża (*w szachach*); *przen.* **~s in the air** zamki na lodzie

cas•u•al [ˋkæʒʊəl] *adj* niedbały, swobodny; przypadkowy; dorywczy; zdawkowy; ~ **clothes** ubranie na co dzień

cas•u•al•ty [ˋkæʒʊəltɪ] *s* ofiara (*wypadku*); *pl* **casualties** straty w ludziach

cat [kæt] *s* kot; **it's raining ~s and dogs** leje jak z cebra; **let the ~ out of the bag** wygadać się *(z czymś)*

cat•a•logue [ˋkætəlog] *s* katalog; *vt* katalogować

ca•tarrh [kəˋtɑ(r)] *s med.* nieżyt, katar

ca•tas•tro•phe [kəˋtæstrəfɪ] *s* katastrofa

catch [kætʃ], **caught, caught** [kɔt] *vt* łapać, chwytać; łowić; przyłapywać; zarazić się (*chorobą*); pojąć; *vi* chwytać się (**at sth** czegoś); ~ **up with sb** dogonić kogoś, dorównać komuś; ~ **(a) cold** zaziębić się; **to ~ fire** zapalić się; ~ **hold** pochwycić (**of sth** coś); ~ **sight** zobaczyć (**of sth** coś); *s* chwyt; łapanie; łup; połów; haczyk, podstęp

catch•ing [ˋkætʃɪŋ] *adj* zaraźliwy

catch•y [ˋkætʃɪ] *adj* chwytliwy, wpadający w ucho <oko>

cat•e•gor•i•cal [kætɪˋgorɪkəl] *adj* kategoryczny; stanowczy

cat•e•go•ry [ˋkætɪgərɪ] *s* kategoria

ca•ter•ing [ˋkeɪtərɪŋ] *s* dostarczanie potraw na przyjęcia <do biur itd.>, catering

ca•the•dral [kəˋθidrəl] *s* katedra

Cath•o•lic [ˋkæθəlɪk] *s* katolik; *adj* katolicki

cat•kin [ˋkætkɪn] *s bot.* bazia

cat•tle [ˋkætl] *s pl* bydło rogate

caught *zob.* **catch**

cau•li•flow•er [ˋkolɪflɑʊə(r)] *s* kalafior

cause [kɔz] *s* przyczyna; powód (**of <for> sth** czegoś <do czegoś>); sprawa; *vt* powodować, sprawiać

cau•tion [ˋkɔʃən] *s* ostrożność; przezorność; ostrzeżenie; *vt* ostrzegać (**against sth** przed czymś)

cau•tious [ˋkɔʃəs] *adj* ostrożny, rozważny, uważny

cav•al•ry [ˋkævəlrɪ] *s* kawaleria; konnica; jazda

cave [keɪv] *s* jaskinia, pieczara, grota; *vi*: ~ **in** zapadać się; *przen.* poddać się, ustąpić

cav•i•ar [ˋkævɪɑ(r)] *s* kawior

cav•i•ty [ˋkævɪtɪ] *s* wydrążenie, otwór; dziura (*w zębie*)
cease [sis] *vi* ustawać; przestawać; *vt* przerwać, skończyć, wstrzymać; *woj.* **~-fire** wstrzymanie ognia
ceas•less [ˋsislɪs] *adj* nieustanny, nieprzerwany
ce•dar [ˋsidə(r)] *s* cedr
ceil•ing [ˋsilɪŋ] *s* sufit
cel•e•brate [ˋseləbreɪt] *vt* świętować, obchodzić (*święto, rocznicę*); odprawiać (*mszę*)
cel•e•bra•tion [selɪˋbreɪʃən] *s* odprawianie; czczenie, obchodzenie; uroczystość
ce•leb•ri•ty [sɪˋlebrɪtɪ] *s* znakomitość, osobistość, sława
cel•e•ry [ˋselərɪ] *s* seler
cell [sel] *s* cela; *biol.* komórka; *elektr.* ogniwo
cel•lar [ˋselə(r)] *s* piwnica
cel•lo [ˋtʃeləʊ] *s* wiolonczela
cell•phone [ˋselfəʊn] *bryt.* (*skr. od* **cellular phone**) *s* telefon komórkowy
cel•lu•lar [ˋseljʊlə(r)] *adj* komórkowy
ce•ment [sɪˋment] *s* cement; *vt* cementować; utwierdzać
cem•e•ter•y [ˋsemɪtrɪ] *s* cmentarz
cen•sor•ship [ˋsensəʃɪp] *s* cenzura
cen•sus [ˋsensəs] *s* spis ludności
cent [sent] *s* cent; **at 5 per ~** na 5 procent
cen•te•na•ry [senˋtinərɪ] *s* stulecie; *adj* stuletni
cen•ter [ˋsentə(r)] *am. zob.* **centre**
cen•ti•grade [ˋsentɪgreɪd] *s*: **25 degrees ~** 25 stopni Celsjusza
cen•ti•me•tre [ˋsentɪmitə(r)] *s* centymetr
cen•tral [ˋsentrəl] *adj* centralny, główny; śródmiejski; **~ heating** centralne ogrzewanie
cen•tre [ˋsentə(r)] *s* środek, centrum; ośrodek; **~ of gravity** środek ciężkości; *vt* ustawiać na środku; koncentrować się (**on sth** na czymś)
cen•tu•ry [ˋsentʃərɪ] *s* stulecie, wiek
ce•ram•ics [səˋræmɪks] *s* ceramika
ce•re•al [ˋsɪərɪəl] *s* zboże; płatki zbożowe
cer•e•mo•ny [ˋserəmənɪ] *s* ceremonia, uroczystość
cer•tain [ˋsɜtən] *adj* pewny, niezawodny; przekonany; niejaki, pewien; określony; **for ~** na pewno; **make ~** upewniać się, ustalać; **he is ~ to come** on na pewno przyjdzie
cer•tain•ly [ˋsɜtənlɪ] *adv* na pewno, bezwarunkowo; *int* **~!** oczywiście!; **~ not!** nie!, nie ma mowy!
cer•tif•i•cate [səˋtɪfɪkɪt] *s* zaświadczenie, świadectwo; **birth ~** metryka urodzenia; **marriage ~** akt ślubu
cer•ti•fy [ˋsɜtɪfaɪ] *vt* poświadczać; zaświadczać; *vi* poświad-

czyć (**to sth** coś); **this is to ~ that...** zaświadcza się, że...

chain [tʃeɪn] *s* łańcuch; łańcuszek; szereg (*wydarzeń*); *pl* **~s** łańcuchy, więzy, kajdany; *vt* przykuwać łańcuchem; uwiązywać na łańcuchu

chair [tʃeə(r)] *s* krzesło; katedra (*uniwersytecka*); *vt* przewodniczyć (*zebraniu, dyskusji*)

chair•man [`tʃeəmən] *s* przewodniczący, prezes

cha•let [`ʃæleɪ] *s* chata, domek

chalk [tʃɔk] *s* kreda; *vt* pisać kredą

chal•lenge [`tʃæləndʒ] *vt* wyzywać; wzywać; kwestionować; *s* wyzwanie; wezwanie; kwestionowanie; próba sił

cham•ber [`tʃeɪmbə(r)] *s* komnata, sala; izba; komora; **~ of commerce** izba handlowa; **~ music** muzyka kameralna; **~ pot** nocnik

cha•me•le•on [kə`milɪən] *s* kameleon

cham•pagne [ʃæm`peɪn] *s* szampan

cham•pi•on [`tʃæmpɪən] *s sport.* mistrz; rekordzista; obrońca, orędownik

cham•pi•on•ship [`tʃæmpɪənʃɪp] *s* mistrzostwo (*sportowe*); mistrzostwa

chance [tʃɑns] *s* szansa; traf, przypadek; okazja; ryzyko; **by ~** przypadkowo; **give sb a ~** dać komuś szansę; **take one's ~** próbować, ryzykować; *adj attr* przypadkowy; *vt* ryzykować; *vi* zdarzać się; natknąć się przypadkowo (**on <upon> sb <sth>** na kogoś <coś>)

chan•cel•lor [`tʃɑnsələ(r)] *s* kanclerz; *bryt.* rektor

chan•de•lier [ʃændə`lɪə(r)] *s* kandelabr, żyrandol

change [tʃeɪndʒ] *s* zmiana; odmiana; przesiadka; drobne pieniądze, reszta; **small ~** drobne; **for a ~** dla odmiany; **~ of clothes** zmiana ubrania; *vt vi* zmieniać (się); wymieniać; przebierać się; rozmieniać (*pieniądze*); przesiadać się; **~ hands** zmieniać właściciela; **~ one's mind** rozmyślić się

change•a•ble [`tʃeɪndʒəbl] *adj* zmienny

chan•nel [`tʃænl] *s* kanał (*morski, telewizyjny*); koryto (*rzeki*); rowek; *przen.* droga, sposób; **the English Channel** kanał La Manche; **the Channel Tunnel** tunel pod kanałem La Manche

cha•os [`keɪos] *s* chaos

ch•o•tic [keɪ`otɪk] *adj* chaotyczny

chap [tʃæp] *s bryt. pot.* facet, gość

chap•el [`tʃæpl] *s* kaplica

chap•ter [`tʃæptə(r)] *s* rozdział (*książki, życia*)

char•ac•ter [`kærɪktə(r)] *s* charakter; postać, rola; znak, litera; dziwak

char•ac•ter•is•tic [kærɪktə`rɪs-

tɪk] *adj* charakterystyczny, typowy; *s* cecha charakterystyczna
char•ac•ter•ize [ˋkærɪktəraɪz] *vt* charakteryzować, opisywać
charge [tʃɑdʒ] *s* obciążenie, zarzut; oskarżenie; opłata; odpowiedzialność; opieka; ładunek (*elektryczny*; *nabój*); **on a ~ of sth** pod zarzutem czegoś; **at a ~ of** za opłatą; **be in ~** opiekować się, zarządzać (**of sth** czymś); **take ~** zajmować się (**of sth** czymś); **free of ~** bezpłatny; *vi vt* pobierać opłatę (**for sth** za coś); obciążać; oskarżać (**with sth** o coś); zobowiązywać (**with sth** do czegoś); ładować (*broń*; *akumulator*); **how much do you ~ for that?** ile za to żądasz?
char•i•ty [ˋtʃærɪtɪ] *s* miłosierdzie; dobroczynność; jałmużna
charm [tʃɑm] *s* czar, wdzięk; urok; amulet; *vt vi* czarować, urzekać
charm•ing [ˋtʃɑmɪŋ] *adj* czarujący, uroczy
chart [tʃɑt] *s* wykres; *mors.* mapa; *vt* nanosić na mapę; sporządzać mapę <wykres>
char•ter [ˋtʃɑtə(r)] *s* karta; statut; czarter; *vt* wynajmować (*samolot, statek*)
chase [tʃeɪs] *vt* gonić, ścigać; polować (**sth** na coś); *s* pogoń, pościg
chas•sis [ˋʃæsɪ] *s mot.* podwozie
chaste [tʃeɪst] *adj* niewinny; cnotliwy; czysty; prosty
chat [tʃæt] *s* pogawędka; *vi* gawędzić
chat•ter [tʃætə(r)] *vi* świergotać, szczebiotać; paplać; *s* świergot; szczebiot, paplanina
chauf•feur [ˋʃəʊfə(r)] *s* szofer, kierowca
cheap [tʃip] *adj* tani; marny, tandetny; *adv* tanio
cheat [tʃit] *vt vi* oszukiwać; *s* oszust; oszustwo
check [tʃek] *s* kontrola, inspekcja; powstrzymanie; numerek (*np. w szatni*); żeton; pokwitowanie; (*w szachach*) szach; *am.* czek; *vt* (*także* **~ up**) sprawdzać; powstrzymywać; szachować; *am.* oddawać bagaż na przechowanie; **~ in** meldować się (*w hotelu*); **~ out** wymeldować się; **~ up on sb** zbierać o kimś informacje
check•ers [ˋtʃekəz] *s pl am.* warcaby
check-up [ˋtʃekʌp] *s* kontrolne badanie lekarskie
cheek [tʃik] *s* policzek; *przen.* bezczelność, tupet
cheer [tʃɪə(r)] *s* usposobienie; nastrój; otucha; *pl* **~s** okrzyki (*radości*); *pl* **~s!** na zdrowie!; *vi* wiwatować; *vt* dopingować; zachęcać; **~ up!** głowa do góry!
cheer•ful [ˋtʃɪəfʊl] *adj* radosny, pogodny, zadowolony
cheer•ing [ˋtʃɪərɪŋ] *adj* zachę-

cający; podnoszący na duchu; pogodny
cheer•i•o [ˋtʃɪərɪˋəʊ] *bryt. pot.* cześć! czołem!; na zdrowie! (*przy toastach*)
cheese [tʃiz] *s* ser; **cottage <hard> ~** biały <żółty> ser
cheese•cake [ˋtʃizkeɪk] *s* sernik
chem•i•cal [ˋkemɪkəl] *adj* chemiczny; *s pl* **~s** chemikalia
chem•ist [ˋkemɪst] *s* chemik; *bryt.* aptekarz; *bryt.* **~'s (shop)** apteka
chem•is•try [ˋkemɪstrɪ] *s* chemia; *przen.* wzajemna sympatia
cheque [tʃek] *s bryt.* czek; **~ book** książeczka czekowa; **traveller's ~** czek podróżny
chequ•er•ed [ˋtʃekəd] *adj* w kratkę (*o deseniu*); *przen.* burzliwy; urozmaicony
cher•ry [ˋtʃerɪ] *s* wiśnia; czereśnia
chess [tʃes] *s* szachy
chess•board [ˋtʃesbɔd] *s* szachownica
chest [tʃest] *s* klatka piersiowa; skrzynia; kufer; **~ of drawers** komoda
chest•nut [ˋtʃesnʌt] *s* kasztan; **~ tree** kasztanowiec
chew [tʃu] *vt vi* żuć
chew•ing gum [ˋtʃuɪŋgʌm] *s* guma do żucia
chic [ʃɪk] *adj* elegancki, modny
chick [tʃɪk] *s* kurczę, pisklę; *pot.* laska (*o dziewczynie*)
chick•en [ˋtʃɪkɪn] *s* kurczę; *pot.* tchórz; *vi*: *pot.* **~ out** stchórzyć
chick•en pox [ˋtʃɪkɪnpoks] *s med.* ospa wietrzna
chic•o•ry [ˋtʃɪkərɪ] *s* cykoria
chief [tʃif] *s* wódz; szef; kierownik; *adj* główny, naczelny
chief•ly [ˋtʃiflɪ] *adv* głównie, przede wszystkim
child [tʃaɪld] *s* (*pl* **children** [ˋtʃɪldrən]) dziecko
child•birth [ˋtʃaɪldbɜθ] *s* poród; rodzenie
child•hood [ˋtʃaɪldhud] *s* dzieciństwo
child•ish [ˋtʃaɪldɪʃ] *adj* dziecinny
chil•dren *zob.* **child**
chill [tʃɪl] *s* chłód, ziąb; dreszcz; przeziębienie; **catch a ~** dostać dreszczy; *vt* oziębiać; studzić; *vi* stygnąć
chill•y [ˋtʃɪlɪ] *adj* zimny, chłodny
chim•ney [ˋtʃɪmnɪ] *s* komin
chin [tʃɪn] *s* podbródek, broda
chi•na [ˋtʃaɪnə] *s* porcelana
Chi•nese [tʃaɪˋniz] *s* Chińczyk; *adj* chiński
chip [tʃɪp] *s* wiór, drzazga; odłamek; szczerba; żeton; *komp.* kość; *bryt. pl* **~s** frytki; *vt vi* szczerbić (się); strugać; łupać
chiv•al•rous [ˋʃɪvəlrəs] *adj* rycerski
chirp [tʃɜp] *vt vi* świergotać; *s* świergot
chives [tʃaɪvz] *s pl* szczypiorek

choc•o•late [ˋtʃoklɪt] *s* czekolada; *adj attr* czekoladowy
choice [tʃoɪs] *s* wybór; dobór; rzecz wybrana; **make one's ~** wybierać; *adj* wyborowy; wybrany; najlepszy
choir [ˋkwɑɪə(r)] *s* chór
choke [tʃəʊk] *vt vi* dusić (się); dławić (się); *s* dławienie (się)
chol•e•ra [ˋkolərə] *s med.* cholera
cho•les•te•rol [kəˋlestərol] *s* cholesterol; *adj attr* **~-free** bez cholesterolu
choose [tʃuz], **chose** [tʃəʊz], **cho•sen** [ˋtʃəʊzn] *vt* wybierać; postanawiać
choos•y [ˋtʃuzɪ] *adj* wybredny
chop [tʃop] *vt* krajać, rąbać, siekać; **~ down** zrąbać (*drzewo*); **~ up** posiekać; *s* kotlet; cięcie; rąbanie
chop•per [ˋtʃopə(r)] *s am. pot.* helikopter
chor•al [ˋkɔrəl] *adj* chóralny
chord [ˋkɔd] *s* akord; struna; cięciwa; **vocal ~s** struny głosowe
cho•rus [ˋkɔrəs] *s* chór; refren; **in ~** chórem
chose, cho•sen *zob.* **choose**
Christ [krɑɪst] *s rel.* Chrystus
chris•ten [ˋkrɪsn] *vt* chrzcić
Chris•tian [ˋkrɪstʃən] *s* chrześcijanin; *adj* chrześcijański
Christ•mas [ˋkrɪsməs] *s* Boże Narodzenie; **~ Eve** Wigilia; **~ tree** choinka; **Merry ~!** Wesołych Świąt!
chrome [krəʊm] *s* chrom
chron•ic [ˋkronɪk] *adj* chroniczny
chron•i•cle [ˋkronɪkl] *s* kronika
chron•o•log•i•cal [kronəˋlodʒɪkəl] *adj* chronologiczny
chuck•le [ˋtʃʌkl] *s* chichot; *vi* chichotać
church [tʃɜtʃ] *s* kościół
church•yard [ˋtʃɜtʃjɑd] *s* cmentarz przykościelny
chute [ʃut] *s* zsyp; zsuwnia; zjeżdżalnia; *pot.* spadochron
ci•der [ˋsɑɪdə(r)] *s* jabłecznik (*napój alkoholowy*), cydr
ci•gar [sɪˋgɑ(r)] *s* cygaro
cig•a•rette [sɪgəˋret] *s* papieros; **~ end <butt>** niedopałek
cin•der [ˋsɪndə(r)] *s* żużel, popiół
Cin•der•el•la [ˋsɪndəˋrelə] *s* Kopciuszek
cin•e•ma [ˋsɪnəmə] *s bryt.* kino
cin•na•mon [ˋsɪnəmən] *s* cynamon
ci•pher [ˋsɑɪfə(r)] *s* cyfra; zero; szyfr
cir•cle [ˋsɜkl] *s* koło, okrąg, krąg; **vicious ~** błędne koło; *vt vi* krążyć
cir•cuit [ˋsɜkɪt] *s* obieg; objazd; obwód; **short ~** spięcie
cir•cu•lar [ˋsɜkjʊlə(r)] *adj* kolisty, okrągły; okrężny; *s* okólnik
cir•cu•late [ˋsɜkjʊleɪt] *vi* krążyć; *vt* puszczać w obieg
cir•cum•stance [ˋsɜkəmstəns] *s*: *zw. pl* **~s** okoliczności, położe-

nie; **under no ~s** w żadnym razie

cir•cus [`s3kəs] *s* cyrk; okrągły plac (*u zbiegu ulic*), rondo

cit•i•zen [`sɪtɪzn] *s* obywatel; mieszkaniec miasta

cit•i•zen•ship [`sɪtɪznʃɪp] *s* obywatelstwo

cit•y [`sɪtɪ] *s* (wielkie) miasto; **~ council** rada miejska; *am.* **~ hall** ratusz; **the City** centrum finansowe Londynu

civ•il [`sɪvɪl] *adj* cywilny; obywatelski, społeczny; uprzejmy; **~ rights** prawa obywatelskie; **~ servant** urzędnik państwowy; **~ war** wojna domowa

ci•vil•ian [sɪ`vɪljən] *adj* cywilny; *s* cywil

ci•vil•i•ty [sɪ`vɪlɪtɪ] *s* grzeczność, uprzejmość

civ•il•i•za•tion ['sɪvəlɑɪ`zeɪʃən] *s* cywilizacja

claim [kleɪm] *vt* żądać, zgłaszać pretensje (**sth** do czegoś); twierdzić; *s* żądanie (**to sth** czegoś), roszczenie; twierdzenie

clamp [klæmp] *s* kleszcze (*do przytrzymywania*); uchwyt; imadło; *vt* zaciskać, spajać

clan•des•tine [klæn`destɪn] *adj* tajny, potajemny

clang [klæŋ] *s* szczęk; brzęk; *vt* brzęczeć; szczękać

clap [klæp] *vt vi* klaskać; klepać; *s* klaskanie; klepanie

clap•ping [`klæpɪŋ] *s* klaskanie; *zbior.* oklaski

clar•i•fy [`klærɪfɑɪ] *vt vi* wyjaśnić (się); oczyszczać (się), klarować (się)

clar•i•ty [`klærɪtɪ] *s* czystość, klarowność; przejrzystość

clash [klæʃ] *s* szczęk; brzęk; zderzenie, kolizja; *vi* zderzyć się; ścierać się; kolidować

clasp [klɑsp] *s* uścisk; klamra, sprzączka; zapinka; zatrzask; *vt* spiąć; uścisnąć

class [klɑs] *s* klasa (*zespół*); lekcja; zajęcia; kategoria; *vt* klasyfikować

clas•sic [`klæsɪk] *adj* klasyczny; *s* klasyka; klasyk

clas•si•cism [`klæsɪsɪzm] *s* klasycyzm

clas•si•fy [`klæsɪfɑɪ] *vt* klasyfikować, sortować

class•i•fied [`klæsɪfɑɪd] *adj* tajny, poufny; **~ advertisement** ogłoszenie drobne

class•mate [`klɑsmeɪt] *s* kolega <koleżanka> z klasy

class•room [`klɑsrum] *s* klasa (*sala szkolna*)

clat•ter [`klætə(r)] *s* stukot; klekot; brzęk; *vi* brzęczeć; stukać; klekotać

claw [klɔ] *s* pazur; szpon; *pl* **~s** szczypce, kleszcze; *vt* drapać; chwytać pazurami

clay [kleɪ] *s* glina

clean [klin] *adj* czysty; gładki; wyraźny; *vt* czyścić; **~ up** wyczyścić, uporządkować; *adv* czysto; do czysta

cleanse [klenz] *vt dosł. przen.* oczyszczać

clear [klɪə(r)] *adj* jasny; wyraźny; zrozumiały; bezsprzeczny; czysty (*zysk; sumienie*); (*o drodze*) wolny; **all** ~ droga wolna; *adv* jasno, wyraźnie; czysto; **keep** ~ trzymać się z dala (**of sth** od czegoś); *vt* oczyszczać; sprzątać; usuwać; przeskakiwać; opróżniać; rozliczać (*długi, rachunki*); *vi* przejaśniać się; ~ **away** usunąć; ~ **off** zwiewać; ~ **out** uprzątnąć, wyrzucić; ~ **up** wyjaśniać; uporządkować; ~ **one's throat** odchrząknąć; **make it** ~ uzmysłowić

clear•ance [ˋklɪərəns] *s* usunięcie; oczyszczenie; wyprzedaż; rozliczenie; odprawa celna

clear•ing [ˋklɪərɪŋ] *s* polana; rozrachunek (*bankowy*)

clench [klentʃ] *vt* zaciskać; ściskać

cler•gy [ˋklɜdʒɪ] *s* duchowieństwo, kler

cler•gy•man [ˋklɜdʒɪmən] *s* duchowny

cler•i•cal [ˋklerɪkl] *adj* klerykalny; duchowny; urzędniczy

clerk [klɑk] *s* urzędnik; *am.* ekspedient, ekspedientka

clev•er [ˋklevə(r)] *adj* zdolny, inteligentny; sprytny, zręczny; pomysłowy

clev•er•ness [ˋklevənɪs] *s* zdolność; inteligencja; zręczność; spryt

click [klɪk] *s* trzask; pstryknięcie; mlaśnięcie; kliknięcie; *vt vi* trzasnąć; mlasnąć; pstryknąć; kliknąć

cli•ent [ˋklɑɪənt] *s* klient

cliff [klɪf] *s* stroma ściana skalna, urwisko

cli•mate [ˋklɑɪmɪt] *s* klimat

cli•max [ˋklɑɪmæks] *s* punkt kulminacyjny <szczytowy>; orgazm

climb [klɑɪm] *vt vi* wspinać się (**sth** na coś <po czymś>); wznosić się; wchodzić (**the stairs** po schodach); ~ **down** schodzić; *s* wspinaczka; wzniesienie

climb•er [ˋklɑɪmə(r)] *s* amator wspinaczki, alpinista; *przen.* karierowicz; *bot.* pnącze

climb•ing [ˋklɑɪmɪŋ] *s* wspinaczka

cling [klɪŋ], **clung, clung** [klʌŋ] *vi* chwytać się, czepiać się (**to sth** czegoś)

clin•ic [ˋklɪnɪk] *s* klinika

clink [klɪŋk] *s* metaliczny dźwięk, brzęk (*szkła*)

clip[1] [klɪp] *s* sprzączka; spinacz (*do papieru*); klips; spinka (*do włosów*); *vt* spinać

clip[2] [klɪp] *vt* obcinać, strzyc; *s* strzyżenie (*żywopłotu, owiec*)

clip•pers [ˋklɪpəz] *s pl* sekator; cążki

clique [klik] *s* klika

cloak [ˋkləʊk] *s* peleryna; *przen.* płaszczyk; *vt* osłaniać, maskować

cloak•room [ˋkləʊkrʊm] *s bryt.* szatnia

clog [klog] *s* kłoda; *przen.* prze-

szkoda; chodak; *vt vi* zatykać (się); zapychać (się); *przen.* zawadzać, przeszkadzać
clock [klok] *s* zegar; **round the ~** (przez) całą dobę; *zob.* **o'clock**
clock•wise [`klokwaɪz] *adv* zgodnie z ruchem wskazówek zegara
clois•ter [`kloɪstə(r)] *s* krużganek; klasztor
close[1] [kləʊz] *vt vi* zamykać (się); kończyć (się); **~ down** zamykać (*interes*); **~ in** otaczać; *s* koniec; zamknięcie; zamknięta przestrzeń; **bring to a ~** doprowadzać do końca; **draw to a ~** zbliżać się do końca
close[2] [kləʊs] *adj* bliski; szczelny; zwarty; skupiony; duszny; *adv* blisko, tuż obok (**to sb <sth>** kogoś <czegoś>); szczelnie; ciasno; ściśle; **~ by** tuż obok; **it was a ~ shave** o mały włos
close•ly [`kləʊslɪ] *adv* z bliska; dokładnie; ściśle
clos•et [`klozɪt] *s bryt.* schowek, komórka; *am.* szafa w ścianie; *adj* utajony, tajny
cloth [kloθ] *s* tkanina, materiał; ścierka; obrus
clothes [kləʊðz] *s pl* ubranie, ubiór
cloth•ing [`kləʊθɪŋ] *s* odzież
cloud [klaʊd] *s* chmura; obłok; *vi*: **~ over <up>** zachmurzyć się; *vt* zachmurzyć
cloud•y [`klaʊdɪ] *adj* chmurny; pochmurny
clove [kləʊv] *s* ząbek (*czosnku*); *kulin.* goździk
clo•ver [`kləʊvə(r)] *s* koniczyna
clown [klaʊn] *s* klaun, błazen; *vi* błaznować
club [klʌb] *s* klub; maczuga, pałka; kij; *pl* **~s** trefle (*w kartach*); *vt* bić pałką
clue [klu] *s* trop; wskazówka, klucz
clump [klʌmp] *s* kępa (*drzew, krzaków*); grupa; ciężki chód; *vi* ciężko stąpać
clum•sy [`klʌmzɪ] *adj* niezgrabny, niezdarny; nietaktowny
clung *zob.* **cling**
clus•ter [`klʌstə(r)] *s* grono, kiść, pęk; skupisko; *vi* rosnąć w kiściach <kępkach>; skupiać się
clutch [klʌtʃ] *vt* ściskać kurczowo; *vi* chwytać się (**at sth** czegoś); *s* chwyt, uścisk; *mot.* sprzęgło
clat•ter [`klʌtə(r)] *vt* zagracać; *s* graty
coach [kəʊtʃ] *s* powóz; autokar; wagon kolejowy; *sport.* trener; korepetytor; *vt* udzielać korepetycji, uczyć; *sport.* trenować
coal [kəʊl] *s* węgiel
coal•mine [`kəʊlmaɪn]
coal•pit [`kəʊlpɪt] *s* kopalnia węgla
coarse [kɔs] *adj* szorstki; prostacki, ordynarny

coast [kəʊst] *s* wybrzeże; *vi* pływać wzdłuż wybrzeża

coat [kəʊt] *s* płaszcz, palto; sierść; warstwa, powłoka; **~ of arms** herb; *vt* pokrywać, powlekać

coax [kəʊks] *vt* skłonić pochlebstwem, namówić; *vi* przymilać się, przypochlebiać się

cob•bles [koblz], **cob•ble•stones** [`koblstəʊnz] *s pl* kocie łby

cob•web [`kobweb] *s* pajęczyna

cock [kok] *s* kogut; samiec (*u ptaków*); kurek; *wulg.* kutas; *vt* nastawiać (*uszu*); zadrzeć *pot.*, podnieść (*głowę*)

cock•ney [`koknı] *s* gwara londyńska; rodowity londyńczyk z East End

cock•pit [`kokpıt] *s* kabina pilota, kokpit

cock•roach [`kokrəʊtʃ] *s* karaluch

cock•tail [`kokteıl] *s* koktajl

co•coa [`kəʊkəʊ] *s* kakao

co•co•nut [`kəʊkənʌt] *s* orzech kokosowy

co•coon [kə`kun] *s* kokon, oprzęd

cod [kod] *s* dorsz

code [kəʊd] *s* kodeks; kod; szyfr; *vt* szyfrować; *bryt.* **post(al) ~** kod pocztowy

co•ef•fi•cient [kəʊı`fıʃənt] *s mat.* współczynnik

co•erce [kəʊ`ɜs] *vt* zmuszać, wymuszać, zniewalać

co•ex•ist•ence ['kəʊıg`zıstəns] *s* współistnienie

cof•fee [`kofı] *s* kawa; **instant ~** kawa rozpuszczalna; **~ maker** ekspres do kawy; **~ bar** bar kawowy; **~ break** przerwa na kawę

cof•fin [`kofın] *s* trumna

co•gnac [`konjæk] *s* koniak

co•her•ent [kəʊ`hıərənt] *adj* spójny; logiczny

coin [koın] *s* pieniądz, moneta; *vt* bić monety; ukuć <wymyślić> (*słowo*)

co•in•cide ['kəʊın`saıd] *vi* zbiegać się; pokrywać się (*w czasie*)

co•in•ci•dence [kəʊ`ınsıdəns] *s* zbieżność; zbieg okoliczności

coke[1] [kəʊk] *s* koks

coke[2] [kəʊk] *s pot.* kokaina

Coke [kəʊk] *s pot.* koka-kola

cold [kəʊld] *adj* zimny, chłodny; zmarznięty; oziębły; **I'm ~** jest mi zimno; *s* zimno, chłód; przeziębienie; **have a ~** być przeziębionym

cold-blooded [`kəʊld'blʌdıd] *adj* zimnokrwisty; nieczuły, bezlitosny

cole•slaw [`kəʊlslɔ] *s* surówka z białej kapusty

col•lab•o•rate [kə`læbəreıt] *vi* współpracować; kolaborować

col•lab•o•ra•tion [kə'læbə`reıʃən] *s* współpraca; kolaboracja

col•lapse [kə`læps] *vi* runąć; zawalić się; załamać się; opaść z

sił; *s* zawalenie się; rozpad; krach; załamanie nerwowe
col•lar [ˋkolə(r)] *s* kołnierz; obroża; chomąto; *vt* chwycić za kołnierz; nałożyć obrożę <chomąto>
col•league [ˋkolig] *s* kolega <koleżanka> z pracy, współpracownik
col•lect [kəˋlekt] *vt vi* zbierać (się); kolekcjonować; pobierać (*podatki*); odbierać (*dzieci ze szkoły*); ~ **one's thoughts** zebrać myśli
col•lect•ed [kəˋlektɪd] *adj* opanowany; skupiony; ~ **works** dzieła zebrane
col•lec•tion [kəˋlekʃən] *s* zbiór, kolekcja; zbiórka (*śmieci*); kwesta
col•lec•tive [kəˋlektɪv] *adj* kolektywny; wspólny; zbiorowy; *s* kolektyw
col•lec•tor [kəˋlektə(r)] *s* zbieracz, kolekcjoner; inkasent; *techn.* kolektor
col•lege [ˋkolɪdʒ] *s* kolegium, wyższa uczelnia
col•lide [kəˋlɑɪd] *vi* zderzyć się; kolidować
col•li•sion [kəˋlɪʒən] *s* zderzenie, kolizja
col•lo•qui•al [kəˋləʊkwɪəl] *adj* potoczny
co•lon [ˋkəʊlən] *s* dwukropek
col•o•nel [ˋkɜnl] *s* pułkownik
col•o•nist [ˋkolənɪst] *s* kolonista, osadnik
col•o•ny [ˋkolənɪ] *s* kolonia
col•o(u)r [ˋkʌlə(r)] *s* kolor, barwa; *vi vt* barwić (się); koloryzować
col•our•ful [ˋkʌləfʊl] *adj* kolorowy, barwny; pstry
col•our•less [ˋkʌləlɪs] *adj* bezbarwny; blady
colt [kəʊlt] *s* źrebak; kolt; *sport.* junior
col•umn [ˋkoləm] *s* kolumna; rubryka (*w gazecie*)
comb [kəʊm] *s* grzebień; *vt* czesać; *przen.* przeczesywać, przeszukiwać
com•bat [ˋkombæt] *s* walka; *vt* [komˋbæt] walczyć, zwalczać
com•bine [kəmˋbɑɪn] *vt vi* łączyć (się); *s* [ˋkombɑɪn]: ~ **harvester** kombajn
come [kʌm], **came** [keɪm], **come** [kʌm] *vi* przychodzić, przyjeżdżać; nadchodzić; pochodzić (**from France** z Francji); (*także* **up <down>**) sięgać, dochodzić (**to sth** do czegoś); wynosić; ~ **true** (*o marzeniach*) spełnić się; **nothing will ~ of it** nic z tego nie wyjdzie; ~ **about** zdarzyć się, stać się; ~ **across sth** natknąć się na coś; ~ **in** wchodzić; ~ **into** odziedziczyć; ~ **into fashion** stawać się modnym; ~ **off** odpadać, odrywać się; dochodzić do skutku; ~ **on** nadchodzić; ~ **out** wychodzić; ukazywać się (*w druku*); wychodzić na jaw; ~ **round** odzyskiwać przytomność; przychodzić do siebie; ~

up (*o problemie*) pojawić się; **~ up with** wymyślić
come•back [ˈkʌmbæk] *s* powrót (*np. na scenę*)
co•me•di•an [kəˈmidjən] *s* komik
com•e•dy [ˈkomədɪ] *s* komedia
com•et [ˈkomɪt] *s* kometa
com•fort [ˈkʌmfət] *s* wygoda; pociecha, otucha; *vt* pocieszać, dodawać otuchy
com•fort•a•ble [ˈkʌmfətəbl] *adj* wygodny; zadowolony; dobrze sytuowany; spokojny; **feel ~** dobrze się czuć
com•ic [ˈkomɪk] *adj* komiczny; komediowy; *s* komik; *pl* **~s** (*także am.* **~ strip**) komiks
com•ma [ˈkomə] *s gram.* przecinek; **inverted ~s** cudzysłów
com•mand [kəˈmɑnd] *vt* rozkazywać; dowodzić; panować, górować (**sb <sth>** nad kimś <czymś>); wymagać (**sth** czegoś); *s* rozkaz, polecenie; dowództwo; kierownictwo; panowanie; znajomość, opanowanie (**of sth** czegoś); **be in ~ of sth** mieć władzę nad czymś; **have a good ~ of English** biegle posługiwać się angielskim
com•mend [kəˈmend] *vt* polecać, zalecać; pochwalać
com•ment [ˈkoment] *s* komentarz, uwaga; **no ~** bez komentarza; *vi* komentować (**on <upon> sth** coś)
com•merce [ˈkomɜs] *s* handel
com•mer•cial [kəˈmɜʃəl] *adj* handlowy; reklamowy; *s* reklama telewizyjna <radiowa>
com•mis•sion [kəˈmɪʃən] *s* prowizja; zlecenie; komisja; **on ~** na zlecenie; *vt* zamawiać, zlecać; mianować
com•mit [kəˈmɪt] *vt* popełniać; powierzać; przekazywać; *vr*: **~ o.s. on sth** określać się (*w sprawie*); angażować się, wdawać się (**to sth** w coś); zobowiązywać się (**to do sth** do zrobienia czegoś)
com•mit•ment [kəˈmɪtmənt] *s* popełnienie; przekazanie, odesłanie; zaangażowanie
com•mit•tee [kəˈmɪtɪ] *s* komitet, komisja
com•mod•i•ty [kəˈmodɪtɪ] *s* towar, artykuł
com•mon [ˈkomən] *adj* pospolity; powszechny; wspólny; **~ sense** zdrowy rozsądek; *s pl* błonie, wspólny teren; **have sth in ~** mieć coś wspólnego; **out of the ~** niezwykły
com•mon•place [ˈkomənpleɪs] *s* komunał; frazes; *adj* banalny, pospolity
Com•mons [ˈkomənz] *s pl*: *bryt.* **the House of Commons** Izba Gmin
com•mon•wealth [ˈkomənwelθ] *s bryt.* wspólnota; **the (British) Commonwealth** (Brytyjska) Wspólnota Narodów
com•mu•ni•cate [kəˈmjunɪkeɪt] *vt vi* komunikować (się), kontaktować (się)

com•mu•ni•ca•tion [kə'mjunɪ`keɪʃən] *s* komunikacja, łączność; komunikowanie (się), porozumiewanie się

com•mu•ni•ca•tive [kə`mjunɪkətɪv] *adj* rozmowny, komunikatywny

com•mun•ion [kə`mjunɪən] *s* wspólnota; łączność (*duchowa*); *rel.* komunia

com•mu•ni•que [kə`mjunɪkeɪ] *s* komunikat

com•mu•nism [`komjʊnɪzm] *s* komunizm

com•mu•ni•ty [kə`mjunɪtɪ] *s* społeczność; wspólnota; środowisko

com•mute [kə`mjut] *vi* dojeżdżać do pracy (*środkami komunikacji publicznej*); *vt* zamieniać; *prawn.* złagodzić (*karę*)

com•pact [kəm`pækt] *adj* zwarty, gęsty, zbity; ~ **disc, CD** płyta kompaktowa, CD; *vt* [kəm`pækt] stłoczyć, zgęścić; *s* [`kompækt] puderniczka; umowa, porozumienie

com•pan•ion [kəm`pænɪən] *s* towarzysz; podręcznik

com•pa•ny [`kʌmpənɪ] *s* przedsiębiorstwo, spółka, kompania; zespół teatralny; towarzystwo; **keep sb ~** dotrzymywać komuś towarzystwa

com•par•a•tive [kəm`pærətɪv] *adj* porównawczy; względny; *s gram.* stopień wyższy

com•par•a•tive•ly [kəm`pærətɪvlɪ] *adv* względnie, stosunkowo

com•pare [kəm`peə(r)] *vt* porównywać, zestawiać; *vi* dorównywać (**with sb <sth>** komuś <czemuś>); **~d to <with>...** w porównaniu z...

com•par•i•son [kəm`pærɪsn] *s* porównanie; **in ~ with...** w porównaniu z...

com•part•ment [kəm`pɑtmənt] *s* przedział (*w pociągu*); przegroda

com•pass [`kʌmpəs] *s* obręb, zasięg, zakres; kompas; *pl* **~es** cyrkiel

com•pas•sion [kəm`pæʃən] *s* współczucie, litość

com•pas•sion•ate [kəm`pæʃənɪt] *adj* współczujący, litościwy

com•pat•i•ble [kəm`pætɪbl] *adj* dający się pogodzić, zgodny; *komp.* kompatybilny

com•pel [kəm`pel] *vt* zmuszać, wymuszać

com•pel•ling [kəm`pelɪŋ] *adj* nieodparty

com•pen•sate [`kompənseɪt] *vt vi* rekompensować, wyrównywać; dawać odszkodowanie

com•pen•sa•tion ['kompən`seɪʃən] *s* rekompensata; odszkodowanie

com•pete [kəm`pit] *vi* współzawodniczyć; rywalizować; ubiegać się (**for sth** o coś)

com•pe•tence [`kompɪtəns] *s* kompetencja

com•pe•ti•tion ['kompə`tɪʃən] *s*

konkurs; zawody; współzawodnictwo; *handl.* konkurencja
com•pet•i•tive [kəm`petɪtɪv] *adj* konkursowy; konkurencyjny
com•pet•i•tor [kəm`petɪtə(r)] *s* współzawodnik; konkurent; uczestnik konkursu
com•pile [kəm`paɪl] *vt* kompilować, zestawiać, opracowywać
com•plain [kəm`pleɪn] *vi* skarżyć się, narzekać (**to sb about <of> sb <sth>** do kogoś na kogoś <coś>)
com•plaint [kəm`pleɪnt] *s* skarga, narzekanie; reklamacja; dolegliwość; **lodge a ~** złożyć reklamację
com•ple•ment [`komplɪmənt] *s* uzupełnienie; *gram.* dopełnienie; *vt* [`komplɪment] uzupełniać
com•ple•men•ta•ry ['komplɪ`mentərɪ] *adj* uzupełniający
com•plete [kəm`plit] *adj* kompletny, zupełny; skończony; *vt* kompletować; wypełniać; kończyć
com•plex [`kompleks] *adj* skomplikowany, złożony; *s* kompleks
com•plex•ion [kəm`plekʃən] *s* cera, karnacja
com•pli•cate [`komplɪkeɪt] *vt* komplikować
com•pli•ca•tion ['komplɪ`keɪʃən] *s* komplikacja
comp•li•ment [`komplɪmənt] *s* komplement; *pl* **~s** gratulacje; *pl* **~s** pozdrowienia; **pay sb ~s** prawić komuś komplementy; *vt* [`komplɪment] prawić komplementy; gratulować (**sb on <upon> sth** komuś czegoś)
com•pli•men•ta•ry ['komplɪ`mentərɪ] *adj* pochlebny; grzecznościowy; gratisowy
com•ply [kəm`plaɪ] *vi* zgadzać się, stosować się (**with sth** do czegoś); spełnić (**with a request** prośbę)
com•po•nent [kəm`pəʊnənt] *adj* wchodzący w skład, składowy; *s* składnik
com•pose [kəm`pəʊz] *vt* składać; komponować; stanowić; układać; *vr* **~ o.s.** uspokajać się
com•posed [kəm`pəʊzd] *adj* spokojny, opanowany
com•pos•er [kəm`pəʊzə(r)] *s* kompozytor
com•pos•ite [`kompəzɪt] *adj* łączny; zbiorowy; *s* połączenie
com•po•si•tion ['kompə`zɪʃən] *s* skład; układ; kompozycja; wypracowanie; mieszanina
com•pos•i•tor [kəm`pozɪtə(r)] *s* zecer
com•po•sure [kəm`pəʊʒə(r)] *s* spokój, opanowanie
com•pound [kəm`paʊnd] *vt* składać, mieszać, łączyć; [`kompaʊnd] *adj* złożony; mieszany; *s* [`kompaʊnd] rzecz złożona, mieszanina; *chem.* związek; teren zamknięty
com•pre•hend ['komprɪ`hend] *vt* pojmować, rozumieć

com•pre•hen•sible ['komprɪ`hensəbl] *adj* zrozumiały
com•pre•hen•sion ['komprɪ`henʃən] *s* zrozumienie, pojmowanie
com•pre•hen•sive ['komprɪ`hensɪv] *adj* pełny, całościowy; *bryt.* ~ **school** państwowa szkoła średnia
com•press [`kompres] *s* kompres, okład; *vt* [kəm`pres] ścisnąć; skondensować
com•pres•sion [kəm`preʃən] *s* ściśnięcie, zgęszczenie; kompresja, sprężenie
com•prise [kəm`praɪz] *vt* składać się z, obejmować, zawierać
com•pro•mise [`komprəmaɪz] *s* kompromis, ugoda; *vi* iść na ustępstwa (**on <upon> sth** w sprawie czegoś); *vt* kompromitować
com•pul•sion [kəm`pʌlʃən] *s* przymus
com•pul•so•ry [kəm`pʌlsərɪ] *adj* obowiązkowy, przymusowy
com•pu•ta•tion [kompjʊ`teɪʃən] *s* obliczenie
com•pute [kəm`pjut] *vt* obliczać
com•put•er [kəm`pjutə(r)] *s* komputer; ~ **science** informatyka
com•rade [`komrɪd] *s* towarzysz, kolega
con•cave [koŋ`keɪv] *adj* wklęsły
con•ceal [kən`sil] *vt* ukrywać, taić
con•cede [kən`sid] *vt* przyznawać, uznawać; *vi* ustępować
con•ceit [kən`sit] *s* zarozumiałość, próżność
con•ceit•ed [kən`sitɪd] *adj* zarozumiały, próżny
con•cei•va•ble [kən`sivəbl] *adj* wyobrażalny; możliwy, do pomyślenia
con•ceive [kən`siv] *vt vi* począć (*dziecko*), zajść w ciążę; wpaść na pomysł; wyobrazić sobie
con•cen•trate [`konsəntreɪt] *vt vi* koncentrować (się), skupiać (się); zgęszczać
con•cen•tra•tion ['konsən`treɪʃən] *s* koncentracja, skupienie (się); stężenie
con•cept [`konsept] *s* pojęcie; pomysł
con•cep•tion [kən`sepʃən] *s* pojęcie; pomysł; poczęcie, zajście w ciążę
con•cern [kən`sɜn] *vt vi* dotyczyć; niepokoić się, troszczyć się; **as ~s** co się tyczy; **be ~ed about sb <sth>** martwić się kimś <czymś>; **as far as I am ~ed** jeśli o mnie chodzi; **to whom it may ~** do zainteresowanych; *s* zainteresowanie; niepokój, troska; udział; sprawa
con•cerned [kən`sɜnd] *adj* zainteresowany; zaniepokojony; zamieszany; zaangażowany
con•cern•ing [kən`sɜnɪŋ] *praep* co się tyczy, odnośnie do; w sprawie
con•cert [`konsət] *s* koncert; zgo-

da, porozumienie; ~ **hall** sala koncertowa; **in ~ with...** we współpracy z...
con•ces•sion [kən`seʃən] *s* koncesja; ustępstwo; przyzwolenie
con•cise [kən`saɪs] *adj* zwięzły
con•clude [kən`klud] *vt vi* kończyć (się); wnioskować; zawierać
con•clu•sion [kən`kluʒən] *s* wniosek, konkluzja; zakończenie; zawarcie (*umowy*); **come to a ~** dojść do wniosku
con•clu•sive [kən`klusɪv] *adj* rozstrzygający, ostateczny; końcowy
con•crete [`koŋkrit] *s* beton; *adj* betonowy; konkretny; *vt* betonować
con•demn [kən`dem] *vt* potępiać; skazywać
con•dem•na•tion ['kondem`neɪʃən] *s* potępienie; skazanie
con•dense [kən`dens] *vt vi* skraplać (się); kondensować (się)
con•de•scend ['kondɪ`send] *vi* zniżać się; raczyć
con•di•tion [kən`dɪʃən] *s* położenie; stan; warunek; *pl* **~s** warunki, sytuacja; **on ~ that** pod warunkiem, że; *vt* uzależniać, uwarunkowywać; doprowadzać do odpowiedniego stanu
con•di•tion•al [kən`dɪʃənl] *adj* warunkowy; zależny (**on sth** od czegoś); *s gram.* tryb warunkowy
con•di•tion•er [kən`dɪʃənə(r)] *s* odżywka (*do włosów*); **fabric ~** płyn zmiękczający
con•do [`kondəʊ] *s am. skr. pot. zob.* **condominium**
con•do•lence [kən`dəʊləns] *s* (*zw. pl* **~s**) współczucie, wyrazy współczucia; kondolencje
con•dom [`kondəm] *s* kondom, prezerwatywa
con•do•mi•ni•um ['kondə`mɪnɪəm] *s am.* blok <dom> z mieszkaniami własnościowymi; mieszkanie własnościowe; kondominium
con•duc•ive [kən`djusɪv] *adj* sprzyjający (**to sth** czemuś)
con•duct [kən`dʌkt] *vt vi* prowadzić; kierować; dyrygować; *vr* **~ o.s.** prowadzić się; *s* [`kondʌkt] zachowanie; prowadzenie się
con•duc•tor [kən`dʌktə(r)] *s* dyrygent; konduktor (*w autobusie*); (*także fiz.*) przewodnik
cone [kəʊn] *s* stożek; szyszka
con•fec•tion•er [kən`fekʃənə(r)] *s* cukiernik
con•fec•tion•e•ry [kən`fekʃənrɪ] *s* wyroby cukiernicze; cukiernia
con•fer•ence [`konfərəns] *s* konferencja, narada
con•fess [kən`fes] *vt vi* wyznawać; przyznawać się; spowiadać (się)
con•fes•sion [kən`feʃən] *s* wyznanie; przyznanie się; spowiedź

con•fi•dence [ˋkonfɪdəns] *s* pewność siebie; zaufanie; przeświadczenie

con•fi•dent [ˋkonfɪdənt] *adj* pewny siebie; przekonany, pewny (**of sth** o czymś)

con•fi•den•tial [ˈkonfɪˋdenʃəl] *adj* poufny; zaufany

con•fine [ˋkonfɑɪn] *vt* ograniczać; uwięzić; zamknąć (*w klatce*)

con•fined [ˋkonfɑɪnd] *adj* ograniczony; ścieśniony; **be ~ for space** mieć mało miejsca; **be ~ to one's bed** być przykutym do łóżka *przen.*

con•firm [kənˋfɜm] *vt* potwierdzać; utwierdzać; *rel.* bierzmować

con•fir•ma•tion [ˈkonfəˋmeɪʃən] *s* potwierdzenie; utwierdzenie; *rel.* bierzmowanie

con•firmed [kənˋfɜmd] *adj* potwierdzony; zatwierdzony; zatwardziały, zaprzysięgły; *zob.* **confirm**

con•fis•cate [ˋkonfɪskeɪt] *vt* konfiskować

con•flict [ˋkonflɪkt] *s* starcie, konflikt; *vi* [kənˋflɪkt] ścierać się, walczyć; nie zgadzać się

con•form [kənˋfɔm] *vt vi* dostosować (się) (**to sth** do czegoś); zastosować się, podporządkować się

con•front [kənˋfrʌnt] *vt* stawać przed (*np. problemem*); stawiać czoło; konfrontować; porównywać

con•fuse [kənˋfjuz] *vt* gmatwać; mieszać, wprawiać w zakłopotanie

con•fu•sion [kənˋfjuʒən] *s* zamieszanie, zamęt; zażenowanie, zakłopotanie

con•grat•u•late [kənˋgrætʃuleɪt] *vt* gratulować (**sb on <upon> sth** komuś czegoś)

con•grat•u•la•tion [kənˈgrætjuˋleɪʃən] *s* (*zw. pl* **~s**) gratulacje (**on sth** z okazji czegoś)

con•gress [ˋkoŋgres] *s* kongres

con•ic•(al) [ˋkonɪk(əl)] *adj* stożkowy, stożkowaty

co•nif•er•ous [kəuˋnɪfərəs] *adj* (*o drzewie*) iglasty

con•jun•tion [kənˋdʒʌŋkʃən] *s* związek; *gram.* spójnik

con•nect [kəˋnekt] *vt vi* łączyć (się), wiązać (się)

con•nec•tion [kəˋnekʃən] *s* związek; połączenie (*kolejowe*); kontakt; *pl* **~s** znajomości, stosunki; **in ~ with...** w związku z...

con•nois•seur [ˈkonəˋsɜ(r)] *s* znawca, koneser

con•quer [ˋkoŋkə(r)] *vt* zdobyć, podbić, pokonać

con•quer•er [ˋkoŋkərə(r)] *s* zdobywca

con•quest [ˋkoŋkwest] *s* zdobycie, podbój

con•science [ˋkonʃəns] *s* sumienie; **bad <clear> ~** nieczyste <czyste> sumienie; **pangs of ~** wyrzuty sumienia

con•scious [ˋkonʃəs] *adj* przytomny; świadomy (**of sth** czegoś)

con•scious•ness [ˋkonʃəsnəs] *s* przytomność; świadomość; **lose <regain> ~** stracić <odzyskać> przytomność

con•script [ˋkonskrɪpt] *adj* poborowy; *s* poborowy, rekrut; *vt* [kənˋskrɪpt] wcielać do wojska

con•sent [kənˋsent] *vi* zgadzać się (**to sth** na coś); *s* zgoda; pozwolenie

con•se•quence [ˋkonsɪkwəns] *s* następstwo, konsekwencja; **take the ~s** ponosić konsekwencje; **in ~** w rezultacie

con•ser•va•tion [ˈkonsəˋveɪʃən] *s* ochrona; konserwacja

con•ser•va•tive [kənˋsɜvətɪv] *adj* konserwatywny; *s bryt.* konserwatysta

con•serve [kənˋsɜv] *vt* konserwować, przechowywać; chronić

con•sid•er [kənˋsɪdə(r)] *vt vi* rozpatrywać; rozważać, brać pod uwagę; uważać (**sb a fool** kogoś za głupca); **all things ~ed** wziąwszy wszystko pod uwagę

con•sid•er•a•ble [kənˋsɪdərəbl] *adj* znaczny

con•sid•er•ate [kənˋsɪdərɪt] *adj* uważny; pełen względów

con•sid•er•a•tion [kənˈsɪdəˋreɪʃən] *s* zastanawianie się, namysł; wgląd; uznanie; **take into ~** uwzględniać; **under ~** rozpatrywany

con•sist [kənˋsɪst] *vi* składać się, być złożonym (**of sth** z czegoś); polegać (**in sth** na czymś)

con•sist•ent [kənˋsɪstənt] *adj* konsekwentny; spójny, zgodny (**with sth** z czymś)

con•so•la•tion [ˈkonsəˋleɪʃən] *s* pocieszenie; pociecha

con•sole [kənˋsəʊl] *vt* pocieszać (**sb with sth** kogoś czymś); *s* [ˋkonsəʊl] konsola; podpora

con•sol•i•date [kənˋsolɪdeɪt] *vt vi* jednoczyć (się); umacniać (się), konsolidować (się)

con•so•nant [ˋkonsənənt] *adj* harmonijny, zgodny; *s gram.* spółgłoska

con•spic•u•ous [kənˋspɪkjʊəs] *adj* widoczny, wyraźny; okazały; wybitny

con•spi•ra•cy [kənˋspɪrəsɪ] *s* spisek; konspiracja

con•spire [kənˋspaɪə(r)] *vi vt* spiskować; konspirować

con•sta•ble [ˋkʌnstəbl] *s* policjant

con•stant [ˋkonstənt] *adj* stały, trwały

con•stant•ly [ˋkonstəntlɪ] *adv* stale, ciągle

con•stel•la•tion [ˈkonstəˋleɪʃən] *s* konstelacja, gwiazdozbiór

con•ster•na•tion [ˈkonstəˋneɪʃən] *s* osłupienie, konsternacja

con•sti•pa•tion [ˈkɔnstɪˋpeɪʃən] *s* obstrukcja; *pot.* zaparcie

con•sti•tute [ˋkonstɪtjut] *vt* stanowić, tworzyć; ustanawiać; **be strongly ~d** mieć silny organizm

con•sti•tu•tion [konstɪ`tjuʃən] *s* konstytucja; skład; budowa fizyczna; struktura psychiczna; ustanowienie
con•strain [kən`streɪn] *vt* krępować, ograniczać
con•straint [kən`streɪnt] *adj* skrępowanie, ograniczenie
con•struct [kən`strʌkt] *vt* budować, konstruować
con•struc•tion [kən`strʌkʃən] *s* budowa; budowla; konstrukcja; **under ~** w budowie
con•sul [`konsl] *s* konsul
con•sul•ate [`konsjulɪt] *s* konsulat
con•sult [kən`sʌlt] *vt* radzić się (**sb** kogoś); zaglądać, sięgać (**sth** do czegoś)
con•sul•tant [kən`sʌltənt] *s* doradca, konsultant
con•sume [kən`sjum] *vt* zużyć; skonsumować; zmarnować; strawić (czas)
con•sum•er [kən`sjumə(r)] *s* konsument; odbiorca; **~ goods** artykuły konsumpcyjne
con•tact [`kontækt] *s* kontakt, styczność; **~ lenses** szkła kontaktowe; **make <come into> ~** nawiązać łączność <kontakt> (**with sb <sth>** z kimś <czymś>); *vt* kontaktować (się) (**sb** z kimś)
con•ta•gious [kən`teɪdʒəs] *adj* zaraźliwy, zakaźny
con•tain [kən`teɪn] *vt* zawierać, obejmować; powstrzymywać; zapanować; *vr* **~ o.s.** panować nad sobą
con•tain•er [kən`teɪnə(r)] *s* zbiornik, pojemnik, kontener
con•tam•i•nate [kən`tæmɪneɪt] *vt* skazić, zanieczyścić; skalać
con•tam•i•na•tion [kəntæmɪ`neɪʃən] *s* zanieczyszczenie, skażenie
con•tem•plate [`kontempleɪt] *vt* rozmyślać, kontemplować
con•tem•po•ra•ry [kən`tempərərɪ] *adj* współczesny, dzisiejszy; *s* współcześnie żyjący; rówieśnik
con•tempt [kən`tempt] *s* pogarda, lekceważenie
con•temp•tu•ous [kən`tem(p)tjʊəs] *adj* pogardliwy; gardzący
con•tend [kən`tend] *vi* spierać się, rywalizować; uporać się, borykać się (**with sth** z czymś); *vt* twierdzić, utrzymywać
con•tent[1] [kən`tent] *s* zadowolenie; *adj* zadowolony; *vt* zadowalać
con•tent[2] [`kontent] *s* zawartość; (*zw. pl* **~s**) treść (*np. książki*); **(table of) ~s** spis treści
con•tent•ment [kən`tentmənt] *s* zadowolenie
con•test [`kontest] *s* konkurs, zawody; rywalizacja; **beauty ~** konkurs piękności; [kən`test] *vt vi* ubiegać się; rywalizować (**sth** o coś); kwestionować
con•text [`kontekst] *s* kontekst
con•ti•nent [`kontɪnənt] *s* kon-

tynent; *adj* wstrzemięźliwy; powściągliwy

con•tin•u•al [kən`tɪnjʊəl] *adj* ciągły, ustawiczny, bezustanny

con•tin•u•a•tion [kən'tɪnjʊ`eɪʃən] *s* kontynuacja

con•tin•ue [kən`tɪnju] *vt* kontynuować; **to be ~d** ciąg dalszy nastąpi; *vi* trwać, pozostawać

con•tin•u•ous [kən`tɪnjʊəs] *adj* nieprzerwany, stały

con•tra•cep•tion ['kontrə`sepʃən] *s* antykoncepcja

con•tra•cep•tive ['kontrə`septɪv] *s* środek antykoncepcyjny

con•tract [`kontrækt] *s* umowa, kontrakt; *vt vi* [kən`trækt] kontraktować; zobowiązywać (się); zawierać (*umowę, przyjaźń*); nabawić się (*choroby*)

con•trac•tor [kən`træktə(r)] *s* zleceniobiorca, wykonawca

con•tra•dic•tion ['kontrə`dɪkʃən] *s* zaprzeczenie; sprzeczność

con•tra•ry [`kontrərɪ] *s* przeciwieństwo; *adj* sprzeczny, przeciwny, przekorny (**to sth** czemuś); **on the ~** przeciwnie, na odwrót

con•trast [`kontrɑst] *s* kontrast; przeciwieństwo; **in ~ to <with>** w przeciwieństwie do; *vt vi* [kən`trɑst] porównywać, przeciwstawiać

con•trib•ute [kən`trɪbjut] *vt vi* wnieść udział <wkład>; dołożyć się; **~ money to sth** zasilać coś finansowo

con•tri•bu•tion ['kontrɪ`bjuʃən] *s* udział; wkład; datek; wsparcie; artykuł

con•trol [kən`trəʊl] *vt* kontrolować; sterować; rządzić, zarządzać; panować (**sth** nad czymś); *s* władza; zwierzchnictwo; kontrola; nadzór; **~ panel** pulpit sterowniczy; **under ~** pod kontrolą; **be in ~** mieć władzę; **take ~ of sth** przejąć kontrolę nad czymś; **remote ~** zdalne sterowanie

con•tro•ver•sial ['kontrə`vɜʃəl] *adj* sporny, kontrowersyjny

con•tro•ver•sy [`kontrəvɜsɪ] *s* spór, kontrowersja

con•va•les•cence ['konvə`lesns] *s* rekonwalescencja

con•ve•nience [kən`vinɪəns] *s* wygoda; *pl* **~s** komfort; **at your ~** kiedy ci <panu> będzie wygodnie

con•ve•nient [kən`vinɪənt] *adj* wygodny, dogodny

con•ven•tion [kən`venʃən] *s* zwyczaj; konwencja; zjazd

con•ven•tion•al [kən`venʃənl] *adj* umowny, zwyczajowy; konwencjonalny; typowy

con•ver•gence [kən`vɜdʒəns] *s* zbieżność

con•ver•sa•tion [konvə`seɪʃən] *s* rozmowa, konwersacja

con•verse [kən`vɜs] *vi* rozmawiać, prowadzić rozmowę; *adj* [`konvɜs] odwrotny; odwrócony; *s* odwrotność

con•ver•sion [kən`vɜʃən] *s* za-

miana; przemiana; odwrócenie; *rel.* nawrócenie
con•vert [`konvɜt] *s* nawrócony; *vt* [kən`vɜt] zamieniać; przemieniać; odwracać; *rel.* nawracać
con•vex [`konveks] *adj* wypukły
con•vey [kən`veɪ] *vt* przewozić, przekazywać
con•vict [kən`vɪkt] *vt* uznać sądownie (*kogoś*) za winnego, skazywać; *s* [`konvɪkt] skazaniec, skazany
con•vic•tion [kən`vɪkʃən] *s* przekonanie; zasądzenie, skazanie
con•vince [kən`vɪns] *vt* przekonać (**sb of sth** kogoś o czymś)
con•vinc•ing [kən`vɪnsɪŋ] *adj* przekonujący
con•voy [`konvoɪ] *vt* konwojować; *s* konwój; konwojowanie
cook [kʊk] *vt vi* gotować (się); *pot.* zanosić się (*na coś*); *s* kucharz
cook•er [`kʊkə(r)] *s* kuchenka
cook•e•ry [`kʊkərɪ] *s* sztuka kulinarna; ~ **book** książka kucharska
cool [kul] *adj* chłodny; opanowany; oziębły; *pot.* fajny, super; *vt vi* chłodzić (się); ~ **down** ostygnąć; *przen.* ochłonąć
co•op•er•ate [kəʊ`opəreɪt] *vi* współdziałać, współpracować
co•op•er•a•tion [kəʊ'opə`reɪʃən] *s* współdziałanie, kooperacja
cop [kop] *s pot.* gliniarz
cope [kəʊp] *vi* zmagać się, borykać się; radzić sobie
cop•i•er [`kopɪə(r)] *s* kopiarka
cop•per [`kopə(r)] *s* miedź; miedziak; *bryt. pot.* gliniarz
cop•u•late [`kopjʊleɪt] *vi* spółkować, kopulować
cop•y [`kopɪ] *s* kopia; egzemplarz; *vt vi* kopiować; naśladować; przepisywać
cop•y•right [`kopɪraɪt] *s* prawo autorskie
cop•y•writ•er [`kopɪraɪtə(r)] *s* autor haseł reklamowych, copywriter
cor•al [`korəl] *s* koral; *adj* koralowy; ~ **reef** rafa koralowa
cord [kɔd] *s* sznur, lina; przewód; **vocal** ~ struna głosowa; *vt* związać sznurem
cor•di•al [`kɔdjəl] *adj* serdeczny
cor•du•roy [`kɔdərɔɪ] *s* sztruks; *pl* ~**s** spodnie sztruksowe
core [kɔ] *s* rdzeń; sedno; ogryzek (*owocu*); *vt* wydrążyć (**sth** coś)
cork [kɔk] *s* korek; *vt* korkować
cork•screw [`kɔkskru] *s* korkociąg
corn[1] [kɔn] *s* ziarno, zboże; *am.* kukurydza
corn[2] [kɔn] *s* nagniotek, odcisk
corn•er [`kɔnə(r)] *s* róg; kąt; *sport.* rzut rożny; **round the** ~ za rogiem, niedaleko; *vt* przyprzeć do muru
corn•flakes [`kɔnfleɪks] *s pl* płatki kukurydziane

cor•o•na•ry [ˋkorənərɪ] *adj anat.* wieńcowy
cor•po•ral [ˋkɔpərəl] *s* kapral; *adj* cielesny
corps [kɔ(r)] *s woj.* korpus; zespół; **Peace Corps** Korpus Pokoju
corpse [kɔps] *s* zwłoki
cor•pu•lent [ˋkɔpjʊlənt] *adj* otyły, korpulentny
cor•rect [kəˋrekt] *adj* poprawny, prawidłowy; *vt* poprawiać, robić korektę
cor•rec•tion [kəˋrekʃən] *s* poprawka, poprawa; korekta
cor•re•la•tion [ˈkorɪˋleɪʃən] *s* korelacja, współzależność
cor•re•spond [ˈkorɪsˋpond] *vi* odpowiadać (**to sth** czemuś), zgadzać się; korespondować
cor•re•spond•ence [korɪˋspondəns] *s* korespondencja; zgodność
cor•ri•dor [ˋkorɪdɔ(r)] *s* korytarz
cor•ro•sion [kəˋrəʊʒən] *s* korozja
cor•rupt [kəˋrʌpt] *vt vi* korumpować; psuć (się); *adj* zepsuty, skorumpowany, przekupny
cor•rup•tion [kəˋrʌpʃən] *s* zepsucie, korupcja; rozkład; sprzedajność
cos•met•ic [kozˋmetɪk] *adj* kosmetyczny; *s* kosmetyk
cos•mo•pol•i•tism [ˈkozməˋpolɪtɪzəm] *s* kosmopolityzm
cos•mos [ˋkozmos] *s* kosmos
cost [kost], **cost, cost** [kost] *vi* kosztować; *s* koszt; **~ of living** koszty utrzymania; **at the ~ of** za cenę; **at all ~s** za wszelką cenę
cost•ly [ˋkostlɪ] *adj* kosztowny
cos•tume [ˋkostjum] *s* kostium, strój
co•sy, *am.* **cozy** [ˋkəʊzɪ] *adj* przytulny, wygodny
cot•tage [ˋkotɪdʒ] *s* domek, chata; **~ cheese** twarożek
cot•ton [ˋkotn] *s* bawełna (*roślina; materiał*); **~ wool** wata; *adj attr* bawełniany
cough [kof] *s* kaszel; *vi* kaszleć; *vt*: **~ up** wykrztusić, wykaszleć
could *zob.* **can**[1]
coun•cil [ˋkaʊnsl] *s bryt.* rada (*zespół ludzi*)
coun•cil•lor [ˋkaʊnsɪlə(r)] *s bryt.* członek rady; radny
coun•sel [ˋkaʊnsl] *s* rada, porada; doradca, prawnik; *vt* radzić
coun•sel•lor [ˋkaʊnslə(r)] *s* doradca
count[1] [kaʊnt] *vt vi* liczyć (się); policzyć; **~ on <upon> sb <sth>** liczyć na kogoś <coś>; *s* liczenie; obliczenie; **lose ~** stracić rachubę
count[2] [kaʊnt] *s* hrabia
coun•ter [ˋkaʊntə(r)] *s* lada, kontuar; okienko (*w banku*); kantor; licznik; żeton; *vt vi* przeciwstawiać (się); *adv* przeciwnie, w przeciwnym kierunku; *adj* przeciwny

coun•ter•act ['kauntər`ækkt] *vt* przeciwdziałać
coun•ter•feit [`kauntəfɪt] *s* fałszerstwo; *adj* podrobiony, fałszywy; *vt* podrabiać, fałszować
coun•ter•part [`kauntəpat] *s* odpowiednik, kopia
coun•ter•weight [`kauntəweɪt] *s* przeciwwaga
coun•tess [`kauntɪs] *s* hrabina
count•less [`kauntlɪs] *adj* niezliczony
coun•try [`kʌntrɪ] *s* kraj; wieś; prowincja; teren; *adj attr* wiejski, ludowy; **in the ~** na wsi
coun•try•man [`kʌntrɪmən] *s* wieśniak; rodak
coun•try•side [`kʌntrɪsaɪd] *s* krajobraz wiejski
coun•ty [`kauntɪ] *s* hrabstwo
coup [ku] *s* wyczyn; **~ d'état** [kudeɪ`ta] zamach stanu
cou•ple [`kʌpl] *s* para (*małżeńska*); **a ~ of** parę, kilka; *vt vi* łączyć (się) w pary
cou•pon [`kupon] *s* kupon, odcinek; talon
cour•age [`kʌrɪdʒ] *s* odwaga, męstwo
cou•ra•geous [kə`reɪdʒəs] *adj* odważny, mężny
course [kɔs] *s* kurs (*trasa*); tok; seria; danie (*na stole*); **in the ~ of the year** w ciągu roku; **in due ~** we właściwym czasie; **of ~!** oczywiście!
court [kɔt] *s* sąd; dwór; dziedziniec; dwór królewski; *sport.* boisko, kort; *prawn.* **~ of appeal** sąd apelacyjny; *vt* zabiegać (**sth** o coś); zalecać się (**sb** do kogoś)
cour•te•sy [`kɜtəsɪ] *s* grzeczność, uprzejmość; **(by) ~ of** dzięki uprzejmości
court•yard [`kɔtjad] *s* dziedziniec
cous•in [`kʌzn] *s* kuzyn; **first ~** brat cioteczny <stryjeczny>, siostra cioteczna <stryjeczna>; **second ~** krewny
cov•er [`kʌvə(r)] *vt* pokrywać; przykrywać; ubezpieczać, osłaniać; omawiać (*np. temat*); pisać sprawozdanie, reportaż; **~ up** zatuszować; *s* pokrywa; narzuta; okładka; osłona; *przen.* przykrywka
cov•et [`kʌvɪt] *vt* pożądać (**sth** czegoś)
cov•et•ous [`kʌvɪtəs] *adj* pożądliwy; zawistny
cow [kau] *s* krowa; samica (*różnych ssaków*)
cow•ard [`kauəd] *s* tchórz
cow•ard•ly [`kauədlɪ] *adj* tchórzliwy
cow•boy [`kaubɔɪ] *s* kowboj; *bryt. pot.* tępak
co•zy [`kəuzɪ] *adj zob.* **cosy**
crab [kræb] *s* krab
crack [kræk] *vt vi* pękać; trzaskać; trzeszczeć; łupać; **~ a joke** opowiedzieć kawał; *s* pęknięcie; rysa, szczelina; trzask
crack•er [`krækə(r)] *s* krakers; petarda
crack•le [`krækl] *vi* trzeszczeć;

trzaskać; skrzypieć; *s* trzaskanie; trzaski; skrzypienie

cra•dle [`kreɪdl] *s* kołyska; *przen.* kolebka; *vt przen.* tulić, kołysać

craft [krɑft] *s* biegłość; umiejętność; kunszt; rzemiosło

crafts•man [`krɑftsmən] *s* rzemieślnik

craft•y [`krɑftɪ] *adj* przebiegły, podstępny

cram [kræm] *vt vi* przepełniać (się), pchać (się), tłoczyć (się); *pot.* wkuwać (*do egzaminu*)

cramp [kræmp] *s* skurcz; *vt* wywoływać skurcz; ograniczać; zwierać

crane [kreɪn] *s* żuraw; *techn.* dźwig, żuraw

crash [kræʃ] *vt vi* zderzyć się; rozbić (się), roztrzaskać (się); upaść; zbankrutować; *s* zderzenie; trzask; łoskot; krach

crawl [krɔl] *vi* czołgać się; pełzać; *s* kraul; pełzanie; pływanie kraulem

cray•on [`kreɪən] *s* kredka; *vt* malować kredką

cra•zy [`kreɪzɪ] *adj* szalony, zwariowany; **be ~ about sb <sth>** szaleć za kimś <czymś>; **go ~** zwariować, oszaleć; **drive sb ~** doprowadzać kogoś do szału

creak [krik] *vi* skrzypieć; trzeszczeć; *s* skrzypienie; trzask

cream [krim] *s dosł. przen.* śmietanka; krem; **sour ~** kwaśna śmietana; *adj attr* kremowy; *vt* zbierać śmietankę; dodawać śmietanki

crease [kris] *s* fałda, zmarszczka; kant (*spodni*); *vt vi* marszczyć (się), gnieść (się)

cre•ate [kri`eɪt] *vt* stwarzać; kreować

cre•a•tion [kri`eɪʃən] *s* stworzenie; kreacja

cre•a•tor [kri`eɪtə(r)] *s* twórca, stwórca

crea•ture [`kritʃə(r)] *s* stworzenie, stwór; istota

cre•den•tials [krɪ`denʃəlz] *s pl* listy uwierzytelniające

cred•i•bil•i•ty ['kredɪ`bɪlɪtɪ] *s* wiarygodność

cred•i•ble [`kredəbl] *adj* wiarygodny

cred•it [`kredɪt] *s* kredyt; wiara; zaufanie; uznanie; zaliczenie (*na uczelni*); **on ~** na kredyt; **be in ~** być wypłacalnym; **~ card** karta kredytowa; *pl film.* **~s** napisy końcowe; *vt* ufać; kredytować

cred•i•tor [`kredɪtə(r)] *s* wierzyciel

creed [krid] *s* wiara; wyznanie wiary, kredo

creep [krip] **crept, crept** [krept] *vi* pełzać; czołgać się; skradać się; wkradać się; (*o roślinie*) piąć się; *s* pełzanie; czołganie; *pot.* **it gives me the ~s** skóra mi cierpnie

creep•er [`kripə(r)] *s bot.* pnącze

crept *zob.* **creep**

crew [kru] *s* załoga, ekipa

crew-cut [ˋkrukʌt] *s* fryzura na jeża
crib [krɪb] *s am.* łóżeczko dziecięce; żłób; *vi szk.* ściągać
crick•et [ˋkrɪkɪt] *s* świerszcz; *sport.* krykiet
crime [krɑɪm] *s* zbrodnia; przestępczość
crim•i•nal [ˋkrɪmɪnl] *adj* kryminalny; zbrodniczy; *s* przestępca; zbrodniarz
crim•son [ˋkrɪmzn] *s* purpura
crip•ple [ˋkrɪpl] *s* kaleka, inwalida; *vt* okaleczać; uszkadzać
cri•sis [ˋkrɑɪsɪs] *s* (*pl* **crises** [ˋkrɑɪsiz]) kryzys
crisp [krɪsp], **crisp•y** [ˋkrɪspɪ] *adj* chrupiący; kruchy; (*o powietrzu*) rześki; świeży; *s pl bryt.* **~s** chrupki, chipsy
cri•te•ri•on [krɑɪˋtɪərɪən] *s* (*pl* **criteria** [krɑɪˋtɪərɪə]) kryterium
crit•ic [ˋkrɪtɪk] *s* krytyk; recenzent
crit•i•cize [ˋkrɪtɪsɑɪz] *vt* krytykować; recenzować
croc•kery [ˋkrokərɪ] *s zbior.* naczynia
croc•o•dile [ˋkrokədɑɪl] *s* krokodyl
crook [kruk] *s* hak; zagięcie, zakrzywienie; *pot.* oszust(ka); *vt vi* skrzywić (się), zagiąć (się)
crop [krop] *s* zbiór, plon; masa; *vt* ścinać; zbierać (*plon*); *vi* obrodzić, dawać plon; *pot.* **~ up** pojawić się nagle
cross [kros] *s dosł. przen.* krzyż; krzyżyk; krzyżówka, mieszanina; *adj* rozgniewany; poprzeczny; przeciwny **be ~** gniewać się (**with sb** na kogoś); *vt* przechodzić na drugą stronę; przemierzać (*kraj*); krzyżować (*ręce*; *zwierzęta*; *plany*); *vi* krzyżować się, przecinać się; *vr* **~ o.s.** przeżegnać się; **~ off** wykreślać; **~ out** przekreślać
cross•ing [ˋkrosɪŋ] *s* przejście przez ulicę; przeprawa; przejazd kolejowy
cross•roads [ˋkrosrəudz] *s pl* skrzyżowanie dróg; *dosł. przen.* rozstaje
cross•word [ˋkroswɜd] *s* (*także* **~ puzzle**) krzyżówka
crouch [krɑutʃ] *vi* kucnąć; *s* kucnięcie
crow [krəu] *s* wrona; pianie; **as the ~ flies** w prostej linii; *vi* piać
crowd [krɑud] *s* tłum, tłok; *vt vi* tłoczyć (się), pchać (się)
crown [krɑun] *s* korona; szczyt; *vt* koronować; ukoronować, wieńczyć
cru•cial [ˋkruʃl] *adj* decydujący, rozstrzygający; kluczowy
cru•ci•fy [ˋkrusɪfɑɪ] *vt* ukrzyżować
crude [krud] *adj* surowy; nieokrzesany, szorstki
cru•di•ty [ˋkrudɪtɪ] *s* surowość; szorstkość; niedelikatność
cru•el [ˋkruəl] *adj* okrutny
cru•el•ty [ˋkruəltɪ] *s* okrucieństwo

cruise [kruz] *vi* (*zw. o statku*) krążyć; *s* rejs (*wycieczkowy*)
crumb [krʌm] *s* okruszyna; odrobina; *pl* **~s** bułka tarta
crumb•le [ˋkrʌmbl] *vt vi* kruszyć (się), rozpadać (się)
crush [krʌʃ] *vt* rozgniatać, miażdżyć; kruszyć; *s* ścisk, tłok; gniecenie, miażdżenie; *pot.* **have a ~ on sb** zadurzyć się w kimś
crust [krʌst] *s* skórka; skorupka; skorupa
cry [krɑɪ] *vi* płakać; krzyczeć; **~ for help** wołać o pomoc; *s* krzyk; płacz; wołanie
crys•tal [ˋkrɪstl] *s* kryształ; *adj attr* kryształowy; krystaliczny
Cu•ban [ˋkjubən] *s* Kubańczyk, Kubanka; *adj* kubański
cube [kjub] *s* kostka; sześcian; *vt mat.* podnieść do sześcianu
cu•bic [ˋkjubɪk] *adj* sześcienny
cuck•oo [ˋkʊku] *s* kukułka
cu•cum•ber [ˋkjukʌmbə(r)] *s* ogórek
cud•dle [kʌdl] *vt vi* tulić (się), przytulać (się)
cuff [kʌf] *s* mankiet
cui•sine [kwɪˋzin] *s* kuchnia (*sposób gotowania*)
cul•prit [ˋkʌlprɪt] *s* winowajca; podsądny
cult [kʌlt] *s* kult, cześć
cul•ti•vate [ˋkʌltɪveɪt] *vt dosł. przen.* kultywować, uprawiać
cul•tur•al [ˋkʌltʃərəl] *adj* kulturalny; kulturowy
cul•ture [ˋkʌltʃə(r)] *s* kultura; uprawa; hodowla
cul•tured [ˋkʌltʃəd] *adj* kulturalny, wykształcony
cum•ber•some [ˋkʌmbəsəm] *adj* uciążliwy; nieporęczny; niewygodny
cu•mu•late [ˋkjumjʊleɪt] *vt vi* gromadzić (się), kumulować (się)
cun•ning [ˋkʌnɪŋ] *adj* podstępny, chytry; *s* chytrość; spryt
cup [kʌp] *s* filiżanka; kubek; *sport.* puchar
cup•board [ˋkʌbəd] *s* kredens; szafka
curb [ˋk3b] *vt* ograniczać; przywoływać do porządku; *s am.* krawężnik
curd [k3d] *s*: **~ cheese** twaróg; **~s** zsiadłe mleko
cure [kjʊə(r)] *vt dosł. przen.* leczyć; konserwować; *s* lekarstwo; leczenie
cu•ri•os•i•ty [ˈkjʊərɪˋosɪtɪ] *s* ciekawość; ciekawostka, osobliwość
cu•ri•ous [ˋkjʊərɪəs] *adj* ciekawy; osobliwy; ciekawski
curl [k3l] *s* lok; *vt vi* wić (się), kręcić (się); **~ up** zwijać się w kłębek
cur•ly [ˋk3lɪ] *adj* kręcony, poskręcany
cur•rant [ˋkʌrənt] *s* porzeczka; rodzynek
cur•ren•cy [ˋkʌrənsɪ] *s* waluta; obieg
cur•rent [ˋkʌrənt] *adj* bieżący; powszechny; obecny; *fin.* obie-

gowy; ~ **account** rachunek bieżący; *s* prąd; nurt
cur•rent•ly [`kʌrəntlɪ] *adv* obecnie
cur•ric•u•lum [kə`rɪkjʊləm] *s (pl* **cur•ric•ul•a** [kə`rɪkjʊlə]*)* program (*nauki*)
cur•ric•u•lum vi•tae [kə`rɪkjʊləm vitɑɪ] (*skr.* **cv**) życiorys
curse [kɜs] *vt vi* przeklinać, kląć; *s* klątwa; przekleństwo
cur•tain [`kɜtn] *s* zasłona; kurtyna; **lace** ~ firanka
curve [kɜv] *s* krzywa; zagięcie; zakręt; *vt vi* zginać (się), zakręcać
cush•ion [`kʊʃən] *s* poduszka; wyściółka; watówka; *vt* wyściełać; tłumić
cus•to•dy [`kʌstədɪ] *s* opieka; areszt
cus•tom [`kʌstəm] *s* zwyczaj, obyczaj; **the ~s** punkt odprawy celnej; **~s duty** cło; **~s officer** celnik
cus•tom•a•ry [`kʌstəmərɪ] *adj* zwyczajowy; zwykły
cus•tom•er [`kʌstəmə(r)] *s* klient
cut [kʌt], **cut, cut** [kʌt] *vt* krajać, ciąć; kaleczyć; przecinać; ~ **down** ścinać; ~ **off** odcinać; odłączać; ~ **out** wycinać; odrzucać; ~ **open** rozciąć; ~ **short** przerywać; *s* cięcie; skaleczenie; krój; redukcja; obniżka; **short** ~ skrót
cute [kjut] *adj* uroczy, miły; *am. pot.* bystry, zdolny
cut•le•ry [`kʌtlərɪ] *s zbior.* sztućce
cut•let [`kʌtlɪt] *s* kotlet
cv [si`vi] *zob.* **curriculum vitae**
cy•cle [`sɑɪkl] *s* cykl; rower; *vi* jeździć na rowerze
cy•cling [`sɑɪklɪŋ] *s* kolarstwo; jazda rowerem
cyl•in•der [`sɪlɪndə(r)] *s* walec; *techn.* cylinder
cyn•ic [`sɪnɪk] *s* cynik
czar [zɑ] *s* car
cza•ri•na [zɑ`rinə] *s* caryca
Czech [tʃek] *s* Czech; *adj* czeski

D

dad [dæd], **daddy** [`dædɪ] *s zdrob.* tatuś, tata
dag•ger [`dægə(r)] *s* sztylet; **look ~s at sb** sztyletować kogoś wzrokiem
dai•ly [`deɪlɪ] *adj* codzienny; *adv* codziennie; *s* dziennik, gazeta
dair•y [`deərɪ] *s* mleczarnia; *adj* mleczny, mleczarski; ~ **products** nabiał
dai•sy [`deɪzɪ] *s* stokrotka
dam [dæm] *s* tama, zapora; *vt* przegrodzić tamą
dam•age [`dæmɪdʒ] *s* szkoda, uszkodzenie; *pl* ~ **s** odszkodowanie; **pay ~s** płacić odszkodowanie; *vt* uszkodzić; zaszkodzić (**sb** komuś)
damn [dæm] *adj* przeklęty, cho-

lerny; *vt* potępiać; przeklinać; *wulg.* **~ it!** cholera!; **~ you!** niech cię cholera!

damp [dæmp] *adj* wilgotny; *s* wilgoć; *vt* namoczyć, zwilżyć; stłumić

dance [dɑns] *vt vi* tańczyć; *s* taniec; zabawa; **~ floor** parkiet do tańca

danc•er [`dɑnsə(r)] *s* tancerz, tancerka

dan•druff [`dændrəf] *s* łupież

dan•dy [`dændɪ] *s* dandys, modniś; *am. pot.* świetny

Dane [deɪn] *s* Duńczyk, Dunka

dan•ger [`deɪndʒə(r)] *s* niebezpieczeństwo

dan•ger•ous [`deɪndʒrəs] *adj* niebezpieczny

dan•gle [`dæŋgl] *vi* zwisać; wisieć

Dan•ish [`deɪnɪʃ] *adj* duński; *s* język duński

dare [deə(r)] *vt vi* śmieć; ośmielać się, ważyć się (**do sth** coś zrobić); wyzwać; **I ~ say** śmiem twierdzić, sądzę; **how ~ you!** jak śmiesz!

dar•ing [`deərɪŋ] *adj* śmiały, odważny; *s* śmiałość, odwaga

dark [dɑk] *adj* ciemny, mroczny; ponury; ukryty; **it's getting ~** ściemnia się; **keep sth ~** trzymać coś w tajemnicy; *s* ciemność, zmrok

dark•en [`dɑkən] *vt vi* zaciemniać (się), ciemnieć

dark•ness [`dɑknəs] *s* ciemność, mrok

dar•ling [`dɑlɪŋ] *s* (*zwracając się*) kochanie; ukochany; *adj* drogi, kochany

darn [dɑn] *vt* cerować; *s* cera

darts [dɑts] *s pl* gra w rzutki

dash [dæʃ] *vt* rzucić, cisnąć; roztrzaskać; *vi* uderzyć się; rzucić się; przebiec; **~ out** wykreślić; wybiec; *s* plusk; uderzenie; myślnik, pauza; domieszka; **make a ~** rzucić się (**at sb <sth>** na kogoś <coś>)

da•ta [`deɪtə] *s pl* dane

date[1] [deɪt] *s* data; *am.* umówione spotkanie, *pot.* randka; **to ~** do tej pory, po dzień dzisiejszy; **out of ~** przestarzały, niemodny; **up to ~** nowoczesny, modny; *vt vi pot.* spotykać się (**sb** z kimś)

date[2] [deɪt] *s* daktyl

da•tum [`deɪtəm] *s* (*pl* **data** [`deɪtə]) dany fakt <szczegół itp.>; (*zw. pl* **data**) dane

daugh•ter [`dɔtə(r)] *s* córka

daugh•ter-in-law [`dɔtərɪnlɔ] *s* synowa

dawn [dɔn] *s* świt; brzask; *vi* świtać; **it ~ed on me that...** przyszło mi do głowy, że...

day [deɪ] *s* dzień; doba; **~ off** dzień wolny (*od pracy*); **by ~** za dnia; **~ by ~** dzień za dniem; **the ~ before yesterday** przedwczoraj; **the ~ after tomorrow** pojutrze; **the other ~** kilka dni temu; **this ~ week** od dziś za tydzień

day•light [`deılaıt] *s* światło dzienne
daze [deız] *vt* oszołomić; oślepić; *s* oszołomienie
dead [ded] *adj* martwy; zmarły; zepsuty, niesprawny; zdrętwiały; obojętny (**to sth** na coś); **be ~** nie żyć, nie funkcjonować; *adv* całkowicie, kompletnie; *s pl*: **the ~** zmarli
deaf [def] *adj* głuchy; **~-and-dumb** głuchoniemy; **turn a ~ ear** nie słuchać (**to sb <sth>** kogoś <czegoś>)
deal [dil], **dealt, dealt** [delt] *vt* rozdawać (*dary, karty*); **~ in sth** handlować czymś; postępować; mieć do czynienia; **~ with sth** zajmować się czymś; *s* interes, transakcja; układ; rozdanie kart; **a <good> great ~** wielka ilość, dużo (**of sth** czegoś); **it's a ~!** załatwione!, zgoda!
deal•er [`dilə(r)] *s* handlarz; rozdający karty; **drug ~** handlarz narkotykami
dear [dıə(r)] *adj* drogi (*kosztowny, bliski*); (*zwracając się*) kochanie; *adv* drogo; *int*: **~ me!, oh ~!** ojej!, o Boże!
death [deθ] *s* śmierć
de•bate [dı`beıt] *s* debata, dyskusja; *vt vi* debatować, dyskutować (**sth <on sth>** nad czymś)
de•bit [`debıt] *s* debet; *vt* obciążyć (*rachunek*)
de•bris [`deıbri] *s* szczątki; gruzy, rumowisko
debt [det] *s* dług
debt•or [`detə(r)] *s* dłużnik
de•but [`deıbju] *s* debiut
de•cay [dı`keı] *vi* gnić, rozpadać się, niszczeć; *s* gnicie, rozkład; rozpad; próchnica
de•cease [dı`sis] *vi* umierać; *s* zgon, zejście
de•ceased [dı`sist] *adj* zmarły; *s*: **the ~** nieboszczyk, nieboszczka
de•ceit [dı`sit] *s* fałsz, oszustwo
de•ceive [dı`siv] *vt* oszukiwać, okłamywać
De•cem•ber [dı`sembə(r)] *s* grudzień
de•cent [`disənt] *adj dosł. przen.* przyzwoity
de•cep•tion [dı`sepʃən] *s* oszustwo; okłamanie
de•cep•tive [dı`septıv] *adj* zwodniczy; złudny
de•cide [dı`saıd] *vi* postanawiać, decydować się (**on sth** na coś); *vt* przekonać; rozstrzygać, decydować (**sth** o czymś)
de•ci•pher [dı`saıfə(r)] odcyfrować; rozszyfrować
de•ci•sion [dı`sıʒən] *s* decyzja; zdecydowanie
de•ci•sive [dı`saısıv] *adj* decydujący, rozstrzygający; zdecydowany, stanowczy
deck [dek] *s* pokład statku; piętro (*w tramwaju, w autobusie*); magnetofon bez wzmacniacza; *vt* stroić, zdobić

de•claim [dɪ`kleɪm] *vt* deklamować
dec•la•ra•tion ['deklə`reɪʃən] *s* deklaracja; oświadczenie; wypowiedzenie (*wojny*)
de•clare [dɪ`kleə(r)] *vt vi* oświadczać, oznajmiać; deklarować (się); zgłaszać (*do oclenia*)
de•clared [dɪ`kleəd] *adj* otwarty; jawny; zdeklarowany
de•cline [dɪ`klɑɪn] *vi* obniżać się; marnieć; podupadać; *vt* pochylać; odrzucać (*prośbę, wniosek*); *s* upadek; zanik; schyłek
de•code ['di`kəʊd] *vt* rozszyfrować
de•com•pose ['dikəm`pəʊz] *vt vi* rozkładać (się)
dec•o•rate [`dekəreɪt] *vt* ozdabiać; dekorować (*także orderem*); odnawiać, malować, tapetować
de•crease [dɪ`kris] *vt vi* zmniejszać (się), obniżać (się); *s* [`dikris] zmniejszanie się, obniżanie się; ubytek (**in sth** czegoś)
de•cree [dɪ`kri] *s* dekret; rozporządzenie; wyrok; zrządzenie (*losu*); *vt* zarządzić; zadekretować
de•di•cate [`dedɪkeɪt] *vt* poświęcać, dedykować
de•duce [dɪ`djus] *vt* wyprowadzać; wnioskować
de•duct [dɪ`dʌkt] *vt* odliczać, odciągać, potrącać
deed [did] *s* czyn, uczynek; *prawn.* akt prawny; **authenticated ~** akt notarialny
deep [dip] *adj* głęboki; *adv* głęboko
deer [dɪə(r)] *s zool.* jeleń; *zbior.* zwierzyna płowa
de•fame [dɪ`feɪm] *vt* zniesławić
de•fault [dɪ`fɔlt] *s* uchybienie (*obowiązkom*), zaniedbanie; brak; *prawn.* niestawiennictwo; **by ~** z powodu nieobecności, zaocznie; *vi* zaniedbać; uchybić; nie stawić się w sądzie; *vt* skazać zaocznie
de•feat [dɪ`fit] *s* porażka; klęska; *vt* pokonać, pobić; *prawn.* anulować
def•e•cate [`defəkeɪt] *vi* wypróżniać się
de•fect [`difekt] *s* brak, wada, defekt
de•fec•tive [dɪ`fektɪv] *adj* wadliwy
de•fence, *am.* **de•fense** [dɪ`fens] *s* obrona (*także prawn. sport.*)
de•fend [dɪ`fend] *vt* bronić (**against sth** przed czymś)
de•fend•ant [dɪ`fendənt] *s prawn.* pozwany
de•fend•er [dɪ`fendə(r)] *s* obrońca
de•fense *am. zob.* **defence**
de•fen•sive [dɪ`fensɪv] *adj* obronny; *s* defensywa; **on the ~** w defensywie
de•fer [dɪ`fɜ(r)] *vt* odwlekać, odkładać
def•er•ence [`defərəns] *s* szacunek, poważanie
de•fi•ance [dɪ`fɑɪəns] *s* wyzwanie; opór

de•fi•ant [dɪ`faɪənt] *adj* prowokujący, wyzywający; oporny

de•fi•cien•cy [dɪ`fɪʃənsɪ] *s* brak, niedostatek

de•fi•cient [dɪ`fɪʃənt] *adj* niedostateczny, wykazujący brak <niedobór>; wadliwy

def•i•cit [`defɪsɪt] *s* deficyt

de•fine [dɪ`faɪn] *vt* określać, definiować

def•i•nite [`defɪnɪt] *adj* określony; stanowczy

def•i•ni•tion ['defɪ`nɪʃən] *s* definicja; **by ~** z definicji

def•i•ni•tive [dɪ`fɪnɪtɪv] *adj* definitywny, stanowczy

de•form [dɪ`fɔm] *vt* zniekształcać, deformować; szpecić

de•fraud [dɪ`frɔd] *vt* okraść, pozbawić (*kogoś czegoś*), zdefraudować

de•frost ['di`frost] *vt vi* odmrażać (się); rozmrażać (się)

deft [deft] *adj* zwinny, zgrabny, zręczny

de•fy [dɪ`faɪ] *vt* przeciwstawiać się, opierać się (**sb <sth>** komuś <czemuś>); wyzywać, prowokować; **~ description** być nie do opisania

de•gen•e•rate [dɪ`dʒenərɪt] *adj* zwyrodniały; zdegenerowany; *s* zwyrodnialec; degenerat; *vi* [dɪ`dʒenəreɪt] wyrodnieć, degenerować się

de•gen•e•ra•tion [dɪ'dʒenə`reɪʃən] *s* degeneracja; zwyrodnienie

de•gra•da•tion ['degrə`deɪʃən] *s* degradacja; poniżenie

de•grade [dɪ`greɪd] *vt vi* degradować (się); poniżać (się), upadlać

de•gree [dɪ`gri] *s* stopień; **24 ~s below <above> zero** 24 stopnie poniżej <powyżej> zera; **by ~s** stopniowo

de•lay [dɪ`leɪ] *vi* zwlekać; *vt* opóźniać; odkładać; wstrzymywać; *s* zwłoka, opóźnienie; **without ~** bezzwłocznie

del•e•gate [`delɪgɪt] *s* delegat; *vt* [`delɪgeɪt] delegować; zlecać

deli [`delɪ] *s pot. zob.* **delicatessen**

de•lib•e•rate [dɪ`lɪbəreɪt] *vi* obmyślać, naradzać się (**on <upon> sth** nad czymś); *vt* rozważać (**sth** coś); *adj* [dɪ`lɪbərɪt] rozmyślny; rozważny

de•lib•e•ra•tion [dɪ'lɪbə`reɪʃən] *s* rozważanie; zastanawianie się; naradzanie się

del•i•ca•cy [`delɪkəsɪ] *s* delikatność; subtelność; wrażliwość; przysmak, delikates

del•i•cate [`delɪkɪt] *adj* delikatny, subtelny; wrażliwy

del•i•ca•tes•sen ['delɪkə`tesən] (*skr.* **deli**) *s* delikatesy; garmażeria

de•li•cious [dɪ`lɪʃəs] *adj* pyszny; wyborny

de•light [dɪ`laɪt] *s* zachwyt; radość, rozkosz; **take ~ in sth** lubować się w czymś; *vt vi* zachwycać (się), rozkoszować

się (**in sth** czymś); **be ~ed** być zachwyconym, mieć wielką przyjemność (**at sth** w czymś)
de•light•ful [dɪ`laɪtfʊl] *adj* zachwycający, czarujący
de•lin•quen•cy [dɪ`lɪŋkwənsɪ] *s* przestępstwo; przestępczość; wykroczenie; **juvenile ~** przestępczość wśród nieletnich
de•liv•er [dɪ`lɪvə(r)] *vt* dostarczać, doręczać (**sth to sb** coś komuś); wygłaszać (*mowę*); odbierać poród; uwolnić, wybawić
de•liv•er•y [dɪ`lɪvərɪ] *s* doręczenie; wygłoszenie (*mowy*); poród
de•lude [dɪ`lud] *vt* łudzić, zwodzić
del•uge [`deljudʒ] *s dosł. przen.* potop, zalew; ulewa
de•lu•sion [dɪ`luʒən] *s* złudzenie; iluzja
de•mand [dɪ`mɑnd] *s* żądanie; wymaganie; popyt (**for sth** na coś); **on ~** na żądanie; *vt* żądać; wymagać (**sth of sb** czegoś od kogoś)
de•moc•ra•cy [dɪ`mokrəsɪ] *s* demokracja
dem•o•crat•ic ['demə`krætɪk] *adj* demokratyczny
de•mol•ish [dɪ`molɪʃ] *vt* burzyć, demolować; obalać
dem•o•li•tion ['demə`lɪʃən] *s* zburzenie; obalenie
dem•on•strate [`demənstreɪt] *vt* wykazywać, dowodzić; demonstrować, pokazywać; *vi* brać udział w demonstracji (**against sth** przeciw czemuś)
dem•on•stra•tion ['demənsˋtreɪʃən] *s* demonstracja
dem•on•stra•tive [dɪ`monstrətɪv] *adj* dowodzący; wykazujący
de•mor•al•i•za•tion [dɪ'morəlaɪ`zeɪʃən] *s* demoralizacja, zdeprawowanie
de•mor•al•ize [dɪ`morəlaɪz] *vt* zdemoralizować, zdeprawować
deni•al [dɪ`naɪəl] *s* zaprzeczenie; odmowa
den•im [`denɪm] *s* drelich, teksas; *pl* **~s** dżinsy
de•nounce [dɪ`nauns] *vt* denuncjować, donosić, oskarżać; wypowiadać (*umowę*)
dense [dens] *adj* gęsty; zwarty; (*o człowieku*) tępawy
den•si•ty [`densɪtɪ] *s* gęstość; spoistość
dent [dent] *s* wklęśnięcie, wgniecenie; *vt* wgnieść, wygiąć
den•tal [`dentl] *adj* dentystyczny; zębowy; **~ floss** nić dentystyczna
den•tist [`dentɪst] *s* dentysta
den•tures [`dentʃəz] *s pl* sztuczna szczęka
de•nun•ci•a•tion [dɪ'nʌnsɪ`eɪʃən] *s* ujawnienie, wydanie (*przestępcy*); donos; wypowiedzenie (*umowy*)
de•ny [dɪ`naɪ] *vt* zaprzeczać; odmawiać; wypierać się (**sb <sth>** kogoś <czegoś>)
de•o•do•rant [di`əʊdrənt] *s* dezodorant

de•part [dɪˋpɑt] *vi* wyruszać, odjeżdżać; odbiegać (*od tematu*); odstępować (*od reguły*)

de•part•ment [dɪˋpɑtmənt] *s* departament; wydział; dział; ministerstwo; ~ **store** dom towarowy

de•par•ture [dɪˋpɑtʃə(r)] *s* odjazd; odlot; ~ **lounge** hala odlotów; **point of** ~ punkt wyjścia

de•pend [dɪˋpend] *vi* zależeć (**on sb <sth>** od kogoś <czegoś>); polegać (**on sb <sth>** na kimś <czymś>)

de•pen•da•ble [dɪˋpendəbl] *adj* pewny, niezawodny

de•pen•dence [dɪˋpendəns] *s* zależność; uzależnienie; poleganie; zaufanie (**on sb <sth>** do kogoś <czegoś>)

de•pen•dent [dɪˋpendənt] *adj* podlegający, zależny (**on sb <sth>** od kogoś <czegoś>); *s* człowiek zależny od kogoś <będący na czyimś utrzymaniu>

de•plore [dɪˋplɔ(r)] *vt* opłakiwać; wyrażać żal, ubolewać

de•port [dɪˋpɔt] *vt* deportować

de•pos•it [dɪˋpozɪt] *vt* zdeponować (*pieniądze w banku*); oddać na przechowanie; wpłacać kaucję; *s* złoże; depozyt; kaucja

de•pot [ˋdepəʊ] *s* skład; *am.* dworzec (*kolejowy, autobusowy*); zajezdnia

de•prave [dɪˋpreɪv] *vt* deprawować

de•pre•ci•ate [dɪˋpriʃɪeɪt] *vt* obniżyć wartość; zdeprecjonować; zdewaluować; *vi* stracić na wartości

de•press [dɪˋpres] *vt* przygnębiać; obniżać; naciskać

de•pres•sion [dɪˋpreʃən] *s* depresja, przygnębienie; kryzys gospodarczy; obniżenie (*terenu*)

de•prive [dɪˋprɑɪv] *vt* pozbawiać (**sb of sth** kogoś czegoś)

depth [depθ] *s* głębokość; głąb, głębia

dep•u•ty [ˋdepjʊtɪ] *s* zastępca, wice-; delegat, poseł

de•ri•sion [dɪˋrɪʒən] *s* wyśmiewanie, wyszydzanie

de•rive [dɪˋrɑɪv] *vt* czerpać (*przyjemność*); *vi* pochodzić, wywodzić się

de•scend [dɪˋsend] *vi* schodzić; spadać; wyprowadzać; pochodzić, wywodzić się; *vt* schodzić (**a hill** z góry)

de•scen•dant [dɪˋsendənt] *s* potomek

de•scent [dɪˋsent] *s* zejście; stok; spadek; pochodzenie

de•scribe [dɪˋskrɑɪb] *vt* opisywać

de•scrip•tion [dɪˋskrɪpʃən] *s* opis

de•scrip•tive [dɪsˋkrɪptɪv] *adj* opisowy

des•ert[1] [ˋdezət] *s* pustynia; ~ **island** bezludna wyspa

de•sert[2] [dɪˋzɜt] *vt* opuszczać, zostawiać; *vi* dezerterować

de•serve [dɪˋzɜv] *vt vi* zasługiwać (**sth** na coś)

de•sign [dɪ`zaɪn] *vt* projektować; planować; układać; *s* projekt; wzór, deseń; plan, zamiar
des•ig•nate [`dezɪgneɪt] *vt* wyznaczyć; mianować; nazwać
de•sign•er [dɪ`zaɪnə(r)] *s* projektant
de•sir•a•ble [dɪ`zaɪərəbl] *adj* pożądany; pociągający, atrakcyjny
de•sire [dɪ`zaɪə(r)] *vt* pragnąć, pożądać; *s* pragnienie, życzenie; żądza; pożądanie
de•sir•ous [dɪ`zaɪərəs] *adj* pragnący, spragniony (*czegoś*)
desk [desk] *s* biurko; ławka szkolna; **information ~** informacja; **reception ~** recepcja
des•o•late [`desəleɪt] *vt* pustoszyć, niszczyć; trapić; *adj* [`desəlɪt] wyludniony, opustoszały; samotny; niepocieszony
de•spair [dɪ`speə(r)] *vi* tracić nadzieję (**of sth** na coś); rozpaczać; *s* rozpacz
des•patch [dɪs`pætʃ] *vt s zob.* **dispatch**
des•pe•rate [`despərɪt] *adj* zdesperowany; rozpaczliwy; beznadziejny; **be ~ for sth** rozpaczliwie potrzebować czegoś
de•spise [dɪ`spaɪz] *vt* pogardzać, gardzić
de•spite [dɪ`spaɪt] *praep* mimo, wbrew
des•sert [dɪ`zɜt] *s* deser
des•ti•na•tion ['destɪ`neɪʃən] *s* cel (*podróży*), miejsce przeznaczenia
des•ti•ny [`destɪnɪ] *s* przeznaczenie, los
de•stroy [dɪ`strɔɪ] *vt* niszczyć, burzyć
de•struc•tion [dɪ`strʌkʃən] *s* zniszczenie
de•tach [dɪ`tætʃ] *vt* oddzielać; odłączać (**from sth** od czegoś)
de•tached [dɪ`tætʃt] *adj* oddzielny; bezstronny, obiektywny; **~ house** dom jednorodzinny
de•tach•ment [dɪ`tætʃmənt] *s* odłączenie; oderwanie; bezstronność
de•tail [`diteɪl] *s* szczegół; **in ~** szczegółowo; *vt* wyszczególniać
de•tailed [`diteɪld] *adj* szczegółowy; drobiazgowy
de•tain [dɪ`teɪn] *vt* zatrzymywać; wstrzymywać; trzymać w areszcie
de•tect [dɪ`tekt] *vt* wykrywać, wyczuwać
de•tec•tive [dɪ`tektɪv] *s* detektyw; **~ story** kryminał
de•ten•tion [dɪ`tenʃən] *s* zatrzymanie; areszt
de•ter [dɪ`tɜ(r)] *vt* odstraszać; powstrzymywać (**sb from sth** kogoś od czegoś)
de•te•ri•o•rate [dɪ`tɪərɪəreɪt] *vi* zepsuć się, pogorszyć się; podupaść
de•ter•mi•na•tion [dɪ'tɜmɪ`neɪʃən] *s* określenie; postanowienie; zdecydowanie
de•ter•mine [dɪ`tɜmɪn] *vt* po-

stanawiać (**on sth** coś); ustalać, określać; wpływać (**sth** na coś)
de•ter•mined [dɪ`tɜmɪnd] *adj* zdecydowany; stanowczy
de•test [dɪ`test] *vt* nienawidzić, nie cierpieć (**sb <sth>** kogoś <czegoś>)
det•o•nate [`detəneɪt] *vt* detonować; *vi* wybuchać
det•o•na•tion [detoʊ`neɪʃən] *s* detonacja; wybuch, eksplozja
de•tour [`ditʊə(r)] *s* objazd; **make a ~** zrobić objazd
de•val•ue ['di`vælju] *vt* dewaluować
dev•as•tate [`devəsteɪt] *vt* pustoszyć, dewastować
de•ve•lop [dɪ`veləp] *vt vi* rozwijać (się); zagospodarować (*teren*); nabawić się (*choroby*); popadać (*w nałóg*); *fot.* wywoływać
de•vel•op•ment [dɪ`veləpmənt] *s* rozwój; wydarzenie; *fot.* wywoływanie; **housing ~** osiedle mieszkaniowe
de•vi•ate [`divɪeɪt] *vi* zboczyć, odchylić się
de•vi•a•tion ['divɪ`eɪʃən] *s* odchylenie, dewiacja
de•vice [dɪ`vaɪs] *s* urządzenie; plan, sposób
dev•il [`devl] *s* diabeł
dev•il•ish [`devlɪʃ] *adj* diabelski, szatański
de•vise [dɪ`vaɪz] *vt* wymyślić, wynaleźć; obmyślać
de•void [dɪ`vɔɪd] *adj* pozbawiony (**of sth** czegoś)
de•vote [dɪ`vəʊt] *vt* poświęcać (**sth to sb <sth>** coś komuś <czemuś>)
de•vot•ed [dɪ`vəʊtɪd] *adj* poświęcony, poświęcający się, oddany
de•vo•tion [dɪ`vəʊʃən] *s* poświęcenie, oddanie, przywiązanie; pobożność
dew [dju] *s* rosa
dex•ter•i•ty [deks`terɪtɪ] *s* zręczność
dex•ter•ous [`dekstrəs] *adj* zręczny
di•a•be•tes ['daɪə`bitiz] *s med.* cukrzyca
di•ag•nose [`daɪəgnəʊz] *vt* rozpoznać (*chorobę*), diagnozować
di•ag•no•sis ['daɪəg`nəʊsɪs] *s* (*pl* **diagnoses** ['daɪəg`nəʊsiz]) diagnoza
di•ag•o•nal [daɪ`ægənəl] *adj* przekątny; ukośny; *s* przekątna
di•al [`daɪl] *s* tarcza (*zegara, telefonu*); zegar słoneczny; *vt* wybierać numer telefonu
di•a•lect [`daɪəlekt] *s* dialekt
di•a•logue [`daɪəlog] *s* dialog
di•am•e•ter [daɪ`æmɪtə(r)] *s* średnica
di•a•mond [`daɪəmənd] *s* diament; brylant; *pl* **~s** karo (*w kartach*)
di•ap•er [`daɪəpə(r)] *s am.* pieluszka
di•ar•rh(o)e•a ['daɪə`rɪə] *s med.* biegunka

di•a•ry [`daɪərɪ] *s* dziennik, pamiętnik; terminarz; **keep a ~** prowadzić dziennik
dice [daɪs] *s* kostka; gra w kości; *vt* kroić w kostkę
dic•tate [dɪk`teɪt] *vt vi* dyktować; narzucać; rozkazywać; *s* nakaz (*sumienia*)
dic•tion•a•ry [`dɪkʃənrɪ] *s* słownik
did *zob.* **do**
die [daɪ] *vi* umierać (**of sth** na coś); **~ away** zamierać, zanikać; **~ down** ucichnąć, uspokoić się; **~ out** wymierać, wygasać
diet [`daɪət] *s* dieta; **slimming ~** dieta odchudzająca; **go on a ~** przejść na dietę
dif•fer [`dɪfə(r)] *vi* różnić się (**from sb <sth>** od kogoś <czegoś>); być innego zdania
dif•fer•ence [`dɪfrəns] *s* różnica (*także poglądów*)
dif•fer•ent [`dɪfrənt] *adj* inny, różny, odmienny
dif•fi•cult [`dɪfɪkəlt] *adj* trudny
dif•fi•cul•ty [`dɪfɪkəltɪ] *s* trudność
dif•fuse [dɪ`fjuz] *vt vi* rozprzestrzeniać się; przenikać; *adj* [dɪ`fjus] rozproszony; rozwlekły (*styl*)
dig [dɪg], **dug, dug** [dʌg] *vt vi* kopać, ryć; grzebać (**for sth** w poszukiwaniu czegoś)
di•gest [daɪ`dʒest] *vt* trawić; *przen.* przetrawić (*informacje*); przemyśleć; *s* streszczenie; przegląd
di•ges•tion [daɪ`dʒestʃən] *s* trawienie
dig•it [`dɪdʒɪt] *s* cyfra; *anat.* palec
di•gi•tal [`dɪdʒɪtl] *adj* cyfrowy
dig•ni•fied [`dɪgnɪfaɪd] *adj* godny, pełen godności
dig•ni•ty [`dɪgnɪtɪ] *s* godność; dostojeństwo; **beyond one's ~** poniżej czyjejś godności
di•gres•sion [daɪ`greʃən] *s* dygresja
dil•i•gent [`dɪlɪdʒənt] *adj* pilny
dill [dɪl] *s* koper
di•lute [daɪ`ljut] *vt* rozcieńczać; *adj* rozcieńczony
dim [dɪm] *adj* przyćmiony; niewyraźny; mętny; *vt* przyciemniać, zamglić; *vi* przygasnąć; zamazać się
dime [daɪm] *s am.* moneta dziesięciocentowa
di•men•sion [daɪ`menʃən] *s* wymiar, rozmiar
di•min•ish [dɪ`mɪnɪʃ] *vt vi* zmniejszać (się), obniżać (się), maleć
din [dɪn] *s* hałas, łoskot
dine [daɪn] *vi* jeść obiad; **~ out** jeść obiad na mieście
din•ing room [`daɪnɪŋ`rʊm] *s* jadalnia
din•ner [`dɪnə(r)] *s* obiad; **~ jacket** smoking
dip [dɪp] *vt vi* zanurzać (się), zamoczyć (się); opadać, obniżać się; *s* zanurzenie; nurko-

wanie; spadek; sos (*do maczania np. jarzyn*)

di•plo•ma [dɪ`pləʊmə] *s* dyplom

di•plo•ma•cy [dɪ`pləʊməsɪ] *s* dyplomacja

dip•lo•mat [`dɪpləmæt] *s* dyplomata

di•rect [dɪ`rekt] *vt* kierować, skierować; zarządzać, kierować; reżyserować; **~ sb to sth** wskazać komuś drogę do czegoś; *adj* prosty, bezpośredni

di•rec•tion [dɪ`rekʃən] *s* kierunek; kierownictwo; reżyseria; *pl* **~s** instrukcja (*dla użytkownika*)

di•rect•ly [dɪ`rektlɪ] *adv* wprost; bezpośrednio; zaraz; *conj* skoro tylko

di•rec•tor [dɪ`rektə(r)] *s* dyrektor, kierownik; reżyser

di•rec•to•ry [daɪ`rektrɪ] *s* książka telefoniczna; *komp.* katalog; **~ enquiries** biuro numerów

dirt [dɜt] *s* brud; błoto

dirt-cheap ['dɜt`tʃip] *adj pot.* śmiesznie tani

dirt•y [`dɜtɪ] *adj* brudny; nieprzyzwoity; *vt vi* brudzić (się)

dis•a•bi•li•ty ['dɪsə`bɪlɪtɪ] *s* inwalidztwo; upośledzenie

dis•a•bled [dɪs`eɪbəld] *adj* niepełnosprawny; **the ~** inwalidzi

dis•ad•van•tage ['dɪsəd`vɑntɪdʒ] *s* wada; **to one's ~** na czyjąś niekorzyść

dis•a•gree ['dɪsə`gri] *vi* nie zgadzać się; *vt (o pogodzie, o jedzeniu)* nie służyć (**with sb** komuś)

dis•a•gree•ment ['dɪsə`grimənt] *s* niezgoda; niezgodność

dis•ap•pear ['dɪsə`pɪə(r)] *vi* znikać

dis•ap•point ['dɪsə`pɔɪnt] *vt* rozczarować, zawieść; **be ~ed** zawieść się (**in <by, with> sb <sth>** na kimś <czymś>); być rozczarowanym (**at sth** czymś)

dis•ap•point•ment ['dɪsə`pɔɪntmənt] *s* rozczarowanie, zawód; **to my ~** ku mojemu rozczarowaniu

dis•ap•prove ['dɪsə`pruv] *vt vi* dezaprobować, nie pochwalać

dis•arm [dɪs`ɑm] *vt vi* rozbrajać (się)

dis•ar•ma•ment [dɪs`ɑməmənt] *s* rozbrojenie

dis•ar•range [`dɪsə`reɪndʒ] *vt* dezorganizować, wprowadzać nieład

di•sas•ter [dɪ`zɑstə(r)] *s* nieszczęście, klęska; katastrofa

di•sas•trous [dɪ`zɑstrəs] *adj* zgubny; katastrofalny

dis•be•lief ['dɪsbɪ`lif] *s* niewiara, niedowierzanie

dis•be•lieve ['dɪsbɪ`liv] *vt vi* nie wierzyć

disc, *am.* **disk** [dɪsk] *s* krążek; płyta (*gramofonowa*); *komp.* dysk; **compact ~** płyta kompaktowa; **hard ~** twardy dysk; **floppy ~** dyskietka; **~ drive** stacja dysków

dis•card [dɪs`kɑd] *vt* odsunąć; odrzucić, zarzucić
dis•cern [dɪ`sɜn] *vt* rozróżniać; spostrzegać
dis•cern•ing [dɪ`sɜnɪŋ] *adj* bystry; wnikliwy
dis•charge [dɪs`tʃɑdʒ] *vt vi* wypuszczać; wydzielać; zwalniać; wystrzelić; *s* [`dɪstʃɑdʒ] wyładowanie; zwolnienie; wydzielanie; wystrzał
dis•ci•ple [dɪ`saɪpl] *s* uczeń, zwolennik
dis•ci•pline [`dɪsɪplɪn] *s* dyscyplina; kara; *vt* utrzymywać w karności, ćwiczyć; karać
dis•claim [dɪs`kleɪm] *vt* wypierać się
dis•close [dɪs`kləʊz] *vt* odsłaniać, odkrywać, ujawniać
dis•clo•sure [dɪs`kləʊʒə(r)] wyjawienie, ujawnienie; ujawniona tajemnica
dis•co [`dɪskəʊ] *zob.* **discotheque**
dis•com•fort [dɪs`kʌmfət] *s* niewygoda; złe samopoczucie; niepokój
dis•con•nec•ted ['dɪskə`nektɪd] *adj* bez związku, chaotyczny
dis•con•tent•ed ['dɪskən`tentɪd] *adj* niezadowolony; rozgoryczony
dis•con•tin•ue ['dɪskən`tɪnju] *vt* przestać, przerwać; *vi* ustać, skończyć się
dis•co•the•que [`dɪskətek] (*skr.* **disco**) *s* dyskoteka
dis•count [`dɪskaʊnt] *s handl.* zniżka, rabat; **at a ~** ze zniżką; *vt* [dɪs`kaʊnt] obniżać cenę; pomijać, nie brać pod uwagę
dis•cour•age [dɪs`kʌrɪdʒ] *vt* zniechęcać (**sb from sth** kogoś do czegoś)
dis•cov•er [dɪs`kʌvə(r)] *vt* odkrywać
dis•cov•er•y [dɪs`kʌvrɪ] *s* odkrycie
dis•cred•it [dɪs`kredɪt] *s* zła sława; *vt* dyskredytować; nie dawać wiary
dis•creet [dɪ`skrit] *adj* dyskretny; roztropny
dis•crep•an•cy [dɪs`krepənsɪ] *s* rozbieżność, niezgodność
dis•cre•tion [dɪ`skreʃən] *s* dyskrecja; rozsądek; **at sb's ~** według czyjegoś uznania
dis•crim•i•nate [dɪ`skrɪmɪneɪt] *vt vi* rozróżniać; dyskryminować
dis•cuss [dɪ`skʌs] *vt* dyskutować (**sth** nad czymś), omawiać
dis•cus•sion [dɪ`skʌʃən] *s* dyskusja, omówienie
dis•ease [dɪ`ziz] *s* choroba
dis•em•bark ['dɪsɪm`bɑk] *vt* wyładować; wysadzać na ląd; *vi* wysiadać ze statku
dis•en•gaged ['dɪsɪn`geɪdʒd] *adj* wolny, nie zajęty
dis•en•tan•gle ['dɪsɪn`tæŋgl] *vt vi* rozwikłać (się), rozplątać (się), wyplątać się
dis•fa•vo(u)r [dɪs`feɪvə(r)] *s* nieprzychylność, niełaska
dis•grace [dɪs`greɪs] *s* hańba; *vt* okryć hańbą, zhańbić

dis•grace•ful [dɪs`greɪsful] *adj* haniebny

dis•guise [dɪs`gaɪz] *vt* przebierać (**sb as sth** kogoś za coś); ukrywać; *s* przebranie; udawanie, maska; **in ~** w przebraniu

dis•gust [dɪs`gʌst] *s* wstręt; *vt* napawać wstrętem; **be ~ed** czuć wstręt (**with sth** do czegoś)

dis•gust•ing [dɪs`gʌstɪŋ] *adj* obrzydliwy; odrażający; wstrętny

dish [dɪʃ] *s* półmisek, naczynie; danie; **satellite ~** antena satelitarna; *vt*: **~ out** nakładać (*na talerz*); *pot.* rozdawać

dis•hon•est [dɪs`onɪst] *adj* nieuczciwy; oszukańczy

dis•hon•esty [dɪs`onɪstɪ] *s* nieuczciwość

dis•hon•our [dɪs`onə(r)] *s* hańba; *vt* hańbić

dish•wash•er [`dɪʃwoʃə(r)] *s* zmywarka do naczyń

dis•il•lu•sion ['dɪsɪ`luʒən] *s* rozczarowanie; *vt* rozczarować, pozbawić złudzeń

dis•in•fect ['dɪsɪn`fekt] *vt* dezynfekować

dis•in•her•it ['dɪsɪn`herɪt] *vt* wydziedziczyć

dis•in•te•grate [dɪs`ɪntəgreɪt] *vt vi* rozkładać (się), rozpadać się

disk [dɪsk] *s am. zob.* **disc**

dis•kette [dɪs`ket] *s komp.* dyskietka

dis•like [dɪs`laɪk] *vt* nie lubić; *s* niechęć, antypatia

dis•lo•ca•tion ['dɪslə`keɪʃən] *s* przesunięcie, przemieszczenie; zaburzenie; zwichnięcie

dis•loy•al [dɪs`loɪəl] *adj* nielojalny; niewierny

dis•man•tle [dɪs`mæntl] *vt* pozbawić (*części*); zdemontować

dis•miss [dɪs`mɪs] *vt* odrzucać (*pomysł*); zwalniać (*z pracy*); zwalniać, puszczać (*uczniów*); *prawn.* oddalać (*apelację*)

dis•o•be•di•ent ['dɪsə`bidjənt] *adj* nieposłuszny

dis•o•bey [dɪsə`beɪ] *vt vi* nie słuchać (**sb** kogoś), nie stosować się (**the rules** do przepisów)

dis•or•der [dɪs`ɔdə(r)] *s* nieporządek; zamieszki; *med.* zaburzenie

dis•par•age [dɪs`pærɪdʒ] *vt* wyrażać się ujemnie, dyskredytować

dis•patch [dɪs`pætʃ] *vt* wysłać; załatwić; *s* przesyłka; reportaż, korespondencja

di•spense [dɪs`pens] *vt* rozdawać, rozdzielać; *rel.* udzielać dyspensy; *vi*: **~ with sb <sth>** obywać się bez kogoś <czegoś>

dis•perse [dɪs`pɜs] *vt vi* rozpędzić; rozproszyć (się); rozbiec się

dis•place [dɪs`pleɪs] *vt* przesunąć, przemieścić; wyprzeć

dis•play [dɪ`spleɪ] *vt* wystawiać

na pokaz; okazywać (*uczucia*); *s* pokaz, wystawa; **on ~** na wystawie
dis•plea•sure [dɪs`pleʒə(r)] *s* niezadowolenie
dis•po•sal [dɪ`spəʊzl] *s* usuwanie, pozbycie się (*śmieci*); rozporządzanie (**of sth** czymś); **at sb's ~** do czyjejś dyspozycji
dis•pose [dɪ`spəʊz] *vt vi* rozporządzać, dysponować; niszczyć, pozbywać się (**of sth** czegoś)
dis•po•si•tion ['dɪspə`zɪʃən] *s* rozmieszczenie; dyspozycja; usposobienie, skłonność
dis•prove [dɪs`pruv] *vt* odpierać; obalać (*twierdzenie, zarzuty*)
dis•pute [dɪs`pjut] *vt vi* rozprawiać, dyskutować (**over sth** nad czymś); spierać się; *s* [`dɪspjut] dyskusja; spór
dis•qui•et [dɪs`kwɑɪət] *s* niepokój; *vt* niepokoić
dis•re•gard ['dɪsrɪ`gɑd] *vt* lekceważyć, nie zważać (**sth** na coś); *s* lekceważenie
dis•rupt [dɪs`rʌpt] *vt* zakłócać
dis•sat•is•fac•tion [dɪs'sætɪs`fækʃən] *s* niezadowolenie
dis•sat•is•fy [dɪs`sætɪsfɑɪ] *vt* wywołać niezadowolenie (**sb** u kogoś)
dis•sent [dɪ`sent] *vi* nie zgadzać się, mieć odmienne poglądy; *s* różnica zdań <poglądów>
dis•sent•er [dɪ`sentə(r)] *s* dysydent
dis•so•lu•tion [dɪsə`luʃən] *s* rozwiązanie, rozpad
dis•solve [dɪ`zolv] *vt vi* rozpuszczać (się); rozwiązywać (się); zrywać
dis•suade [dɪ`sweɪd] *vt* odradzać (**sb from sth** komuś coś)
dis•tance [`dɪstəns] *s* odległość; *dosł. przen.* dystans; *vt* dystansować się (**from sth** wobec czegoś)
dis•tant [`dɪstənt] *adj* odległy, daleki
dis•taste [dɪs`teɪst] *s* niesmak, wstręt
dis•tinct [dɪ`stɪŋkt] *adj* różny
dis•tinc•tion [dɪ`stɪŋkʃən] *s* różnica, rozróżnienie; wyróżnienie, odznaczenie; **draw a ~ between...** dostrzegać różnicę pomiędzy...
dis•tin•guish [dɪ`stɪŋgwɪʃ] *vt* odróżniać, rozróżniać; dostrzegać; *vr* **~ o.s.** wyróżniać się, odznaczać się
dis•tin•guished [dɪ`stɪŋgwɪʃt] *adj* wybitny, znakomity; dystyngowany
dis•tort [dɪ`stɔt] *vt* przekręcać, zniekształcać
dis•tract [dɪs`trækt] *vt* odciągać, rozpraszać (*uwagę*)
dis•tract•ed [dɪs`træktɪd] *adj* roztargniony
dis•trac•tion [dɪ`strækʃən] *s* rozrywka; roztargnienie
dis•tress [dɪs`tres] *s* zmartwienie; bieda, nieszczęście
dis•trib•ute [dɪ`strɪbjut] *vt* rozdzielać, rozdawać; rozprowadzać, rozmieszczać

dis•tri•bu•tion ['dɪstrɪ`bjuʃən] *s* rozdzielanie, dystrybucja

dis•trict [`dɪstrɪkt] *s* okręg (*administracyjny*); rejon; dzielnica; region

dis•trust [dɪs`trʌst] *s* nieufność; *vt* nie ufać (**sb** komuś)

dis•turb [dɪ`stɜb] *vt* przeszkadzać; niepokoić, zakłócać; **mentally ~ed** umysłowo chory

dis•turb•ance [dɪs`tɜbəns] *s* zaburzenie, zakłócenie; niepokój

dis•use [dɪs`jus] *s* nieużywanie; zarzucenie, odzwyczajenie; **fall into ~** wyjść z użycia; *vt* [dɪs`juz] zarzucić, zaprzestać (*używania*)

ditch [dɪtʃ] *s* rów, kanał; *pot.* zerwać, porzucić

dive [daɪv] *vi* nurkować; zanurzać się; *s* nurkowanie; skok do wody

di•ver [`daɪvə(r)] *s* nurek; skoczek do wody

di•verse [daɪ`vɜs] *adj* rozmaity; urozmaicony; odmienny

di•ver•si•fy [daɪ`vɜsɪfaɪ] *vt* urozmaicać; różnicować

di•ver•sion [daɪ`vɜʃən] *s* odwrócenie, zmiana kierunku; dywersja; rozrywka

di•ver•si•ty [daɪ`vɜsɪtɪ] *s* rozmaitość; urozmaicenie; różnorodność

di•vide [dɪ`vaɪd] *vt vi* dzielić (się)

di•vine [dɪ`vaɪn] *adj* boży, boski; *vt vi* przepowiadać, wróżyć

di•vi•sion [dɪ`vɪʒən] *s* podział; dział, oddział; *mat.* dzielenie; *woj.* dywizja

di•vorce [dɪ`vɔs] *s* rozwód; *vt* rozwieść się (**sb** z kimś)

di•vor•cee [dɪvɔ`si] *s* rozwodnik, rozwódka

diz•zy [`dɪzɪ] *adj* zawrotny, oszałamiający; przyprawiający o zawrót głowy; **I feel ~** kręci mi się w głowie

do [du], **did** [dɪd], **done** [dʌn], *3 pers sing praes* **does** [dʌz] *vt vi* robić, czynić; wystarczyć; załatwić; przebywać (*odległość*); **do away** usuwać, znosić (**with sth** coś); **do up** zapinać; zawiązywać; zreperować; uporządkować; **do without sth** obywać się bez czegoś; **do one's best** zrobić co w czyjejś mocy; **do sb a favour** oddać komuś przysługę; **do well <badly>** dobrze <źle> sobie radzić; **how do you do?** dzień dobry, miło mi poznać; *v aux* (*tworzy formę pytającą i przeczącą czasu Present Simple i Past Simple*): **do <did> you like him?** czy lubisz <lubiłeś> go?; **I do <did> not like him** nie lubię <lubiłem> go; (*zastępuje orzeczenie*): **you play better than he does** grasz lepiej od niego; **do you smoke? – yes, I do <no, I don't>** czy palisz? – tak, palę <nie, nie palę>; (*w zdaniach pytających*): **you don't like her, do you?** nie lubisz jej, prawda?; **you like her, don't you?**

lubisz ją, nieprawdaż?; (*oznacza emfazę*): **I did go** przecież jednak poszedłem; **do come!** bardzo proszę, przyjdź!
dock [dok] *s bot.* szczaw; dok, basen portowy; *prawn.* ława oskarżonych
dock•er [`dokə(r)] *s* doker, robotnik portowy
doc•tor [`doktə(r)] *s* doktor; **call in the ~** wezwać lekarza
doc•u•ment [`dokjʊmənt] *s* dokument
dodge [dodʒ] *vt vi* wykręcić się; unikać; *s* wykręt; unik
does *zob.* **do**
dog [dog] *s* pies; *pot.* **go to the ~s** schodzić na psy; *vt* śledzić, tropić
dog•mat•ic [dog`mætɪk] *adj* dogmatyczny
do•ing [`duɪŋ] *s* sprawka, czyn; trud; *pl* **~s** poczynania
dole [dəʊl] *s bryt. pot.* zasiłek; **be on the ~** pobierać zasiłek
doll [dol] *s* lalka
dol•lar [`dolə(r)] *s* dolar
dol•phin [`dolfɪn] *s* delfin
do•main [də`meɪn] *s* domena; dziedzina; posiadłość
dome [dəʊm] *s* kopuła; sklepienie
do•mes•tic [də`mestɪk] *adj* domowy; wewnętrzny; krajowy; **~ animal** zwierzę domowe
do•mes•ti•cate [də`mestɪkeɪt] *vt* oswoić (*zwierzę*); **her husband is very ~d** jej mąż dużo pomaga w domu
dom•i•nant [`domɪnənt] *adj* panujący, dominujący; górujący
dom•i•nate [`domɪneɪt] *vt vi* dominować (**sb <sth>** nad kimś <czymś>); panować
dom•i•neer•ing ['domɪ`nɪərɪŋ] *adj* apodyktyczny
dom•i•no [`domɪnəʊ] *s* domino; *pl* **~es** gra w domino
do•nate [dəʊ`neɪt] *vt* podarować
do•na•tion [dəʊ`neɪʃən] *s* darowizna
done *zob.* **do**
don•key [`doŋkɪ] *s* osioł
don•ut [`donʌt] *s am. zob.* **doughnut**
doom [dum] *s* los, przeznaczenie; *vt lit.* skazać; osądzać
door [dɔ(r)] *s* drzwi; drzwiczki; **next ~** tuż obok
door•keep•er [`dɔkipə(r)] *s* portier, odźwierny
door•way [`dɔweɪ] *s* wejście
dorm [dɔm] *s am. pot.* akademik
dor•mi•to•ry [`dɔmɪtrɪ] *s* sala sypialna; *am.* dom akademicki
dose [dəʊs] *s* dawka, doza; *vt* dawkować
dot [dot] *s* kropka; punkcik; *vt* stawiać kropkę
doub•le [`dʌbl] *adj* podwójny; **~ room** pokój dwuosobowy (*w hotelu*); *przen.* **~ Dutch** chińszczyzna (*coś niezrozumiałego*); *s* podwójna ilość; sobowtór; dubler; *vt vi* podwoić (się); składać na pół; dublować

doub•le bass [`dʌbl'beɪs] *s muz.* kontrabas
doubt [daʊt] *vt* wątpić (**sth** w coś); *s* wątpliwość; **without <beyond, no> ~** bez wątpienia; **be in ~** wątpić (**about sth** w coś)
doubt•ful [`daʊtfʊl] *adj* niepewny; wątpliwy; nieprawdopodobny
doubt•less [`daʊtlɪs] *adv* niewątpliwie, bez wątpienia
dough [dəʊ] *s* ciasto; *pot.* forsa, kasa
dough•nut, *am.* **donut** [`dəʊnʌt] *s kulin.* pączek
dove [dʌv] *s* gołąb; gołąbek (*symbol pokoju*)
dow•dy [`daʊdɪ] *adj* bez gustu; zaniedbany
down [daʊn] *adv* na dole, w dół, niżej; *adj* smutny, *pot.* zdołowany; poruszający się w dół; *praep* na dół; wzdłuż; **~ train** pociąg z centrum na prowincję; *vt sport.* rozłożyć na łopatki (*przeciwnika*); *pot.* wychylić (*kieliszek*); zestrzelić; **~ tools** zastrajkować; *s* puch
down•fall [`daʊnfɔl] *s* upadek; zguba
down•hill ['daʊn`hɪl] *adv* z góry na dół; **go ~** iść w dół zbocza; *przen.* staczać się, podupadać
down•pour [`daʊnpɔ(r)] *s* ulewa
down•right [`daʊnraɪt] *adj* całkowity; szczery, otwarty; oczywisty; *adv* całkowicie; otwarcie, po prostu
down•stairs ['daʊn`steəz] *adv* na dół (*po schodach*); na dole
down•ward [`daʊnwəd] *adv* ku dołowi, w dół; *adj attr* skierowany w dół
down•wards *zob.* **downward**
doze [dəʊz] *vi* drzemać
doz•en [`dʌzn] *s* tuzin; **~ eggs** tuzin jajek
draft [drɑft] *s* rysunek; szkic; projekt; przekaz (*bankowy*); *am.* pobór; *vt* sporządzać szkic; *zob.* **draught**
drag [dræg] *vt vi* wlec (się); **~ on** wlec się (*w czasie*); *s pot.* nuda; zawada
drag•on [`drægən] *s* smok
drain [dreɪn] *vt* suszyć; drenować; *vi* (*także* **~ away**) wyciekać; *s* dren, ściek; *med.* sączek
drain•age [`dreɪnɪdʒ] *s* osuszenie; drenowanie
drake [dreɪk] *s* kaczor
dra•ma [`drɑmə] *s* dramat
dra•mat•ic [drə`mætɪk] *adj* dramatyczny
dram•a•tist [`dræmətɪst] *s* dramaturg
drank *zob.* **drink**
dra•pe•ry [`dreɪpərɪ] *s zbior.* materiały tekstylne; draperia
dras•tic [`dræstɪk] *adj* drastyczny, drakoński
draught, *am.* **draft** [drɑft] *s* przeciąg; ciąg; łyk; rysunek; *pl* **~s** warcaby; **beer on ~** piwo z beczki
draw [drɔ], **drew** [dru], **drawn** [drɔn] *vt vi* rysować; ciągnąć;

zaciągać (*zasłony*); wyciągać; przyciągać; nadciągać; zremisować; **~ back** wycofać się (**from sth** z czegoś); **~ near** zbliżać się; **~ out** przedłużać, wydłużać; **~ up** nakreślać (*plan, szkic*); podjeżdżać (*samochodem*); **~ air** wciągnąć powietrze; *s* remis; losowanie

draw•back [`drɔbæk] *s* wada, ujemna strona

draw•er [`drɔə(r)] *s* rysownik; [drɔ(r)] *s* szuflada; *pl* **~s** majtki

draw•ing [`drɔɪŋ] *s* rysowanie; rysunek

draw•ing room [`drɔɪŋrum] *s bryt.* pokój stołowy, salon

drawn *zob.* **draw**

dread [dred] *vt* bać się; *s* strach, przerażenie

dread•ful [`dredfʊl] *adj* straszny

dream [drim], **dreamt, dreamt** [dremt] *lub* **dreamed, dreamed** [drimd] *vt vi* śnić; marzyć (**of <about> sb <sth>** o kimś <czymś>); *s* sen; marzenie

dream•er [`drimə(r)] *s* marzyciel; fantasta

dreamt *zob.* **dream**

dream•y [`drimɪ] *adj* marzycielski; rozmarzony; cudowny

drear•y [`drɪərɪ] *adj* mroczny, ponury

dregs [dregz] *s pl* osad, fusy; *przen.* męty

drench [drentʃ] *vt* przemoczyć

dress [dres] *vt vi* ubierać (się); opatrywać (*ranę*); **~ up** wystroić (się); przebierać się (**as sb** za kogoś); dekorować; *s* sukienka; strój, ubranie; **evening ~** strój wieczorowy; suknia wieczorowa; **full ~** uroczysty strój; **~ coat** frak

dress•ing [`dresɪŋ] *s* ubieranie się, toaleta; dekoracja; opatrunek; sos (*do sałatek*)

dress•ing gown [`dresɪŋ`gaʊn] *s* szlafrok

dress•ma•ker [`dresmeɪkə(r)] *s* krawiec damski

drew *zob.* **draw**

drift [drɪft] *vt vi dosł. przen.* dryfować; (*o śniegu*) tworzyć zaspy; *s* zaspa; prąd (*morski*); tendencja; tok myśli

drill [drɪl] *s* wiertło, wiertarka; *woj.* musztra; ćwiczenie; *vt vi* wiercić; musztrować; ćwiczyć (**sb in sth** coś z kimś)

drink [drɪŋk], **drank** [dræŋk], **drunk** [drʌŋk] *vt vi* pić; **~ to sth** wypić za coś; **get drunk** upić się; *s* napój, kieliszek trunku; **soft ~** napój bezalkoholowy; **strong ~** trunek

drip [drɪp] *vi* kapać; ociekać; **~ with blood** ociekać krwią

drive [draɪv], **drove** [drəʊv], **driv•en** [`drɪvn] *vt vi* kierować, prowadzić (*samochód*); jechać; wieźć; wbijać (*gwóźdź*); zmierzać (**at sth** do czegoś); **~ sb mad** doprowadzać kogoś do szału; *s* przejażdżka; wjazd, dojazd; potrzeba (*jedzenia, pi-*

cia); *komp.* **disk ~** stacja dysków
driv•en *zob.* **drive**
driv•er [ˋdraɪvə(r)] *s* kierowca
driv•er's li•cense [ˋdraɪvəzlaɪsəns] *s am.* prawo jazdy
driv•ing li•cence [ˋdraɪvɪŋlaɪsəns] *s bryt.* prawo jazdy
driz•zle [ˋdrɪzl] *vi* mżyć; *s* drobny deszcz, mżawka
drop [drop] *vt* upuścić; zniżać (*głos, cenę*); opuścić, porzucić; *vi* spadać; **~ in** wpaść, odwiedzić (**on sb** kogoś); **~ off** zmniejszać się, spadać; **~ out** wycofać się (**of sth** z czegoś); **~ out of school** porzucić szkołę; *s* kropla; spadek; obniżka (*cen*)
drop•per [ˋdropə(r)] *s* kroplomierz; zakraplacz
drought [draʊt] *s* susza
drove *zob.* **drive**
drown [draʊn] *vt* topić; *vi* tonąć, topić się
drow•sy [ˋdraʊzɪ] *adj* senny, ospały
drug [drʌg] *s* lek, lekarstwo; narkotyk; **~ addict** narkoman; **be on ~s** brać narkotyki; *vt* podawać środki nasenne
drug•store [ˋdrʌgstɔ(r)] *s am.* drogeria (*z działem sprzedaży lekarstw, kosmetyków, czasopism i napojów chłodzących)*
drum [drʌm] *s* bęben; *pl* **~s** perkusja; *vi* bębnić
drunk[1] *zob.* **drink**
drunk[2] [drʌŋk] *adj praed* pijany; *s* pijak
drunk•en [ˋdrʌŋkən] *adj attr* pijany; pijacki
dry [draɪ] *adj* suchy; wyschnięty; (*o winie*) wytrawny; *vt* suszyć; wycierać; *vi* schnąć; **~ up** wysuszyć; wyschnąć
dry-clean•er's [ˈdraɪˋklinəz] *s* pralnia chemiczna
dry•er [ˋdraɪə(r)] *s* suszarka
du•al [ˋdjʊəl] *adj* dwoisty, podwójny
dub [dʌb] *vt* nadawać nazwę; dubbingować
du•bi•ous [ˋdjubjəs] *adj* wątpliwy, dwuznaczny; niepewny
duch•ess [ˋdʌtʃɪs] *s* księżna
duck [dʌk] *s* kaczka; *vt* zanurzać się; nagle schylić głowę; zrobić unik
duck•ling [ˋdʌklɪŋ] *s* kaczątko
due [dju] *adj* należny; właściwy, odpowiedni; planowany, spodziewany; płatny; **~ to sth** z powodu czegoś; **the train is ~ at three** pociąg przyjeżdża (*planowo*) o trzeciej; *s pl* **~s** opłaty; składki (*członkowskie*)
du•el [ˋdjuəl] *s* pojedynek
dug *zob.* **dig**
duke [djuk] *s* książę
dull [dʌl] *adj* matowy; tępy; (*o dźwięku*) głuchy; pochmurny; nudny
du•ly [ˋdjulɪ] *adv* należycie, słusznie; w porę
dumb [dʌm] *adj* niemy; **strike sb ~** wprawić kogoś w osłupienie

dum•my [ˋdʌmɪ] *s* atrapa; manekin; smoczek; *am. pot.* przygłup
dump [dʌmp] *vt* ciskać, zrzucać, zsypywać; *s* stos; hałda
dune [djun] *s* wydma
dun•ga•ress ['dʌŋgəˋriz] *s* kombinezon; ogrodniczki
dun•geon [ˋdʌndʒən] *s* loch
dupe [djup] *s* frajer, naiwniak; *vt przen.* naciągnąć, okpić
du•pli•cate [ˋdjuplɪkɪt] *adj* zapasowy, dodatkowy; podwojony; *s* duplikat; *vt* [ˋdjuplɪkeɪt] kopiować
dur•a•ble [ˋdjʊərəbl] *adj* trwały
du•ra•tion [djʊˋreɪʃən] *s* czas trwania
dur•ing [ˋdjʊərɪŋ] *praep* podczas, w czasie
dusk [dʌsk] *s* zmierzch
dust [dʌst] *s* kurz, pył, proch; *vt* odkurzać
dust•bin [ˋdʌstbɪn] *s bryt.* kosz na śmieci
dust•er [ˋdʌstə(r)] *s* ścierka do kurzu
dust•man [ˋdʌstmən] *s bryt.* śmieciarz
dust•y [ˋdʌstɪ] *adj* zakurzony
Dutch [dʌtʃ] *adj* holenderski; *s* język holenderski
Dutch•man [ˋdʌtʃmən] *s* (*pl* **Dutchmen** [ˋdʌtʃmən]) Holender
du•ti•a•ble [ˋdjutjəbl] *adj* podlegający ocleniu
du•ti•ful [ˋdjutɪfʊl] *adj* posłuszny; sumienny
du•ty [ˋdjutɪ] *s* obowiązek; służba; cło; **on <off> ~** na <po> służbie
dwarf [dwɔf] *s* karzeł; *adj attr* karłowaty
dwell [dwel] *vi* (*pp* **dwelt** [dwelt] *lub* **dwel•led**) mieszkać, przebywać; **~ on <upon> sth** rozwodzić się nad czymś
dwell•er [ˋdwelə(r)] *s* mieszkaniec
dwell•ing [ˋdwelɪŋ] *s* mieszkanie
dye [daɪ] *s* barwa, farba; barwnik; *vt* farbować
dy•nam•ic [daɪˋnæmɪk] *adj* dynamiczny; *s pl* **~s** dynamika
dy•na•mite [ˋdaɪnəmaɪt] *s* dynamit; *vt* wysadzać dynamitem
dyn•as•ty [ˋdɪnəstɪ] *s* dynastia

E

each [itʃ] *adj pron* każdy; **~ other** siebie <sobie> nawzajem
ea•ger [ˋigə(r)] *adj* gorliwy; żądny (**for sth** czegoś); **be ~ to do sth** być chętnym do zrobienia czegoś
ea•gle [ˋigl] *s* orzeł
ear [ɪə(r)] *s* ucho; **by ~** ze słuchu; *pot.* **be all ~s** zamienić się w słuch

ear•ly [`3lı] *adj* wczesny; *adv* wcześnie
earn [3n] *vt* zarabiać; zasługiwać; ~ **one's living** zarabiać na życie
earn•ings [`3nıŋz] *s pl* zarobki, dochody
ear•phone [`ıəfəʊn] *s* słuchawka
ear•ring [`ıərıŋ] *s* kolczyk
earth [3θ] *s* ziemia; świat; grunt, gleba; *vt elektr.* uziemiać; **why on ~...?** dlaczego u licha...?
earth•ly [`3θlı] *adj* ziemski; doczesny
earth•quake [`3θkweık] *s* trzęsienie ziemi
ease [iz] *s* łatwość; beztroska; wygoda; swoboda; **at ~** swobodnie, wygodnie; *vt* łagodzić; uspokajać
eas•i•ly [`izılı] *adj* lekko, swobodnie, łatwo
east [ist] *s* wschód; *adj* wschodni; *adv* na wschód, na wschodzie
East•er [`istə(r)] *s* Wielkanoc
east•ern [`istən] *adj* wschodni
east•ward [`istwəd] *adv* (*także* **~s**) ku wschodowi; na wschód; *adj* wschodni
eas•y [`izı] *adj* łatwy; beztroski; swobodny; spokojny; *adv* łatwo; lekko; swobodnie; delikatnie (*obchodzić się*) (**with sth** z czymś); **take it ~!** nie przejmuj się!
eas•y-go•ing [`izı`gəʊıŋ] *adj* niefrasobliwy; biorący życie lekko; spokojny
eat [it], **ate** [et], **eat•en** [`itn] *vt vi* jeść; ~ **out** jeść poza domem (*zw. w restauracji*); **~ up** zjeść do końca; *przen.* pochłonąć
eat•a•ble [`itəbl] *adj* jadalny
eat•en *zob.* **eat**
eaves•drop [`ivzdrop] *vi* podsłuchiwać
ec•cen•tric [ık`sentrık] *adj* ekscentryczny; *s* dziwak, ekscentryk
ech•o [`ekəʊ] *s* echo; *vi* odbijać się echem; *vt* powtarzać (*jak echo*)
e•clipse [ı`klıps] *s astr.* zaćmienie; *vt* zaćmiewać; przyćmiewać
e•col•o•gy [ı`kolədʒı] *s* ekologia
e•co•nom•ic [ikə`nomık] *adj* ekonomiczny, gospodarczy
e•co•nom•i•cal [ikə`nomıkl] *adj* oszczędny
e•co•nom•ics [ikə`nomıks] *s* ekonomia, ekonomika
e•con•o•mize [ı`konəmaız] *vi* oszczędzać, oszczędnie gospodarować (**on sth** czymś)
e•con•o•my [ı`konəmı] *s* gospodarka; oszczędność
ec•sta•sy [`ekstəsı] *s* ekstaza, zachwyt, uniesienie
ec•ze•ma [`eksımə] *s med.* egzema
edge [edʒ] *s* krawędź, brzeg; kant; ostrze; *vt* okrawać; obrębiać; ~ **one's way** przeciskać

się; **be on ~** być rozdrażnionym
edg•ing [ˋedʒɪŋ] *s* brzeg, rąbek
ed•i•ble [ˋedəbl] *adj* jadalny
e•dict [ˋidɪkt] *s* edykt
ed•it [ˋedɪt] *vt* wydawać; redagować
e•di•tion [ɪˋdɪʃən] *s* wydanie; nakład
ed•i•tor [ˋedɪtə(r)] *s* redaktor; wydawca; *komp.* edytor (*tekstu*)
ed•u•cate [ˋedjʊkeɪt] *vt* kształcić; uświadamiać
ed•u•ca•tion [edjʊˋkeɪʃən] *s* wykształcenie; oświata
eel [il] *s* węgorz
ee•rie [ˋɪərɪ] *adj* niesamowity
ef•fect [ɪˋfekt] *s* skutek; efekt; wrażenie; *pl* **~s** dobytek; **in ~** w praktyce; w rzeczywistości; **to no ~** bezskutecznie; **bring <carry> into ~** wprowadzić w życie; *vt* spowodować
ef•fec•tive [ɪˋfektɪv] *adj* efektywny, skuteczny; efektowny; faktyczny
ef•fi•cient [ɪˋfɪʃənt] *adj* wydajny; sprawny
ef•fort [ˋefət] *s* wysiłek, próba
egg [eg] *s* jajko; **hard-boiled <soft-boiled> ~** jajko na twardo <na miękko>
egg•shell [ˋegʃel] *s* skorupka jajka
e•go•ist [ˋegəʊɪst] *s* egoista
E•gyp•tian [ɪˋdʒɪpʃən] *s* Egipcjanin; *adj* egipski
ei•der•down [ˋɑɪdədɑʊn] *s* narzuta na łóżko; (*dawniej*) pierzyna
eight [eɪt] *num* osiem
eight•een [eɪˋtin] *num* osiemnaście
eight•eenth [eɪˋtinθ] *adj* osiemnasty
eight•fold [ˋeɪtfəʊld] *adj* ośmiokrotny; *adj v* ośmiokrotnie
eighth [eɪtθ] *adj* ósmy
eight•i•eth [ˋeɪtɪəθ] *adj* osiemdziesiąty
eight•y [ˋeɪtɪ] *num* osiemdziesiąt
ei•ther [ˋɑɪðə(r), ˋiðə(r)] *adj pron* jeden lub drugi, jeden z dwóch; obaj, obie, oboje; którykolwiek z dwóch; *conj*: **~... or...** albo..., albo...; (*z przeczeniem*) ani..., ani...; *adv* (*z przeczeniem*) też (nie)
e•ject [ɪˋdʒekt] *vt* wyrzucić; wydalić
e•lab•o•rate [ɪˋlæbəreɪt] *vt* szczegółowo opracować; *adj* [ɪˋlæbərɪt] wypracowany, staranny
e•lapse [ɪˋlæps] *vi* (*o czasie*) minąć, przeminąć
e•las•tic [ɪˋlæstɪk] *adj* elastyczny; **~ band** gumka
e•lat•ed [ɪˋleɪtɪd] *adj* podniecony; przepełniony radością i dumą
el•bow [ˋelbəʊ] *s* łokieć; *vt* popychać, szturchać łokciem
eld•er [ˋeldə(r)] *adj attr* starszy (*z dwóch*)
el•der•ly [ˋeldəlɪ] *adj* starszy, podstarzały

eld•est [`eldɪst] *adj attr* najstarszy; *s* najstarsze (dziecko)

e•lect [ɪ`lekt] *vt* wybierać; *adj* wybrany, nowo obrany

e•lec•tion [ɪ`lekʃən] *s* wybory; **~ campaign** kampania wyborcza; **general ~** wybory powszechne

e•lec•tor [ɪ`lektə(r)] *s* wyborca

e•lec•tric(al) [ɪ`lektrɪk(l)] *adj* elektryczny

e•lec•tri•cian [ɪlek`trɪʃən] *s* elektryk

e•lec•tric•i•ty [ɪlek`trɪsɪtɪ] *s* elektryczność

e•lec•tron [ɪ`lektron] *s* elektron

el•ec•tron•ics [ɪlek`tronɪks] *s* elektronika

el•e•gant [`elɪgənt] *adj* elegancki

el•e•ment [`eləmənt] *s* element; *chem.* pierwiastek; żywioł; **be in one's ~** być w swoim żywiole

el•men•ta•ry [elə`mentərɪ] *adj* elementarny; podstawowy; **~ school** szkoła podstawowa

el•e•phant [`elɪfənt] *s* słoń

el•e•vate [`elɪveɪt] *vt* podnosić; (*wyróżniać*) wynosić

el•e•va•tion [elɪ`veɪʃən] *s* podnoszenie, wysokość; wzniesienie; dostojeństwo, godność; elewacja

el•e•va•tor [`eləveɪtə(r)] *s am.* winda; podnośnik

e•lev•en [ɪ`levn] *num* jedenaście

e•lev•enth [ɪ`levnθ] *adj* jedenasty

e•li•cit [ɪ`lɪsɪt] *vt* wydobywać, ujawniać; wywoływać; **~ admiration** wywoływać podziw

el•i•gi•ble [`elɪdʒəbl] *adj* odpowiedni, nadający się; mający prawo (**for sth** do czegoś)

e•lim•i•nate [ɪ`lɪmɪneɪt] *vt* eliminować, wykluczać

elk [elk] *s* łoś

el•lipse [ɪ`lɪps] *s* elipsa

elm [elm] *s* wiąz

else [els] *adv* jeszcze (inny); **or ~** bo inaczej; **someone ~** ktoś inny; **something ~** coś innego; **what ~ can I do?** co jeszcze mogę zrobić?

else•where [els`weə(r)] *adv* gdzie indziej

e•lu•ci•date [ɪ`lusɪdeɪt] *vt* wyjaśnić, wyświetlić

e•lude [ɪ`lud] *vt* umknąć; obchodzić (*prawo*); **his name ~s me** nie mogę sobie przypomnieć jego nazwiska

e•lu•sive [ɪ`lusɪv] *adj* nieuchwytny; wymykający się

e-mail [`imeɪl] *s* (*skr. od* **electronic mail**) poczta elektroniczna, e-mail

em•a•nate [`eməneɪt] *vi* emanować; wydobywać; pochodzić

em•bank•ment [ɪm`bæŋkmənt] *s* nasyp, grobla, nabrzeże

em•bark [ɪm`bɑk] *vi* zaokrętować się; wsiąść do samolotu

em•bar•ka•tion ['embɑ`keɪʃən] *s* ładowanie <wsiadanie> na statek <do samolotu>

em•bar•rass [ɪm`bærəs] *vt* wpra-

wiać w zakłopotanie; sprawić kłopot; przeszkadzać
em•bas•sy [`embəsɪ] *s* ambasada
em•bod•y [ɪm`bodɪ] *vt* ucieleśniać; urzeczywistniać; wcielać; wyrażać (*w słowach, w czynach)*; zawierać
em•brace [ɪm`breɪs] *vt vi* obejmować (się), uścisnąć (się); ogarniać; zawierać; *s* objęcie, uścisk
em•broi•der [ɪm`broɪdə(r)] *vt* haftować; *przen.* upiększać
em•e•rald [`emərəld] *s* szmaragd
e•merge [ɪ`mɜdʒ] *vi* pojawiać się, ukazywać się, wyłaniać się
e•mer•gen•cy [ɪ`mɜdʒənsɪ] *s* nagły wypadek, krytyczne położenie; **in an ~** w razie niebezpieczeństwa; **~ exit** wyjście awaryjne; **state of ~** stan wyjątkowy
em•i•grant [`emɪgrənt] *s* emigrant
em•i•grate [`emɪgreɪt] *vi* emigrować
ém•i•gré [`emɪgreɪ] *s* uchodźca polityczny
em•i•nent [`emɪnənt] *adj* wybitny, sławny
e•mis•sion [ɪ`mɪʃən] *s* wysyłanie (*promieni*); wydawanie (*dźwięków*); wydzielanie (*ciepła*); emisja (*pieniądza*)
e•mit [ɪ`mɪt] *vt* wysyłać, wydzielać; emitować
e•mo•tion [ɪ`məʊʃən] *s* uczucie, wzruszenie
em•pha•sis [`emfəsɪs] *s* nacisk; emfaza
em•pha•size [`emfəsɑɪz] *vt* podkreślać, kłaść nacisk
em•pire [`empɑɪə(r)] *s* imperium, cesarstwo
em•ploy [ɪm`ploɪ] *vt* zatrudniać; używać, stosować
em•ploy•ee [ɪm`ploɪi] *s* pracownik
em•ploy•er [ɪm`ploɪə(r)] *s* pracodawca
em•ploy•ment [ɪm`ploɪmənt] *s* zatrudnienie, zajęcie; zastosowanie
em•pow•er [ɪm`pɑʊə(r)] *vt* upoważniać, umożliwiać (**sb to do sth** komuś zrobienie czegoś)
emp•ty [`emptɪ] *adj* pusty; czczy; **on an ~ stomach** na czczo; *vt vi* opróżnić (się)
en•a•ble [ɪ`neɪbl] *vt* umożliwiać
en•am•el [ɪ`næməl] *s* emalia; lakier; *vt* emaliować; lakierować
en•chant [ɪn`tʃɑnt] *vt* oczarować
en•cir•cle [ɪn`sɜkl] *vt* okrążać, otaczać
en•close [ɪn`kləʊz] *vt* otaczać, ogrodzić; dołączać, załączać (*w liście*)
en•core [`oŋkɔ(r)] *int* bis!; *s* bis, bisowanie; **as <for> an ~** na bis
en•coun•ter [ɪn`kɑʊntə(r)] *vt* spotkać, natknąć się (**sb <sth>**

na kogoś <coś>); *s* spotkanie; zetknięcie się

en•cour•age [ɪn`kʌrɪdʒ] *vt* zachęcać; popierać; dodawać odwagi

en•cour•ag•ing [ɪn`kʌrɪdʒɪŋ] *adj* zachęcający

en•cy•clo•pae•di•a [ɪn'saɪklə`pidɪə] *s* encyklopedia

end [end] *s* koniec; resztka, końcówka; kres; cel; **in the ~** w końcu; **to this ~** w tym celu; *vt vi* zakończyć (się); **~ up** skończyć (**in sth** się czymś; **as sb** jako ktoś)

en•dan•ger [ɪn`deɪndʒə(r)] *vt* narażać na niebezpieczeństwo

en•deav•our [ɪn`devə(r)] *vi* usiłować, starać się (**to do sth** coś zrobić); *s* dążenie, usiłowanie, zabiegi

end•less [`endlɪs] *adj* nie kończący się, ustawiczny

en•dow [ɪn`daʊ] *vt* ufundować, zapisać (**sb with sth** coś komuś); wyposażyć; **be ~ed with talents** być obdarzonym zdolnościami

en•dow•ment [ɪn`daʊmənt] *s* wyposażenie, dotacja; *pl* **~s** zdolności

en•dur•able [ɪn`djʊərəbl] *adj* znośny

en•dur•ance [ɪn`djʊərəns] *s* wytrzymałość, cierpliwość; **past <beyond> ~** nie do zniesienia

en•dure [ɪn`djʊə(r)] *vt* znosić, wytrzymywać (*trudności*); *vi* przetrwać

en•e•my [`enəmɪ] *s* wróg, przeciwnik

en•er•gy [`enədʒɪ] *s* energia

en•force [ɪn`fɔs] *vt* narzucać (**sth on <upon> sb** coś komuś); wymuszać

en•gage [ɪn`geɪdʒ] *vt vi* angażować (się); zatrudniać; zobowiązywać (się); *woj.* nawiązać walkę; zajmować (**sb in sth** kogoś czymś); **be ~d** brać udział, zajmować się (**in sth** czymś); **get ~d** zaręczyć się (**to sb** z kimś)

en•gage•ment [ɪn`geɪdʒmənt] *s* zobowiązanie; umowa; zatrudnienie; zaręczyny

en•gine [`endʒɪn] *s* silnik; lokomotywa

en•gi•neer ['endʒɪ`nɪə(r)] *s* inżynier; mechanik; technik; *am.* maszynista; *vt pot.* ukartować, uknuć

en•gi•neer•ing ['endʒɪ`nɪərɪŋ] *s* inżynieria; mechanika; **civil ~** inżynieria budowlana

Eng•lish [`ɪŋglɪʃ] *adj* angielski; *s* język angielski; *pl* **the ~** Anglicy

En•glish•man [`ɪŋglɪʃmən] *s* (*pl* **Englishmen** [`ɪŋglɪʃmən]) Anglik

En•glish•wom•an [`ɪŋglɪʃwʊmən] *s* (*pl* **Englishwomen** [`ɪŋglɪʃwɪmɪn]) Angielka

en•grave [ɪn`greɪv] *vt* wyryć; wygrawerować

en•hance [ɪn`hɑns] *vt* podnieść, wzmóc, polepszyć

e•nig•ma [ɪ`nɪgmə] *s* zagadka
en•joy [ɪn`dʒoɪ] *vt* znajdować przyjemność (**sth** w czymś); cieszyć się (*zdrowiem*); *vr* ~ **o.s.** dobrze się bawić
en•joy•a•ble [ɪn`dʒoɪəbl] *adj* przyjemny
en•large [ɪn`lɑdʒ] *vt vi* powiększać (się); rozszerzać (się); rozwodzić się (**on sth** nad czymś)
En•light•en•ment [ɪn`lɑɪtnmənt] *s*: **the** ~ Oświecenie
en•list [ɪn`lɪst] *vt* werbować; *vi*: ~ **in** zaciągać się do wojska
en•mi•ty [`enmɪtɪ] *s* wrogość
e•nor•mous [ɪ`nɔməs] *adj* ogromny
en•ough [ɪ`nʌf] *pron adv* dość, dosyć; **big** ~ wystarczająco duży; ~ **mon•ey** wystarczająca ilość pieniędzy; ~**!** dosyć tego!
en•rich [ɪn`rɪtʃ] *vt* wzbogacać
en•rol [ɪn`rəʊl] *vt* zarejestrować; wciągnąć na listę; *vi* zapisać się (*na kurs, do szkoły*)
en•sure [ɪn`ʃʊə(r)] *vt* zapewnić
en•tail [ɪn`teɪl] *vt* pociągnąć za sobą, powodować
en•tan•gle [ɪn`tæŋgl] *vt* uwikłać, zaplątać
en•ter [`entə(r)] *vt vi* wchodzić; wjechać; przystępować (**sth** do czegoś); wstępować (**a university** na uniwersytet); *komp.* wprowadzać (*dane*); ~ **into sth** wchodzić w coś (*np. w szczegóły*)
en•ter•prise [`entəprɑɪz] *s* przedsięwzięcie; *handl.* przedsiębiorstwo
en•ter•tain ['entə`teɪn] *vt* zabawiać; przyjmować (*gości*); brać pod uwagę
en•ter•tain•ment ['entə`teɪnmənt] *s* rozrywka; przedstawienie
en•thu•si•asm [ɪn`θjuzɪæzəm] *s* entuzjazm
en•thu•si•as•tic [ɪn'θjuzɪ`æstɪk] *adj* zachwycony, entuzjastyczny, zapalony; **be** ~ zachwycać się (**about <over> sth** czymś)
en•tire [ɪn`tɑɪə(r)] *adj* cały, całkowity
en•tire•ly [ɪn`tɑɪəlɪ] *adv* całkowicie; wyłącznie
en•ti•tle [ɪn`tɑɪtl] *vt* zatytułować; upoważnić (**sb to sth** kogoś do czegoś)
en•ti•ty [`entɪtɪ] *s* jednostka, wyodrębniona całość; istnienie, byt
en•trance [`entrəns] *s* wejście; wstęp; ~ **examination** egzamin wstępny
en•trust [ɪn`trʌst] *vt* powierzyć (**sth to sb** coś komuś)
en•try [`entrɪ] *s* wejście, wjazd; hasło (*w słowniku, w encyklopedii*); **no** ~ zakaz wjazdu
e•nu•mer•ate [ɪ`njuməreɪt] *vt* wyliczać
en•ve•lope [`envələʊp] *s* koperta; otoczka
en•vi•ous [`envɪəs] *adj* zazdrosny, zawistny (**of sb <sth>** o kogoś <coś>)
en•vi•ron•ment [ɪn`vɑɪrənmənt]

s środowisko, otoczenie; **the ~** środowisko naturalne; **~ friendly** przyjazny dla środowiska

en•vi•rons [ɪnˋvɑɪrənz] *s pl* okolice

en•voy [ˋenvoɪ] *s* wysłannik (*dyplomatyczny*)

en•vy [ˋenvɪ] *s* zazdrość, zawiść; **green with ~** zielony z zazdrości; *vt* zazdrościć

ep•ic [ˋepɪk] *adj* epicki; wielki; wspaniały; *s* epika, epos, epopeja

ep•i•dem•ic [epɪˋdemɪk] *s* epidemia

ep•i•lep•sy [ˋepɪlepsɪ] *s* epilepsja, padaczka

ep•i•logue [ˋepɪlog] *s* epilog

ep•i•sode [ˋepɪsəʊd] *s* epizod

e•poch [ˋipok] *s* epoka

e•qual [ˋikwl] *adj* równy; **on ~ terms** na równych prawach; *vt* równać się; dorównywać (**sb** komuś)

e•qual•i•ty [ɪˋkwolɪtɪ] *s* równość

e•qua•tor [ɪˋkweɪtə(r)] *s* równik

e•quip [ɪˋkwɪp] *vt* zaopatrzyć, wyposażyć (**with sth** w coś)

e•quip•ment [ɪˋkwɪpmənt] *s* wyposażenie, sprzęt

e•quiv•a•lent [ɪˋkwɪvələnt] *adj* równoważny, równowartościowy; *s* równoważnik, ekwiwalent

e•quiv•o•cal [ɪˋkwɪvəkl] *adj* dwuznaczny; **~ reply** wymijająca odpowiedź

e•ra [ˋɪərə] *s* era

e•rase [ɪˋreɪz] *vt* wytrzeć (*gumką*); *przen.* wymazać

e•raser [ɪˋreɪzə(r)] *s* gumka (*do wycierania*)

e•rect [ɪˋrekt] *vt* wyprostować; wznieść, zbudować; *adj* prosty, wyprostowany

e•rec•tion [ɪˋrekʃən] *s* budowa, wzniesienie; erekcja

e•rode [ɪˋrəʊd] *vt* żłobić, powodować erozję

e•rot•ic [ɪˋrotɪk] *adj* erotyczny

err [ɜ(r)] *vi* błądzić, mylić się

er•rand [ˋerənd] *s* sprawa do załatwienia, zlecenie; **run ~s** załatwiać sprawy

er•ra•tum [eˋrɑtəm] *s* (*pl* **errata** [eˋrɑtə]) błąd drukarski

er•ro•neous [ɪˋrəʊnjəs] *adj* mylny, błędny

er•ror [ˋerə(r)] *s* omyłka, błąd; **in ~** przez pomyłkę

er•u•di•tion ['erʊˋdɪʃən] *s* erudycja

e•rupt [ɪˋrʌpt] *vi* wybuchać

e•rup•tion [ɪˋrʌpʃən] *s* wybuch; *med.* wysypka

es•ca•late [ˋeskəleɪt] *vt* wzmagać; *vi* nasilać się, narastać

es•ca•la•tor [ˋeskəleɪtə(r)] *s* schody ruchome

es•cape [ɪˋskeɪp] *vi* uciec; wyciec; *vt* uniknąć; **~ notice** umknąć uwadze; *s* ucieczka

es•cort [ˋeskɔt] *s* eskorta, konwój, straż; towarzystwo; *vt* [ɪˋskɔt] eskortować; towarzyszyć

es•pe•cial•ly [ɪˋspeʃlɪ] *adv* specjalnie, w szczególności

es•pi•o•nage ['espɪə`nɑʒ] *s* szpiegostwo
es•py [ɪs`paɪ] *vt* spostrzegać; wypatrzyć; wyśledzić
es•say [`eseɪ] *s* szkic; esej; wypracowanie szkolne
es•sence [`esns] *s* istota, sedno; esencja; **in ~** w gruncie rzeczy
es•sen•tial [ɪ`senʃl] *adj* niezbędny; istotny, zasadniczy; *s pl* **~s** rzeczy niezbędne, najważniejsze informacje
es•tab•lish [ɪ`stæblɪʃ] *vt* zakładać; ustanawiać; ustalać; *vr* **~ o.s.** urządzać się
es•tab•lish•ment [ɪ`stæblɪʃmənt] *s* założenie; ustanowienie; placówka, instytucja; **the Establishment** establishment
es•tate [ɪ`steɪt] *s* posiadłość; majątek ziemski; **real ~** nieruchomość; majątek osobisty
es•teem [ɪs`tim] *vt* cenić, szanować; docenić; *s* szacunek
es•ti•mate [`estɪmeɪt] *vt* oszacować; *s* [`estɪmət] oszacowanie; ocena
es•ti•ma•tion ['estɪ`meɪʃən] *s* obliczenia; oszacowanie; ocena, opinia; **in my ~** w moim odczuciu
e•ter•nal [ɪ`tɜnl] *adj* wieczny
e•ter•ni•ty [ɪ`tɜnɪtɪ] *s* wieczność
eth•i•cal [`eθɪkl] *adj* etyczny
eth•ics [`eθɪks] *s* etyka
eu•pho•ri•a [jʊ`fɔrɪə] *s* euforia
Eu•ro•pe•an ['jʊərə`pɪən] *s* Europejczyk; *adj* europejski
e•vac•u•ate [ɪ`vækjʊeɪt] *vt* ewakuować
e•vade [ɪ`veɪd] *vt* uchylać się (**sth** od czegoś); unikać
e•val•u•ate [ɪ`væljʊeɪt] *vt* szacować; oceniać
e•van•gel•ic(al) ['ivæn`dʒelɪk(l)] *adj* ewangeliczny; ewangelicki; *s* ewangelik
e•vap•o•rate [ɪ`væpəreɪt] *vi* parować, ulatniać się
e•va•sive [ɪ`veɪsɪv] *adj* wymijający
eve [iv] *s* wigilia, przeddzień; **Christmas Eve** Wigilia
e•ven [`ivn] *adv* nawet; **~ if** nawet jeśli; **~ though** chociaż, pomimo że; *adj* równy; płaski; gładki; parzysty; *vt vi*: **~ out** wyrównywać (się)
eve•ning [`ivnɪŋ] *s* wieczór; **in the ~** wieczorem; **on Sunday ~** w niedzielę wieczorem; **~ dress** strój wieczorowy
e•vent [ɪ`vent] *s* wydarzenie; *sport.* konkurencja; **in the ~ of sth** w razie czegoś
e•ven•tu•al•ly [ɪ`ventʃʊəlɪ] *adv* ostatecznie, w końcu
ev•er [`evə(r)] *adv* zawsze; kiedyś; kiedykolwiek; **for ~** na zawsze; **hardly ~** prawie nigdy
ev•er•last•ing ['evə`lɑstɪŋ] *adj* wieczny; nieustanny
eve•ry [`evrɪ] *adj* każdy; **~ day** codziennie; **~ other** co drugi; **~ ten minutes** co dziesięć minut

eve•ry•bod•y [ˋevrɪbodɪ] *pron* każdy, wszyscy
eve•ry•day [ˋevrɪdeɪ] *adj attr* codzienny; zwykły, powszechny
eve•ry•one [ˋevrɪwʌn] *pron* każdy, wszyscy
eve•ry•thing [ˋevrɪθɪŋ] *pron* wszystko
eve•ry•where [ˋevrɪweə(r)] *adv* wszędzie
e•vic•tion [ɪˋvɪkʃən] *s* wysiedlenie, eksmisja
ev•i•dence [ˋevɪdəns] *s* dowód; materiał dowodowy; zeznanie
ev•i•dent [ˋevɪdənt] *adj* oczywisty, jawny (**to sb** dla kogoś)
e•vil [ˋivl] *adj* zły; *s* zło; **the lesser ~** mniejsze zło
e•voke [ɪˋvəʊk] *vt* wywoływać
e•vo•lu•tion [ˈivəˋluʃən] *s* ewolucja; rozwój
e•volve [ɪˋvolv] *vt vi* rozwijać (się); ewoluować
ewe [ju] *s* owca (*samica*)
ex•act [ɪgˋzækt] *adj* dokładny; *vt* egzekwować, wymagać
ex•ag•ger•ate [ɪgˋzædʒəreɪt] *vt vi* przesadzać, wyolbrzymiać
ex•alt [ɪgˋzɔlt] *vt* wywyższać, wynosić (*ponad innych*); wychwalać
ex•al•ta•tion [ˈegzɔlˋteɪʃən] *s* zachwyt, egzaltacja
ex•am [ɪgˋzæm] *s zob.* **examination**
ex•am•i•na•tion [ɪgˈzæmɪˋneɪʃən] *s* egzamin; badanie (*lekarskie*); przesłuchanie (*sądowe*); kontrola; **pass an ~** zdać egzamin; **take <sit> an ~** zdawać egzamin
ex•am•ine [ɪgˋzæmɪn] *vt* analizować; badać; przesłuchiwać; egzaminować
ex•am•ple [ɪgˋzampl] *s* przykład, wzór; **for ~** na przykład; **set an ~** dawać przykład; **give an ~** podać przykład (**of sth** czegoś)
ex•ceed [ɪkˋsid] *vt* przekraczać
ex•cel [ɪkˋsel] *vt* przewyższać, prześcigać; *vi* celować (**in <at> sth** w czymś)
ex•cel•lent [ˋeksələnt] *adj* wspaniały, doskonały
ex•cept [ɪkˋsept] *praep* oprócz, poza; **~ for** z wyjątkiem; *vt* wyłączyć, wykluczyć
ex•cept•ing [ɪkˋseptɪŋ] *praep* wyjąwszy, oprócz
ex•cep•tion [ɪkˋsepʃən] *s* wyjątek; **without ~** bez wyjątku
ex•cerpt [ˋeksɜpt] *s* wyjątek, urywek, fragment (*utworu*)
ex•cess [ɪkˋses] *s* nadmiar; nadwyżka; *adj* nadmierny; **~ baggage** nadbagaż; **in ~ of** powyżej; *pl* **~es** ekscesy, wybryki
ex•cess•ive [ɪkˋsesɪv] *adj* nadmierny; nieumiarkowany
ex•change [ɪksˋtʃeɪndʒ] *s* wymiana; **foreign ~** waluta obca; wymiana walut; **stock ~** giełda; **~ rate** kurs walut; **in ~ for sth** w zamian za coś; *vt* wymieniać (**sth for sth** coś na coś)

ex•ci•ta•ble [ɪk`saɪtəbl] *adj* pobudliwy
ex•cite [ɪk`saɪt] *vt* podniecać
ex•cit•ed [ɪk`saɪtɪd] *adj* podniecony; **get ~** podniecić się
ex•cite•ment [ɪk`saɪtmənt] *s* podniecenie
ex•cit•ing [ɪk`saɪtɪŋ] *adj* emocjonujący, pasjonujący
ex•claim [ɪks`kleɪm] *vt vi* zawołać; wykrzykiwać
ex•cla•ma•tion ['ekskləˋmeɪʃən] *s* okrzyk; **~ mark** wykrzyknik
ex•clude [ɪk`sklud] *vt* wykluczać, wyłączać
ex•clu•sive [ɪks`klusɪv] *adj* wyłączny; ekskluzywny; wyborowy; **~ of** wyłączając
ex•cur•sion [ɪk`skɜʃən] *s* wycieczka
ex•cu•sa•ble [ɪks`kjuzəbl] *adj* wybaczalny
ex•cuse [ɪk`skjus] *s* wytłumaczenie; wymówka; usprawiedliwienie; *vt* [ɪk`skjuz] wybaczać; usprawiedliwiać; zwalniać (**from sth** z czegoś); **~ me!** przepraszam!
ex•e•cute [`eksɪkjut] *vt* dokonać, wykonać; stracić (*skazańca*)
ex•ec•u•tive [ɪg`zekjutɪv] *s* osoba na kierowniczym stanowisku; kierownictwo, zarząd; *adj* wykonawczy
ex•em•pli•fy [ɪg`zemplɪfaɪ] *vt* być przykładem; ilustrować (*przykładami*)
ex•empt [ɪg`zempt] *adj* zwolniony, uwolniony; *vt* zwalniać, uwolnić (**from sth** od czegoś)
ex•er•cise [`eksəsaɪz] *s* ćwiczenie; zadanie; praktykowanie; *woj.* manewry; **~ book** zeszyt szkolny; *vt vi* ćwiczyć; praktykować; korzystać (*z prawa do czegoś*)
ex•ert [ɪg`zɜt] *vt* wytężać (*siły*); dokładać starań; wywierać (*nacisk*); stosować
ex•hale [eks`heɪl] *vt* wydychać; wydzielać
ex•haust [ɪg`zɔst] *vt* wyczerpać; **be ~ed** być bardzo zmęczonym; *s* spaliny; *mot.* **~ (pipe)** rura wydechowa
ex•hib•it [ɪg`zɪbɪt] *vt vi* wystawiać, eksponować; okazywać (*uczucia*); *s* eksponat; dowód rzeczowy; *am.* wystawa, pokaz
ex•hi•bi•tion ['eksɪˋbɪʃən] *s* wystawa, pokaz; **make an ~ of o.s.** robić z siebie widowisko
ex•hil•a•rate [ɪg`zɪləreɪt] *vt* rozbawiać, rozweselać
ex•ile [`eksaɪl] *s* wygnanie, emigracja; uchodźca, wygnaniec; **in ~** na emigracji; *vt* skazywać na wygnanie, zsyłać
ex•ist [ɪg`zɪst] *vi* istnieć; egzystować
ex•ist•ence [ɪg`zɪstəns] *s* istnienie, byt; egzystencja; **come into ~** zacząć istnieć, pojawić się
ex•it [`eksɪt] *s* wyjście; zjazd (*z autostrady*); *vi* wychodzić

ex•ot•ic [ɪg`zotɪk] *adj* egzotyczny
ex•pand [ɪk`spænd] *vt vi* powiększać (się); rozszerzać (się), rozprzestrzeniać (się); rozrastać (się); ~ **on sth** omawiać coś szczegółowo
ex•panse [ɪks`pæns] *s* przestrzeń
ex•pan•sion [ɪks`pænʃən] *s* rozszerzenie; rozwinięcie; ekspansja; rozwój
ex•pan•sive [ɪks`pænsɪv] *adj* ekspansywny; rozszerzalny; obszerny
ex•pect [ɪk`spekt] *vt* oczekiwać, spodziewać się; przypuszczać
ex•pec•ta•tion ['ekspek`teɪʃən] *s* oczekiwanie, nadzieja
ex•pe•di•ent [ɪks`pidjənt] *adj* celowy, stosowny; korzystny, dogodny; *s* środek, sposób
ex•pe•di•tion ['ekspɪ`dɪʃən] *s* wyprawa, ekspedycja
ex•pel [ɪk`spel] *vt* wypędzać; wydalać (*ze szkoły*)
ex•pend [ɪks`pend] *vt* wydawać (*pieniądze*); zużywać
ex•pen•di•ture [ɪks`pendɪtʃə(r)] *s* wydatek; zużycie
ex•pense [ɪk`spens] *s* koszt, wydatek; **at the ~ of** kosztem
ex•pen•sive [ɪk`spensɪv] *adj* drogi, kosztowny
ex•pe•ri•ence [ɪk`spɪərɪəns] *s* doświadczenie, przeżycie; *vt* doświadczać, przeżywać
ex•per•i•ment [ɪk`sperɪmənt] *s* doświadczenie, eksperyment; *vi* [ɪk`sperɪment] eksperymentować, robić doświadczenia
ex•pert [`ekspɜt] *s* ekspert, rzeczoznawca; *adj* biegły
ex•pi•ate [`ekspɪeɪt] *vt* pokutować
ex•pire [ɪk`spaɪə(r)] *vi* wygasać, tracić ważność
ex•pir•y [ɪks`paɪərɪ] *s* utrata ważności; ~ **date** data ważności
ex•plain [ɪk`spleɪn] *vt* wyjaśniać, tłumaczyć
ex•pla•na•tion ['eksplə`neɪʃən] *s* wyjaśnienie, wytłumaczenie
ex•pli•ca•ble [`eksplɪkəbl] *adj* wytłumaczalny
ex•pli•cit [ɪks`plɪsɪt] *adj* jasny, wyraźny; szczery
ex•plode [ɪks`pləʊd] *vi* wybuchnąć, eksplodować; *vt* wysadzać w powietrze; dokonać eksplozji
ex•ploit[1] [ɪks`ploɪt] *vt* wyzyskiwać; eksploatować
ex•ploit[2] [`eksploɪt] *s* wyczyn; czyn bohaterski
ex•plore [ɪk`splɔ(r)] *vt vi* badać, zgłębiać
ex•plo•sion [ɪk`spləʊʒən] *s* wybuch
ex•plo•sive [ɪks`pləʊsɪv] *adj* wybuchowy; *s* materiał wybuchowy
ex•port [ɪk`spɔt] *vt* eksportować; *s* [`ekspɔt] eksport
ex•pose [ɪks`pəʊz] *vt* wystawiać; odsłaniać; demaskować; *fot.* naświetlać

ex•po•si•tion ['ekspə`zɪʃən] *s* ekspozycja; wystawa; wyjaśnienie
ex•po•sure [ɪks`pəʊʒə(r)] *s* wystawienie; odsłonięcie; *fot.* czas naświetlania; klatka (*filmu*)
ex•press [ɪk`spres] *s* pociąg pospieszny; list ekspresowy; *adv* ekspresem; *adj* ekspresowy; wyraźny; *vt* wyrażać, okazywać; wysłać ekspresem; *vr* **~ o.s.** wypowiedzieć się, wyrazić opinię
ex•pres•sion [ɪk`spreʃən] *s* wyrażenie, zwrot; wyraz (*twarzy*); wyrażenie się
ex•tend [ɪks`tend] *vt vi* rozciągać (się); rozszerzać (się); przedłużać (się); rozwijać (się)
ex•ten•sion [ɪk`stenʃən] *s* przedłużenie; rozszerzenie; dobudówka; numer wewnętrzny; *elektr.* **~ cord** przedłużacz
ex•ten•sive [ɪks`tensɪv] *adj* rozległy, obszerny
ex•tent [ɪk`stent] *s* obszar; rozmiar, zasięg; **to some ~** w pewnej mierze, do pewnego stopnia
ex•te•ri•or [ɪk`stɪərɪə(r)] *adj* zewnętrzny; *s* strona zewnętrzna; powierzchowność
ex•ter•nal [ɪk`stɜnl] *adj* zewnętrzny; **~ affairs** sprawy zagraniczne
ex•tinct [ɪks`tɪŋkt] *adj* wygasły; wymarły
ex•tinc•tion [ɪks`tɪŋkʃən] *s* wygaśnięcie; wymarcie, wyginięcie
ex•tin•guish [ɪks`tɪŋgwɪʃ] *vt* gasić; niszczyć
ex•tin•guish•er [ɪk`stɪŋgwɪʃə(r)] *s* gaśnica
ex•tor•tion [ɪks`tɔʃən] *s* wymuszenie
ex•tra [`ekstrə] *adj* dodatkowy; nadzwyczajny, ekstra; *adv* dodatkowo; *s* dodatek, dopłata; statysta
ex•tra- [`ekstrə] *praef* poza-; bardzo; **extramarital** pozamałżeński; **extra-sour** bardzo kwaśny
ex•tract [ɪk`strækt] *vt* wyrywać; usuwać; wyciągać; *s* [`ekstrækt] urywek, fragment; ekstrakt, wyciąg
ex•trac•tion [ɪks`trækʃən] *s* wyjęcie, ekstrakcja; wydobycie; pochodzenie
ex•tra•or•di•na•ry [ɪk`strɔdənrɪ] *adj* nadzwyczajny, niezwykły
ex•trav•a•gant [ɪk`strævəgənt] *adj* rozrzutny; ekstrawagancki
ex•treme [ɪk`strim] *adj* krańcowy; skrajny; *s* kraniec; skrajność
ex•treme•ly [ɪk`strimlɪ] *adv* niezmiernie; nadzwyczajnie
ex•tri•cate [`ekstrɪkeɪt] *vt* wyplątać
ex•u•ber•ance [ɪg`zjubərəns] *s* obfitość, bogactwo; bujność
ex•ult [ɪg`zʌlt] *vi* radować się, triumfować (**at, in sth** z powodu czegoś)
eye [aɪ] *s* oko; ucho (*igielne*);

keep an ~ mieć na oku (**on sb** kogoś); *vt* mierzyć wzrokiem
eye•ball [`aɪbɔl] *s* gałka oczna
eye•brow [`aɪbraʊ] *s* brew; **~ pencil** kredka do brwi
eye•lash [`aɪlæʃ] *s* rzęsa
eye•lid [`aɪlɪd] *s* powieka
eye•lin•er [`aɪlaɪnə(r)] *s* ołówek do oczu

F

fa•ble [feɪbl] *s* bajka
fab•ric [`fæbrɪk] *s* tkanina; struktura
fab•ri•cate [`fæbrɪkeɪt] *vt* zmyślać; produkować
fab•u•lous [`fæbjuləs] *adj* bajeczny, baśniowy
fa•cade [fə`sɑd] *s* fasada
face [feɪs] *s* twarz; mina, wyraz twarzy; ściana (*domu, skały*); tarcza (*zegara*); **~ value** wartość nominalna; **in the ~ of** wobec, w obliczu (*czegoś*); **pull ~s** robić miny (**at sb** do kogoś); *vt* zwracać się twarzą (**sb <sth>** do kogoś <czegoś>); być zwróconym w kierunku; stawić czoło (**sth** czemuś)
fa•cial [`feɪʃl] *adj* do twarzy, na twarz; *s* kosmetyka twarzy
fa•cil•i•tate [fə`sɪlɪteɪt] *vt* ułatwić
fa•cil•i•ty [fə`sɪlɪtɪ] *s* łatwość; zręczność; *pl* **facilities** udogodnienia; urządzenia
fact [fækt] *s* fakt; **as a matter of ~** w istocie, faktycznie; **in ~** faktycznie
fac•tor [`fæktə(r)] *s* czynnik
fac•to•ry [`fæktrɪ] *s* fabryka
fac•tu•al [`fæktʃʊəl] *adj* faktyczny
fac•ul•ty [`fækəltɪ] *s* zdolność, umiejętność; wydział (*na uczelni*); *am.* wykładowcy (*na uczelni*)
fad [fæd] *s* fantazja, chwilowa moda
fail [feɪl] *vi* nie zdołać; nie udać się; zaniedbać; *pot.* oblać (*egzamin*); zrobić zawód (**sb** komuś); (*o zdrowiu*) pogarszać się
fail•ing [`feɪlɪŋ] *s* słabość, wada; *praep*: **~ his assistance** bez jego pomocy; **~ that** jeśli to się nie uda
fail•ure [`feɪljə(r)] *s* zaniedbanie; niepowodzenie; uszkodzenie; nieudacznik; **crop ~** nieurodzaj
faint [feɪnt] *adj* słaby; nikły; *vi* zemdleć
fair[1] [feə(r)] *adj* sprawiedliwy; uczciwy; spory; jasny; blond; (*o niebie*) pogodny; (*o stopniu*) dostateczny; **~ play** uczciwa gra
fair[2] [feə(r)] *s* jarmark; targi; *bryt.* (*także* **funfair**) wesołe miasteczko

fair•y [`feərɪ] *s* wróżka; *adj* czarodziejski, bajeczny; ~ **tale** bajka, baśń
faith [feɪθ] *s* wiara; ufność; **keep** ~ dotrzymywać wiary (**with sb** komuś)
faith•ful [`feɪθfʊl] *adj* wierny
fake [feɪk] *vt* fałszować, podrabiać; udawać; *s* falsyfikat; podróbka; *adj* podrabiany; udawany
fal•con [`fɔkən] *s* sokół
fall [fɔl], **fell** [fel], **fall•en** [`fɔlən] *vi* upadać; spadać; padać; ~ **down** upadać; ~ **for** dawać się nabrać; ~ **asleep** zasnąć; ~ **ill** zachorować; ~ **in love** zakochać się (**with sb** w kimś); *s* upadek; spadek; *am.* jesień; *pl* ~**s** wodospad
fall•en *adj* upadły; poległy; leżący; *zob.* **fall**
false [fɔls] *adj* fałszywy; obłudny; ~ **teeth** sztuczna szczęka
fal•si•fy [`fɔlsɪfaɪ] *vt* fałszować
fal•ter [`fɔltə(r)] *vi* załamywać się; chwiać się na nogach; wahać się; łamać się (*o głosie*)
fame [feɪm] *s* sława
fa•mil•iar [fə`mɪlɪə(r)] *adj* (dobrze) znany, znajomy; **be** ~ **with sth** dobrze coś znać
fam•i•ly [`fæmɪlɪ] *s* rodzina; ~ **allowance** dodatek rodzinny; ~ **name** nazwisko
fam•ine [`fæmɪn] *s* głód
fa•mous [`feɪməs] *adj* sławny, znany; ~ **for** słynny z
fan[1] [fæn] *s* wachlarz; wentylator; *vt* wachlować; rozniecać
fan[2] [fæn] *s pot.* entuzjasta, fan; *sport.* kibic
fa•na•tic [fə`nætɪk] *s* fanatyk
fa•nat•i•cal [fə`nætɪkl] *adj* fanatyczny
fan•ci•ful [`fænsɪfʊl] *adj* fantazyjny; dziwaczny; kapryśny
fan•cy [`fænsɪ] *s* upodobanie; fantazja; kaprys; **take a** ~ upodobać sobie (**to sb <sth>** kogoś <coś>); *vt* mieć ochotę na; wyobrażać sobie; *bryt.* ~ **that!** coś takiego!; *adj attr* fantazyjny; ~ **dress** przebranie, kostium
fan•tas•tic [fæn`tæstɪk] *adj* fantastyczny
fan•ta•sy [`fæntəsɪ] *s* fantazja, wyobraźnia; marzenie
far [fɑ(r)] *adj* (*comp* **farther** [`fɑðə(r)] *lub* **further** [`fɜðə(r)], *sup* **farthest** [`fɑðɪst] *lub* **furthest** [`fɜðɪst]) daleki; *adv* daleko; ~ **too hot** o wiele za gorąco; **by** ~ zdecydowanie; **as** ~ **as...** aż do...; ~ **from it** bynajmniej; **so** ~ dotąd, dotychczas; **how** ~**?** jak daleko?
far•a•way [`fɑrəweɪ] *adj* daleki; odległy; nieobecny (*wzrok*)
farce [fɑs] *s* farsa
fare [feə(r)] *s* opłata za przejazd; **bill of** ~ menu; *vi pot.* iść, powodzić się
fare•well [feə`wel] *s* pożegnanie; *int* żegnaj(cie)!; *adj attr* pożegnalny

farm [fɑm] *s* gospodarstwo (*wiejskie*); farma; *vt vi* uprawiać (*ziemię*); prowadzić gospodarstwo (*rolne*)
farm•er [`fɑmə(r)] *s* rolnik, farmer
far•sight•ed ['fɑ`saɪtɪd] *adj* dalekowzroczny
far•ther *zob.* **far**
far•thest *zob.* **far**
fas•ci•nate [`fæsɪneɪt] *vt* urzekać, fascynować
fas•cis•m [`fæʃɪzm] *s* faszyzm
fas•cist [`fæʃɪst] *s* faszysta; *adj* faszystowski
fash•ion [`fæʃən] *s* moda; sposób; **after a ~** tak sobie, jako tako; **after the fashion of sb <sth>** na wzór, w stylu kogoś <czegoś>; **out of ~** niemodny; **in ~** w modzie
fash•ion•a•ble [`fæʃnəbl] *adj* modny
fast[1] [fɑst] *adj* szybki; **~ food** szybkie dania; **my watch is (five minutes) ~** mój zegarek spieszy się (pięć minut); *adv* szybko
fast[2] [fɑst] *adj* mocny, trwały; *adv* mocno, trwale
fast[3] [fɑst] *s* post; *vi* pościć
fast•en [`fɑsn] *vt* przymocować; zapinać; *vi* zapinać się
fast•en•er [`fæsnə(r)] *s* zapięcie
fat [fæt] *adj* gruby; tłusty; *s* tłuszcz
fa•tal [`feɪtl] *adj* śmiertelny; zgubny, fatalny
fate [feɪt] *s* przeznaczenie, los
fa•ther [`fɑðə(r)] *s* ojciec
fa•ther-in-law [`fɑðərənlɔ] *s* teść
fa•ther•land [`fɑðəlænd] *s* ojczyzna
fa•ther•ly [`fɑðəlɪ] *adj* ojcowski; *adv* po ojcowsku
fa•tigue [fə`tig] *s* znużenie, zmęczenie
fault [fɔlt] *s* błąd; usterka; wada; wina; **at ~** wadliwy; w błędzie; **find ~** krytykować, czepiać się (**with sb <sth>** kogoś <czegoś>)
fault•y [`fɔltɪ] *adj* wadliwy, błędny
fa•vo(u)r [`feɪvə(r)] *s* przychylność; faworyzowanie; przysługa; **in ~** na korzyść, na rzecz; **ask a ~ of sb** poprosić kogoś o przysługę; **do sb a ~** oddać komuś przysługę; *vt* sprzyjać; faworyzować
fa•vour•a•ble [`feɪvərəbl] *adj* życzliwy, przychylny, sprzyjający
fa•vour•ite [`feɪvrɪt] *adj* ulubiony; *s* ulubieniec, faworyt
fax [fæks] *vt* faksować; *s* faks; **~ machine** faks (*urządzenie*)
fear [fɪə(r)] *s* strach; obawa; *vt* bać się, obawiać się; **~ for sb** lękać się o kogoś
fear•ful [`fɪəful] *adj* straszliwy, straszny; bojaźliwy, bojący się
fear•less [`fɪəlɪs] *adj* nieustraszony
fear•some [`fɪəsəm] *adj* okropny, straszny
fea•si•ble [`fizəbl] *adj* wykonalny

feast [fist] *s* święto; uroczystość; uczta; *vi* ucztować
feat [fit] *s* wyczyn
feath•er [`feðə(r)] *s* pióro (*ptasie*); *vi* opierzyć się
fea•ture [`fitʃə(r)] *s* cecha; obszerny artykuł (*np. w prasie*); **~ film** film fabularny; *pl* **~s** rysy twarzy; *vt* przedstawiać; *vt* grać pierwszoplanową rolę; odgrywać ważną rolę
Feb•ru•ar•y [`februərɪ] *s* luty
fed *zob.* **feed**
fee [fi] *s* opłata; honorarium; **entrance ~** wpisowe
feeble [`fibl] *adj* słaby, kiepski, marny
feed [fid], **fed, fed** [fed] *vt* karmić, żywić; *vi* żywić się (**on sth** czymś); **be fed up** mieć dość (**with sth** czegoś)
feel [fil], **felt, felt** [felt] *vt vi* dotykać, macać; czuć (się); **~ sorry for** współczuć; **~ like** mieć ochotę (**sth** na coś); **I don't ~ like dancing** nie mam ochoty tańczyć; **it ~s cold here** tu jest zimno; **it ~s soft** to jest miękkie (*w dotyku*); *s* wyczucie, odczucie (*w dotyku*)
feel•ing [`filɪŋ] *s* czucie, dotyk; uczucie; wyczucie
feet *zob.* **foot**
fe•li•ci•tous [fɪ`lɪsɪtəs] *adj* szczęśliwy, udany, trafny
fell *zob.* **fall**
fel•low [`feləʊ] *s* towarzysz, kolega; *pot.* gość, facet; **~ citizen** współobywatel; **~ creature** bliźni
fel•low•ship [`feloʊʃɪp] *s* towarzystwo, związek; wspólnota; członkostwo
felt *zob.* **feel**
fe•male [`fimeɪl] *adj* żeński; samiczy; *s* kobieta; samica
fem•i•nine [`femənɪn] *adj* kobiecy; *gram.* żeński
fence [fens] *s* ogrodzenie, płot; *pot.* paser; *przen.* **sit on the ~** zachowywać neutralność; *vi* uprawiać szermierkę; *vt* ogradzać; **~ off** odgradzać
fend•er [`fendə(r)] *s am.* błotnik
fern [fɜn] *s* paproć
fe•ro•cious [fə`rəuʃəs] *adj* dziki, okrutny
fe•ro•ci•ty [fə`rosɪtɪ] *s* dzikość, okrucieństwo
fer•ry [`ferɪ] *s* prom; *vt vi* przeprawiać (się) promem
fer•tile [`fɜtɑɪl] *adj* płodny; żyzny
ferti•ti•lize [`fɜtɪlɑɪz] *vt* użyźniać, nawozić; zapłodnić; zapylić
ferti•ti•liz•er [`fɜtɪlɑɪzə(r)] *s* nawóz
fer•vo(u)r [`fɜvə(r)] *s* ferwor, zapał, żarliwość
fes•ti•val [`festɪvəl] *s* święto; festiwal
fetch [fetʃ] *vt* przynieść; przywieźć; przyprowadzać; osiągnąć (*cenę*)
fe•ver [`fivə(r)] *s* gorączka; rozgorączkowanie

fe•ver•ish [ˈfivərɪʃ] *adj* gorączkowy, rozgorączkowany
few [fju] *adj pron* mało, niewiele; **a ~** nieco, kilka
fi•an•cé [fɪˈɑŋseɪ] *s* narzeczony
fi•an•cée [fɪˈɑŋseɪ] *s* narzeczona
fi•bre [ˈfɑɪbə(r)] *s* włókno; błonnik
fic•tion [ˈfɪkʃən] *s* fikcja; beletrystyka
fic•ti•tious [fɪkˈtɪʃəs] *adj* fikcyjny, zmyślony
fid•dle [ˈfɪdl] *s pot.* skrzypki; *pot.* szwindel; *vt vi* rzępolić; **~ with sth** bawić się czymś bezmyślnie
fid•dler [ˈfɪdlə(r)] *s* skrzypek, grajek
fi•del•i•ty [fɪˈdelɪtɪ] *s* wierność
field [fild] *s* pole; boisko; dziedzina; **~ events** zawody lekkoatletyczne
fierce [fɪəs] *adj* srogi; dziki; zacięty; gwałtowny
fif•teen [ˈfɪfˈtin] *num* piętnaście
fif•teenth [ˈfɪfˈtinθ] *adj* piętnasty
fifth [fɪfθ] *adj* piąty
fif•ti•eth [ˈfɪftɪəθ] *adj* pięćdziesiąty
fif•ty [ˈfɪftɪ] *num* pięćdziesiąt; **fifty-fifty** pół na pół
fig [fɪg] *s bot.* figa
fight [fɑɪt], **fought, fought** [fɔt] *vt vi* walczyć, zwalczać; bić się; **~ back** bronić się, odpierać; *s* walka, bójka; kłótnia
fight•er [ˈfɑɪtə(r)] *s* żołnierz; bojownik; *lotn.* myśliwiec
fig•u•ra•tive [ˈfɪgərətɪv] *adj* przenośny, metaforyczny
fig•ure [ˈfɪgə(r)] *s* figura; postać; cyfra; wykres; *vi* figurować; pojawić się; *vt*: **~ out** wymyślić, wykombinować; sądzić, myśleć
file [fɑɪl] *s* teczka; segregator; kartoteka; akta; *komp.* plik; **on ~** w aktach; *vt* składać do akt; *prawn.* wnosić sprawę
fill [fɪl] *vt vi* napełniać (się); wypełniać (się); spełniać; plombować; **~ in** wypełniać (*formularz)*; zastępować (**for sb** kogoś); *s* ładunek, porcja; **eat <drink> one's ~** najeść <napić> się do syta
fill•ing [ˈfɪlɪŋ] *s* materiał wypełniający; plomba; nadzienie
fill•ing sta•tion [ˈfɪlɪŋˈsteɪʃən] *s* stacja benzynowa
film [fɪlm] *s* film; błona; powłoka; *bryt.* **~ star** gwiazda filmowa; *vt* filmować
fil•ter [ˈfɪltə(r)] *s* filtr; *vt* filtrować
filth [fɪlθ] *s* brud; sprośność
filth•y [ˈfɪlθɪ] *adj* brudny; sprośny
fi•nal [ˈfɑɪnəl] *adj* końcowy, ostateczny; *s* finał; *pl* **~s** egzaminy końcowe
fi•nal•i•ty [fɑɪˈnælɪtɪ] *s* nieodwołaność, ostateczność
fi•nance [ˈfɑɪnæns] *s* (*także pl* **~s**) fundusze; *vt* [fɑɪˈnæns] finansować

fi•nan•cial [faɪ`nænʃəl] *adj* finansowy

find [faɪnd], **found, found** [faʊnd] *vt* znajdować; natrafiać; odkrywać; uważać za; ~ **sb guilty** uznawać kogoś za winnego; ~ **out** dowiadywać się, odkrywać; *s* odkrycie; znalezisko

find•ings [`faɪndɪŋz] *s pl* wyniki; wnioski

fine[1] [faɪn] *adj* piękny; drobny; delikatny; *pot.* świetny; ~ **arts** sztuki piękne; *adv* pięknie; dobrze; drobno; *int*: **fine!** dobrze!

fine[2] [faɪn] *s* grzywna; *vt* ukarać grzywną

fin•ger [`fɪŋgə(r)] *s* palec (*u ręki*); *vt* dotykać palcami; *przen.* **cross one's ~s** trzymać kciuki (*za kogoś*)

fin•ish [`fɪnɪʃ] *vt vi* kończyć (się), przestać; ~ **off** dokończyć; *s* koniec; wykończenie; *sport.* finisz

Finn [fɪn] *s* Fin

Fin•nish [`fɪnɪʃ] *adj* fiński; *s* język fiński

fir [fɜ(r)] *s* jodła

fire [`faɪə(r)] *s* ogień, pożar; *przen.* żar, zapał; ~ **alarm** alarm przeciwpożarowy; **be on** ~ płonąć; **be under** ~ być pod ostrzałem; **catch** ~ zapalić się; **set sth on** ~ podpalić coś; *vt vi* strzelać (**sth at sb** z czegoś do kogoś); *pot.* zwalniać z pracy; rozpalać, inspirować

fire bri•gade [`faɪəbrɪgeɪd] *s* straż pożarna

fire ex•tin•guish•er [`faɪərɪkstɪŋgwɪʃə(r)] *s* gaśnica

fire•man [`faɪəmən] *s* strażak

fire•place [`faɪəpleɪs] *s* kominek

fire•works [`faɪəwɜks] *pl* fajerwerki, sztuczne ognie

firm[1] [fɜm] *adj* trwały, solidny; mocny, pewny; stanowczy

firm[2] [fɜm] *s* firma, przedsiębiorstwo

first [fɜst] *num adj* pierwszy; ~ **aid** pierwsza pomoc; ~ **floor** pierwsze piętro, *am.* parter; ~ **name** imię; *s*: **the first (to do sth)** pierwszy, który (coś zrobi <zrobił>); **at** ~ z początku; *adv* najpierw, po pierwsze; po raz pierwszy; ~ **thing in the morning** z samego rana; ~ **of all** przede wszystkim

first•ly [`fɜstlɪ] *adv* po pierwsze, najpierw

first•rate ['fɜst`reɪt] *adj* pierwszorzędny, pierwszej kategorii

fish [fɪʃ] *s* (*pl* **~es** *lub* ~) ryba; *vt vi* łowić ryby

fish•er•man [`fɪʃəmən] *s* rybak

fish•ing [`fɪʃɪŋ] *s* rybołówstwo; wędkarstwo; połów; ~ **rod** wędka

fish•y [`fɪʃɪ] *adj* podejrzany

fist [fɪst] *s* pięść

fit[1] [fɪt] *vt* dostosować, dopasować; (*o ubraniu*) pasować; być odpowiednim (**sth** do czegoś); *vi* nadawać się (**into <for> sth** do czegoś); ~ **in** mieścić się; pasować; *adj* odpowiedni, nadający się (**for sth** do cze-

gość); w dobrej kondycji; **feel ~** czuć się dobrze, być w formie; *s* dostosowanie, dopasowanie; krój (*ubrania*)
fit[2] [fɪt] *s* atak (*choroby, śmiechu*)
fit•ter [`fɪtə(r)] *s* monter
fit•ness [`fɪtnɪs] *s* sprawność, kondycja fizyczna; stosowność; **~ club** siłownia
fit•ting [`fɪtɪŋ] *s* zmontowanie, zainstalowanie; wyposażenie; oprawa; *pl* **~s** instalacje; armatura; przymiarka; **~ room** przymierzalnia
five [faɪv] *num* pięć; *bryt.* **~ o'clock (tea)** podwieczorek; *s* piątka
five•fold [`faɪvfəʊld] *adj* pięciokrotny; *adv* pięciokrotnie
fix [fɪks] *vt* przymocować; ustalać; naprawiać; sfingować; urządzać, przygotowywać; *am.* przygotować (*posiłek*); *s pot.* położenie bez wyjścia
flabby [flæbɪ] *adj* sflaczały, zwiotczały
flag [flæg] *s* flaga
flame [fleɪm] *s* płomień; **an old ~** stara miłość; *vi* płonąć
flan•nel [`flænl] *s* flanela
flap [flæp] *s* klapka; lekkie uderzenie; trzepotanie; *vi* trzepotać (*skrzydłami*); *vt* klapnąć, trzepnąć
flare [fleə(r)] *vi* migotać, błyskać; wybuchać (*gniewem*); *s* rakieta świetlna; wybuch (*płomienia, gniewu*); *pl* **~s** dzwony (*spodnie*)
flash [flæʃ] *vi vt* błyskać, świecić; migać światłem; przemknąć; *s* błysk; przebłysk (*natchnienia*); *fot.* flesz; *am.* latarka
flash•light [`flæʃlaɪt] *s fot.* lampa błyskowa, flesz; *am.* latarka
flat [flæt] *s* płaszczyzna; równina; *bryt.* mieszkanie; **block of ~s** blok mieszkalny; *adj* płaski; nudny; (*o oponie*) bez powietrza; (*o akumulatorze*) rozładowany; (*o napoju*) bez gazu; stanowczy; *adv* płasko
flat•ter [`flætə(r)] *vt* pochlebiać
fla•vo(u)r [`fleɪvə(r)] *s* smak; posmak; *vt* aromatyzować, przyprawiać
flaw [flɔ] *s* skaza, wada
flaw•less [`flɔlɪs] *adj* bez skazy; doskonały
flax [flæks] *s* len
flea [fli] *s* pchła; **~ market** pchli targ
fled *zob.* **flee**
flee [fli], **fled, fled** [fled] *vi* uciekać, unikać
fleet [flit] *s* flota
flesh [fleʃ] *s* mięso; ciało; **put on ~** nabrać ciała
flesh•y [`fleʃɪ] *adj* mięsisty, tłusty
flew *zob.* **fly**[2]
flex•i•ble [`fleksəbl] *adj* elastyczny, giętki; **~ working hours** ruchomy czas pracy
flick [flɪk] *vt* pstrykać; trzasnąć; trzepnąć; *s* prztyk, trzaśnięcie, trzepnięcie

flick•er [`flɪkə(r)] *vi* migotać; drgać; *s* migotanie; drganie
flight [flɑɪt] *s* lot; ucieczka; **take to ~** uciekać
flim•sy [`flɪmzɪ] *adj* cienki, słaby, marny; błahy
flint [flɪnt] *s* krzemień; kamień (*do zapalniczki*)
flirt [flɜt] *vi vt* flirtować; *s* flirciarz, kokietka
float [fləʊt] *vi* unosić się; (*o walucie*) mieć płynny kurs; *s* pływak; spławik
flock [flok] *s* stado; *przen.* tłum; *vi* tłoczyć się, gromadzić się
flog [flog] *vt* chłostać
flog•ging [`flogɪŋ] *s* chłosta
flood [flʌd] *s* powódź, potop, zalew; *przen.* potok (*łez*); *vt* zalewać, zatapiać
floor [flɔ(r)] *s* podłoga; piętro; **dance ~** parkiet do tańca; **take the ~** zabrać głos; rozpocząć taniec
floppy [`flopɪ] *adj* miękki; zwiotczały; *komp.* **~ disk** dyskietka
flour [`flɑʊə(r)] *s* mąka
flour•ish [`flʌrɪʃ] *vi* kwitnąć; rozkwitać, prosperować; *vt* wymachiwać; *s* zawijas; fanfara
flow [fləʊ] *vi* płynąć, spływać, wypływać; *s* płynięcie, przepływ
flow•er [`flɑʊə(r)] *s* kwiat; *vi* kwitnąć
flow•er bed [`flɑʊəbed] *s* kwietnik, klomb
flow•er•pot [`flɑʊəpot] *s* doniczka
flown *zob.* **fly²**
flu [flu] *s* grypa
fluc•tu•ate [`flʌktʃʊeɪt] *vi* (*o cenach, o stawkach*) wahać się; zmieniać się
flu•ent [`flʊənt] *adj* płynny, biegły; **be ~ in English** mówić biegle po angielsku
fluff [flʌf] *s* puszek, meszek; *vt* wstrząsnąć (*poduszkę*); *pot.* zawalić (*egzamin*)
fluff•y [`flʌfɪ] *adj* puszysty
flu•id [`fluɪd] *adj* płynny; *s* płyn
flush [flʌʃ] *s* rumieniec; strumień (*wody*); rozkwit; sekwens (*w kartach*); *vt* tryskać; rumienić się; **~ the toilet** spuszczać wodę w toalecie; *adj* równy z (*w poziomie*); *pot.* nadziany (*forsą*)
flute [flut] *s* flet
flut•ter [flʌtə(r)] *vt vi* trzepotać (się); machać; (*o sercu*) kołatać; *s* trzepot, trzepotanie; poruszenie
flux [flʌks] *s* płynność; ciągłe zmiany
fly¹ [flɑɪ] *s* mucha
fly² [flɑɪ], **flew** [flu], **flown** [fləʊn] *vi vt* latać, fruwać; pilotować; przewozić drogą powietrzną; *pot.* uciekać; **~ a kite** puszczać latawca
fly•er [`flɑɪə(r)] *s* lotnik; ulotka
foam [fəʊm] *s* piana; *vi* pienić się
fo•cus [`fəʊkəs] *s* (*pl* **foci** [`fəʊsɑɪ] *lub* **~es**) skupienie (*uwagi*);

fot. ostrość; *vt vi* ogniskować (się), skupiać (się)
foe [fəu] *s lit.* wróg
f(o)e•tus [`fitəs] *s* płód
fog [fog] *s* mgła (*gęsta*); *vt* zamglić
fog•gy [`fogı] *adj* mglisty
foi•ble [`foıbl] *s* słabostka
fold [fəʊld] *vt vi* składać (się), zaginać (się); **~ in half** składać (się) na pół; *s* zagięcie; fałda, zakładka
folk [fəʊk] *s* ludzie; lud; *am.* rodzice, bliscy; *adj attr* ludowy
folk•lore [`fəʊklɔ(r)] *s* folklor
fol•low [`foləʊ] *vt vi* iść (**sb** za kimś); śledzić; następować (**sth** po czymś); obserwować; *pot.* rozumieć; stosować się (**sth** do czegoś); **as ~s** jak następuje
fol•low•er [`foləʊə(r)] *s* zwolennik; uczeń
fol•ly [`folı] *s* szaleństwo
fond [fond] *adj* czuły; miły; **be ~ of sb <sth>** lubić kogoś <coś>
fon•dle [`fondl] *vt* pieścić
food [fud] *s* żywność, jedzenie, pokarm
fool [ful] *s* głupiec, wariat; błazen; *vi* wygłupiać się; *vt* oszukiwać, nabierać; **make a ~ of o.s.** robić z siebie durnia; *pot.* **~ about <around>** obijać się; wygłupiać się
fool•ish [`fulıʃ] *adj* głupi
foot [fʊt] *s* (*pl* **feet** [fit]) stopa; dół, spód; **on ~** piechotą, pieszo; **get to one's feet** wstawać
foot•ball [`fʊtbɔl] *s* piłka nożna, futbol
foot•wear [`fʊtweə(r)] *s* obuwie
for [fɔ(r),fə(r)] *praep* dla; z powodu; przez; do; z; po; co do; o; jak na; **~ all that** mimo wszystko; **~ ever** na zawsze; **~ good** na dobre; **~ instance <example>** na przykład; **what ~?** na co?, po co?; *conj* gdyż, bowiem
for•bade *zob.* **forbid**
for•bid [fə`bıd], **for•bade** [fə`beıd], **for•bid•den** [fə`bıdn] *vt* zakazywać, zabraniać
force [fɔs] *s* siła; przemoc; *pl* **the ~s** siły zbrojne; **by ~** siłą; **in ~** licznie; *vt* zmuszać; narzucać; **~ a smile** zmuszać się do uśmiechu; **~ the door** wyważać drzwi
fore [fɔ(r)] *s* przód, przednia część; **to the ~** ku przodowi, na przodzie, na widoku; *adj* przedni
fore•arm [`fɔrɑm] *s* przedramię
fore•cast [`fɔkɑst], **~**, **~** *lub* **~ed, ~ed** [`fɔkɑstıd] *vt* przewidywać, zapowiadać; *s* przewidywanie, prognoza
fore•ground [`fɔgraʊnd] *s* pierwszy plan
fore•head [`forıd] *s* czoło
for•eign [`forın] *adj* obcy, zagraniczny; **~ exchange** wymiana walut
for•eign•er [`forınə(r)] *s* obcokrajowiec, cudzoziemiec

fore•see [fɔ`si], **fore•saw** [fɔ`sɔ], **fore•seen** [fɔ`sin] *vt* przewidywać
fore•seen *zob.* **foresee**
for•est [`forɪst] *s* las
for•est•er [`fɔrɪstə(r)] leśniczy
fore•taste [`fɔteɪst] *s* przedsmak
fore•tell [fɔ`tel], **fore•told, fore•told** [fɔ`təʊld] *vt* przepowiadać
for•ev•er [fə`revə(r)] *adv* na zawsze, zawsze
fore•word [`fɔwɜd] *s* wstęp, przedmowa
for•feit [`fɔfɪt] *vt* tracić, zaprzepaszczać; *s* przepadek (*mienia*); zastaw, fant
for•gave *zob.* **forgive**
forge [`fɔdʒ] *s* kuźnia; *vt* kuć; fałszować, podrabiać
for•ger [`fɔdʒə(r)] *s* fałszerz
for•ger•y [`fɔdʒərɪ] *s* fałszerstwo
for•get [fə`get], **for•got** [fə`got], **for•got•ten** [fə`gotn] *vt vi* zapominać; pomijać
for•get•ful [fə`getfʊl] *adj* zapominający; nie zważający (**of sth** na coś); *pot.* zapominalski
for•give [fə`gɪv], **for•gave** [fə`geɪv], **for•given** [fə`gɪvn] *vt* przebaczać, wybaczać
for•got *zob.* **forget**
for•got•ten *zob.* **forget**
fork [fɔk] *s* widelec; widły; rozwidlenie; *vt* rozwidlać się; *pot.* **~ out** wybulić *pot.*
for•lorn [fə`lɔn] *adj* opuszczony; beznadziejny; rozpaczliwy
form [fɔm] *s* forma, postać; formularz; przyjęta forma; *szk.* klasa; **in the ~ of sth** w kształcie czegoś; *vt vi* tworzyć (się), kształtować (się)
for•mal [`fɔməl] *adj* formalny; oficjalny
for•mal•i•ty [fɔ`mælɪtɪ] *s* formalność; etykieta
for•ma•tion [fɔ`meɪʃən] *s* formowanie, kształtowanie, tworzenie; formacja
for•mer [`fɔmə(r)] *adj* dawny, były; *s* (ten) pierwszy (*z dwóch*)
for•mi•da•ble [`fɔmɪdəbl] *adj* straszny, groźny
form•less [`fɔmlɪs] *adj* bezkształtny
for•mu•la [`fɔmjʊlə] *s* (*pl* **formulae** [`fɔmjʊli] *lub* **formulas** [`fɔmjʊləs]) formułka; przepis; *mat., chem.* wzór
for•mu•late [`fɔmjʊleɪt] *vt* formułować
for•sake [fə`seɪk], **for•sook** [fə`sʊk], **for•saken** [fə`seɪkən] *vt* opuszczać, porzucać; zaniechać (**sth** czegoś)
forth [`fɔθ] *adv* naprzód; **and so ~** i tak dalej
forth•com•ing [fɔθ`kʌmɪŋ] *adj* zbliżający się; (*o książce*) mający się ukazać
for•ti•eth [`fɔtɪəθ] *adj* czterdziesty
for•tress [`fɔtrɪs] *s* forteca
for•tu•nate [`fɔtʃənɪt] *adj* szczęśliwy, pomyślny
for•tu•na•te•ly [`fɔtʃənətlɪ] *adv* na szczęście, szczęśliwie

for•tune [`fɔtʃən] *s* fortuna, majątek; szczęście, los; **tell sb's ~** przepowiadać komuś przyszłość

for•tune-tell•er [`fɔtʃən'telə(r)] *s* wróżbita; wróżka

for•ty [`fɔtı] *num* czterdzieści

for•ward [`fɔwəd] *adj* przedni; skierowany do przodu; śmiały; *adv* (*także* **~s**) naprzód; do przodu; **come ~** wystąpić; zgłosić się; *vt* wysyłać (dalej); *s sport.* napastnik

for•wards *zob.* **forward** *adv*

fos•sil [`fosl] *s* skamielina

fos•ter [`fostə] *adj*: **~ parents** przybrani rodzice; **~ child** przybrane dziecko

fought *zob.* **fight**

foul [faʊl] *adj* wstrętny, paskudny; cuchnący; sprośny; *s sport.* faul; *vt vi* faulować; zanieczyszczać, brudzić; *pot.* **~ sth up** popsuć coś (*np. okazję*)

found[1] *zob.* **find**

found[2] [faʊnd] *vt* kłaść fundament; zakładać, ustanawiać; opierać (*na faktach*)

foun•da•tion [faʊn`deıʃən] *s* podstawa, fundament; założenie (*spółki*); fundacja; *pl* **~s** fundamenty

found•er [`faʊndə(r)] *s* założyciel

found•ling [`faʊndlıŋ] *s* podrzutek, znajda

foun•tain [`faʊntın] *s* fontanna

foun•tain pen [`faʊntın'pen] *s* wieczne pióro

four [fɔ(r)] *num* cztery

four•fold [`fɔfəʊld] *adj* czterokrotny; *adv* czterokrotnie

four•teen [fɔ`tin] *num* czternaście

four•teenth [`fɔ`tinθ] *adj* czternasty

fourth [fɔθ] *adj* czwarty

fourth•ly [`fɔθlı] *adv* po czwarte

fowl [faʊl] *s* ptak; *zbior.* drób, ptactwo

fox [foks] *s* lis

frac•tion [`frækʃən] *s* ułamek; część

frac•ture [`fræktʃə(r)] *s* złamanie; *vt vi* złamać (się)

frag•ile [`frædʒaıl] *adj* kruchy, łamliwy; wątły, delikatny

frag•ment [`frægmənt] *s* fragment; skrawek

fra•grance [`freıgrəns] *s* zapach

fra•grant [`freıgrənt] *adj* pachnący (**of <with>** czymś)

frail [freıl] *adj* kruchy; słaby; wątły

frame [freım] *s* rama, oprawa; struktura, szkielet; system; *vt* oprawiać (*w ramę*); formułować, tworzyć; konstruować; *pot.* wrobić (*kogoś w coś*)

frame•work [`freımwək] *s* struktura; szkielet, zarys

frank [fræŋk] *adj* otwarty, szczery

frank•fur•ter [`fræŋkfɜtə(r)] *s* (cienka) parówka

frank•ly [`fræŋklı] *adv* szczerze, otwarcie; szczerze mówiąc

fran•tic [`fræntɪk] *adj* szalony, oszalały
fra•ter•nal [frə`tɜnəl] *adj* braterski, bratni
fra•ter•ni•ty [frə`tɜnɪtɪ] *s* braterstwo; bractwo
fraud [frɔd] *s* oszustwo; oszust
freak [frik] *s* wybryk (*natury*); dziwak, ekscentryk; *adj* dziwaczny
freck•le [`frekl] *s* pieg, plamka; *vt vi* pokryć (się) piegami
free [fri] *adj* wolny; swobodny; bezpłatny; **for ~** za darmo; **~ will** wolna wola; *vt* uwolnić, wyzwolić
free•dom [`fridəm] *s* wolność; swoboda; prawo (**of sth** do czegoś)
free•lance [`frilɑns] *adj* niezależny, nie zatrudniony na stałe
freeze [friz], **froze** [frəʊz], **frozen** [`frəʊzn] *vi* marznąć, zamarzać; zamierać w bezruchu; *vt* zamrażać; **~ to death** zamarznąć na śmierć; *s* przymrozek; zamrożenie (*cen*)
freez•er [`frizə(r)] *s* chłodnia; zamrażarka
freight [freɪt] *s* fracht; ładunek; *am.* **~ car** wagon towarowy
French [frentʃ] *adj* francuski; *s* język francuski; **take ~ leave** wyjść po angielsku; **~ loaf** bagietka; *am.* **~ fries** frytki
French•man [`frentʃmən] *s* (*pl* **Frenchmen** [`frentʃmən]) Francuz
French•wo•man [`frentʃwʊmən] *s* (*pl* **Frenchwomen** [`frentʃwɪmɪn]) Francuzka
fren•zy [`frenzɪ] *adj* szaleństwo; szał
fre•quen•cy [`frikwənsɪ] *s* częstość; częstotliwość
fre•quent [`frikwənt] *adj* częsty; *vt* [frɪ`kwent] uczęszczać, bywać
fresh [freʃ] *adj* świeży; nowy; **~ water** słodka woda
Fri•day [`fraɪdɪ] *s* piątek; **Good ~** Wielki Piątek
friend [frend] *s* przyjaciel, kolega; **be ~s** przyjaźnić się (**with sb** z kimś); **make ~s** zaprzyjaźnić się
friend•ly [`frendlɪ] *adj* przyjazny, przychylny
friend•ship [`frendʃɪp] *s* przyjaźń
fright [fraɪt] *s* strach; **stage ~** trema; **take ~** przestraszyć się (**at sth** czegoś)
fright•en [`fraɪtn] *vt* nastraszyć, przerazić
fright•ful [`fraɪtfʊl] *adj* straszny, przerażający
fri•gid [`frɪdʒɪd] *adj* zimny; oziębły
fringe [frɪndʒ] *s* frędzla; grzywka; skraj; *pl* **~s** obrzeża; *vt* obszyć frędzlami; graniczyć
friv•o•lous [`frɪvələs] *adj* frywolny; lekkomyślny; błahy
fro [frou] *adv*: **to and ~** tam i z powrotem

frock [frok] *s* suknia, sukienka; habit; sutanna

frog [frog] *s* żaba

from [from, frəm] *praep* od, z, ze; **~ school** ze szkoły; **~ you** od ciebie

front [frʌnt] *s* przód; front, linia ognia; *przen.* **in ~ of** przed; *adj attr* frontowy, przedni

fron•tier [`frʌntɪə(r)] *s* granica

frost [frost] *s* szron; mróz; *vt vi* pokrywać (się) szronem

frost•bite [`frostbaɪt] *s* odmrożenie

frost•y [`frostɪ] *adj* mroźny, lodowaty

froth [froθ] *s* piana; *przen.* czcze słowa; *vt* pienić się

frown [fraʊn] *vi* marszczyć brwi, krzywić się (*na coś*); *s* zmarszczenie brwi; wyraz dezaprobaty

froze *zob.* **freeze**

fru•gal [`frʊgəl] *adj* oszczędny (**of sth** w czymś); skromny (*o jedzeniu*)

fruit [frut] *s* owoc; *zbior.* owoce; *vi* owocować

fruit•ful [`frutfʊl] *adj* owocny; płodny

frus•trate [frʌs`treɪt] *vt* zniweczyć; udaremnić

fru•strat•ed [frʌs`treɪtɪd] *adj* sfrustrowany

fry [fraɪ] *vt vi* smażyć (się)

fry•ing pan [`fraɪɪŋ'pæn] *s* patelnia

fu•el [`fjʊəl] *s* opał, paliwo

fuck [fʌk] *vt wulg.* pierdolić; pieprzyć; **~ off!** odpierdol się!; *s wulg.* pieprzenie; *int wulg.* kurwa!

ful•fil(l) [fʊl`fɪl] *vt* spełniać

ful•fil(l)•ment [fʊl`fɪlmənt] *s* spełnienie; wypełnienie; wykonanie

full [fʊl] *adj* pełny; najedzony; kompletny; **~ up** przepełniony; **~ time** na pełnym etacie; **~ stop** kropka; *adv* wprost, bezpośrednio; *s*: **in ~** w całości

ful•ly [`fʊlɪ] *adv* w pełni, całkowicie

fum•ble [`fʌmbl] *vi* szperać, grzebać (*niezdarnie*) (**at <in, with> sth** w czymś); **~ with sth** bawić się czymś

fun [fʌn] *s* zabawa; **have ~** dobrze się bawić; **for ~** dla rozrywki; **make ~** żartować sobie (**of sb <sth>** z kogoś <czegoś>)

func•tion [`fʌŋkʃən] *s* funkcja, czynność; *vi* funkcjonować, działać

fund [fʌnd] *s* fundusz; zapas, rezerwa; *pl* **~s** fundusze; *vt* finansować

fun•da•men•tal ['fʌndə`mentl] *adj* podstawowy; *s pl* **~s** podstawy, zasady

fu•ner•al [`fjunərəl] *s* pogrzeb; **~ home** dom pogrzebowy

fun•gus [`fʌngəs] *s* (*pl* **fungi** [`fʌŋgaɪ], **~es**) *bot.* grzyb

fun•ny [`fʌnɪ] *adj* zabawny, wesoły, śmieszny; dziwny
fur [fɜ(r)] *s* sierść, futro; ~ **coat** futro (*płaszcz*)
fu•ri•ous [`fjʊərɪəs] *adj* wściekły, szalony
fur•nish [`fɜnɪʃ] *vt* meblować; wyposażać; zaopatrywać (**with sth** w coś)
fur•ni•ture [`fɜnɪtʃə(r)] *s zbior.* meble; **piece of** ~ mebel
fur•ther[1] *zob.* **far**
fur•ther[2] [`fɜðə(r)] *vt* popierać
fur•ther•more ['fɜðə`mɔ(r)] *adv* co więcej, ponadto
fur•thest *zob.* **far**
fu•ry [`fjʊərɪ] *s* szał, furia; **fly into a** ~ wpadać w szał
fuse [fjuz] *s* bezpiecznik; zapalnik; *vt vi* stopić (się); łączyć się
fu•sion [`fjuʒən] *s* fuzja, zlanie się
fuss [fʌs] *s* zamieszanie; krzątanina; *vi* robić zamieszanie (**about sth** z powodu czegoś); *vt* zawracać głowę; niepokoić; **make a** ~ robić zamieszanie (**of sb** wokół kogoś)
fuss•y [`fʌsɪ] *adj* hałaśliwy; kapryśny, wybredny; drobiazgowy
fu•tile [`fjutɑɪl] *adj* daremny, próżny; nieistotny
fu•ture [`fjutʃə(r)] *s* przyszłość; **in the** ~ w przyszłości; *adj* przyszły

G

gag [gæg] *vt* kneblować; *vi* krztusić się; *s* knebel
gai•e•ty [`geɪətɪ] *s* wesołość
gai•ly [`geɪlɪ] *adv* wesoło
gain [geɪn] *vt vi* zyskiwać; zdobywać; przybierać (*na wadze*); ~ **ground** zdobywać popularność; *s* zysk, korzyść; wzrost
gale [geɪl] *s* wichura; wybuch śmiechu; poryw wiatru
gal•lant [`gælənt] *adj* dzielny, rycerski; szarmancki; wytworny
gal•lan•try [`gæləntrɪ] *s* dzielność, waleczność; rycerskość
gal•ler•y [`gælərɪ] *s* galeria; balkon (*w teatrze*)
gal•lon [`gælən] *s* galon
gal•lop [`gæləp] *s* galop; *vi* galopować
gal•lows [`gæləuz] *s* szubienica
gam•ble [`gæmbl] *vi* uprawiać hazard; ryzykować; ~ **away one's fortune** przegrać majątek; *s* hazard; ryzyko
gam•bler [`gæmblə(r)] *s* hazardzista
game [geɪm] *s* gra; zabawa; *sport.* mecz; dziczyzna; *pl* **Olympic Games** igrzyska olimpijskie
gan•der [`gændə(r)] *s zool.* gąsior
gang [gæŋ] *s* banda, szajka; gru-

pa (*ludzi*); brygada (*robotników*)
gang•ster [`gæŋstə(r)] *s* gangster
gang•way [`gæŋweɪ] *s* przejście (*w kinie, w pociągu*); trap
gaol [dʒeɪl] *s bryt.* więzienie
gap [gæp] *s* luka, przerwa; odstęp; *przen.* przepaść
ga•rage [`gærɑʒ, gə`rɑʒ] *s* garaż; warsztat samochodowy; *vt* garażować
gar•bage [`gɑbɪdʒ] *s am. zbior.* odpadki, śmieci; bzdury; szmira; *am.* ~ **can** pojemnik na śmieci
gar•den [`gɑdn] *s* ogród; *vi* pracować w ogrodzie
gar•den par•ty [`gɑdnpɑtɪ] *s* przyjęcie na wolnym powietrzu
gar•gle [`gɑgl] *vt vi* płukać gardło; *s* płukanie gardła
gar•land [`gɑlənd] *s* wieniec, girlanda; *vt* ozdobić wieńcem <girlandą>
gar•lic [`gɑlɪk] *s* czosnek; **clove of** ~ ząbek czosnku
gar•ment [`gɑmənt] *s* część garderoby; *pl* ~**s** odzież
gar•nish [`gɑnɪʃ] *vt* garnirować; ozdabiać; *s kulin.* przybranie, garnirunek
gas [gæs] *s* gaz; *am. pot.* benzyna; *vt* zagazować, zatruć gazem; *am.* ~ **station** stacja benzynowa
gas•o•line [`gæsəlin] *s am.* benzyna
gas me•ter [`gæsmɪtə(r)] *s* gazomierz
gasp [gɑsp] *vi* chwytać <łapać> powietrze; ciężko oddychać; *s* łapanie tchu; chwytanie powietrza; **at one's last** ~ u kresu sił
gas•tric [`gæstrɪk] *adj* żołądkowy; gastryczny
gate [geɪt] *s* brama, furtka
gate•way [`geɪtweɪ] *s* wejście, wjazd
gath•er [`gæðə(r)] *vt vi* zbierać (się); sądzić; wnioskować
gath•er•ing [`gæðərɪŋ] *s* zebranie; zgromadzenie
gauge [geɪdʒ] *s* przyrząd pomiarowy; miernik; kaliber; *vt* mierzyć; szacować
gauze [`gɔz] *s* gaza
gave *zob.* **give**
gay [geɪ] *adj* homoseksualny; gejowski; *s* homoseksualista, gej
gaze [geɪz] *vi* wpatrywać się, gapić się (**at sth** na coś); *s* uporczywe spojrzenie
gear [gɪə(r)] *s* przekładnia; *mot.* bieg; *zbior.* sprzęt; *mot.* ~ **lever <stick>** dźwignia zmiany biegów
gear•box [`gɪəboks] *s mot.* skrzynia biegów
geese *zob.* **goose**
gem [dʒem] *s* klejnot; kamień szlachetny
gem•stone [`dʒemstəʊn] *s* kamień szlachetny

gen•der [`dʒendə(r)] *s gram.* rodzaj
gene [dʒin] *s biol.* gen
gen•e•ral [`dʒenərl] *adj* ogólny; powszechny; główny; ~ **practitioner** internista; *am.* ~ **delivery** poste restante; *s* generał; **in** ~ ogólnie; zwykle
gen•e•ral•ize [`dʒenrəlaɪz] *vt vi* uogólniać
gen•er•al•ly [`dʒenrəlɪ] *adv* ogólnie; powszechnie; zazwyczaj
gen•e•rate [`dʒenəreɪt] *vt* wytwarzać, produkować; *przen.* rodzić
gen•e•ra•tion ['dʒenə`reɪʃən] *s* pokolenie, generacja; wytwarzanie; ~ **gap** luka pokoleniowa
gen•e•ra•tor [`dʒenəreɪtə(r)] *s techn.* generator, prądnica
gen•e•ros•i•ty ['dʒenə`rosɪtɪ] *s* hojność; wspaniałomyślność; wielkoduszność
gen•er•ous [`dʒenərəs] *adj* wspaniałomyślny; wielkoduszny; hojny
gen•e•sis [`dʒenɪsɪs] *s* geneza
ge•net•ics [dʒɪ`netɪks] *s* genetyka
ge•nial [`dʒɪnɪəl] *adj* miły; uprzejmy; towarzyski
gen•i•tals [`dʒenɪtlz] *s pl anat.* genitalia
ge•nius [`dʒinɪəs] *s* geniusz, talent; człowiek genialny
gent [dʒent] *s pot.* mężczyzna; **the ~s** (toaleta) dla panów
gen•tle [`dʒentl] *adj* delikatny, łagodny
gen•tle•man [`dʒentlmən] *s* (*pl* **gentlemen** [`dʒentlmən]) dżentelmen; pan; mężczyzna
gen•u•ine [`dʒenjʊɪn] *adj* prawdziwy, autentyczny; szczery
ge•og•ra•phy [dʒɪ`ogrəfɪ] *s* geografia
ge•ol•o•gy [dʒɪ`olədʒɪ] *s* geologia
ge•om•e•try [dʒɪ`omətrɪ] *s* geometria
germ [dʒɜm] *s* zalążek; zarazek
Ger•man [`dʒɜmən] *adj* niemiecki; *s* Niemiec; język niemiecki
ges•ture [`dʒestʃə(r)] *s* gest
get [get], **got, got** [got] *lub am.* **got•ten** [gotn] *vt vi* dostawać; nabywać, brać; przynosić, dostarczać; dostawać się, dochodzić; stawać się; ~ **sb to do sth** nakłonić kogoś, żeby coś zrobił; ~ **one's hair cut** ostrzyc sobie włosy; ~ **sth ready** przygotować coś; **I have got** mam; **have you got a watch?** czy masz zegarek?; **I have got to** muszę; **it has got to be done** to musi być zrobione; ~ **to know** dowiedzieć się; ~ **married** ożenić się, wyjść za mąż; ~ **dressed** ubrać się; ~ **rid** pozbyć się (**of sb <sth>** kogoś <czegoś>); ~ **old** zestarzeć się; ~ **ready** przygotować się; **it's getting late** robi się późno; ~ **along** dawać sobie

radę; posuwać (się); być w przyjacielskich stosunkach; ~ **away** wyrwać się; uciekać; ~ **back** wracać; odzyskiwać; ~ **down** połykać; zanotować; przygnębiać; zabierać się (**to sth** do czegoś); ~ **in** przybywać, przyjeżdżać; zbierać (*zboże*); wzywać (*hydraulika*); ~ **into** wsiadać (**the car** do samochodu); ~ **off** wysiadać (**the bus** z autobusu); zdejmować (*ubranie*); ~ **on** wsiadać (**the bus** do autobusu); posuwać się naprzód; być w dobrych stosunkach; **easy to ~ on with** łatwy w pożyciu; ~ **out** wydostać (się); wysiadać (**of the car** z samochodu); wyjść na jaw; ~ **through** przejść, przebrnąć (**sth** przez coś); połączyć się (*telefonicznie*); ~ **together** zbierać (się), schodzić się; ~ **up** podnosić (się), wstawać

ghast•ly [`gɑstlɪ] *adj* okropny, upiorny; upiornie blady

ghost [gəʊst] *s* duch; upiór; widmo; **the Holy Ghost** Duch Święty; *vt*: ~ **sb's books** pisać za kogoś książki

gi•ant [`dʒɑɪənt] *s* olbrzym; *adj attr* olbrzymi

gibe [dʒɑɪb] *vi* kpić (**at sb** z kogoś); *s* kpina

gid•dy [`gɪdɪ] *adj* zawrotny; oszołomiony; **feel ~** mieć zawrót głowy

gift [gɪft] *s* prezent; talent (**for sth** do czegoś)

gift•ed [`gɪftɪd] *adj* utalentowany

gi•gan•tic [dʒɑɪ`gæntɪk] *adj* olbrzymi, gigantyczny

gig•gle [`gɪgl] *vi* chichotać; *s* chichot

gild [gɪld] *vt* złocić, pozłacać

gills [gɪlz] *s pl* skrzela

gilt [gɪlt] *adj* pozłacany; *s* pozłota

gin [dʒɪn] *s* dżin

gin•ger [`dʒɪndʒə(r)] *s* imbir; *adj* rudy

gip•sy [`dʒɪpsɪ] *s* Cygan, Cyganka

gi•raffe [dʒɪ`rɑf] *s* żyrafa

girl [gɜl] *s* dziewczynka, dziewczyna; **Girl Guide** <*am.* **Girl Scout**> harcerka

girl•friend [`gɜlfrend] *s* sympatia, dziewczyna; *am.* koleżanka

gist [dʒɪst] *s* sedno, istota rzeczy

give [gɪv], **gave** [geɪv], **giv•en** [`gɪvn] *vt* dawać; ~ **ground** cofać się, ustępować; ~ **rise** dawać początek (**to sth** czemuś); ~ **way** ustępować z drogi; ~ **away** rozdawać; wyjawiać (*sekret*); ~ **back** oddawać; ~ **in** poddawać się; wręczać, podawać; ~ **off** wydzielać (*zapach*); ~ **up** rezygnować; rzucać, porzucać

giv•en *zob.* **give**

gla•cier [`glæsɪə(r)] *s* lodowiec

glad [glæd] *adj* zadowolony; wdzięczny (**of sth** za coś); **I'm**

~ to see you cieszę się, że cię widzę

glam•our [\`glæmə(r)] *s* urok, blask, świetność

glance [glɑns] *vi* zerkać (**at sth** na coś); *s* zerknięcie; **at first ~** na pierwszy rzut oka

gland [glænd] *s anat.* gruczoł

glare [gleə(r)] *vi* błyszczeć, jasno świecić, razić; patrzeć (*ze złością*); *s* blask; dzikie spojrzenie

glass [glɑs] *s* szkło; szklanka; kieliszek; *pl* **~es** okulary; **sun ~es** okulary słoneczne

glass•house [\`glɑshɑʊs] *s* cieplarnia, szklarnia

glaze [gleɪz] *s* szkliwo; polewa, glazura; *vt* oszklić; pokryć szkliwem <polewą>; *adj* **~d** szklisty; glazurowany

gla•zier [\`gleɪzɪə(r)] *s* szklarz

gleam [glim] *s* błysk, promień, blask; *vi* błyszczeć, migotać

glide [glɑɪd] *vi* ślizgać się; sunąć; szybować; *s* ślizganie się; szybowanie; ślizg

glim•mer [\`glɪmə(r)] *vi* migotać; *s* migotanie; światełko; **~ of hope** przebłysk nadziei

glid•er [\`glɑɪdə(r)] *s* szybowiec

glimpse [glɪmps] *vi* mignąć; dostrzec w przelocie (**at sth** coś); *s* przelotne spojrzenie; mignięcie; **catch a ~** dostrzec w przelocie (**of sth** coś)

glit•ter [\`glɪtə(r)] *vi* błyszczeć, połyskiwać; *s* blask, połysk

glo•bal [\`gləʊbl] *adj* globalny

globe [gləʊb] *s* kula ziemska; globus

gloom [glum] *s* mrok; ponurość; przygnębienie

gloom•y [\`glumɪ] *adj* mroczny; *przen.* ponury, posępny

glor•i•fy [\`glɔrɪfɑɪ] *vt* sławić, gloryfikować

glo•ri•ous [\`glɔrɪəs] *adj* sławny; wspaniały, znakomity

glo•ry [\`glɔrɪ] *s* chwała, sława; *vi* chlubić się (**in sth** czymś)

glove [glʌv] *s* rękawiczka

glue [glu] *s* klej; *vt* kleić

glut•ton [\`glʌtn] *s* żarłok

gnat [næt] *s* komar

gnome [nəʊm] *s* gnom

go [gəʊ], **went** [went], **gone** [gɒn], *3 pers sing praes* **goes** [gəʊz] *vi* iść, chodzić, poruszać się, jechać; **let go** puścić; **go bad** zepsuć się; **go mad** zwariować; **go red** poczerwienieć; **go wrong** popsuć się, nie udać się; **go after** gonić; ubiegać się o coś; **go ahead** iść przodem; rozpoczynać (**with sth** coś); **go back** wracać; **go down** schodzić; obniżać się, opadać; iść na dno; **go off** odchodzić; eksplodować; gasnąć; zepsuć się; **go on** kontynuować (**with sth <doing sth>** coś <robienie czegoś>); dziać się; **go out** wychodzić; chodzić, spotykać się (**with sb** z kimś); gasnąć; **go up** iść na <w> górę; wzrastać; **go without sth** obchodzić się bez czegoś; *s* kolej (*w grze*); werwa; próba; **have a go at sth** spróbować czegoś

goal [gəʊl] *s* gol, bramka; cel; **score a ~** zdobyć bramkę

goal•keep•er [`gəʊlkipə(r)] *s* bramkarz

goat [gəʊt] *s* koza; kozioł

god [god] *s* bóg, bóstwo; **God** Bóg

god•dess [`godɪs] *s* bogini

god•fa•ther [`godfɑðə(r)] *s* ojciec chrzestny

god•mo•ther [`godmʌðə(r)] *s* matka chrzestna

goes *zob.* **go**

gold [gəʊld] *s* złoto; *adj attr* złoty; **~ medal** złoty medal

gold•en [`gəʊldn] *adj* złoty; złocisty

gold•mine [`gəʊldmɑɪn] *s* kopalnia złota

gold•smith [`gəʊldsmɪθ] *s* złotnik

golf [golf] *s sport.* golf; **~ course** pole golfowe

gone *zob.* **go**

good [gʊd] *adj* dobry (*comp* **better** [`betə(r)] lepszy, *sup* **best** [best] najlepszy); grzeczny; **~ at sth** dobry w czymś; **~ morning <afternoon>!** dzień dobry!; **~ evening!** dobry wieczór!; **~ night!** dobranoc!; *s* dobro; *pl* **~s** towary; **~s train** pociąg towarowy; **for ~** na dobre, na zawsze; **it's no ~** to się na nic nie zda; **~!** dobrze!; **~ for you!** wspaniale!, świetnie! (*chwaląc kogoś*)

good•bye [gʊd`bɑɪ] *int* do widzenia

good-look•ing ['gʊd`lʊkɪŋ] *adj* przystojny

good•ness [`gʊdnɪs] *s* dobroć; **my ~!** mój Boże!

goods *zob.* **good**

good•will ['gʊd`wɪl] *s* dobra wola

goose [gus] *s* (*pl* **geese** [gis]) gęś; **~ pimples** gęsia skórka

goose•ber•ry [`gʊzbərɪ] *s* agrest

gor•geous [`gɔdʒəs] *adj* wspaniały, okazały

go•ril•la [gə`rɪlə] *s* goryl

gos•pel [`gospl] *s*: *zw.* **The Gospel** Ewangelia; **~ truth** święta prawda

gosh [goʃ] *int pot.* ojej!

gos•sip [`gosɪp] *s* plotki; plotkowanie; plotkarz, plotkarka; *vi* plotkować

got *zob.* **get**

Goth•ic [`goθɪk] *adj* gotycki; *s* gotyk

got•ten *zob.* **get**

gov•ern [`gʌvən] *vt vi* rządzić, panować

gov•ern•ment [`gʌvənmənt] *s* rząd; zarządzanie; **local ~** samorząd

gov•er•nor [`gʌvənə(r)] *s* gubernator; dyrektor naczelny; naczelnik

gown [gɑʊn] *s* długa suknia; toga

grab [græb] *vt* łapać, chwytać; porywać

grace [greɪs] *s* wdzięk; łaska; *vt* zaszczycać; ozdabiać

grace•ful [`greɪsfʊl] *adj* pełen wdzięku, wdzięczny; łaskawy
gra•cious [`greɪʃəs] *adj* łaskawy; **good ~!** mój Boże!
gra•da•tion [grə`deɪʃən] *s* stopniowanie, gradacja
grade [greɪd] *s* gatunek; ranga; ocena, stopień; *am. szk.* klasa; *vt* klasyfikować, szeregować
grad•u•al [`grædjʊəl] *adj* stopniowy
grad•u•ate [`grædjʊɪt] *s* absolwent wyższej uczelni, *am. także* maturzysta; *vi* [`grædjʊeɪt] kończyć studia, *am. także* zrobić maturę
grad•u•a•tion ['grædjʊ`eɪʃən] *s* ukończenie studiów; uroczystość wręczenia dyplomów
grain [greɪn] *s* ziarno; *zbior.* zboże
gram•mar [`græmə(r)] *s* gramatyka; **~ school** *bryt.* szkoła średnia, *am.* szkoła podstawowa
grand [grænd] *adj* wielki; wspaniały; uroczysty; **~ piano** fortepian
grand•child [`græntʃɑɪld] *s* wnuk, wnuczka; **great ~** prawnuk, prawnuczka
grand•fath•er [`grændfɑðə(r)] *s* dziadek; **great ~** pradziadek; **~ clock** zegar stojący
grand•ma [`grænmɑ] *s pot.* babcia
grand•moth•er [`grændmʌðə(r)] *s* babka; **great ~** prababka
gran•ite [`grænɪt] *s* granit
grand•pa [`grænpɑ] *s pot.* dziadek
grant [grɑnt] *vt* spełniać; nadawać (*na własność*); udzielać (*pozwolenia*); przyznawać (*rację*); **take sth for ~ed** przyjmować coś za rzecz oczywistą; *s* stypendium; subwencja
grape [greɪp] *s* winogrono; winorośl
grape•fruit [`greɪpfrut] *s* grejpfrut
grasp [grɑsp] *vt* uchwycić, ścisnąć; pojmować; **~ at sth** chwytać się czegoś; *s* chwyt, uścisk (*ręki*); pojmowanie; **within one's ~** w zasięgu ręki; **have a good ~ of sth** dobrze się w czymś orientować
grass [grɑs] *s* trawa; *pot.* marihuana, trawka; **keep off the ~!** nie deptać trawników!
grass•hop•per [`grɑshopə(r)] *s* konik polny
grate [greɪt] *s* krata; ruszt; *vt* ucierać na tarce; *vi* zgrzytać
grate•ful [`greɪtfʊl] *adj* wdzięczny (**for sth** za coś)
grat•i•fi•ca•tion ['grætɪfɪ`keɪʃən] *s* zadowolenie, satysfakcja; spełnienie
grat•i•fy [`grætɪfɑɪ] *vt* zadowolić, usatysfakcjonować
grat•i•tude [`grætɪtjud] *s* wdzięczność
gra•tu•i•ty [grə`tjuɪtɪ] *s* napiwek; *bryt.* odprawa (*pieniężna*)
grave [greɪv] *s* grób; *adj* poważny

grav•el [`grævl] *s* żwir
grav•i•ty [`grævɪtɪ] *s fiz.* ciężkość, ciężar (*gatunkowy*); grawitacja
gra•vy [`greɪvɪ] *s* sos (*mięsny*)
graze[1] [greɪz] *vt vi* paść (się)
graze[2] [greɪz] *vt* musnąć; drasnąć; *s* zadraśnięcie
gray [greɪ] *adj s am. zob.* **grey**
grease [gris] *s* tłuszcz; smar; *vt* tłuścić
greas•y [`grisɪ] *adj* tłusty, zatłuszczony; śliski
great [greɪt] *adj* wielki; wspaniały, świetny; **~!** świetnie!
greed [`grid] *s* chciwość, żądza
greed•y [`gridɪ] *adj* chciwy, zachłanny
Greek [grik] *adj* grecki; *s* Grek; język grecki
green [grin] *adj* zielony; niedojrzały; *przen. pot.* niedoświadczony; *s* zieleń; trawa
green•gro•cer [`grin'grəʊsə(r)] *s bryt.* właściciel sklepu warzywniczego; **~('s)** sklep warzywny <warzywniczy>
green•house [`grinhaʊs] *s* cieplarnia, szklarnia; **~ effect** efekt cieplarniany
greet [grit] *vt* witać, pozdrawiać
greet•ing [`gritɪŋ] *s* przywitanie, pozdrowienie; *pl* **~s** pozdrowienia, życzenia
grew *zob.* **grow**
grey, *am.* **gray** [greɪ] *adj* szary, siwy; *s* szarość; kolor szary <siwy>; **go ~** siwieć
grey•hound [`greɪhaʊnd] *s zool.* chart
grid [grɪd] *s* krata; siatka; sieć elektryczna <gazowa>
grief [grif] *s* żal; zgryzota
griev•ance [`grivəns] *s* skarga, powód do skargi; krzywda
grieve [griv] *vt vi* smucić (się), martwić (się) (**at <for, over> sth** czymś)
griev•ous [`grivəs] *adj* bolesny; smutny; ciężki, poważny
grill [grɪl] *s* grill, ruszt; mięso z rusztu; *vt vi* piec (się) na ruszcie
grim [grɪm] *adj* ponury; srogi, nieubłagany
gri•mace [grɪ`meɪs] *s* grymas; *vi* wykrzywiać się
grin [grɪn] *vi* szeroko się uśmiechać, szczerzyć zęby; *s* szeroki uśmiech
grind [graɪnd], **ground** [graʊnd], **ground** *vt* mleć; kruszyć; miażdżyć; ostrzyć; **~ one's teeth** zgrzytać zębami; *s* harówka
grip [grɪp] *s* chwyt; uścisk; oddziaływanie, wpływ; rączka, rękojeść; *am.* torba podróżna; **come to ~s with** borykać się z; *vt* chwytać, ściskać; przyciągać, fascynować
groan [grəʊn] *vi* jęczeć; *s* jęk
gro•cer [`grəʊsə(r)] *s* właściciel <właścicielka> sklepu spożywczego; **~('s)** sklep spożywczy
gro•cer•y [`grəʊsrɪ] *s am.* sklep spożywczy

groom [grum] *s* stajenny; pan młody
gross [grəʊs] *adj* gruby; duży; ordynarny; całkowity; *s* gros (*12 tuzinów*)
gro•tesque [grəʊ`tesk] *adj* groteskowy; *s* groteska
ground[1] *zob.* **grind**
ground[2] [graʊnd] *s* grunt, ziemia; podstawa; teren; **~ floor** parter; *pl* **~s** podstawa, powód; *vt vi* opierać (się); osiadać na mieliźnie
group [grup] *s* grupa; *vt vi* grupować (się)
grow [grəʊ], **grew** [gru], **grown** [grəʊn] *vi* rosnąć; stawać się; *vt* hodować; uprawiać; **~ old** starzeć się; **it's ~ing dark** ściemnia się; **~ out** wyrastać (**of sth** z czegoś); **~ up** dorastać, dojrzewać
growl [graʊl] *vi* warczeć, burczeć; *s* warczenie; pomruk
grown-up [`grəʊnʌp] *s* dorosły (*człowiek*); *adj* ['grəʊn`ʌp] dorosły
growth [grəʊθ] *s* wzrost; rozwój; porost; **~ rate** tempo wzrostu
grudge [grʌdʒ] *s* niechęć, uraza; **bear sb a ~** mieć do kogoś urazę; *vt* skąpić, żałować (**sb sth** komuś czegoś)
grue•some [`grusəm] *adj* straszny, makabryczny
grum•ble [`grʌmbl] *vt vi* gderać, narzekać (**at sb <sth>** na kogoś <coś>); *s* gderanie, narzekanie
guar•an•tee ['gærən`ti] *s* gwarancja; *vt* gwarantować
guard [gɑd] *s* straż, warta; strażnik, wartownik; *bryt.* konduktor (*kolejowy*); *pl* **~s** gwardia; *vt* pilnować, strzec; **stand ~** trzymać wartę; **be on one's ~** mieć się na baczności
guess [ges] *vt vi* zgadywać; przypuszczać, domyślać się; *am.* myśleć, sądzić; *s* zgadywanie; domysł; **have <make> a ~** zgadywać; **at a ~** na oko
guest [gest] *s* gość
guid•ance [`gaɪdəns] *s* porada; **under the ~ of** pod przewodnictwem
guide [gaɪd] *s* przewodnik (*książka, osoba*); poradnik; *bryt.* harcerka; *vt* oprowadzać, prowadzić
guide•book [`gaɪdbʊk] *s* przewodnik (*książka*)
guilt [gɪlt] *s* wina
guilt•y [`gɪltɪ] *adj* winny; **~ conscience** nieczyste sumienie
guin•ea pig [`gɪnɪpɪg] *s* świnka morska; *przen.* królik doświadczalny
gui•tar [gɪ`tɑ(r)] *s* gitara
gulf [gʌlf] *s* zatoka; *dosł. przen.* przepaść
gull [gʌl] *s* mewa
gum[1] [gʌm] *s* dziąsło
gum[2] [gʌm] *s* klej; **chewing ~** guma do żucia; *vt* sklejać

gun [gʌn] *s* pistolet; strzelba; działo

gut [gʌt] *s pl*: **~s** wnętrzności, jelita; *pot.* odwaga; *vt* wypatroszyć

gut•ter [`gʌtə(r)] *s* rynsztok; rynna

guy [gɑɪ] *s pot.* gość, facet; *am. pot.* **(you) ~s** (*zwracając się do grupy osób*) wy

gym [dʒɪm] *zob.* **gymnastics**; *zob.* **gymnasium**

gym•nas•ium [dʒɪm`neɪzɪəm] *s* sala gimnastyczna

gym•nas•tic [dʒɪm`næstɪk] *adj* gimnastyczny; *s pl* **~s** gimnastyka

gyn(a)e•colo•gist [`gɑɪnɪ`kolədʒɪst] *s* ginekolog

gyp•sy [`dʒɪpsɪ] *s zob.* **gipsy**

H

hab•it [`hæbɪt] *s* zwyczaj; nawyk; nałóg; habit; **be in the ~ of doing sth** mieć w zwyczaju coś robić

hab•i•tat [`hæbɪtæt] *s* środowisko naturalne

hack•er [`hækə(r)] *s komp. pot.* haker

had *zob.* **have**

hadn't [`hædnt] *skr. od* **had not**; *zob.* **have**

hail[1] [heɪl] *s* grad; *vi* padać (*o gradzie*)

hail[2] [heɪl] *vt* witać; wołać; przywołać; **~ a cab** zawołać taksówkę; **within ~** w zasięgu głosu

hair [heə(r)] *s* włos; *zbior.* włosy; owłosienie; **do one's ~** układać sobie włosy

hair•cut [`heəkʌt] *s* strzyżenie; **have a ~** pójść do fryzjera

hair•do [`heədu] *s* uczesanie, fryzura

hair•dress•er [`heədresə(r)] *s* fryzjer (*damski*)

hair dry•er <dri•er> [`heə`drɑɪə(r)] *s* suszarka do włosów

half [hɑf] *s* (*pl* **halves** [hɑvz]) połowa; **in ~** na połowę; **one and a ~** półtora; **by halves** połowicznie; **go halves** dzielić się po połowie; *adv* na pół, po połowie

half-time [`hɑftɑɪm] *s sport.* przerwa

half•way [`hɑfweɪ] *adv* w połowie drogi; *adj attr* znajdujący się w połowie drogi; *przen.* połowiczny; **meet sb ~** wyjść komuś naprzeciw

hall [hɔl] *s* przedpokój, hol; sala, aula; gmach; ratusz; *bryt.* **~ of residence** dom studencki

hal•lo [hə`ləʊ] *int* halo!; cześć!

halo [`heɪləʊ] *s* aureola; poświata

halt [hɔlt] *vt vi* zatrzymywać (się); *s* postój; **come to a ~** zatrzymać się

halve [hɑv] *vt* przepoławiać; zmniejszać o połowę

halves *zob.* **half**

ham [hæm] *s* szynka

ham•burg•er [ˋhæmbɜgə(r)] *s* hamburger

ham•mer [ˋhæmə(r)] *s* młotek; *vt vi* walić (*młotkiem*), wbijać; walić <tłuc> (**at sth** w coś)

ham•per [ˋhæmpə(r)] *vt* przeszkadzać, utrudniać; *s* kosz z pokrywką

ham•ster [ˋhæmstə(r)] *s* chomik

hand [hænd] *s* dłoń; ręka; wskazówka (*zegara*); charakter pisma; **at ~** pod ręką; **by ~** ręcznie; **on the one <other> ~** z jednej <drugiej> strony; **have sth in ~** mieć coś pod kontrolą; **lend <give> sb a ~** przyjść komuś z pomocą; **shake ~s** ściskać sobie dłonie; **change ~s** przechodzić z rąk do rąk; *vt* (*także* **~ in**) wręczać, podawać; **~ out** rozdawać; **~ over** przekazać

hand•bag [ˋhændbæg] *s* torebka damska

hand•book [ˋhændbʊk] *s* podręcznik; poradnik

hand•cuff [ˋhændkʌf] *vt* zakuwać w kajdanki; *s pl* **~s** kajdanki

hand•i•craft [ˋhændɪkrɑft] *s* rękodzielnictwo; rzemiosło (*artystyczne*)

hand•ker•chief [ˋhæŋkətʃɪf] *s* chusteczka (*do nosa*)

han•dle [ˋhændl] *s* rączka, uchwyt, ucho; klamka; *vt* trzymać (*w ręku*); dotykać (rękami); obchodzić się, radzić sobie (**sb <sth>** z kimś <czymś>); załatwiać; **~ with care!** (obchodzić się) ostrożnie!

hand•made [ˈhændˋmeɪd] *adj* ręcznie wykonany

hand•some [ˋhænsəm] *adj* przystojny; pokaźny

hand•writ•ing [ˋhændrɑɪtɪŋ] *s* charakter pisma, pismo

hand•y [ˋhændɪ] *adj* (*będący*) pod ręką; podręczny; zręczny; wygodny, poręczny

hang [hæŋ], **hung, hung** [hʌŋ] *vt vi* wieszać, zawieszać; wisieć *lub* **hanged, hanged** [hæŋd] *vt vi* wieszać (*skazańca*); *vr* **~ o.s.** powiesić się; **~ about** <*am.* **around**> włóczyć się bez celu; obijać się; **~ on** trzymać się (**to sth** czegoś); *pot.* zaczekać; zależeć (od); **~ up** odkładać słuchawkę; **~ up on sb** rzucić słuchawkę

hang•er [ˋhæŋə(r)] *s* wieszak

hang•over [ˋhæŋəʊvə(r)] *s pot.* kac

hap•haz•ard [hæpˋhæzəd] *adj* przypadkowy; *adv* przypadkowo, na ślepo

hap•pen [ˋhæpən] *vi* zdarzyć się, trafić się; **~ to do sth** przypadkowo coś zrobić; **what ~ed?** co się stało?

hap•pen•ing [ˋhæpnɪŋ] *s* wydarzenie; przedstawienie, happening

hap•pi•ness [ˋhæpɪnəs] *s* szczęście
hap•py [ˋhæpɪ] *s* szczęśliwy; zadowolony; trafny (*pomysł*)
har•bo(u)r [ˋhɑbə(r)] *s* port; przystań; *vt* przygarnąć, dać schronienie
hard [hɑd] *adj* twardy; surowy; trudny; mocny; ~ **cash** żywa gotówka; ~ **work** ciężka praca; *komp.* ~ **disk** twardy dysk; *adv* mocno, twardo; ciężko, z trudem
harden [ˋhɑdn] *vt* wzmocnić, utwardzić; uodpornić, hartować; *vi* twardnieć
hard-head•ed [ˈhɑdˋhedɪd] *adj* praktyczny, trzeźwy
hard•ly [ˋhɑdlɪ] *adv* z trudem; ledwo; **I can ~ say** trudno mi powiedzieć; ~ **ever** rzadko, prawie nigdy
hard•ship [ˋhɑdʃɪp] *s* trud; trudności
hard•ware [ˋhɑdweə(r)] *s zbior.* towary żelazne; *komp.* sprzęt (komputerowy)
hard-working [hɑdˋwɜkɪŋ] *adj* pracowity
hare [heə(r)] *s* zając
harm [hɑm] *s* krzywda, szkoda; **do ~** zaszkodzić; **mean no ~** nie mieć nic złego na myśli; *vt* krzywdzić, szkodzić
harm•ful [ˋhɑmful] *adj* szkodliwy
harm•less [ˋhɑmlɪs] *adj* nieszkodliwy
har•mon•i•ca [hɑˋmonɪkə] *s* organki
har•mo•ny [ˋhɑmənɪ] *s muz.* harmonia; zgodność
har•ness [ˋhɑnɪs] *s* uprząż, zaprzęg; *vt* zaprzęgać
harp [hɑp] *s* harfa
harsh [ˋhɑʃ] *adj* szorstki; nieuprzejmy; surowy; (*o kolorze, o świetle*) ostry
har•vest [ˋhɑvɪst] *s* żniwa; zbiory, plon; *vt vi* zbierać (*zboże, plon*)
has *zob.* **have**
hash [hæʃ] *vt* siekać (*mięso*); *s* siekane mięso; *przen. pot.* bigos, galimatias; *pot.* haszysz
hash•ish [ˋhæʃɪʃ] *s* haszysz
hasn't [ˋhæznt] *skr. od* **has not**; *zob.* **have**
haste [heɪst] *s* pośpiech; **make ~** śpieszyć się
has•ten [ˋheɪsn] *vt* przyśpieszać; *vi* śpieszyć się, popędzić
hast•y [ˋheɪstɪ] *adj* pośpieszny; pochopny, nie przemyślany
hat [hæt] *s* kapelusz
hatch¹ [hætʃ] *s* luk, właz
hatch² [hætʃ] *vt* wylęgać (*pisklęta*); wysiadywać (*jaja*); *vi* wylęgać się; *przen.* uknuć spisek
hate [heɪt] *vt* nienawidzić; nie cierpieć; *s* nienawiść
ha•tred [ˋheɪtrɪd] *s* nienawiść
haul [hɔl] *vt vi* ciągnąć; przewozić; *mors.* holować; *s* połów; łup; holowanie
haunt [hɔnt] *vt* (*o duchach*) stra-

szyć; ukazywać się, nawiedzać; (*o myślach*) prześladować; bywać, odwiedzać (**a place** jakieś miejsce); *s* miejsce często odwiedzane
haunt•ing [ˋhɔntɪŋ] *adj* natrętny; powracający (*w myślach*)
have [hæv, həv], **had, had** [hæd, həd], *3 pers sing praes* **has** [hæz, əz] *vt* mieć; posiadać; dostawać; **~ sth on** mieć coś na sobie; **~ sth done** kazać (sobie) coś zrobić, oddawać coś do zrobienia; **I must ~ my watch repaired** muszę dać zegarek do naprawy; **~ (got) to do sth** musieć coś zrobić; **I ~ to go** muszę iść; **~ a good time** dobrze się bawić; **~ dinner** jeść obiad; **~ a bath** wykąpać się; **~ a swim** popływać
haven't [ˋhævnt] *skr. od* **have not**
hawk [hɔk] *s* jastrząb
hay [heɪ] *s* siano; **~ fever** katar sienny
haz•ard [ˋhæzəd] *s* niebezpieczeństwo, ryzyko; *vt* ryzykować
haz•ard•ous [ˋhæzədəs] *adj* niebezpieczny, ryzykowny
haze [heɪz] *s* mgiełka; *przen.* niepewność
ha•zel [ˋheɪzl] *s* leszczyna; *adj attr* piwny (*o oczach*); **~ nut** orzech laskowy
haz•y [ˋheɪzɪ] *adj* zamglony; mglisty, niejasny
he [hi] *pron* on
head [hed] *s* głowa; główka (*szpilki*); dyrektor; przywódca; nagłówek; **at the ~** na czele; **be ~ over heels in love** być zakochanym po uszy; **off the top of one's ~** bez namysłu; *vt* prowadzić, przewodzić; kierować; zatytułować; **~ for** zmierzać, kierować się (**home** do domu)
head•ache [ˋhedeɪk] *s* ból głowy
head•light [ˋhedlɑɪt] *s* reflektor
head•line [ˋhedlɑɪn] *s* nagłówek, tytuł (*w gazecie*); *pl* **~s** wiadomości w skrócie
head•phones [ˋhedfəʊnz] *s pl* słuchawki
heal [hil] *vi* goić się; *vt* leczyć, uzdrawiać
health [helθ] *s* zdrowie; **~ food** zdrowa żywność; **~ insurance** ubezpieczenie na wypadek choroby
health•y [ˋhelθɪ] *adj* zdrowy
heap [hip] *s* stos; *vt* układać w stos
hear [hɪə(r)], **heard, heard** [hɜd] *vt vi* słyszeć; przesłuchać; dowiedzieć się; *prawn.* rozpatrywać (*sprawę*); **~ from sb** otrzymać wiadomość od kogoś
hear•ing [ˋhɪərɪŋ] *s* słuch; *prawn.* rozprawa
hear•say [ˋhɪəseɪ] *s* wieść; pogłoska; **from ~** ze słyszenia
heart [hɑt] *s* serce; *pl* **~s** kiery (*w kartach*); **by ~** na pamięć; **~ to ~** szczerze; **have sth at ~** mieć coś na sercu; **~ attack <condition>** zawał serca

heart•brok•en [ˋhɑtbrəʊkən] *adj* ze złamanym sercem; zgnębiony
heart•burn [ˋhɑtbɜn] *s* zgaga
hearth [hɑθ] *s* palenisko; ognisko domowe
heart•y [ˋhɑtɪ] *adj* serdeczny; krzepki, rześki; obfity (*posiłek*)
heat [hit] *s* gorąco, upał; *fiz.* ciepło; *vt* grzać, ogrzewać; *vt vi*: ~ **up** podgrzewać (się)
heat•er [ˋhitə(r)] *s* grzejnik
heath•er [ˋheðə(r)] *s* wrzos
heat•ing [ˋhitɪŋ] *s* ogrzewanie; **central** ~ centralne ogrzewanie
heav•en [ˋhevn] *s* niebo, niebiosa; **for ~'s sake!** na miłość boską!; **good ~(s)!** wielki Boże!
heav•en•ly [ˋhevənlɪ] *adj* niebiański, boski
heav•y [ˋhevɪ] *adj* ciężki; ociężały; silny (*o ciosie*); wielki (*o stracie*); rzęsisty (*o deszczu*); ~ **smoker** nałogowy palacz; ~ **duty** wytrzymały (*o sprzęcie*)
He•brew [ˋhibru] *adj* hebrajski; *s* język hebrajski
hec•tic [ˋhektɪk] *adj* gorączkowy
he'd [hid] *skr. od* **he had**; *skr. od* **he would**
hedge [hedʒ] *s* żywopłot, ogrodzenie; *vt* ogradzać
hedge•hog [ˋhedʒhog] *s* jeż
heel [hil] *s* pięta; obcas; **high ~s** buty na wysokich obcasach; *pot.* **take to one's ~s** brać nogi za pas
height [hɑɪt] *s* wysokość; wzrost (*człowieka*); wzniesienie (*terenu*); szczyt; *pl* **~s** wzgórza
heighten [ˋhɑɪtn] *vt vi* podnieść, podwyższyć; wzmóc
heir [eə(r)] *s* spadkobierca; następca (*tronu*)
heir•ess [ˋeəres] *s* spadkobierczyni; następczyni (*tronu*)
held *zob.* **hold**
hell [hel] *s* piekło; *int* do diabła!; **it scared the ~ out of me** okropnie się przestraszyłem
he'll [hil] *skr. od* **he will**; *skr. od* **he shall**
hel•lo [heˋləʊ] *int zob.* **hallo**
helm [helm] *s dosł. przen.* ster
hel•met [ˋhelmɪt] *s* hełm; kask
help [help] *vt vi* pomagać (**with sth** w czymś); ~ **yourself** poczęstuj się (**to sth** czymś); **I can't ~ laughing** nie mogę się powstrzymać od śmiechu; **I can't ~ it** nic na to nie poradzę; *s* pomoc; **be of ~** być pomocnym (**to sb** komuś); **~!** ratunku!
help•er [ˋhelpə(r)] *s* pomocnik
help•ful [ˋhelpful] *adj* pomocny, użyteczny
help•ing [ˋhelpɪŋ] *s* porcja
help•less [ˋhelplɪs] *adj* bez oparcia, bezradny
hem•i•sphere [ˋhemɪsfɪə(r)] *s* półkula
hen [hen] *s* kura; samica (*ptaków*)
hence [hens] *adv* stąd, odtąd; dlatego
her [hɜ(r), ʒ(r)] *pron* ją, jej

herald [ˋherəld] *s* herold; zwiastun; *vt* zwiastować
herb [hɜb] *s* zioło
herd [hɜd] *s* stado; tłum, motłoch; **the ~ instinct** owczy pęd; *vi* gromadzić się w stado; *vt* spędzać, zaganiać
here [hɪə(r)] *adv* tu, tutaj; **from ~** stąd; **in ~** tu (*wewnątrz*); **near ~** niedaleko stąd, tuż obok; **~ and there** tu i tam; **~ you are!** proszę bardzo!; **~ he is!** oto i on!; **he doesn't like it ~** nie podoba mu się tu; **~!** obecny!
here•a•bout(s) ['hɪərəˋbaʊt(s)] *adv* gdzieś tutaj
here•by ['hɪəˋbaɪ] *adv* niniejszym
her•i•tage [ˋherɪtɪdʒ] *s* dziedzictwo, spuścizna
her•mit [ˋhɜmɪt] *s* pustelnik
her•mit•age [ˋhɜmɪtɪdʒ] *s* pustelnia
he•ro [ˋhɪərəʊ] *s* (*pl* **~es** [ˋhɪərəʊz]) bohater
he•ro•ic [hɪˋrəʊɪk] *adj* heroiczny, bohaterski
her•o•ine [ˋherəʊɪn] *s* bohaterka
her•ring [ˋherɪŋ] *s* śledź
hers [hɜz] *pron* jej
her•self [həˋself] *pron* się, siebie; ona sama; **by ~** sama, samodzielnie
he's [hiz] *skr. od* **he is**; *skr. od* **he has**
hes•i•tant [ˋhezɪtənt] *adj* niezdecydowany, niepewny
hes•i•tate [ˋhezɪteɪt] *vi* wahać się, być niezdecydowanym
hes•i•ta•tion ['hezɪˋteɪʃən] *s* wahanie, niezdecydowanie
hi [haɪ] *int* cześć!; hej!
hi•ber•nate [ˋhaɪbəneɪt] *vi* zapadać w sen zimowy
hic•cup, hic•cough [ˋhɪkʌp] *s* (*także pl* **~s**) czkawka; *vi* mieć czkawkę, czkać
hid, hid•den *zob.* **hide**
hide [haɪd], **hid** [hɪd], **hid•den** [ˋhɪdn] *vt vi* ukrywać (się), chować (się)
hid•e•ous [ˋhɪdɪəs] *adj* ohydny, paskudny
hide•out [ˋhaɪdaʊt] *s* kryjówka
hid•ing [ˋhaɪdɪŋ] *s*: **be in ~** ukrywać się; *pot.* **give sb a ~** sprawić komuś lanie
hi-fi [ˋhaɪfaɪ] *s* (*skr. od* **high fidelity**) sprzęt o wysokiej jakości odtwarzania dźwięku, hi-fi
high [haɪ] *adj* wysoki; górny; (*o wietrze*) silny; *am.* **~ school** szkoła średnia; **the ~ life** życie wyższych sfer; **~ season** szczyt sezonu; **~ spirits** radosny nastrój; **it's ~ time you went there** najwyższy czas, żebyś tam poszedł; *pot.* **be ~** być na haju; *adv* wysoko; **~ and low** wszędzie
high•land•er [ˋhaɪləndə(r)] *s* góral (*w Szkocji*)
high•light [ˋhaɪlaɪt] *s* główna atrakcja; *vt* uwydatniać, podkreślać
high•ly [ˋhaɪlɪ] *adv* wysoko; wysoce, w wysokim stopniu; wiel-

ce; **speak ~ of sb** wyrażać się pochlebnie o kimś

high•way [ˋhaɪweɪ] *s am.* autostrada; szosa; *bryt.* **the Highway Code** kodeks drogowy

hi•jack [ˋhaɪdʒæk] *vt* porywać (*samolot*); *s* (*także* **high•jack•ing**) porwanie (*samolotu*)

hike [haɪk] *s* wędrówka, piesza wycieczka; *vi* wędrować

hik•er [ˋhaɪkə(r)] *s* turysta (*pieszy*)

hill [hɪl] *s* wzgórze, pagórek

hill•y [ˋhɪlɪ] *adj* pagórkowaty

him [hɪm] *pron* jemu, mu, jego, go; niego, niemu, nim

him•self [hɪmˋself] *pron* się, siebie; sam; **by ~** sam, samodzielnie

hind[1] [haɪnd] *adj* tylny, zadni

hind[2] [haɪnd] *s* łania

hin•der [ˋhɪndə(r)] *vt* przeszkadzać; powstrzymywać (**sb from doing sth** kogoś od zrobienia czegoś)

hin•drance [ˋhɪndrəns] *s* przeszkoda

hinge [hɪndʒ] *s* zawias; *vt* zawieszać na zawiasach; *przen.* zależeć (**on sth** od czegoś)

hint [hɪnt] *s* aluzja; wzmianka; wskazówka; *vi* robić aluzję; dawać do zrozumienia (**at sth** coś)

hip [hɪp] *s* biodro

hip•po [ˋhɪpəʊ] *s zob.* **hippopotamus**

hip•po•pot•a•mus [ˌhɪpəˋpotəməs] *s* hipopotam

hire [ˋhaɪə(r)] *vt* wynajmować, najmować; *s* wynajem, najem; **car ~** wypożyczalnia samochodów; *bryt.* **~ purchase** kupno na raty

his [hɪz] *pron* jego

hiss [hɪs] *vi* syczeć; *vt* wygwizdać; *s* syk; wygwizdanie

his•to•ri•an [hɪsˋtɔrɪən] *s* historyk

his•tor•ic(al) [hɪˋstorɪk(l)] *adj* historyczny

his•to•ry [ˋhɪstrɪ] *s* historia, dzieje

hit, hit, hit [hɪt] *vt* uderzyć; trafiać; **~ back** oddawać cios; *pot.* **~ the road** ruszyć w drogę; *pot.* **~ the roof** wściec się; *s* uderzenie; trafienie; przebój

hitch [hɪtʃ] *vt* przyczepić; *vi* przyczepić się; *s* szarpnięcie; zaciśnięcie; przeszkoda

hitch-hike [ˋhɪtʃhaɪk] *vi* podróżować autostopem

hitch-hik•er [ˋhɪtʃhaɪkə(r)] *s* autostopowicz, autostopowiczka

hive [haɪv] *s dosł. przen.* ul

hoard [hɔd] *s* zapas, zasób; *vt* gromadzić (*zapasy*)

hoax [həʊks] *s* oszustwo; *pot.* kawał, żart; *vt pot.* nabierać, oszukiwać

hob•ble [ˋhobl] *vi* kuleć, utykać; *s* utykanie

hob•by [ˋhobɪ] *s* hobby, konik

hock•ey [ˋhokɪ] *s* hokej; **field <ice> ~** hokej na trawie <na lodzie>

hoe [həʊ] *s* motyka; *vt* kopać motyką

hold [həʊld], **held, held** [held] *vt* trzymać; zawierać, mieścić; odbywać (*zebranie*); przetrzymywać; obchodzić (*święto*); twierdzić, uważać; *vi* obstawać (**to sth** przy czymś); utrzymywać się (*o pogodzie*); **be held** odbywać się; **~ it!** zaczekaj!; **~ one's tongue** milczeć; **~ back** zatajać; powstrzymywać; **~ off** powstrzymywać, trzymać z dala; opóźniać, wstrzymywać; **~ on** poczekać (*przy telefonie*); **~ up** podtrzymywać; podnosić; zatrzymywać; napadać (*z bronią*); *s* uchwyt; trzymanie; **get ~** pochwycić, złapać (**of sth** coś)

hold•er [ˋhəʊldə(r)] *s* posiadacz; właściciel; okaziciel; oprawka

hold•up [ˋhəʊldʌp] *s* zator (*drogowy*); napad (*rabunkowy*)

hole [həʊl] *s* dziura, otwór; *pot.* **pick ~s** szukać dziury (*w czymś*); *vt* dziurawić

hol•i•day [ˋholɪdeɪ] *s* święto; *bryt.* wakacje; urlop; **be <go> on ~** wyjechać na wakacje

hol•low [ˋholəʊ] *adj* pusty, wydrążony; zapadnięty (*o policzkach*); głuchy (*o dźwięku*); *s* dziura, wydrążenie; *vt* wydrążać

hol•o•caust [ˋholəkɔst] *s* zagłada

ho•ly [ˋhəʊlɪ] *adj* święty, poświęcony; **~ orders** święcenia; **the Holy Ghost <Spirit>** Duch Święty

hom•age [ˋhomɪdʒ] *s* hołd; **pay ~** składać hołd

home [həʊm] *s* dom, ognisko domowe; kraj, ojczyzna; **at ~** w domu; w kraju; **make o.s. at ~** rozgościć się; *adj* domowy; krajowy; miejscowy; *adv* do domu

home•land [ˋhəʊmlænd] *s* ojczyzna; ziemia rodzinna

home•less [ˋhəʊmlɪs] *adj* bezdomny

home•ly [ˋhəʊmlɪ] *adj* przytulny, swojski; prosty, pospolity; *am.* (*o rysach twarzy*) niełładny

home-made ['həʊmˋmeɪd] *adj* domowy, wykonany domowym sposobem

home•sick [ˋhəʊmsɪk] *adj* stęskniony za domem <krajem>

home•work [ˋhəʊmwɜk] *s szk.* praca domowa

homo•sexu•al ['homəʊˋsekʃʊəl] *s* homoseksualista; *adj* homoseksualny

hon•est [ˋonɪst] *adj* uczciwy; szczery

hon•es•ty [ˋonɪstɪ] *s* uczciwość; szczerość

hon•ey [ˋhʌnɪ] *s* miód; *am. pot.* kochanie (*zwracając się do kogoś*)

hon•ey•moon [ˋhʌnɪmun] *s* miesiąc miodowy

hon•o(u)r [ˋonə(r)] *s* honor; zaszczyt; **in ~ of** na cześć; *vt* honorować; zaszczycać

hon•o(u)r•a•ble [`onərəbl] *adj* honorowy; zaszczytny; szanowny, czcigodny

hood [hʊd] *s* kaptur; osłona; *mot. am.* maska; *mot. bryt.* składany dach

hoof [huf] *s* (*pl* **hooves**, **~s** [huvz]) kopyto

hook [hʊk] *s* hak; haczyk; haftka; *vt* zahaczać, zaczepiać; łapać na haczyk

hoop [hup] *s* obręcz

hoot [hut] *vt vi* pohukiwać; trąbić (*o samochodzie*) (**at sb** na kogoś); (*o syrenie*) wyć

hoot•er [`hutə(r)] *s* syrena; klakson

hooves *zob.* **hoof**

hop[1] [hop] *s* skok; *vi* skakać, podskakiwać

hop[2] [hop] *s* (*także pl* **~s**) chmiel

hope [həʊp] *s* nadzieja; *vi* mieć nadzieję; spodziewać się (**for sth** czegoś); **~ for the best** być dobrej myśli; **I ~ so <not>** mam nadzieję, że tak <nie>

hope•ful [`həʊpful] *adj* pełen nadziei, ufny; (*o sytuacji*) rokujący nadzieję

hope•less [`həʊplɪs] *adj* beznadziejny; zrozpaczony

ho•ri•zon [hə`rɑɪzn] *s* horyzont

hor•i•zon•tal ['horɪ`zontl] *adj* poziomy

horn [hɔn] *s* róg; klakson

hor•net [`hɔnɪt] *s* szerszeń

hor•ri•ble [`horɪbl] *adj* straszny, okropny

hor•ri•fy [`horɪfɑɪ] *vt* przerażać

hor•ror [`horə(r)] *s* przerażenie; okropność; **~ film** horror

hors d'oeu•vre [ɔ`dʒvrə, `ɔ`dʒv] *s kulin.* przystawka

horse [hɔs] *s* koń; **~ racing** wyścigi konne

horse•back [`hɔsbæk] *s* grzbiet koński; **on ~** konno, na koniu; *adv* konno

horse•rad•ish [`hɔsrædɪʃ] *s bot.* chrzan

hose [həʊz] *s* wąż (*ogrodowy*)

ho•sier•y [`həʊzɪərɪ] *s zbior.* wyroby pończosznicze

hos•pi•ta•ble [`hospɪtəbl] *adj* gościnny

hos•pi•tal [`hospɪtl] *s* szpital

host [həʊst] *s* gospodarz, pan domu; *vt* gościć, podejmować

hos•tage [`hostɪdʒ] *s* zakładnik

hos•tel [`hostl] *s* schronisko; **youth ~** schronisko młodzieżowe

host•ess [`həʊstɪs] *s* gospodyni, pani domu

hos•tile [`hostɑɪl] *adj* wrogi (**to sb <sth>** komuś <czemuś>)

host•til•i•ty [hos`tɪlɪtɪ] *s* wrogość; *pl* **~s** działania wojenne

hot [hot] *adj* gorący; (*o potrawie*) ostry; *przen.* **~ line** gorąca linia; **~ news** najświeższe wiadomości; **~ temper** gwałtowne usposobienie; *przen.* **~ potato** drażliwy temat

ho•tel [həʊ`tel] *s* hotel

hour [ɑʊə(r)] *s* godzina; **office ~s** godziny urzędowania
house [hɑʊs] *s* dom; gospodarstwo (*domowe*); izba (*w parlamencie*); firma; widownia; **keep ~** prowadzić dom; **on the ~** na koszt firmy; *vt* przydzielać mieszkanie; mieścić
house•break•ing [`hɑʊsbreɪkɪŋ] *s* włamanie (*do domu*)
house•hold [`hɑʊshəʊld] *s* domownicy, rodzina; gospodarstwo (*domowe*); **~ goods** artykuły gospodarstwa domowego
house•hold•er [`hɑʊshəʊldə(r)] *s* właściciel domu
house•wife [`hɑʊswɑɪf] *s* gospodyni domowa
hov•er [`hovə(r)] *vi* wisieć, unosić się; stać wyczekująco; **~ round sb** kręcić się koło kogoś
hov•er•craft [`hovəkrɑft] *s* poduszkowiec
how [hɑʊ] *adv* jak, w jaki sposób; **~ are you?** jak się czujesz?; **~ do you do** miło mi poznać; **~ much (many)?** ile?; **~ nice of you to come** jak miło, że przyszedłeś
how•ev•er [hɑʊ`evə(r)] *adv* jakkolwiek; jednak(że), niemniej; *conj* jednak
howl [hɑʊl] *vi* wyć; *s* wycie, ryk
hue [hju] *s* barwa; odcień
hug [hʌg] *vt* tulić, obejmować; *s* uścisk
huge [hjudʒ] *adj* olbrzymi, ogromny
hu•man [`hjumən] *adj* ludzki; **~ being** człowiek; *s* istota ludzka
hu•mane [hju`meɪn] *adj* humanitarny, ludzki
hu•man•i•ty [hju`mænɪtɪ] *s* ludzkość; człowieczeństwo; *pl* **the humanities** nauki humanistyczne
hu•man•ly [`hjumənlɪ] *adv* po ludzku
hum•ble [`hʌmbl] *adj* pokorny; skromny; *vt* upokarzać
hum•bug [`hʌmbʌg] *s* oszustwo; *polit.* demagogia
humid [`hjumɪd] *adj* wilgotny
hu•mid•i•ty [hju`mɪdɪtɪ] *s* wilgotność
hu•mil•i•ate [hju`mɪlɪeɪt] *vt* upokarzać, poniżać
hu•mil•i•ty [hju`mɪlɪtɪ] *s* pokora; uniżoność
hum•ming•bird [`hʌmɪŋbɜd] *s* koliber
hu•mor•ous [`hjumərəs] *adj* humorystyczny, śmieszny
hu•mo(u)r [`hjumə(r)] *s* humor; nastrój; **out of ~** w złym humorze; **sense of ~** poczucie humoru
hump [hʌmp] *s* garb
hun•dred [`hʌndrəd] *num* sto; *s* setka
hun•dredth [`hʌndrədθ] *adj* setny; *s* jedna setna
hung *zob.* **hang**
Hun•ga•ri•an [hʌŋ`geərɪən] *adj* węgierski; *s* Węgier; język węgierski
hun•ger [`hʌŋgə(r)] *s* głód (**for**

sth czegoś); *vi* głodować; pożądać (**after <for> sth** czegoś)
hun•gry [ˋhʌŋgrɪ] *adj* głodny, wygłodzony; **be ~ for sth** pragnąć <pożądać> czegoś
hunt [hʌnt] *vt vi* polować (**animals** na zwierzynę); poszukiwać; ścigać; *s* polowanie; poszukiwanie; pościg
hunt•er [ˋhʌntə(r)] *s* myśliwy
hunt•ing [ˋhʌntɪŋ] *s* polowanie; myślistwo
hur•ri•cane [ˋhʌrɪkən] *s* huragan
hur•ry [ˋhʌrɪ] *vt* popędzać, ponaglać; *vi* (*także* ~ **up**) śpieszyć się; *s* pośpiech
hurt, hurt, hurt [hɜt] *vt* kaleczyć, ranić; urazić; szkodzić; *vi* boleć; *s* uraz (*psychiczny*)
hus•band [ˋhʌzbənd] *s* mąż
hush [hʌʃ] *vt vi* uciszać; ucichnąć; ~ **up** zataić, zatuszować; *s* cisza; *int* cicho, sza!
hus•tle [ˋhʌsl] *s pot.* zamieszanie, krzątanina; *vt* popychać, wypychać; szturchać; *am. pot.* puszczać się
hustl•er [ˋhʌslə(r)] *s am.* kombinator; *am. pot.* dziwka
hut [hʌt] *s* chata, szałas
hy•dro•foil [ˋhaɪdrəfoɪl] *s* wodolot
hy•dro•gen [ˋhaɪdrədʒən] *s chem.* wodór
hy•giene [ˋhaɪdʒin] *s* higiena
hymn [hɪm] *s* hymn
hyp•er•ten•sion [ˈhaɪpəˋtenʃən] *s* nadciśnienie
hy•phen [ˋhaɪfən] *s gram.* łącznik
hyp•no•sis [hɪpˋnəʊsɪs] *s* (*pl* **hyp•no•ses** [hɪpˋnəʊsiz]) hipnoza
hyp•o•crite [ˋhɪpəkrɪt] *s* hipokryta
hy•poth•e•sis [haɪˋpoθəsɪs] *s* (*pl* **hy•poth•e•ses** [haɪˋpoθəsiz]) hipoteza
hys•te•ri•a [hɪsˋtɪərɪə] *s* histeria
hys•ter•ical [hɪˋsterɪkl] *adj* histeryczny

I

I [aɪ] *pron* ja
ice [aɪs] *s* lód; ~ **rink** lodowisko; ~ **cream** lody
ice•berg [ˋaɪsbɜg] *s* góra lodowa
i•ci•cle [ˋaɪsɪkl] *s* sopel
ic•ing [ˋaɪsɪŋ] *s* lukier, polewa
ic•y [ˋaɪsɪ] *adj* lodowaty; oblodzony
ID [ˈaɪˋdi] *skr. od* **identity card**
I'd [aɪd] *skr. od* **I had**; *skr. od* **I should**; *skr. od* **I would**
i•de•a [aɪˋdɪə] *s* idea; myśl, pomysł; pojęcie; **what an ~!** co za pomysł!; **good ~!** dobry pomysł; **I don't have any ~** nie mam pojęcia
i•deal [aɪˋdɪəl] *adj* idealny; doskonały; *s* ideał

i•den•ti•cal [aɪˋdentɪkl] *adj* identyczny
i•den•ti•fy [aɪˋdentɪfaɪ] *vt* identyfikować; utożsamiać; rozpoznawać
i•den•ti•ty [aɪˋdentɪtɪ] *s* tożsamość; ~ **card** dowód osobisty <tożsamości>
i•de•ol•o•gy [aɪdɪˋolədʒɪ] *s* ideologia
id•i•om [ˋɪdɪəm] *s* idiom, wyrażenie idiomatyczne; styl
id•i•ot [ˋɪdɪət] *s* idiota
id•i•ot•ic ['ɪdɪˋotɪk] *adj* idiotyczny
i•dle [ˋaɪdl] *adj* bezczynny; leniwy; bezrobotny; czczy; jałowy; daremny; *vi* próżnować; *pot.* obijać się (*w pracy*)
i•dol [ˋaɪdl] *s* bożyszcze, idol
id•yll [ˋɪdɪl] *s* sielanka, idylla
if [ɪf] *conj* jeżeli, jeśli; (*w zdaniach pytających zależnych*) czy; **I wonder if he is there** ciekaw jestem, czy on tam jest; **if I knew** gdybym wiedział; **if I were you...** na twoim miejscu...; **if necessary** w razie potrzeby; **if not** w przeciwnym razie; **if so** w takim razie; **as if** jak gdyby
ig•ni•tion [ɪgˋnɪʃən] *s mot.* zapłon
ig•no•rance [ˋɪgnərəns] *s* ignorancja; nieznajomość (**of sth** czegoś)
ig•nore [ɪgˋnɔ(r)] *vt* ignorować, nie zwracać uwagi
ill [ɪl] *adj* (*comp* **worse** [wɜs], *sup* **worst** [wɜst]) chory (**with sth** na coś); szkodliwy; **fall <be taken> ~** zachorować; **think ~ of sb** źle o kimś myśleć; **be <feel> ~ at ease** być <czuć się> skrępowanym <zażenowanym>; *adv* źle; *s* zło
I'll [aɪl] *skr. od* **I shall**, *skr. od* **I will**
il•le•gal [ɪˋligl] *adj* bezprawny, nielegalny
il•le•gib•le [ɪˋledʒɪbl] *adj* nieczytelny
il•le•git•i•mate ['ɪlɪˋdʒɪtɪmɪt] *adj* bezprawny; nieślubny
il•lit•er•ate [ɪˋlɪtərɪt] *adj* niepiśmienny; *s* analfabeta
ill•ness [ˋɪlnəs] *s* choroba
ill•tem•pered [ˋɪlˋtempəd] *adj* zły, rozdrażniony
il•lu•mi•nate [ɪˋlumɪneɪt] *vt* oświetlać; iluminować; oświecać
il•lu•sion [ɪˋluʒən] *s* złudzenie, iluzja
il•lus•tra•tion ['ɪləˋstreɪʃən] *s* ilustracja; objaśnienie
I'm [aɪm] *skr. od* **I am**
im•age [ˋɪmɪdʒ] *s* obraz, podobizna; wyobrażenie, wizerunek
im•ag•i•na•tion ['ɪmædʒɪˋneɪʃən] *s* wyobraźnia
im•ag•ine [ɪˋmædʒɪn] *vt* wyobrażać sobie; mieć wrażenie; przypuszczać
im•i•tate [ˋɪmɪteɪt] *vt* naśladować, imitować; wzorować się (**sb <sth>** na kimś <czymś>)
im•i•ta•tion ['ɪmɪˋteɪʃən] *s* naśladownictwo, imitacja

im•ma•ture ['ɪmə`tjʊə(r)] *adj* niedojrzały, nierozwinięty
im•me•di•ate [ɪ`midɪət] *adj* natychmiastowy; najbliższy; bezpośredni
im•me•di•ate•ly [ɪ`midɪətlɪ] *adv* natychmiast; bezpośrednio; tuż obok
im•mense [ɪ`mens] *adj* ogromny, niezmierny
im•merse [ɪ`mɜs] *vt* zanurzać; *vr* ~ **o.s.** zatapiać się *(w pracy, w myślach)*
im•mi•grant [`ɪmɪgrənt] *s* imigrant; *adj* imigrujący
im•mi•grate [`ɪmɪgreɪt] *vi* imigrować
im•mor•al [`ɪ`morl] *adj* niemoralny
im•mune [ɪ`mjun] *adj* odporny (**to sth** na coś); wolny (**from sth** od czegoś) *(np. od obowiązku)*
im•pact [`ɪmpækt] *s* uderzenie, zderzenie; wpływ, oddziaływanie
im•pair [ɪm`peə(r)] *vt* uszkodzić; osłabić, nadwyrężyć
im•par•tial [ɪm`pɑʃl] *adj* bezstronny
im•pa•tience [ɪm`peɪʃəns] *s* niecierpliwość
im•pa•tient [ɪm`peɪʃənt] *adj* niecierpliwy, zniecierpliwiony (**with sth** czymś)
im•per•a•tive [ɪm`perətɪv] *adj* naglący; rozkazujący; *s gram.* tryb rozkazujący; imperatyw
im•per•fect [ɪm`pɜfɪkt] *adj* niedoskonały; wadliwy; *gram.* niedokonany
im•pe•ri•al [ɪm`pɪərɪəl] *adj* imperialny, cesarski
im•pe•ri•al•ism [ɪm`pɪərɪəlɪzm] *s* imperializm
im•per•son•al [ɪm`pɜsənl] *adj* nieosobowy, bezosobowy
im•per•ti•nent [ɪm`pɜtɪnənt] *s* impertynencki; niestosowny
im•pet•u•ous [ɪm`petjʊəs] *adj* zapalczywy, porywczy, impulsywny
im•ple•ment [`ɪmplɪmənt] *s* narzędzie; przyrząd; *vt* [`ɪmplɪment] wprowadzać w życie
im•pli•cate [`ɪmplɪkeɪt] *vt* wplątywać, wikłać; implikować
im•po•lite ['ɪmpə`lɑɪt] *adj* nieuprzejmy, niegrzeczny
im•port [ɪm`pɔt] *vi* importować; *s* [`ɪmpɔt] import; towar importowany; znaczenie, doniosłość
im•por•tance [ɪm`pɔtəns] *s* znaczenie, ważność
im•por•tant [ɪm`pɔtənt] *adj* ważny, doniosły
im•pose [ɪm`pəʊz] *vt* nakładać, narzucać (**sth on sb** coś komuś); *vi:* ~ **on sb** nadużywać czyjejś uprzejmości
im•pos•ing [ɪm`pəʊzɪŋ] *adj* imponujący, okazały
im•pos•si•ble [ɪm`posɪbl] *adj* niemożliwy
im•po•tence [`ɪmpətəns] *s med.* impotencja; niemożność
im•po•tent [`ɪmpətənt] *adj* bez-

silny; *med.* **be ~** być impotentem

im•pov•e•rish [ɪm`povərɪʃ] *vt* zubażać; wyniszczać

im•press [ɪm`pres] *vt* imponować; zrobić <wywrzeć> wrażenie (**sb** na kimś); wryć (*w pamięć*)

im•pres•sion [ɪm`preʃən] *s* znak, piętno; wrażenie; *druk.* nakład; **be under the ~ that...** mieć wrażenie, że...

im•pres•sive [ɪm`presɪv] *adj* imponujący; robiący <wywierający> wrażenie

im•pris•on [ɪm`prɪzn] *vt* uwięzić

im•prob•a•ble [ɪm`probəbl] *adj* nieprawdopodobny

im•prop•er [ɪm`propə(r)] *adj* niewłaściwy, niestosowny, nieodpowiedni

im•prove [ɪm`pruv] *vt vi* poprawiać <udoskonalać, ulepszać> (się)

im•prove•ment [ɪm`pruvmənt] *s* poprawa; ulepszenie, udoskonalenie

im•pu•dent [`ɪmpjʊdənt] *s* zuchwały, bezczelny

im•pulse [`ɪmpʌls] *s* impuls; odruch; **on ~** pod wpływem impulsu

im•pul•sive [ɪm`pʌlsɪv] *adj* impulsywny; odruchowy

in [ɪn] *praep* (*miejsce*) w, we, wewnątrz, na, do; (*czas*) w ciągu, w czasie, za; **in a month** za miesiąc; **in the morning** rano; **in fact** faktycznie; **in order that** ażeby; **in writing** na piśmie; *adv* w środku, wewnątrz, w domu; do środka, do wewnątrz; **be in** być wewnątrz <w domu>; **come in** wejść

in•a•bil•i•ty ['ɪnə`bɪlɪtɪ] *s* niezdolność, niemożność

in•ac•ces•si•ble ['ɪnæk`sesɪbl] *adj* niedostępny, nieprzystępny

in•ac•cu•rate [ɪn`ækjʊrət] *adj* nieścisły, niedokładny

in•ad•e•quate [ɪn`ædɪkwɪt] *adj* nieodpowiedni; niedostateczny, niewystarczający

in•as•much ['ɪnəz`mʌtʃ] *adv*: **~ as** o tyle, że; o tyle, o ile; jako że

in•at•ten•tive ['ɪnə`tentɪv] *adj* nieuważny

in•au•di•ble [ɪn`ɔdɪbl] *adj* niesłyszalny

in•born [ɪn`bɔn, `ɪmbɔn] *adj* wrodzony

in•ca•pa•ble [ɪn`keɪpəbl] *adj* niezdolny (**of sth** do czegoś)

in•ca•pa•ci•ty ['ɪnkə`pæsɪtɪ] *s* niezdolność

in•cen•tive [ɪn`sentɪv] *s* podnieta, bodziec

in•cest [`ɪnsest] *s* kazirodztwo

inch [ɪntʃ] s cal; **~ by ~** stopniowo

in•ci•dent [`ɪnsɪdənt] *s* wydarzenie, incydent

in•ci•den•tal ['ɪnsɪ`dentl] *adj* uboczny; związany (**to sth** z czymś), towarzyszący (**to sth** czemuś)

in•cli•na•tion ['ɪnklɪˋneɪʃən] *s* nachylenie; pochyłość; skłonność

in•cline [ɪnˋklaɪn] *vt vi* nachylać (się), pochylać (się); skłaniać (się) (**to <towards> sth** do czegoś)

in•close [ɪnˋkləʊz] *zob.* **enclose**

in•clude [ɪnˋklud] *vt* włączać, zawierać

in•co•her•ent ['ɪnkəʊˋhɪərənt] *adj* niespójny; bez związku; bezładny

in•come [ˋɪnkəm] *s* dochód; ~ **tax** podatek dochodowy

in•com•ing [ˋɪnkʌmɪŋ] *adj* przybywający, nadchodzący

in•com•men•su•rate ['ɪnkəˋmenʃərɪt] *adj* niewspółmierny

in•com•pa•ra•ble [ɪnˋkompərəbl] *adj* niezrównany; nie do porównania (**to <with> sb <sth>** z kimś <czymś>)

in•com•pat•i•ble ['ɪnkəmˋpætɪbl] *adj* niezgodny; *komp.* niekompatybilny

in•com•pe•tent [ɪnˋkompɪtənt] *adj* niekompetentny; nieudolny; niezdolny

in•com•plete ['ɪnkəmˋplit] *adj* niepełny, nie zakończony; niekompletny

in•com•pre•hen•si•ble [ɪn'komprɪˋhensɪbl] *adj* niezrozumiały, niepojęty

in•con•sist•ent ['ɪnkənˋsɪstənt] *adj* niekonsekwentny; niezgodny, sprzeczny

in•con•spic•u•ous ['ɪnkənˋspɪkjʊəs] *adj* niepozorny, niewidoczny

in•con•ven•ient ['ɪnkənˋvɪnɪənt] *adj* niedogodny; kłopotliwy, uciążliwy

in•cor•rect ['ɪnkəˋrekt] *adj* nieprawidłowy, błędny; niestosowny

in•crease [ɪnˋkris] *vt* zwiększać; podwyższać (*ceny, płace*); *vi* wzrastać, zwiększać się; *s* [ˋɪnkris] wzrost (**in sth** czegoś); **be on the ~** wzrastać

increasingly [ɪnˋkrisɪŋlɪ] *adv* coraz więcej <bardziej>

in•cred•i•ble [ɪnˋkredəbl] *adj* niewiarygodny

in•cred•u•lous [ɪnˋkredjʊləs] *adj* nie dowierzający, nieufny

in•debt•ed [ɪnˋdetɪd] *adj* zadłużony; zobowiązany (**to sb** komuś)

in•deed [ɪnˋdid] *adv* rzeczywiście, faktycznie, naprawdę; **I am very glad ~** ogromnie się cieszę; **yes, ~!** ależ oczywiście!

in•def•i•nite [ɪnˋdefnɪt] *adj* nieokreślony; niewyraźny

in•de•pend•ence ['ɪndɪˋpendəns] *s* niezależność, niepodległość; **Independence Day** święto narodowe USA (*4 lipca*)

in•de•pend•ent [ɪndɪˋpendənt] *adj* niezależny, niepodległy; samodzielny

in•de•scri•ba•ble ['ɪndɪsˋkraɪbəbl] *adj* nie do opisania

in•dex [`ındeks] *s (pl* **~es** [`ındeksız] *lub* **indices** [`ındısiz]) wskaźnik; wykaz, indeks; *mat.* wykładnik potęgi; **~ finger** palec wskazujący

In•di•an [`ındıən] *s* Indianin; Hindus; *adj* indyjski, hinduski; indiański; **~ summer** babie lato *(okres)*

in•di•cate [`ındıkeıt] *vt* wskazywać (**sth** coś <na coś>); oznaczać, sygnalizować

in•di•ca•tor [`ındıkeıtə(r)] *s* wskaźnik; *mot.* kierunkowskaz

in•dif•fer•ence [ın`dıfrəns] *s* obojętność

in•dif•fer•ent [ın`dıfrənt] *adj* obojętny (**to sb <sth>** dla kogoś <na coś>); marny, mierny

in•di•ges•ti•ble ['ındı`dʒestəbl] *adj* niestrawny

in•di•ges•tion ['ındı`dʒestʃən] *s* niestrawność

in•dig•nant [ın`dıgnənt] *adj* oburzony (**with sb** na kogoś; **at <about, over> sth** na coś)

in•di•rect [ındı`rekt] *adj* pośredni; wymijający; okrężny; *gram.* **~ speech** mowa zależna

in•dis•creet ['ındı`skrit] *adj* niedyskretny

in•dis•pen•sa•ble ['ındı`spensəbl] *adj* niezbędny, nieodzowny (**to sth** do czegoś, **for sb** dla kogoś)

in•dis•po•si•tion ['ındıspə`zıʃən] *s* niedyspozycja; niechęć

in•dis•tinct ['ındıs`tıŋkt] *adj* niewyraźny, niejasny

in•di•vid•u•al ['ındı`vıdʒʊəl] *adj* pojedynczy; indywidualny; poszczególny; *s* jednostka; *(pojedyncza)* osoba

in•do•lence [`ındələns] *s* lenistwo, opieszałość

In•do•ne•sian ['ındə`niziən] *s* Indonezyjczyk, Indonezyjka; *adj* indonezyjski

in•door [`ındɔ(r)] *adj attr* domowy, pokojowy; kryty

in•doors [ın`dɔz] *adv* wewnątrz, w domu; pod dachem; do środka *(np. wchodzić)*

in•duce [ın`djus] *vt* nakłaniać; powodować, wywoływać; *elektr.* indukować

in•dulge [ın`dʌldʒ] *vt* dogadzać, pobłażać; zaspokajać *(pragnienie czegoś)*; *vi* oddawać się <dawać upust> (**in sth** czemuś)

in•dul•gent [ın`dʌldʒənt] *adj* pobłażliwy

in•dus•tri•al [ın`dʌstrıəl] *adj* przemysłowy

in•dus•tri•ous [ın`dʌstrıəs] *adj* pracowity, skrzętny

in•dus•try [`ındəstrı] *s* przemysł; pracowitość

in•ed•i•ble [ın`edıbl] *adj* niejadalny

in•ef•fec•tive ['ını`fektıv] *adj* bezskuteczny, daremny; nieefektywny

in•ef•fi•cient ['ını`fıʃənt] *adj* nieudolny; niewydajny, nieefektywny

in•ept [ı`nept] *adj* nieumiejętny, niekompetentny

in•e•qual•i•ty ['ɪnɪ`kwolɪtɪ] *s* nierówność

in•ert [ɪ`nɜt] *adj* bezwładny; bez ruchu; *chem.* obojętny

in•er•tia [ɪ`nɜʃə] *s* bezwład, bezczynność, inercja; *fiz.* bezwładność

in•es•ti•ma•ble [ɪn`estɪməbl] *adj* nieoceniony; nie do oszacowania

in•ev•i•ta•ble [ɪn`evɪtəbl] *adj* nieunikniony

in•ex•act ['ɪnɪg`zækt] *adj* nieścisły, niedokładny

in•ex•cu•sa•ble ['ɪnɪks`kjuzəbl] *adj* niewybaczalny

in•ex•haus•ti•ble ['ɪnɪg`zɔstəbl] *adj* niewyczerpany; niestrudzony

in•ex•pen•sive ['ɪnɪks`pensɪv] *adj* niedrogi

in•ex•pe•ri•ence ['ɪnɪks`pɪərɪəns] *s* brak doświadczenia

in•ex•pe•ri•enced ['ɪnɪks`pɪərɪənst] *adj* niedoświadczony

in•ex•plic•a•ble ['ɪnɪks`plɪkəbl] *adj* niewytłumaczalny

in•fant [`ɪnfənt] *s* niemowlę; dziecko (*do 2 lat*); *bryt.* ~ **school** przedszkole

in•fan•tile [`ɪnfəntɑɪl] *adj* niemowlęcy, dziecięcy; infantylny

in•fan•try [`ɪnfəntrɪ] *s woj.* piechota

in•fat•u•at•ed [ɪn`fætʃʊeɪtɪd] *adj* zaślepiony; zadurzony (**with sb** w kimś)

in•fect [ɪn`fekt] *vt* zarażać; zakażać

in•fec•tion [ɪn`fekʃən] *s* zakażenie; infekcja

in•fer [ɪn`fɜ(r)] *vt* wnioskować

in•fe•ri•or [ɪn`fɪərɪə(r)] *adj* podrzędny; niższy; gorszy (**to sb <sth>** od kogoś <czegoś>); *s* podwładny

in•fe•ri•or•i•ty [ɪn'fɪərɪ`orətɪ] *s* niższość; podrzędność; słabość; ~ **complex** kompleks niższości

in•fern•al [ɪn`fɜnl] *adj* piekielny

in•fer•tile [ɪn`fɜtɑɪl] *adj* nieurodzajny; niepłodny

in•fi•nite [`ɪnfɪnɪt] *adj* nieograniczony, nieskończony; niezliczony

in•fin•i•ty [ɪn`fɪnɪtɪ] *s* (*także mat.*) nieskończoność; bezkres

in•fir•ma•ry [ɪn`fɜmərɪ] *s* szpital; izba chorych

in•flame [ɪn`fleɪm] *vt* wzburzać; rozpalać

in•flam•ma•ble [ɪn`flæməbl] *adj* łatwo palny; *przen.* zapalny

in•flam•ma•tion [ɪnflə`meɪʃən] *s med.* zapalenie

in•flate [ɪn`fleɪt] *vt* nadmuchać, napompować; zawyżać (*cenę*)

in•fla•tion [ɪn`fleɪʃən] *s* inflacja; nadmuchiwanie

in•flex•i•ble [ɪn`fleksɪbl] *adj* nieelastyczny, sztywny; nieugięty

in•flu•ence [`ɪnfluəns] *s* wpływ; oddziaływanie; *vt* wpływać (**sb <sth>** na kogoś <coś>)

in•flu•en•tial ['ɪnflʊ`enʃl] *adj* wpływowy

in•flu•en•za [ˈɪnflʊˋenzə] *s* grypa

in•form [ɪnˋfɔm] *vt* informować, zawiadamiać (**sb of sth** kogoś o czymś); **~ on <against> sb** donosić na kogoś

in•for•mal [ɪnˋfɔml] *adj* nieoficjalny, swobodny; nieformalny

in•for•ma•tion [ˈɪnfəˋmeɪʃən] *s* informacja; **a piece of ~** wiadomość

in•form•a•tive [ɪnˋfɔmətɪv] *adj* informacyjny; pouczający

in•fre•quent [ɪnˋfrikwənt] *adj* nieczęsty, rzadki

in•fringe [ɪnˋfrɪndʒ] *vt* naruszyć, przekroczyć (*także vi*: **~ on <upon> sth** coś)

in•fu•ri•ate [ɪnˋfjʊərɪeɪt] *vt* doprowadzać do szału, rozwścieczać

in•gen•ious [ɪnˋdʒinjəs] *adj* pomysłowy, wynalazczy; oryginalny

in•gen•u•ous [ɪnˋdʒenjʊəs] *adj* otwarty, szczery; naiwny

in•grat•i•tude [ɪnˋgrætɪtjud] *s* niewdzięczność

in•gre•di•ent [ɪnˋgridɪənt] *s* składnik

in•hab•it [ɪnˋhæbɪt] *vt* zamieszkiwać

in•hab•it•ant [ɪnˋhæbɪtənt] *s* mieszkaniec

in•hale [ɪnˋheɪl] *vt* wdychać, wchłaniać, wciągać (*zapach*)

in•her•ent [ɪnˋhɪərənt] *adj* wrodzony; nieodłączny; właściwy (**in sb <sth>** komuś <czemuś>)

in•her•it [ɪnˋherɪt] *vt vi* dziedziczyć (**from sb** po kimś)

in•her•i•tance [ɪnˋherɪtəns] *s* spadek; dziedzictwo, spuścizna

in•hib•it [ɪnˋhɪbɪt] *vt* hamować, powstrzymywać

in•hi•bi•tion [ˈɪnhɪˋbɪʃən] *s* zahamowanie, powstrzymanie; hamulec (*psychiczny*)

in•hos•pi•ta•ble [ɪnˈhosˋpɪtəbl] *adj* niegościnny

in•hu•man [ɪnˋhjumən] *adj* nieludzki

in•hu•mane [ˈɪnhjuˋmeɪn] *adj* niehumanitarny

initial [ɪˋnɪʃl] *adj* początkowy, wstępny; *s* inicjał; *vt* parafować, podpisać inicjałami

in•i•ti•ate [ɪˋnɪʃɪeɪt] *vt* inicjować, zapoczątkować; wprowadzać <wtajemniczać, wdrażać> (**sb into sth** kogoś w coś)

in•i•ti•a•tive [ɪˋnɪʃətɪv] *s* inicjatywa; **on one's own ~** z własnej inicjatywy

in•jec•tion [ɪnˋdʒekʃən] *s* zastrzyk

in•jure [ˋɪndʒə(r)] *vt* uszkodzić; zranić; szkodzić (*np. reputacji*)

in•ju•ri•ous [ɪnˋdʒʊərɪəs] *adj* szkodliwy; krzywdzący

in•ju•ry [ˋɪndʒərɪ] *s* obrażenie, kontuzja; krzywda

in•jus•tice [ɪnˋdʒʌstɪs] *s* niesprawiedliwość

ink [ɪŋk] *s* atrament

in•laid [ɪnˋleɪd] *adj* wyłożony (*czymś*), inkrustowany

in•land [ˋɪnlənd] *adj* wewnętrzny; *adv* [ɪnˋlænd] w głębi kraju

in•let [ˋɪnlet] *s* wlot; otwór wlotowy; mała zatoka

in•mate [ˋɪnmeɪt] *s* mieszkaniec; pensjonariusz; pacjent; więzień

in•most [ˋɪnməʊst] *adj* najgłębszy; najskrytszy

inn [ɪn] *s* gospoda, zajazd

in•nate [ɪˋneɪt] *adj* wrodzony, przyrodzony

in•ner [ˋɪnə(r)] *adj attr* wewnętrzny

in•ner•most [ˋɪnəməʊst] *zob.* **inmost**

in•no•cence [ˋɪnəsns] *s* niewinność; prostoduszność, naiwność

in•no•cent [ˋɪnəsnt] *adj* niewinny

in•no•va•tion [ɪnəˋveɪʃən] *s* innowacja

in•nu•me•ra•ble [ɪˋnjumrəbl] *adj* niezliczony

in•oc•u•late [ɪˋnokjʊleɪt] *vt* szczepić, zaszczepiać

in•quire [ɪnˋkwɑɪə(r)] *vi* pytać, dowiadywać się (**about sth** o coś); ~ **after sb** pytać o czyjeś zdrowie; ~ **into sth** badać coś, przeprowadzać dochodzenie

in•quir•y [ɪnˋkwɑɪərɪ] *s* pytanie; dochodzenie; ~ **office** biuro informacji

in•quis•i•tive [ɪnˋkwɪzɪtɪv] *adj* dociekliwy

in•sane [ɪnˋseɪn] *adj* umysłowo chory; obłąkany

in•scrip•tion [ɪnˋskrɪpʃən] *s* napis; dedykacja

in•sect [ˋɪnsekt] *s* owad

in•se•cure ['ɪnsɪˋkjʊə(r)] *adj* nie zabezpieczony; niepewny

in•sen•si•ble [ɪnˋsensɪbl] *adj* nieprzytomny; niewrażliwy (**to sth** na coś)

in•sep•a•ra•ble [ɪnˋseprəbl] *adj* nierozłączny, nieodłączny

in•sert [ɪnˋsɜt] *vt* wstawiać, wkładać; *s* [ˋɪnsɜt] wstawka, wkładka

in•ser•tion [ɪnˋsɜʃən] *s* wstawienie, włożenie, wsunięcie; ogłoszenie (*w gazecie*)

in•side [ɪnˋsɑɪd] *s* wnętrze; ~ **out** na lewą stronę; *pl* ~**s** wnętrzności; *adv praep* wewnątrz, do wnętrza; *adj attr* [ˋɪnsɑɪd] wewnętrzny

in•sight [ˋɪnsɑɪt] *s* intuicja; wgląd (**into sth** w coś)

in•sig•nif•i•cant ['ɪnsɪgˋnɪfɪkənt] *adj* znikomy, nic nie znaczący; nieistotny

in•sin•cere ['ɪnsɪnˋsɪə(r)] *adj* nieszczery

in•sin•u•ate [ɪnˋsɪnjʊeɪt] *vt* insynuować; *vr*: ~ **o.s.** wkraść <wśliznąć> się (**into sth** w coś)

in•sin•u•a•tion [ɪn'sɪnjʊˋeɪʃən] *s* insynuacja; aluzja

in•sip•id [ɪnˋsɪpɪd] *adj* bez smaku, mdły; bezbarwny, nudny

in•sist [ɪnˋsɪst] *vi* nalegać; upierać się; domagać się (**on <upon> sth** czegoś)

in•sist•ence [ɪnˋsɪstəns] *s* nale-

ganie; uporczywość; domaganie się
in•sis•tent [ɪn`sɪstənt] *adj* uporczywy; naglący
in•so•lence [`ɪnsələns] *s* bezczelność, zuchwalstwo
in•so•lent [`ɪnsələnt] *adj* bezczelny, zuchwały
in•som•ni•a [ɪn`somnɪə] *s* bezsenność
in•spect [ɪn`spekt] *vt* badać, sprawdzać; robić inspekcję
in•spec•tion [ɪn`spekʃən] *s* badanie; przegląd, inspekcja
in•spi•ra•tion ['ɪnspə`reɪʃən] *s* natchnienie, inspiracja
in•spire [ɪn`spɑɪə(r)] *vt* natchnąć, pobudzić (**sb with sth** kogoś do czegoś); inspirować
in•stall [ɪn`stɔl] *vt* instalować; obsadzać (*kogoś na stanowisku*)
in•stal•la•tion ['ɪnstə`leɪʃən] *s* wprowadzenie na urząd; instalacja, urządzenie
in•stal•(l)ment [ɪn`stɔlmənt] *s* odcinek (*powieści, serialu*); rata; **pay in ~s** płacić na raty
in•stance [`ɪnstəns] *s* przypadek; **for ~** na przykład
in•stant [`ɪnstənt] *s* chwila; *adj* natychmiastowy; **~ coffee** kawa rozpuszczalna; **the 3rd ~** trzeciego bieżącego miesiąca
in•stant•ly [`ɪnstəntlɪ] *adv* natychmiast
in•stead [ɪn`sted] *adv* zamiast tego; *praep*: **~ of** zamiast (*w miejsce*)
in•step [`ɪnstep] *s* podbicie stopy
in•stil(l) [ɪn`stɪl] *vt* wpajać (*zasady, idee*)
in•stinct [`ɪnstɪŋkt] *s* instynkt
in•stinc•tive [ɪn`stɪŋktɪv] *adj* instynktowny
in•sti•tu•tion ['ɪnstɪ`tjuʃən] *s* instytucja; towarzystwo; ustanowienie
in•struct [ɪn`strʌkt] *vt* instruować; szkolić (**sb in sth** kogoś w czymś)
in•struc•tion [ɪn`strʌkʃən] *s* szkolenie; polecenie; instrukcje; **~ manual** instrukcja obsługi
in•struc•tive [ɪn`strʌktɪv] *adj* pouczający; kształcący
in•stru•ment [`ɪnstrumənt] *s* instrument, przyrząd; *dosł. przen.* narzędzie
in•sult•ing [ɪn`sʌltɪŋ] *adj* obraźliwy
in•sult [ɪn`sʌlt] *vt* znieważać, obrażać; *s* [`ɪnsʌlt] obraza, zniewaga
in•sur•ance [ɪn`ʃuərəns] *s* ubezpieczenie; zabezpieczenie; **~ premium <policy>** składka <polisa> ubezpieczeniowa
in•sure [ɪn`ʃuə(r)] *vt vi* ubezpieczać (się) (**against sth** od czegoś)
in•tact [ɪn`tækt] *adj* nietknięty, nienaruszony, dziewiczy
in•teg•ri•ty [ɪn`tegrɪtɪ] *s* integralność; rzetelność, prawość
in•tel•lect [`ɪntəlekt] *s* intelekt; inteligencja

in•tel•lec•tu•al ['ıntə`lektʃʊəl] *adj* intelektualny; *s* intelektualista
in•tel•li•gence [ın`telıdʒəns] *s* inteligencja; wywiad; ~ **service** służba wywiadowcza
in•tel•li•gent [ın`telıdʒənt] *adj* inteligentny
in•tend [ın`tend] *vt* zamierzać; przeznaczać
in•tense [ın`tens] *adj* intensywny, silny, mocny
in•ten•si•fy [ın`tensıfaı] *vt vi* wzmocnić (się), napiąć, pogłębiać (się), wzmagać (się)
in•ten•si•ty [ın`tensıtı] *s* intensywność
in•ten•sive [ın`tensıv] *adj* intensywny, wzmożony
in•ten•tion [ın`tenʃən] *s* zamiar, cel
in•ten•tion•al [ın`tenʃnl] *adj* celowy, umyślny
in•ter•act ['ıntər`ækt] *vi* oddziaływać (*na siebie*) wzajemnie
in•ter•com [`ıntəkom] *s* łączność wewnętrzna, intercom, domofon
in•ter•course [`ıntəkɔs] *s* stosunek płciowy
in•ter•est [`ıntrəst] *s* zainteresowanie; interes, zysk, udział (*w zyskach*); odsetki, procent; ~ **rate** stopa procentowa; **take an** ~ interesować się (**in sth** czymś); *vt* interesować; **be ~ed** interesować się (**in sth** czymś)
in•ter•est•ing [`ıntrəstıŋ] *adj* interesujący, ciekawy
in•ter•fere ['ıntə`fıə(r)] *vi* wtrącać się (**in sth** w coś, do czegoś); ~ **with sth** majstrować przy czymś *pot.*; przeszkadzać w czymś; kolidować z czymś; **don't** ~ nie wtrącaj się
in•ter•fer•ence ['ıntə`fıərəns] *s* mieszanie <wtrącanie> się, ingerencja; *fiz.* interferencja
in•te•ri•or [ın`tıərıə(r)] *s* wnętrze domu; środek kraju; *adj* wewnętrzny; ~ **design** architektura wnętrz
in•ter•ject ['ıntə`dʒekt] *vt* wtrącać
in•ter•jec•tion ['ıntə`dʒekʃən] *s gram.* wykrzyknik
in•ter•me•di•ate [`ıntə`midıət] *adj* pośredni; (*o uczniach, o poziomie wiedzy*) średnio zaawansowany
in•ter•mis•sion ['ıntə`mıʃən] *s* (*w teatrze*) pauza, przerwa
in•tern [ın`tɜn] *vt* internować
in•ter•nal [ın`tɜnl] *adj* wewnętrzny
in•ter•na•tion•al ['ıntə`næʃənl] *adj* międzynarodowy
in•ter•pret [ın`tɜprıt] *vt* wyjaśniać; interpretować; *vi* tłumaczyć (*ustnie*)
in•ter•pre•ta•tion ['ıntɜprı`teıʃən] *s* interpretacja
in•ter•pret•er [ın`tɜprıtə(r)] *s* tłumacz (*ustny*)
in•ter•re•la•ted ['ıntərı`leıtıd] *s* powiązany (*wzajemnie*)
in•ter•ro•gate ['ın`terəgeıt] *vt* indagować, przesłuchiwać

in•ter•rupt ['ɪntə`rʌpt] *vt vi* przerywać

in•ter•sect ['ɪntə`sekt] *vt vi* przecinać, krzyżować (się)

in•ter•val [`ɪntəvl] *s* przerwa, odstęp; *muz.* interwał; **at ~s** z przerwami, w odstępach

in•ter•vene ['ɪntə`vin] *vi* interweniować; ingerować, przeszkadzać

in•ter•ven•tion ['ɪntə`venʃən] *s* interwencja, wkroczenie (*w coś*)

in•ter•view [`ɪntəvju] *s* rozmowa kwalifikacyjna; wywiad; *vt* przeprowadzić rozmowę kwalifikacyjną <wywiad> (**sb** z kimś)

in•tes•tine [ɪn`testɪn] *s anat.* jelito

in•ti•ma•cy [`ɪntɪməsɪ] *s* zażyłość; poufałość; intymność

in•ti•mate [`ɪntɪmət] *adj* bliski, intymny; (*o wiedzy*) gruntowny

in•tim•i•date [ɪn`tɪmɪdeɪt] *vt* zastraszyć, onieśmielić

in•to [`ɪntu, `ɪntə] *praep* (*ruch, kierunek*) w, do; **far ~ the night** do późna w nocy; (*przemiana, wynik czynności*) na, w; **break ~ pieces** rozbić się na kawałki; **turn ~ a frog** zmienić (się) w żabę; **divide ~ groups** podzielić (się) na grupy

in•tol•e•ra•ble [ɪn`tolərəbl] *adj* nieznośny; nie do przyjęcia

in•tol•e•rant *adj* [ɪn`tolərnt] nietolerancyjny

in•to•na•tion ['ɪntə`neɪʃən] *s* intonacja

in•tox•i•ca•tion [ɪn'toksɪ`keɪʃən] *s* odurzenie, upicie; *med.* zatrucie

in•tra•ve•nous ['ɪntrə`vinəs] *adj* dożylny

in•tri•cate [`ɪntrɪkɪt] *adj* skomplikowany, zawiły

in•trigue [ɪn`trig] *s* intryga; *vt vi* intrygować

in•tro•duce ['ɪntrə`djus] *vt* przedstawiać (**sb to sb** kogoś komuś); wprowadzać

in•tro•duc•tion ['ɪntrə`dʌkʃən] *s* wprowadzenie; przedstawienie (*osób*); wstęp

in•trude [ɪn`trud] *vi* wtrącać się <wkraczać> (**into sth** do czegoś); przeszkadzać, narzucać się (**on <upon> sb** komuś); zakłócać (**on <upon> sth** coś)

in•tru•sion [ɪn`truʒən] *s* (*bezprawne*) wkroczenie, wtargnięcie

in•tu•i•tion ['ɪntu`ɪʃən] *s* intuicja

in•tu•i•tive [ɪn`tuɪtɪv] *adj* intuicyjny

in•vade [ɪn`veɪd] *vt* najeżdżać; *dosł. przen.* atakować

in•va•lid [`ɪnvəlɪd] *s* kaleka, inwalida; [ɪn`vælɪd] *adj* nieważny, nieprawomocny

in•val•i•date [ɪn`vælɪdeɪt] *vt* unieważniać

in•val•ua•ble [ɪn`væljʊəbl] *adj* bezcenny; nieoceniony

in•var•i•able [ɪn`veərɪəbl] *adj* niezmienny, stały

in•va•sion [ɪnˋveɪʒən] *s* inwazja
in•vec•tive [ɪnˋvektɪv] *s* obelga; inwektywa
in•vent [ɪnˋvent] *vt* wynajdywać; wymyślać; zmyślać
in•ven•tion [ɪnˋvenʃən] *s* wynalezienie; wynalazek; wymysł
in•ven•to•ry [ˋɪnvəntrɪ] *s* spis inwentarza
in•vert [ɪnˋvɜt] *vt* odwrócić; przewrócić; **~ed commas** cudzysłów
in•ver•te•brate [ɪnˋvɜtɪbrət] *s zool.* bezkręgowiec
in•vest [ɪnˋvest] *vt* inwestować; **~ sb with sth** obdarzać kogoś czymś; *przen.* **don't ~ his words with too much importance** nie bierz jego słów zbyt serio
in•ves•ti•gate [ɪnˋvestɪgeɪt] *vt* badać; prowadzić śledztwo
in•ves•ti•ga•tion [ɪn'vestɪˋgeɪʃən] *s* badanie; śledztwo
in•vest•ment [ɪnˋvestmənt] *s* inwestowanie; inwestycja
in•vis•i•ble [ɪnˋvɪzəbl] *adj* niewidzialny, niewidoczny
in•vi•ta•tion ['ɪnvɪˋteɪʃən] *s* zaproszenie (**to sth** na coś); **by ~** za okazaniem zaproszenia
in•vite [ɪnˋvɑɪt] *vt* zapraszać (**to sth** na coś); zachęcać (**sth** do czegoś); wywoływać
in•vit•ing [ɪnˋvɑɪtɪŋ] *adj* nęcący; pociągający; zachęcający
in•voke [ɪnˋvəʊk] *vt* przywołać; wywoływać
in•volve [ɪnˋvolv] *vt* wmieszać, wikłać (**sb in sth** kogoś w coś); wymagać; pociągać za sobą; obejmować, dotyczyć
in•volved [ɪnˋvolvd] *adj* zawiły; zaangażowany; **become ~ with sb** związać się z kimś
in•vul•ne•ra•ble [ɪnˋvʌlnərəbl] *adj* niewrażliwy; niezniszczalny
in•ward [ˋɪnwəd] *adj* wewnętrzny; *adv* (*także* **~s**) do wnętrza, w głąb
i•o•dine [ˋɑɪədin] *s* jodyna
I•ra•ni•an [ɪˋreɪnɪən] *s* Irańczyk; *adj* irański
I•rish [ˋɑɪrɪʃ] *adj* irlandzki
I•rish•man [ˋɑɪrɪʃmən] (*pl* **Irishmen** [ˋɑɪrɪʃmən]) *s* Irlandczyk
i•ron [ˋɑɪən] *s* żelazo; żelazko; *vt* prasować
i•ron•ic(al) [ɑɪˋronɪk(l)] *adj* ironiczny
ir•ra•tion•al [ɪˋræʃənl] *adj* nieracjonalny, irracjonalny; niemądry
ir•reg•u•lar [ɪˋregjələ(r)] *adj* nieregularny; nieprawidłowy; nierówny
ir•rel•e•vant [ɪˋreləvənt] *adj* nieistotny, nie związany z tematem
ir•re•sis•ti•ble ['ɪrɪˋzɪstɪbl] *adj* nieodparty; taki, któremu nie można się oprzeć
ir•re•spec•tive ['ɪrɪsˋpektɪv] *adj* nie biorący pod uwagę; niezależny; *adv* niezależnie; **~ of** bez względu na, niezależnie od
ir•re•spon•si•ble ['ɪrɪsˋponsɪbl] *adj*

nieodpowiedzialny, lekkomyślny
ir•re•ver•si•ble ['ɪrɪˋvɜsɪbl] *adj* nieodwracalny
ir•ri•tate [ˋɪrɪteɪt] *vt* irytować, drażnić; podrażniać
ir•ri•ta•tion ['ɪrɪˋteɪʃən] *s* irytacja, rozdrażnienie
is [ɪz] *zob.* **be**
Is•lam [ˋɪzlɑm] *s* islam
is•land [ˋɑɪlənd] *s* wyspa
isle [ɑɪl] *s* wyspa (*zw. przed nazwą własną*)
isn't [ɪznt] *skr. od* **is not**; *zob.* **be**
i•so•late [ˋɑɪsəleɪt] *vt* izolować; wyodrębniać (**from sth** od czegoś)
i•so•la•tion ['ɑɪsəˋleɪʃən] *s* izolacja; odosobnienie
Is•rae•li [ɪzˋreɪlɪ] *s* Izraelczyk; *adj* izraelski
is•sue [ˋɪʃu] *s* sprawa, kwestia; wydanie; emisja; numer (*czasopisma*); **make an ~ of sth** robić z czegoś problem; *vt* wydawać; emitować
it [ɪt] *pron* ono, to; (*rzeczowniki nieżywotne i nazwy zwierząt*) on, ona
I•tal•ian [ɪˋtælɪən] *adj* włoski; *s* Włoch; język włoski
i•tal•ics [ɪˋtælɪks] *s* kursywa
itch [ɪtʃ] *vi* swędzić; *s* swędzenie
i•tem [ˋɑɪtəm] *s* rzecz; punkt; pozycja; **~ of news** wiadomość
i•tem•ize [ˋɑɪtəmɑɪz] *vt* wyszczególniać
i•tin•er•ar•y [ɑɪˋtɪnərərɪ] *s* trasa <plan> podróży
its [ɪts] *pron* (*o dzieciach, zwierzętach i rzeczach*) jego, jej, swój
it's [ɪts] *skr. od* **it is**; *zob.* **be**; *skr. od* **it has**
it•self [ɪtˋself] *pron* samo, sobie, siebie, się; **by ~** samo (jedno); samodzielnie
I've [ɑɪv] *skr. od* **I have**
i•vo•ry [ˋɑɪvrɪ] *s* kość słoniowa
i•vy [ˋɑɪvɪ] *s* bluszcz

J

jab [dʒæb] *vt* kłuć; wbijać; *s pot.* zastrzyk
Jack [dʒæk] *s* (*zdrob.* od **John**) Jaś; chłopak; walet (*w kartach*); **Union ~** narodowa flaga brytyjska; **everyman ~** każdy bez wyjątku; *przen.* **~ of all trades** złota rączka *przen.*
jack [dʒæk] *s* podnośnik, lewarek; *vt*: **~ up** podnieść lewarkiem; *pot.* **~ sth in** zaprzestać, porzucić coś
jack•al [ˋdʒækl] *s* szakal
jack•et [ˋdʒækɪt] *s* marynarka; żakiet; kurtka; obwoluta; osłona; **~ potatoes** ziemniaki w mundurkach
ja•cuz•zi [dʒəˋkuzɪ] *s* duża wanna z masażem wodnym, jacuzzi

jag•u•ar [`dʒægjʊə(r)] *s zool.* jaguar
jail [dʒeɪl] *s* więzienie
jam[1] [dʒæm] *s* dżem
jam[2] [dʒæm] *vt* wpychać; zatykać, blokować; zagłuszać (*transmisję radiową*); *vi* wpychać się; (*o urządzeniach, o drzwiach*) zacinać się; *s* ścisk; zator; zacięcie się; **traffic ~** korek drogowy
jam•bo•ree ['dʒæmbə`ri] *s* zlot harcerski; jamboree, wielka zabawa
jan•i•tor [`dʒænɪtə(r)] *s am.* odźwierny, dozorca
Jan•u•ar•y [`dʒænjʊərɪ] *s* styczeń
Jap•a•nese ['dʒæpə`niz] *adj* japoński; *s* Japończyk; język japoński
jar [dʒa(r)] *s* słoik
jas•mine [`dʒæzmɪn] *s* jaśmin
jaun•dice [`dʒɔndɪs] *s med.* żółtaczka
jave•lin [`dʒævlɪn] *s* oszczep
jaw [dʒɔ] *s* szczęka
jazz [dʒæz] *s* jazz; *pot.* **all that ~** cały ten kram
jeal•ous [`dʒeləs] *adj* zazdrosny (**of sb <sth>** o kogoś <coś>); zawistny
jeal•ous•y [`dʒeləsɪ] *s* zazdrość; zawiść
jeans [dʒinz] *s pl* dżinsy
jeep [dʒip] *s mot.* łazik, jeep, dżip
jeer [dʒɪə(r)] *vi* wyśmiewać, szydzić
jel•ly [`dʒelɪ] *s* galaret(k)a
jel•ly•fish [`dʒelɪfɪʃ] *s* meduza
jeop•ar•dize [`dʒepədɑɪz] *vt* narażać na niebezpieczeństwo; ryzykować (**sth** coś)
jeop•ar•dy [`dʒepədɪ] *s* niebezpieczeństwo, ryzyko
jerk [dʒɜk] *vt vi* szarpnąć (się); *s* szarpnięcie; *pot.* palant *pot.*
jer•sey [`dʒɜzɪ] *s* sweter; dżersej
jet [dʒet] *s* silny strumień; dysza; odrzutowiec; **~ lag** zmęczenie wywołane długą podróżą lotniczą i zmianą czasu strefowego; *vt vi* tryskać; *pot.* latać odrzutowcem
Jew [dʒu] *s* Żyd
jew•el [`dʒuəl] *s* klejnot
jew•el•(l)er•y [`dʒuəlrɪ] *s* biżuteria
Jew•ess [`dʒuɪs] *s* Żydówka
Jew•ish [`dʒuɪʃ] *adj* żydowski
jin•gle [`dʒɪŋgl] *vt vi* dźwięczeć, brzęczeć; *s* dźwięczenie, brzęk
job [dʒob] *s* praca, zajęcie; zadanie, obowiązek; sprawa; **full-time <part-time> ~** praca na cały etat <pół etatu>; **make a good <bad> ~ of sth** zrobić dobrą <złą> robotę
jock•ey [`dʒokɪ] *s* dżokej; *vi*: **~ for position** walczyć o stanowisko nie przebierając w środkach
jog [dʒog] *vt* potrącać, szturchać; potrząsać; *vi* uprawiać jogging; *s* potrząśnięcie; szturchnięcie; jogging

jog•ging [`dʒogɪŋ] *s* jogging
join [dʒoɪn] *vt vi* łączyć; przyłączać się (**sb** do kogoś); wstępować (*do organizacji*); wiązać (się); ~ **hands** wziąć się za ręce; połączyć wysiłki
joint [dʒoɪnt] *s anat.* staw; *techn.* złącze; *pot.* lokal; *pot.* skręt *pot.*; **out of** ~ zwichnięty; *adj* wspólny, łączny
joint-stock ['dʒoɪnt`stok] *adj attr*: ~ **company** spółka akcyjna
joke [dʒəʊk] *s* żart, dowcip; **practical** ~ kawał; *pot.* **crack** ~**s** opowiadać kawały; *vi* żartować (**about sb <sth>** z kogoś <czegoś>)
jok•er [`dʒəʊkə(r)] *s* dowcipniś; dżoker (*w kartach*)
jol•ly [`dʒolɪ] *adj* wesoły; *adv bryt. pot.* bardzo, szalenie
jolt [dʒəʊlt] *vi* trząść się, podskakiwać; *vt* wstrząsać (**sb <sth>** kimś <czymś>); *s* wstrząs; szarpnięcie
jour•nal [`dʒɜnl] *s* czasopismo; dziennik (*pamiętnik*)
jour•nal•ist [`dʒɜnəlɪst] *s* dziennikarz
jour•ney [`dʒɜnɪ] *s* podróż (*zw. lądowa*); *vi* podróżować
joy [dʒoɪ] *s* radość
joy•ful [`dʒoɪfʊl] *adj* radosny, uradowany
jub•i•lant [`dʒubɪlənt] *adj* rozradowany, triumfujący
ju•bi•lee [`dʒubɪli] *s* jubileusz
judge [dʒʌdʒ] *vt vi* sądzić; sędziować; oceniać; *s* sędzia
judg(e)•ment [`dʒʌdʒmənt] *s* osąd; opinia; wyrok; **pass** ~ wyrokować, osądzać (**on <upon> sb <sth>** kogoś <coś>)
jug [dʒʌg] *s* dzban
jug•gle [`dʒʌgl] *vi* żonglować; *vt* manipulować (**with sth** czymś)
juice [dʒus] *s* sok
juic•y [`dʒusɪ] *adj* soczysty
Ju•ly [dʒu`laɪ] *s* lipiec
jump [dʒʌmp] *vi* skakać; podskakiwać; *vt* przeskakiwać; ~ **the queue** wpychać się bez kolejki; *s* skok, podskok
jump•er [dʒʌmpə(r)] *s* skoczek; *bryt.* pulower; *am.* fartuszek, bezrękawnik
junction [`dʒʌŋkʃən] *s bryt.* skrzyżowanie (*dróg*)
June [dʒun] *s* czerwiec
jun•gle [`dʒʌŋgl] *s* dżungla
jun•ior [`dʒunɪə(r)] *adj* młodszy; niższy rangą (**to sb** od kogoś); *s sport.* junior; *bryt.* uczeń szkoły podstawowej; *am.* student trzeciego roku
ju•ni•per [`dʒunɪpə(r)] *s* jałowiec
junk [dʒʌŋk] *s pot.* rupiecie, złom; dżonka; ~ **food** marne <niezdrowe> jedzenie; *vt pot.* wyrzucać (*na śmietnik*)
jury [`dʒʊərɪ] *s* ława przysięgłych; jury
just [dʒʌst] *adj* sprawiedliwy; słuszny; *adv* właśnie, dokładnie; tylko, jedynie; dopiero co; po prostu
jus•tice [`dʒʌstɪs] *s* sprawiedli-

wość; *am.* słuszność; wymiar sprawiedliwości
jus•ti•fy [`dʒʌstɪfaɪ] *vt* usprawiedliwiać; uzasadniać
ju•ve•nile [`dʒuvənaɪl] *adj* młodociany, małoletni; dziecinny; *s* nieletni; ~ **deliquency** przestępczość wśród nieletnich

K

ka•lei•do•scope [kə`laɪdəskəʊp] *s* kalejdoskop
kan•ga•roo ['kæŋgə`ru] *s* kangur
keen [kin] *adj* gorliwy, zapalony; bystry, żywy; ostry, przenikliwy; *pot.* **be ~ on sb <sth>** interesować się kimś <czymś>
keep [kip], **kept, kept** [kept] *vt vi* trzymać; utrzymywać dotrzymywać (*obietnicy*); przechowywać; przestrzegać (*zasad*); prowadzić (*sklep, rachunkowość*); hodować; zachowywać (*pozory*); chronić (**sb from sth** kogoś przed czymś); *vi* trzymać <mieć> się; ~ **sb waiting** kazać komuś czekać; ~ **clear** trzymać się z dala (**of sth** od czegoś); ~ **to the right** iść <jechać> prawą stroną; ~ **smiling** stale się uśmiechać; ~ **away** trzymać (się) z dala; ~ **on** kontynuować; **he ~s on working** on nadal pracuje; ~ **out** trzymać (się) z dala; zabraniać wstępu; ~ **up** podtrzymywać; utrzymywać (się) na odpowiednim poziomie; ~ **sb company** dotrzymywać komuś towarzystwa
keep•er [`kipə(r)] *s* dozorca; prowadzący (*sklep, zakład*)
keep•sake [`kipseɪk] *s* pamiątka
ken•nel [`kenl] *s* psia buda; *pl* **~s** schronisko dla psów
kept *zob.* **keep**
kerb, *am.* **curb** [kɜb] *s* krawężnik
ker•chief [`kɜtʃɪf] *s* chustka (*na głowę*)
ker•nel [`kɜnl] *s* jądro (*orzecha*), ziarno (*owocu*); sedno (*sprawy*)
ket•tle [`ketl] *s* czajnik; **put the ~ on** nastawić czajnik
key [ki] *s* klucz; klawisz; *vt*: *komp.* ~ **in** wpisywać za pomocą klawiatury
key•board [`kibɔd] *s* klawiatura; *pl* **~s** instrumenty klawiszowe
key•hole [`kihəʊl] *s* dziurka od klucza
kick [kɪk] *vt* kopać; *vi* wierzgać; *s* kopnięcie, kopniak; *pot.* **~ the bucket** wyciągnąć kopyta
kid [kɪd] *s* koźlę; skóra koźla; *pot.* dziecko; *vt*: *pot.* **you are ~ding!** chyba sobie żartujesz!
kid•nap [`kɪdnæp] *vt* porywać, uprowadzać

kid•nap•per [ˋkɪdnæpə(r)] *s* kidnaper, porywacz
kid•ney [ˋkɪdnɪ] *s anat.* nerka
kill [kɪl] *vt* zabijać; **~ the pain** uśmierzać ból; **~ time** zabijać czas; *s* zabicie; zdobycz
kill•er [ˋkɪlə(r)] *s* morderca, zabójca
kil•o•gram(me) [ˋkɪləgræm] *s* kilogram
kil•o•me•tre [ˋkɪləˈmitə(r)] *s* kilometr
kilt [kɪlt] *s* kilt (*tradycyjny strój szkocki*)
kind[1] [kaɪnd] *s* rodzaj, gatunek; **a ~ of** coś w rodzaju; **nothing of the ~** nic podobnego; **what ~ of...?** jakiego rodzaju...?; *pot.* **~ of** trochę, poniekąd, jakby
kind[2] [kaɪnd] *adj* miły, uprzejmy; **that's very ~ of you** to bardzo uprzejmie z pańskiej <twojej> strony
kin•der•gar•ten [ˋkɪndəgatn] *s* przedszkole
kind•ly [ˋkaɪndlɪ] *adj* uczynny, miły; *adv* uprzejmie
kind•ness [ˋkaɪndnɪs] *s* uprzejmość, życzliwość; przysługa
king [kɪŋ] *s* król
kiss [kɪs] *vt vi* całować (się); **~ sb goodbye** całować kogoś na pożegnanie; *s* pocałunek
kit [kɪt] *s* zestaw, komplet; wyposażenie, ekwipunek
kitch•en [ˋkɪtʃɪn] *s* kuchnia; **~ garden** ogród warzywny
kite [kaɪt] *s* latawiec; **fly a ~** puszczać latawca
knack [næk] *s* sztuka (*robienia czegoś*); talent (**of <for> sth** do czegoś)
knee [ni] *s* kolano
kneel [nil], **knelt, knelt** [nelt] *vi* (*także* **~ down**) klękać, klęczeć
knew *zob.* **know**
knick•ers [ˋnɪkəz] *s pl bryt.* majtki, figi
knife [naɪf] *s* (*pl* **knives** [naɪvz]) nóż; *vt* pchnąć nożem
knight [naɪt] *s* rycerz; koń (*w szachach*)
knit, knit, knit [nɪt] *lub* **knit•ted, knit•ted** [ˋnɪtɪd] *vt* robić na drutach; **~ one's brows** ściągać brwi
knit•ting [ˋnɪtɪŋ] *s* robienie na drutach; robótka
knives *zob.* **knife**
knob [nob] *s* gałka; sęk; kawałek
knock [nok] *vi* pukać, stukać (**at the door** do drzwi); *vt* stukać (**against sth** o coś); uderzać, walić; **~ down** zburzyć; powalić; przejechać; obniżać (*cenę*); **~ off** strącić; obniżać (*cenę*); skończyć (*pracę*); **~ out** nokautować; **~ over** przejechać; przewrócić; *s* stukanie, pukanie, uderzenie
knockout [ˋnokaʊt] *s* nokaut
knot [not] *s* węzeł, supeł; *vt* robić węzeł; wiązać
know [nəʊ], **knew** [nju], **known**

[nəʊn] *vt vi* znać; poznawać; wiedzieć (**about sb <sth>** o kimś <czymś>); **~ how to do sth** umieć <potrafić> coś zrobić; **as far as I ~** o ile wiem; **get to ~** dowiedzieć się; **let me ~** daj mi znać; **you never ~** nigdy nie wiadomo

know•ing [`nəʊɪŋ] *adj* porozumiewawczy; rozumny

knowl•edge [`nolɪdʒ] *s* wiedza; znajomość; świadomość; **to my ~** o ile mi wiadomo

known *zob.* **know**

knuck•le [`nʌkl] *s* kostka (*palca dłoni*)

L

lab [`læb] *s zob.* **laboratory**

la•bel [`leɪbl] *s* nalepka, etykieta; *vt* naklejać nalepkę <etykietę>

la•bor•a•to•ry [lə`borətrɪ] *s* laboratorium

la•bo•ri•ous [lə`bɔrɪəs] *adj* mozolny, pracochłonny; wypracowany

la•bo(u)r [`leɪbə(r)] *s* mozolna praca; siła robocza; poród; *pot.* **hard ~** harówka; *vi* ciężko pracować, mozolić się; (*o kobiecie*) rodzić

la•bo(u)r•er [`leɪbərə(r)] *s* robotnik

lab•y•rinth [`læbərɪnθ] *s* labirynt

lace [leɪs] *s* koronka; sznurowadło; **~ curtain** firanka; *vt* sznurować

lack [læk] *s* brak, niedostatek; **for ~ of sth** z braku czegoś; *vt* brakować; **I ~ money** brak mi pieniędzy

lac•quer [`lækə(r)] *s* lakier; *vt* lakierować

lad [læd] *s* chłopiec, chłopak; młodzieniec

lad•der [`lædə(r)] *s* drabina; *bryt.* oczko (*w rajstopach*); *przen.* drabina społeczna

la•dy [`leɪdɪ] *s* pani, kobieta; dama; **ladies' (room)** (toaleta) dla pań

la•dy•bird [`leɪdɪbɜd] *s* biedronka

lag [læg] *vi* zwlekać, opóźniać się; (*także* **~ behind**) wlec się z tyłu

lagoon [lə`gun] *s* laguna

laid *zob.* **lay**[1]

lain *zob.* **lie**[1]

lake [leɪk] *s* jezioro

lamb [læm] *s* jagnię, baranek; jagnięcina

lame [leɪm] *adj* chromy; ułomny; słaby, mętny; **~ duck** pechowiec

la•ment [lə`ment] *s* skarga, lament; *vt* opłakiwać (**<over> sb <sth>** kogoś <coś>); *vi* lamentować

lam•en•ta•ble [lə`mentəbl] *adj* żałosny, opłakany
lamp [læmp] *s* lampa
lamp•post [`læmppəʊst] *s* latarnia (*uliczna*)
lamp•shade [`læmpʃeɪd] *s* abażur
lance [lɑns] *s* lanca; *vt med.* nacinać
land [lænd] *s* ziemia; ląd; kraj; grunt; **by ~** drogą lądową; *vt* wysadzać <wyładowywać> (na ląd); *vi* lądować; wysiadać; trafić (*gdzieś*)
land•ing [`lændɪŋ] *s* półpiętro; lądowanie; **~ stage** pomost
land•la•dy [`lændleɪdɪ] *s* właścicielka (*domu, hotelu*); gospodyni
land•lord [`lændlɔd] *s* właściciel (*domu, hotelu*); gospodarz
land•mark [`lændmɑk] *s* punkt orientacyjny; moment przełomowy
land•scape [`lændskeɪp] *s* krajobraz, pejzaż; *vt* projektować tereny zielone
lane [leɪn] *s* uliczka; dróżka; pas ruchu; tor
lan•guage [`læŋgwɪdʒ] *s* język, mowa
lan•tern [`læntən] *s* latarnia, lampion
lap [læp] *s* łono; **on one's ~** na kolanach u kogoś; *sport.* okrążenie; *vt* chłeptać; chlupotać; zrobić okrążenie; zawinąć; **be ~ped in luxury** opływać w dostatki
la•pel [lə`pel] *s* klapa (*marynarki*)
lap•top [`læptop] *s* przenośny komputer, laptop
larch [lɑtʃ] *s* modrzew
lar•der [`lɑdə(r)] *s* spiżarnia
large [lɑdʒ] *adj* duży, obszerny; swobodny; **at ~** na wolności; w całości; **by and ~** w ogóle, ogólnie biorąc
large•ly [`lɑdʒlɪ] *adv* w dużej mierze, przeważnie
lark [lɑk] *s* skowronek; kawał, żart; *vi*: **~ about** dokazywać
la•ser [`leɪzə(r)] *s* laser; **~ printer** drukarka laserowa
last[1] [lɑst] *adj* ostatni; ubiegły; **~ week** w zeszłym tygodniu; *adv* ostatnio; na końcu; **~ but one** przedostatni; **~ but not least** ostatnie, choć nie mniej ważne; *s* ostatni; **at ~** na koniec, wreszcie
last[2] [lɑst] *vi* trwać; przetrwać; wystarczać (*na pewien czas*)
last•ing [lɑstɪŋ] *adj* trwały
latch [lætʃ] *s* zasuwa; zatrzask
late [leɪt] *adj* spóźniony; późny; (*o zmarłym*) świętej pamięci; **be ~** spóźniać się (**for sth** na coś); *adv* późno; do późna; **of ~** ostatnimi czasy
late•ly [`leɪtlɪ] *adv* ostatnio
lat•er [`leɪtə(r)] *adj* (*comp od* **late**) późniejszy; *adv* później; **~ on** później; **see you ~!** do zobaczenia!
lat•est [`leɪtəst] *adj* (*sup od*

late) najpóźniejszy; najnowszy, ostatni
lath•er [ˋlɑðə(r)] *s* piana (*mydlana*); *vt vi* mydlić (się), pienić się
Lat•in [ˋlætɪn] *adj* łaciński; *s* łacina
lat•i•tude [ˋlætɪtjud] *s* szerokość geograficzna; *przen.* swoboda
lat•ter [ˋlætə(r)] *adj* drugi (*z dwóch*); późniejszy, nowszy
laugh [lɑf] *vi* śmiać się (**at sb <sth>** z kogoś <czegoś>); ~ **off** obracać w żart; *s* śmiech
laugh•ter [ˋlɑftə(r)] *s* śmiech
launch [lɔntʃ] *vt* wodować (*statek*); wystrzelić (*rakietę*); wszczynać (*śledztwo*); uruchamiać (*sprzedaż*); *s* wodowanie; wystrzelenie; motorówka
laun•dry [ˋlɔndrɪ] *s* pralnia; rzeczy do prania <świeżo uprane>
laur•el [ˋlɔrəl] *s* laur, wawrzyn
lav•a•to•ry [ˋlævətrɪ] *s* toaleta, ubikacja
lav•en•der [ˋlævəndə(r)] *s* lawenda
lav•ish [ˋlævɪʃ] *adj* rozrzutny; szczodry, hojny; obfity; *vt* hojnie obdarzać; szafować
law [lɔ] *s* prawo; ustawa; system prawny; wiedza prawnicza; **against the** ~ niezgodny z prawem; ~ **court** sąd; **go to** ~ wnosić skargę do sądu; **break the** ~ łamać prawo
law•ful [ˋlɔfʊl] *adj* prawny, legalny
law•less [ˋlɔlɪs] *adj* bezprawny; samowolny
lawn [lɔn] *s* trawnik
law•yer [ˋlɔjə(r)] *s* prawnik; adwokat
lax [læks] *adj* luźny; swobodny; niedbały
lax•a•tive [ˋlæksətɪv] *s med.* środek przeczyszczający
lay[1] [leɪ], **laid, laid** [leɪd] *vt* kłaść; ~ **eggs** znosić <składać> jaja; ~ **proposals** przedstawiać propozycje (**before sb** komuś); ~ **the table** nakrywać do stołu; ~ **aside** odkładać (*na bok*); ~ **off** zwalniać (*z pracy*); **be laid up** być złożonym chorobą
lay[2] [leɪ] *adj* świecki
lay[3] *zob.* **lie**[1]
lay•a•bout [ˋleɪəbaʊt] *s* obibok
lay•er [ˋleɪə(r)] *s* warstwa
lay•man [ˋleɪmən] *s* (*pl* **laymen** [ˋleɪmən]) laik, amator
lay•out [ˋleɪaʊt] *s* plan; układ (*graficzny*)
la•zy [ˋleɪzɪ] *adj* leniwy
lead [lid], **led, led** [led] *vt vi* prowadzić; dowodzić, kierować; *s* przewodnictwo; prowadzenie; główna rola; **be in the** ~ prowadzić, wygrywać
lead [led] *s* ołów; grafit (*w ołówku*)
lead•en [ˋledn] *adj* ołowiany
lead•er [ˋlidə(r)] *s* przywódca, lider; artykuł wstępny (*w gazecie*)

lead•er•ship [ˋlidəʃɪp] *s* przywództwo, kierownictwo

lead•ing [lidɪŋ] *adj* czołowy, główny

leaf [lif] *s* (*pl* **leaves** [livz]) liść; kartka

league [lig] *s* liga

leak [lik] *vi* ciekną́ć, przeciekać; ulatniać się; *s* przeciek; wyciek

lean[1] [lin] *adj* szczupły; chudy (*o mięsie*)

lean[2] [lin], **leant, leant** [lent] *lub* **~ed, ~ed** [lind] *vt vi* nachylać (się); opierać (się) (**against sth** o coś); **~ out** wychylać się

leap [lip], **leapt, leapt** [lept] *lub* **~ed, ~ed** [lipt] *vi* skakać; *vt* przeskakiwać; *s* skok; **by ~s and bounds** szybko, wielkimi krokami

learn [lɜn], **learnt, learnt** [lɜnt] *lub* **~ed, ~ed** [lɜnd] *vi* uczyć się; dowiadywać się

lease [lis] *s* najem, dzierżawa; *vt* dzierżawić (**to <from> sb** komuś <od kogoś>)

leash [liʃ] *s* smycz

least [list] *adj* (*sup od* **little**) najmniejszy; *adv* najmniej; **at ~** przynajmniej; **not in the ~** bynajmniej

leath•er [ˋleðə(r)] *s* skóra (*wyprawiona*)

learn•ing [ˋlɜnɪŋ] *s* nauka, wiedza

learnt *zob.* **learn**

leave[1] [liv], **left, left** [left] *vt vi* zostawiać, porzucać, opuszczać; **~ for Paris** wyjeżdżać do Paryża; **~ sb alone** dać komuś spokój; **~ off** przestać, zaniechać; **~ out** pomijać, przeoczyć

leave[2] [liv] *s* urlop; zwolnienie; **on sick ~** na zwolnieniu lekarskim; **take French ~** wyjść po angielsku, wyjść bez pożegnania; **take ~** pożegnać się (**of sb** z kimś)

leaves *zob.* **leaf**

lec•ture [ˋlektʃə(r)] *s* wykład; *vi* wykładać (**on sth** coś); *vt* pouczać, robić wymówki

led *zob.* **lead**[1]

leech [litʃ] *s* pijawka

leek [lik] *s bot.* por

leer [ˋlɪə(r)] *s* lubieżne spojrzenie; *vi* patrzeć lubieżnie (**at sb** na kogoś)

lee•way [ˋliweɪ] *s* luz, swoboda; dryf; *bryt.* **have a lot of ~ to make up** mieć mnóstwo zaległości do odrobienia

left[1] *zob.* **leave**

left[2] [left] *adj* lewy; *adv* na lewo; *s* lewa strona; **on the ~** po lewej stronie

leg [leg] *s* noga; nogawka; etap (*podróży*); **pull sb's ~** żartować sobie z kogoś

leg•a•cy [ˋlegəsɪ] *s* spadek; spuścizna

le•gal [ˋligl] *adj* legalny; prawny

le•gal•i•ty [lɪˋgælɪtɪ] *s* legalność

le•gal•ize [`ligəlaɪz] *vt* legalizować
leg•end [`ledʒənd] *s* legenda
leg•i•ble [`ledʒəbl] *adj* czytelny
leg•is•la•tion ['ledʒɪs`leɪʃən] *s* ustawodawstwo, prawodawstwo
le•git•i•mate [lɪ`dʒɪtɪmɪt] *adj* prawny; prawowity; uzasadniony
lei•sure [`leʒə(r)] *s* czas wolny; **at ~** bez pośpiechu
lem•on [`lemən] *s* cytryna
lend [lend], **lent, lent** [lent] *vt* pożyczać (**sth to sb** coś komuś); **~ an ear** posłuchać; **~ a hand** przyjść z pomocą (**with sth** w czymś)
length [leŋθ] *s* długość; odległość; **ten metres in ~** dziesięć metrów długości; **at ~** obszernie; **go to the ~s of...** posunąć się aż do...
length•en [`leŋθən] *vt vi* przedłużyć (się), wydłużać (się)
le•ni•ent [`linɪənt] *adj* łagodny, pobłażliwy
lens [lenz] *s* soczewka; **contact ~es** szkła kontaktowe
lent[1] *zob.* **lend**
Lent[2] [lent] *s* wielki post
leop•ard [`lepəd] *s* lampart
lep•er [`lepə(r)] *s* trędowaty
les•bi•an [`lezbɪən] *s* lesbijka; *adj* lesbijski
less [les] *adj* (*comp od* **little**) mniejszy; *adv* mniej; **more or ~** mniej więcej; **~ and ~** coraz mniej
less•en [`lesn] *vt vi* zmniejszać (się), obniżać (się); maleć
less•er [`lesə(r)] *adj* mniejszy, pomniejszy
les•son [`lesn] *s* lekcja; nauczka
lest [lest] *conj* ażeby nie
let, let, let [let] *vt* pozwalać; puszczać; wynajmować; **"to ~"** do wynajęcia; **~ sb alone** zostawiać kogoś w spokoju; **~ go** puszczać, wypuszczać; **~ sb know** zawiadamiać kogoś; **~ down** podłużać; zawodzić (*kogoś*); **~ in** wpuszczać; **~ off** puszczać wolno; **~ out** wypuszczać; wynajmować; **~ me see** chwileczkę; niech się zastanowię
lethal [`liθl] *adj* śmiertelny; śmiercionośny
let•ter [`letə(r)] *s* list; litera; **small <capital> ~** mała <wielka> litera
let•ter•box [`letəboks] *s bryt.* skrzynka na listy
let•tuce [`letɪs] *s* sałata
lev•el [`levl] *adj* poziomy; równy (**with sth** z czymś); *s* poziom; płaszczyzna; *vt* zrównywać (*z ziemią*)
lev•er [`livə(r)] *s* dźwignia; lewar
li•a•ble [`laɪəbl] *adj* skłonny, podatny (**to sth** na coś); odpowiedzialny (**for sth** za coś)
li•ai•son [lɪ`eɪzn] *s* powiązanie; związek, romans
li•ar [`laɪə(r)] *s* kłamca

li•bel [`laɪbl] *s* zniesławienie; *vt* zniesławiać

lib•er•al [`lɪbərl] *adj* liberalny; hojny; *s* liberał

lib•er•ate [`lɪbəreɪt] *vt* uwalniać, wyzwalać

lib•er•ty [`lɪbətɪ] *s* wolność; **be at ~** przebywać na wolności; **take the ~ of doing sth** pozwalać sobie na robienie czegoś

li•brar•y [`laɪbrərɪ] *s* biblioteka

lice *zob.* **louse**

li•cence, *am.* **license** [`laɪsns] *s* pozwolenie; licencja; **under ~** na licencji; **driving** <*am.* **driver's**> **~** prawo jazdy; *vt* dawać licencję, zezwalać

lick [lɪk] *vt* lizać, oblizywać

lid [lɪd] *s* wieko, pokrywa; powieka

lie[1] [laɪ], **lay** [leɪ], **lain** [leɪn] *vi* leżeć; rozciągać się (*o widoku*); rozpościerać się; **~ idle** być bezczynnym; **~ third** plasować się na trzeciej pozycji; **~ down** położyć się

lie[2] [laɪ] *vi vt* kłamać; okłamywać (**to sb** kogoś); *s* kłamstwo

lieu•ten•ant [lef`tenənt, *am.* lu`tenənt] *s* porucznik

life [laɪf] *s* (*pl* **lives** [laɪvz]) życie; werwa; **~ insurance** <**assurance**> ubezpieczenie na życie; **for ~** na całe życie

life•belt [`laɪfbelt] *s* pas ratunkowy

life•boat [`laɪf bəʊt] *s* łódź ratunkowa

life•guard [`laɪfgɑd] *s* ratownik (*na plaży*)

life•long [`laɪfloŋ] *adj* trwający całe życie

life•time [`laɪftaɪm] *s* (*całe*) życie

lift [lɪft] *vt vi* podnosić (się); znosić (*zakaz*); *pot.* ściągać (*kopiować*); *pot.* kraść; *s* winda; **give sb a ~** podwieźć kogoś

light[1] [laɪt], **lit, lit** [lɪt] *lub* **~ed, ~ed** [`laɪtɪd] *vt vi* świecić; zapalić (się); oświetlać; *s* światło, oświetlenie; ogień (*do papierosa*); **come to ~** wyjść na jaw; **~ bulb** żarówka; *adj* jasny, blady

light[2] [laɪt] *adj* lekki; *adv* lekko; **travel ~** podróżować z małym bagażem

light•en[1] [`laɪtn] *vt vi* rozjaśniać (się)

light•en[2] [`laɪtn] *vt* ulżyć; odciążyć; uczynić lżejszym; *vi* pozbyć się ciężaru; stać się lżejszym

light•er [`laɪtə(r)] *s* zapalniczka

light-head•ed [`laɪt`hedɪd] *adj* majaczący; beztroski

light-heart•ed ['laɪt`hatɪd] *adj* niefrasobliwy, wesoły

light•house [`laɪthaʊs] *s* latarnia morska

light•ning [`laɪtnɪŋ] *s* błyskawica

like[1] [laɪk] *vt* lubić; **I ~ watching TV** lubię oglądać telewizję; **I would ~ to go** chciałbym pójść; **would you ~ a cup**

of tea? czy chciałbyś filiżankę herbaty?

like[2] [laɪk] *praep* podobny (do); taki jak; **it's just ~ him** to do niego pasuje; **it looks ~ rain** będzie padać; **I don't feel ~ working** nie mam ochoty pracować; **and the ~** i tym podobne

like•ly [ˋlaɪklɪ] *adj* prawdopodobny; **he is ~ to come** on prawdopodobnie przyjdzie; *adv* prawdopodobnie

like•wise [ˋlaɪkwaɪz] *adv* podobnie; ponadto

lik•ing [ˋlaɪkɪŋ] *s* upodobanie, pociąg (**for sth** do czegoś)

li•lac [ˋlaɪlək] *s bot.* bez; *adj* lila, liliowy (*kolor*)

li•ly [ˋlɪlɪ] *s* lilia; **~ of the valley** konwalia

limb [lɪm] *s* kończyna; konar

lime[1] [laɪm] *s* wapno; *vt* wapnować

lime[2] [laɪm] *s bot.* lipa

lime•stone [ˋlaɪmstəʊn] *s* wapień

lim•it [ˋlɪmɪt] *s* granica; limit; **within ~s** w pewnych (rozsądnych) granicach; *vt* ograniczać

lim•i•ta•tion [ˈlɪmɪˋteɪʃən] *s* ograniczenie; zastrzeżenie

lim•it•ed [ˋlɪmɪtɪd] *adj* ograniczony; **~ (liability) company, Ltd** spółka z ograniczoną odpowiedzialnością

limp [lɪmp] *vi* utykać na nogę; *adj* miękki, słaby

lin•den [ˋlɪndən] *s bot.* lipa

line [laɪn] *s* linia; rząd, szereg; kolejka (*ludzi*); lina; linijka (*tekstu*); zmarszczka; *vt* rysować linie; **~ up** ustawiać (się) w rzędzie

lin•en [ˋlɪnɪn] *s* płótno; *zbior.* bielizna (*pościelowa*)

lin•er [ˋlaɪnə(r)] *s* liniowiec, statek żeglugi liniowej

lin•ger [ˋlɪŋgə(r)] *vi* zwlekać, ociągać się; zasiedzieć się, przeciągać pobyt; (*także* **~ on**) trwać

lin•ge•rie [ˋlæŋʒəri] *s* bielizna damska

lin•guis•tics [lɪŋˋgwɪstɪks] *s* językoznawstwo

lin•ing [ˋlaɪnɪŋ] *s* podszewka; podbicie; *techn.* okładzina

link [lɪŋk] *s* ogniwo; więź; *vt vi* łączyć (się)

li•on [ˋlaɪən] *s* lew

lip [lɪp] *s* warga; brzeg; *pl* **~s** usta

lip•stick [ˋlɪpstɪk] *s* szminka

li•queur [lɪˋkjʊə(r)] *s* likier

liq•uid [ˋlɪkwɪd] *adj* płynny; *s* płyn

liq•ui•date [ˋlɪkwɪdeɪt] *vt* likwidować

liq•uor [ˋlɪkə(r)] *s am.* alkohol, trunek; *am.* **~ store** sklep monopolowy

list [lɪst] *s* lista, spis; *vt* umieszczać na liście, spisywać; wyliczać

lis•ten [ˋlɪsn] *vi* słuchać (**to sb <sth>** kogoś <czegoś>)

lis•ten•er [ˋlɪsnə(r)] *s* słuchacz; radiosłuchacz
lit *zob.* **light**[1]
lit•a•ny [ˋlɪtənɪ] *s* litania
lit•e•ra•cy [ˋlɪtərəsɪ] *s* umiejętność czytania i pisania
lit•er•al [ˋlɪtərl] *adj* dosłowny
lit•e•ra•ry [ˋlɪtərərɪ] *adj* literacki
lit•er•ate [ˋlɪtərɪt] *adj (o człowieku)* piśmienny
lit•er•a•ture [ˋlɪtrətʃə(r)] *s* literatura
li•tre, *am.* **li•ter** [ˋlitə(r)] *s* litr
lit•ter [ˋlɪtə(r)] *s* śmieci, odpadki; miot, młode; *bryt.* **~ bin** kosz na śmieci; *vt* zaśmiecać
lit•tle [ˋlɪtl] *adj* (*comp* **less** [les], *sup* **least** [list]) mały, drobny; *adv* mało; rzadko; *pron* mało, niewiele; **a ~** niewiele, trochę; **~ by ~** stopniowo, po trochu
live[1] [lɪv] *vi* żyć; mieszkać; **~ on sth** żyć z czegoś; żywić się czymś; **~ through** przeżyć (**war** wojnę)
live[2] [laɪv] *adj attr* żywy; na żywo; *adv* na żywo
live•ly [ˋlaɪvlɪ] *adj* żwawy, ożywiony; jaskrawy; (*o kolorach*) żywy
liv•er [ˋlɪvə(r)] *s* wątroba
lives *zob.* **life**
live•stock [ˋlaɪvstok] *s* żywy inwentarz
liv•ing [ˋlɪvɪŋ] *adj* żyjący, żywy; **~ conditions** warunki życia; **~ standard** stopa życiowa; *s*: **earn <make> a ~** zarabiać na życie
liz•ard [ˋlɪzəd] *s* jaszczurka
lla•ma [ˋlɑmə] *s zool.* lama
load [ləʊd] *s* ładunek; obciążenie; *vt* ładować
loaf [ləʊf] *s* (*pl* **loaves** [ləʊvz]) bochenek (*chleba*)
loan [ləʊn] *s* pożyczka; *vt* pożyczać (**sth to sb** coś komuś)
loath [ləʊθ] *adj* niechętny; **be ~ to do sth** z niechęcią coś robić; **nothing ~** chętnie
loathe [ləʊð] *vt* nie cierpieć (**sb <sth>** kogoś <czegoś>)
loath•ing [ˋləʊðɪŋ] *s* odraza, obrzydzenie
loath•some [ˋləʊðsəm] *adj* wstrętny, obrzydliwy
loaves *zob.* **loaf**
lob•by [ˋlobɪ] *s* hall; poczekalnia; kuluary (*w parlamencie*); lobby, grupa nacisku
lob•ster [ˋlobstə(r)] *s* homar; **spiny ~** langusta
lo•cal [ˋləʊkl] *adj* miejscowy; **~ government** samorząd lokalny
lo•cate [ləʊˋkeɪt] *vt* lokalizować; **be ~d** znajdować się, być umiejscowionym
lo•ca•tion [ləʊˋkeɪʃən] *s* zlokalizowanie; położenie; *film.* **on ~** w plenerach
lock [lok] *s* zamek, zamknięcie; *vt vi* zamykać (się) na klucz
lock•er [ˋlokə(r)] *s* szafka szkolna; schowek na bagaż
lock•smith [ˋloksmɪθ] *s* ślusarz

lo•cust [ˋləʊkəst] *s* szarańcza

lodge [lodʒ] *vt* kwaterować; deponować; wnosić (*protest, skargę*); wsadzać; *vi* mieszkać; znaleźć nocleg; *s* domek (*służbowy, myśliwski*); stróżówka; kryjówka

lodg•er [ˋlodʒə(r)] *s* lokator

lodg•ing [ˋlodʒɪŋ] *s* zakwaterowanie

log [log] *s* kloc; pień; kłoda; *mors.* log; *vi*: *komp.* ~ **on <in>** zalogować się; ~ **off <out>** wylogować się

log•ic [ˋlodʒɪk] *s* logika

loin [lɔɪn] *s* polędwica; *anat. pl* ~**s** lędźwie

lone [ləʊn] *adj attr* samotny, pojedynczy

lone•ly [ˋləʊnlɪ] *adj* samotny; odludny

lone•some [ˋləʊnsəm] *adj am. zob.* **lonely**

long[1] [loŋ] *adj* długi; *adv* długo; dawno; ~ **ago** dawno temu; *s*: **before** ~ wkrótce; **it won't take** ~ to nie potrwa długo

long[2] [loŋ] *vi* pragnąć; tęsknić (**for sb <sth>** za kimś <czymś>)

long•ing [ˋloŋgɪŋ] *s* pragnienie; tęsknota

lon•gi•tude [ˋlondʒɪtjud] *s* długość geograficzna

long•sight•ed [ˈloŋˋsɑɪtɪd] *adj*: **be** ~ być dalekowidzem

look [lʊk] *s* spojrzenie; wygląd; **have <take> a ~ at sth** spojrzeć na coś; **good ~s** uroda; *vi* patrzeć; wyglądać; ~ **after** opiekować się (**sb <sth>** kimś <czymś>); ~ **ahead** patrzeć przed siebie <w przyszłość>; ~ **at** patrzeć (**sb <sth>** na kogoś <coś>); ~ **down** pogardzać (**on sb** kimś); ~ **for** szukać (**sb <sth>** kogoś <czegoś>); ~ **forward** oczekiwać z niecierpliwością (**to sth** czegoś); ~ **like** wyglądać jak (**sb <sth>** ktoś <coś>); ~ **on** przypatrywać się; ~ **out** uważać, mieć się na baczności; ~ **up** patrzeć w górę; sprawdzać (*w słowniku*); ~ **up to** podziwiać (**sb** kogoś)

look•out [ˋlʊkɑʊt] *s* miejsce obserwacji; obserwator; **be on the ~ for sth** rozglądać się za czymś

loom [lum] *vi* wynurzać się, wyłaniać się; ~ **large** wywołać zaniepokojenie; *s* warsztat tkacki

loop [lup] *s* pętla; *vt* robić pętlę

loose [lus] *adj* luźny, swobodny; (*o włosach*) rozpuszczony; **at a ~ end** bez zajęcia; **break** ~ zerwać się; **let** ~ uwolnić

loos•en [ˋlusn] *vt* rozluźniać; obluzowywać; rozwiązywać; *vi* obluzować się; ~ **up** rozluźnić się

loot [lut] *vt vi* grabić; *s* grabież; łupy

lord [lɔd] *s* lord; pan; **the Lord** Pan Bóg

lor•ry [ˋlorɪ] *s bryt.* ciężarówka

lose [luz], **lost, lost** [lost] *vt* tracić; gubić; *vi* przegrywać; ~

one's temper stracić panowanie nad sobą; ~ **one's way** zabłądzić; ~ **sight** stracić (**of sth** coś) z oczu

los•er [ˋluzə(r)] *s* pechowiec, ofiara życiowa

loss [los] *s* strata; utrata; **be at a** ~ nie wiedzieć, co robić

lost *zob.* **lose**

lot[1] [lot] *s* mnóstwo; (*także pl* ~**s**) **a** ~ **of money** masa pieniędzy; **a** ~ **more** znacznie więcej; **thanks a** ~ ogromne dzięki

lot[2] [lot] *s* los, dola; działka, parcela; *am.* **parking** ~ parking

lo•tion [ˋləʊʃən] *s* płyn kosmetyczny

lot•ter•y [ˋlotərɪ] *s* loteria

loud [laʊd] *adj* głośny; *adv* głośno

loud•speak•er [laʊdˋspikə(r)] *s* głośnik

lounge [laʊndʒ] *s* hol hotelowy; poczekalnia na lotnisku; *vi*: ~ **about <around>** próżnować

louse [laʊs] *s* (*pl* **lice** [laɪs]) wesz

lous•y [ˋlaʊzɪ] *adj* wszawy; *pot.* wstrętny; **feel** ~ czuć się podle

lov•a•ble [ˋlʌvəbl] *adj* miły, sympatyczny

love [lʌv] *s* miłość; zamiłowanie; ~ **affair** romans; ~ **at first sight** miłość od pierwszego wejrzenia; **in** ~ zakochany; **fall in** ~ zakochać się (**with sb** w kimś); **make** ~ kochać się (**to sb** z kimś); *vt vi* kochać, bardzo lubić; **I would** ~ **to come** bardzo chciałbym przyjść

love•ly [ˋlʌvlɪ] *adj* śliczny; uroczy

lov•er [ˋlʌvə(r)] *s* kochanek; miłośnik, wielbiciel

lov•ing [ˋlʌvɪŋ] *adj* kochający

low [ləʊ] *adj* niski; przygnębiony; (*o głosie*) cichy; *adv* nisko; cicho; *s* niż (*atmosferyczny*)

low•brow [ˋləʊbraʊ] *adj* niewyszukany, pospolity

low•er [ˋləʊə(r)] *adj attr* dolny; niższy; *vt vi* obniżać (się), opuszczać (się)

loy•al [ˋloɪəl] *adj* lojalny

loy•al•ty [ˋloɪəltɪ] *s* lojalność

lub•ri•cate [ˋlubrɪkeɪt] *vt* smarować, oliwić

lu•cid [ˋlusɪd] *adj* jasny; wyraźny, zrozumiały

luck [lʌk] *s* szczęście; **bad** ~ pech; **good** ~! powodzenia!

luckily [ˋlʌkɪlɪ] *adv* na szczęście, szczęśliwie

luck•y [ˋlʌkɪ] *adj* szczęśliwy, pomyślny; **be** ~ mieć szczęście

lu•cra•tive [ˋlukrətɪv] *adj* dochodowy, intratny

lug•gage [ˋlʌgɪdʒ] *s* bagaż; ~ **rack** półka bagażowa

luke•warm [ˋlukwɔm] *adj* letni, ciepławy

lull [lʌl] *vt* ukołysać; uspokoić; uciszyć; *s* chwila ciszy; zastój

lul•la•by [ˋlʌləbaɪ] *s* kołysanka

lu•mi•nous [ˋlumɪnəs] *adj* świecący, lśniący

lump [lʌmp] *s* kawałek; bryła;

guz; ~ **sugar** cukier w kostkach; ~ **sum** ogólna suma
lu•nar [\`lunə(r)] *adj* księżycowy
lu•na•tic [\`lunətɪk] *adj* obłąkany, szalony; *s* szaleniec, wariat; ~ **asylum** zakład psychiatryczny
lunch [lʌntʃ] *s* lunch; *vi* spożywać lunch
lung [lʌŋ] *s* płuco
lure [lʊə(r)] *s* przynęta; pułapka; *vt* nęcić, wabić
lurk [lɜk] *vi* czaić się, czyhać (**for sb** na kogoś); *s* ukrycie; **be on the** ~ czaić się
lust [lʌst] *s* pożądanie; żądza; *vi* pożądać (**after <for> sth** czegoś)
lust•ful [\`lʌstfʊl] *adj* lubieżny, pożądliwy
lux•u•ry [\`lʌkʃərɪ] *s* przepych, luksus; *adj attr* luksusowy
lynch [lɪntʃ] *vt* linczować
lynx [lɪŋks] *s* ryś
lyr•ic [\`lɪrɪk] *adj* liryczny; *s* utwór liryczny; *pl* ~**s** tekst (*piosenki*)

M

mac(k) [mæk] *s bryt. zob.* **mackintosh**
mac•a•ro•ni ['mækə\`rəʊnɪ] *s* makaron
mach•i•na•tion ['mækɪ\`neɪʃən] *s* machinacja, knowanie
ma•chine [mə\`ʃin] *s* maszyna
ma•chine gun [mə\`ʃingʌn] *s* karabin maszynowy
ma•chin•er•y [mə\`ʃinərɪ] *s* maszyny; mechanizm
mack•er•el [\`mækrl] *s* makrela
mack•in•tosh [\`mækɪntoʃ] *s bryt.* płaszcz nieprzemakalny
mad [mæd] *adj* szalony; zwariowany (**about sth** na punkcie czegoś); wściekły (**with sb <sth>** na kogoś <coś>); **go** ~ zwariować; **drive sb** ~ doprowadzić kogoś do szaleństwa
mad•am [\`mædəm] *s* (*w zwrotach grzecznościowych*) proszę pani; słucham panią
mad•cap [\`mædkæp] *adj* wariacki, szalony, zwariowany
mad•den [\`mædn] *vt* doprowadzać do szału
made *zob.* **make**
mad•house [\`mædhɑʊs] *s pot.* dom wariatów *pot.*
mad•ly [\`mædlɪ] *adv* szalenie; wściekle
mad•man [\`mædmən] *s* obłąkaniec, wariat
mad•ness [\`mædnɪs] *s* obłęd; szaleństwo
maf•i•a [\`mæfɪə] *s* mafia
mag•a•zine ['mægə\`zin] *s* czasopismo; program (*radiowy, telewizyjny*)
mag•ic [\`mædʒɪk] *adj* magiczny, czarodziejski; *s* magia, czary

ma•gi•cian [məˋdʒɪʃən] *s* magik; czarodziej

mag•net [ˋmægnɪt] *s* magnes

mag•net•ic [mægˋnetɪk] *adj* magnetyczny

mag•nif•i•cent [mægˋnɪfɪsnt] *adj* wspaniały

mag•ni•fy [ˋmægnɪfɑɪ] *vt* powiększać

mag•ni•tude [ˋmægnɪtjud] *s* wielkość, ogrom; ważność, znaczenie

mag•no•li•a [mægˋnəʊlɪə] *s* magnolia

mag•pie [ˋmægpɑɪ] *s* sroka

ma•hog•a•ny [məˋhogənɪ] *s* mahoń

maid [meɪd] *s* panna; pokojówka

maid•en [ˋmeɪdn] *s* dziewica, panna; *adj* panieński; ~ **name** nazwisko panieńskie

mail [meɪl] *s* poczta; **by** ~ pocztą; *vt am.* wysyłać pocztą

main [meɪn] *adj attr* główny

main•land [ˋmeɪnlənd] *s* ląd stały

main•ly [ˋmeɪnlɪ] *adv* głównie

main•tain [meɪnˋteɪn] *vt* utrzymywać; konserwować (*naprawiać*)

main•te•nance [ˋmeɪntənəns] *s* utrzymanie; konserwacja; *bryt. prawn.* alimenty

maize [meɪz] *s* kukurydza

ma•jes•tic [məˋdʒestɪk] *adj* majestatyczny

ma•jor [ˋmeɪdʒə(r)] *adj* większy; ważny; główny; *s woj.* major

ma•jor•i•ty [məˋdʒorɪtɪ] *s* większość

make [meɪk], **made, made** [meɪd] *vt vi* robić; tworzyć, produkować; zarabiać; posłać (**the bed** łóżko); zawierać (**peace** pokój); wygłaszać (**a speech** mowę); okazać się (**a good soldier** dobrym żołnierzem); ~ **friends** zaprzyjaźnić się; ~ **known** podać do wiadomości; ~ **ready** przygotowywać się; ~ **sure <certain>** upewnić się; ~ **for** kierować się (**the wood** w stronę lasu); ~ **into** przemienić; ~ **out** wystawiać (*rachunek*); zrozumieć, odgadnąć; ~ **up** wymyślać (*historię*); robić makijaż; pogodzić się; ~ **up one's mind** postanowić; **he made me laugh <sad>** rozśmieszył <zasmucił> mnie; **I made it!** udało mi się!; *s* marka (*samochodu*)

make-be•lieve [ˋmeɪkbɪ'liv] *s* pozory; zmyślenia

mak•er [ˋmeɪkə(r)] *s* wytwórca, producent

make•shift [ˋmeɪkʃɪft] *adj* prowizoryczny

make-up [ˋmeɪkʌp] *s* makijaż; charakteryzacja

male [meɪl] *adj* męski; samczy; *s* mężczyzna; samiec

mal•ice [ˋmælɪs] *s* złośliwość

ma•li•cious [məˋlɪʃəs] *adj* złośliwy

ma•lign [məˋlɑɪn] *vt* oczerniać, rzucać oszczerstwa; *adj* szkodliwy, zły

ma•lig•nant [mə`lɪgnənt] *adj* złośliwy (*guz*); wrogi, zły
mall [mɔl] *s* centrum handlowe
mam [mæm] *s bryt. pot.* mamusia, mama
mam•mal [`mæməl] *s* ssak
man [mæn] *s* (*pl* **men** [men]) mężczyzna; człowiek; mąż; **the ~ in the street** szary <przeciętny> człowiek
man•age [`mænɪdʒ] *vt* zarządzać, kierować; zdołać (**to do sth** coś zrobić); dawać sobie radę (**sb <sth>** z kimś <czymś>)
man•age•ment [`mænɪdʒmənt] *s* zarząd; kierowanie, zarządzanie
man•ag•er [`mænɪdʒə(r)] *s* dyrektor; kierownik; menedżer
mane [meɪn] *s* grzywa
man•hood [`mænhʊd] *s* męskość; wiek męski; *zbior.* mężczyźni
ma•ni•a [`meɪnɪə] *s* mania
man•i•fest [`mænɪfest] *adj* oczywisty, jawny; *vt* ujawniać, manifestować
ma•nip•u•late [mə`nɪpjʊleɪt] *vt* manipulować (**sth** czymś); zręcznie urabiać (**sb** kogoś); zręcznie kierować (**sth** czymś)
man•kind [mæn`kaɪnd] *s* ludzkość, rodzaj ludzki
man•ner [`mænə(r)] *s* sposób; sposób bycia; *pl* **~s** obyczaje, maniery
ma•noeu•vre [mə`nuvə(r)] *s* manewr, posunięcie; *vi* manewrować; *vt* manipulować
man•or [`mænə(r)] *s* dwór; rezydencja ziemska
man•sion [`mænʃən] *s* pałac; rezydencja
man•tle [`mæntl] *s* opończa; pokrywa, powłoka; *pl* obowiązki
man•u•al [`mænjʊəl] *adj* ręczny; (*o pracy*) fizyczny; *s* podręcznik
man•u•fac•ture ['mænjʊ`fæktʃə(r)] *vt* produkować; tworzyć, wymyślać, fabrykować; *s* produkcja
man•y [`menɪ] *adj* (*comp* **more** [mɔ(r)], *sup* **most** [məʊst]) dużo, wiele, wielu, liczni; **~ a** niejeden; **~ a time** nieraz; **as ~ as** nie mniej niż; aż; **how ~?** ile?
map [mæp] *s* mapa
ma•ple [`meɪpl] *s* klon
mar•ble [`mɑbl] *s* marmur
march [mɑtʃ] *vi* maszerować; *s* marsz
March [mɑtʃ] *s* marzec
mare [meə(r)] *s* klacz
mar•ga•rine [`mɑdʒərin] *s* margaryna
mar•gin [`mɑdʒɪn] *s* margines; krawędź, skraj
mar•gin•al [`mɑdʒɪnl] *adj* marginesowy, marginalny
ma•rine [mə`rɪn] *adj* morski; *s* marynarz (*na okręcie wojennym*); *am.* żołnierz piechoty morskiej
mar•i•tal [`mærɪtl] *adj* małżeński; **~ status** stan cywilny
mar•jo•ram [`mɑdʒərəm] *s* majeranek

mark [mɑk] *s* znak; ślad; *szk.* ocena; cel; *vt* zostawiać ślady; oznaczać; cechować; oceniać; **miss the ~** chybić celu

marked [mɑkt] *adj* wyraźny

mark•ed•ly [`mɑkɪdlɪ] *adv* wyraźnie, dobitnie

mar•ket [`mɑkɪt] *s* rynek; targ; **black ~** czarny rynek; **be on the ~** być dostępnym na rynku; **play the ~** grać na giełdzie; *vt* sprzedawać

mar•riage [`mærɪdʒ] *s* małżeństwo; ślub

mar•ried [`mærɪd] *adj* żonaty; zamężna; małżeński; **get ~** brać ślub, pobierać się

mar•row [`mærəʊ] *s* szpik (*kostny*); *bot.* kabaczek

mar•ry [`mærɪ] *vt* żenić się (**sb** z kimś), wychodzić za mąż (**sb** za kogoś)

marsh [mɑʃ] *s* bagno

mar•shal [`mɑʃl] *s woj.* marszałek

mar•tial [`mɑʃl] *adj* wojenny; **~ law** stan wojenny

mar•tyr [`mɑtə(r)] *s* męczennik; *vt* zamęczać

mar•vel [`mɑvəl] *s* cud; fenomen; *vi* zachwycać się (**at sb <sth>** kimś <czymś>); dziwić się

mar•vel•(l)ous [`mɑvləs] *adj* cudowny

mas•cu•line [`mæskjʊlɪn] *adj* męski; *gram.* rodzaj męski

mash [mæʃ] *vt* tłuc; gnieść; **~ed potatoes** purée ziemniaczane

mask [mɑsk] *s* maska; *vt* maskować

mas•que•rade ['mæskə`reɪd] *s* maskarada

mass [mæs] *s* masa; msza; *adj attr* masowy; **~ media** środki masowego przekazu

mas•sa•cre [`mæsəkə(r)] *s* masakra; *vt* masakrować

mas•sage [`mæsaʒ] *s* masaż; *vt* masować

mas•seur [mæ`sɜ(r)] *s* masażysta

mas•sive [`mæsɪv] *adj* masywny

mast [mɑst] *s* maszt

mas•ter [`mɑstə(r)] *s* pan, właściciel; mistrz; majster; **Master of Arts (M.A.)** magister; *vt* opanować (*język*); przezwyciężać

mas•ter•piece [`mɑstəpis] *s* arcydzieło

mat [mæt] *s* mata; słomianka

match [mætʃ] *s* mecz; zapałka; **be a good ~** dobrze pasować; dorównywać; *vt* pasować (**sth** do czegoś); dorównywać (**sb <sth>** komuś <czemuś>)

match•box [`mætʃboks] *s* pudełko od zapałek

mate [meɪt] *s* kolega, koleżanka; *mors.* oficer; pomocnik; *vi* (*o zwierzętach*) kojarzyć się w pary

ma•te•ri•al [mə`tɪərɪəl] *s* materiał; tkanina; **raw ~** surowiec; *adj* materialny; istotny

ma•ter•ni•ty [mə`tɜnɪtɪ] *s* macierzyństwo; ~ **allowance <benefit>** zasiłek macierzyński; ~ **leave** urlop macierzyński

math•e•mat•ics ['mæθə`mætɪks] *s* matematyka

math(s) [mæθ(s)] *s zob.* **mathematics**

mat•i•nee [`mætɪneɪ] *s* popołudniowy spektakl

mat•ter [`mætə(r)] *s* sprawa; kwestia; materia, substancja; **as a ~ of course** samo przez się; **as a ~ of fact** w istocie rzeczy; **reading ~** lektura; **what's the ~ with you?** o co ci <panu> chodzi?; co ci <panu> dolega?; *vi* mieć znaczenie; **it doesn't ~** to nie ma znaczenia

mat•ter-of-fact ['mætərəv`fækt] *adj attr* rzeczowy, realny, praktyczny

mat•tress [`mætrəs] *s* materac

ma•ture [mə`tʃʊə(r)] *adj* dojrzały (*człowiek*; *ser, wino*); *vi* dojrzewać

max•i•mum [`mæksɪməm] *s* (*pl* **maxima** [`mæksɪmə], **~s**) maksimum; *adj attr* maksymalny

may [meɪ] *v aux* (*p* **might** [maɪt]) móc; (*pozwolenie*) **~ I come in?** czy mogę wejść?; (*możliwość*) **he ~ be back soon** może szybko wrócić; (*życzenie*) **~ he win!** oby wygrał!

May [meɪ] *s* maj

may•be [`meɪbi] *adv* (być) może

may•on•naise ['meɪə`neɪz] *s* majonez

may•or [meə(r)] *s* mer, burmistrz

maze [meɪz] *s* labirynt

me [mi] *pron* mi, mnie; **with me** ze mną; *pot.* **it's me** to ja

mead•ow [`medəʊ] *s* łąka

mea•gre [`migə(r)] *adj* chudy, cienki; *pot.* marny

meal [mil] *s* posiłek

mean[1] [min] *adj* skąpy; podły; marny

mean[2] [min] *adj* średni; *s* środkowa; średnia; *pl* **~s** środki; sposób; **~s of payment** środki płatnicze; **by this ~s** tym sposobem; **by ~s of sth** za pomocą czegoś; **by no ~s** wcale; **by all ~s!** jak najbardziej!

mean[3] [min], **meant**, **meant** [ment] *vt vi* znaczyć, oznaczać; mieć na myśli; mieć zamiar; przeznaczać (**sth for sb** coś dla kogoś); **I ~ it** mówię poważnie; **~ business** poważnie traktować sprawę; **~ well** mieć dobrą wolę <intencję>

mean•ing [`minɪŋ] *s* znaczenie, sens

mean•ing•less [`minɪŋlɪs] *adj* bez znaczenia, bez sensu

meant *zob.* **mean**

mean•time [`mintaɪm] *s*: **(in the) ~** tymczasem; w tym czasie

mean•while [`minwaɪl] *zob.* **meantime**

mea•sles [`mizlz] *s med.* odra

meas•ure [`meʒə(r)] *s* środek zaradczy; miara; miarka; **to ~** na miarę; **in large ~** w dużym stopniu; *vt vi* mierzyć

mea•sured [ˈmeʒəd] *adj* przemyślany; wymierzony; miarowy
meas•ure•ment [ˈmeʒəmənt] *s* pomiar; rozmiar
meat [mit] *s* mięso; *pl* **cold ~s** wędliny
meat•ball [ˈmitbɔl] *s* klopsik
me•chan•ic [mɪˈkænɪk] *s* mechanik
mechanical [mɪˈkænɪkl] *adj* mechaniczny
mechanism [ˈmekənɪzm] *s* mechanizm
med•al [ˈmedl] *s* medal
med•dle [ˈmedl] *vi* wtrącać się (**in sth** do czegoś)
me•dia [ˈmidɪə] *s pl* środki (masowego) przekazu
me•di•(a)e•val [ˈmedɪˈivl] *adj* średniowieczny
me•di•ate [ˈmidɪeɪt] *adj* pośredni; *vt vi* pośredniczyć
me•di•a•tor [ˈmidɪeɪtə(r)] *s* pośrednik, rozjemca
med•i•cal [ˈmedɪkl] *adj* lekarski, medyczny
med•i•cine [ˈmedsɪn] *s* lekarstwo; medycyna
me•di•o•cre [ˈmidɪˈəʊkə(r)] *adj* mierny
me•di•oc•ri•ty [ˈmidɪˈokrɪtɪ] *s* mierność; miernota
meditate [ˈmedɪteɪt] *vt vi* rozmyślać, medytować
meditation [ˈmedɪˈteɪʃən] *s* rozmyślania, medytacja
Med•i•ter•ra•ne•an [ˈmedɪtəˈreɪnɪən] *adj* śródziemnomorski; **the ~ Sea** Morze Śródziemne
me•di•um [ˈmidɪəm] *s* (*pl* **media** [ˈmidɪə] *lub* **~s**) środek <forma> przekazu; środowisko; medium; *adj* średni, pośredni
med•ley [ˈmedlɪ] *s* mieszanina; rozmaitości; składanka (*muzyczna*)
meet [mit], **met, met** [met] *vt vi* spotykać (się); zobaczyć się (**with sb** z kimś); natknąć się, natrafić (**sb <sth>** na kogoś <coś>); poznawać (się); wyjść naprzeciw (*komuś*); łączyć się
meet•ing [ˈmitɪŋ] *s* spotkanie; zebranie
mel•an•chol•y [ˈmelənkəlɪ] *s* melancholia, smutek; *adj attr* smutny, przygnębiający
mel•low [ˈmeləʊ] *adj* dojrzały (*o owocu, o winie*); łagodny, przyjemny, ciepły; *vi* dojrzewać
mel•o•dy [ˈmelədɪ] *s* melodia
melt [melt] *vt* topić, roztapiać; *vi* topnieć
mem•ber [ˈmembə(r)] *s* członek (*organizacji*); **Member of Parliament, MP** poseł
mem•ber•ship [ˈmembəʃɪp] *s* członkostwo
me•mo•ri•al [məˈmɔrɪəl] *s* pomnik; tablica pamiątkowa; *adj* pamiątkowy
mem•o•rize [ˈmeməraɪz] *vt* zapamiętywać
mem•o•ry [ˈmemərɪ] *s* pamięć; wspomnienie
men *zob.* **man**
men•ace [ˈmenɪs] *s* groźba; *vt vi* grozić, zagrażać

mend [mend] *vt* naprawiać
men•tal [`mentl] *adj* umysłowy; psychiczny; psychiatryczny (*o szpitalu*); *pot.* stuknięty
men•tal•i•ty [men`tælɪtɪ] *s* umysłowość, mentalność
men•tion [`menʃən] *vt* nadmieniać; wspominać (**sth** o czymś); **don't ~ it!** (*odpowiedź na podziękowania*) nie ma o czym mówić!; *s* wzmianka
mer•chan•dise [`mɜtʃəndɑɪz] *s zbior.* towar, towary
mer•chant [`mɜtʃənt] *s* kupiec, handlowiec
mer•ci•ful [`mɜsɪfʊl] *adj* miłosierny, litościwy
mer•ci•less [`mɜsɪlɪs] *adj* bezlitosny
mer•cu•ry [`mɜkjʊrɪ] *s* rtęć
mer•cy [`mɜsɪ] *s* litość; łaska; miłosierdzie
mere [mɪə(r)] *adj* czczy, zwykły, zwyczajny; **~ words** puste słowa; **he is a ~ child** on jest tylko <po prostu> dzieckiem
mere•ly [`mɪəlɪ] *adv* po prostu, jedynie; zaledwie
merge [mɜdʒ] *vt vi* łączyć (się), zlewać (się), stapiać (się)
merg•er [`mɜdʒə(r)] *s* połączenie się, fuzja
me•rid•i•an [mə`rɪdɪən] *adj* południowy; *s* południk
me•ringue [mə`ræŋ] *s* beza
mer•it [`merɪt] *s* zasługa; zaleta; *vt* zasłużyć (**sth** na coś)
mer•maid [`mɜmeɪd] *s* syrena (*z baśni*)
mer•ry [`merɪ] *adj* wesoły; **Merry Christmas!** Wesołych Świąt!
mer•ry-go-round ['merɪgəʊrɑʊnd] *s* karuzela
mes•mer•ize [`mezmərɑɪz] *vt* hipnotyzować
mess [mes] *s* nieporządek, bałagan; *pot.* kłopot; kantyna; *vi* brudzić; **~ up** popsuć; *pot.* spartaczyć (*sprawę*)
mes•sage [`mesɪdʒ] *s* wiadomość; przesłanie
mes•sen•ger [`mesəndʒə(r)] *s* posłaniec
mess•y [`mesɪ] *adj* nieporządny, brudny
met *zob.* **meet**
met•al [`metl] *s* metal
met•a•phor [`metəfə(r)] *s* przenośnia
me•te•or [`mitɪə(r)] *s* meteor
me•te•o•rol•o•gy ['mitɪə`rolədʒɪ] *s* meteorologia
me•ter [`mitə(r)] *s* licznik; *am.* metr; **gas ~** licznik gazowy
meth•od [`meθəd] *s* metoda
me•tic•u•lous [mɪ`tɪkjʊləs] *adj* drobiazgowy, skrupulatny
me•tre, *am.* **meter** [`mitə(r)] *s* metr
met•ric [`metrɪk] *adj* metryczny
met•ro•pol•i•tan ['metrə`polɪtn] *adj* wielkomiejski
mew [mju] *vi* miauczeć
Mex•i•can [`meksɪkən] *s* Meksykanin; *adj* meksykański
mi•aow *zob.* **mew**
mice *zob.* **mouse**

mi•cro•phone [`maɪkrəfəʊn] *s* mikrofon
mi•cro•scope [`maɪkrəskəʊp] *s* mikroskop
mi•cro•wave [`maɪkrəweɪv] *s* (*także* ~ **oven**) kuchenka mikrofalowa
mid- [mɪd]: **in ~summer** w środku lata; **in ~air** w powietrzu
mid•day ['mɪd`deɪ] *s* południe
mid•dle [`mɪdl] *adj attr* środkowy; pośredni; ~ **class** klasa średnia; ~ **name** drugie imię; *s* środek; połowa
mid•dle-aged [`mɪdleɪdʒd] *adj* w średnim wieku
mid•dle•man [`mɪdlmən] *s* pośrednik
mid•night [`mɪdnaɪt] *s* północ; **at** ~ o północy
midst [mɪdst] *s*: **in the ~ of** wśród, pośród
mid•way ['mɪd`weɪ] *adj attr* leżący w połowie drogi; *adv* w połowie drogi
mid•wife [`mɪdwaɪf] *s* (*pl* **midwives** [`mɪdwaɪvz]) położna
might[1] *zob.* **may**
might[2] [maɪt] *s* moc, potęga; **with all his** ~ z całej mocy
mi•graine [`migreɪn] *s* migrena
mi•grate [maɪ`greɪt] *vi* wędrować; emigrować
mike [maɪk] *s pot. zob.* **microphone**
mild [maɪld] *adj* łagodny
mil•dew [`mɪldju] *s* pleśń
mile [maɪl] *s* mila
mile•age [`maɪlɪdʒ] *s* odległość w milach
mil•i•tar•y [`mɪlɪtrɪ] *adj* wojskowy; *s zbior.*: **the** ~ wojsko; ~ **police** żandarmeria wojskowa
milk [mɪlk] *s* mleko; *vt vi* doić; *przen.* eksploatować
milk•y [`mɪlkɪ] *adj* mleczny
mill [mɪl] *s* młyn; fabryka; *vt* mleć
mil•len•ni•um [mɪ`lenɪəm] *s* tysiąclecie
mil•ler [`mɪlə(r)] *s* młynarz
mil•li•me•tre [`mɪlɪmitə(r)] *s* milimetr
mil•lion [`mɪljən] *s* milion
mil•lion•aire ['mɪljə`neə(r)] *s* milioner
mim•ic [`mɪmɪk] *s* mimik; naśladowca; *vt* naśladować
mince [mɪns] *vt* krajać (*drobno*), siekać, kruszyć; **not to ~ one's words** mówić bez ogródek; *s bryt.* siekane mięso
mind [maɪnd] *s* umysł; myśli; pamięć; **bear sth in** ~ pamiętać o czymś; **call sth to** ~ przywodzić coś na myśl; **change one's** ~ zmieniać zdanie; **make up one's** ~ postanowić; **speak one's** ~ wypowiedzieć się, wygarnąć prawdę; **to my** ~ moim zdaniem; *vt vi* zwracać uwagę; mieć coś przeciw (**sth** czemuś); ~ **you...** zwróć uwagę, że...; **do you ~ if I smoke?, do you ~ my smoking?** czy masz coś przeciwko temu, żebym zapalił?; **I**

don't ~ wszystko mi jedno;
never ~! mniejsza o to!
mind·ful [ˋmaɪndfʊl] *adj* uważający (**of sth** na coś); troskliwy
mine¹ [maɪn] *pron* mój, moja, moje, moi
mine² [maɪn] *s* kopalnia; mina; *vt* wydobywać (**for coal** węgiel); minować
min·er [ˋmaɪnə(r)] *s* górnik
min·er·al [ˋmɪnərəl] *s* minerał; *pl* ~**s** wody mineralne; *adj* mineralny
min·i·a·ture [ˋmɪnɪtʃə(r)] *s* miniatura; *adj* miniaturowy
min·i·mize [ˋmɪnɪmaɪz] *vt* sprowadzać do minimum; minimalizować
min·i·mum [ˋmɪnɪməm] *s* (*pl* **minima** [ˋmɪnɪmə], ~**s**) minimum; *adj attr* minimalny
min·is·ter [ˋmɪnɪstə(r)] *s* minister; pastor
min·is·try [ˋmɪnɪstrɪ] *s* ministerstwo; stan duchowny
mink [mɪŋk] *s* norka; ~ **coat** norki (*futro*)
mi·nor [ˋmaɪnə(r)] *adj* mniejszy; drugorzędny; młodszy (*z rodzeństwa*); *s* niepełnoletni
mi·nor·i·ty [maɪˋnorɪtɪ] *s* mniejszość (*narodowa*); niepełnoletność
mint [mɪnt] *s* mięta
mi·nus [ˋmaɪnəs] *praep* minus
min·ute¹ [ˋmɪnɪt] *s* minuta; *pl* ~**s** protokół; **any** ~ lada chwila; **wait a** ~! chwileczkę!

mi·nute² [maɪˋnjut] *adj* drobny, nieznaczny; drobiazgowy
mir·a·cle [ˋmɪrəkl] *s* cud; **work** ~**s** czynić cuda
mir·a·cul·ous [mɪˋrækjʊləs] *adj* cudowny
mi·rage [ˋmɪraʒ, mɪˋraʒ] *s* miraż; iluzja
mir·ror [ˋmɪrə(r)] *s* lustro; *vt* odzwierciedlać
mis·car·riage [mɪsˋkærɪdʒ] *s* poronienie
mis·cel·la·ne·ous [ˈmɪsəˋleɪnɪəs] *adj* rozmaity; różnorodny
mis·cel·la·ny [mɪˋselənɪ] *s* zbiór; zbieranina
mis·chief [ˋmɪstʃɪf] *s* figlarność; kłopot; szkoda
mi·ser [ˋmaɪzə(r)] *s* skąpiec
mis·er·a·ble [ˋmɪzrəbl] *adj* nieszczęśliwy; żałosny; nędzny
mi·ser·ly [ˋmaɪzəlɪ] *adj* skąpy
mis·er·y [ˋmɪzərɪ] *s* nieszczęście; cierpienie; nędza
mis·fit [ˋmɪsfɪt] *s* człowiek nieprzystosowany, odmieniec
mis·for·tune [mɪsˋfɔtʃən] *s* nieszczęście, pech
mis·giv·ing [mɪsˋgɪvɪŋ] *s* niepokój, złe przeczucie
mis·hap [ˋmɪshæp] *s* niepowodzenie, nieszczęśliwy przypadek
mis·lay [mɪsˋleɪ], **mis·laid, mis·laid** [mɪsˋleɪd] *vt* zapodziać, zawieruszyć
mis·lead [mɪsˋlid], **misled, misled** [mɪsˋled] *vt* wprowadzić w błąd, zmylić

mis•lead•ing [mɪsˋlidɪŋ] *adj* mylący, zwodniczy

mis•place [mɪsˋpleɪs] *vt* źle umieszczać

miss[1] [mɪs] *vt* chybiać, nie trafiać; stracić *(okazję)*; spóźnić się (**the bus <train>** na autobus <pociąg>); przeoczyć; tęsknić (**sb** za kimś); *s* chybienie

miss[2] [mɪs] *s (przed nazwiskiem)* panna; panienka

mis•sile [ˋmɪsɑɪl] *s* pocisk

mis•sion [ˋmɪʃən] *s* misja

mis•sion•a•ry [ˋmɪʃənrɪ] *s* misjonarz

mist [mɪst] *s* mgła, mgiełka; *vi*: **~ over** zachodzić mgłą

mis•take [mɪˋsteɪk], **mis•took** [mɪˋstʊk], **mis•tak•en** [mɪˋsteɪkn] *vt* pomylić; źle zrozumieć; brać (**sb <sth> for sb <sth> else** kogoś <coś> za kogoś <coś> innego); *s* pomyłka, błąd; **make a ~** popełnić błąd; **by ~** przez pomyłkę

mis•tak•en [mɪˋsteɪkən] *adj* mylny, błędny; **be ~** mylić się, być w błędzie (**about sb <sth>** co do kogoś <czegoś>)

mis•ter [ˋmɪstə(r)] *s (przed nazwiskiem)* pan *(także skr.* **Mr** *używany np. w listach)*

mis•took *zob.* **mistake**

mis•tress [ˋmɪstrəs] *s* pani, pani domu; kochanka; *bryt.* nauczycielka

mis•trust [ˈmɪsˋtrʌst] *s* nieufność, brak zaufania; *vt* nie ufać

mist•y [ˋmɪstɪ] *adj* mglisty

mis•un•der•stand [ˈmɪsʌndəˋstænd], **mis•under•stood, mis•under•stood** [ˈmɪsʌndəˋstʊd] *vt* źle rozumieć

mis•un•der•stand•ing [ˈmɪsʌndəˋstændɪŋ] *s* nieporozumienie

mis•un•der•stood *zob.* **misunderstand**

mix [mɪks] *vt* mieszać; *vi* utrzymywać kontakty towarzyskie; **~ up** mylić (**with sb** z kimś); *s* mieszanka

mix•ed [ˋmɪkst] *adj* mieszany; zmieszany; koedukacyjny; **~ up** *(o osobie)* zagubiony

mix•er [ˋmɪksə(r)] *s* mikser; **a good ~** człowiek towarzyski

mix•ture [ˋmɪkstʃə(r)] *s* mieszanina, mieszanka

moan [məʊn] *vi* jęczeć; *s* jęk

moat [məʊt] *s* fosa

mob [mob] *s* tłum, motłoch; *pot.* paczka kumpli; *vi* tłoczyć się

mo•bile [ˋməʊbɑɪl] *adj* ruchomy; **~ police** lotna brygada policji

mo•bil•i•ty [məʊˋbɪlɪtɪ] *s* ruchliwość, mobilność

mock [mok] *vt* wyśmiewać; *adj* udawany; sztuczny

mock•e•ry [ˋmokərɪ] *s* wyśmiewanie się; pośmiewisko

mode [məʊd] *s* sposób; tryb *(życia)*; *gram., komp.* tryb

mod•el [ˋmodl] *s* model, wzór; model(ka); *vt* modelować; prezentować *(ubrania)*; *vi* pozować

mod•erate [`modrət] *adj* umiarkowany; wstrzemięźliwy; *s* człowiek umiarkowany; *vt* [`modəreɪt] uspokajać, hamować
mod•er•a•tion ['modə`reɪʃən] *s* umiarkowanie
mod•ern [`modən] *adj* współczesny; nowoczesny; nowożytny
mod•ern•ize [`modənaɪz] *vt* modernizować
mod•est [`modɪst] *adj* skromny
mod•i•fy [`modɪfaɪ] *vt* modyfikować, zmieniać
moist [moɪst] *adj* wilgotny
moist•en [`moɪsn] *vt* zwilżać
mois•ture [`moɪstʃə(r)] *s* wilgoć
mole [məʊl] *s* kret; pieprzyk (*na twarzy*)
mol•e•cule [`molɪkjul] *s* cząsteczka, molekuła
mole•hill [`məʊlhɪl] *s* kretowisko
mo•lest [mə`lest] *vt* napastować
mom [`mom] *s am. pot. zob.* **mum**
mo•ment [`məʊmənt] *s* moment, chwila; **at the ~** w tej chwili; **for the ~** na razie; **in a ~** za chwilę, po chwili
mo•men•tar•y [`məʊməntərɪ] *adj* chwilowy
mo•men•tous [məʊ`mentəs] *adj* ważny, doniosły
mo•men•tum [məʊ`mentəm] *s* pęd, rozpęd
momma [`momə], **mommy** [`momɪ] *s am. zob.* **mummy**
mon•as•ter•y [`monəstərɪ] *s* klasztor
Mon•day [`mʌndɪ] *s* poniedziałek
mon•ey [`mʌnɪ] *s* pieniądze; **ready ~** gotówka; **~ order** przekaz pieniężny
mon•grel [`mʌŋgrəl] *s* kundel; mieszaniec
mon•i•tor [`monɪtə(r)] *s* monitor; *vi vt* monitorować, kontrolować
monk [mʌŋk] *s* mnich
mon•key [`mʌŋkɪ] *s* małpa
mon•o•logue [`monəlog] *s* monolog
mo•nop•oly [mə`nopəlɪ] *s* monopol
mo•not•o•nous [mə`notənəs] *adj* monotonny
mo•not•o•ny [mə`notənɪ] *s* monotonia, jednostajność
mon•ster [`monstə(r)] *s* potwór
mon•strous [`monstrəs] *adj* potworny, monstrualny
month [mʌnθ] *s* miesiąc
month•ly [`mʌnθlɪ] *adj* miesięczny; *adv* miesięcznie; co miesiąc; *s* miesięcznik
mon•u•ment [`monjʊmənt] *s* pomnik; zabytek
mood [mud] *s* nastrój, humor
mood•y [`mudɪ] *adj* markotny; humorzasty
moon [mun] *s* księżyc; **full ~** pełnia Księżyca
moon•light [`munlaɪt] *s* światło księżyca
moor [mʊə(r)] *s* wrzosowisko

mop [mop] *s* zmywak na kiju; **~ of hair** czupryna; *vt* wycierać, zmywać

mor•al [`morl] *adj* moralny; *s* morał; *pl* **~s** moralność

mo•ral•i•ty [mə`rælətɪ] *s* moralność

mor•al•ize [`morəlaɪz] *vi* moralizować; *vt* umoralniać

mor•bid [`mɔbɪd] *adj* chorobliwy

more [mɔ(r)] *adj* (*comp od* **much, many**) więcej; *adv* bardziej; *pron* więcej; **~ and ~** coraz więcej; **~ or less** mniej więcej; **~ than** ponad; **never ~** nigdy więcej; dość; **once ~** jeszcze raz; **the ~** tym bardziej; **the ~... the ~...** im więcej..., tym więcej <bardziej>...

more•o•ver [mɔr`əʊvə(r)] *adv* co więcej, ponadto

mor•gue [mɔg] *s* kostnica

morn•ing [`mɔnɪŋ] *s* rano, poranek; przedpołudnie; **good ~!** dzień dobry!; **in the ~** rano; **this ~** dziś rano

mor•tal [`mɔtl] *adj* śmiertelny; *s* śmiertelnik (*o człowieku*)

mort•gage [`mɔgɪdʒ] *s* kredyt hipoteczny; *vt* oddawać w zastaw hipoteczny

mor•ti•fy [`mɔtɪfaɪ] *vt* zawstydzać

mo•sa•ic [məʊ`zeɪɪk] *s* mozaika

Mos•lem [`mozləm] *s* muzułmanin; *adj* muzułmański

mosque [mosk] *s* meczet

mos•qui•to [mə`skitəʊ] *s* moskit; komar

moss [mos] *s* mech

most [məʊst] *adj* (*sup od* **much, many**) najbardziej, najwięcej; *adv* najbardziej, najwięcej; *pron* większość, maksimum; **at (the) ~** najwyżej, w najlepszym razie; **make the ~ of sth** wykorzystać coś maksymalnie

most•ly [`məʊstlɪ] *adv* głównie, przeważnie

mo•tel [məʊ`tel] *s* motel

moth [moθ] *s* ćma

moth•er [`mʌðə(r)] *s* matka; **~ country** ojczyzna; **~ tongue** mowa ojczysta; *vt* matkować

moth•er•hood [`mʌðəhʊd] *s* macierzyństwo

moth•er-in-law [`mʌðərɪnlɔ] *s* (*pl* **moth•ers-in-law** [`mʌðəzɪnlɔ]) teściowa

moth•er•ly [`mʌðəlɪ] *adj* macierzyński

mo•tif [məʊ`tɪf] *s* motyw (*w muzyce, w literaturze*)

mo•tion [`məʊʃən] *s* ruch; gest; wniosek; **~ picture** film; **put <set> sth in ~** wprawiać coś w ruch; *vt vi* nadać bieg; **~ (to) sb to do sth** skinąć na kogoś, żeby coś zrobił

mo•tion•less [`məʊʃənlɪs] *adj* bez ruchu, unieruchomiony

mo•tive [`məʊtɪv] *s* motyw, bodziec; *adj* napędowy

mo•tor [`məʊtə(r)] *s* silnik

mo•tor•bike [`məʊtəbaɪk] *s bryt. pot.* motocykl, motor

mo•tor•boat [ˋməʊtəbəʊt] *s* łódź motorowa
mo•tor•cycle [ˋməʊtəsɑɪkl] *s* motocykl
mo•tor•ist [ˋməʊtərɪst] *s* kierowca
mo•tor•way [ˋməʊtəweɪ] *s bryt.* autostrada
mot•tled [ˋmotld] *adj* cętkowany, w cętki
mot•to [ˋmotəʊ] *s* (*pl* **~es**, **~s**) motto
mo(u)ld [məʊld] *s* czarnoziem, luźna gleba; pleśń; forma, odlew; *vt* modelować; kształtować; *przen.* urabiać
mo(u)ld•er [məʊldə(r)] *vi* butwieć, rozpadać się
mo(u)ld•y [məʊldɪ] *adj* spleśniały, stęchły
mount [mɑʊnt] *vt vi* wsiadać (*na konia, na rower*); narastać; podnosić się; montować; wspinać się; *s* podstawa; wierzchowiec
moun•tain [ˋmɑʊntɪn] *s* góra; **~ bike** rower górski
moun•tain•eer ['mɑʊntɪˋnɪə(r)] *s* alpinista, taternik
moun•tain•eer•ing ['mɑʊntɪˋnɪərɪŋ] *s* wspinaczka górska
mourn [mɔn] *vt* opłakiwać; *vi* być w żałobie; płakać <lamentować> (**for <over> sb** nad kimś)
mourn•ing [ˋmɔnɪŋ] *s* żałoba; **in ~** w żałobie
mourn•ful [ˋmɔnfʊl] *adj* żałobny; smutny
mouse [mɑʊs] *s* (*pl* **mice** [mɑɪs]) mysz
mous•tache [məˋstɑʃ] *s* wąsy
mouth [mɑʊθ] *s* usta; pysk; ujście (*rzeki*); otwór, wylot; **big ~** plotkarz, papla
mouth or•gan [ˋmɑʊθˋɔgən] *s* harmonijka ustna, organki
mov•a•ble [ˋmuvəbl] *adj* ruchomy
move [muv] *vt vi* ruszać (się); posuwać się; przeprowadzać (się); wzruszać; **~ in** wprowadzać się; **~ out** wyprowadzać się; *s* ruch; przeprowadzka; posunięcie
move•ment [ˋmuvmənt] *s* ruch; ruch społeczny; część (*utworu muzycznego*)
movie [ˋmuvɪ] *s am.* film; *am.* **~ star** gwiazda filmowa
mov•ies [ˋmuvɪz] *s pl am.* kino
mow [məʊ], **mowed** [məʊd], **mown** [məʊn] *vt* kosić
mown *zob.* **mow**
Mr *skr. od* **mister**
Mrs [ˋmɪsɪz] *s skr.* (*przed nazwiskiem*) pani (*o mężatce*)
Ms [mɪz, məz] *s skr.* (*przed nazwiskiem*) pani
much [mʌtʃ] *adj adv* dużo, wiele; bardzo; **~ the same** mniej więcej taki sam <tak samo>; **as ~ as** tyle samo, co; **so ~** tak bardzo; **so ~ the better <worse>** tym lepiej <gorzej>; **too ~** zbyt dużo; za bardzo; **how ~?** ile?
mud [mʌd] *s* błoto, muł

mud•dle [`mʌdl] *vt* poplątać, pogmatwać; *s* zamęt, bałagan
mud•dy [`mʌdɪ] *adj* błotnisty; mętny, brudny
mud•guard [`mʌdgɑd] *s* błotnik
muff [mʌf] *s* mufka; *vt pot.* zmarnować (*okazję*)
muf•fle [`mʌfl] *vt* stłumić; owinąć, opatulić
muf•fler [`mʌflə(r)] *s* szalik; *am. mot.* tłumik
mug [mʌg] *s* kubek; kufel; *pot.* gęba; *pot.* frajer; **it's a ~'s game** to robota dla frajera; *vt* napadać
mug•ger [`mʌgə(r)] *s* rabuś (*uliczny*)
mug•gy [`mʌgɪ] *adj* duszny, parny
mule [mjul] *s* muł
mul•ti•ple [`mʌltɪpl] *adj* wieloraki; wielostronny; wielokrotny; *s* wielokrotność
mul•ti•pli•ca•tion ['mʌltɪplɪ`keɪʃən] *s* mnożenie; pomnożenie się; **~ table** tabliczka mnożenia
mul•ti•ply [`mʌltɪplɑɪ] *vt vi* mnożyć (się); rozmnażać się; **~ 4 by 6** pomnóż 4 przez 6
mul•ti•tude [`mʌltɪtjud] *s* mnóstwo; tłum, rzesza
mum [mʌm] *s pot.* mamusia; *pot.* **keep ~** nie wygadać się (**about sth** z czymś)
mum•ble [`mʌmbl] *vt vi* mruczeć, mamrotać
mum•my [`mʌmɪ] *s pot.* mamusia; mumia
mumps [mʌmps] *s med.* świnka
munch [mʌntʃ] *vt vi* żuć, przeżuwać
mu•nic•i•pal [mju`nɪsɪpəl] *adj* komunalny, miejski
mu•ni•tions [mju`nɪʃənz] *s* sprzęt wojenny, amunicja
mu•ral [`mjʊərl] *s* malowidło ścienne, fresk
mur•der [`mɜdə(r)] *s* morderstwo; *vt* mordować
mur•der•er [`mɜdərə(r)] *s* morderca
mur•mur [`mɜmə(r)] *vt vi* mruczeć; szemrać; *s* szept, szmer; pomruk
mus•cle [`mʌsl] *s* mięsień
mus•cu•lar [`mʌskjʊlə(r)] *adj* mięśniowy; muskularny, krzepki
muse [mjuz] *s* muza; natchnienie; *vi* dumać (**on <upon, over> sth** nad czymś)
mu•se•um [mju`zɪəm] *s* muzeum
mush•room [`mʌʃrʊm] *s* grzyb
mu•sic [`mjuzɪk] *s* muzyka
mu•si•cal [`mjuzɪkl] *adj attr* muzyczny; muzykalny; *s* musical
mu•si•cian [mju`zɪʃən] *s* muzyk
Mus•lim [`mʌzlɪm] *s* muzułmanin; *adj* muzułmański
must [mʌst, məst] *v aux* musieć; **I ~ leave** muszę wyjść; **I ~ not smoke** nie wolno mi palić; **you ~ be tired** z pewnością jesteś zmęczony

mus•tard [`mʌstəd] *s* musztarda
mute [mjut] *adj* niemy; *s* niemowa
mu•ti•late [`mjutɪleɪt] *vt* kaleczyć; uszkadzać
mu•ti•nous [`mjutɪnəs] *adj* buntowniczy
mu•ti•ny [`mjutɪnɪ] *s* bunt; *vi* buntować się
mut•ter [`mʌtə(r)] *vt vi* mamrotać (**at <against> sb <sth>** na kogoś <coś>)
mut•ton [`mʌtn] *s* baranina
mu•tu•al [`mjutʃʊəl] *adj* wzajemny; wspólny
muz•zle [`mʌzl] *s* pysk; kaganiec; *vt* nałożyć kaganiec
muz•zy [`mʌzɪ] *adj* niewyraźny; ogłupiały, przytępiony
my [mɑɪ] *pron* mój, moja, moje, moi
my•o•pi•a [mɑɪ`əʊpɪə] *s* krótkowzroczność
my•self [mɑɪ`self] *pron* się; siebie, sobą, sobie; sam sobie; **by ~** samodzielnie
mys•te•ri•ous [mɪ`stɪərɪəs] *adj* tajemniczy
mys•ter•y [`mɪstrɪ] *s* tajemnica
mys•tic [`mɪstɪk] *adj* mistyczny; *s* mistyk
mys•ti•fy [`mɪstɪfɑɪ] *vt* zadziwiać
myth [mɪθ] *s* mit
myth•i•cal [`mɪθɪkl] *adj* mityczny
my•thol•o•gy [mɪ`θolədʒɪ] *s* mitologia

N

nag [næg] *vt* dokuczać (**sb** komuś); *vi* naprzykrzać się, zrzędzić; gderać; *s* zrzęda
nail [neɪl] *s* gwóźdź; paznokieć; **~ polish <varnish>** lakier do paznokci; *vt* (*także* **~ down**) przybijać (*gwoździami*); *przen.* nakryć (*złodzieja*)
na•ive [nɑɪ`iv] *adj* naiwny
na•ked [`neɪkɪd] *adj* nagi, goły; **with the ~ eye** gołym okiem
name [neɪm] *s* imię; nazwisko; nazwa; **family ~** nazwisko; **first <Christian> ~** imię; **full ~** imię i nazwisko; **by ~** po imieniu <nazwisku>; **~ day** imieniny; **call sb ~s** obrzucać kogoś wyzwiskami; *vt* nazywać; wymieniać imię <nazwę>
name•less [`neɪmlɪs] *adj* bezimienny; nieznany; niesłychany
name•ly [`neɪmlɪ] *adv* mianowicie
nap [næp] *s* drzemka; **take a ~** zdrzemnąć się; *vi* drzemać
nap•kin [`næpkɪn] *s* serwetka
nap•py [`næpɪ] *s bryt.* pieluszka
nar•cis•us [nɑ`sɪsəs] *s* narcyz
nar•cot•ic [nɑ`kotɪk] *adj* narkotyczny; *s* narkotyk
nar•rate [nə`reɪt] *vt* opowiadać
nar•ra•tion [nə`reɪʃən] *s* opowiadanie; narracja
nar•ra•tive [`nærətɪv] *s* narracja; opowiadanie

nar•row [`nærəʊ] *adj* wąski; ograniczony (*o poglądach*); *vt vi* zwężać (się); zmniejszać (się); zawężać

nar•row-mind•ed ['nærəʊ`maɪndɪd] *adj* ograniczony, o wąskich horyzontach

na•sal [`neɪzl] *adj* nosowy; *s gram.* głoska nosowa

nas•ty [`nɑstɪ] *adj* wstrętny, paskudny; złośliwy, niemiły

na•tion [`neɪʃən] *s* naród; państwo

na•tion•al [`næʃənl] *adj* narodowy; państwowy; ~ **service** obowiązkowa służba wojskowa; *s* obywatel

na•tion•al•i•ty ['næʃə`nælɪtɪ] *s* narodowość

na•tive [`neɪtɪv] *adj* rodzimy; ojczysty; rodowity; tubylczy; *s* tubylec; ~ **of Poland** rodowity Polak

nat•u•ral [`nætʃrəl] *adj* naturalny; wrodzony; ~ **musician** urodzony muzyk

na•ture [`neɪtʃə(r)] *s* natura, przyroda; charakter; **by** ~ z natury; ~ **reserve** rezerwat przyrody

naugh•ty [`nɔtɪ] *adj* (*o dziecku*) niegrzeczny

nau•sea [`nɔzɪə] *s* nudności, mdłości

nau•se•ate [`nɔzɪeɪt] *vt* przyprawiać o mdłości, budzić wstręt; czuć wstręt (**sth** do czegoś); *vi* dostawać mdłości

nau•ti•cal [`nɔtɪkl] *adj* żeglarski; morski

na•val [`neɪvl] *adj* morski; okrętowy

na•vel [`neɪvl] *s anat.* pępek

nav•i•gate [`nævɪgeɪt] *vt* żeglować; pilotować

nav•i•ga•tion ['nævɪ`geɪʃən] *s* żegluga, nawigacja

na•vy [`neɪvɪ] *s* marynarka wojenna

navy (blue) ['neɪvɪ(`blu)] *adj* granatowy

near [nɪə(r)] *adj* bliski; *adv praep* blisko, obok; *vt vi* zbliżać się (**sth** do czegoś)

near•by [`nɪəbɑɪ] *adj* bliski, sąsiedni; *adv* w pobliżu

near•ly [`nɪəlɪ] *adv* prawie (że)

neat [nit] *adj* schludny; staranny; porządny

nec•es•sar•y [`nesəsrɪ] *adj* konieczny, niezbędny (**for sth** do czegoś); **if** ~ w razie potrzeby

ne•ces•si•ty [nɪ`sesətɪ] *s* konieczność, potrzeba; **of <by>** ~ z konieczności; *pl* **necessities** artykuły pierwszej potrzeby

neck [nek] *s* szyja; kark; szyjka; ~ **and** ~ łeb w łeb

neck•lace [`neklɪs] *s* naszyjnik

neck•line [`neklɑɪn] *s* dekolt; **low** ~ głęboki dekolt

neck•tie [`nektɑɪ] *s am.* krawat

need [nid] *s* potrzeba; konieczność; ubóstwo; **be in** ~ **of sth** potrzebować czegoś; *vt* potrzebować, wymagać; *vi* być w potrzebie; **you** ~ **not worry** nie musisz się martwić

nee•dle [`nidl] *s* igła

need•less [`nidlɪs] *adj* niepotrzebny; **~ to say** nie trzeba dodawać, że...

need•n't [`nidnt] *skr. od* **need not**

need•y [`nidɪ] *adj* ubogi; *s pl* **the ~** ubodzy

ne•ga•tion [nɪ`geɪʃn] *s* przeczenie, negacja

neg•a•tive [`negətɪv] *adj* przeczący, negatywny; odmowny; *mat.* ujemny; *s* zaprzeczenie; odmowa; *fot.* negatyw

neglect [nɪ`glekt] *vt* zaniedbywać, lekceważyć; *s* zaniedbanie

neg•li•gence [`neglɪdʒəns] *s* niedbalstwo, zaniedbanie

neg•li•gi•ble [`neglɪdʒəbl] *adj* niegodny uwagi, mało znaczący

ne•go•ti•ate [nɪ`gəʊʃɪeɪt] *vt* negocjować, pertraktować; *pot.* pokonywać

ne•go•ti•a•tion [nɪ'gəʊʃɪ`eɪʃən] *s* negocjacje; **under ~** w fazie negocjacji

Ne•gress [`nigrɪs] *s pejor.* Murzynka

Ne•gro [`nigrəʊ] *s pejor.* Murzyn; *adj* murzyński

neigh•bo(u)r [`neɪbə(r)] *s* sąsiad

neigh•bo(u)r•hood [`neɪbəhʊd] *s* sąsiedztwo; okolica, dzielnica

nei•ther [`naɪðə(r), `niðə(r)] *pron* ani jeden, ani drugi, żaden z dwóch; *adv* ani; **~... nor...** ani..., ani...; **he could ~ eat nor drink** nie mógł jeść ani pić; *conj* też nie; **he doesn't like it, ~ do I** on tego nie lubi, ja też nie

neph•ew [`nefju] *s* siostrzeniec; bratanek

nerve [nɜv] *s* nerw; *przen.* odwaga; opanowanie; tupet; **get on sb's ~s** działać komuś na nerwy; **lose one's ~** stracić panowanie (nad sobą)

nerv•ous [`nɜvəs] *adj* zdenerwowany; nerwowy; **be ~ about sth** denerwować się o coś

nest [nest] *s* gniazdo; *vi* gnieździć się; wić gniazdo

nes•tle [`nesl] *vi* gnieździć się; wygodnie się usadowić, tulić się

net[1] [net] *s dosł. przen.* sieć; siatka; *sport.* net; *vt* złapać (jak) w sieć

net[2] [net] *adj attr* netto (*o zysku*); *vt* zarobić na czysto

net•tle [`netl] *s* pokrzywa; *vt* irytować, drażnić

net•work [`netwɜk] *s* sieć (*telewizyjna*; *kolejowa*)

neu•rol•o•gy [nju`rolədʒɪ] *s* neurologia

neu•ro•sis [njʊ`rəʊsɪs] *s* (*pl* **neuroses** [njuə`rəʊsiz]) *med.* nerwica

neu•rot•ic [njʊə`rotɪk] *adj* neurotyczny; przewrażliwiony

neu•ter [njutə(r)] *adj gram.* rodzaju nijakiego; *(o roślinach i zwierzętach)* bezpłciowy

neu•tral [`njutrəl] *adj* bezstronny; neutralny; nieokreślony

nev•er [`nevə(r)] *adv* nigdy

nev•er•more ['nevə`mɔ(r)] *adv* już nigdy, nigdy więcej
nev•er•the•less ['nevəðə`les] *adv* pomimo to, niemniej
new [nju] *adj* nowy; młody
new•com•er [`njukʌmə(r)] *s* przybysz
new•ly-weds [`njulɪwedz] *s pl* nowożeńcy
news [njuz] *s* wiadomość; aktualności; **the ~** wiadomości (*telewizyjne, radiowe*)
news•pa•per [`njuzpeɪpə(r)] *s* gazeta
next [nekst] *adj* najbliższy; następny; **~ year** w przyszłym roku; *adv* następnie, zaraz potem; **~ to** obok
next door ['nekst`dɔ] *adv* obok; *adj attr* sąsiedni; (*o sąsiedzie*) najbliższy
nice [naɪs] *adj* miły; przyjemny
nice•ly [`naɪsɪlɪ] *adv* ładnie; *pot.* doskonale
nick [nɪk] *s* nacięcie; **in the ~ of time** w samą porę; *vt* naciąć
nick•el [`nɪkl] *s* nikiel; *am.* pięciocentówka
nick•name [`nɪkneɪm] *s* przezwisko, przydomek; *vt* przezywać, nadawać przydomek
niece [nis] *s* siostrzenica; bratanica
night [naɪt] *s* noc; wieczór; **by <at> ~** nocą, w nocy; **last ~** ubiegłej nocy; wczoraj wieczorem; **~ and day** dzień i noc; **first ~** premiera; **~ school** szkoła wieczorowa
night•dress [`naɪtdres] *s* koszula nocna
night•fall [`naɪtfɔl] *s* zmierzch
night•gown [`naɪtgaʊn] *am. zob.* **nightdress**
night•in•gale [`naɪtɪŋgeɪl] *s* słowik
night•mare [`naɪtmeə(r)] *s* koszmarny sen; *pot.* koszmar
nim•ble [`nɪmbl] *adj* zwinny, żwawy; bystry
nine [naɪn] *num* dziewięć
nine•fold [`naɪnfəʊld] *adj* dziewięciokrotny; *adv* dziewięciokrotnie
nine•teen ['naɪn`tin] *num* dziewiętnaście
nine•teenth ['naɪn`tinθ] *adj* dziewiętnasty
nine•ti•eth [`naɪntɪəθ] *adj* dziewięćdziesiąty
nine•ty [`naɪntɪ] *num* dziewięćdziesiąt
ninth [naɪnθ] *adj* dziewiąty
nip [nɪp] *vt* szczypnąć; popędzić; zmrozić (*roślinę*); **~ in** wpaść; **~ sth in the bud** zdusić coś w zarodku; *s* uszczypnięcie
nip•ple [`nɪpl] *s* sutek; smoczek
nip•py [`nɪpɪ] *adj pot.* mroźny; żwawy, szybki
ni•tro•gen [`naɪtrədʒən] *s* azot
no [nəʊ] *adv* nie; *adj* żaden; **no entrance** wstęp wzbroniony; **no end** bez końca; **no smoking** palenie wzbronione; *s* odmowa; głos przeciw
no•ble [`nəʊbl] *adj* szlachetny;

okazały, imponujący; szlachecki; *s* szlachcic

no•ble•man [ˋnəʊblmən] *s* szlachcic

no•bod•y [ˋnəʊbədɪ] *pron* nikt; *s* (*o człowieku*) nikt, zero

nod [nod] *vt vi* przytakiwać; skinąć (*głową*); **~ off** drzemać; *s* skinienie; przytaknięcie

noise [noɪz] *s* odgłos; hałas; szum

noise•less [ˋnoɪzlɪs] *adj* bezgłośny

nois•y [ˋnoɪzɪ] *adj* hałaśliwy

nom•i•nate [ˋnomɪneɪt] *vt* mianować; wyznaczyć; wysunąć jako kandydata

nom•i•na•tion [ˈnomɪˋneɪʃən] *s* nominacja

non•cha•lant [ˋnonʃələnt] *adj* nonszalancki

none [nʌn] *pron* nikt, żaden; ani trochę, nic; **~ of my friends** żaden z moich przyjaciół; **there's ~ left** nic nie zostało

non•sense [ˋnonsəns] *s* nonsens; **~!** bzdura!

non•smok•er [ˈnonˋsməʊkə(r)] *s* niepalący; wagon <przedział> dla niepalących

non•stop [ˈnonˋstop] *adj attr* bezpośredni; *adv* bez postoju

noo•dles [ˋnudlz] *s pl* makaron, kluski

noon [nun] *s* południe (*pora dnia*)

nor [nɔ(r)] *adv* ani; także <też> nie; **he doesn't know her, ~ do I** on jej nie zna, ani ja <i ja też nie>

norm [nɔm] *s* norma

nor•mal [ˋnɔml] *adj* normalny

north [nɔθ] *s geogr.* północ; *adj attr* północny; *adv* na północ; na północy; **~ of London** na północ od Londynu; **North Pole** biegun północny

north-east [ˈnɔθˋist] *s* północny wschód; *adj* północno-wschodni; *adv* na północny wschód

nor•thern [ˋnɔθən] *adj* północny

north-west [ˈnɔθˋwest] *s* północny zachód; *adj* północno-zachodni; *adv* na północny zachód

Nor•we•gian [nɔˋwɪdʒən] *s* Norweg; *adj* norweski

nose [nəʊz] *s* nos; **runny ~** katar; **blow one's ~** wydmuchiwać nos

nos•y [ˋnəʊzɪ] *adj* wścibski

not [not] *adv* nie; **~ at all** nie ma za co; **~ a word** ani słowa

no•ta•ble [ˋnəʊtəbl] *adj* wybitny; *s* dostojnik

no•ta•ry [ˋnəʊtərɪ] *s* notariusz (*także* **~ public**)

note [nəʊt] *s* notatka; przypis; banknot; nuta; **take ~s** notować; *vt* zauważać; **~ down** notować, zapisywać

note•book [ˋnəʊtbʊk] *s* notatnik, notes

not•ed [ˋnəʊtɪd] *adj* wybitny, znany, (**for sth** z czegoś)

noth•ing [ˋnʌθɪŋ] *s* nic; **for ~** za

darmo; na próżno; ~ **much** nic wielkiego
no•tice [`nəʊtɪs] *s* ogłoszenie; wywieszka; wypowiedzenie, wymówienie; ~ **board** tablica ogłoszeń; **take** ~ zwracać uwagę (**of sth** na coś); *vt* zauważyć, spostrzec
no•tice•a•ble [`nəʊtɪsəbl] *adj* widoczny, dostrzegalny
no•ti•fy [`nəʊtɪfaɪ] *vt* obwieścić (**sth to sb** coś komuś), zawiadomić (**sb of sth** kogoś o czymś)
no•tion [`nəʊʃən] *s* pojęcie, wyobrażenie; pogląd
no•tor•i•ous [nəʊ`tɔrɪəs] *adj* notoryczny; osławiony
not•with•stand•ing ['notwɪθ`stændɪŋ] *praep* mimo, nie bacząc na; *adv* mimo to, niemniej, jednakże
noun [nɑʊn] *s gram.* rzeczownik
nour•ish [`nʌrɪʃ] *vt* karmić, odżywiać; *przen.* żywić
nour•ish•ment [`nʌrɪʃmənt] *s* pokarm; żywienie
nov•el [`novl] *s* powieść
nov•el•ist [`novəlɪst] *s* powieściopisarz
nov•el•ty [`novəltɪ] *s* nowość; oryginalność
No•vem•ber [nəʊ`vembə(r)] *s* listopad
nov•ice [`novɪs] *s* nowicjusz
now [nɑʊ] *adv* obecnie, teraz; ~ **and again** od czasu do czasu; *s* chwila obecna; **by** ~ już; do tego czasu; **from** ~ **on** od tej pory; **up to <until>** ~ dotąd, dotychczas; *conj:* ~ **(that)** teraz, gdy
now•a•days [`nɑʊədeɪz] *adv* obecnie, w dzisiejszych czasach
no•where [`nəʊweə(r)] *adv* nigdzie
nu•cle•ar [`njuklɪə(r)] *adj biol. fiz.* jądrowy, nuklearny
nu•cle•us [`njuklɪəs] *s biol. fiz.* jądro, zawiązek
nude [njud] *adj* nagi; *s (w malarstwie, w rzeźbie)* akt
nudge [nʌdʒ] *s* trącenie łokciem; *vt* trącić łokciem
nui•sance [`njusns] *s* utrapienie; niedogodność
nul•li•fy [`nʌlɪfaɪ] *vt* unieważniać, anulować
numb [nʌm] *adj* zdrętwiały (**with sth** z powodu czegoś); *vt* ścierpnąć, zdrętwieć
num•ber [`nʌmbə(r)] *s* liczba; numer; **a** ~ **of** kilka; **beyond** ~ bez liku; *bryt.* ~ **plate** tablica rejestracyjna; *vt vi* numerować; liczyć (sobie)
num•ber•less [`nʌmbəlɪs] *adj* niezliczony
nu•mer•al [`njumərəl] *s* cyfra; *gram.* liczebnik
nu•mer•ous [`njumərəs] *adj* liczny
nun [nʌn] *s* zakonnica
nurse [nɜs] *s* pielęgniarka; *vt* pielęgnować; karmić (*piersią*)
nurs•er•y [`nɜsərɪ] *s* żłobek; pokój dziecinny; ~ **school** przedszkole

nur•ture [`nɜtʃə(r)] *vt* karmić; wychowywać; kształcić; *s* opieka, wychowanie; kształcenie
nut [nʌt] *s* orzech; *pot.* świr; *pot.* **be ~s** zwariować (*pot.*); *pot.* **hard <tough> ~ to crack** twardy orzech do zgryzienia
nut•crack•er(s) [`nʌtkrækə(r)z] *s* dziadek do orzechów
nut•house [`nʌthɑʊs] *s pot.* dom wariatów (*pot.*)
nut•meg [`nʌtmeg] *s* gałka muszkatołowa
nu•tri•a [`njutrɪə] *s* nutria; nutrie (*futro*)
nu•tri•tion [nju`trɪʃən] *s* odżywianie; wartość odżywcza
nu•tri•tious [nju`trɪʃəs] *adj* pożywny, odżywczy
nut•shell [`nʌtʃel] *s* łupina orzecha; **in a ~** jak najkrócej, w paru słowach
ny•lon [`nɑɪlon] *s* nylon
nymph [nɪmf] *s* nimfa

O

oak [əʊk] *s* dąb
oar [ɔ(r)] *s* wiosło
oars•man [`ɔzmən] *s* wioślarz
o•a•sis [əʊ`eɪsɪs] *s* (*pl* **oases** [əʊ`eɪsiz]) oaza
oats [əʊt] *s pl* owies
oath [əʊθ] *s* przysięga; przekleństwo; **on <under> ~** pod przysięgą; **take the ~** składać przysięgę
oat•meal [`əʊtmil] *s* płatki owsiane
o•be•dient [ə`bidɪənt] *adj* posłuszny (**to sb <sth>** komuś <czemuś>)
o•bese [əʊ`bis] *adj* otyły
o•bey [əʊ`beɪ] *vt vi* słuchać, być posłusznym
o•bit•u•ar•y [ə`bɪtjʊərɪ] *adj* pośmiertny, żałobny; *s* nekrolog; **~ notice** klepsydra
ob•ject [`obdʒɪkt] *s* przedmiot; cel; [əb`dʒekt] *vi* sprzeciwiać się (**to sth** czemuś)
ob•jec•tion [əb`dʒekʃən] *s* sprzeciw; zarzut
ob•jec•tive [əb`dʒektɪv] *adj* obiektywny; *s* cel
ob•li•ga•tion ['oblɪ`geɪʃən] *s* zobowiązanie; obowiązek; **be under an ~ to do sth** być zobowiązanym coś zrobić
ob•lig•a•to•ry [ə`blɪgətərɪ] *adj* obowiązkowy
o•blige [ə`blɑɪdʒ] *vt* zobowiązywać; **~ sb** wyświadczać komuś przysługę
o•blig•ing [ə`blɑɪdʒɪŋ] *adj* usłużny, uczynny
o•blit•er•ate [ə`blɪtəreɪt] *vt* zatrzeć, zetrzeć; wykreślić (*z pamięci*)
o•bliv•i•on [ə`blɪvɪən] *s* zapomnienie, niepamięć
o•bliv•i•ous [ə`blɪvɪəs] *adj* niepomny (**of sth** czegoś <na coś>)

ob•long [`oblon] *adj* prostokątny; *s* prostokąt
ob•nox•ious [əb`nokʃəs] *adj* wstrętny, odpychający, przykry
ob•scene [əb`sin] *adj* nieprzyzwoity
ob•scen•i•ty [əb`senɪtɪ] *s* sprośność; nieprzyzwoitość
ob•scure [əb`skjʊə(r)] *adj* niejasny; niezrozumiały; mało znany; *vt* zaciemniać, przyćmiewać
ob•scu•ri•ty [əb`skjʊərɪtɪ] *s* zapomnienie; niejasność
ob•serv•ance [əb`zɜvəns] *s* przestrzeganie (*prawa, zwyczaju*); obchodzenie (*świąt*); obrzęd, rytuał
ob•ser•va•tion ['obzə`veɪʃən] *s* obserwacja; spostrzeżenie; uwaga
ob•serve [əb`zɜv] s obserwować; spostrzegać; przestrzegać
ob•serv•er [əb`zɜvə(r)] *s* obserwator; człowiek przestrzegający (*prawa, zwyczaju*)
ob•sess [əb`ses] *vt* prześladować, opętać
obsession [əb`seʃən] *s* obsesja, opętanie; natręctwo (*myślowe*)
ob•so•lete [`obsəlit] *adj* przestarzały
ob•sta•cle [`obstəkl] *s* przeszkoda; ~ **race** bieg z przeszkodami
ob•sti•nate [`obstɪnɪt] *adj* uparty, zawzięty
ob•struct [əb`strʌkt] *vt* blokować; utrudniać
ob•tain [əb`teɪn] *vt* nabywać, uzyskać; *vi* istnieć, panować
ob•tru•sive [əb`trusɪv] *adj* narzucający się, natrętny
ob•vi•ous [`obvɪəs] *adj* oczywisty
oc•ca•sion [ə`keɪʒən] *s* sytuacja; wydarzenie; **on** ~ od czasu do czasu
oc•ca•sion•al [ə`keɪʒənl] *adj* sporadyczny; okolicznościowy
oc•cult [`okʌlt] *adj* tajemny, magiczny; okultystyczny; *s*: **the** ~ okultyzm
oc•cu•pant [`okjʊpənt] *s* lokator; użytkownik; pasażer
oc•cu•pa•tion ['okjʊ`paɪʃən] *s* zawód; zajęcie; okupacja
occupy [`okjʊpaɪ] *vt* okupować; zajmować
oc•cur [ə`kɜ(r)] *vi* zdarzać się; występować; ~ **to sb** przychodzić komuś do głowy
oc•cu•rence [ə`kʌrəns] *s* wydarzenie, wypadek; występowanie
o•cean [`əʊʃən] *s* ocean
o'clock [ə`klok]: **it's six** ~ jest godzina szósta
oc•ta•gon [`oktəgən] *s* ośmiokąt; ośmiobok
Oc•to•ber [ok`təʊbə(r)] *s* październik
odd [od] *adj* dziwny, osobliwy; (*o liczbie*) nieparzysty; przypadkowy; nie pasujący; ~ **job** dorywcze zajęcie; **the** ~ **man out** odmienny, wyróżniający się
odd•ly [`odlɪ] *adv* dziwnie, osobliwie; ~ **enough** co dziwne

odds [odz] *s pl* prawdopodobieństwo; szanse powodzenia; **be at ~** nie zgadzać się (**with sb** z kimś)

o•di•ous [`əudɪəs] *adj* wstrętny, odpychający

o•dour [`əudə(r)] *s* zapach, woń

of [ov, əv] *praep* od, z, ze, na; (*tworzenie dopełniacza*) **the author of the book** autor książki; **bag of potatoes** torba ziemniaków; (*miejsce pochodzenia*) **a man of London** londyńczyk; (*przyczyna*) **die of cancer** umrzeć na raka; (*tworzywo*) **made of wood** zrobione z drewna; (*zawartość*) **a bottle of milk** butelka mleka

off [of] *praep* od, z, ze; od strony; spoza; z dala od; na boku; w odległości; **take the picture ~ the wall** zdjąć obraz ze ściany; **stand ~ the road** stać w pewnej odległości od drogi; **jump ~ the bus** wyskoczyć z autobusu; **borrow some money ~ sb** pożyczyć pieniędzy od kogoś; *adv* daleko od (*środka, celu, tematu*); nie na miejscu; **hands ~!** precz z rękami!; **two miles ~** dwie mile stąd; **go ~** (*o jedzeniu*) zepsuć się; **the button came ~** guzik się urwał; **be well <badly> ~** być dobrze <źle> sytuowanym; **~ and on, on and ~** od czasu do czasu; *adj* gorszy; wyłączony; zakręcony; odwołany; **~ street** boczna ulica; **day ~** dzień wolny od pracy

of•fence, *am.* **of•fense** [ə`fens] *s* przestępstwo; obraza; **take ~** obrażać się (**at sth** z powodu czegoś); **give ~** obrazić, urazić (**to sb** kogoś)

of•fend [ə`fend] *vt* obrazić, urazić

of•fend•er [ə`fendə(r)] *s* winowajca; przestępca

of•fense, *am. zob.* **of•fence**

of•fer [`ofə(r)] *vt* proponować; oferować; ofiarować; *s* propozycja; oferta

off•hand [of`hænd] *adv* szybko, z miejsca, bez przygotowania; *adj attr* szybki; improwizowany; obcesowy

of•fice [`ofɪs] *s* biuro; urząd; **~ hours** godziny urzędowania; **be in ~** piastować urząd

of•fi•cer [`ofɪsə(r)] *s* oficer; funkcjonariusz; urzędnik, policjant(ka)

of•fi•cial [ə`fɪʃl] *adj* oficjalny, urzędowy; *s* wyższy urzędnik

of•fi•cial•ly [ə`fɪʃəlɪ] *adv* urzędowo, oficjalnie, z urzędu

off-li•cence [`oflɑɪsəns] *s bryt.* sklep monopolowy

off•set [`ofset] *vt* równoważyć

of•ten [`ofn, `oftn] *adv* często; **how ~?** jak często?

oil [oɪl] *s* olej, oliwa; ropa naftowa; *pot.* obraz olejny, olej; *vt* oliwić

oil•cloth [`oɪkloθ] *s* cerata

oilpaint [`oɪlpeɪnt] *s* farba olejna

oilpaint•ing [`oɪl'peɪntɪŋ] *s* obraz olejny
oil•y [`oɪlɪ] *adj* oleisty; natłuszczony; *przen.* służalczy
oint•ment [`oɪntmənt] *s* maść
okay, O.K. [əʊ`keɪ] *adv pot.* dobrze, w porządku; *int* dobrze!; **~?** zgoda?, okej; *adj* w porządku, w dobrym stanie, na miejscu; *s pot.* zgoda (*na coś*); **the ~** aprobata; *vt* aprobować
old [əʊld] *adj* stary; dawny; były; **~ age** starość; **how ~ are you?** ile masz lat?
old-fash•ioned ['əʊld`fæʃnd] *adj* staromodny, niemodny
ol•ive [`olɪv] *s* oliwka; **~ branch** gałązka oliwna
O•lym•pic [ə`lɪmpɪk] *adj* olimpijski; **the ~ Games** igrzyska olimpijskie
ome•lette [`omlɪt] *s* omlet
o•men [`əʊmen] *s* zły znak, omen
om•i•nous [`omɪnəs] *adj* złowieszczy
o•mis•sion [əʊ`mɪʃən] *s* pominięcie, przeoczenie
o•mit [əʊ`mɪt] *adj* pomijać, przeoczyć
on [on] *praep* na, nad, u, przy, po, w; o; **on foot** piechotą; **on horseback** konno; **on Monday** w poniedziałek; **on my arrival** po moim przybyciu; **on a train** pociągiem, w pociągu; **book on India** książka na temat Indii; *adv* bez przerwy; dalej; **read on** czytaj dalej; (*o ubraniu*) na sobie; **with his coat on** w palcie; **and so on** i tak dalej; **from now on** od tej chwili; *adj* włączony; odkręcony; w toku; **the light is on** światło jest zapalone; **the play is on** sztuka jest grana na scenie
once [wʌns] *adv* raz, jeden raz; kiedyś (*w przeszłości*); **~ upon a time** pewnego razu; niegdyś; **~ again <more>** jeszcze raz; **~ for all** raz na zawsze; **all at ~** nagle; *s* raz; **at ~** natychmiast; **for ~** tylko tym razem; *conj* skoro, gdy tylko
one [wʌn] *num adj* jeden; jedyny; niejaki, pewien; *pron*: **this <that> ~** ten <tamten>; **the red ~** ten czerwony; **no ~** nikt; **they love ~ another** kochają się (wzajemnie); **~ never knows** nigdy nie wiadomo; **I don't want this book, give me another ~** nie chcę tej książki, daj mi inną
one•self [wʌn`self] *pron* się, siebie, sobie, sobą; sam, sam jeden, samodzielnie
one-sid•ed ['wʌn`saɪdɪd] *adj* jednostronny
one•time [`wʌntaɪm] *adj* były, ówczesny
one•way [`wʌnweɪ] *adj* jednokierunkowy; w jedną stronę (*bilet*)
on•ion [`ʌnɪən] *s* cebula
on•line ['on`laɪn] *adj komp.* bezpośredni (*tryb*)

on•look•er [`onlukə(r)] *s* widz

on•ly [`əunlı] *adj* jedyny; *adv* tylko, jedynie; **not ~... but also** nie tylko..., lecz także

on•ward(s) [`onwəd(s)] *adj* postępujący naprzód; *adv* dalej

o•pac•i•ty [əu`pæsıtı] *s* nieprzezroczystość; nieprzejrzystość

o•paque [əu`peık] *adj* nieprzezroczysty; *przen.* mętny, nieprzejrzysty

o•pen [`əupən] *adj* otwarty; rozpięty; **in the ~ air** na świeżym powietrzu; **be ~ to sth** być narażonym <otwartym> na coś; *vt vi* otwierać (się); ujawniać; rozpoczynać (się)

o•pen•ing [`əupnıŋ] *s* otwarcie; otwór, wylot; początek; wakat; *adj* początkowy, inauguracyjny; **~ hours** godziny otwarcia

open-mind•ed ['əupən`maındıd] *adj* mający szerokie horyzonty myślowe; z otwartą głową; bez uprzedzeń

op•er•a [`opərə] *s* opera; **~ house** opera (*budynek*)

op•er•ate [`opəreıt] *vt vi* obsługiwać (*maszynę, urządzenie*); działać; operować (**on sb** kogoś)

op•er•a•tion ['opə`reıʃən] *s* obsługa; działanie; operacja

op•e•ra•tive [`opərətıv] *adj* działający; skuteczny; *s* operator

op•er•a•tor [`opəreıtə(r)] *s* operator (*maszyny*); telefonista, telefonistka

op•er•et•ta ['opə`retə] *s* operetka

o•pin•ion [ə`pınıən] *s* opinia; zdanie; **in my ~** moim zdaniem; **public ~** opinia publiczna; **~ poll** badanie opinii publicznej

op•po•nent [ə`pəunənt] *s* przeciwnik; oponent

op•por•tu•ni•ty ['opə`tjunıtı] *s* sposobność; **take the ~** skorzystać ze sposobności (**of doing sth** zrobienia czegoś)

op•pose [ə`pəuz] *vt* sprzeciwiać się (**sb <sth>** komuś <czemuś>); **be ~d** sprzeciwiać się (**to sb <sth>** komuś <czemuś>)

op•posed [ə`pəuzd] *adj* przeciwny; **as ~ to...** w przeciwieństwie do...

op•po•site [`opəzıt] *adj* przeciwległy, przeciwny; *praep* naprzeciw(ko)

op•po•si•tion ['opə`zıʃən] *s* opozycja, opór; przeciwstawienie

oppress [ə`pres] *vt* uciskać, ciemiężyć; gnębić

op•pres•sion [ə`preʃən] *s* ucisk

op•pres•sive [ə`presıv] *adj* okrutny, niesprawiedliwy; przytłaczający, uciążliwy

opt [opt] *vi* optować (**for sth** za czymś)

op•tic [`optık] *adj* optyczny

op•ti•cian [op`tıʃən] *s* optyk

op•tics [`optıks] *s* optyka

op•ti•mis•tic ['optı`mıstık] *adj* optymistyczny

op•tion [`opʃən] *s* opcja

op•tion•al [`opʃənl] *adj* dowolny, nadobowiązkowy

op•u•lent [`opjʊlənt] *adj* zasobny; obfity; bogaty
or [ɔ(r)] *conj* lub, albo; bo inaczej; **tea or coffee?** herbatę czy kawę?
o•ral [`ɔrl] *adj* ustny; *med.* doustny; *s pot.* ustny (*egzamin*)
or•ange [`orɪndʒ] *s* pomarańcza; *adj* pomarańczowy
or•ange•ade ['orɪndʒ`eɪd] *s* oranżada
or•bit [`ɔbɪt] *s* orbita
or•chard [`ɔtʃəd] *s* sad
or•ches•tra [`ɔkɪstrə] *s* orkiestra
or•chid [`ɔkɪd] *s* orchidea, storczyk
or•dain [ɔ`deɪn] *vt* wyświęcać (**sb priest** kogoś na księdza); zarządzić
or•deal [ɔ`dil] *s* ciężka sytuacja, trudne doświadczenie
or•der [`ɔdə(r)] *s* kolejność; porządek; rozkaz; order; zamówienie; zakon; **out of ~** niesprawny, zepsuty; nie po kolei; **to ~** na zamówienie; **money ~** przekaz pieniężny; **in ~ to <that>** ażeby; *vt* rozkazywać; zamawiać; porządkować
or•der•ly [`ɔdəlɪ] *adj* uporządkowany; porządny; systematyczny; zdyscyplinowany, spokojny; *s* sanitariusz; ordynans
or•di•nal [`ɔdɪnl] *adj* porządkowy; *s gram.* liczebnik porządkowy
or•di•na•ry [`ɔdnrɪ] *adj* zwyczajny; pospolity; **out of the ~** niezwykły
ore [ɔ(r)] *s* ruda, kruszec
or•gan [`ɔgən] *s anat.* narząd, organ; *muz.* organy; **mouth ~** organki
or•gan•ic [ɔ`gænɪk] *adj* organiczny
or•gan•ism [`ɔgənɪzm] *s* organizm
or•gan•i•za•tion ['ɔgənaɪ`zeɪʃən] *s* organizacja
or•gan•ize [`ɔgənaɪz] *vt* organizować
or•gy [`ɔdʒɪ] *s* orgia
o•ri•en•tate [`ɔrɪənteɪt] *vt* orientować, nadawać kierunek; *vr* **~ o.s.** orientować się (*w terenie, według stron świata*)
o•ri•en•ta•tion ['ɔrɪən`teɪʃən] *s* orientacja
or•i•gin [`orɪdʒɪn] *s* pochodzenie, początek
o•rig•i•nal [ə`rɪdʒɪnl] *adj* początkowy, pierwotny; oryginalny; *s* oryginał
o•rig•i•nate [ə`rɪdʒɪneɪt] *vt* dawać początek, zapoczątkowywać, tworzyć; *vi* powstawać (**in sth** z czegoś); pochodzić (**from sth** od czegoś)
or•na•ment [`ɔnəmənt] *s* ornament, ozdoba; *vt* [`ɔnəment] ozdabiać, upiększać
or•phan [`ɔfn] *s* sierota; *vt* osierocić
or•phan•age [`ɔfənɪdʒ] *s* sierociniec
or•tho•dox [`ɔθədoks] *adj* ortodoksyjny, konwencjonalny; *rel.* prawosławny

os•cil•late [`ɔsɪleɪt] *vi* oscylować; wahać się

os•trich [`ostrɪtʃ] *s* struś

oth•er [`ʌðə(r)] *adj pron* inny, drugi, jeszcze jeden; **each ~** jeden drugiego, nawzajem; **every ~ day** co drugi dzień; **on the ~ hand** z drugiej strony; **the ~ day** parę dni temu

oth•er•wise [`ʌðəwɑɪz] *adv* inaczej; poza tym; w przeciwnym razie; bo inaczej

ought [ɔt] *v aux* powinienem, powinnaś...; **I ~ to go now** powinienem już iść; **it ~ to be done** powinno się <należy> to zrobić

ounce [ɑʊns] *s* uncja (*28,35 g*)

our [`ɑʊə(r)] *pron* nasz

ours [`ɑʊəz] *pron* nasz; **this house is ~** ten dom jest nasz

our•selves [ɑʊə`selvz] *pron* się, siebie, sobie, sobą; sami, samodzielnie

oust [ɑʊst] *vt* wyrzucić, usunąć

out [ɑʊt] *adv* na zewnątrz; poza domem; na dworze; **he is ~** nie ma go; **the fire is ~** ogień zgasł; *praep*: **~ of** z; przez; bez; **~ of curiosity** przez ciekawość; **~ of doors** na świeżym powietrzu; **~ of place** nie na miejscu; **~ of work** bez pracy; **three ~ of four people** trzech z czterech ludzi

out•break [`ɑʊtbreɪk] *s* wybuch (*wojny, epidemii*)

out•burst [`ɑʊtbɜst] *s* wybuch (*śmiechu, gniewu*)

out•come [`ɑʊtkʌm] *s* wynik, rezultat

out•do [ɑʊt`du], **out•did** [ɑʊt`dɪd], **out•done** [ɑʊt`dʌn] *vt* przewyższać, prześcigać

out•door [`ɑʊtdɔ] *adj attr* będący poza domem; (*o sportach*) na świeżym powietrzu

out•doors [ɑʊt`dɔz] *adv* na zewnątrz, na świeżym powietrzu

out•er [`ɑʊtə(r)] *adj attr* zewnętrzny; odległy; **~ space** przestrzeń kosmiczna

out•fit [`ɑʊtfɪt] *s* sprzęt, strój; *pot.* ekipa; *vt* wyposażać, ekwipować

out•go•ing [ɑʊt`gəʊɪŋ] *adj* ustępujący; otwarty; *bryt. s pl* **~s** wydatki, rozchody

out•ing [`ɑʊtɪŋ] *s* wycieczka, wypad

out•last [ɑʊt`lɑst] *vt* trwać dłużej (**sth** niż coś); przetrwać <przeżyć> (**sb <sth>** kogoś <coś>)

out•let [`ɑʊtlet] *s* wylot, ujście

out•line [`ɑʊtlɑɪn] *s* zarys; *vt* przedstawiać w zarysie

out•look [`ɑʊtlʊk] *s* widok; prognoza; pogląd

out-of-date ['ɑʊtəv`deɪt] *adj* przestarzały, niemodny; nieważny

out•pa•tient [`ɑʊtpeɪʃənt] *s* pacjent ambulatoryjny

out•put [`ɑʊtpʊt] *s* produkcja; wydajność; twórczość; *komp.* dane wyjściowe

out•rage [`ɑʊtreɪdʒ] *s* oburze-

nie; skandal; akt przemocy; *vt* oburzać
out•ra•geous [ɑʊt`reɪdʒəs] *adj* oburzający; szokujący, skandaliczny
out•right [`ɑʊtrɑɪt] *adj* otwarty, szczery; całkowity; *adv* [aut`rait] otwarcie, szczerze, wprost; natychmiast, z miejsca
out•run ['ɑʊt`rʌn], **out•ran** ['aut`ræn], **out•run** *vt* wyprzedzić; przekroczyć (*granicę czegoś*)
out•set [`ɑʊtset] *s* początek; **at the ~** początkowo
out•side [ɑʊt`sɑɪd] *s* zewnętrzna strona; *adv* na zewnątrz; *praep* na zewnątrz; *adj attr* [`ɑʊtsɑɪd] zewnętrzny; leżący poza domem
out•sid•er ['ɑʊt`sɑɪdə(r)] *s* osoba postronna, obcy
out•size [ɑʊt`sɑɪz] *adj (o rozmiarze)* nietypowy
out•skirts [`ɑʊtskɜts] *s pl* peryferie
out•spo•ken [ɑʊt`spəʊkən] *adj* szczery, otwarty
out•stand•ing [ɑʊt`stændɪŋ] *adj* wybitny; zaległy; rzucający się w oczy
out•ward [`ɑʊtwəd] *adj* zewnętrzny; widoczny; odjeżdżający
out•wards [`ɑʊtwədz] *adv* na zewnątrz
out•weigh ['ɑʊt`weɪ] *vt* przeważać; przewyższać
out•wit ['ɑʊt`wɪt] *vt* przechytrzyć
o•val [`əʊvl] *adj* owalny; *s* owal
o•va•ry [`əʊvərɪ] *s* jajnik
o•va•tion [əʊ`veɪʃən] *s* owacja
ov•en [`ʌvn] *s* piekarnik; **microwave ~** kuchenka mikrofalowa
o•ver [`əʊvə(r)] *praep* nad; przez; po drugiej stronie; ponad, powyżej; podczas; **~ 3 books** ponad 3 książki; **~ the winter** podczas zimy; **~ the telephone** przez telefon; **~ the street** po drugiej stronie ulicy; *adv* na drugą stronę; całkowicie; więcej, zbytnio; ponownie; **all ~** wszędzie; **~ again** raz jeszcze; **be ~** skończyć się
o•ver... [`əʊvə(r)] *praef* nad..., na..., prze...
o•ver•all [`əʊvərɔl] *adj* całkowity; ogólny; [əʊvər`ɔl] *adv* w sumie; ogólnie (*biorąc*)
o•ver•alls [`əʊvərɔlz] *s* kombinezon (*roboczy*)
o•ver•bear•ing ['əʊvə`beərɪŋ] *adj* wyniosły, butny; władczy
o•ver•came *zob.* **overcome**
o•ver•charge ['əʊvə`tʃɑdʒ] *vt* przeładować, przeciążyć; żądać zbyt wysokiej ceny; *s* przeciążenie; nałożenie <żądanie> zbyt wysokiej ceny
o•ver•coat [`əʊvəkəʊt] *s* palto, płaszcz
o•ver•come ['əʊvə`kʌm], **over•came** ['əʊvə`keɪm], **over•come** *vt* pokonywać, przezwyciężać
o•ver•do ['əʊvə`du], **over•did** ['əʊvə`dɪd], **over•done** ['əʊvə`dʌn] *vt* przebrać miarę, przesadzać

o•ver•done ['əʊvə`dʌn] *adj* przesmażony; przegotowany
o•ver•draft [`əʊvədrɑft] *s handl.* przekroczenie stanu konta
o•ver•due ['əʊvə`dju] *adj* opóźniony; (*o rachunku*) zaległy; (*o terminie*) przekroczony
o•ver•eat ['əʊvər`it], **o•ver•ate** ['əʊver`eɪt], **o•ver•eat•en** ['əʊvər`itn] *vt* przejadać się
o•ver•es•ti•mate ['əʊver`estɪmeɪt] *vt* przeceniać (*wartość*) (**sb <sth>** kogoś <czegoś>; *s* ['əʊver`estɪmɪt] zbyt wysokie oszacowanie
o•ver•flow ['əʊvə`fləʊ] *vt vi* przelewać (się); przepełniać (się); *s* wylew; przepływ
o•ver•haul ['əʊvə`hɔl] *vt* gruntownie przeszukać, dokładnie zbadać; poddać kapitalnemu remontowi; *s* [`əʊvəhɔl] gruntowny przegląd; **general ~** remont kapitalny
o•ver•hear ['əʊvə`hɪə(r)], **overheard, over•heard** ['əʊvə`hɜd] *vt* usłyszeć przypadkiem
o•ver•lap ['əʊvə`læp] *vt vi* zachodzić jedno na drugie <na siebie>; (*częściowo*) pokrywać się
o•ver•look ['əʊvə`lʊk] *vt* (*o oknie*) wychodzić (**sth** na coś); górować (**sth** nad czymś); przeoczyć, pominąć
o•ver•pass ['əʊvə`pɑs] *s am.* wiadukt; estakada
o•ver•pay ['əʊvə`peɪ] *vt* przepłacać
o•ver•seas ['əʊvə`siz] *adv* za granicą; *adj attr* zagraniczny
o•vert [`əʊvɜt, əʊ`vɜt] *adj* otwarty, jawny
o•ver•take ['əʊvə`teɪk], **o•ver•took** ['əʊvə`tʊk], **o•ver•tak•en** ['əʊvə`teɪkn], *vt* wyprzedzać; dopaść, zaskoczyć; owładnąć
o•ver•throw ['əʊvə`θrəʊ], **o•ver•threw** ['əʊvə`θru], **o•ver•thrown** ['əʊvə`θrəʊn] *vt* obalić, przewrócić
o•ver•time [`əʊvətɑɪm] *s* godziny nadliczbowe; *adv* nadliczbowo, po godzinach
o•ver•took *zob.* **overtake**
o•ver•weight ['əʊvə`weɪt] *adj*: **be ~** mieć nadwagę
o•ver•whelm ['əʊvə`welm] *vt* przytłaczać; zalewać, zasypywać
o•ver•work ['əʊvə`wɜk] *vt* przeciążać pracą; *vi* przepracowywać się; *s* przepracowanie
owe [əʊ] *vt* być winnym <dłużnym>; zawdzięczać (**sth to sb** coś komuś)
ow•ing [`əʊɪŋ] *adj* dłużny; **~ to** na skutek, dzięki (*czemuś*)
owl [ɑʊl] *s* sowa
own[1] [əʊn] *adj* własny; **on one's ~** samotnie; samodzielnie, bez pomocy
own[2] [əʊn] *vt* posiadać, mieć; **~ up (to sth)** przyznać się (do czegoś)
own•er [`əʊnə(r)] *s* właściciel
ox [oks] *s* (*pl* **~en** [`oksən]) wół
ox•y•gen [`oksɪdʒən] *s* tlen

oy•ster [`ɔɪstə(r)] *s* ostryga
oz *zob.* **ounce**
o•zone [`əʊzəʊn] *s chem.* ozon; *pot.* świeże powietrze; ~ **hole** dziura ozonowa

P

pace [peɪs] *s* krok; chód; tempo; **keep ~ with sb** dotrzymywać komuś kroku; *vt vi* kroczyć
pa•ci•fic [pæ`sɪfɪk] *adj* spokojny; pokojowy; *s*: **the Pacific (Ocean)** Ocean Spokojny, Pacyfik
pack [pæk] *s* pakiet; paczka; sfora (*psów*), stado; talia (*kart*); *vt vi* (*także* ~ **up**) pakować (się)
pack•age [`pækɪdʒ] *s* pakunek; *am.* paczka (*papierosów*); pakiet; ~ **holiday <tour>** wczasy zorganizowane
pack•et [`pækɪt] *s* pakunek, paczka
pact [pækt] *s* pakt
pad [pæd] *s* poduszka (*np. w żakiecie*); *sport.* ochraniacz; tampon; bloczek (*papieru*); *vt* obijać, wyściełać
pad•dle [`pædl] *s* wiosło; rakietka; *vt vi* wiosłować; brodzić; ~ **one's own canoe** zależeć tylko od siebie samego
pad•lock [`pædlok] *s* kłódka; *vt* zamykać na kłódkę
page [peɪdʒ] *s* stronica
pag•eant [`pædʒənt] *s* pokaz; widowisko; parada
paid *zob.* **pay**
pail [peɪl] *s* wiadro
pain [peɪn] *s* ból; *pot.* utrapienie; *vt vi* boleć; smucić; *pot.* ~ **in the neck** utrapieniec, zakała
pain•ful [`peɪnfʊl] *adj* bolesny, przykry
pain•less [`peɪnlɪs] *adj* bezbolesny
pains•tak•ing [`pɑɪnzteɪkɪŋ] *adj* pracowity; dbały, staranny
paint [`peɪnt] *s* farba; *vt* malować; ~ **sth blue** malować coś na niebiesko
paint•er [`peɪntə(r)] *s* malarz
paint•ing [`peɪntɪŋ] *s* malarstwo; obraz
pair [peə(r)] *s* para; **in ~s** parami; *vt vi* łączyć (się) w pary
pa•jam•as [pə`dʒɑməz] *s am. zob.* **pyjamas**
pal [pæl] *s pot.* kumpel
pal•ace [`pælɪs] *s* pałac
pal•ate [`pælɪt] *s* podniebienie; *przen.* smak, gust
pale [peɪl] *adj* blady; **turn ~** zblednąć; *vi* blednąć
palm [pɑm] *s* palma; dłoń
palm•ist•ry [`pɑmɪstrɪ] *s* chiromancja
pam•phlet [`pæmflɪt] *s* broszura
pan [pæn] *s* garnek; **frying ~** patelnia

pan•cake [ˋpænkeɪk] *s* naleśnik
pan•cre•as [ˋpæŋkrɪəs] *s anat.* trzustka
pane [ˋpeɪn] *s* szyba
pan•el [ˋpænl] *s* płyta; kaseton; zespół (*ekspertów, doradców*); ~ **game** quiz; *tech.* **control** ~ tablica rozdzielcza; *vt* pokrywać boazerią <kasetonami>
pan•el•ling [ˋpænlɪŋ] *s* boazeria
pang [pæŋ] *s* ostry ból, spazm bólu; ~**s of conscience** wyrzuty sumienia
pan•ic [ˋpænɪk] *s* panika; *vi* wpadać w panikę (**at sth** z powodu czegoś)
pan•o•ra•ma [ˌpænəˋrɑmə] *s* panorama
pant [pænt] *vi* dyszeć, sapać; ~ **out** mówić przerywanym głosem; pragnąć (**for sth** czegoś)
pan•ther [ˋpænθə(r)] *s* pantera
pan•ties [ˋpæntɪz] *s* majteczki (*dziecięce, damskie*)
pan•to•mime [ˋpæntəmɑɪm] *s* pantomima
pan•try [ˋpæntrɪ] *s* spiżarnia
pants [pænts] *s bryt.* majtki; *am.* spodnie
panty•hose [ˋpæntɪhəʊz] *s am.* rajstopy
pap [pæp] *s dosł. przen.* papka
pa•pa [pəˋpɑ,ˋpæpə] *s* tata, tatuś
pa•pa•cy [ˋpeɪpəsɪ] *s* papiestwo
pa•pal [ˋpeɪpəl] *adj* papieski
pa•per [ˋpeɪpə(r)] *s* papier; gazeta; praca pisemna, esej; referat; *pl* ~**s** papiery, dokumenty
pa•per•back [ˋpeɪpəbæk] *s* książka w miękkiej okładce
pap•ri•ka [ˋpæprɪkə] *s* papryka
par•a•chute [ˋpærəʃut] *s* spadochron
par•a•chut•ist [ˋpærəʃutɪst] *s* spadochroniarz
pa•rade [pəˋreɪd] *s* parada; pochód; popis; *vi* pokazywać się, popisywać się
par•a•dise [ˋpærədɑɪs] *s* raj
par•a•dox [ˋpærədoks] *s* paradoks
par•a•gon [ˋpærəgən] *s* wzór (*doskonałości*)
par•a•graph [ˋpærəgrɑf] *s* ustęp (*w tekście*); akapit
par•al•lel [ˋpærəlel] *adj* równoległy; analogiczny; *s* równoległa; podobieństwo
par•a•lyse [ˋpærəlɑɪz] *vt* paraliżować
pa•ral•y•sis [pəˋræləsɪs] *s* paraliż
par•a•mount [ˋpærəmɑʊnt] *adj* najważniejszy, główny
par•a•site [ˋpærəsɑɪt] *s* pasożyt
par•cel [ˋpɑsl] *s* paczka; przesyłka; parcela
parch•ment [ˋpɑtʃmənt] *s* pergamin
par•don [ˋpɑdn] *s* ułaskawienie; przebaczenie; ~ **me, I beg your** ~ przepraszam; ~**?** słucham, nie dosłyszałem?; *vt* przebaczać
par•don•a•ble [ˋpɑdnəbl] *adj* wybaczalny

par•ent [ˋpeərənt] *s* rodzic; *pl* **~s** rodzice

par•ish [ˋpærɪʃ] *s* parafia; gmina

park [pɑk] *s* park; **car ~** parking; *vt vi* parkować

park•ing [ˋpɑkɪŋ] *s* parkowanie; *am.* **~ lot** miejsce do parkowania

par•lia•ment [ˋpɑləmənt] *s* parlament

par•lo(u)r [ˋpɑlə(r)] *s am.* salon, lokal; **beauty ~** salon piękności

pa•ro•dy [ˋpærədɪ] *s* parodia; *vt* parodiować

pa•role [pəˋrəʊl] *s prawn.* zwolnienie warunkowe

par•rot [ˋpærət] *s* papuga; *vt* powtarzać (coś) jak papuga

pars•ley [ˋpɑslɪ] *s* pietruszka

par•son [ˋpɑsn] *s* pastor; duchowny, proboszcz

part [pɑt] *s* część; udział; strona; rola; **for my ~** co do mnie; **for the most ~** przeważnie, w większości przypadków; **in ~** w części; **on my ~** z mojej strony; **take ~** brać udział (**in sth** w czymś); *vt* rozdzielać; rozwierać; *vi* rozdzielać się; rozstawać się

par•tial [ˋpɑʃəl] *adj* częściowy; stronniczy; **be ~ to sth** lubić coś, mieć słabość do czegoś

par•tic•i•pant [pɑˋtɪsɪpənt] *s* uczestnik

par•tic•i•pate [pɑˋtɪsɪpeɪt] *vi* uczestniczyć (**in sth** w czymś)

par•ti•cle [ˋpɑtɪkl] *s* cząstka; cząsteczka; odrobina; *gram.* partykuła

par•tic•u•lar [pəˋtɪkjʊlə(r)] *adj* szczególny, specjalny; wybredny; *s* szczegół; **in ~** w szczególności

par•tic•u•lar•ly [pəˋtɪkjʊləlɪ] *adv* szczególnie, w szczególności, zwłaszcza

par•ti•tion [pɑˋtɪʃən] *s* przegroda; przepierzenie; podział

part•ly [ˋpɑtlɪ] *adv* częściowo, po części

part•ner [ˋpɑtnə(r)] *s* partner; wspólnik; *vt* partnerować

part•ner•ship [ˋpɑtnəʃɪp] *s* współudział; współuczestnictwo; spółka

par•tridge [ˋpɑtrɪdʒ] *s* kuropatwa

part-time [ˈpɑtˋtaɪm] *adj attr* niepełnoetatowy; *adv* na niepełnym etacie

par•ty [ˋpɑtɪ] *s* przyjęcie towarzyskie; towarzystwo; grupa; partia; *prawn.* strona; **be a ~** współuczestniczyć (**to sth** w czymś)

pass [pɑs] *vt vi* przechodzić, przejeżdżać; mijać; przekraczać; podawać; spędzać (*czas*); zdać (*egzamin*); wydawać (*wyrok, opinię*); **~ away** umrzeć; **~ for sb <sth>** uchodzić za kogoś <coś>; **~ off** (prze)mijać; **~ o.s. off** podawać się (**as sb <sth>** za kogoś <coś>); **~ out** zemdleć; **~ over** pomijać, ignorować; ~ **up** przepuszczać (*okazję*); *s* przejście; przepustka; przełęcz

pas•sage [`pæsɪdʒ] *s* korytarz; przejście, przejazd; ustęp (*w tekście*)

pas•sen•ger [`pæsɪndʒə(r)] *s* pasażer

pas•ser•by ['pɑsə`baɪ] *s* (*pl* **passers•by** ['pɑsəz`bɑi]) przechodzień

pas•sion [`pæʃən] *s* namiętność, pasja (**for sth** do czegoś)

pas•sion•ate [`pæʃənɪt] *adj* namiętny; żarliwy; zapalczywy, porywczy

pas•sive [`pæsɪv] *adj* bierny

pass•port [`pɑspɔt] *s* paszport; ~ **control** kontrola paszportowa

pass•word [`pɑswɜd] *s* hasło

past [pɑst] *adj* miniony, przeszły; ubiegły; *praep* obok; po; za; **ten ~ two** dziesięć po drugiej; **she is ~ fifty** ona jest po pięćdziesiątce; *s*: **the ~** przeszłość; *adv* obok, mimo

paste [peɪst] *s* ciasto; klej; pasta; *vt* kleić, lepić; ~ **up** naklejać; smarować pastą

pas•time [`pɑstaɪm] *s* rozrywka

pas•tor [`pɑstə(r)] *s* pastor

pas•tor•al [`pɑstərl] *adj* duszpasterski; sielski

pas•ture [`pɑstʃə(r)] *s* pastwisko

past•y [`pæstɪ] *s bryt.* pasztecik; *adj* ziemisty, blady

pat [pæt] *s* klepnięcie; *vt* klepnąć; ~ **sb on the back** pochwalić kogoś

patch [pætʃ] *s* łata; zagon; **eye ~** przepaska na oko; *vt* łatać; ~ **up** załagodzić (*spór*); połatać

patch•work [`pætʃwɜk] *s* patchwork

pa•tent [`peɪtənt] *adj* opatentowany, zastrzeżony; otwarty, jawny; ~ **lie** oczywiste kłamstwo; *s* patent; *vt* opatentować

path [pɑθ] *s dosł. przen.* ścieżka, droga

pa•thet•ic [pə`θetɪk] *adj* żałosny; rozpaczliwy; beznadziejny, niezdarny

pa•tience [`peɪʃns] *s* cierpliwość; *bryt.* pasjans

pa•tient [`peɪʃnt] *s* pacjent; *adj* cierpliwy

pa•tri•ot [`peɪtrɪət] *s* patriota

pa•trol [pə`trəʊl] *s* patrol; *vt vi* patrolować

pat•ron•ize [`pætrənɑɪz] *vt* patronować; otaczać opieką; traktować protekcjonalnie

pat•tern [`pætn] *s* wzór; szablon

pause [pɔz] *s* pauza, przerwa; *vi* robić przerwę, zatrzymywać się

pave [peɪv] *vt* brukować; ~ **the way for sth** utorować drogę do czegoś

pave•ment [`peɪvmənt] *s bryt.* chodnik, bruk; *am.* nawierzchnia jezdni

pa•vil•ion [pə`vɪlɪən] *s* pawilon (*wystawowy*); *sport.* szatnia

paw [pɔ] *s* łapa; *vi* (*o zwierzętach*) grzebać łapą; *pot.* obłapiać

pawn [pɔn] *s* pionek (*także przen.*); zastawiać (*towar*); **~ shop** lombard

pay [peɪ], **paid, paid** [peɪd] *vt vi* płacić; opłacać (się); **~ attention** zwracać uwagę (**to sth** na coś); **~ (in) cash <by cheque>** płacić gotówką <czekiem>; **~ (sb) a compliment** powiedzieć (komuś) komplement; **~ a visit** składać wizytę; **~ back** zwracać pieniądze; odpłacać; **~ off** spłacać; *s* płaca; **~ day** dzień wypłaty

pay•a•ble [`peɪəbl] *adj* płatny; do zapłaty; **~ to** wystawione na

pay•ment [`peɪmənt] *s* zapłata; wpłata; opłata

pea [pi] s groch, groszek

peace [pis] *s* pokój; spokój; **at ~** w spokoju; **make ~ with sb** pogodzić się z kimś

peace•ful [`pisful] *adj* spokojny; pokojowy

peach [pitʃ] *s* brzoskwinia

pea•cock [`pikok] *s* paw

peak [pik] *s* szczyt; szpic

pea•nut [`pinʌt] *s* orzeszek ziemny; *pl pot.* **~s** (marne) grosze; **~ butter** masło orzechowe

pear [`peə(r)] *s* gruszka

pearl [pɜl] *s* perła

peas•ant [`peznt] *s* chłop, wieśniak

peat [pit] *s* torf

peb•ble [`pebl] *s* kamyk

pe•cul•iar [pɪ`kjulɪə(r)] *adj* osobliwy; właściwy (**to sb <sth>** komuś <czemuś>)

pe•cu•li•ar•i•ty [pɪ'kjulɪ`ærɪtɪ] *s* osobliwość, dziwaczność; właściwość

ped•al [`pedl] *s* pedał; *vi* pedałować

ped•ant•ic [pɪ`dæntɪk] *adj* pedantyczny

ped•es•tal [`pedəstl] *s* piedestał

pe•des•tri•an [pɪ`destrɪən] *s* pieszy, przechodzień; *adj attr* pieszy

ped•i•gree [`pedɪgri] *s* rodowód; **~ dog** pies z rodowodem

pee [pi] *vi pot.* siusiać; *s* siusianie

peel [pil] *vt* obierać (*ze skórki*); *vi* łuszczyć się; *s* łupinka, skórka

peep [pip] *vi* zerkać (**at sb <sth>** na kogoś <coś>); podglądać (**at sb <sth>** kogoś <coś>); *s* zerknięcie

peep•hole [`piphəul] *s* wizjer (*w drzwiach*)

peer [pɪə(r)] *vi* (*badawczo*) patrzeć; wpatrywać się; *s bryt.* par; człowiek równy rangą; rówieśnik

pee•vish [`pivɪʃ] *adj* drażliwy

peg [peg] *s* wieszak, kołek; **clothes ~** spinacz do bielizny

pel•i•can [`pelɪkən] *s* pelikan

pel•vis [`pelvɪs] *s anat.* miednica

pen [pen] *s* pióro, długopis; **fountain ~** pióro wieczne; **ballpoint ~** długopis; **felttip ~** pisak; wybieg, zagroda; *am. pot.* pudło *pot.*; *vt* zagonić do zagrody

penal [`pɪnl] *adj prawn.* karny; ~ **code** kodeks karny
pen•al•ty [`penltɪ] *s prawn.* kara sądowa; grzywna; **death** ~ kara śmierci; *sport.* ~ **kick** rzut karny
pence *zob.* **penny**
pen•cil [`pensl] *s* ołówek
pen•dant [`pendənt] *s* wisząca ozdoba, wisiorek
pend•ing [`pendɪŋ] *adj* nie rozstrzygnięty; nadchodzący; *praep* w oczekiwaniu; do czasu
pen•du•lum [`pendjʊləm] *s* wahadło
pen•e•trate [`penɪtreɪt] *vt vi* przeniknąć, przebić; wcisnąć się
pen•e•tra•tion ['penɪ`treɪʃən] *s* przenikanie; penetracja; wnikliwość
pen•guin [`peŋgwɪn] *s* pingwin
pen•i•cil•lin ['penɪ`sɪlɪn] *s* penicylina
pe•nin•su•la [pe`nɪnsjʊlə] *s* półwysep
pen•i•tent [`penɪtənt] *adj* skruszony; *s* pokutnik
pe•nis [`pinɪs] *s* członek, penis
pen•i•ten•tia•ry ['penɪ`tenʃərɪ] *s am.* więzienie
pen•knife [`pennaɪf] *s (pl* **penknives** [`pennaɪvz]) scyzoryk
pen•ni•less [`penɪlɪs] *adj* bez grosza
pen•ny [`penɪ] *s (pl* **pennies** [penɪz] *lub* **pence** [pens]) pens; *am.* jednocentówka
pen•sion [`penʃən] *s* emerytura; renta
pen•sion•er [`penʃənə(r)] *s* emeryt
Pen•te•cost [`pentɪkost] *s* Zielone Świątki
pent•house [`penthaʊs] *s* luksusowy apartament na ostatnim piętrze
pe•o•ny [`pɪənɪ] *s* piwonia
peo•ple [`pipl] *s pl* ludzie; naród, lud; *vt* zaludniać
pep•per [`pepə(r)] *s* pieprz; papryka
pep•per•y [`pepərɪ] *adj* pieprzny; porywczy
per•ceive [pə`siv] *vt* zauważyć, spostrzec; dostrzec
per cent [pə`sent] *s* procent
per•cent•age [pə`sentɪdʒ] *s* procent, odsetki
per•cep•tion [pə`sepʃən] *s* wrażenie; opinia; spostrzeżenie
perch [pɜtʃ] *s* grzęda; okoń; *vt vi* usadowić (się)
per•co•late [`pɜkəleɪt] *vt vi* przesączać (się), filtrować
per•cus•sion [pə`kʌʃən] *s* perkusja
per•fect [`pɜfɪkt] *adj* doskonały; *vt* [pə`fekt] doskonalić
per•fec•tion [pə`fekʃən] *s* doskonałość, perfekcja
per•fect•ly [`pɜfɪktlɪ] *adj* doskonale; zupełnie, całkowicie
per•form [pə`fɔm] *vt* wykonywać; grać (*rolę*); *vi* występować (*na scenie*)
per•form•ance [pə`fɔməns] *s* wykonanie; występ; przedstawienie

per•fume [`pɜfjum] *s* perfumy
per•haps [pə`hæps] *adv* może, być może
per•il [`perɪl] *s* niebezpieczeństwo, zagrożenie; **at one's ~** na własne ryzyko
per•il•ous [`perɪləs] *adj* niebezpieczny; ryzykowny
pe•ri•od [`pɪərɪəd] *s* okres, czas; *am. gram.* kropka; *med.* miesiączka
pe•ri•od•i•cal ['pɪərɪ`odɪkl] *adj* okresowy; *s* czasopismo, periodyk
per•ish [`perɪʃ] *vi* ginąć; niszczeć
per•ju•ry [`pɜdʒərɪ] *s prawn.* krzywoprzysięstwo
perm [pɜm] *s pot.* trwała (*ondulacja*); *vt* robić trwałą (*ondulację*)
per•ma•nent [`pɜmənənt] *adj* stały; ciągły; trwały; **~ wave** trwała ondulacja
per•me•a•ble [`pɜmɪəbl] *adj* przepuszczalny, przenikalny
per•me•ate [`pɜmɪeɪt] *vt* przenikać, przesiąkać
per•mis•si•ble [pə`mɪsəbl] *adj* dozwolony, dopuszczalny
per•mis•sion [pə`mɪʃən] *s* pozwolenie, zezwolenie
per•mis•sive [pə`mɪsɪv] *adj* przyzwalający, pobłażliwy
per•mit [pə`mɪt] *vt* pozwalać (**sth** na coś); *s* [`pɜmɪt] zezwolenie (*pisemne*); przepustka
per•pen•dic•u•lar ['pɜpən`dɪkjulə(r)] *adj* prostopadły (**to** do); pionowy; *s* linia prostopadła
per•se•cu•tion ['pɜsɪ`kjuʃən] *s* prześladowanie
per•se•vere ['pɜsɪ`vɪə(r)] *vi* trwać (**in sth** przy czymś), nie ustawać (**sth** w czymś)
Per•sian [`pɜʃən] *adj* perski; *s* Pers; język perski
per•sist [pə`sɪst] *vi* upierać się <obstawać> (**in sth** przy czymś); (*o pogodzie, o plotkach*) utrzymywać się
per•sis•tent [pə`sɪstənt] *adj* wytrwały; uporczywy
per•son [`pɜsn] *s* osoba, osobnik; **in ~** osobiście
per•son•al [`pɜsnl] *adj* osobisty; prywatny; własny
per•son•a•li•ty ['pɜsə`nælɪstɪ] *s* osobowość; osobistość
per•son•i•fy [pə`sonɪfaɪ] *vi* uosabiać, ucieleśniać
per•son•nel ['pɜsə`nel] s personel; **~ officer** kierownik działu kadr
per•spec•tive [pə`spektɪv] *s* perspektywa; **in ~** z właściwej perspektywy
per•spi•ra•tion ['pɜspə`reɪʃən] *s* pocenie się; pot
per•spire [pə`spaɪə(r)] *vi* pocić się
per•suade [pə`sweɪd] *vt* przekonywać, namawiać (**sb into sth** kogoś do czegoś); **I was ~d that...** byłem przekonany, że...
per•sua•sion [pə`sweɪʒən] *s* przekonywanie, perswazja, namowa
per•sua•sive [pə`sweɪsɪv] *adj* przekonujący

per•verse [pəˋvɜs] *adj* przewrotny, przekorny; perwersyjny, zepsuty
per•ver•sion [pəˋvɜʃən] *s* przekręcenie, wypaczenie; perwersja, zboczenie
per•vert [pəˋvɜt] *vt* deprawować; wypaczać; *s* [ˋpɜvɜt] zboczeniec
pes•si•mis•m [ˋpesɪmɪzəm] *s* pesymizm
pes•si•mist [ˋpesɪmɪst] *s* pesymista
pest [pest] *s* szkodnik; *pot.* utrapienie
pet [pet] *s* (*o zwierzęciu*) pieszczoch, ulubieniec; *vt* pieścić
pet•al [ˋpetl] *s* płatek
pe•ti•tion [pəˋtɪʃən] *s* petycja; *vi* składać petycję (**for <against> sth** o coś <przeciw czemuś>)
petrify [ˋpetrɪfɑɪ] *vt* przerażać; paraliżować (*ze strachu*); *vi* skamienieć
pet•rol [ˋpetrəl] *s bryt.* benzyna; *bryt.* **~ station** stacja benzynowa
pe•tro•le•um [pəˋtrəʊlɪəm] *s* ropa naftowa
pet•tish [ˋpetɪʃ] *adj* drażliwy, opryskliwy
pet•ty [ˋpetɪ] *adj* drobny, mało znaczący; małostkowy
phase [feɪz] *s* faza; *vt*: **~ sth in** wprowadzać coś; **~ sth out** wycofać coś
pheas•ant [ˋfeznt] *s* bażant
phe•nom•e•non [fɪˋnomɪnən] *s* (*pl* **phe•nom•e•na** [fɪˋnomɪnə]) zjawisko
phi•lol•o•gy [fɪˋlolədʒɪ] *s* filologia
phi•los•o•phy [fɪˋlosəfɪ] *s* filozofia
phone [fəʊn] *s pot. zob.* **telephone**; *vt vi* dzwonić, telefonować
pho•net•ics [fəʊˋnetɪks] *s* fonetyka
pho•ney [ˋfəʊnɪ] *adj pot.* fałszywy, udawany
photo [ˋfəʊtəʊ] *s skr. zob.* **photograph**
pho•to•graph [ˋfəʊtəgrɑf] *s* fotografia, zdjęcie; **take a ~** robić zdjęcie (**of sb** komuś); *vt* fotografować
pho•tog•ra•pher [fəˋtogrəfə(r)] *s* fotograf
pho•tog•ra•phy [fəˋtogrəfɪ] *s* fotografia (*dziedzina*)
phrase [freɪz] *s* zwrot, fraza
phys•i•cal [ˋfɪzɪkl] *adj* fizyczny
phy•si•cian [fɪˋzɪʃən] *s* lekarz
phys•ics [ˋfɪzɪks] *s* fizyka
pi•an•ist [ˋpɪənɪst] *s* pianista
pi•an•o [pɪˋænəʊ] *s* (*także* **grand ~**) fortepian; **upright ~** pianino
pick [pɪk] *vt* wybierać; zrywać (*kwiaty*); zbierać (*owoce, grzyby*); **~ one's nose <teeth>** dłubać w nosie <zębach>; **~ sb's pocket** dobierać się do czyjejś kieszeni; **~ off** zrywać; **~ out** wybierać; dostrzegać; **~ up** podnosić (*z ziemi*); zbierać; nauczyć się; odebrać (*osobę; paczkę*); (*o kierowcy*) zabierać

(**sb** kogoś); *pot.* podrywać (*dziewczynę*); *s* wybór

pick•le [`pɪkl] *s* marynata; *pl* **~s** marynowane warzywa, pikle; *vt* marynować

pick•pock•et [`pɪkpokɪt] *s* kieszonkowiec

pic•ture [`pɪktʃə(r)] *s* obraz; zdjęcie; film; *vt* wyobrażać, przedstawiać

pic•tures [`pɪktʃəz] *s bryt. pot.* kino

pic•tur•esque ['pɪktʃə`resk] *adj* malowniczy

pidg•in [`pɪdʒɪn] *s*: **~ English** łamana angielszczyzna

pie [pɑɪ] *s* pasztecik, pierożek; placek

piece [pis] *s* kawałek; część; **~ of furniture** mebel; **~ of music** utwór muzyczny; **in ~s** w kawałkach; **~ by ~** po kawałku; **go to ~s** rozpadać się na kawałki

piece•work [`piswɜk] *s* praca na akord

pier [pɪə(r)] *s* molo, pomost

pierce [pɪəs] *vt* przebijać, przekłuwać

pierc•ing [`pɪəsɪŋ] *adj* ostry, przeszywający, przenikliwy

pig [pɪg] *s* (*także przen.*) świnia

pig•eon [`pɪdʒən] *s* gołąb

pig•eon•hole [`pɪdʒənhəʊl] *s* przegródka; *pot.* dziupla; *vt* umieścić w przegródce

pig•gy•back [`pɪgɪbæk] *adv*: **give sb a ~** wziąć kogoś na barana

pig•head•ed ['pɪg`hedəd] *adj pot.* uparty (*jak osioł*)

pike [pɑɪk] *s* pika, włócznia; *zool.* szczupak

pile [pɑɪl] *s* stos, sterta; *vt* układać w stertę

pil•grim [`pɪlgrɪm] *s* pielgrzym

pil•grim•age [`pɪlgrɪmɪdʒ] *s* pielgrzymka

pill [pɪl] *s* pigułka; **the ~** pigułka antykoncepcyjna

pil•lar [`pɪlə(r)] *s* filar

pil•low [`pɪləʊ] *s* poduszka

pi•low•case [`pɪləʊkeɪs] *s* poszewka

pi•lot [`pɑɪlət] *s* pilot; *vt* pilotować

pim•ple [`pɪmpl] *s* pryszcz

pin [pɪn] *s* szpilka; **safety ~** agrafka; *vt* przypinać szpilką <szpilkami>; **~ down** przyszpilać *pot.*

pin•cers [`pɪnsəz] *s pl* szczypce; obcęgi, obcążki

pinch [pɪntʃ] *vt vi* szczypać; (*o butach*) uciskać, uwierać; *s* uszczypnięcie; szczypta

pine [pɑɪn] *s* sosna

pine•ap•ple [`pɑɪnæpl] *s* ananas

pink [pɪŋk] *adj* różowy; *s* kolor różowy; *bot.* goździk

pin•na•cle [`pɪnəkl] *s* szczyt; wieżyczka

pin•point [`pɪnpoɪnt] *s* drobny punkt; *vt* dokładnie określić

pint [pɑɪnt] *s* pół kwarty

pi•o•neer ['pɑɪə`nɪə(r)] *s* pionier; *vt vi* wykonywać pionierską pracę, torować drogę

pi•ous [`paɪəs] *adj* pobożny
pip [pɪp] *s* pestka (*jabłka, pomarańczy*)
pipe [paɪp] *s* rura; fajka; fujarka; *vt* doprowadzać rurami
pipe•line [`paɪplaɪn] *s* rurociąg; gazociąg; **be in the ~** być w przygotowaniu
pi•rate [`paɪrət] *s* pirat; *vt* nielegalnie kopiować
piss [pɪs] *vi wulg.* sikać, szczać; *wulg.* **~ off!** odpieprz się!; *wulg.* **be ~ed off with sth** być wkurzonym czymś; *s* siki
pis•tol [`pɪstl] *s* pistolet
pit [pɪt] *s* dół, wykop, dziura; kopalnia; kanał (*dla orkiestry*)
pitch[1] [pɪtʃ] *s* smoła; **as black as ~** czarny jak smoła
pitch[2] [pɪtʃ] *s* boisko (*do piłki nożnej*); tonacja; poziom, stopień; *vt* ustawić na poziomie; rzucać; rozbić (*namiot, obóz*); (na)stroić; upaść, runąć
pit•i•ful [`pɪtɪful] *adj* żałosny
pit•i•less [`pɪtɪlɪs] *adj* bezlitosny
pit•tance [`pɪtəns] *s* nędzne wynagrodzenie, grosze
pit•y [`pɪtɪ] *s* litość, współczucie; szkoda; **take <have> ~** litować się (**on sb** nad kimś); **what a ~!** jaka szkoda!; *vt* współczuć
place [pleɪs] *s* miejsce; posada; **give ~** ustąpić; **take ~** mieć miejsce, wydarzyć się; **take the ~ of** zastępować; **in ~** na miejscu; **in ~ of** zamiast; **out of ~** nie na miejscu, nieodpowiedni; **in the first ~** po pierwsze; *vt* umieszczać; stawiać; umiejscowić; **~ an order** składać zamówienie
plac•id [`plæsɪd] *adj* łagodny, spokojny
plague [pleɪg] *s* zaraza, plaga; dżuma; *vt* dotknąć plagą; *przen.* dręczyć
plaid [plæd] *s* pled (*zw. w kratę*)
plain [pleɪn] *adj* prosty; gładki; wyraźny; otwarty, szczery; brzydki; *s* równina
plan [plæn] *s* plan, projekt, zamiar; *vt* planować, zamierzać
plane [pleɪn] *s* samolot; płaszczyzna; hebel; *adj* płaski, równy; *vt* heblować
plan•et [`plænɪt] *s* planeta
plant [plɑnt] *s* roślina; fabryka; *vt* sadzić; siać
plan•ta•tion [plæn`teɪʃən] *s* plantacja
plaque [plɑk] *s* plakietka; tablica pamiątkowa; osad nazębny
plas•ma [`plæzmə] *s* plazma
plas•ter [`plɑstə(r)] *s* tynk; gips; plaster; *vt* tynkować
plas•tic [`plæstɪk] *s* plastyk; *adj* plastyczny; plastykowy
plas•ti•cine [`plæstɪsin] *s* plastelina
plate [pleɪt] *s* talerz; płyt(k)a
plat•eau [`plætəʊ] *s* płaskowyż
plat•form [`plætfɔm] *s* peron; platforma; trybuna
plat•i•num [`plætɪnəm] *s* platyna

pla•toon [plə`tun] *s* pluton
plau•si•ble [`plɔzəbl] *adj* możliwy do przyjęcia, prawdopodobny
play [pleɪ] *s* gra, zabawa; sztuka sceniczna; *sport.* gra; *vt vi* bawić się (**with sth** czymś); grać (*na scenie, na instrumencie*); odgrywać rolę; *sport.* grać; **~ cards <football>** grać w karty <piłkę nożną>; **~ the piano <the guitar>** grać na pianinie <gitarze>; **~ a joke** robić kawał (**on sb** komuś)
play•er [`pleɪə(r)] *s* gracz; muzyk
play•ground [`pleɪgraʊnd] *s* plac zabaw
play•ing field [`pleɪɪŋfild] *s* boisko
play-off [`pleɪof] *s sport.* dogrywka; baraż
play•wright [`pleɪraɪt] *s* dramaturg
plea [pli] *s* błaganie; *prawn.* **~ of (not) guilty** (nie)przyznanie się do winy; usprawiedliwienie, wymówka
plead [plid] *vi* błagać (**with sb for sth** kogoś o coś); *prawn.* wygłaszać mowę obrończą; **~ not guilty** nie przyznawać się do winy; **~ sb's case** bronić czyjejś sprawy
pleas•ant [`pleznt] *adj* przyjemny, miły
please [pliz] *vt* zadowalać; sprawiać przyjemność; **if you ~** proszę bardzo; **be ~d** być zadowolonym (**with sth** z czegoś); **I am ~d to say** z przyjemnością stwierdzam; **do as you ~** rób, jak chcesz; *int* proszę; **~ come in!** proszę wejść!
pleas•ing [`plizɪŋ] *adj* przyjemny
pleas•ure [`pleʒə(r)] *s* przyjemność; **take ~ in doing sth** znajdować przyjemność w robieniu czegoś; **with ~** z przyjemnością; **it's a <my> ~** cała przyjemność po mojej stronie
pledge [pledʒ] *s* przyrzeczenie, ślubowanie; zastaw; *vt* przyrzekać, ślubować; dawać w zastaw; **~ one's word** dać słowo honoru
plen•ti•ful [`plentɪfʊl] *adj* obfity, liczny
plen•ty [`plentɪ] *s* obfitość, duża ilość; **~ of** dużo
pli•ers [`plaɪəz] *s pl* szczypce, kombinerki
plight [plaɪt] *s* trudna sytuacja
plot [plot] *s* fabuła, akcja; spisek, intryga; kawałek gruntu, działka; *vt vi* spiskować, intrygować
plough, *am.* **plow** [plaʊ] *s* pług; *vt* orać; pruć (*fale, powietrze*)
plow *am. zob.* **plough**
pluck [plʌk] *vt* skubać, rwać, szarpać; wyrywać
plug [plʌg] *s* korek, zatyczka; *pot.* gniazdko (*elektryczne*); świeca (*w silniku*); *vt* zatykać;

~ **in** wetknąć wtyczkę (*do kontaktu*)
plum [plʌm] *s* śliwka
plumb•er [`plʌmə(r)] *s* hydraulik
plump [plʌmp] *adj* pulchny, tłusty
plun•der [`plʌndə(r)] *vt* plądrować, rabować; *s* grabież, rabunek; łup
plunge [plʌndʒ] *vt vi* zanurzać, pogrążać; zagłębiać (się) (**into sth** w coś); nurkować, rzucać się; *s* zanurzenie (się), nurkowanie
plu•ral [`pluərəl] *adj* mnogi; *s gram.* liczba mnoga
plus [plʌs] *praep* plus; *adj attr* dodatni; *s* plus
plush [plʌʃ] *s* plusz
pneu•mo•ni•a [nju`məunɪə] *s med.* zapalenie płuc
poach [pəutʃ] *vi* kłusować; *vt* przywłaszczać sobie
poach•er [`pəutʃə(r)] *s* kłusownik
pock•et [`pokɪt] *s* kieszeń; *vt* wkładać do kieszeni; przywłaszczać sobie; ~ **money** kieszonkowe
pod [pod] *s* strąk
po•em [`pəuɪm] *s* poemat, wiersz
po•et [`pəuɪt] *s* poeta, poetka
po•et•ry [`pəuɪtrɪ] *s* poezja
point [poɪnt] *s* czubek; punkt; sedno sprawy; sens; **this is not the** ~ nie o to chodzi; **to the** ~ do rzeczy; **off the** ~ nie na temat; **be on the** ~ **of doing sth** mieć właśnie coś zrobić; **I see your** ~ rozumiem, o co ci chodzi; ~ **of view** punkt widzenia; *vi* wskazywać (**at sb <sth>** na kogoś <coś>); *vt* celować (**at sb** do kogoś); ~ **out** wskazywać, podkreślać
point•er [`poɪntə(r)] *s* wskaźnik; wskazówka, strzałka; pointer (*pies myśliwski*)
point•less [`poɪntlɪs] *adj* bezcelowy
poi•son [`poɪzn] *s* trucizna; *vt* truć
poke [pəuk] *vt* wpychać, szturchać; grzebać (*w czymś*); ~ **fun** żartować sobie (**at sb <sth>** z kogoś <czegoś>); *vi* szperać, myszkować; szturchać (**at sb <sth>** kogoś <coś>)
pok•er [`pəukə(r)] *s* poker; pogrzebacz
po•lar [`pəulə(r)] *adj* polarny
pole[1] [pəul] *s geogr.* biegun
pole[2] [pəul] *s* drąg, słup; ~ **jump** skok o tyczce
Pole [pəul] *s* Polak, Polka
po•lem•ic [po`lemɪk] *adj* polemiczny; *s* polemika
po•lice [pə`lis] *s* policja
po•lice•man [pə`lismən] *s* policjant
po•lice station [pə`lis`steɪʃən] *s* komisariat
po•li•cy [`polɪsɪ] *s* polityka, taktyka; polisa
pol•ish [`polɪʃ] *vt* polerować; czyścić (*buty*); *s* pasta; połysk; polerowanie

Pol•ish [`pəʊlɪʃ] *adj* polski; *s* język polski

po•lite [pə`laɪt] *adj* grzeczny, uprzejmy

po•lit•i•cal [pə`lɪtɪkl] *adj* polityczny

pol•i•ti•cian ['polə`tɪʃən] *s* polityk

pol•i•tics [`polɪtɪks] *s* polityka; poglądy polityczne

poll [pəʊl] *s* (*także* **the polls**) głosowanie, wybory; obliczanie głosów; ankieta, sondaż; **go to the ~s** pójść do urn wyborczych; *vt* ankietować; otrzymać (*głosy*)

pol•len [`polən] *s* pyłek kwiatowy

pol•li•nate [`polɪneɪt] *vi* zapylać

pol•lute [pə`lut] *vt* zanieczyszczać

pol•lu•tion [pə`luʃən] *s* zanieczyszczenie, skażenie

pol•y•tech•nic ['polɪ`teknɪk] *s* wyższa szkoła zawodowa, politechnika

pomp [pomp] *s* pompa, wystawność, parada

pond [pond] *s* staw

pon•toon [pon`tun] *s* ponton; oko (*gra*)

pon•y [`pəʊnɪ] *s* kucyk

poo•dle [`pudl] *s* pudel

pool [pul] *s* sadzawka; kałuża; **swimming ~** basen pływacki

poor [pʊə(r)] *adj* biedny, nędzny; marny

pop [pop] *vt* wsuwać; *vi* strzelać, rozrywać się z trzaskiem, pękać; *pot.* **~ in** zajrzeć <wpaść> (**on sb** do kogoś); wychodzić na wierzch (*o oczach*); **~ out** wyskoczyć; **~ up** pojawić się; *s* trzask, wystrzał; napój musujący; **~ music** muzyka pop; *am. pot.* tata

Pope [pəʊp] *s* papież

pop•lar [`poplə(r)] *s* topola

pop•lin [`poplɪn] *s* popelina

pop•py [`popɪ] *s* mak

pop•u•lar [`popjʊlə(r)] *adj* popularny, powszechny

pop•u•lar•i•ty [popjʊ`lærɪtɪ] *s* popularność

pop•u•lar•ize [`pɔpjʊləraɪz] *vt* popularyzować, propagować

pop•u•la•tion ['popjʊ`leɪʃən] *s* zaludnienie; ludność; populacja

porce•lain [`pɔslɪn] *s* porcelana

porch [pɔtʃ] *s* portyk; ganek; *am.* weranda

pore [pɔ(r)] *s anat.* por; *vi* ślęczeć (**over sth** nad czymś), zagłębiać się

pork [pɔk] *s* wieprzowina; **~ chop** kotlet schabowy

por•ridge [`porɪdʒ] *s* owsianka

port [pɔt] *s* port; porto (*alkohol*)

port•a•ble [`pɔtəbl] *adj* przenośny

por•ter [`pɔtə(r)] *s* bagażowy; portier

port•fo•li•o [pɔt`fəʊlɪəʊ] *s* teczka; teka (*ministerialna*); *fin.* portfel

por•tion [`pɔʃən] *s* część; udział; porcja

por•trait [`pɔtrɪt] *s* portret

por•tray [pɔ`treɪ] *vt* portretować; przedstawiać; opisywać
Por•tu•guese [pɔtjʊ`giz] *s* Portugalczyk; *adj* portugalski
pose [pəʊz] *s* poza, postawa; *vi* pozować; *vt* stawiać (*pytanie*); stanowić (*problem*)
pos•er [`pəʊzə(r)] *s* łamigłówka; **give sb a ~** zabić komuś klina *pot.*
po•seur [pəʊ`zɜ(r)] *s* pozer, pozerka
posh [pɔʃ] *adj pot.* elegancki, luksusowy; z wyższych sfer
po•si•tion [pə`zɪʃən] *s* pozycja, położenie; pozycja społeczna; stanowisko; **be in a ~ to do sth** być w stanie coś zrobić; *vt* umieszczać
pos•i•tive [`pozɪtɪv] *adj* pewny, przekonany; pozytywny; *s fot.* pozytyw
pos•sess [pə`zes] *vt* posiadać; opętać
pos•ses•sion [pə`zeʃən] *s* posiadanie; władanie (**of sth** czymś); posiadłość; posiadany przedmiot; **take ~ of sth** objąć coś w posiadanie, zawładnąć czymś
pos•ses•sive [pə`zesɪv] *adj* zaborczy; zazdrosny; *gram.* dzierżawczy
pos•si•bil•i•ty ['posɪ`bɪlɪtɪ] *s* możliwość
pos•si•ble [`posɪbl] *adj* możliwy; ewentualny; **as soon as ~** jak najszybciej
pos•si•bly [`posɪblɪ] *adv* możliwie; być może
post [pəʊst] *s* poczta; **by ~** pocztą; *bryt.* **by return of ~** odwrotną pocztą; *vt* wysyłać pocztą
post•age [`pəʊstɪdʒ] *s* opłata pocztowa
pos•tal [`pəʊstl] *adj* pocztowy; *bryt.* **~ order** przekaz pocztowy
post•box [`pəʊstboks] *s bryt.* skrzynka pocztowa
post•card [`pəʊstkɑd] *s* pocztówka
post•code [`pəʊstkəʊd] *s bryt.* kod pocztowy
post•er [`pəʊstə(r)] *s* plakat, afisz
post•man [`pəʊstmən] *s* listonosz
post•mark [`pəʊstmɑk] *s* stempel pocztowy
post of•fice [`pəʊst'ofɪs] *s* poczta
post•pone [pə`spəʊn] *vt* odraczać, odwlekać
pos•tu•late [`postjʊleɪt] *vt* domagać się; postulować; *s* postulat
pos•ture [`postʃə(r)] *s* postawa; poza; *vi* pozować
post•war [pəʊst`wɔ] *adj attr* powojenny
pot [pot] *s* garnek; doniczka; dzbanek; nocnik
po•tas•si•um [pə`tæsɪəm] *s* potas
po•ta•to [pə`teɪtəʊ] *s* ziemniak; *przen.* **hot ~** drażliwa sprawa
po•ten•cy [`pəʊtnsɪ] *s* siła, moc; potencja
po•ten•tial [pə`tenʃl] *adj* potencjalny; *s* potencjał

po•tion [`pəʊʃən] *s* napój (*zw. leczniczy*)
pot•ter•y [`potərɪ] *s* garncarstwo; wyroby garncarskie; garncarnia
poul•try [`pəʊltrɪ] *s* drób
pound[1] [paʊnd] *s* funt; funt szterling
pound[2] [paʊnd] *s* schronisko dla zwierząt; miejsce, gdzie odholowuje się źle zaparkowane samochody
pound[3] [paʊnd] *vt vi* tłuc, walić (**sth** coś, **at sth** w coś); ucierać
pour [pɔ(r)] *vt* nalewać, rozlewać, lać; *vi* lać się
pov•er•ty [`povətɪ] *s* ubóstwo, bieda
pow•der [`paʊdə(r)] *s* proszek; puder; proch; *vt* posypywać proszkiem; pudrować
pow•er [`paʊə(r)] *s* władza; uprawnienie; zdolność; siła, moc; *elektr.* energia; *mat.* potęga
pow•er•ful [`paʊəfʊl] *adj* potężny, mocny; wpływowy
pow•er sta•tion [`paʊə'steɪʃən] *s* elektrownia
prac•ti•ca•ble [`præktɪkəbl] *adj* możliwy do przeprowadzenia, wykonalny
prac•ti•cal [`præktɪkl] *adj* praktyczny
prac•ti•cally [`præktɪklɪ] *adv* praktycznie; właściwie; prawie, niemal
prac•tice [`præktɪs] *s* praktyka, ćwiczenie; zwyczaj; **be out of ~** wyjść z wprawy; **put into ~** zrealizować
prac•tise, *am.* **practice** [`præktɪs] *vt* praktykować; ćwiczyć; *sport.* trenować; *vi* ćwiczyć; prowadzić praktykę
prac•ti•tion•er [præk`tɪʃɪnə(r)] *s* (*zw. o lekarzu*) praktyk; **general ~** lekarz ogólny
prag•mat•ic [præg`mætɪk] *adj* pragmatyczny
prai•rie [`preərɪ] *s* preria
praise [preɪz] *vt* chwalić; *s* pochwała
pram [præm] *s bryt.* wózek dziecięcy
pray [preɪ] *vt vi* modlić się (**for sth** o coś); błagać
prayer [`preə(r)] *s* modlitwa
preach [pritʃ] *vt* wygłaszać kazanie; głosić; prawić kazanie
preach•er [`pritʃə(r)] *s* kaznodzieja
pre•cau•tion [prɪ`kɔʃən] *s* ostrożność, środek ostrożności; **to take ~s** zastosować środki ostrożności
pre•cede [prɪ`sid] *vt vi* poprzedzać (*w czasie*); mieć pierwszeństwo (**sb <sth>** przed kimś <czymś>)
pre•ced•ence [prɪ`sidəns] *s* pierwszeństwo
pre•ce•dent [`presɪdənt] *s* precedens; **set a ~** stwarzać precedens
pre•ced•ing [prɪ`sidɪŋ] *adj* poprzedzający, poprzedni
pre•cious [`preʃəs] *adj* cenny,

wartościowy; (*o kamieniu*) szlachetny

prec•i•pice [`presɪpɪs] *s* przepaść

pre•cip•i•tate [prɪ`sɪpɪteɪt] *vt* przyspieszyć; wytrącić (*osad*); *adj* [prə`sɪpɪtɪt] pośpieszny, gwałtowny

pre•cise [prɪ`saɪs] *adj* dokładny, precyzyjny; (*o człowieku*) skrupulatny

pre•cise•ly [prɪ`saɪslɪ] *adv* dokładnie; **~!** właśnie!

pre•ci•sion [prɪ`sɪʒən] *s* precyzja

pre•clude [prɪ`klud] *vt* uniemożliwiać, zapobiegać

pre•con•ceive ['prikən`siv] *vt* powziąć z góry (*sąd, opinię*); uprzedzić się (**sth** do czegoś)

pre•cur•sor [pri`kɜsə(r)] *s* prekursor

pred•a•tor [`predətə(r)] *s* drapieżnik

pred•a•to•ry [`predətərɪ] *adj* drapieżny; łupieżczy

pre•de•ces•sor [`pridɪsesə(r)] *s* poprzednik

pre•dict [prɪ`dɪkt] *vt* przewidywać

pre•dom•i•nate [prɪ`domɪneɪt] *vi* przeważać, dominować; przewyższać (**over sb <sth>** kogoś <coś>)

pref•ace [`prefɪs] *s* przedmowa; *vt* poprzedzać przedmową

pre•fer [prɪ`fɜ(r)] *vt* woleć (**sb <sth> to sb <sth>** kogoś <coś> od kogoś <czegoś>)

pref•e•ra•ble [`prefərəbl] *adj* preferowany; bardziej pożądany (**to sb <sth>** niż ktoś <coś>)

pref•er•ence [`prefərəns] *s* pierwszeństwo; preferencja; przedkładanie (**of sth to sth** czegoś nad coś)

preg•nan•cy [`pregnənsɪ] *s* ciąża

preg•nant [`pregnənt] *adj* w ciąży, ciężarna

pre•ju•dice [`predʒʊdɪs] *s* uprzedzenie; złe nastawienie (**against sb <sth>** wobec kogoś <czegoś>); przychylne nastawienie (**in favour of sb <sth>** do kogoś <czegoś>); przesąd; szkoda; *vt* uprzedzić; z góry źle usposobić (**sb against sb <sth>** kogoś do kogoś <czegoś>); przychylnie nastawić (**sb in favour of sb <sth>** kogoś do kogoś <czegoś>)

pre•ma•ture [`premətʃ(u)ə(r)] *adj* przedwczesny

pre•med•i•tate ['pri`me-dɪteɪt] *vt* z góry obmyślić

pre•mi•er [`premɪə(r)] *s* premier; *adj* pierwszy

prem•ise [`premɪs] *s* przesłanka; *pl* **~s** teren, siedziba; **on the ~s** na miejscu, na terenie

pre•mi•um [`primɪəm] *s* składka ubezpieczeniowa; premia

pre•mo•ni•tion ['primə`nɪʃən] *s* przeczucie

pre•oc•cu•pa•tion [pri'okjʊ`peɪʃən] *s* zaabsorbowanie

prep•a•ra•tion ['prepə`reɪʃən] *s* przygotowanie

pre•par•a•to•ry [prɪˋpærətərɪ] *adj* przygotowawczy
pre•pare [prɪˋpeə(r)] *vt vi* przygotowywać (się)
pre•pared [prɪˋpeəd] *adj* gotowy, przygotowany
prep•o•si•tion ['prepəˋzɪʃən] *s gram.* przyimek
per•scribe [prɪˋskraɪb] *vt med.* przepisywać; nakazywać
pre•scrip•tion [prɪˋskrɪpʃən] *s* recepta (**for sth** na coś); **only on ~** tylko na receptę
pres•ence [ˋprezns] *s* obecność; prezencja; **~ of mind** przytomność umysłu
pre•sent[1] [ˋpreznt] *s* prezent; *vt* [prɪˋzent] dawać prezent; podarować (**sb with sth** komuś coś); przedstawiać; prowadzić (*program, audycję*)
pre•sent[2] [ˋpreznt] *adj* obecny; teraźniejszy; *s*: **the ~** teraźniejszość; **at ~** teraz, obecnie; **for the ~** na razie
pre•sent•a•ble [prɪˋzentəbl] *adj* (*o człowieku*) mający dobrą prezencję; reprezentacyjny
pres•en•ta•tion ['preznˋteɪʃən] *s* przedstawienie; przedłożenie; podarowanie; wystąpienie
pres•ent•day ['prezntˋdeɪ] *adj* dzisiejszy, obecny, współczesny
pres•ent•ly [ˋprezntlɪ] *adv* wkrótce; obecnie
pre•ser•va•tive [prɪˋzɜvətɪv] *s* środek konserwujący
pre•serve [prɪˋzɜv] *vt* zachowywać; ochraniać; konserwować (*jedzenie*); *s* konserwa; rezerwat
pres•i•dent [ˋprezɪdənt] *s* prezydent; prezes, przewodniczący
press [pres] *vt vi* przyciskać; naciskać; ściskać; prasować; nalegać; **~ for sth** domagać się czegoś; *s* prasa (*także drukarska*); naciśnięcie; **in ~** w druku; *pot.* **go to ~** iść do druku; **a good ~** dobra recenzja <prasa>; **the ~** prasa (*gazety*); **the Press** prasa (*zespół*)
pressed [prest] *adj* prasowany, tłoczony; odczuwający brak; **be ~ for time** nie mieć czasu
pres•sure [ˋpreʃə(r)] *s* ciśnienie; nacisk
pres•tige [presˋtɪʒ] *s* prestiż
pre•su•ma•bly [prɪˋzjuməblɪ] *adv* przypuszczalnie
pre•sume [prɪˋzjum] *vt vi* przypuszczać, domyślać się; za dużo sobie pozwalać, ośmielać się
pre•sump•tion [prɪˋzʌmpʃən] *s* przypuszczenie, założenie; *prawn.* domniemanie; zarozumiałość, arogancja
pre•sump•tuous [prɪˋzʌmptʃuəs] *adj* arogancki
pre•tence, *am.* **pretense** [prɪˋtens] *s* udawanie; pozory; pretekst
pre•tend [prɪˋtend] *vt vi* udawać
pre•text [ˋpritekst] *s* pretekst
pret•ty [ˋprɪtɪ] *adj* ładny; *adv* dość, całkiem
pre•vail [prɪˋveɪl] *vi* przeważać;

brać górę (**over sb** nad kimś); skłonić (*kogoś*); wymóc (**on sb to do sth** na kimś, aby coś zrobił); być powszechnie przyjętym, panować
pre•vail•ing [prɪˋveɪlɪŋ] *adj* przeważający, panujący
pre•vent [prɪˋvent] *vt* zapobiegać; uniemożliwiać (**sb from doing sth** komuś zrobienie czegoś)
pre•ven•tion [prɪˋvenʃən] *s* zapobieganie
pre•vi•ous [ˋprivɪəs] *adj* poprzedni; poprzedzający (**to sth** coś)
prey [preɪ] *s* łup, ofiara; **fall ~** paść ofiarą (**to sth** czegoś); *vi* grabić; żerować (**on sb <sth>** na kimś <czymś>); polować (**on sth** na coś)
price [praɪs] *s* cena; **~ tag** metka; *vt* wyceniać
price•less [ˋpraɪslɪs] *adj* bezcenny, nieoceniony
prick [prɪk] *s* ukłucie; kolec; **~s of conscience** wyrzuty sumienia; *vt* ukłuć; **~ up one's ears** nadstawiać uszu
pride [praɪd] *s* duma; **take ~** być dumnym (**in sth** z czegoś); *vr*: **~ o.s. on sth** szczycić się czymś
priest [prist] *s* ksiądz; kapłan
pri•ma•ry [ˋpraɪmrɪ] *adj* główny; początkowy; **~ school** szkoła podstawowa
pri•mate[1] [ˋpraɪmɪt] *s* prymas
pri•mate[2] [ˋpraɪmɪt] *s* ssak z rzędu naczelnych
prime [praɪm] *adj* pierwszy, najważniejszy; pierwszorzędny; **Prime Minister** premier
prim•i•tive [ˋprɪmɪtɪv] *adj* pierwotny; prymitywny
prim•rose [ˋprɪmrəʊz] *s* pierwiosnek
prince [prɪns] *s* książę
prin•cess [prɪnˋses] *s* księżna, księżniczka
prin•ci•pal [ˋprɪnsɪpl] *adj* główny; *s* kierownik, dyrektor (*szkoły*)
prin•ci•ple [ˋprɪnsɪpl] *s* zasada
print [prɪnt] *s* druk; ślad; (*o zdjęciu*) odbitka; (*o książce*) **in ~** będący w sprzedaży; **out of ~** nakład wyczerpany; *vt* drukować; pisać drukowanymi literami; **~ed matter** druki
print•ing house [ˋprɪntɪŋˈhaʊs] *s* drukarnia
pri•or [ˋpraɪə(r)] *adj attr* uprzedni, wcześniejszy; ważniejszy; **~ to sth** przed czymś
pri•or•i•ty [praɪˋorɪtɪ] *s* pierwszeństwo, priorytet
pris•on [ˋprɪzn] *s* więzienie
pris•on•er [ˋprɪznə(r)] *s* więzień
pri•va•cy [ˋprɪvəsɪ] *s* prywatność; **in the ~ of one's own home** w zaciszu własnego domu
pri•vate [ˋpraɪvɪt] *adj* osobisty; prywatny; **keep sth ~** trzymać coś w tajemnicy; *s woj.* szeregowy
priv•i•lege [ˋprɪvɪlɪdʒ] *s* przywilej; zaszczyt
prize [praɪz] *s* nagroda; wygrana (*na loterii*); *vt* wysoko cenić

prob•a•bil•i•ty ['probə`bılıtı] *s* prawdopodobieństwo; **in all ~** według wszelkiego prawdopodobieństwa

prob•a•ble [`probəbl] *adj* prawdopodobny

pro•ba•tion [prə`beıʃən] *s* staż; próba; nowicjat; **on ~** na stażu

probe [prəʊb] *s* sonda; *vt* sondować; *przen.* badać; *vi* zagłębiać się (**into sth** w coś)

prob•lem [`probləm] *s* problem; **no ~!** nie ma problemu!

pro•ce•dure [prə`sidʒə(r)] *s* procedura, postępowanie, sposób postępowania

pro•ceed [prə`sid] *vi* kontynuować (**with sth** coś); przystępować, zabierać się (**to sth** do czegoś); podążać, udawać się (*dokądś*)

pro•ceed•ings [prə`sidıŋz] *s pl* przebieg (*uroczystości*); sprawozdanie, protokoły; **legal ~** postępowanie prawne

pro•cess [`prəʊses] *s* proces; przebieg, tok; **in the ~ of doing sth** w trakcie robienia czegoś; *vt* przetwarzać; rozpatrywać

pro•ces•sion [prə`seʃən] *s* procesja; pochód

pro•claim [prə`kleım] *vt* proklamować, ogłaszać

pro•duce [prə`djus] *vt* produkować; wytwarzać; (*o zwierzętach*) rodzić; wystawiać (*sztukę*); wyjmować, okazywać; *s* [`prodjus] produkt (*rolny*)

pro•duc•er [prə`djusə(r)] *s* producent

prod•uct [`prodʌkt] *s* produkt; wytwór

pro•duc•tion [prə`dʌkʃən] *s* produkcja; wystawienie (*sztuki*)

pro•duc•tive [prə`dʌktıv] *adj* produktywny; wydajny

pro•fane [prə`feın] *adj* bluźnierczy; *vt* profanować, bezcześcić

pro•fes•sion [prə`feʃən] *s* zawód; **by ~** z zawodu

pro•fes•sion•al [prə`feʃənl] *adj* zawodowy; fachowy; *s* zawodowiec, fachowiec

pro•fes•sor [prə`fesə(r)] *s* profesor

pro•fi•cien•cy [prə`fıʃənsı] *s* biegłość, sprawność

pro•fi•cient [prə`fıʃənt] *adj* biegły (**at <in> sth** w czymś)

pro•file [`prəʊfaıl] *s* profil

prof•it [`profıt] *s* zysk; korzyść; **make a ~** osiągać zysk; *vi* odnosić korzyść (**by sth** z czegoś)

prof•it•a•ble [`profıtəbl] *adj* korzystny, pożyteczny; zyskowny

prog•no•sis [prog`nəʊsız] *s* (*pl* **prog•no•ses** [prog`nəʊsiz]) prognoza; przewidywanie

pro•gram(me) [`prəʊgræm] *s* program; *vt* programować, planować

pro•gress [`prəʊgres] *s* postęp; rozwój; *vi* [prə`gres] posuwać się naprzód; robić postępy

pro•gres•sive [prə`gresıv] *adj* postępowy; progresywny

pro•hib•it [prə`hɪbɪt] *vt* zakazywać

pro•hi•bi•tion ['prəʊ(h)ɪ`bɪʃən] *s* zakaz, prohibicja

pro•ject [`prodʒekt] *s* projekt; *vt* [prə`dʒekt] projektować; rzutować; wyświetlać; *vi* wystawać, sterczeć

pro•jec•tion [prə`dʒekʃən] *s* rzut, wyrzucenie; rzutowanie; projekcja; projektowanie; występ, wystawanie

pro•lif•ic [prə`lɪfɪk] *adj* płodny

pro•long [prə`loŋ] *vt* przedłużać

prom•i•nent [`promɪnənt] *adj* wystający; widoczny; wybitny

prom•ise [`promɪs] *s* obietnica; **keep a ~** dotrzymać obietnicy; **show ~** dobrze się zapowiadać; *vt vi* obiecywać (**sb sth <sth to sb>** komuś coś)

prom•is•ing [`promɪsɪŋ] *adj* obiecujący; rokujący nadzieje

pro•mote [prə`məʊt] *vt* dawać awans; popierać; promować; **be ~d** awansować

pro•mo•tion [prə`məʊʃən] *s* awans; promocja

prompt [prompt] *vt vi* powodować; nakłaniać; podpowiadać; podsuwać; *adj* natychmiastowy; punktualny

pro•noun [`prəʊnaʊn] *s gram.* zaimek

pro•nounce [prə`naʊns] *vt* wymawiać; wypowiadać się, oświadczać

pro•nounce•ment [prə`naʊnsmənt] *s* wypowiedź, oświadczenie

pro•nun•ci•a•tion [prə'nʌnsɪ`eɪʃən] *s* wymowa

proof [pruf] *s* dowód; *pl* **~s** korekta; *adj* odporny (**against sth** na coś); **be x% ~** zawierać x% alkoholu

prop [prop] *s* podpórka, stempel; *vt* podpierać

prop•a•gan•da ['propə`gændə] *s* propaganda

prop•er [`propə(r)] *adj* właściwy, odpowiedni, stosowny

prop•er•ty [`propətɪ] *s* własność, mienie; posiadłość, nieruchomość; właściwość, cecha

proph•e•cy [`profəsɪ] *s* proroctwo

pro•por•tion [prə`poʃən] *s* proporcja, stosunek; **in ~** proporcjonalny; **out of ~** nieproporcjonalny

pro•pos•al [prə`pəʊzl] *s* propozycja; oświadczyny

pro•pose [prə`pəʊz] *vt* proponować; wysuwać (*wniosek, kandydaturę*); zamierzać; *vi* oświadczać się (**to sb** komuś)

prop•o•si•tion ['propə`zɪʃən] *s* propozycja; *vt pot.* proponować seks (*kobiecie*)

pro•pri•e•tor [prə`praɪətə(r)] *s* właściciel; posiadacz

pro•sa•ic [prə`zeɪɪk] *adj* prozaiczny; nudny

prose [prəʊz] *s* proza

pros•e•cute [`prosɪkjut] *vt* zaskarżać, występować na drogę sądową; oskarżać

pros•e•cu•tion ['prosɪ`kjuʃən] *s* oskarżenie

pros•ecu•tor [`prosɪkjutə(r)] *s* oskarżyciel; **public ~** prokurator

pros•pect [`prospekt] *s* perspektywa; widok

pro•spec•tive [prə`spektɪv] *adj* odnoszący się do przyszłości; przewidywany

pros•per [`prospə(r)] *vi* prosperować

pro•sper•i•ty [pro`sperɪtɪ] *s* dobrobyt; dobra koniunktura

pros•per•ous [`prospərəs] *adj* kwitnący, prosperujący

pros•ti•tute [`prostɪtjut] *s* prostytutka; *vr*: **~ o.s.** prostytuować się

pro•tect [prə`tekt] *vt* chronić (**from <against> sb <sth>** przed kimś <czymś>)

pro•tec•tion [prə`tekʃən] *s* ochrona, zabezpieczenie (**against sth** przed czymś)

pro•tec•tor [prə`tektə(r)] *s* obrońca, opiekun; ochraniacz

pro•test [`prəʊtest] *s* protest; zapewnienie; *vi* [prə`test] protestować (**against <at> sth** przeciw czemuś); zapewniać (**sth** o czymś)

Prot•es•tant [`protɪstənt] *s* protestant; *adj* protestancki

pro•trude [prə`trud] *vi* wystawać, sterczeć

proud [prɑʊd] *adj* dumny (**of sth** z czegoś)

prove [pruv] *vt* udowadniać; *vi* okazywać się

prov•erb [`provəb] *s* przysłowie

pro•ver•bi•al [prə`vɜbɪəl] *adj* przysłowiowy

pro•vide [prə`vɑɪd] *vt vi* dostarczać (**sb with sth <sth for sb>** komuś coś); zaspokajać potrzeby, utrzymywać (**for sb** kogoś); uwzględniać

pro•vid•ed [prə`vɑɪdɪd] *conj*: **~ that** o ile; pod warunkiem że

Prov•i•dence [`provɪdəns] *s* opatrzność

prov•i•dent [`provɪdənt] *adj* przezorny, oszczędny

pro•vid•ing that [prə`vɑɪdɪŋ] *conj* *zob.* **provided that**

prov•ince [`provɪns] *s* prowincja; dziedzina

pro•vi•sion [prə`vɪʒən] *s* zaopatrzenie (**of sth** w coś); zabezpieczenie (**for sth** przed czymś); poczynienie kroków; zastrzeżenie; warunek; *pl* **~s** zapasy żywności, prowianty; *vt* zaprowiantować

pro•vi•sion•al [prə`vɪʒənl] *adj* tymczasowy, prowizoryczny

pro•voke [prə`vəʊk] *vt* prowokować; wywołać (*reakcję*)

pru•dent [`prudənt] *adj* rozważny; roztropny

pru•dish [`prudɪʃ] *adj* pruderyjny

prune [prun] *s* suszona śliwka

pry [prɑɪ] *vi* podpatrywać; wścibiać nos (**into sth** w coś); szperać

pseu•do [`sjudəʊ] *praef* pseudo-; *adj* rzekomy

psy•chi•a•try [saɪ`kaɪətrɪ] *s* psychiatria
psy•chic [`saɪkɪk] *adj* psychiczny; *s* medium
psy•cho•a•nal•y•sis ['saɪkəʊə`næləsɪs] *s* psychoanaliza
psy•cho•lo•gy [saɪ`kolədʒɪ] *s* psychologia
pub [pʌb] *s pot.* pub, piwiarnia
pub•lic [`pʌblɪk] *adj* publiczny; jawny; *bryt.* ~ **school** prywatna szkoła średnia (*z internatem*); *am.* państwowa szkoła średnia; ~ **service** służba państwowa; ~ **house** *zob.* **pub**; *s*: **the** ~ publiczność; społeczeństwo; **in** ~ publicznie
pub•li•ca•tion ['pʌblɪ`keɪʃən] *s* publikacja; ogłoszenie
pub•lic•i•ty [pʌb`lɪsɪtɪ] *s* reklama; rozgłos
pub•lish [`pʌblɪʃ] *vt* publikować, wydawać; ~**ing house** wydawnictwo
pub•lish•er [`pʌblɪʃə(r)] *s* wydawca
pud•ding [`pʊdɪŋ] *s* pudding; *bryt.* deser
pud•dle [`pʌdl] *s* kałuża
puff [pʌf] *vt vi* dmuchać; pykać; sapać; *s* podmuch, dmuchnięcie; kłąb (*dymu*); puszek (*do pudru*)
pull [pʊl] *vt vi* ciągnąć; pociągnąć; wyciągać; ~ **down** rozbierać (*dom*); ~ **out** odjeżdżać; wyrywać (*ząb*); ~ **up** zatrzymywać (się); podciągać; ~ **over** zjeżdżać na bok
pull•o•ver [`pʊləʊvə(r)] *s* pulower
pul•pit [`pʊlpɪt] *s* ambona
pul•sate [pʌl`seɪt] *vi* pulsować, tętnić
pulse [pʌls] *s* puls, tętno; **feel sb's** ~ badać komuś puls; *vi* pulsować
pul•ver•ize [`pʌlvəraɪz] *vt* sproszkować; zetrzeć na proch
pu•ma [`pjumə] *s* puma
pump [pʌmp] *s* pompa; *vt* pompować; *pot.* wypytywać
pump•kin [`pʌmpkɪn] *s* dynia
punch[1] [pʌntʃ] *vt* uderzać pięścią; *s* uderzenie pięścią
punch[2] [pʌntʃ] *vt* dziurkować; kasować (*bilet*); *s* dziurkacz; **ticket** ~ kasownik
punc•tu•al [`pʌŋktʃʊəl] *adj* punktualny
punc•tu•a•tion ['pʌŋktjʊ`eɪʃən] *s* interpunkcja; ~ **mark** znak przestankowy
punc•ture [`pʌŋktʃə(r)] *s* przekłucie; przebicie (*dętki*); *pot.* **get a** ~ złapać gumę; *vt vi* przekłuwać; przedziurawiać (się)
pun•ish [`pʌnɪʃ] *vt* karać (**for sth** za coś)
pun•ish•ment [`pʌnɪʃmənt] *s* kara; **capital** ~ kara śmierci
pu•pil [`pjupl] *s* uczeń; źrenica
pup•pet [`pʌpɪt] *s* kukiełka; marionetka
pup•py [`pʌpɪ] *s* szczeniak
pur•chase [`pɜtʃəs] *vt* zakupywać, nabywać; *s* zakup, kupno
pure [pjʊə(r)] *adj* czysty
pur•ga•tive [`pɜgətɪv] *adj* przeczyszczający; *s* środek przeczyszczający

purge [pɜdʒ] *vt* oczyszczać; *s* oczyszczanie; czystka
pu•ri•fy [`pjʊərɪfaɪ] *vt vi* oczyszczać (się)
pu•ri•tan [`pjʊərɪtən] *adj* purytański; *s* purytanin
pu•ri•ty [`pjʊərɪtɪ] *s* czystość
pur•ple [`pɜpl] *s* purpura; *adj* purpurowy
pur•pose [`pɜpəs] *s* cel; **on ~** umyślnie, celowo
pur•pose•ful [`pɜpəsfʊl] *adj* celowy, rozmyślny
pur•pose•ly [`pɜpəslɪ] *adv* celowo, rozmyślnie
purr [pɜ] *vi* mruczeć; *s* mruczenie
purse [pɜs] *s bryt.* portmonetka; *am.* torebka damska; *vt vi* ściągnąć (*usta*)
pur•sue [pə`sju] *vt* ścigać; wykonywać; kontynuować
pur•suit [pə`sjut] *s* pościg; **in ~ of sth** w pościgu za czymś
push [pʊʃ] *vt vi* pchać; przepychać się; naciskać (**sb** na kogoś); **~ through** przepychać; *s* naciśnięcie; pchnięcie
pus•sy [`pʊsɪ] *s* (*także* **~ cat**) kotek
put, put, put [pʊt] *vt vi* kłaść, stawiać, umieszczać; zadawać (*pytania*); zapisywać; zaprzęgać (**sb to work** kogoś do pracy); **~ in order** doprowadzić do porządku; **~ right** poprawiać; **~ a stop** położyć kres (**to sth** czemuś); **~ away** schować; odkładać (*pieniądze*); **~ down** stłumić (*powstanie*); zapisywać; **~ off** odkładać na później; zniechęcać; **~ on** zakładać (*ubranie*); nakładać; włączać; przybierać (*na wadze*); wystawiać (*sztukę*); **~ out** gasić; wyciągać (*rękę*); **~ through** łączyć telefonicznie (**to sb** z kimś); **~ together** składać; montować; **~ up** stawiać (*namiot*); wywieszać (*ogłoszenie*); podnosić (*cenę, rękę*); przenocować (**sb** kogoś); stawiać (*opór*); wystawiać (*na sprzedaż*)
puz•zle [`pʌzl] *s* zagadka; układanka, puzzle; **cross-word ~** krzyżówka; *vt* zaintrygować; *vi* głowić się (**over sth** nad czymś)
py•ja•mas [pə`dʒɑməz] *s pl* piżama
pyr•a•mid [`pɪrəmɪd] *s* piramida

Q

quad•ran•gle [`kwodræŋgl] *s* dziedziniec; *mat.* czworokąt
quag•mire [`kwægmɑɪə(r)] *s* bagno, trzęsawisko
quail [kweɪl] *s* przepiórka; *vi* zlęknąć się; **~ at sth** drżeć przed czymś
quake [kweɪk] *vi* trząść się,

drżeć; *s* drżenie; (*także* **earthquake**) trzęsienie ziemi
qual•i•fi•ca•tion ['kwolıfı`keıʃən] *s* kwalifikacja; określenie; zastrzeżenie
qual•i•fied [`kwolıfaıd] *adj* wykwalifikowany; połowiczny, z ograniczeniami
qual•i•fy [`kwolıfaı] *vt vi* kwalifikować (się); upoważniać; zdobywać kwalifikacje
qual•i•ty [`kwolıtı] *s* jakość; cecha, właściwość; zaleta
qualm [kwam] *s* niepokój; *pl* **~s** skrupuły
quan•da•ry [`kwondərı] *s* kłopot, dylemat; **be in a ~** być w rozterce
quan•ti•ty [`kwontıtı] *s* ilość
quar•rel [`kworl] *s* kłótnia; *vi* kłócić się
quar•rel•some [`kworəlsəm] *adj* kłótliwy
quar•ter [`kwotə(r)] *s* ćwierć; kwadrans; kwartał; dzielnica; *am.* moneta 25-centowa
quar•ter•ly [`kwɔtəlı] *adj* kwartalny; *adv* kwartalnie; *s* kwartalnik
quar•tet [kwɔ`tet] *s* kwartet
quartz [kwɔts] *s* kwarc
qua•si [`kwazı] *praef* prawie, niemal; niby
quay [ki] *s* nabrzeże
quea•sy [`kwizı] *adj* wrażliwy; grymaśny; skłonny do mdłości
queen [kwin] *s* królowa; dama (*w kartach*)
queer [kwıə(r)] *adj* dziwaczny; *pot. pejor.* pedał
quell [kwel] *vt przen.* dusić, dławić (*uczucie*)
quench [kwentʃ] *vt* gasić (*pragnienie*)
que•ry [`kwıərı] *s* pytanie; wątpliwość; *vt vi* zapytywać; kwestionować
ques•tion [`kwestʃən] *s* pytanie; kwestia; **ask a ~** zadawać pytanie; **call into ~** podawać w wątpliwość; **beyond ~** bez wątpienia; **out of the ~** nie wchodzący w rachubę; *vt* zadawać pytania; kwestionować
ques•tion•a•ble [`kwestʃənəbl] *adj* wątpliwy, sporny
ques•tion mark [`kwestʃən'mak] *s* znak zapytania
ques•tion•aire ['kwestʃə`neə(r)] *s* kwestionariusz
queue [kju] *s* kolejka (*ludzi*); **jump the ~** wpychać się bez kolejki; *vi* stać w kolejce
quick [kwık] *adj* szybki, bystry; *adv* szybko
quick•en [`kwıkən] *vt vi* przyspieszać; ożywiać (się)
quick-tem•pered ['kwık`tempəd] *adj* nieopanowany, porywczy
qui•et [`kwaıət] *adj* cichy; spokojny; **keep ~** zachowywać się cicho; *s* cisza; spokój; *vt am.* uspokajać; uciszać
quilt [kwılt] *s* narzuta; kołdra
quin•tet [kwın`tet] *s* kwintet
quit [kwıt], **quit, quit** (*lub* **~ed, ~ed** [`kwıtıd]) *vt vi* opuszczać

(*miejsce, posadę*); rezygnować; odjechać
quite [kwɑɪt] *adv* zupełnie; całkiem; **~ so!** no właśnie!
quiz [kwɪz] *vt* wypytywać (**sb** kogoś); *am.* egzaminować; badać (*inteligencję*); *s* test, kwiz
quo•rum [`kwɔrəm] *s* kworum
quo•ta [`kwəʊtə] *s* określony udział; kontyngent
quo•ta•tion [kwəʊ`teɪʃən] *s* cytat; cytowanie; **~ marks** cudzysłów
quote [kwəʊt] *vt* cytować; powoływać się (**sth** na coś); *s* cytat; *pot.* **~s** cudzysłów
quo•tient [`kwəʊʃənt] *s mat.* iloraz

R

rab•bit [`ræbɪt] *s* królik
ra•bies [`reɪbiz] *s med.* wścieklizna
race [reɪs] *s* bieg, wyścig; rasa; *pl* **~s** wyścigi konne; *vt vi* ścigać się (**sb <against sb>** z kimś); pędzić; brać udział w wyścigach
race•course [`reɪskɔs] *s* tor wyścigowy
race•horse [`reɪshɔs] *s* koń wyścigowy
ra•cial [`reɪʃəl] *adj* rasowy
rac•ing [`reɪsɪŋ] *adj* wyścigowy; *s* wyścig, wyścigi
rack [ræk] *s* półka (*na bagaż*); wieszak; stojak; *vt* dręczyć, męczyć; **~ one's brains** łamać sobie głowę
rack•et [`rækɪt] *s sport.* rakieta; *pot.* wrzawa; *pot.* szantaż, wymuszanie
rack•e•teer [rækɪ`tɪə(r)] *s* szantażysta
ra•dar [`reɪdə(r)] *s* radar
ra•di•al [`reɪdɪəl] *adj* promienisty; **~ tyre** opona radialna
ra•di•ate [`reɪdɪeɪt] *vt vi* promieniować; wysyłać, emitować (*promienie, energię*)
ra•di•a•tion ['reɪdɪ`eɪʃən] *s* promieniowanie; radiacja
ra•di•a•tor [`reɪdɪeɪtə(r)] *s* kaloryfer, grzejnik; *mot.* chłodnica
rad•i•cal [`rædɪkl] *adj* radykalny; *s* radykał
ra•di•o [`reɪdɪəʊ] *s* radio; **on the ~** w radiu
ra•di•o•ac•tive ['reɪdɪəʊ`æktɪv] *adj* promieniotwórczy, radioaktywny
rad•ish [`rædɪʃ] *s* rzodkiewka
raft [rɑft] *s* tratwa
rag [ræg] *s* szmata, szmatka; **~s** łachmany; *pot.* szmatławiec; *vt* dokuczać
rage [reɪdʒ] *s* wściekłość; *pot.* ostatni krzyk mody; *vi* wściekać się (**at <against> sb** na kogoś); szaleć
rag•ged [`rægɪd] *adj* obszarpa-

ny, obdarty; poszarpany, nierówny
raid [reɪd] *s* najazd, napad; **air ~** nalot; *vt vi* najeżdżać, napadać
rail [reɪl] *s* poręcz; szyna; **by ~** koleją
rail•road [`reɪlrəʊd] *am. zob.* **railway**
rail•way [`reɪlweɪ] *s* linia kolejowa; kolej
rain [reɪn] *s* deszcz; *vi* (*o deszczu*) padać
rain•bow [`reɪnbəʊ] *s* tęcza
rain•coat [`reɪnkəʊt] *s* płaszcz przeciwdeszczowy
rain•fall [`reɪnfɔl] *s* opad (*deszczu*); ulewa
rain•proof [`reɪnpruf] *adj* nieprzemakalny
rain•y [`reɪnɪ] *adj* deszczowy, dżdżysty; *przen.* **~ day** czarna godzina
raise [reɪz] *vt* podnosić; zbierać (*pieniądze*); hodować; wychowywać (*dzieci*); wnosić (*sprzeciw*); wznosić (*budynek*)
rai•sin [`reɪzn] *s* rodzynek
rake [reɪk] *s* grabie; *vt vi* grabić, zgarniać; **~ up** odgrzebywać (**the past** przeszłość)
ral•ly [`rælɪ] *s* wiec, zlot; rajd; wymiana piłek (*w tenisie*); *vt vi* mobilizować (się); pozyskiwać; dochodzić do siebie
ram [ræm] *s* baran; taran; *vt* uderzać (*taranem*); ubijać; **~ sth down someone's throat** zanudzać kogoś czymś
ram•ble [`ræmbl] *s* wędrówka; *vi* wędrować; przeskakiwać z tematu na temat; piąć się (*o roślinach*)
ram•bler [`ræmblə(r)] *s* wędrowiec, włóczęga
ran *zob.* **run**
ranch [rɑntʃ] *s* ranczo
ran•cid [`rænsɪd] *adj* zjełczały
ran•dom [`rændəm] *s*: **at ~** na chybił trafił; *adj* przypadkowy, pierwszy lepszy
rang *zob.* **ring**
range [reɪndʒ] *s* zasięg; zakres (*badań*); łańcuch (*górski*); *vt vi* rozciągać się (**from sth to sth** od czegoś do czegoś)
rank [ræŋk] *s* ranga, stopień; warstwa społeczna; szereg; *vt* klasyfikować; **he is ~ed third** on jest klasyfikowany na trzecim miejscu
ran•som [`rænsəm] *s* okup; **hold (sb) to ~** wymuszać okup (za kogoś)
rape [reɪp] *vt* gwałcić; *s* gwałt
rap•id [`ræpɪd] *adj* szybki; gwałtowny
rare [reə(r)] *adj* rzadki
rare•ly [`reəlɪ] *adv* rzadko
rar•i•ty [`reərɪtɪ] *s* rzadkość, niezwykłość
rash [ræʃ] *adj* pospieszny, nieroztropny, pochopny; *s med.* wysypka; nalot
rasp•ber•ry [`rɑzbrɪ] *s* malina
rat [ræt] *s* szczur; *przen.* **smell a ~** przeczuwać podstęp
rate [reɪt] *s* stosunek (*ilościo-*

wy); tempo; taryfa, stawka; **at any ~** w każdym razie, za każdą cenę; **birth ~** wskaźnik urodzeń; **exchange ~** kurs walutowy; **interest ~** stopa procentowa; *vt* szacować, oceniać; *pot.* zasługiwać (**sth** na coś)
ra•ther [`rɑðə(r)] *adv* raczej; **I would ~ go** wolałbym pójść
rat•i•fy [`rætɪfɑɪ] *vt* ratyfikować, zatwierdzać
rat•ing [`reɪtɪŋ] *s* ocena; wskaźnik; *bryt.* marynarz; **~s** notowania
ra•ti•o [`reɪʃɪəʊ] *s* stosunek, proporcja
ra•tion [`ræʃən] *s* racja, przydział; *vt* racjonować, przydzielać
ra•tion•al [`ræʃənl] *adj* racjonalny; rozumny
rat•tle [`rætl] *vi* grzechotać; terkotać; *s* grzechotanie; grzechotka
rave [reɪv] *vi* szaleć; bredzić; zachwycać się (**about sb <sth>** kimś <czymś>); *adj pot.* entuzjastyczny; *s pot.* impreza
ra•ven [`reɪvn] *s* kruk
rav•ish [`rævɪʃ] *vt* zachwycić, oczarować; porwać
raw [rɔ] *adj* surowy; nierafinowany; (*o człowieku*) niewyrobiony; **~ material** surowiec
ray [reɪ] *s* promień
ra•zor [`reɪzə(r)] *s* brzytwa; **~ blade** żyletka; **safety ~** maszynka do golenia; **electric ~** elektryczna maszynka do golenia
reach [ritʃ] *vt vi* docierać; sięgać; dosięgnąć; *s* zasięg; **within ~** w zasięgu; **out of ~** poza zasięgiem
re•act [rɪ`ækt] *vi* reagować (**to sth** na coś); oddziaływać (**upon sth** na coś); przeciwdziałać (**against sth** czemuś)
re•ac•tion [rɪ`ækʃən] *s* reakcja
read [rid], **read, read** [red] *vt vi* czytać; **~ out** odczytać na głos; **this book ~s well** tę książkę dobrze się czyta
rea•da•ble [`ridəbl] *adj* wart przeczytania; czytelny
read•er [`ridə(r)] *s* czytelnik; *bryt.* wykładowca; wypisy szkolne
read•i•ly [`redɪlɪ] *adv* chętnie, z gotowością; z łatwością
read•i•ness [`redɪnɪs] *s* gotowość
read•ing [`ridɪŋ] *s* czytanie; lektura; odczyt (*licznika*); **~ room** czytelnia
read•y [`redɪ] *adj* gotowy; chętny; szybki; **~ money** gotówka; **get ~** przygotować się; *vt* przygotowywać
ready-to-wear *am. zob.* **ready-made**
ready-made ['redɪ`meɪd] *adj* (*o ubraniu*) gotowy, nie na miarę; *przen.* poręczny
real [rɪəl] *adj* rzeczywisty, prawdziwy; *am.* **~ estate** nieruchomość; *adv am.* naprawdę; bardzo
re•al•ism [`rɪəlɪzm] *s* realizm

re•al•i•ty [rɪˋælɪtɪ] *s* rzeczywistość; **in ~** w rzeczywistości
rea•li•za•tion [ˈrɪəlaɪˋzeɪʃən] *s* uświadomienie sobie, zrozumienie; realizacja, urzeczywistnienie
rea•lize [ˋrɪəlaɪz] *vt* uświadamiać sobie, zdawać sobie sprawę; urzeczywistniać
real•ly [ˋrɪəlɪ] *adv* naprawdę, rzeczywiście; **~!** coś takiego!
rear[1] [rɪə(r)] *vt* hodować; wychowywać; **~ up** stawać dęba
rear[2] [rɪə(r)] *s* tył, tylna strona; *pot.* tyłek; **in the ~** w tylnej części
rea•son [ˋrizn] *s* powód, przyczyna (**for sth** czegoś); rozum; rozwaga; **by ~ of sth** z powodu czegoś; **with ~** słusznie; **within ~** w granicach zdrowego rozsądku; *vt vi* rozumować, rozważać; perswadować (**sb out of sth** komuś coś); przekonywać, namawiać (**sb into sth** kogoś do czegoś)
rea•son•a•ble [ˋriznəbl] *adj* rozsądny; (*o cenach*) umiarkowany
re•as•sure [ˈriəˋʃʊə(r)] *vt* dodawać otuchy, uspokajać
re•bate [ˋribeɪt] *s* zwrot (*nadpłaty*)
re•bel•lion [rɪˋbelɪən] *s* bunt, rebelia
re•buff [rɪˋbʌf] *vt* odepchnąć, odtrącić; odmówić; *s* odmowa; odepchnięcie, odprawa
re•buke [rɪˋbjuk] *s* wymówka, zarzut, nagana; *vt* robić wymówki, ganić, karcić
re•call [rɪˋkɔl] *vt* przypominać sobie; odwoływać (*ambasadora*); wycofywać (*produkt*)
re•ceipt [rɪˋsit] *s* odbiór; pokwitowanie, paragon; **on ~ of** po otrzymaniu
re•ceive [rɪˋsiv] *vt* otrzymywać, odbierać; doznawać; przyjmować (*gości*)
re•ceiv•er [rɪˋsivə(r)] *s* słuchawka (*telefoniczna*); odbiornik (*radiowy, telewizyjny*)
re•cent [ˋrisnt] *adj* niedawny, ostatni
re•cent•ly [ˋrisntlɪ] *adv* niedawno, ostatnio
re•cep•tion [rɪˋsepʃən] *s* przyjęcie; odbiór (*radiowy*); **~ desk** recepcja
re•cep•tive [rɪˋseptɪv] *adj* chłonny (*umysł*); podatny, otwarty
re•cess [rɪˋses] *s* przerwa w obradach (*sądu lub parlamentu*); zakątek, ustronie; wnęka, zakamarek; *vi* zaprzestać (*działalności*)
re•ces•sion [rɪˋseʃən] *s* recesja, cofnięcie się; *handl.* zastój
re•ci•pe [ˋresəpɪ] *s* przepis (**for sth** na coś)
re•cit•al [rɪˋsaɪtl] *s* recital
re•ci•ta•tion [ˈresɪˋteɪʃən] *s* recytacja
re•cite [rɪˋsaɪt] *vt* recytować, deklamować; wyliczać
reck•less [ˋreklɪs] *adj* beztroski, lekkomyślny; niebaczny

(**of danger** na niebezpieczeństwo)
reck•on [`rekən] *vt* być zdania, sądzić; uznawać (**sb a great actress** kogoś za wielką aktorkę); *vi* liczyć się (**with sth** z czymś); **he is sb to be ~ed with** z nim trzeba się liczyć
reck•on•ing [`rekənıŋ] *s* rachunek, obliczenie, kalkulacja
re•claim [rı`kleım] *vt* żądać zwrotu; odebrać; utylizować
rec•og•ni•tion ['rekəg`nıʃən] *s* rozpoznanie; uznanie; **in ~ of** w uznaniu (*czegoś*); **beyond ~** nie do poznania
rec•og•nize [`rekəgnɑız] *vt* rozpoznawać; uznawać; doceniać
rec•ol•lect [rekə`lekt] *vt* przypominać sobie, wspominać
rec•ol•lec•tion ['rekə`lekʃən] *s* przypomnienie, pamięć; wspomnienie
rec•om•mend ['rekə`mend] *vt* polecać; zalecać
rec•om•men•da•tion ['rekəmen-`deıʃən] *s* polecenie, rekomendacja
rec•on•cile [`rekənsɑıl] *vt* pojednać; godzić; **become ~d** pogodzić się (**with sb** z kimś; **to o.s. sth** z czymś)
re•con•si•der ['rikən`sıdə(r)] *vt* ponownie rozważyć, przemyśleć
re•con•struct ['rikən`strʌkt] *vt* odtworzyć, zrekonstruować
re•cord [`rekɔd] *s* zapis; rejestr; akta; rekord; płyta (*gramofonowa*); **break the ~** pobić rekord; *vt* [rı`kɔd] zapisywać, rejestrować; nagrywać
re•cord•ing [rı`kɔdıŋ] *s* nagranie
re•count [rı`kɑʊnt] *vt* opowiadać, relacjonować
re•cov•er ['rı`kʌvə(r)] *vt* odzyskiwać; wydobywać; *vi* przyjść do siebie; wyzdrowieć
re•cov•e•ry [rı`kʌvərı] *s* odzyskanie, zwrot; powrót do zdrowia; poprawa; **past ~** w beznadziejnym stanie
re•cre•ate ['rikrı`eıt] *vt* odtwarzać
rec•re•a•tion ['rekrı`eıʃən] *s* rekreacja, rozrywka
re•cruit [rı`krut] *s* rekrut; nowicjusz; *vt vr* rekrutować
rec•tan•gle [`rektæŋgl] *s* prostokąt
rec•tan•gu•lar [rek`tæŋgjʊlə(r)] *adj* prostokątny
re•cur•rent [rı`kʌrənt] *adj* powtarzający się, periodyczny; powrotny
re•cy•cle [ri`sɑıkl] *vt* przerabiać (*powtórnie*)
red [red] *adj* czerwony; rudy
re•deem [rı`dim] *vt* uratować (*sytuację*); odkupić (*winy*); **~ o.s.** zrehabilitować się; wykupić
re•deem•er [rı`dimə(r)] *s* zbawca, zbawiciel
re•duce [rı`djus] *vt* zmniejszać, redukować; obniżać (*cenę*)
re•duc•tion [rı`dʌkʃən] *s* redukcja; zmniejszenie; obniżka (*cen*)

re•dun•dant [rɪ`dʌndənt] *adj* zbędny, zbyteczny; *bryt.* zwolniony z pracy

reef [rif] *s* rafa

reel [ril] *s* szpulka; rolka; *vi* (*o osobie*) zataczać się

re•fer [rɪ`fɜ(r)] *vt vi* odsyłać; odnosić (się) (**to sth** do czegoś)

ref•er•ee [refə`ri] *s sport.* sędzia; *vt* sędziować

ref•er•ence [`refrəns] *s* wzmianka; odniesienie (**to sth** do czegoś); ~ **book** książka podręczna (*słownik*); **with <in> ~ to** odnośnie do, co się tyczy; *pl* **~s** referencje; bibliografia

re•fill ['ri`fɪl] *vt vi* ponownie napełnić (się); *s* [`rifɪl] wkład (*do długopisu*); *pot.* dolewka

re•fine [rɪ`faɪn] *vt* oczyszczać, rafinować; uszlachetniać

re•fined [rɪ`faɪnd] *adj* rafinowany; wytworny, wyrobiony (*gust*)

re•fine•ment [rɪ`faɪnmənt] *s* zmiana, udoskonalenie; wyrafinowanie

re•flect [rɪ`flekt] *vt* odbijać (*fale, światło*); odzwierciedlać; *vi* zastanawiać się (**on sth** nad czymś)

re•flec•tion [rɪ`flekʃən] *s* odbicie; odzwierciedlenie; namysł, refleksja

re•flex [`rifleks] *s* odruch; refleks

re•form [rɪ`fɔm] *vt* reformować; *vi* poprawiać (się); *s* reforma; poprawa

ref•or•ma•tion ['refə`meɪʃən] *s* poprawa; **the Reformation** reformacja

re•frain [rɪ`freɪn] *vi* powstrzymywać się (**from sth** od czegoś); *s* refren

re•fresh [rɪ`freʃ] *vt* odświeżać; orzeźwiać; pokrzepiać

re•fresh•ment [rɪ`freʃmənt] *s* odświeżenie; pokrzepienie; odpoczynek; *pl* **~s** przekąski

re•frig•er•ate [rɪ`frɪdʒəreɪt] *vt* chłodzić

re•frig•er•a•tor [rɪ`frɪdʒəreɪtə(r)] *s* lodówka, chłodziarka

ref•uge [`refjudʒ] *s* schronienie; azyl; **take ~** chronić się

ref•u•gee ['refju`dʒi] *s* uchodźca

re•fund [rɪ`fʌnd] *vt* zwracać pieniądze; *s* [`rifʌnd] zwrot pieniędzy

re•fus•al [rɪ`fjuzl] *s* odmowa

re•fuse [rɪ`fjuz] *vt vi* odmawiać; odrzucać (*propozycję*)

re•gain [rɪ`geɪn] *vt* odzyskiwać

re•gard [rɪ`gɑd] *s* szacunek, uznanie; wzgląd; **with ~ to sth** przez wzgląd na coś; *pl* **~s** pozdrowienia; *vt* patrzeć na; uważać (**sb <sth> as...** kogoś <coś> za...); **~ing, as ~s** co się tyczy..., co do..., odnośnie do...

re•gard•less [rɪ`gɑdlɪs] *adv* bez względu (**of sth** na coś); nie licząc się, nie zważając (**of sth** na coś)

re•gen•e•rate [`ridʒənəreɪt] *vt vi* odnowić (się), odrodzić (się)

re•gime [reɪ`ʒim] *s* reżim

re•gi•ment [`redʒɪment] *s* pułk; *przen.* zastęp(y)
re•gion [`ridʒən] *s* rejon, okolica; region
re•gion•al [`ridʒənl] *adj* regionalny; rejonowy
reg•is•ter [`redʒɪstə(r)] *s* rejestr; wykaz; *szk.* dziennik; **~ office** urząd stanu cywilnego; *vt vi* rejestrować (się); meldować się; (*o liściu, o bagażu*) nadawać jako polecony
re•gis•tra•tion ['redʒɪ`streɪʃən] *s* rejestracja, zapis; *bryt.* **~ number(s)** numery rejestracyjne
re•gis•try [`redʒɪstrɪ] *s* archiwum; **~ office** urząd stanu cywilnego
re•gress [rɪ`gres] *vi* cofać się, przechodzić regres
re•gres•sion [rɪ`greʃən] *s* cofanie się, regres, regresja
re•gret [rɪ`gret] *vt* żałować; opłakiwać; *s* żal
re•gret•ful•ly [rɪ`gretfʊlɪ] *adv* z żalem
re•greta•ble [rɪ`gretəbl] *adj* godny pożałowania, opłakany, żałosny
reg•u•lar [`regjʊlə(r)] *adj* regularny; stały; normalny; **on a ~ basis** regularnie
reg•u•lar•i•ty ['regjʊ`lærɪtɪ] *s* prawidłowość; regularność; systematyczność
reg•u•late [`regjʊleɪt] *vt* regulować; porządkować; kontrolować
reg•u•la•tion ['regjʊ`leɪʃən] *s* regulamin; przepis, zarządzenie; kontrola
re•ha•bil•i•tate ['ri(h)ə`bɪlɪteɪt] *vt* rehabilitować; przywracać do dobrego stanu
re•ha•bil•i•ta•tion ['ri(h)əbɪlɪ`teɪʃən] *s* rehabilitacja; przywrócenie do normalnego stanu; uzdrowienie
re•hears•al [rɪ`hɜsəl] *s* próba (*przedstawienia, występu*); **dress ~** próba generalna
re•hearse [rɪ`hɜs] *vt* robić próbę (*w teatrze*); powtarzać (*lekcje*), ćwiczyć
reign [reɪn] *s* panowanie; *vi* panować
rein [reɪn] *s pl*: **~s** lejce; *przen.* wodze, ster; **give sb free ~** dawać komuś wolną rękę; *przen.* **keep a tight ~ on** trzymać krótko; *vt*: **~ in** ściągnąć cugle
re•in•force [riɪn`fɔs] *vt* wzmacniać, zasilać
re•ject [rɪ`dʒekt] *vt* odrzucać
re•jec•tion [rɪ`dʒekʃən] *s* odrzucenie, odmowa
re•joice [rɪ`dʒoɪs] *vi* radować się (**at <over> sth** czymś)
re•join [ri`dʒoɪn] *vt* połączyć na nowo; wrócić (**one's company** do towarzystwa)
re•late [rɪ`leɪt] *vt* relacjonować; wiązać, łączyć (*fakty*); odnosić się (**to sb <sth>** do kogoś <czegoś>)
re•lat•ed [rɪ`leɪtɪd] *adj* spokrewniony (**to sb** z kimś); powiązany (**to sth** z czymś)
re•la•tion [rɪ`leɪʃən] *s* krewny;

pokrewieństwo; relacja, związek; *pl* **~s** stosunki
re•la•tion•ship [rɪˋleɪʃənʃɪp] *s* związek; stosunek; powiązanie
rel•a•tive [ˋrelətɪv] *adj* względny; dotyczący (**to sth** czegoś); *s* krewny
rel•a•tive•ly [ˋrelətɪvlɪ] *adv* względnie, stosunkowo
rel•a•tiv•i•ty ['reləˋtɪvɪtɪ] *s* względność
re•lax [rɪˋlæks] *vr vt* odprężyć się, rozluźnić (się)
re•lax•a•tion ['rɪlækˋseɪʃən] *s* relaks, odpoczynek; rozluźnienie, złagodzenie
re•lay [rɪˋleɪ] *vt* retransmitować; przekazywać; *s* [ˋrileɪ] luzowanie; zmiana; retransmisja; *sport.* sztafeta; **~ race** bieg sztafetowy
re•lease [rɪˋlis] *vt* uwalniać; zwalniać (*sprzęgło*); wypuszczać na rynek (*film, płytę*); opublikować; *s* uwolnienie; (*o filmie, o płycie*) nowość
rel•e•vant [ˋreləvənt] *adj* dotyczący (**to sth** czegoś); związany (**to sth** z czymś); istotny
re•li•a•ble [rɪˋlɑɪəbl] *adj* godny zaufania; pewny, niezawodny
re•li•ance [rɪˋlɑɪəns] *s* zaufanie; **have <place, feel> ~ in <upon> sb <sth>** mieć zaufanie do kogoś <czegoś>, polegać na kimś <czymś>
rel•ic [ˋrelɪk] *s* relikt; relikwia
re•lief [rɪˋlif] *s* ulga; pomoc, zapomoga; płaskorzeźba; uwypuklenie
re•lieve [rɪˋliv] *vt* łagodzić, przynosić ulgę; zmieniać, zluzowywać (*wartownika*)
re•li•gion [rɪˋlɪdʒən] *s* religia
re•li•gious [rɪˋlɪdʒəs] *adj* religijny; kościelny, zakonny
rel•ish [ˋrelɪʃ] *s* rozkosz; przyprawa smakowa (*sos, marynata*); *vt* rozkoszować się; **I don't ~ the prospecf of...** nie uśmiecha mi się perspektywa...
re•luc•tant [rɪˋlʌktənt] *adj* niechętny
re•ly [rɪˋlɑɪ] *vi* polegać (**on sb <sth>** na kimś <czymś>)
re•main [rɪˋmeɪn] *vi* pozostawać; *s pl* **~s** resztki; szczątki
re•maind•er [rɪˋmeɪndə(r)] *s* pozostałość, reszta
re•mark [rɪˋmɑk] *vt* zauważyć; *vi* zrobić uwagę (**on sb <sth>** na temat kogoś <czegoś>); *s* uwaga, spostrzeżenie
re•mark•a•ble [rɪˋmɑkəbl] *adj* godny uwagi, niezwykły
rem•e•dy [ˋremədɪ] *s* lekarstwo, środek; *vt* zaradzić; naprawić
re•mem•ber [rɪˋmembə(r)] *vt* pamiętać; przypominać (sobie); **~ me to your sister** pozdrów siostrę ode mnie
re•mem•brance [rɪˋmembrəns] *s* pamięć; pamiątka
re•mind [rɪˋmɑɪnd] *vt* przypominać (**sb of sth** komuś o czymś); **he ~s me of his brother** przypomina mi swojego brata

re•mind•er [rɪˋmaɪndə(r)] *s* przypomnienie; upomnienie
rem•i•nis•cence [remɪˋnɪsns] *s* wspomnienie, reminiscencja
re•mit•tance [rɪˋmɪtns] *s* przesyłka pieniężna
rem•nant [ˋremnənt] *s* pozostałość; resztka
re•morse [rɪˋmɔs] *s* wyrzut sumienia; **without ~** bez skrupułów
re•mote [rɪˋməʊt] *adj* odległy; **~ control** zdalne sterowanie
re•mov•al [rɪˋmuvl] *s* usunięcie; zwolnienie; *bryt.* przewóz mebli
re•move [rɪˋmuv] *vt* usuwać; zwalniać (*ze służby*); pozbywać się
Re•nais•sance [rɪˋneɪsns] *s* Odrodzenie, Renesans
ren•der [ˋrendə(r)] *vt* czynić; wyświadczać; oddawać, odpłacać; przetłumaczyć (**into English** na angielski); okazać (*pomoc*)
re•new [rɪˋnju] *vt* odnawiać; wznawiać; prolongować
ren•o•vate [ˋrenəveɪt] *vt* odnawiać, odświeżać; naprawiać
rent [rent] *s* czynsz; *vt* wynajmować, dzierżawić
re•or•gan•ize [ˈriˋɔgənaɪz] *vt* reorganizować
re•pair [rɪˋpeə(r)] *vt* naprawiać, reperować; *s* naprawa; **in good <bad> ~** w dobrym <złym> stanie; **beyond ~** nie do naprawienia; **under ~** w naprawie
rep•a•ra•tion [ˈrepəˋreɪʃən] *s* zadośćuczynienie; *pl* **~s** odszkodowania wojenne
re•pay [rɪˋpeɪ] *vt* spłacać; *vi* odpłacać, odwdzięczać się
re•pay•ment [rɪˋpeɪmənt] *s* spłata
re•peat [rɪˋpit] *vt* powtarzać
re•pel [rɪˋpel] *vt* odpychać, odrzucać, odpierać
re•pel•lent [rɪˋpelənt] *adj* odpychający, wstrętny; *s* środek odstraszający (*owady*)
re•pen•tance [rɪˋpentəns] *s* żal, skrucha
re•per•cus•sions [ˈripəˋkʌʃənz] *pl* reperkusje
rep•er•toire [ˋrepətwɑ(r)] *s* repertuar
rep•e•ti•tion [ˈrepəˋtɪʃən] *s* powtórzenie, powtórka
re•place [rɪˋpleɪs] *vt* zastępować (**sb <sth> with sb <sth>** kogoś <coś> kimś <czymś>); odkładać na swoje miejsce
re•ply [rɪˋplaɪ] *vi* odpowiadać (**to a question** na pytanie); *s* odpowiedź
re•port [rɪˋpɔt] *s* raport, sprawozdanie; doniesienie; świadectwo szkolne (*także am.* **~ card**); *vt vi* składać raport; relacjonować; donosić
re•port•er [rɪˋpɔtə(r)] *s* reporter, dziennikarz, sprawozdawca
rep•re•sent [ˈreprɪˋzent] *vt* reprezentować; przedstawiać, wyobrażać; symbolizować
rep•re•sen•ta•tion [ˈreprɪzenˋteɪʃən] *s* przedstawienie, wyobra-

żenie; reprezentacja, przedstawicielstwo
rep•re•sen•ta•tive ['reprı`zentətıv] *adj* reprezentatywny; *s* przedstawiciel
re•press [rı`pres] *vt* powstrzymywać, hamować; tłumić
re•pres•sion [rı`preʃən] *s* tłumienie; ucisk, represja
re•pres•sive [rı`presıv] *adj* represyjny
rep•ri•mand [`reprımɑnd] *vt* udzielać nagany, ganić; *s* nagana, reprymenda
re•print ['ri`prınt] *vt* przedrukowywać; wznawiać; *s* [`riprınt] przedruk; wznowienie
re•pris•al [rı`prɑızəl] *s* odwet; **in ~** w odwecie
re•proach [rı`prəʊtʃ] *vt* wyrzucać (**sb for sth** komuś coś); zarzucać (**sb with sth** komuś coś); *s* wyrzut; zarzut
re•proach•ful [rı`prəʊtʃfʊl] *adj* pełen wyrzutu
re•pro•duce ['riprə`djus] *vt* reprodukować, odtwarzać; rozmnażać
re•pro•duc•tion ['riprə`dʌkʃən] *s* odtwarzanie, reprodukcja; rozmnażanie się
reproof [rı`pruf] *s* wyrzut, wymówka, zarzut
re•prove [rı`pruv] *vt* ganić, czynić wyrzuty
rep•tile [`reptɑıl] *s* gad
re•pub•lic [rı`pʌblık] *s* republika
re•pul•sive [rı`pʌlsıv] *adj* odrażający, odpychający
rep•u•ta•tion ['repjʊ`teıʃən] *s* reputacja
re•quest [rı`kwest] *s* prośba; życzenie; **~ stop** przystanek na żądanie; **on ~** na życzenie; *vt* prosić (**sth** o coś)
re•quire [rı`kwɑıə(r)] *vt* życzyć sobie; wymagać, żądać; **if ~d** w razie potrzeby
re•quire•ment [rı`kwɑıəmənt] *s* potrzeba; wymaganie
res•cue [`reskju] *vt* uratować, ocalić; *s* ratunek
re•search [rı`sɜtʃ] *s* badanie; badania (*naukowe*); **~ work** praca naukowa; *vi* prowadzić badania; *vt* badać
re•sem•blance [rı`zembləns] *s* podobieństwo
re•sem•ble [rı`zembl] *vt* być podobnym, przypominać
re•sent [rı`zent] *vt* czuć się urażonym (**sth** z powodu czegoś); mieć za złe
re•sent•ful [rı`zentfʊl] *adj* urażony, rozżalony, dotknięty (**of sth** czymś)
re•sent•ment [rı`zentmənt] *s* uraza; rozżalenie
res•er•va•tion ['rezə`veıʃən] *s* zastrzeżenie; rezerwacja; rezerwat
re•serve [rı`zɜv] *vt* rezerwować; zastrzegać sobie; *s* rezerwa; zapas; rezerwat; gracz rezerwowy; **in ~** w rezerwie
re•served [rı`zɜvd] *adj* powściągliwy; zarezerwowany; **all rights ~** wszelkie prawa zastrzeżone

re•ser•voir [`rezəvwɑ(r)] *s* zbiornik, rezerwuar; *przen.* **~s** kopalnia, skarbnica (*wiedzy*)
res•i•dence [`rezɪdəns] *s* rezydencja; pobyt
res•i•dent [`rezɪdənt] *adj* zamieszkały; *s* mieszkaniec
res•i•den•tial ['rezɪ`denʃəl] *adj* mieszkaniowy; **~ course** kurs wyjazdowy
re•sign [rɪ`zɑɪn] *vt vi* rezygnować; ustępować; *vr* **~ o.s.** pogodzić się (**to sth** z czymś)
res•ig•na•tion ['rezɪ`gneɪʃən] *s* rezygnacja
re•signed [rɪ`zɑɪnd] *adj* zrezygnowany
re•sin [`rezɪn] *s* żywica
re•sist [rɪ`zɪst] *vt* opierać się (**sth** czemuś), przeciwstawiać się
re•sist•ance [rɪ`zɪstəns] *s* opór; odporność; *elektr.* oporność; **the ~** ruch oporu
res•o•lu•tion ['rezə`luʃən] *s* rezolucja; mocne postanowienie; stanowczość, zdecydowanie; (*o problemie*) rozwiązanie
re•solve [rɪ`zolv] *vt* postanawiać; zdecydować; rozwiązać
re•sort [rɪ`zɔt] *s* kurort; uciekanie się; **health ~** uzdrowisko; **as a last ~** w ostateczności; *vi* uciekać się (**to sth** do czegoś)
re•source [rɪ`zɔs] *s* zapas; *pl* **~s** zasoby; **natural ~s** bogactwa naturalne
re•source•ful [rɪ`sɔsfʊl] *adj* pomysłowy; wynalazczy
re•spect [rɪ`spekt] *s* szacunek; *pl* **~s** wyrazy uszanowania; **with ~ to sth** w odniesieniu do czegoś; **in ~ of sth** pod względem czegoś; *vt* szanować
re•spect•a•ble [rɪs`pektəbl] *adj* godny szacunku, szanowany, poważany
respective [rɪs`pektɪv] *adj* odnośny; poszczególny; **they returned to their ~ homes** wrócili, każdy do swego domu
re•spond [rɪ`spond] *vi* odpowiadać; reagować (**to sth** na coś)
re•sponse [rɪ`spons] *s* odpowiedź; reakcja
re•spon•si•bil•i•ty [rɪ'sponsə`bɪlɪtɪ] *s* odpowiedzialność; obowiązek; **take ~** wziąć na siebie odpowiedzialność (**for sth** za coś)
re•spon•si•ble [rɪ`sponsəbl] *adj* odpowiedzialny (**to sb for sth** przed kimś za coś)
rest[1] [rest] *s* odpoczynek; **have <take> a ~** wypoczywać; *vi* odpoczywać; opierać się (**on sth** na czymś)
rest[2] [rest] *s* reszta; **for the ~** co do reszty, poza tym
res•tau•rant [`restəront, `restəroŋ] *s* restauracja
rest•ful [`restfʊl] *adj* spokojny; uspokajający, kojący
rest•less [`restlɪs] *adj* niespokojny
res•to•ra•tion ['restə`reɪʃən] *s* odrestaurowanie; przywrócenie (*mienia*)

re•store [rɪ`stɔ(r)] *vt* przywracać (*porządek*); odnawiać, restaurować
re•strain [rɪ`streɪn] *vt* powstrzymywać (**sb <o.s.> from doing sth** kogoś <się> od zrobienia czegoś); hamować (*popyt*)
re•strained [rɪs`treɪnd] *adj* powściągliwy
re•straint [rɪs`treɪnt] *s* umiar; ograniczenie; powściągliwość
re•strict [rɪ`strɪkt] *vt* ograniczać
re•stric•tion [rɪ`strɪkʃən] *s* ograniczenie
rest room [`restrʊm] *s am.* toaleta (*w miejscu publicznym*)
re•sult [rɪ`zʌlt] *vt* wynikać (**from sth** z czegoś); kończyć się (**in sth** czymś); *s* wynik; **as a ~** w wyniku
re•sume [rɪ`zjum] *vt* podjąć na nowo, wznowić; *vi* rozpocząć się od nowa
ré•su•mé [`rezjumeɪ] *s* streszczenie; *am.* życiorys
re•sum•ption [rɪ`zʌmpʃən] *s* wznowienie; ponowne podjęcie
res•ur•rect ['rezə`rekt] *vt* wskrzesić; wznowić
res•ur•rec•tion ['rezə`rekʃən] *s* wskrzeszenie; wznowienie; *rel.* **Resurrection** Zmartwychwstanie
re•tail [`riteɪl] *s* sprzedaż detaliczna; *vt* sprzedawać detalicznie
re•tain [rɪ`teɪn] *vt* zatrzymywać; zachowywać (*w pamięci*)
re•tire [rɪ`taɪə(r)] *vt vi* przechodzić na emeryturę; oddalać się; wycofywać się
re•tired [rɪ`taɪəd] *adj* emerytowany
re•tire•ment [rɪ`taɪəment] *s* wycofanie się; emerytura
re•treat [rɪ`trit] *s* odwrót; ustronie; *rel.* rekolekcje; *vi* wycofywać się
re•trieve [rɪ`triv] *vt* odzyskać; naprawić; przywrócić; aportować
re•turn [rɪ`tɜn] *vt vi* wracać; zwracać; odwzajemniać; *s* powrót; zwrot; *pl* **~s** wpływy (*kasowe*); **by ~ (of post)** odwrotną pocztą; **in ~** w zamian (**for sth** za coś); **many happy ~s (of the day)!** wszystkiego najlepszego (z okazji urodzin)!; *adj attr* powrotny; **~ ticket** bilet powrotny
re•u•nion [ri`junɪən] *s* zjazd (*rodzinny*, *szkolny*); spotkanie po latach
re•veal [rɪ`vil] *vt* odsłonić; objawić; ujawnić
rev•e•lation ['revə`leɪʃən] *s* odkrycie; rewelacja; *rel.* objawienie
re•venge [rɪ`vendʒ] *s* zemsta; **take ~** zemścić się; *vt* mścić; *vr* **~ o.s.** mścić się (**on sb** na kimś)
rev•e•rent [`revərənt] *adj* pełen szacunku
re•verse [rɪ`vɜs] *adj* odwrotny, przeciwny; *vt vi* cofać (się);

odwracać; unieważniać; *s* porażka; odwrotna strona; *mot.* ~ **gear** wsteczny bieg; **in ~** w odwrotnej kolejności
re•view [rɪ`vju] *s* przegląd; recenzja; *vt* dokonywać przeglądu; rewidować; recenzować
re•view•er [rɪ`vjuə(r)] *s* recenzent
re•vise [rɪ`vɑɪz] *vt vi* rewidować, przeglądać, poprawiać; powtarzać (*do egzaminu*)
re•vi•sion [rɪ`vɪʒən] *s* rewizja, przegląd; powtórka
re•vi•val [rɪ`vɑɪvəl] *s* ożywienie; wznowienie
re•vive [rɪ`vɑɪv] *vt* ożywiać, przywracać do życia; *vi* odradzać się, ożywiać się
re•voke [rɪ`vəʊk] *vt* odwoływać; unieważniać
re•volt [rɪ`vəʊlt] *vi* buntować się, powstawać; *vt* budzić odrazę; *s* rewolta, bunt
re•volt•ing [rɪ`vəʊltɪŋ] *adj* odrażający
rev•o•lu•tion ['revə`luʃən] *s* rewolucja; pełny obrót
re•volve [rɪ`volv] *vt vi* obracać (się)
re•volv•er [rɪ`volvə(r)] *s* rewolwer
re•vue [rɪ`vju] *s teatr.* rewia
re•ward [rɪ`wɔd] *s* nagroda; *vt* nagradzać
rheu•ma•tism [`rumətɪzəm] *s* reumatyzm
rhyme [rɑɪm] *s* rym; wiersz; **neither <without> ~ nor <or> reason** bez ładu i składu; *vt vi* rymować
rhythm [rɪðm] *s* rytm
rib [rɪb] *s* żebro; *kulin.* **spare ~s** żeberka
rib•bon [`rɪbən] *s* wstążka, tasiemka
rice [rɑɪs] *s* ryż
rich [rɪtʃ] *adj* bogaty; obfity; żyzny; *n pl*: **the ~** bogaci
rid [rɪd], **rid, rid** *vt* uwolnić, oczyścić (**of sth** z czegoś); **get ~** uwolnić się, pozbyć się (**of sth** czegoś)
rid•den *zob.* **ride**
rid•dle [`rɪdl] *s* zagadka; *vt* dziurawić; **~d with holes** podziurawiony
ride [rɑɪd], **rode** [rəʊd], **rid•den** [`rɪdn] *vt vi* jeździć (*konno, rowerem*); jechać (**the street** ulicą); *s* jazda; przejażdżka
rid•er [`rɑɪdə(r)] *s* jeździec
ridge [rɪdʒ] *s* grzbiet (*górski*); krawędź
rid•i•cule [`rɪdɪkjul] *s* śmieszność; pośmiewisko; szyderstwo, kpiny; *vt* wyśmiewać, ośmieszać
ri•dic•u•lous [rɪ`dɪkjələs] *adj* śmieszny; absurdalny
right[1] [rɑɪt] *adj attr* (*o stronie*) prawy; **on the ~ side** po prawej stronie; *adv* na prawo, w prawo; *s* prawa strona; **to the ~** na prawo
right[2] [rɑɪt] *adj* prawidłowy, słuszny; właściwy, odpowiedni; **~ angle** kąt prosty; **be ~**

mieć rację; **all ~** wszystko w porządku; *int* dobrze!, zgoda!; *adv* słusznie, prawidłowo; **~ away** natychmiast; *s*: **~ of way** pierwszeństwo przejazdu
right•eous [`raɪtʃəs] *adj* sprawiedliwy, prawy; słuszny
ri•gid [`rɪdʒɪd] *adj* sztywny; (*o człowieku*) nieugięty
rig•or•ous [`rɪgərəs] *adj* rygorystyczny; surowy
rig•o(u)r [`rɪgə(r)] *s* rygor; surowość; dyscyplina
rim [rɪm] *s* brzeg (*naczynia*); obwódka; oprawa (*okularów*)
ring[1] [rɪŋ] *s* pierścień; koło; pierścionek; *sport.* ring; *vt* tworzyć koło; wziąć w kółko
ring[2] [rɪŋ], **rang** [ræŋ], **rung** [rʌŋ] *vt vi* dzwonić; (*także* **~ up**) *bryt.* telefonować (**sb** do kogoś); *bryt.* **~ back** oddzwaniać; *bryt.* **~ off** odkładać słuchawkę; *s* dźwięk dzwonka, dzwonienie (*telefonu*); *bryt. pot.* **give sb a ~** zadzwonić do kogoś; **~ the bell** dzwonić; **it ~s a bell (with me)** coś mi to przypomina
rink [rɪŋk] *s* lodowisko; tor do jazdy
rinse [rɪns] *vt* (*także* **~ out**) płukać, spłukiwać; przemywać; *s* płukanie
ri•ot [`raɪət] *s* bunt; rozruchy; zamieszki; **run ~** *przen.* szaleć; wszczynać rozruchy
rip [rɪp] *vt vi* rwać, rozrywać; **~ open** rozpruć, rozerwać (*kopertę*); **~ off** odpruć, oderwać; *pot.* ukraść, buchnąć *pot.*; **~ up** podrzeć; *s* rozdarcie
rip-off [`rɪpof] *s pot.* zdzierstwo
ripe [raɪp] *adj* dojrzały
rip•en [`raɪpən] *vi* dojrzewać
rip•ple [`rɪpl] *s* marszczenie się, falowanie (*wody*); szmer; *vt* marszczyć (*powierzchnię wody*); *vi* (*o powierzchni wody*) marszczyć się; szemrać
rise [raɪz], **rose** [rəʊz], **ris•en** [`rɪzn] *vi* podnosić się; wstawać; wzrastać; (*o słońcu*) wschodzić; *s* wzrost; podwyżka; wzniesienie; wschód (*słońca*); **give ~** dać początek (**to sth** czemuś)
risk [rɪsk] *s* ryzyko; **take a ~** podejmować ryzyko; **at a ~** zagrożony; *vt* ryzykować
risk•y [`rɪskɪ] *adj* ryzykowny
rite [raɪt] *s* obrządek; ceremonia
rit•u•al [`rɪtjʊəl] *adj* rytualny; *s* rytuał, obrządek
ri•val [`raɪvəl] *s* rywal; konkurent; *adj attr* rywalizujący, konkurencyjny; *vt* równać się (**sb** z kimś)
riv•er [`rɪvə(r)] *s* rzeka
riv•er•bed [`rɪvəbed] *s* koryto rzeki
riv•er•side [`rɪvəsaɪd] *s* brzeg rzeki
road [rəʊd] *s* droga; szosa; ulica; **on the ~** w drodze, w podróży; **~ works** roboty drogowe

road•side [`rəudsaıd] *s* pobocze; **by the ~** na poboczu
road•way [`rəudweı] *s* szosa, jezdnia
roam [rəum] *vt vi* wędrować, włóczyć się
roar [rɔ(r)] *s* ryk; *vi* ryczeć
roast [rəust] *vt vi* piec (się); *s* pieczeń; *adj attr* pieczony
rob [rob] *vt* obrabowywać, okradać (**sb of sth** kogoś z czegoś)
rob•ber [`robə(r)] *s* bandyta, rabuś
rob•ber•y [`robərı] *s* rozbój, grabież; **armed ~** napad z bronią w ręku
robe [rəub] *s* szata, suknia; szlafrok
ro•bot [`rəubot] *s* robot
rock [rok] *s* skała; kamień; **on the ~s** z lodem (*o whisky*); *vt vi* kołysać (się), bujać (się)
rock•er [`rokə(r)] *s am.* fotel bujany
rock•et [`rokıt] *s* rakieta (*pocisk*); *vi* (*o cenach*) gwałtownie skoczyć w górę
rock•ing chair [`rokıŋ`tʃeə] *s* fotel bujany
rock•y [`rokı] *adj* skalisty
rod [rod] *s* pręt; rózga; wędka
rode *zob.* **ride**
roe [rəu] (*także* **roe•deer** [`rəudıə(r)]) *s* sarna
rogue [rəug] *s* łajdak, łobuz
role [rəul] *s* rola
roll [rəul] *vt vi* zwijać; toczyć (się); **~ up** podwijać (*rękawy*); *pot.* przybyć; **~ out** rozwałkować; rozwijać; *s* rolka; zwój; walec; bułka (*okrągła*); lista (*członków*)
roll•er [`rəulə(r)] *s* walec; wałek; duża fala, bałwan (*morski*); *pl* **~s** rolki; **~ blind** roleta
roll•er skates [`rəuləskeıts] *s pl* wrotki
ro•mance [rəu`mæns] *s* romans; urok, czar
ro•man•tic [rəu`mæntık] *adj* romantyczny
Ro•man•ti•cis•m [rəu`mæntısızəm] *s* romantyzm
roof [ruf] *s* dach
room [rum] *s* pokój; miejsce, przestrzeń; **single <double> ~** pokój jednoosobowy <dwuosobowy>; **make ~ for sb <sth>** zrobić miejsce dla kogoś <czegoś>
room•mate [`rummeıt] *s* współlokator
roost [rust] *s* grzęda; *vi* siedzieć na grzędzie
roost•er [`rustə(r)] *s am.* kogut
root [rut] *s* korzeń; *mat.* pierwiastek; *vi* ukorzeniać się
rope [rəup] *s* lina, sznur; *vt* przywiązywać
ro•sa•ry [`rəuzərı] *s rel.* różaniec
rose[1] [rəuz] *zob.* **rise**
rose[2] [rəuz] *s* róża; *adj attr* różowy, różany
rose•ma•ry [`rəuzmərı] *s* rozmaryn
ros•y [`rəuzı] *adj* różowy, różany

rot [rot] *vi* gnić; *vt* powodować gnicie; *s* gnicie
ro•tate [rəʊˋteɪt] *vt vi* obracać (się), wirować; zmieniać (się) kolejno
ro•ta•tion [rəʊˋteɪʃən] *s* obrót; kolejność; rotacja
ro•tor [ˋrəʊtə(r)] *s* wirnik
rot•ten [ˋrotn] *adj* zgniły, zepsuty; wstrętny; *pot.* cholerny
rough [rʌf] *adj* szorstki, chropowaty; (*o morzu*) wzburzony; grubiański; przybliżony
round [raʊnd] *adj* okrągły; *s* runda; objazd; (*przy częstowaniu*) kolejka; *adv* naokoło, dookoła; **all (the) year ~** przez cały rok; **all ~ about** dookoła; *praep* wokół, dookoła; **~ the corner** za rogiem; **~ the clock** całą dobę; *vt* okrążać
round•a•bout [ˋraʊndəbaʊt] *s bryt.* rondo; karuzela; *adj* okrężny
round-the-clock [ˈraʊndðəˋklok] *adj attr* całodobowy
round•up [ˋraʊndʌp] *s* obława, łapanka; *am.* przegląd (*wiadomości itp.*)
rouse [raʊz] *vi* pobudzić; obudzić
route [rut] *s* droga, trasa
rou•tine [ruˋtin] *s* rozkład zajęć; monotonne zajęcia; *adj* rutynowy; **the ~ procedure** zwykła procedura
row[1] [rəʊ] *s* rząd, szereg; **in a ~** z rzędu (*kilka razy*)
row[2] [rəʊ] *vt vi* wiosłować
row[3] [raʊ] *s pot.* awantura; zgiełk, hałas; *pot.* **kick a ~** zrobić awanturę; *vi pot.* kłócić się, hałasować
row•dy [ˋraʊdɪ] *adj* chuligański; awanturniczy; *s* awanturnik
roy•al [ˋroɪəl] *adj* królewski; wspaniały
roy•al•ty [ˋroɪəltɪ] *s* władza królewska; honorarium (*autorskie*)
rub [rʌb] *vt vi* trzeć, ocierać się; wcierać; **~ out** wycierać, wymazywać
rub•ber [ˋrʌbə(r)] *s* guma; gumka; *am. pot.* kondom; rober (*w brydżu*); **~ stamp** pieczątka
rub•bish [ˋrʌbɪʃ] *s* śmieci; tandeta; **talk ~** pleść bzdury; *int* **~!** bzdura!
ruck•sack [ˋrʌksæk] *s* plecak
rude [rud] *adj* niegrzeczny, ordynarny; **be ~** być niegrzecznym (**to sb** dla kogoś)
ruf•fle [ˋrʌfl] *vt* zwichrzyć, zmierzwić; wzburzyć
rug [rʌg] *s* dywanik; pled
rug•by [ˋrʌgbɪ] *s sport.* rugby
rug•ged [ˋrʌgɪd] *adj* chropowaty, nierówny; (*o charakterze*) szorstki, surowy; mocny
ruin [ˋruɪn] *s* ruina; *vt* rujnować
ru•in•ous [ˋruɪnəs] *adj* rujnujący, zgubny, niszczący
rule [rul] *s* reguła, zasada; rządy; **as a ~** z reguły; **~s and regulations** regulamin; *vt vi* rządzić, panować; **~ out** wykluczać

rul•er [ˈrulə(r)] *s* władca; linijka

rum [rʌm] *s* rum

rum•ble [ˈrʌmbl] *vi* huczeć, grzmieć, dudnić; *s* huk, dudnienie, grzmot

ru•mo(u)r [ˈrumə(r)] *s* pogłoska

rum•ple [ˈrʌmpl] *vt* miąć, miętosić

run [rʌn], **ran** [ræn], **run** [rʌn] *vi* biec; (*o pojazdach*) jechać; kursować; (*o płynie*) ciec; działać, funkcjonować; *vt* prowadzić (*interes*); uruchamiać; **~ after** gonić, ścigać; **~ away** uciekać; **~ down** potrącać, przejechać; (*o bateriach*) wyczerpywać się; **~ out** kończyć się, wyczerpywać się; **~ over** przejechać; *s* bieg; przejażdżka; seria; trasa; **in the long <short> ~** na dłuższą <krótszą> metę; **at a ~** biegiem; *pot.* **on the ~** w biegu, w pędzie; **the play had a ~ of three months** sztuka szła przez trzy miesiące

run•a•way [ˈrʌnəweɪ] *adj attr* zbiegły; *s* zbieg, uciekinier

rung[1] *zob.* **ring**

rung[2] [rʌŋ] *s* szczebel

run•ner [ˈrʌnə(r)] *s* biegacz; koń wyścigowy

run•ning [ˈrʌnɪŋ] *s* bieganie; zarządzanie, kierowanie; *adj attr* (*o wodzie*) bieżący; *adv*: **six months ~** sześć miesięcy z rzędu

run•ny [ˈrʌnɪ] *adj* rzadki (*o cieście*); **have a ~ nose** mieć katar

run•way [ˈrʌŋweɪ] *s* pas startowy

rup•ture [ˈrʌptʃə(r)] *s* zerwanie; *med.* przepuklina; pęknięcie; *vt vi* zrywać, przerywać się

ru•ral [ˈrʊərəl] *adj* wiejski; rolny

rush [rʌʃ] *vi* pędzić; *vt* popędzać, ponaglać; *s* pęd; pośpiech; nagły popyt; **gold ~** gorączka złota; **~ hours** godziny szczytu; **be in a ~** bardzo się spieszyć

Rus•sian [ˈrʌʃən] *adj* rosyjski; *s* Rosjanin; język rosyjski

rust [rʌst] *s* rdza; *vi* rdzewieć

rus•tic [ˈrʌstɪk] *adj* wiejski; nieokrzesany, prosty

rus•tle [ˈrʌsl] *vi vt* szeleścić; *am.* kraść (*bydło*); *s* szelest

rust•y [ˈrʌstɪ] *adj* zardzewiały; rdzawy; (*o języku*) zaniedbany, mało płynny

ruth•less [ˈruθlɪs] *adj* bezlitosny, bezwzględny

rye [rɑɪ] *s* żyto

S

sable [ˈseɪbl] *s* soból; *adj lit.* czarny kolor, czerń

sab•o•tage [ˈsæbətɑʒ] *s* sabotaż; *vt* sabotować

sab•o•teur [ˈsæbəˈtɜ(r)] *s* sabotażysta

sa•bre [`seɪbə(r)] *s* szabla
sack [sæk] *s* worek; *pot.* **give sb the ~** wyrzucić kogoś z pracy
sac•ra•ment [`sækrəmənt] *s* sakrament
sa•cred [`seɪkrɪd] *adj* święty, poświęcony
sac•ri•fice [`sækrɪfɑɪs] *s* ofiara; poświęcenie; *vt* składać ofiarę; *przen.* poświęcać
sad [sæd] *adj* smutny
sad•den [`sædn] *vt* smucić, zasmucać
sad•dle [`sædl] *s* siodło; *vt* siodłać
safe [seɪf] *adj* bezpieczny; pewny; **~ and sound** cały i zdrowy; **be on the ~ side** na wszelki wypadek; *s* sejf
safe•guard [`seɪfgɑd] *s* ochrona; zabezpieczenie; *vt* chronić, zabezpieczać
safe•ty [`seɪftɪ] *s* bezpieczeństwo
safe•ty belt [`seɪftɪbelt] *s* pas bezpieczeństwa
safe•ty pin [`seɪftɪpɪn] *s* agrafka
safety razor [`seɪftɪreɪzə(r)] *s* maszynka do golenia
sag [sæg] *vi* opadać, zwisać
sa•ga [`sɑgə] *s* saga
sage [seɪdʒ] *s bot.* szałwia; mędrzec (*osoba*); *adj* mądry, rozważny
said *zob.* **say**
sail [seɪl] *s* żagiel; podróż (*morska; żaglówką*); *vt vi* żeglować; płynąć (*statkiem*)
sail•board [`seɪlbɔd] *s* deska z żaglem
sail•ing [`seɪlɪŋ] *s* żeglarstwo; żeglowanie
sail•ing boat [`seɪlɪŋbəʊt] *s* żaglówka
sail•or [`seɪlə(r)] *s* marynarz; żeglarz
saint [seɪnt] *adj* (*skr.* **St.** [snt]) święty; *s* święty
sake [seɪk] *s*: **for the ~ of sb <sth>** ze względu na kogoś <coś>; **for heaven's ~!** na miłość boską!; **art for art's ~** sztuka dla sztuki
sal•ad [`sæləd] *s* sałatka; **~ dressing** sos do sałatek
sal•a•ry [`sælərɪ] *s* uposażenie, pensja
sale [seɪl] *s* sprzedaż; **for ~** na sprzedaż; **on ~** w sprzedaży
sales•man [`seɪlzmən] *s* sprzedawca, ekspedient; akwizytor
sa•li•va [sə`lɑɪvə] *s* ślina
salm•on [`sæmən] *s* łosoś
sa•loon [sə`lun] *s bryt.* salon; *am.* bar; *bryt. mot.* **~ car** sedan, limuzyna
salt [sɔlt] *s* sól; *adj* słony; *vt* solić
salt•y [`sɔltɪ] *adj* słony
sa•lute [sə`lut] *vt* salutować; oddawać honory; pozdrawiać; *s* salutowanie; honory (*wojskowe*); pozdrowienie
sal•vage [`sælvɪdʒ] *s* ratowanie; ratunek; uratowane mienie; *vt* ratować
sal•va•tion [sæl`veɪʃən] *s rel.* zbawienie; ratunek

same [seɪm] *adj pron* taki sam; ten sam; *adv* tak samo; **all the ~** niemniej
sam•ple [`sɑmpl] *s* wzór, próbka
san•a•to•ri•um, *am. także* **san•i•ta•ri•um** ['sænə`tɔrɪəm] *s* (*pl* **~s** *lub* **san•a•tor•ia** ['sænə`tɔrɪə]) sanatorium
sanc•tu•a•ry [`sæŋktʃʊərɪ] *s* sanktuarium; azyl; rezerwat (*zwierząt*)
sand [sænd] *s* piasek
san•dal [`sændl] *s* sandał
sand•stone [`sændstəʊn] *s* piaskowiec
sand•wich [`sænwɪdʒ] *s* kanapka; **cheese ~** kanapka z serem
sane [seɪn] *adj* zdrowy na umyśle; rozumny, rozsądny
sang *zob.* **sing**
san•i•ta•ry [`sænɪtərɪ] *adj* sanitarny, higieniczny; *bryt.* **~ towel** podpaska higieniczna
sank *zob.* **sink**
San•ta Claus [`sæntə'klɔz] *s* Święty Mikołaj
sar•cas•tic [sɑ`kæstɪk] *adj* sarkastyczny
sar•dine ['sɑ`din] *s* sardynka
sat *zob.* **sit**
sa•tan [`seɪtn] *s* szatan
sa•tan•ic [sə`tænɪk] *adj* szatański
satch•el [`sætʃəl] *s* tornister
sat•el•lite [`sætəlɑɪt] *s* satelita; **~ dish** antena satelitarna; **~ television** telewizja satelitarna
sat•in [`sætɪn] *s* atłas, satyna; *adj attr* atłasowy, satynowy
sat•ire [`sætɑɪə(r)] *s* satyra
sa•tir•i•cal [sə`tɪrɪkəl] *adj* satyryczny
sat•ir•ize [`sætərɑɪz] *vt* wyśmiewać
sat•is•fac•tion ['sætɪs`fækʃən] *s* zadowolenie, satysfakcja
sat•is•fac•to•ry ['sætɪs`fæktərɪ] *adj* zadowalający, dostateczny
sat•is•fy [`sætɪsfɑɪ] *vt* zadowalać; spełniać
sat•u•rate [`sætʃəreɪt] *vt* nasycić; przepoić
sat•u•ra•tion ['sætʃə`reɪʃən] *s* nasycenie; przepojenie; przesiąknięcie; **~ point** punkt nasycenia
Sat•ur•day [`sætədɪ] *s* sobota
sauce [sɔs] *s* sos; *pot.* **have a ~** mieć czelność <tupet>
sauce•pan [`sɔspən] *s* rondel
sauc•er [`sɔsə(r)] *s* spodek; **flying ~** latający spodek
sauc•y [`sɔsɪ] *adj* zuchwały, impertynencki; pikantny (*dowcip*)
sau•er•kraut [`sɑʊəkrɑʊt] *s* kiszona kapusta
saus•age [`sosɪdʒ] *s* kiełbasa
sav•age [`sævɪdʒ] *adj* dziki; *s* dzikus
save [seɪv] *vt* ratować; oszczędzać; *vi* (*także* **~ up**) robić oszczędności
sav•ings [`seɪvɪŋz] *pl* oszczędności
sav•iour [`seɪvɪə(r)] *s* zbawca; *rel.* **the Saviour** Zbawiciel

sa•vour [`seɪvə(r)] *vt* rozkoszować się smakiem (*czegoś*); *s* smak, posmak (**of sth** czegoś)
saw[1] [sɔ], **sawed** [sɔd], **sawn** [sɔn] *vt vi* piłować, przepiłowywać; *s* piła
saw[2] *zob.* **see**
sawn *zob.* **saw**[1]
sax•o•phone [`sæksəfəʊn] *s* saksofon
say [seɪ], **said** [sed], **said** [sed] *vt vi* mówić, powiedzieć (**to sb** komuś); (*o zegarku*) wskazywać; **I ~!** słuchaj!; **so to ~** że tak powiem; **that is to ~** to znaczy; **~ nothing of...** nie mówiąc o...
say•ing [`seɪɪŋ] *s* powiedzenie
scaf•fold•ing [`skæfəldɪŋ] *s* rusztowanie
scald [skɔld] *vt* parzyć; *s* oparzenie
scale [skeɪl] *s* skala; podziałka; *muz.* gama; *pl* **~s** waga; *zool.* łuski; *vt*: **~ up <down>** zwiększać zmniejszać; skrobać (*rybę*)
scan•dal [`skændl] *s* skandal; obmowa; zgorszenie
scan•dal•ize [`skændəlaɪz] *vt* gorszyć
scan•dal•ous [`skændələs] *adj* skandaliczny, gorszący
scape•goat [`skeɪpgəʊt] *s przen.* kozioł ofiarny
scar [skɑ(r)] *s* blizna; *vt* pokryć bliznami; *przen.* wywołać uraz
scarce [skeəs] *adj* niedostateczny; rzadki
scarce•ly [`skeəslɪ] *adv* ledwo, zaledwie
scar•ci•ty [`skeəsɪtɪ] *s* niedobór
scare [skeə(r)] *vt* straszyć, napędzić strachu; **be ~d** bać się; **~ away <off>** odstraszać, wypłoszyć; **~ the hell out of sb** śmiertelnie kogoś przestraszyć; *s* strach, panika
scare•crow [`skeəkrəʊ] *s* strach na wróble
scarf [skɑf] *s* (*pl* **scarves** [skɑvz]) szal, chusta
scar•let [`skɑlɪt] *s* szkarłat; *adj attr* szkarłatny; *med.* **~ fever** szkarlatyna
scat•ter [`skætə(r)] *vt vi* rozrzucać, rozsypać (się), rozpraszać (się)
scene [sin] *s* scena; miejsce (*zdarzenia*); widok, obraz; **behind the ~s** za kulisami
sce•ne•ry [`sinərɪ] *s* sceneria; dekoracja teatralna
scent [sent] *s* zapach; perfumy; trop; *vt* zwietrzyć
sched•ule [`ʃedjʊl, *am.* `skedʒʊl] *s* spis, plan; rozkład jazdy; **on ~** według planu; **behind ~** z opóźnieniem; *vt* planować
scheme [skim] *s* plan; program; *vi* planować; spiskować, knuć
schol•ar [`skolə(r)] *s* uczony (*w dziedzinie nauk humanistycznych*); stypendysta
schol•ar•ship [`skoləʃɪp] *s* stypendium; wiedza, erudycja
school [skul] *s* szkoła; nauka (*w szkole*); *vt* szkolić

school•boy [`skulbɔɪ] *s* uczeń
school•girl [`skulgɜl] *s* uczennica
sci•ence [`saɪəns] *s* wiedza, nauka; **natural ~** nauki przyrodnicze; **~ fiction** fantastyka naukowa; **computer ~** informatyka; *szk.* **the ~s** przedmioty ścisłe
sci•en•tif•ic ['saɪən`tɪfɪk] *adj* naukowy
sci•en•tist [`saɪəntɪst] *s* uczony; naukowiec
scis•sors [`sɪzəz] *s pl* nożyce, nożyczki
scold [skəʊld] *vt* besztać, łajać
scoot•er [`skutə(r)] *s* skuter; hulajnoga
scope [skəʊp] *s* cel; zakres; pole działania; **be within the ~** wchodzić w zakres
score [skɔ(r)] *s* nacięcie; rysa; *sport.* wynik, liczba zdobytych punktów; *muz.* partytura; **keep (the) ~** notować punkty w grze; *vt vi* liczyć; liczyć punkty (*w grze*); notować punkty; zdobywać (*punkty*)
scorn [skɔn] *s* pogarda; *vt* pogardzać
scorn•ful [`skɔnfʊl] *adj* pogardliwy
scor•pi•on [`skɔpɪən] *s* skorpion
Scot [skot] *s* Szkot, Szkotka; *adj* szkocki
Scotch [skotʃ] *adj* szkocki; *s* szkocka whisky
Scots [skots] *adj* szkocki; *s* język szkocki
Scot•tish [`skotɪʃ] *adj* szkocki (*taniec, akcent*)
Scots•man [`skotsmən] *s* Szkot
scoun•drel [`skaʊndrəl] *s* łajdak
scram•ble [`skræmbl] *vi* wdrapywać się; przedzierać się; *vt* bezładnie rzucać; bełtać; *s* wdrapywanie; przedzieranie; popychanie się
scram•bled eggs [`skræmbləd-`egz] *s* jajecznica
scrap [skræp] *s* skrawek; złom; *pl* **~s** resztki, odpadki; *pot.* bójka; *vt* przeznaczyć na złom; *vi* wdać się w bójkę
scrape [skreɪp] *vt* skrobać; drapać; zgrzytać; *s* skrobanie; zgrzyt
scratch [skrætʃ] *vt* zadrapać, zarysować; wydrapać; *przen.* **~ the surface** ledwie coś liznąć; *s* rysa, zadrapanie
scream [skrim] *vi* piszczeć, wrzeszczeć; krzyczeć; *s* pisk, wrzask; krzyk
screen [skrin] *s* osłona; parawan; ekran; *vt* osłaniać; wyświetlać (*na ekranie*); badać (*chorego, kandydata*)
screw [skru] *s* śruba; wkręt; *pot. wulg.* pieprzenie; *vt* przykręcać; *pot.* orżnąć; *wulg.* pieprzyć (się); *wulg.* **~ up** spieprzyć, spartolić
screw•driv•er [`skru'draɪvə(r)] *s* śrubokręt
scrib•ble [`skrɪbl] *vt* bazgrać, gryzmolić; *s* bazgranina, gryzmoły

script [skrɪpt] *s* pismo; rękopis; skrypt; scenariusz (*filmowy*)
scrip•ture [`skrɪptʃə(r)] *s*: *pl* **~s** święte księgi; **the Holy Scripture** Pismo Święte
scrub [skrʌb] *vt* szorować; ścierać; *pot.* odrzucać (*projekt*); *s* zarośla
scru•ple [`skrupl] *s* skrupuł; *vi* mieć skrupuły, wahać się
scru•pu•lous [`skrupjələs] *adj* skrupulatny, sumienny
scru•ti•ny [`skrutɪnɪ] *s* dokładne badanie <obserwowanie>; **be under ~** być dokładnie badanym <obserwowanym>
sculp•tor [`skʌlptə(r)] *s* rzeźbiarz
sculp•ture [`skʌlptʃə(r)] *s* rzeźba; rzeźbiarstwo; *vt* rzeźbić
sea [si] *s* morze; **at ~** na morzu; **by the ~** nad morzem; **by ~** morzem; *adj attr* morski
sea•food [`sifud] *s* owoce morza
sea•gull [`sigʌl] *s* mewa
seal [sil] *s* pieczęć; stempel; uszczelnienie; *zool.* foka; *vt* pieczętować; zaklejać, uszczelniać
sea•man [`simən] *s* żeglarz, marynarz
search [sɜtʃ] *vt vi* szukać; przeszukiwać; poszukiwać (**for sth** czegoś); *s* szukanie, przeszukiwanie; badanie; rewizja; **~ warrant** nakaz rewizji
search•light [`sɜtʃlɑɪt] *s* reflektor
sea•sick [`sisɪk] *adj* cierpiący na chorobę morską
sea•side [`sisɑɪd] *s* wybrzeże morskie; **at <by> the ~** nad morzem
sea•son [`sizn] *s* pora (*roku*); sezon; **in ~** w sezonie; **out of ~** poza sezonem; **~ ticket** bilet okresowy; abonament
seat [sit] *s* siedzenie, miejsce siedzące; siedziba; **take a ~** zajmować miejsce; *vt* sadzać; **be ~ed** siedzieć
sec•ond [`sekənd] *adj* drugi; **every ~ day** co drugi dzień; **~ floor** drugie piętro, *am.* pierwsze piętro; *adv* po drugie; *s* sekunda
sec•ond•a•ry [`sekəndərɪ] *adj* drugorzędny; wtórny; **~ school** szkoła średnia
sec•ond•hand ['sekənd`hænd] *adj attr* pochodzący z drugiej ręki, używany
sec•ond•ly [`sekəndlɪ] *adv* po drugie
sec•ond-rate [`sekəndreɪt] *adj attr* drugorzędny; kiepski
se•cret [`sikrət] *adj* tajny; tajemny; *s* sekret
sec•re•ta•ry [`sekrətərɪ] *s* sekretarz, sekretarka; minister, sekretarz (*stanu*)
sect [sekt] *s* sekta
sec•tion [`sekʃən] *s* część; odcinek; oddział; sekcja; przekrój; rozdział; **cross ~** przekrój poprzeczny
sec•u•lar [`sekjʊlə(r)] *adj* świecki
se•cure [sɪ`kjʊə(r)] *adj* bezpiecz-

ny; pewny; *vt* zabezpieczać, zapewniać
se•cu•ri•t|y [sɪˋkjʊərɪtɪ] *s* bezpieczeństwo; pewność; zabezpieczenie; *pl* **~ies** papiery wartościowe
sed•a•tive [ˋsedətɪv] *s* środek uspokajający
se•duce [sɪˋdjus] *vt* uwodzić; kusić
see [si], **saw** [sɔ], **seen** [sin] *vt vi* widzieć, zobaczyć; zauważać; rozumieć; **I ~** rozumiem; **~ that...** dopilnować, żeby...; **~ sb off** odprowadzać kogoś; **~ to sth** zajmować się czymś; dopilnować czegoś; **~ you tomorrow!** do jutra!; **let me ~** pokaż; niech się zastanowię, chwileczkę
seed [sid] *s* nasienie; ziarno; *vt vi* siać
seek [sik], **sought, sought** [sɔt] *vt* szukać; *vi* próbować, usiłować; dążyć
seem [sim] *vi* wydawać się, robić wrażenie; **it ~s to me** wydaje mi się; **he ~s (to be) ill** wygląda na chorego
seen *zob.* **see**
see•saw [ˋsisɔ] *s* huśtawka (*na desce*); *vt vi* huśtać (się)
seg•re•gate [ˋsegrɪgeɪt] *vt* segregować, oddzielać
seize [siz] *vt* chwytać, łapać; opanować; **~ the opportunity** wykorzystać okazję
sel•dom [ˋseldəm] *adv* rzadko
se•lect [sɪˋlekt] *vt* wybierać; *adj* wybrany, doborowy; ekskluzywny
se•lec•tion [sɪˋlekʃən] *s* wybór, dobór, selekcja
self [self] *s* (*pl* **selves** [selvz]) (swoje) ja, osobowość; *pron* sam, sobie
self-con•fi•dence ['selfˋkonfɪdəns] *s* pewność siebie
self-con•scious ['selfˋkonʃəs] *adj* zakłopotany, skrępowany; świadomy
self-con•trol ['selfkənˋtrəʊl] *s* panowanie nad sobą
self-de•fence, *am.* **self-de•fense** ['selfdɪˋfens] *s* samoobrona
self-help ['selfˋhelp] *s* samopomoc
self•ish [ˋselfɪʃ] *adj* samolubny
self-made ['selfˋmeɪd] *adj*: **~ man** człowiek zawdzięczający wszystko samemu sobie
self-pos•sessed ['selfpəˋzest] *adj* spokojny, opanowany
self-re•spect ['selfrɪsˋpekt] *s* poczucie własnej godności
self-ser•vice ['selfˋsɜvɪs] *s* samoobsługa; *adj attr* samoobsługowy
self-suf•fi•cient ['selfsəˋfɪʃənt] *adj* samowystarczalny
sell [sel], **sold, sold** [səʊld] *vt* sprzedawać; *vi* sprzedawać się, mieć zbyt; **~ out** wyprzedawać się; *s pot.* oszukaństwo
sell•er [ˋselə(r)] *s* sprzedawca; sprzedający
selves *zob.* **self**

se•mes•ter [sɪ`mestə(r)] *s* semestr
sem•i•cir•cle [`semɪsɜkl] *s* półkole
sem•i•de•tached (house) ['semɪdɪ`tætʃt (haʊs)] *s* bliźniak (*dom*)
semi•fi•nal ['semɪ`faɪnl] *s sport.* półfinał
Se•mit•ic [sɪ`mɪtɪk] *adj* semicki
sen•ate [`senət] *s* senat
sen•a•tor [`senətə(r)] *s* senator
send [send], **sent, sent** [sent] *vt* wysyłać; *vi* posyłać (**for sb** po kogoś); **~ back** odsyłać; **~ out** rozsyłać, wysyłać
send•er [`sendə(r)] *s* nadawca; wysyłający
sen•ior [`sinɪə(r)] *adj* starszy (*rangą, wiekiem*); senior, człowiek starszy; *am.* student czwartego roku
sen•sa•tion [sen`seɪʃən] *s* uczucie, wrażenie; sensacja
sense [sens] *s* rozsądek; zmysł; poczucie, uczucie; sens; **common ~** zdrowy rozsądek; **in a ~** w pewnym sensie; **make ~** mieć sens; *vt* wyczuwać; (*o urządzeniach*) wykrywać
sense•less [`senslɪs] *adj* nieprzytomny; bezsensowny, niedorzeczny
sen•si•bil•i•ty ['sensɪ`bɪlɪtɪ] *s* wrażliwość; uczuciowość
sen•si•ble [`sensɪbl] *adj* rozsądny; znaczny, zauważalny
sen•si•tive [`sensətɪv] *adj* czuły, wrażliwy (**to sth** na coś)
sen•sor [`sensə(r)] *s* czujnik
sen•su•al [`senʃʊəl] *adj* zmysłowy
sent *zob.* **send**
sen•tence [`sentəns] *s gram.* zdanie; wyrok; **death ~** kara śmierci; **life ~** dożywocie; **pass ~** wydać wyrok (**on sb** na kogoś); *vt* skazywać (**to sth** na coś)
sen•ti•ment [`sentɪmənt] *s* sentyment, uczucie
sep•a•rate [`sepəreɪt] *vt vi* rozdzielać (się), rozłączać (się), rozstawać (się); *adj* [`seprɪt] oddzielny, osobny
sep•a•ra•tion ['sepə`reɪʃən] *s* separacja, rozłączenie; **~ allowance** dodatek (*do pensji*) za rozłąkę; *prawn.* separacja (*małżonków*)
Sep•tem•ber [sep`tembə(r)] *s* wrzesień
se•quence [`sikwəns] *s* ciąg; kolejność; **in ~** w kolejności
se•rene [sɪ`rin] *adj* spokojny, pogodny
ser•geant [`sɑdʒənt] *s* sierżant
se•ri•al [`sɪərɪəl] *s* serial; *adj* seryjny
se•ries [`sɪəriz] *s* (*pl* **~**) seria; serial
se•ri•ous [`sɪərɪəs] *adj* poważny
ser•mon [`sɜmən] *s* kazanie
ser•pent [`sɜpənt] *s lit.* wąż
serv•ant [`sɜvənt] *s* służący, sługa; **civil ~** urzędnik państwowy
serve [sɜv] *vt vi* służyć; obsługiwać; podawać (*przy stole*);

odpowiadać (*celowi*); odbywać (*karę, służbę, praktykę*); *sport.* serwować; **it ~s you right** dobrze ci tak; **~ time** odsiadywać karę; *s sport.* serwis, serw
ser•vice [`sɜvɪs] *s* obsługa; usługa; służba; przysługa; nabożeństwo; *sport.* serwis; **civil ~** służba państwowa; **public ~s** instytucje użyteczności publicznej; **social ~s** świadczenia społeczne; **~ station** stacja obsługi; **in ~** w użyciu; *vt* dokonywać przeglądu
ser•vile [`sɜvaɪl] *adj* niewolniczy; służalczy
serv•ing [`sɜvɪŋ] *s* porcja (*jedzenia*)
ses•sion [`seʃən] *s* posiedzenie; sesja
set, set, set [set] *vt vi* stawiać, kłaść, umieszczać; przygotowywać; nastawiać; ustalać; (*o słońcu*) zachodzić; regulować (*zegarek*); **~ an example** dać przykład; **~ fire** podłożyć ogień, podpalić (**to sth** coś); **~ sth on fire** podpalić coś; **~ sb free** uwolnić kogoś; **~ sth in motion** uruchamiać coś; **~ the table** nakrywać do stołu; **~ about sth** zabierać się do czegoś; **~ aside** odkładać (*pieniądze*); ignorować; **~ back** opóźniać; **~ off** wyruszyć w drogę; detonować; wywołać, powodować; **~ on** nasyłać; **~ out** rozpoczynać, przedsiębrać; wyruszać w drogę; **~ up** ustawiać; ustanawiać; stwarzać, powodować; *adj* ustalony; stały; *s* komplet; odbiornik (*telewizyjny, radiowy*); dekoracje; *film.* plan; ułożenie (*włosów*); *sport.* set
set•ting [`setɪŋ] *s* układ; położenie; oprawa; nakrycie
set•tle [`setl] *vt vi* usadowić (się); siadać; osiadać; uspokajać (się); ustalać, postanawiać; osiedlać się; **~ down** usadowić (się); ustabilizować się; **~ for sth** zadowalać się czymś; **~ on sth** decydować się na coś
set•tle•ment [`setlmənt] *s* porozumienie; rozstrzygnięcie; osada; osiedlenie się; załatwianie; uregulowanie (*długu*)
sev•en [`sevn] *num* siedem
sev•en•teen ['sevn`tin] *num* siedemnaście
sev•en•teenth ['sevn`tinθ] *adj* siedemnasty
sev•enth [`sevnθ] *adj* siódmy
sev•en•ti•eth [`sevntɪəθ] *adj* siedemdziesiąty
sev•en•ty [`sevəntɪ] *num* siedemdziesiąt
sev•er•al [`sevərəl] *pron* kilka
se•vere [sə`vɪə(r)] *adj* poważny; surowy, srogi
sew [səʊ], **sewed** [səʊd], **sewn** [səʊn] *vt vi* szyć
sew•age [`suɪdʒ] *s* ścieki *pl*; **~ farm** oczyszczalnia (ścieków)
sew•er [`suə(r)] *s* ściek, rynsztok
sew•er•age [`suərɪdʒ] *s* kanalizacja

sew•ing [`səʊɪŋ] *s* szycie
sew•ing ma•chine [`səʊɪŋmə`ʃin] *s* maszyna do szycia
sewn *zob.* **sew**
sex [seks] *s* płeć; seks
sex•u•al [`sekʃʊəl] *adj* płciowy
sex•y [`seksɪ] *adj pot.* seksowny
shab•by [`ʃæbɪ] *adj* zaniedbany; obdarty; niechlujny; nędzny
shade [ʃeɪd] *s* cień; mrok; abażur; odcień; *am.* roleta; *vt* zacieniać, rzucać cień; *vi* stopniowo przechodzić (**into a colour** w jakiś kolor)
shad•ow [`ʃædəʊ] *s* cień (*także przen.*); *vt* śledzić; zacieniać
shad•ow•y [`ʃædəʊɪ] *adj* cienisty; zacieniony; niewyraźny
shad•y [`ʃeɪdɪ] *adj* cienisty; *pot.* mętny, podejrzany
shag•gy [`ʃægɪ] *adj* włochaty, kudłaty
shake [ʃeɪk], **shook** [ʃʊk], **shak•en** [`ʃeɪkn]) *vt vi* trząść (się); drżeć; **~ hands** podawać sobie ręce; **~ one's head** kręcić głową; **~ up** wstrząsać; mieszać; *s* potrząsanie, drżenie; *pl* **~s** dreszcze
shall [ʃæl, ʃəl] *v aux* (*bryt. future tense*): **I <we> ~ be there** będę <będziemy> tam; (*podkreślenie pewności*) **you ~ not see him** nie zobaczysz go; (*pytanie o pozwolenie*) **~ I help you?** czy mogę ci <pani, panu> pomóc?
shal•low [`ʃæləʊ] *adj* płytki; *przen.* powierzchowny
sham [ʃæm] *vt vi* udawać, pozorować; *s* udawanie, fikcja; *adj* udawany; fałszywy
shame [ʃeɪm] *s* wstyd; *vt* zawstydzać; **~ on you!** jak ci nie wstyd!
shame•ful [`ʃeɪmfʊl] *adj* haniebny, sromotny
shame•less [`ʃeɪmlɪs] *adj* bezwstydny
sham•poo [ʃæm`pu] *s* szampon; *vt* myć szamponem
shan't [ʃɑnt] *skr. od* **shall not**
shape [ʃeɪp] *s* kształt, postać; **in the ~ of** w postaci, w kształcie; **in good <bad> ~** w dobrej <złej> formie; *vt* kształtować, tworzyć; *vi*: **~ up** rozwijać się; *pot.* wziąć się w garść
shape•less [`ʃeɪplɪs] *adj* bezkształtny
shape•ly [`ʃeɪplɪ] *adj* ładnie zbudowany, kształtny, zgrabny
share [ʃeə(r)] *s* część; udział; *fin.* akcja; *vt vi* dzielić (*między siebie*); uczestniczyć; **~ in** mieć udział w...; **~ out** rozdzielać
shark [ʃɑk] *s* rekin
sharp [ʃɑp] *adj* ostry; spiczasty; bystry; *adv*: **at 3 o'clock ~** punktualnie o trzeciej
sharp•en [`ʃɑpən] *vt* ostrzyć
sharp•en•er [`ʃɑpənə(r)] *s* temperówka; przyrząd do ostrzenia
shat•ter [`ʃætə(r)] *vt vi* roztrzaskać (się); *przen.* rujnować
shave [ʃeɪv] *vt vi* golić (się); *s* golenie; **have a ~** ogolić się; **it was a close ~** o mały włos

shav•ing [`ʃeɪvɪŋ] *s* golenie; *pl* **~s** strużyny, wióry
shawl [ʃɔl] *s* szal
she [ʃi] *pron* ona
she'd [ʃid] *skr. od* **she had**, *skr. od* **she would**
shed [ʃed] *s* szopa; *vt* wylewać (*łzy*); przelewać (*krew*); zrzucać (*liście*); gubić (*bagaż*); rzucać (*światło*)
sheep [ʃip] *s* (*pl* **~**) owca
sheep•dog [`ʃipdog] *s* owczarek
sheep•ish [`ʃipɪʃ] *adj* zakłopotany, zmieszany
sheep•skin [`ʃipskɪn] *s* owcza skóra; **~ coat** kożuch
sheer [ʃɪə(r)] *adj* czysty, istny; stromy; lekki, przejrzysty; *adv* stromo, pionowo
sheet [ʃit] *s* prześcieradło; arkusz; kartka (*papieru*); tafla; warstwa
shelf [ʃelf] *s* (*pl* **shelves** [ʃelvz]) półka
shell [ʃel] *s* muszla; skorup(k)a; łupina; pocisk
she'll [ʃil] *skr. od* **she will**
shel•ter [`ʃeltə(r)] *s* schronienie; osłona; schron; *vt vi* chronić (się); osłonić
shelves *zob.* **shelf**
shep•herd [`ʃepəd] *s* pasterz; *vt* prowadzić (*grupę dzieci*)
sher•iff [`ʃerɪf] *s am.* szeryf
she's [ʃiz] *skr. od* **she is**, *skr. od* **she has**
shield [ʃild] *s* tarcza; osłona; *vt* osłaniać
shift [ʃɪft] *vt vi* przesuwać (się); zmieniać (*miejsce pobytu*; *am. biegi*); *s* zmiana; przesunięcie; **work ~s** pracować na zmiany
shine [ʃaɪn], **shone, shone** [ʃon] *vi* świecić, lśnić; błyszczeć; *s* blask; połysk
shin•y [`ʃaɪnɪ] *adj* błyszczący
ship [ʃɪp] *s* statek; okręt; *vt* przewozić (*statkiem, pociągiem*)
ship•ment [`ʃɪpmənt] *s* transport
ship•ping [`ʃɪpɪŋ] *s* żegluga; flota (*handlowa*); transport morski
ship•wreck [`ʃɪprek] *s* rozbicie okrętu; wrak (*okrętu*); *vt:* **be ~ed** ocaleć z katastrofy morskiej
ship•yard [ʃɪp`jad] *s* stocznia
shirt [ʃɜt] *s* koszula (*męska*); bluzka koszulowa
shiv•er [`ʃɪvə(r)] *vi* drżeć; *s* drżenie, dreszcz
shock [ʃok] *s* wstrząs, szok; **electric ~** porażenie prądem; *vt* wstrząsać, szokować
shock ab•sorb•er [`ʃokəb'sɔbə(r)] *s* amortyzator
shoe [ʃu] *s* but, pantofel; podkowa; **~ polish** pasta do butów; *vt* podkuć; **be in sb's ~s** *przen.* znaleźć się w czyjejś skórze
shoe•lace [`ʃuleɪs] *s* sznurowadło
shoe•mak•er [`ʃumeɪkə(r)] *s* szewc
shone *zob.* **shine**
shook *zob.* **shake**

shoot [ʃut], **shot, shot** [ʃot]) *vt vi* strzelać (**at sb** do kogoś); zastrzelić; polować; przemykać, pędzić; fotografować; kręcić (*film*); (*o bólu*) rwać; *s* pęd; kiełek; polowanie; seans zdjęciowy

shoot•ing [ˋʃutɪŋ] *s* strzelanina, strzelanie; kręcenie filmu

shop [ʃop] *s* sklep; warsztat; ~ **window** witryna sklepowa; *vi* robić zakupy; **go ~ping** iść na zakupy

shop as•sis•tant [ˋʃopəsɪstənt] *s* ekspedient, ekspedientka

shop•keep•er [ˋʃopkipə(r)] *s* sklepikarz

shop•lift•ing [ˋʃoplɪftɪŋ] *s* kradzież sklepowa

shop•ping cen•tre [ˋʃopɪŋsentə(r)] *s* centrum handlowe

shore [ʃɔ(r)] *s* brzeg (*morza, jeziora*), wybrzeże

short [ʃɔt] *adj* krótki; niski; ~ **circuit** krótkie spięcie; ~ **cut** skrót; ~ **story** opowiadanie; nowela; ~ **of breath** bez tchu; **be ~ of sth** brakować czegoś; *s pot.* zwarcie; *pl* **~s** szorty; **in ~** krótko mówiąc

short•age [ˋʃɔtɪdʒ] *s* niedobór

short•com•ing [ˋʃɔtkʌmɪŋ] *s* wada, brak

short•en [ˋʃɔtən] *vt* skrócić; *vi* skrócić się, zmaleć

short•hand [ˋʃɔthænd] *s* stenografia

short•ly [ˋʃɔtlɪ] *adv* wkrótce; pokrótce

short•sight•ed [ˈʃɔtˋsaɪtɪd] *adj* krótkowzroczny

shot[1] *zob.* **shoot**

shot[2] [ʃot] *s* strzał; śrut; strzelec; próba; *fot.* zdjęcie; *pot.* zastrzyk; *pot.* **big ~** gruba ryba; *przen.* **have a ~ at sth** próbować czegoś

should [ʃud] *v aux* (*tryb warunkowy*): **I ~ go** poszedłbym; (*powinność*) **you ~ work** powinieneś pracować; (*przypuszczenie*) **I ~ say so** chyba tak

shoul•der [ˋʃəuldə(r)] *s* ramię, bark; **~ to ~** ramię w ramię; **shrug one's ~s** wzruszać ramionami; *vt* brać na ramię; *przen.* brać na siebie; *anat.* **~ blade** łopatka

shouldn't [ˋʃudnt] *skr. od* **should not**

shout [ʃaut] *vi* krzyczeć (**at sb** na kogoś); *s* krzyk

shovel [ˋʃʌvl] *s* szufla, szufelka; łopata; *vt* przerzucać, ładować (*szuflą, łopatą*)

show [ʃəu], **showed** [ʃəud], **shown** [ʃəun]) *vt vi* pokazywać (się); wystawiać; **~ around** oprowadzać; **~ in** wprowadzić; **~ off** popisywać się; **~ up** pojawiać się; *s* przedstawienie; pokaz; **~ business** przemysł rozrywkowy

show•case [ˋʃəukeɪs] *s* gablota, gablotka; *przen.* wizytówka

show•er [ˋʃauə(r)] *s* przelotny deszcz; prysznic; **have <take> a ~** brać prysznic; *vi* brać

prysznic; *vt* obsypywać (*prezentami, pocałunkami*)
show•girl [`ʃəʊgɜl] *s* piosenkarka, tancerka (*w nocnym klubie*)
shown *zob.* **show**
show•room [`ʃəʊrum] *s* salon wystawowy
shrank *zob.* **shrink**
shrewd [ʃrud] *adj* bystry, przenikliwy
show•y [`ʃəʊɪ] *adj* ostentacyjny; krzykliwy
shriek [ʃrik] *vt vi* krzyczeć, piszczeć; *s* krzyk, pisk
shrimp [ʃrɪmp] *s* krewetka
shrine [ʃrɑɪn] *s* sanktuarium; relikwiarz
shrink [ʃrɪŋk], **shrank** [ʃræŋk], **shrunk** [ʃrʌŋk]) *vt vi* kurczyć (się); wzdragać się (**from sth** przed czymś)
shrub [ʃrʌb] *s* krzew; krzak
shrug [ʃrʌg] *vi vt* wzruszać ramionami; **~ off** bagatelizować; *s* wzruszenie ramionami
shud•der [`ʃʌdə(r)] *vi* drżeć, dygotać; wzdrygać się; *s* dreszcz
shuf•fle [`ʃʌfl] *vi* powłóczyć <szurać> nogami; *vt* tasować (*karty*); przekładać (*papiery*); **~ (one's feet)** przestępować z nogi na nogę; *s* tasowanie kart; szuranie nogami
shun [ʃʌn] *vt* unikać
shut, shut, shut [ʃʌt] *vt vi* zamykać (się); **~ down** zamykać, likwidować; *pot.* **~ up!** cicho bądź!, zamknij się!
shut•tle [`ʃʌtl] *s* czółenko; wahadłowiec; **~ service** linia lokalna; **space ~** prom kosmiczny; *vi* kursować tam i z powrotem; przewozić
shut•tle•cock [`ʃʌtlkok] *s* lotka
shut•ter [`ʃʌtə(r)] *s* okiennica; *fot.* przesłona
shy [ʃɑɪ] *adj* nieśmiały; płochliwy; **be ~ of sth** unikać czegoś
sick [sɪk] *adj* chory; **feel ~** mieć mdłości; **be ~ and tired** mieć dosyć <powyżej uszu> (**of sth** czegoś); *s*: **the ~** chorzy
sick•en [`sɪkən] *vt* przyprawiać o mdłości; *vi* zachorować (**of sth** na coś)
sick leave [`sɪkliv] *s* zwolnienie lekarskie
sick•ness [`sɪknəs] *s* choroba; mdłości
side [sɑɪd] *s* strona; bok; **~ by ~** jeden przy drugim; **by the ~ of sth** przy czymś; *sport.* **off ~** na pozycji spalonej; **on my ~** po mojej stronie, z mojej strony; *pot.* **on the ~** na boku, potajemnie; *adj attr* boczny
side•board [`sɑɪdbɔd] *s* kredens
side•walk [`sɑɪdwɔk] *s am.* chodnik
sigh [sɑɪ] *vi* wzdychać; *s* westchnienie
sight [sɑɪt] *s* wzrok; widok; celownik; *pot.* pośmiewisko; **at first ~** na pierwszy rzut oka; **love at first ~** miłość od pierwszego wejrzenia; **at <on> ~** natychmiast, bez uprzedzenia;

by ~ z widzenia; **in** ~ w polu widzenia; **out of** ~ poza zasięgiem wzroku; *vt* zobaczyć

sight•see•ing [`saɪtsiːɪŋ] *s* zwiedzanie; **go** ~ udawać się na zwiedzanie

sign [saɪn] *s* znak; objaw; **road** ~ znak drogowy; *vt vi* podpisywać (się); ~ **up** zapisywać się (**for sth** na coś)

sig•nal [`sɪgnl] *s* sygnał; *vt vi* dawać sygnały, sygnalizować

sig•na•ture [`sɪgnətʃə(r)] *s* podpis

sig•nif•i•cant [sɪg`nɪfɪkənt] *adj* znaczący, ważny

sig•nif•i•ca•tion ['sɪgnɪfɪ`keɪʃən] *s* znaczenie, sens

sig•ni•fy [`sɪgnɪfaɪ] *vt* oznaczać, znaczyć; wyrazić

sign•post [`saɪnpəʊst] *s* drogowskaz

si•lence [`saɪləns] *s* milczenie, cisza; **in** ~ w milczeniu; **keep** ~ zachowywać ciszę; *vt* uciszać; *int* spokój!, cisza!

si•lenc•er [`saɪlənsə(r)] *s mot.* tłumik

si•lent [`saɪlənt] *adj* cichy; milczący

sil•hou•ette [sɪlʊ`et] *s* sylwetka, zarys

sil•i•con [`sɪlɪkən] *s* krzem

silk [sɪlk] *s* jedwab

silk•y [`sɪlkɪ] *adj przen.* jedwabisty

sill [sɪl] *s* próg (*samochodu*); parapet

sil•ly [`sɪlɪ] *adj* głupi; niedorzeczny

sil•ver [`sɪlvə(r)] *s* srebro; *adj* srebrny; srebrzysty

sim•i•lar [`sɪmɪlə(r)] *adj* podobny (**to sb <sth>** do kogoś <czegoś>)

sim•i•lar•i•ty ['sɪmɪ`lærɪtɪ] *s* podobieństwo

sim•mer [`sɪmə(r)] *vt vi* gotować (się) na wolnym ogniu; *przen.* być podnieconym

sim•ple [`sɪmpl] *adj* prosty; (*o człowieku*) ograniczony

sim•pli•ci•ty [sɪm`plɪsɪtɪ] *s* prostota

sim•pli•fy [`sɪmplɪfaɪ] *vt* upraszczać, ułatwiać

sim•ply [`sɪmplɪ] *adv* prosto; po prostu

sim•u•late [`sɪmjʊleɪt] *vt* naśladować; symulować

sim•ul•ta•ne•ous ['sɪməl`teɪnɪəs] *adj* równoczesny

sin [sɪn] *s* grzech; *vi* grzeszyć

since [sɪns] *adv* od tego czasu; **long** ~ dawno temu; *praep* od (*określonego czasu*); ~ **Sunday** od niedzieli; ~ **when?** od kiedy?; *conj* odkąd; ponieważ, skoro

sin•cere [sɪn`sɪə(r)] *adj* szczery

sin•ful [`sɪnfʊl] *adj* grzeszny

sing [sɪŋ], **sang** [sæŋ], **sung** [sʌŋ] *vt vi* śpiewać

sing•er [`sɪŋə(r)] *s* śpiewak

sin•gle [`sɪŋgl] *adj* pojedynczy; jeden; nieżonaty; niezamężna; pokój jednoosobowy; *s bryt.* bi-

let w jedną stronę; *vt*: **~ out** wyróżniać, wybierać
sin•gu•lar [`sɪŋgjʊlə(r)] *adj* pojedynczy; szczególny, niezwykły; *s gram.* liczba pojedyncza
sin•is•ter [`sɪnɪstə(r)] *adj* złowieszczy, złowrogi; ponury, groźny
sink [sɪŋk], **sank** [sæŋk], **sunk** [sʌŋk] *vt vi* zanurzać (się); topić (się); tonąć; opadać; *s* zlew
sin•ner [`sɪnə(r)] *s* grzesznik
sip [sɪp] *vt* wolno pić, sączyć; *s* łyczek
si•phon [`saɪfən] *s* syfon
sir [sɜ(r)] *s*: (*forma grzecznościowa*) **yes, ~** tak, proszę pana; (*w listach*) **Dear Sir!** Szanowny Panie!; (*tytuł szlachecki*) **Sir James Wilson** Sir James Wilson
si•ren [`saɪrɪn] *s* syrena
sis•ter [`sɪstə(r)] *s* siostra
sis•ter-in-law [`sɪstərɪnlɔ] *s* szwagierka, bratowa
sit [sɪt], **sat, sat** [sæt] *vi* siedzieć; zasiadać; obradować; przystępować (*do egzaminu*); wysiadywać; **~ down** siadać; **~ for sth** przystępować do czegoś; **~ up** podnieść się (*do pozycji siedzącej*); nie kłaść się spać do późna
site [saɪt] *s* miejsce; **construction ~** plac budowy
sit•ting room [`sɪtɪŋrum] *s bryt.* duży pokój, salon
sit•u•ate [`sɪtʃʊeɪt] *vt* umieszczać; **be ~d** być położonym, mieścić się
sit•u•a•tion [sɪtʃʊ`eɪʃən] *s* sytuacja; stanowisko; położenie
six [sɪks] *num* sześć
six•fold [`sɪksfəʊld] *adj* sześciokrotny; *adv* sześciokrotnie
six•teen [`sɪk`stin] *num* szesnaście
six•teenth ['sɪk`stinθ] *adj* szesnasty
sixth [`sɪksθ] *adj* szósty
six•ti•eth [`sɪkstɪəθ] *adj* sześćdziesiąty
six•ty [`sɪkstɪ] *num* sześćdziesiąt
size [saɪz] *s* rozmiar, numer; wielkość
skate [skeɪt] *vi* jeździć (*na łyżwach*); *s* łyżwa; (*także* **roller ~**) wrotka
skate•board [`skeɪtɔ(r)d] deskorolka
skel•e•ton [`skelɪtn] *s* szkielet
sketch [sketʃ] *s* szkic; skecz; *vt* szkicować
ski [ski] *s* narta; *vi* jeździć na nartach
skid [skɪd] *s* poślizg; *vi* poślizgnąć się; (*o samochodzie*) zarzucić, wpaść w poślizg
ski•er [`skiə(r)] *s* narciarz
ski•ing [`skiɪŋ] *s* narciarstwo
skil•ful [`skɪlfʊl] *adj* zręczny, wprawny
skill [skɪl] *s* umiejętność; zręczność, wprawa
skilled [skɪld] *adj* wprawny; (*o robotniku*) wykwalifikowany
skin [skɪn] *s* skóra (*ludzi, zwie-*

rząt); skórka (*owoców i warzyw*); łupina; *vt* zdejmować skórę
skin•deep ['skɪn`dip] *adj* powierzchowny
skin•ny [`skɪnɪ] *adj* chudy
skip [skɪp] *vt vi* podskakiwać; skakać (*na skakance*); przeskakiwać, pomijać; *s* podskok
skirt [skɜt] *s* spódnica; *vt* objeżdżać; *przen.* obchodzić
skull [skʌl] *s* czaszka; *pot.* **thick ~** tępa głowa
sky [skɑɪ] *s* niebo
sky•lark [`skɑɪlɑk] *s* skowronek; *vt* dokazywać
sky•light [`skɑɪlɑɪt] *s* świetlik, okno dachowe
sky•line [`skɑɪlɑɪn] *s* linia horyzontu; sylwetka (*miasta*) na tle nieba
sky•scrap•er [`skɑɪskreɪpə(r)] *s* drapacz chmur, wieżowiec
slack [slæk] *adj* luźny; rozluźniony; wiotki; niedbały; *s pl* **~s** spodnie; *vi pot.* obijać się
slam [slæm] *vt vi* trzaskać (*drzwiami*); zatrzasnąć (się); *s* trzaśnięcie, trzask; (*w brydżu*) szlem
slan•der [`slɑndə(r)] *s* oszczerstwo, potwarz; *vt* rzucać oszczerstwa
slang [slæŋ] *s* slang, żargon
slant [slɑnt] *vi* skośnie padać; *vt* nadawać skośny kierunek; *s* skośny kierunek, skos; nachylenie; **on the ~** skośnie
slap [slæp] *s* klaps; **~ in the face** policzek; *vt* dawać klapsa
slaugh•ter [`slɔtə(r)] *s* rzeź; *vt* dokonywać rzezi
Slav [slɑv] *s* Słowianin; *adj* słowiański
slave [sleɪv] *s* niewolnik; *vi* harować
sla•ve•ry [`sleɪvərɪ] *s* niewolnictwo
Slav•ic [`slɑvɪk] *adj* słowiański
Sla•von•ic [slə`vonɪk] *adj* słowiański; *s* język słowiański
sled [sled] *am. zob.* **sledge**
sledge [sledʒ] *s* sanie; sanki; *vi* jechać saniami
sleek [slik] *adj* gładki; lśniący
sleep [slip], **slept, slept** [slept] *vi* spać; *s* sen
sleep•er [`slipə(r)] *s* wagon sypialny
sleep•ing bag [`slipɪŋbæg] *s* śpiwór
sleep•ing car [`slipɪŋkɑ(r)] *s* wagon sypialny
sleep•less [`sliplɪs] *adj* bezsenny
sleep•y [`slipɪ] *adj* senny, śpiący; ospały
sleep•y•head [`slipɪhed] *s pot.* śpioch
sleet [slit] *s* deszcz ze śniegiem; *vi*: **it ~s** pada deszcz ze śniegiem
sleeve [sliv] *s* rękaw; okładka (*płyty*); **have sth up one's ~** mieć coś w zanadrzu
sleigh [sleɪ] *s* sanie
slen•der [`slendə(r)] *adj* smukły, szczupły; znikomy

slept *zob.* **sleep**
slice [slɑɪs] *s* kromka, kawałek; plasterek (*szynki*); *vt* kroić w plasterki
slide [slɑɪd], **slid, slid** [slɪd] *vi* ślizgać się; wyślizgnąć się; *vt* przesuwać; *s* zsuwanie się; zjeżdżalnia; *fot.* slajd; *bryt.* spinka (*do włosów*), wsuwka
slight [slɑɪt] *adj* nieznaczny, drobny
slim [slɪm] *adj* szczupły; nikły; *vt vi* odchudzać (się); wyszczuplеć
slime [slɑɪm] *s* szlam; śluz
slip [slɪp] *vi* poślizgnąć się; wślizgnąć się (**into the room** do pokoju); wymknąć się (**out of the house** z domu); **~ out** wyślizgnąć się; *vt* zrzucić (*ubranie*); *s* poślizgnięcie się; omyłka; halka; **~ of the tongue** przejęzyczenie
slip•per [`slɪpə(r)] *s* pantofel (*domowy*), kapeć
slip•per•y [`slɪpərɪ] *adj* śliski; (*o osobie*) niepewny
slip•shod [`slɪpʃəd] *adj* niedbały; niechlujny
slit, slit, slit [slɪt] *vt* rozcinać; podrzynać; *s* szczelina, szpara; nacięcie
slith•er [`slɪðə(r)] *vi* ślizgać się; wślizgiwać się; poślizgnąć się
slope [sləʊp] *s* pochyłość, nachylenie; zbocze; *vt vi* nachylać (się), być pochylonym
slop•py [`slopɪ] *adj pot.* niechlujny, zaniedbany; ckliwy, łzawy
slot [slot] *s* szpara, otwór; *vt*: **~ in** wrzucać; **~ into** wchodzić, pasować
slov•en•ly [`slʌvənlɪ] *adj* niechlujny, niedbały
slow [sləʊ] *adj* wolny, powolny, **be ~** działać powoli; (*o zegarku*) spóźniać się; *vt vi* (*zw.* **~ down <up>**) zwalniać, zmniejszać szybkość; *adv* wolno, powoli
slow•ly [`sləʊlɪ] *adv* powoli
slug [slʌg] *s* ślimak (*bez muszli*); *pot. am.* kula, nabój
slug•gish [`slʌgɪʃ] *adj* leniwy, powolny, ospały
sluice [slus] *s* śluza; *vt* spłukiwać
slush [slʌʃ] *s* śnieg z błotem, chlapa
slut [slʌt] *s pejor.* dziwka; *pot.* fleja
sly [slɑɪ] *adj* przebiegły, sprytny
smack[1] [smæk] *vi* mieć posmak; trącić (**of sth** czymś)
smack[2] [smæk] *vt vi* dawać klapsa; **~ one's lips** mlasnąć; cmoknąć; *s* klaps; policzek; cmoknięcie; trzask, trzaśnięcie
small [smɔl] *adj* mały; **~ change** drobne (*pieniądze*); **~ hours** wczesne godziny ranne; **~ talk** rozmowa towarzyska
small•pox [`smɔlpoks] *s med.* ospa
smart [smɑt] *adj* elegancki; mod-

ny; *am.* bystry, inteligentny; *vi* boleć, kłuć, piec

smash [smæʃ] *vt* rozbijać, roztrzaskiwać; *s* trzask; silny cios; kraksa; *pot.* przebój

smat•ter•ing [`smætərɪŋ] *s* powierzchowna wiedza; *pot.* blade pojęcie

smear [smɪə(r)] *s* plama, smuga; *med.* wymaz; oszczerstwo; *vt* usmarować, umazać; rozmazywać

smell [smel], **smelt, smelt** [smelt] *lub* **~ed, ~ed** [smeld] *vi* pachnieć; śmierdzieć (**of sth** czymś); *vt* wąchać, węszyć; *pot.* **~ a rat** przeczuwać podstęp; *s* węch; zapach; smród

smell•y [`smelɪ] *adj pot.* śmierdzący

smelt *zob.* **smell**

smile [smɑɪl] *s* uśmiech; *vi* uśmiechać się (**at sb** do kogoś)

smith•y [`smɪðɪ] *s* kuźnia

smog [smog] *s* smog

smoke [sməʊk] *s* dym; **have a ~** zapalić papierosa; *vt vi* palić (*tytoń*); dymić (się); wędzić

smok•er [`sməʊkə(r)] *s* palacz (*tytoniu*); przedział <wagon> dla palących

smoke•screen [`sməʊkskrin] *s dosł. przen.* zasłona dymna

smok•ing [`sməʊkɪŋ] *s* palenie; **no ~** palenie wzbronione

smok•y [`sməʊkɪ] *adj* zadymiony; pachnący dymem

smooth [smuð] *adj* gładki; równy; *vt* wygładzać

smug•gle [`smʌgl] *vt* przemycać

snack [snæk] *s* przekąska; **~ bar** bar, bufet; **have a ~** przekąsić, przegryźć

snail [sneɪl] *s* ślimak

snake [sneɪk] *s* wąż

snap [snæp] *vt vi* pękać; łamać; chwytać; *fot.* robić zdjęcie; **~ one's fingers** pstrykać palcami; **~ at** warczeć; kłapać zębami; *s* trzask; *pot.* zdjęcie; *adj* nagły

snap•py [`snæpɪ] *adj* opryskliwy; *pot.* żwawy; szykowny; **~ dresser** elegant, elegantka; **make it ~** pośpiesz się

snap•shot [`snæpʃot] *s pot.* zdjęcie

snarl [snɑl] *vi* warczeć; *s* warczenie

snatch [snætʃ] *vt* porywać, chwytać; *vi* chwytać się (**at sth** czegoś); **~ a look** rzucić ukradkowe spojrzenie; *s* szybki chwyt; urywek

sneak [snik] *vi* zakradać się; *bryt. pot.* skarżyć (**on sb** na kogoś); *vt pot.* zwędzić, podkraść; *s pot.* donosiciel

sneak•ers [`snikəz] *pl am.* tenisówki

sneer [snɪə(r)] *vi* szydzić (**at sb <sth>** z kogoś <czegoś>); *s* szyderczy uśmiech; szyderstwo

sneeze [sniz] *vi* kichać; *s* kichnięcie

sniff [snɪf] *vi* pociągać nosem;

vt wąchać, węszyć; *s* pociąganie nosem
snob [snob] *s* snob
snob•be•ry [`snobərı] *s* snobizm
snob•bish [`snobıʃ] *adj* snobistyczny
snore [snɔ(r)] *vi* chrapać; *s* chrapanie
snor•kel [`snɔkl] *s* fajka (*do nurkowania*)
snort [snɔt] *vt vi* parsknąć, prychnąć, sapnąć; *s* parskanie
snow [snəʊ] *s* śnieg; *vi* (*o śniegu*) padać
snow•ball [`snəʊbɔl] *s* śnieżka; *vi przen.* rosnąć w szybkim tempie
snow•drift [`snəʊdrıft] *s* zaspa śnieżna
snow•drop [`snəʊdrop] *s bot.* przebiśnieg
snow•flake [`snəʊfleık] *s* płatek śniegu
snow•man [`snəʊmæn] *s* bałwan (*ze śniegu*)
snow•storm [`snəʊstɔm] *s* burza śnieżna, śnieżyca
snub [snʌb] *vt* ignorować; zrobić afront; *s* afront; *adj* (*o nosie*) zadarty
snug [snʌg] *adj* miły, wygodny; przytulny; (*o ubraniu*) przylegający
so [səʊ] *adv* tak, w ten sposób; **he is so fat** on jest taki gruby; **I hope so** mam nadzieję, że tak; **so as to** ażeby, żeby; **so far** jak dotąd, na razie; **so many** tak wiele; **so much** tak dużo; **so so** tak sobie; **so to say** że tak powiem; **ten or so** z dziesięć; **so long!** tymczasem!; na razie!; *conj* więc, a więc
soak [səʊk] *vt* zmoczyć, przemoczyć; *vi* nasiąkać; moczyć się; **~ up** wchłaniać
soap [səʊp] *s* mydło; **bar of ~** kostka mydła; **~ opera** telenowela, opera mydlana; *vt* mydlić
soar [sɔ] *vi* unosić się, wzbijać się
sob [sob] *vi* łkać, szlochać; *s* szloch
so•ber [`səʊbə(r)] *adj* trzeźwy; trzeźwo myślący; *vt*: **~ up** otrzeźwić; *vi* wytrzeźwieć
so•called ['səʊ`kɔld] *adj* tak zwany
soc•cer [`sokə(r)] *s sport.* piłka nożna (*europejska*); **~ pitch** boisko piłkarskie
so•cia•ble [`səʊʃəbl] *adj* towarzyski
so•cial [`səʊʃl] *adj* społeczny; socjalny; towarzyski; **~ security** ubezpieczenia społeczne
so•cial•is•m [`səʊʃəlızəm] *s* socjalizm
so•cial•ize [`səʊʃəlaız] *vi* utrzymywać stosunki towarzyskie (**with sb** z kimś); udzielać się towarzysko
so•ci•e•ty [sə`saıətı] *s* społeczeństwo; społeczność; stowarzyszenie

so•ci•ol•o•gy ['səusɪ`olədʒɪ] *s* socjologia
sock [sok] *s* skarpetka
sock•et [`sokɪt] *s bryt. techn.* gniazdko; wgłębienie, jama; oczodół
so•da [`səudə] *s* soda; (*także* ~ **water**) woda sodowa; napój gazowany
so•fa [`səufə] *s* sofa, kanapa
soft [soft] *adj* miękki; delikatny; cichy; ~ **drink** napój bezalkoholowy
soft-boiled [`softbɔɪld] *adj*: ~ **egg** jajko na miękko
soft•en [`sofn] *vt* zmiękczać; *vi* mięknąć
soft•heart•ed [soft`hɑtɪd] *adj* o miękkim sercu
soft•ware [`softweə(r)] *s komp.* oprogramowanie
sog•gy [`sogɪ] *adj* rozmokły; mokry
soil [sɔɪl] *s* gleba, ziemia; *vt* plamić, brudzić
so•lar [`səulə(r)] *adj* słoneczny
sold *zob.* **sell**
sol•dier [`səuldʒə(r)] *s* żołnierz
sole [səul] *s* podeszwa, zelówka; *zool.* sola; *adj* jedyny; wyłączny; *vt* zelować
sol•emn [`soləm] *adj* uroczysty
so•lem•ni•ty [sə`lemnɪtɪ] *s* powaga
so•lic•i•tor [sə`lɪsɪtə(r)] *s bryt.* prawnik, adwokat
sol•id [`solɪd] *adj* stały; lity; solidny; pewny, niezawodny; *s* ciało stałe; *pl* ~**s** pokarm stały
sol•i•dar•i•ty ['solɪ`dærɪtɪ] *s* solidarność
so•lid•i•ty [sə`lɪdɪtɪ] *s* solidność; masywność, trwałość
sol•i•tude [`solɪtjud] *s* samotność
so•lo•ist [`səuləuɪst] *s* solista
so•lu•tion [sə`luʃən] *s* rozwiązanie (*problemu*); *chem.* roztwór
solve [solv] *vt* rozwiązywać (*zagadkę*)
sol•vent [`solvənt] *s* rozpuszczalnik; *adj* wypłacalny
some [sʌm] *adj pron* pewien, jakiś; trochę; kilka; *adv* około, mniej więcej
some•bod•y [`sʌmbədɪ] *pron* ktoś
some•how [`sʌmhɑu] *adv* jakoś
some•one [`sʌmwʌn] *pron* ktoś
some•thing [`sʌmθɪŋ] *pron* coś; ~ **old <new>** coś starego <nowego>
some•time [`sʌmtɑɪm] *adv* kiedyś; *adj attr* były
some•times [`sʌmtɑɪmz] *adv* czasem, niekiedy
some•what [`sʌmwot] *adv* nieco, w pewnym stopniu
some•where [`sʌmweə(r)] *adv* gdzieś; ~ **else** gdzieś indziej
son [sʌn] *s* syn
so•na•ta [sə`nɑtə] *s* sonata
song [soŋ] *s* pieśń; piosenka; śpiew (*ptaka*)
son-in-law [`sʌnɪnlɔ] *s* zięć
son•net [`sonɪt] *s* sonet
soon [sun] *adv* wkrótce; wcze-

śnie; **as ~ as** skoro tylko; **as ~ as possible** możliwie najwcześniej; **I would ~er die than marry you** wolałabym umrzeć niż ciebie poślubić; **no ~er had we sat than...** ledwie usiedliśmy, gdy...

soon•er [`sunə(r)] *adv* prędzej

soot [sut] *s* sadza

soothe [suð] *vt* łagodzić, koić, uspokajać

so•phis•ti•cat•ed [sə`fıstıkeıtıd] *adj* wyszukany, wymyślny, wyrafinowany

soph•o•more [`sofəmɔ(r)] *s am.* student drugiego roku

sore [sɔ(r)] *adj* bolesny, obolały; drażliwy; **he has a ~ throat** boli go gardło; *s* owrzodzenie; rana

sor•row [`sorəʊ] *s* smutek

sor•ry [`sorı] *adj* smutny; zmartwiony; **feel ~** współczuć (**for sb** komuś); **be ~** przepraszać (**about sth** za coś); **(I'm) ~** przykro mi; przepraszam; **I'm ~ for you** żal mi ciebie; **I'm ~ to tell you that...** z przykrością muszę ci powiedzieć, że...

sort [sɔt] *s* rodzaj; gatunek; **nothing of the ~** nic podobnego; *pot.* **~ of** coś w tym rodzaju, jakiś taki; **it's ~ of strange** to jest jakieś takie dziwne; **what ~ of...?** jaki to...?; *vt* sortować

sor•tie [`sɔtı] *s* wypad (*także woj.*)

so-so ['səʊ`səʊ] *adj pot.* taki sobie, znośny; *adv* jako tako, tak sobie, znośnie

sought *zob.* **seek**

soul [səʊl] *s* dusza; duch; **poor ~** biedactwo; **heart and ~** całą duszą; **not a ~** ani żywej duszy

sound[1] [saʊnd] *s* dźwięk; odgłos; *vi* dzwonić; wydawać się; brzmieć; *vt* włączać (*alarm*); dawać sygnał (**sth** do czegoś)

sound[2] [saʊnd] *adj* zdrowy; rozsądny (*argument*); solidny, dogłębny; (*o śnie*) głęboki

sound[3] [saʊnd] *s med. mors.* sonda; *vt* sondować

sound•proof [`saʊndpruf] *adj* dźwiękoszczelny

sound•track [`saʊndtræk] *s* ścieżka dźwiękowa

soup [sup] *s* zupa

sour [`saʊə(r)] *adj* kwaśny; skwaśniały; cierpki; **~ cream** śmietana; **go <turn> ~** kwaśnieć

source [sɔs] *s dosł. przen.* źródło

south [saʊθ] *s geogr.* południe; *adj attr* południowy; *adv* na południe; **~ of sth** na południe od czegoś

south•ern [`sʌðən] *adj* południowy

sou•ve•nir ['suvə`nıə(r)] *s* pamiątka

sove•reign [`sovrın] *s* władca; monarcha; *adj* suwerenny; najwyższy

sow [səʊ], **sowed** [səʊd], **sown**

[səʊn] *lub* **sowed** [səʊd] *vt* siać, zasiewać

spa [spɑ] *s* uzdrowisko

space [speɪs] *s* przestrzeń; miejsce (*puste*); (*o czasie*) okres; *druk.* spacja; **(outer) ~** przestrzeń kosmiczna; *vt* rozmieścić; *adj*: *pot.* **~d out** oszołomiony

space•man [`speɪsmæn] *s* kosmonauta

space•ship [`speɪsʃɪp] *s* statek kosmiczny

spa•cious [`speɪʃəs] *adj* obszerny, przestronny

spade [speɪd] *s* łopata; pik (*w kartach*); **call a ~ a ~** nazywać rzeczy po imieniu

spade•work [`speɪdwɜk] *s przen.* czarna robota

span [spæn] *s* rozpiętość; okres; zasięg; *vt* obejmować; rozciągać się

Span•iard [`spænjəd] *s* Hiszpan, Hiszpanka

Span•ish [`spænɪʃ] *adj* hiszpański; *s* język hiszpański

spank [spæŋk] *s* uderzenie dłonią, klaps; *vt* dawać klapsa

spare [speə(r)] *vt* oszczędzać (*kłopotu*); mieć w zapasie; **I have no time to ~** nie mam ani chwili wolnego czasu; *adj* zapasowy; wolny; **~ room** pokój gościnny; **~ parts** części zapasowe; **~ time** wolny czas; *s* część zamienna

spark [spɑk] *s* iskra; *przen.* przebłysk; *vi* iskrzyć (się)

spark•(ing) plug [`spɑk(ɪŋ)plʌg] *s techn.* świeca zapłonowa

spar•kle [`spɑkl] *s* połysk, migotanie; *vi* skrzyć się, połyskiwać

spark•ling [`spɑklɪŋ] *adj* gazowany; (*o winie*) musujący; *przen.* błyskotliwy

spar•row [`spærəʊ] *s* wróbel

sparse [spɑs] *s* rzadki; skąpy; nieliczny

spat *zob.* **spit**

spa•tial [`speɪʃəl] *adj* przestrzenny

spat•ter [`spætə(r)] *vt* chlapać, rozpryskiwać

speak [spik], **spoke** [spəʊk], **spo•ken** [`spəʊkn] *vt vi* mówić (**about <of> sb <sth>** o kimś <czymś>); rozmawiać; przemawiać; **~ one's mind** wyrażać swoje myśli; **~ for sb** przemawiać w czyimś imieniu; **~ out** otwarcie wypowiadać się; **~ up** głośno powiedzieć

speak•er [`spikə(r)] *s* mówca; głośnik

speak•ing [`spikɪŋ] *adj* mówiący; *bryt.* **~ clock** zegarynka; **not to be on ~ terms** nie rozmawiać ze sobą, gniewać się

spear [spɪə(r)] *s* włócznia; *vt* przebić włócznią

spe•cial [`speʃəl] *adj* specjalny, szczególny; **nothing ~** nic szczególnego

spe•cial•ist [`speʃəlɪst] *s* specjalista

spe•cial•ize [`speʃəlaɪz] *vi* specjalizować się

spe•ci•al•i•ty, *am.* **specialty** [ˈspeʃɪˋælɪtɪ, ˋspeʃəltɪ] *s* specjalność
spe•cial•ty *zob.* **speciality**
spe•cies [ˋspiʃiz] *s* (*pl* ~) rodzaj; *biol.* gatunek
spe•cif•ic [spəˋsɪfɪk] *adj* swoisty; ściśle określony; charakterystyczny
spec•i•fy [ˋspesɪfɑɪ] *vt* wyszczególniać; precyzować
spe•ci•men [ˋspesɪmən] *s* okaz; próbka
spec•ta•cle [ˋspektəkl] *s* widowisko; niezwykły widok; *pl* **~s** okulary
spec•ta•tor [spekˋteɪtə(r)] *s* widz
spec•u•late [ˋspekjuleɪt] *vi* spekulować (**in sth** czymś); grać na giełdzie; rozważać (**on <about> sth** coś)
sped *zob.* **speed**
speech [spitʃ] *s* mowa; przemówienie; **deliver <make> a ~** wygłosić mowę
speech•less [ˋspitʃlɪs] *adj* oniemiały
speed [spid], **sped, sped** [sped] *vi* pędzić, śpieszyć się; **~ up** przyśpieszać; *s* prędkość, szybkość; **at top <full> ~** z dużą prędkością; **~ limit** ograniczenie prędkości; **more haste, less ~** śpiesz się powoli
speed•y [ˋspidɪ] *adj* szybki, pośpieszny
spell[1] [spel], **spelt, spelt** [spelt] *lub* **~ed, ~ed** [speld] *vt* literować; przeliterować
spell[2] [spel] *s* urok, czar; **cast a ~** rzucać urok
spell•bound [ˋspelbɑʊnd] *adj* oczarowany, urzeczony
spell•ing [ˋspelɪŋ] *s* pisownia; ortografia
spelt *zob.* **spell**[1]
spend [spend], **spent, spent** [spent] *vt* wydawać (*pieniądze*); spędzać (*czas*)
spend•thrift [ˋspendθrɪft] *s* rozrzutnik
spent *zob.* **spend**
sphere [ˋsfɪə(r)] *s* kula; sfera, zakres
spice [spɑɪs] *s* przyprawa; *vt* przyprawiać
spic•y [ˋspɑɪsɪ] *adj* pikantny, ostry
spi•der [ˋspɑɪdə(r)] *s* pająk
spike [spɑɪk] *s* kolec, ostrze; **~ heels** szpilki (*pantofle*); *vt* przebić ostrzem
spik•y [ˋspɑɪkɪ] *adj* kolczasty; najeżony kolcami
spill [spɪl], **spilt, spilt** [spɪlt] *lub* **~ed, ~ed** [spɪld] *vt vi* rozlewać (się), wylewać (się); *s* rozlanie
spin [spɪn], **span** [spæn], **spun** [spʌn] *vt vi* obracać (się), kręcić (się); prząść; *s* kręcenie się, wirowanie; *pot.* przejażdżka (*samochodem*); *bryt.* **~ dryer** wirówka
spin•ach [ˋspɪnɪdʒ] *s* szpinak
spine [spɑɪn] *s anat.* kręgosłup; kolec; grzbiet (*książki*)

spi•ral [ˋspaıərəl] *adj* spiralny; *s* spirala

spire [ˋspaıə(r)] *s* iglica

spir•it [ˋspırıt] *s* duch; dusza; męstwo; zapał; (*także* **~s**) spirytus; *pl* **~s** nastrój; napoje alkoholowe; **in high <low> ~s** w doskonałym <złym> nastroju

spir•i•tu•al [ˋspırıtʃʊəl] *adj* duchowy; *s* religijna pieśń murzyńska

spir•i•tu•al•is•m [ˋspırıtʃʊəlızəm] *s* spirytyzm

spit [spıt], **spat, spat** [spæt] *vt vi* pluć; siąpić; *pot.* **~ it out!** gadaj, co myślisz!; *s* plwocina

spite [spaıt] *s* złość; złośliwość; **in ~ of sth** pomimo czegoś; **out of ~** ze złośliwości

spite•ful [ˋspaıtfʊl] *adj* złośliwy

splash [splæʃ] *vt vi* pluskać (się), chlapać (się); *s* plusk; chlapnięcie; plama; *pot.* sensacja; **make a ~** wzbudzić sensację

spleen [splin] *s anat.* śledziona; *przen.* chandra

splen•did [ˋsplendıd] *adj* wspaniały, doskonały

splen•do(u)r [ˋsplendə(r)] *s* wspaniałość; przepych

splin•ter [ˋsplıntə(r)] *s* drzazga, odłamek; *vt vi* rozszczepić (się), rozłupać (się)

split, split, split [splıt] *vt vi* dzielić (się); rozdzierać (się); *s* pęknięcie; podział

split•ting [ˋsplıtıŋ] *adj* ostry; rozsadzający

spoil [spoıl], **spoilt, spoilt** [spoılt] *vt* psuć, niszczyć; psuć, rozpieszczać (*dziecko*); *vi* psuć się, niszczeć

spoilt *zob.* **spoil**

spoke[1] *zob.* **speak**

spoke[2] [spəʊk] *s* szprycha; szczebel

spo•ken *zob.* **speak**

spokes•man [ˋspəʊksmən] *s* rzecznik

sponge [spʌndʒ] *s* gąbka; *vt* wycierać gąbką

spon•sor [ˋsponsə(r)] *s* sponsor

spon•sor•ship [ˋsponsəʃıp] *s* sponsorowanie

spon•ta•ne•ous [sponˋteınıəs] *adj* spontaniczny

spool [spul] *s* szpula; cewka

spoon [spun] *s* łyżka

spoon•ful [ˋspunfʊl] *s* (pełna) łyżka (**of sth** czegoś)

sport [spɔt] *s* (*także pl* **~s**) sport; równy gość; **make ~ of sb <sth>** wyśmiewać się z kogoś <czegoś>

sport•ing [ˋspɔtıŋ] *adj* sportowy; szlachetny

sports•man [ˋspɔtsmən] *s* sportowiec

sports•wo•man [ˋspɔtswʊmən] *s* sportsmenka

spot [spot] *s* plama; kropka; cętka; krosta; miejsce; **on the ~** natychmiast; na miejscu; *vt* zauważać; nakrapiać

spot•less [ˋspotlıs] *adj* nieskazitelny, bez skazy

spot•light [ˋspɔtlaıt] *s* reflek-

tor; centrum uwagi; *vt* zwrócić na coś uwagę
spot•ted [`spotɪd] *adj* cętkowany; nakrapiany; w plamy
spot•ty [`spotɪ] *s* krostowaty; pryszczaty
sprain [spreɪn] *vt* zwichnąć; *s* zwichnięcie
sprang *zob.* **spring**[1]
sprat [spræt] *s* szprot, szprotka
spray [spreɪ] *s* pył wodny; rozpylacz; *vt vi* rozpylać (się); opryskiwać
spread [spred], **spread, spread** [spred] *vt vi* rozpościerać (się); rozciągać (się); rozwijać (się); **~ one's wings** rozwinąć skrzydła; rozprzestrzeniać (się); smarować (się); *s* rozprzestrzenianie (się); zasięg; pasta (*do smarowania pieczywa*); rozkładówka (*w prasie*)
spring[1] [sprɪŋ], **sprang** [spræŋ], **sprung** [sprʌŋ] *vi* skakać; **~ up** pojawić się znikąd; zaskoczyć; **he sprang the news on me** zaskoczył mnie tą wiadomością; **~ a leak** zaczynać przeciekać; *s* źródło; sprężyna; skok; **walk with a ~ in one's step** chodzić sprężystym krokiem
spring[2] [sprɪŋ] *s* wiosna
spring•board [`sprɪŋbɔd] *s* trampolina
spring•y [`sprɪŋɪ] *adj* elastyczny; sprężysty
sprin•kle [`sprɪŋkl] *vt vi* skrapiać, spryskiwać, zraszać; *s* kropienie, spryskiwanie; drobny deszcz
sprout [`spraʊt] *s* kiełek; odrośl; *vi* zakiełkować; wyrosnąć; *vt* wypuszczać (*pędy, liście*)
spruce[1] [sprus] *s* świerk
spruce[2] [sprus] *adj* wymuskany, schludny; *vt* wyszykować, wystroić
sprung *zob.* **spring**[1]
spun *zob.* **spin**
spurt [spɜt] *vt vi* tryskać; *s* zryw; strumień; **put on a ~** przyśpieszać
spy [spɑɪ] *s* szpieg; *vi* szpiegować (**on sb** kogoś)
squab•ble [`skwobl] *s* kłótnia, sprzeczka; *vi* sprzeczać się, kłócić się
squad [skwod] *s woj.* oddział; grupa; **firing ~** pluton egzekucyjny
squad•ron [`skwodrən] *s* szwadron; eskadra
square [skweə(r)] *s* kwadrat; (*kwadratowy*) plac; ekierka; *adj* kwadratowy; solidny; **six ~ metres** sześć metrów kwadratowych; *mat.* **~ root** pierwiastek; *vt* nadawać kwadratowy kształt; pokratkować (*papier*); *mat.* podnieść do kwadratu; **~ one's shoulders** rozprostowywać ramiona
squash [skwoʃ] *vt vi* rozgniatać; gnieść (się); zdusić, stłumić; *s* miazga; sok z cytrusów; *sport.* squash; *bot.* kabaczek
squat [skwot] *vi* kucać, przy-

kucnąć; mieszkać nielegalnie; *s* kucnięcie; opuszczony budynek; *adj* przysadzisty
squat•ter [`skwotə(r)] *adj* dziki lokator
squawk [skwɔk] *vi* skrzeczeć; *s* skrzek
squeak [skwik] *vi* skrzypieć, piszczeć; *s* pisk
squeal [skwil] *vi* piszczeć, kwiczeć; *s* pisk, kwiczenie
squeeze [skwiz] *vt vi* ściskać; wciskać (się); ~ **out** wyciskać; *s* uścisk
squint [skwɪnt] *s* zez; ukradkowe spojrzenie; *vi* patrzeć przez przymrużone oczy
squir•rel [`skwɪrəl] *s* wiewiórka
stab [stæb] *vt* pchnąć nożem; ~ **to death** zasztyletować; *s* ukłucie, pchnięcie; **have a ~ at sth** próbować coś zrobić
sta•bil•i•ty [stə`bɪlɪtɪ] *s* stabilność
sta•bil•ize [`steɪbɪlɑɪz] *vt vi* ustabilizować (się)
sta•ble [`steɪbl] *adj* stały, trwały
sta•di•um [`steɪdɪəm] *s* (*pl* **stadi•ums** [`steɪdɪəmz], **sta•dia** [`steɪdɪə]) stadion
staff [stɑf] *s* personel; załoga; laska, kij; *vt* obsadzić (*stanowiska pracownikami*)
stage [steɪdʒ] *s* scena; stadium, okres; etap; ~ **manager** reżyser teatralny; *vt* wystawiać (*na scenie*)
stain [steɪn] *vt vi* plamić (się); *s* plama; ~ **remover** wywabiacz plam
stain•less [`steɪnlɪs] *adj* nierdzewny
stair [steə(r)] *s* schodek; *pl* **~s** schody
stair•case [`steəkeɪs] *s* klatka schodowa
stair•way [`steəweɪ] *s zob.* **staircase**
stake [steɪk] *s* pal, słup; stos; stawka; udział; **be at ~** wchodzić w grę; **life is at ~** tu chodzi o życie; *vt* stawiać, zaryzykować (*sumę pieniędzy*); wzmocnić, podeprzeć; palikować; **~ a claim** rościć sobie prawo (**to sth** do czegoś)
stale [steɪl] *adj* nieświeży; zwietrzały, stęchły; (*o chlebie*) czerstwy
stall [stɔl] *s* przegroda (*w stajni*); *pl bryt. teatr.* **~s** parter; stoisko; stalle (*w kościele*); *vi* (*o pojeździe*) utknąć; (*o silniku*) zgasnąć; *vt vi* opóźniać, grać na zwłokę
stal•lion [`stæljən] *s* ogier
stam•i•na [`stæmɪnə] *s* siły życiowe, energia, wytrzymałość
stam•mer [`stæmə(r)] *vi* jąkać się; *s* jąkanie
stamp [stæmp] *vt vi* tupać; stemplować; nakleić znaczek pocztowy; *s* znaczek pocztowy; pieczątka, stempel
stance [stæns] *s sport.* pozycja; *przen.* postawa, stanowisko
stand [stænd], **stood, stood** [stud]

vi stać; wstawać; *vt* stawiać; znosić, wytrzymywać; zachowywać ważność; **~ sb a drink** stawiać komuś drinka; **~ by** być w gotowości; *przen.* stać bezczynnie; **~ by sb** wspomagać kogoś; **~ for** oznaczać; reprezentować; **~ out** rzucać się w oczy; wyróżniać się; **~ up** wstawać; **~ up to sth** wytrzymywać, znosić coś; *s* stoisko; stojak; *pl* **~s** trybuny; **bring to a ~** zatrzymać, unieruchomić; **come to a ~** zatrzymać się; **take a ~** zajmować stanowisko (**on sth** w jakiejś sprawie)

stan•dard [`stændəd] *s* norma; poziom, standard; sztandar; **living ~** stopa życiowa; *pl* **~s** obyczaje; *adj* standardowy

stan•dard•ize [`stændədaɪz] *vt* standaryzować, ujednolicać

stand-by [`stændbaɪ] *s* rezerwa; środek awaryjny; **on ~** w pogotowiu

stand-in [`stændɪn] *s* zastępca

stand•ing [`stændɪŋ] *s* stanie; miejsce; stanowisko; trwanie; *adj* stojący; trwający; obowiązujący

stand•point [`stændpoɪnt] *s* punkt widzenia, stanowisko

stand•still [`stændstɪl] *s* zastój; *przen.* martwy punkt

stank *zob.* **stink**

stan•za [`stænzə] *s* zwrotka

star [stɑ(r)] *s* gwiazda; **the Stars and Stripes** flaga St. Zjednoczonych; *vi teatr. film.* występować w głównej roli

stare [steə(r)] *vi* gapić się; utkwić wzrok (**at sb <sth>** w kimś <czymś>); *vt* patrzeć (**sb in the face** komuś prosto w oczy); **ruin ~d him in the face** stanął w obliczu ruiny; *s* uważne spojrzenie; uporczywy wzrok

star•ling [`stɑlɪŋ] *s* szpak

start [stɑt] *vt vi* rozpoczynać (się); zaczynać (się); uruchamiać (się); startować; **~ off <out>** wyruszyć (**on <for> sth** w drogę, w kierunku...); rozpoczynać; **~ up** rozpoczynać (się); zakładać (*firmę*); uruchamiać (*samochód*); **~ over** rozpoczynać od nowa; **to ~ with** na początek; po pierwsze; *s* start; początek; podskok

start•le [`stɑtl] *vt vi* zaskoczyć, przestraszyć

starve [stɑv] *vi* głodować, umierać z głodu; *vt* głodzić; pozbawiać (**sb of sth** kogoś czegoś)

starve•ling [`stɑvlɪŋ] *s* głodomór

state [steɪt] *s* stan; państwo; **in ~** uroczyście; **~ of affairs** stan rzeczy; **~ of emergency** stan wyjątkowy; **the United States** Stany Zjednoczone; *vt* stwierdzać; oświadczać

state•ment [`steɪtmənt] *s* stwierdzenie; oświadczenie

states•man [`steɪtsmən] *s* mąż stanu

stat•ic [`stætɪk] *adj* statyczny; nieruchomy
sta•tion [`steɪʃən] *s* stacja, dworzec; miejsce, położenie; **police ~** posterunek policji; *vt* wystawiać, lokować; rozmieszczać
sta•tion•er•y [`steɪʃənrɪ] *s* artykuły piśmienne
sta•tis•tics [stə`tɪstɪks] *s* statystyka; dane statystyczne
stat•ue [`stætʃu] *s* statua, posąg
sta•tus [`steɪtəs] *s* status
stat•ute [`stætjut] *s* ustawa; *pl* **~s** statut; **~ book** kodeks
stave [steɪv] *s muz.* pięciolinia
stay [steɪ] *vi* pozostawać; przebywać, mieszkać (**at a hotel** w hotelu; **with friends** u przyjaciół); **~ in** pozostawać w domu; **~ out** pozostawać poza domem; *s* pobyt
stay-at-home [`steɪəthəʊm] *s* domator
stead•y [`stedɪ] *adj* stały; równomierny; solidny; *vt vi* stabilizować (się); uspokajać (się)
steak [steɪk] *s* stek
steal [stil], **stole** [stəʊl], **stol•en** [`stəʊln] *vt* kraść; *vi* skradać się; **~ away** wykradać się
stealth•y [`stelθɪ] *adj* ukradkowy, potajemny
steam [stim] *s* para (*wodna*); *vi* parować; *vt* gotować na parze
steel [stil] *s* stal; **stainless ~** stal nierdzewna; *adj attr* stalowy
steel•y [`stilɪ] *adj przen.* stalowy
steep [stip] *adj* stromy; *pot.* (*o wymaganiach, o cenach*) wygórowany; *vt* zamoczyć
steer [`stɪə(r)] *vt vi* sterować; kierować się (**for sth** w stronę czegoś)
steer•ing wheel [`stɪərɪŋwil] *s* kierownica
stem [stem] *s* trzon; łodyga; nóżka (*kieliszka*); *vt* zatamować, powstrzymać; *vi* pochodzić (**from sth** z czegoś)
stench [stentʃ] *s* smród
step [step] *s* krok; stopień; **~ by ~** krok za krokiem; stopniowo; **take ~s** poczynić kroki; *vi* kroczyć
step•broth•er [`stepbrʌðə(r)] *s* brat przyrodni
step•child [`steptʃaɪld] *s* pasierb, pasierbica
step•fath•er [`stepfɑðə(r)] *s* ojczym
step•moth•er [`stepmʌðə(r)] *s* macocha
step•sis•ter [`stepsɪstə(r)] *s* siostra przyrodnia
ster•e•o [`sterɪəʊ] *s* zestaw stereo; *adj* stereofoniczny
ster•e•o•type [`stɪərɪətaɪp] *s* stereotyp
ster•il•ize [`sterɪlaɪz] *vt* sterylizować; wyjaławiać
stern [stɜn] *adj* surowy, srogi; *s mors.* rufa
stew [stju] *vt kulin.* dusić; *vi* dusić się; *s* duszona potrawa z mięsem i jarzynami, gulasz

stew•ard [`stjuəd] *s* steward
stew•ard•ess [`stjuədes] *s* stewardesa
stick [stɪk], **stuck, stuck** [stʌk] *vt* wbijać; przyklejać; przymocować; *vi* kleić się, lepić się; utkwić; zacinać się; trwać (**to sth** przy czymś); **~ out** wystawać; *s* patyk, kijek; kij; laska
stick•er [`stɪkə(r)] *s* naklejka
stick•y [`stɪkɪ] *adj* lepki, kleisty; parny
stiff [stɪf] *adj* sztywny; (*o rywalizacji*) zacięty; mocny (*alkohol, lek*); surowy (*wyrok*)
sti•fle [`stɑɪfl] *vt vi* dusić (się); dławić (się)
still [stɪl] *adv* jeszcze, nadal, ciągle; mimo to; *adj* nieruchomy; cichy, spokojny; **~ life** martwa natura
stim•u•lant [`stɪmjʊlənt] *s* bodziec; środek pobudzający
stim•u•late [`stɪmjʊleɪt] *vt* podniecać; zachęcać, pobudzać
sti•mu•lus [`stɪmjʊləs] *s* (*pl* **sti•mu•li** [`stɪmjʊlɑɪ]) bodziec
sting [stɪŋ], **stung, stung** [stʌŋ] *vt vi* żądlić; kłuć; parzyć; (*o oczach*) szczypać; *s* żądło; użądlenie, ukąszenie
stin•gy [`stɪndʒɪ] *adj* skąpy
stink [stɪŋk], **stank** [stæŋk], **stunk** [stʌŋk] *vi* śmierdzieć (**of sth** czymś); *s* smród
stir [stɜ(r)] *vt* mieszać; poruszać; *vi* poruszać się; *s* poruszenie; wzburzenie; *dosł. przen.* **not to ~ a finger** nie kiwnąć palcem
stitch [stɪtʃ] *s* szew; ścieg; oczko; kolka (*w boku*); *vt* zszywać
stock [stok] *s* zapas; inwentarz; (*także* **live ~**) żywy inwentarz; ród; wywar; *am. fin.* akcja; **in ~** na składzie; **out of ~** wyprzedany; *vt* mieć na składzie; **~ up** robić zapasy
stock•brok•er [`stokbrəʊkə(r)] *s* makler giełdowy
stock ex•change [`stokɪkstʃeɪndʒ] *s* giełda papierów wartościowych
stock•ing [`stokɪŋ] *s* pończocha
sto•ic [`stəʊɪk] *s* stoik; *adj* **~(al)** stoicki
stole *zob.* **steal**
sto•len *zob.* **steal**
stom•ach [`stʌmək] *s anat.* żołądek; *pot.* brzuch; **on an empty ~** na czczo
stom•achache [`stʌməkeɪk] *s* ból brzucha
stone [stəʊn] *s* kamień; pestka; *vt* kamienować; drylować
stood *zob.* **stand**
stool [stul] *s* stołek; *med.* stolec
stoop [stup] *vt* pochylić się, zgarbić; poniżyć się (**to sth** do czegoś); ugiąć się (**to sb** przed kimś)
stop [stop] *vt* zatrzymać; zaprzestać; powstrzymywać; *vi* zatrzymywać się; przestać; **~ by** wpadać (*z wizytą*); **~ up** zatykać (*dziurę*); *s* zatrzymanie (się); przystanek; przerwa;

come to a ~ zatrzymywać się; **put a ~ to sth** kłaść kres czemuś
stop•light [`stoplaɪt] *s mot.* światło stopu
stop•o•ver [`stopəʊvə(r)] *s* przerwa (*w podróży*)
stor•age [`stɔrɪdʒ] *s* magazynowanie; składowanie; *komp.* pamięć
store [stɔ(r)] *s* zapasy; skład, magazyn; *am.* sklep; *bryt.* dom towarowy; **in ~** na przechowaniu; *vt* przechowywać; magazynować
store•house [`stɔhaʊs] *s am.* magazyn
sto•rey, *am.* **sto•ry** [`stɔrɪ] *s* piętro
stork [stɔk] *s* bocian
storm [stɔm] *s* burza; sztorm; **take by ~** brać szturmem
sto•ry[1] [`stɔrɪ] *s* historia; opowiadanie; historyjka, pogłoska; artykuł (*w prasie*); **short ~** nowela; opowiadanie
sto•ry[2] *zob.* **storey**
stout [staʊt] *adj* korpulentny; niezłomny
stove [stəʊv] *s* piec; kuchenka
strad•dle [`strædl] *vi* siedzieć okrakiem; stać w rozkroku
straight [streɪt] *adj* prosty; uczciwy; (*o alkoholu*) czysty; *adv* prosto; *s* prosta
straight•en [`streɪtn] *vt* wyprostować (się); *przen.* **~ things** załagodzić nieporozumienie
strain [streɪn] *vt* nadwerężać; odcedzać; naginać (*fakty, prawdę*); *vi* wytężać się; *s* napięcie, stres; nadwerężenie; *pl* **~s** dźwięki (*muzyki*); obciążenie
strand[1] [strænd] *s* brzeg, nabrzeże; **be ~ed** osiąść na mieliźnie; znaleźć się w tarapatach
strand[2] [strænd] *s* nitka; sznurek; kosmyk (*włosów*)
strange [streɪndʒ] *adj* dziwny, niezwykły; obcy; **feel ~** czuć się nieswojo
strang•er [`streɪndʒə(r)] *s* obcy (*człowiek*); nieznajomy
stran•gle [`stræŋgl] *vt* dusić, dławić
strap [stræp] *s* pasek, rzemień; ramiączko (*sukienki*); *vt* przypinać
stra•ta *zob.* **stratum**
strat•e•gy [`strætədʒɪ] *s* strategia
stra•tum [`strɑtəm, `streɪtəm] *s* (*pl* **stra•ta** [`strɑtə, `streɪtə]) *geol.* warstwa; *przen.* grupa <warstwa> społeczna
straw [strɔ] *s* słoma; słomka
straw•ber•ry [`strɔbrɪ] *s* truskawka
stray [streɪ] *vi* błąkać się, błądzić; zbaczać; *s* przybłęda; *adj* zabłąkany; (*o zwierzętach*) bezpański
streak [strik] *s* smuga; pasmo; (*o predyspozycji, o talencie*) żyłka; okres, passa; **like a ~ of lightning** jak błyskawica; *vi* przemykać; *vt* pokryć się smugami

stream [strim] *s* strumień; nurt; **down ~** z prądem; **up ~** pod prąd; *vi* płynąć strumieniem
street [strit] *s* ulica; **~ map** plan miasta; **the man in the ~** szary <przeciętny> człowiek
street•car [`stritkɑ(r)] *s am.* tramwaj
strength [`streŋθ] *s* siła, moc
strength•en [`streŋθən] *vt vi* wzmacniać (się)
stress [stres] *s* stres; presja; nacisk; akcent; *vt* podkreślać, kłaść nacisk; akcentować
stretch [stretʃ] *vt vi* wyciągać (się); rozciągać (się); przeciągać się; *s* przeciągnięcie się; rozciągliwość; obszar; (*o czasie*) okres; rozpostarcie; rozpiętość; **at a ~** jednym ciągiem
strick•en [`strɪkən] *adj* dotknięty (*chorobą, nieszczęściem*)
strict [strɪkt] *adj* surowy; ścisły, dokładny
strife [strɑɪf] *s* spór, konflikt
strike [strɑɪk], **struck, struck** [strʌk] *vt vi* uderzać; atakować; (*o zegarze*) bić; strajkować; **~ a match** zapalać zapałkę; **be struck dumb** oniemieć; **~ down** powalić; **~ out** skreślać; uniezależnić się; *s* strajk; uderzenie, atak; **be on ~** strajkować
strik•ing [`strɑɪkɪŋ] *adj* uderzający
string [strɪŋ], **strung, strung** [strʌŋ] *vt* nawlekać; związywać; *s* sznur; struna; seria; *pl* **the ~s** instrumenty smyczkowe; *przen.* **pull the ~s** pociągać za sznurki; **~ bean** fasolka szparagowa
strip [strɪp] *s* pasek; skrawek; **~ cartoon** komiks; *vt* zrywać, zdzierać (**sth of sth** coś z czegoś); rozbierać; odzierać (*z czegoś*); *vi* rozbierać się
stripe [strɑɪp] *s* pasek; prążek; *woj.* belka
striped [strɑɪpt] *adj* pasiasty, w paski
strip•tease [`strɪptiz] *s* striptiz
stroke [strəʊk] *s* uderzenie; udar, wylew; *sport.* strzał; styl (*pływania*); pociągnięcie (*pióra, pędzla*); **a ~ of luck** szczęście, uśmiech losu; **a ~ of genius** przebłysk geniuszu; **at a ~** za jednym zamachem; *vt* głaskać; gładzić
stroll [strəʊl] *vi* przechadzać się; *s* przechadzka, spacer
strong [strɒŋ] *adj* silny, mocny; **~ drink** napój alkoholowy; **~ language** przekleństwa
strong•hold [`strɒŋhəʊld] *s* twierdza, forteca
struck *zob.* **strike**
struc•ture [`strʌktʃə(r)] *s* struktura; budowa, konstrukcja; *vt* konstruować; organizować
strug•gle [`strʌgl] *vi* walczyć; zmagać się; *s* walka
strung *zob.* **string**
stub•born [`stʌbən] *adj* uparty;

uporczywy; **as ~ as a mule** uparty jak osioł
stuck[1] *zob.* **stick**
stuck[2] [stʌk] *adj* zablokowany; **be <get> ~** utknąć, zaciąć się
stu•dent [`stjʊdənt] *s* student; *am.* uczeń szkoły średniej
stu•di•o [`stjʊdɪəʊ] *s* studio; atelier; **~ flat** <*am.* **apartment**> kawalerka
stud•y [`stʌdɪ] *s* nauka; badanie; gabinet; *pl* **studies** studia; *vt* studiować, badać; *vi* studiować (*odbywać studia*); uczyć się (**for an exam** do egzaminu)
stuff [stʌf] *s* coś, substancja, tworzywo; rzeczy; **green ~** warzywa; *vt* wypychać; faszerować; **get ~ed!** wypchaj się!
stuff•ing [`stʌfɪŋ] *s* nadzienie, farsz; wypełnienie
stuff•y [`stʌfɪ] *adj* duszny; staromodny
stum•ble [`stʌmbl] *vi* potykać się (**over sth** o coś); *przen.* robić błędy; **~ across <on> sth** natknąć się na coś; *s* potknięcie się; błąd
stung *zob.* **stink**
stunk *zob.* **stink**
stun•ning [`stʌnɪŋ] *adj* oszałamiający
stunt[1] [stʌnt] *s pot.* pokaz, popis; wyczyn
stunt[2] [stʌnt] *vt* zahamować; powstrzymać rozwój (**sb <sth>** czyjś <czegoś>)
stu•pid [`stjupɪd] *adj* głupi
stu•pid•i•ty [stju`pɪdɪtɪ] *s* głupota
stu•por [`stjupə(r)] *s* osłupienie; odrętwienie
stur•geon [`stɜdʒən] *s* jesiotr
style [stɑɪl] *s* styl; fason; moda; szyk; **out of ~** niemodny
styl•ish [`stɑɪlɪʃ] *adj* szykowny, elegancki
suave [swɑv] *adj* przyjemny, uprzejmy
sub•con•scious ['sʌb`konʃəs] *adj* podświadomy
sub•due [səb`dju] *vt* ujarzmić, przytłumić
sub•ject [`sʌbdʒɪkt] *s* temat; przedmiot (*nauki*); *filoz. gram.* podmiot; poddany; *adj* podlegający; narażony (**to sth** na coś); *vt* [səb`dʒekt] podporządkować; poddawać (**sb to sth** kogoś czemuś)
sub•jec•tive [səb`dʒektɪv] *adj* subiektywny
sub•lime [sə`blɑɪm] *adj* wzniosły, wysublimowany
sub•ma•rine [`sʌbmərin] *adj* podwodny; *s* łódź podwodna
sub•merge [səb`mɜdʒ] *vt vi* zanurzać (się)
sub•mis•sion [səb`mɪʃən] *s* poddanie się; uległość; posłuszeństwo; propozycja
sub•mit [səb`mɪt] *vt* przedkładać (*propozycję*); składać (*podanie, rezygnację*); *vi* poddawać się (**to sth** czemuś)
sub•or•di•nate [sə`bɔdɪnət] *adj* podporządkowany; *s* podwład-

ny; *vt* [sə`bɔdɪneɪt] podporządkować (**sth to sth** coś czemuś)
sub•scribe [səb`skraɪb] *vi*: **~ to** wspierać finansowo; prenumerować; wyznawać (*teorię*)
sub•scrip•tion [səb`skrɪpʃən] *s* składka (*członkowska*); prenumerata
sub•se•quent [`sʌbsɪkwənt] *adj* następny, późniejszy; **~ to sth** wynikający z czegoś
sub•se•quent•ly [`sʌbsɪkwɪntlɪ] *adv* później, następnie
sub•si•dy [`sʌbsɪdɪ] *s* subwencja, dotacja
sub•sist•ence [səb`sɪstəns] *s* utrzymanie się przy życiu, przetrwanie
sub•stance [`sʌbstəns] *s* substancja; istota, znaczenie
sub•stan•tial [səb`stænʃəl] *adj* solidny, mocny; pokaźny
sub•sti•tute [`sʌbstɪtjut] *s* zastępca; substytut; *vt* zastępować (**sth for sth** coś czymś)
sub•ti•tles [`sʌbtaɪtlz] *pl* napisy (*w filmie*)
sub•tle [`sʌtl] *adj* subtelny
sub•tract [səb`trækt] *vt mat.* odejmować
sub•trac•tion [səb`trækʃən] *s mat.* odejmowanie
sub•urb [`sʌbɜb] *s* przedmieście
sub•ur•ban [sə`bɜbən] *adj* podmiejski
sub•ver•sive [sʌb`vɜsɪv] *adj* wywrotowy
sub•way [`sʌbweɪ] *s* przejście podziemne, *am.* metro
suc•ceed [sək`sid] *vi* odnieść sukces; *vt* następować (**sb <sth>** po kimś <czymś>); **I ~ed in finishing my work** udało mi się skończyć pracę
suc•cess [sək`ses] *s* sukces; powodzenie
suc•cess•ful [sək`sesfʊl] *adj* udany, pomyślny; **I was ~ in doing that** udało mi się to zrobić
suc•ces•sion [sək`seʃən] *s* następstwo; seria; sukcesja; **in ~** kolejno
suc•ces•sive [sək`sesɪv] *adj* kolejny
suc•ces•sor [sək`sesə(r)] *s* następca (**to sb** czyjś); sukcesor
such [sʌtʃ] *adj pron* taki; **~ a nice day** taki piękny dzień; **~ as...** taki, jak...; **~ that...** taki <tego rodzaju>, że...; **as ~** jako taki; **~ and ~** taki a taki
suck [sʌk] *vt* ssać; zasysać
suck•er [`sʌkə(r)] *s zool.* przyssawka; *bot.* odrost; *pot.* frajer
sud•den [`sʌdn] *adj* nagły; **all of a ~** nagle
sud•den•ly [`sʌdənlɪ] *adv* nagle
suds [sʌdz] *s pl* mydliny
sue [sju] *vt* skarżyć do sądu (**sb for sth** kogoś o coś); *vi* procesować się
suede [sweɪd] *s* zamsz
suf•fer [`sʌfə(r)] *vi* cierpieć (**from sth** na coś, **for sth** z powodu czegoś); *vt* ponosić (*konsekwencje*); cierpieć; doświadczać; **~ hunger** cierpieć głód

suf•fer•ing [`sʌfərɪŋ] *s* cierpienie
suf•fice [sə`faɪs] *vi* wystarczać
suf•fi•cient [sə`fɪʃənt] *adj* wystarczający, dostateczny
suf•fo•cate [`sʌfəkeɪt] *vt vi* dusić (się)
sug•ar [`ʃʊgə(r)] *s* cukier
sug•gest [sə`dʒest] *vt* proponować; sugerować; wskazywać (**sth** na coś)
sug•ges•tion [sə`dʒestʃən] *s* propozycja; oznaka
su•i•cide [`suɪsaɪd] *s* samobójstwo; samobójca; **commit ~** popełnić samobójstwo
suit [sut] *s* garnitur; kostium (*damski*); *prawn.* proces; kolor (*w kartach*); *vt vi* odpowiadać, nadawać się; pasować; dostosowywać (**sth to sth** coś do czegoś); **~ yourself!** rób, jak chcesz!
suit•a•ble [`sutəbl] *adj* odpowiedni
suit•case [`sutkeɪs] *s* walizka
suite [swit] *s* apartament (*w hotelu*); komplet (*mebli*); *muz.* suita
sul•phur [`sʌlfə(r)] *s chem.* siarka
sul•tan [`sʌltən] *s* sułtan
sul•try [`sʌltrɪ] *adj* duszny, parny
sum [sʌm] *s* obliczenie; suma; kwota; **in ~** krótko mówiąc; *vt*: **~ up** podsumowywać; oceniać
sum•mar•ize [`sʌməraɪz] *vt* streszczać
sum•ma•ry [`sʌmərɪ] *s* streszczenie; *adj* doraźny, natychmiastowy
sum•mer [`sʌmə(r)] *s* lato; **Indian ~** babie lato; **~ camp** obóz, kolonie letnie; **~ school** kurs wakacyjny
sum•mit [`sʌmɪt] *s* (*także przen.*) szczyt; **~ conference** konferencja na szczycie
sum•mon [`sʌmən] *vt* wzywać; zwoływać; **~ up** zebrać (*siły*)
sum•mons [`sʌmənz] *s* wezwanie (*także prawn.*); *vt* wzywać do sądu
sun [sʌn] *s* słońce; **in the ~** na słońcu
sun•bathe [`sʌnbeɪð] *vi* opalać się
sun•burn [`sʌnbɜn] *s* oparzenie słoneczne
sun•burnt [`sʌnbɜnt] *adj* opalony; spalony (*słońcem*)
sun•dae [`sʌndeɪ] *s* deser lodowy z owocami i orzechami
Sun•day [`sʌndɪ] *s* niedziela
sun•flow•er [`sʌnflaʊə(r)] *s* słonecznik
sung *zob.* **sing**
sunk *zob.* **sink**
sunk•en [`sʌŋkən] *adj* (*np. o statku*) zatopiony; (*np. o oczach*) zapadnięty
sun•ny [`sʌnɪ] *adj* słoneczny; (*o usposobieniu*) pogodny
sun•rise [`sʌnraɪz] *s* wschód słońca; **at ~** o świcie
sun•set [`sʌnset] *s* zachód słońca; **at ~** o zmroku

sun•shade [`sʌnʃeɪd] *s* parasol od słońca, *am.* markiza
sun•shine [`sʌnʃɑɪn] *s* słońce; (słoneczna) pogoda
sun•stroke [`sʌnstrəʊk] *s* udar słoneczny
sun•tan [`sʌntæn] *s* opalenizna; **~ cream** krem do opalania
su•per [`supə(r)] *adj pot.* wspaniały, super
su•perb [su`pɜb] *adj* znakomity, pierwszorzędny
su•per•fi•cial [supə`fɪʃəl] *adj* powierzchowny
su•per•flu•ous [su`pɜfluəs] *adj* zbyteczny
su•pe•ri•or [su`pɪərɪə(r)] *adj* lepszy (**to sb <sth>** od kogoś <czegoś>); starszy rangą; wyniosły; *s* przełożony
su•per•la•tive [su`pɜlətɪv] *adj* doskonały; *gram.* stopień najwyższy
su•per•mar•ket [`supə'mɑkət] *s* supermarket
su•per•nat•u•ral ['supə`nætʃərl] *adj* nadprzyrodzony; *s*: **the ~** zjawiska nadprzyrodzone
su•per•pow•er [`supəpɑʊə(r)] *s* supermocarstwo
su•per•sti•tion ['supə`stɪʃən] *s* przesąd, zabobon
su•per•sti•tious ['supə`stɪʃəs] *adj* przesądny, zabobonny
su•per•vise [`supəvɑɪz] *vi* nadzorować; pilnować (*dzieci*)
su•per•vi•sion ['supə`vɪʒən] *s* nadzór
sup•per [`sʌpə(r)] *s* kolacja
sup•ple•ment [`sʌplɪmənt] *s* uzupełnienie; dodatek; suplement; *vt* uzupełniać
sup•ply [sə`plɑɪ] *vt* dostarczać (**sb with sth** komuś czegoś); zaspokajać (*potrzeby*); **~ the demand** zaspokoić popyt; *s* zapas; dostawa; podaż; **water <gas> ~** dostawy wody <gazu>
sup•port [sə`pɔt] *vt* podpierać, podtrzymywać; utrzymywać; popierać; kibicować; potwierdzać (*teorię*); *s* podpora; poparcie; wsparcie; utrzymanie; **in ~** na znak poparcia (**of sth** czegoś)
sup•pose [sə`pəʊz] *vt vi* przypuszczać; sądzić; **he is ~d to go there** on ma <powinien> tam pójść; **I ~ so <not>** myślę, że tak <nie>
sup•po•sed•ly [sə`pəʊzɪdlɪ] *adv* podobno
sup•pos•ing [sə`pəʊzɪŋ] *conj* jeśli, jeżeli
sup•po•si•tion [sʌpə`zɪʃən] *s* przypuszczenie, domniemanie
sup•press [sə`pres] *vt* stłumić; zakazać; ukryć, zataić
su•prem•a•cy [su`preməsɪ] *s* zwierzchnictwo; supremacja
su•preme [su`prim] *adj* najwyższy
sure [ʃʊə(r)] *adj* pewny; niezawodny; **be ~ to come** przyjdź koniecznie; **he is ~ to do it** on z pewnością to zrobi; **make ~ that <of sth>** upewnić się, że

<co do czegoś>; *adv* na pewno; *pot.* **for ~** na pewno tak, oczywiście; ~! jasne!

sure•ly [`ʃʊəlɪ] *adv* na pewno

surf [sɜf] *s* spieniona fala morska

sur•face [`sɜfɪs] *s* powierzchnia; *vi* wynurzać się, wypływać (*na powierzchnię*); *przen.* pojawiać się

sur•feit [`sɜfɪt] s nadmiar

surf•ing [`sɜfɪŋ] *s* surfing, pływanie na desce

surge [sɜdʒ] *s* nagły wzrost, skok; *przen.* przypływ (*uczucia*); *vi* przelewać się; wzbierać; rzucać się

sur•geon [`sɜdʒən] *s* chirurg

sur•ger•y [`sɜdʒərɪ] *s* chirurgia; operacja; *bryt.* gabinet (lekarski); **plastic ~** chirurgia plastyczna

sur•name [`sɜneɪm] *s* nazwisko

sur•pass [sɜ`pɑs] *vt przen.* przewyższać, przekraczać

sur•plus [`sɜpləs] *s* nadwyżka; **it is ~ to our requirements** to wykracza poza nasze potrzeby

sur•prise [sə`praɪz] *s* zdziwienie, zaskoczenie; niespodzianka; *vt* zaskoczyć; zdziwić; **take sb by ~** zaskoczyć kogoś

sur•pris•ing [sə`praɪzɪŋ] *adj* zaskakujący, niespodziewany

sur•ren•der [sə`rendə(r)] *vt* zrzekać się; *vi* poddawać się; *s* poddanie się

sur•round [sə`raʊnd] *vt* otaczać

sur•round•ings [sə`raʊndɪŋz] *s pl* otoczenie, okolica

sur•vey [`sɜveɪ] *s* pomiar (*w terenie*); oględziny; przegląd; *vt* [sɜ`veɪ] dokonywać pomiarów; przyglądać się, oceniać

sur•viv•al [sə`vaɪvl] *s* przeżycie, przetrwanie; pozostałość

sur•vive [sə`vaɪv] *vt vi* przeżyć, przetrwać

sus•cep•ti•ble [sə`septəbl] *adj* wrażliwy, podatny (**to sth** na coś)

sus•pect [sə`spekt] *vt vi* podejrzewać (**sb of sth** kogoś o coś); powątpiewać; *s* [`sʌspekt] podejrzany; *adj* podejrzany

sus•pend [sə`spend] *vt dosł. przen.* zawieszać

sus•pend•ers [səs`pendəz] *s* podwiązki, *am.* szelki

sus•pense [sə`spens] *s* niepewność; napięcie (*w filmie*); **keep sb in ~** trzymać kogoś w niepewności

sus•pen•sion [sə`spenʃən] *s* zawieszenie; zawiesina; **~ bridge** most wiszący

sus•pi•cion [səs`pɪʃən] *s* podejrzenie

sus•pi•cious [sə`spɪʃəs] *adj* podejrzliwy; podejrzany

sus•tain [sə`steɪn] *vt* podtrzymywać; krzepić; odnosić (*obrażenia*)

swal•low[1] [`swoləʊ] *s* jaskółka

swal•low[2] [`swoləʊ] *vt* połykać; przełykać; *s* łyk; kęs

swam *zob.* **swim**

swamp [swomp] *s* bagno; mokradło

swan [swon] *s* łabędź
swarm [swɔm] *s* rój; mrowie; *vi* roić się; tłoczyć się
sway [sweɪ] *vt vi* kołysać (się), chwiać (się)
swear [sweə(r)], **swore** [swɔ(r)], **sworn** [swɔn] *vi* kląć (**at sb <sth>** na kogoś <coś>); *vt* przysięgać; ~ **an oath** składać przysięgę
sweat [swet] *vi* pocić się; *s* pot; *przen.* trud, harówka; *pot.* **no ~!** nie ma problemu!
sweat•er [`swetə(r)] *s* sweter
sweat•shirt [`swetʃ3t] *s* bluza
Swede [swid] *s* Szwed
Swed•ish [`swidɪʃ] *adj* szwedzki; *s* język szwedzki
sweep [swip], **swept, swept** [swept] *vt* zamiatać; zgarniać; ~ **away** znosić; zniszczyć; *s* zamiatanie; łuk, krzywizna; **chimney** ~ kominiarz
sweet [swit] *adj* słodki; miły; *s* cukierek; *bryt.* deser; *pl* **~s** słodycze
sweet•en [`switn] *vt* słodzić; *przen.* osłodzić
sweet•ener [`switnə(r)] *s* słodzik
sweet•heart [`swithɑt] *s* ukochany; (*zwracając się*) kochanie
sweet tooth [`swit`tuθ] *s*: **have a ~** uwielbiać słodycze
swell [swel], **swel•led** [sweld], **swol•len** [`swəʊlən] *vi* wzrastać; narastać; (*także* ~ **up**) puchnąć; *s* fala (*morska*); *adj am. pot.* świetny, kapitalny
swell•ing [`swelɪŋ] *s* opuchlizna, obrzęk
swept *zob.* **sweep**
swift [swɪft] *adj* szybki; wartki
swim [swɪm], **swam** [swæm], **swum** [swʌm] *vi* pływać; płynąć; *vt* przepłynąć; *s* pływanie; **go for a ~** iść popływać
swim•ming [`swɪmɪŋ] *s* pływanie; **go ~** iść popływać
swim•ming pool [`swɪmɪŋpul] *s* basen pływacki, pływalnia
swin•dle [`swɪndl] *vt pot.* kantować; *s pot.* szwindel, kant
swine [swɑɪn] *s pot.* świnia *pot.*
swing [swɪŋ], **swung, swung** [swʌŋ] *vt vi* kołysać (się), huśtać (się); obracać (się); *s* kołysanie; huśtawka; *muz.* swing; zwrot; zmiana (*opinii*)
swing•ing [`swɪŋɪŋ] *adj* wahadłowy, obrotowy; *przen.* rozbawiony
swirl [sw3l] *s* wir; wirowanie; *vi* wirować
Swiss [swɪs] *s* Szwajcar; *adj* szwajcarski
switch [swɪtʃ] *s* wyłącznik, przełącznik; zmiana, zwrot; wymiana; *vt vi* zmieniać (się); wymieniać (się); zamieniać (się); przełączać; ~ **off** wyłączać; ~ **on** włączać
switch•board [`swɪtʃbɔd] *s* centrala (*telefoniczna*)
swol•len[1] *zob.* **swell**
swol•len[2] [swəʊlən] *adj* spuchnięty

swoon [swun] *s* omdlenie; *vi* omdlewać
sword [sɔd] *s* miecz
swore *zob.* **swear**
sworn *zob.* **swear**; *adj* (za)przysięgły
swum *zob.* **swim**
swung *zob.* **swing**
syl•la•ble [`sɪləbl] *s* sylaba
syl•la•bus [`sɪləbəs] *s* (*pl* **syl•la•bi** [`sɪləbaɪ] *lub* **~es**) program <plan> zajęć <kursów>
sym•bol [`sɪmbl] *s* symbol
sym•bol•ize [`sɪmbəlaɪz] *vt* symbolizować
sym•me•try [`sɪmɪtrɪ] *s* symetria
sym•pa•thet•ic ['sɪmpə`θetɪk] *adj* współczujący; życzliwy; sympatyczny
sym•pa•thize [`sɪmpəθaɪz] *vi* współczuć; sympatyzować
sym•pa•thy [`sɪmpəθɪ] *s* współczucie; solidaryzowanie się; **letter of ~** list kondolencyjny
sym•pho•ny [`sɪmfənɪ] *s* symfonia
symp•tom [`sɪmptəm] *s* symptom, objaw; *przen.* oznaka
symp•to•mat•ic ['sɪmptə`mætɪk] *adj* znamienny, symptomatyczny
syn•a•gogue [`sɪnəgog] *s* synagoga
syn•chro•nize [`sɪŋkrənaɪz] *vi* przebiegać równocześnie; *vt* synchronizować
syn•o•nym [`sɪnənɪm] *s* synonim
syn•tax [`sɪntæks] *gram.* składnia
syn•the•sis [`sɪnθəsɪs] *s* (*pl* **syn•thes•es** [`sɪnθəsiz]) synteza
syn•thet•ic [sɪn`θetɪk] *adj* syntetyczny
syr•inge [sɪ`rɪndʒ] *s* strzykawka
syr•up [`sɪrəp] *s* syrop
sys•tem [`sɪstəm] *s* system; organizm; *anat.* układ
sys•tem•at•ic ['sɪstə`mætɪk] *adj* systematyczny

T

ta•ble [`teɪbl] *s* stół; tabela; płyta; **at ~** przy jedzeniu; *mat.* **multiplication ~** tabliczka mnożenia; **~ of contents** spis rzeczy; **lay <set> the ~** nakryć do stołu; **clear the ~** sprzątnąć ze stołu; *vt bryt.* przedstawiać
ta•ble•cloth [`teɪblkloθ] *s* obrus
tab•let [`tæblət] *s* tabletka; tabliczka; tablica (*pamiątkowa*); *bryt.* kostka (*mydła*)
tab•loid [`tæbloɪd] *s* pismo brukowe, brukowiec
ta•boo [tə`bu] *s* tabu; *adj* zakazany; **~ words** wyrazy nieprzyzwoite
ta•cit [`tæsɪt] *adj* milczący, cichy
tack [tæk] *s* pinezka; *vt* przypi-

nać pinezkami; *bryt.* fastrygować; *przen.* zmieniać kurs; ~ **sth on to** dołączyć coś do

tack•le [`tækl] *vt* borykać się (**sb <sth>** z kimś <czymś>); uporać się; przystąpić (**sth** do czegoś); *s* sprzęt (*rybacki*)

tact•ful [`tæktfʊl] *adj* taktowny

tac•ti•cal [`tæktɪkl] *adj* taktyczny

tac•tics [`tæktɪks] *s* taktyka

tact•less [`tæktlɪs] *adj* nietaktowny

tag [tæg] *s* metka; **name** ~ identyfikator

tail [teɪl] *s* ogon; *pl* **~s** frak; reszka; **heads or ~s?** orzeł czy reszka?; *vt* śledzić; *vi*: ~ **off** maleć; zamierać

tai•lor [`teɪlə(r)] *s* krawiec męski; *vt* dostosowywać, dopasowywać

taint [teɪnt] *vt* zanieczyszczać; plamić, brukać

take [teɪk], **took** [tʊk], **tak•en** [`teɪkən] *vt* brać; zabierać; zajmować; przyjmować (*ofertę*); podejmować (*decyzję*); mieścić, pomieścić; zażywać (*lekarstwo*); zdawać (*egzamin*); wsiadać (*do pociągu, do tramwaju*); robić (*zdjęcie*); *vi* działać; ~ **sth into account** brać coś pod uwagę; ~ **advantage** wykorzystać (**of sth** coś); ~ **care** troszczyć się (**of sth** o coś); ~ **a fancy** znaleźć upodobanie, polubić (**to sth** coś); ~ **hold** pochwycić (**of sth** coś); **be ~n ill** zachorować; ~ **interest** zainteresować się (**in sth** czymś); ~ **it easy!** nie przejmuj się!; ~ **part** brać udział (**in sth** w czymś); ~ **place** odbywać się; ~ **sb for a doctor** brać kogoś za lekarza; **it ~s time** to wymaga czasu; ~ **trouble** zadawać sobie trud; ~ **after** przypominać (*kogoś*); ~ **apart** rozbierać na części; ~ **away** zabierać; ~ **down** zapisać; zdemontować; ~ **in** przygarniać; zwężać (*ubranie*); przyjmować do wiadomości; oszukiwać; ~ **off** zdejmować (*ubranie*); naśladować; (*o samolocie*) wystartować; ~ **on** zatrudniać; brać na siebie (*obowiązki*); ~ **out** zabierać (*do teatru, do restauracji*); ~ **to sb <sth>** polubić kogoś <coś>; *s film.* ujęcie

tak•en *zob.* **take**

take•a•way [`teɪkəweɪ] *s bryt.* danie na wynos; restauracja z daniami na wynos

take•off [`teɪk of] *s* start (*samolotu*)

tale [teɪl] *s* opowieść; bajka; **fairy** ~ baśń

tal•ent [`tælənt] *s* talent

tal•ent•ed [`tæləntəd] *adj* utalentowany

tal•is•man [`tælɪzmən] *s* talizman

talk [tɔk] *vi* mówić, rozmawiać; *vt*: ~ **over** omawiać; ~ **nonsense** gadać bzdury; ~ **sb into sth** namówić kogoś do

czegoś; *s* rozmowa; pogadanka; wykład; **small ~** rozmowa o niczym; **give a ~** wygłaszać wykład <pogadankę>; *polit.* **the ~s** rozmowy
talk•a•tive [`tɔkətɪv] *adj* gadatliwy
talk•er [`tɔkə(r)] *s* gawędziarz; mówca
tall [tɔl] *adj* wysoki; **be six feet ~** mieć sześć stóp wzrostu
tame [teɪm] *adj* oswojony; *vt* oswajać
tam•per [`tæmpə(r)] *vi*: **~ with sth** majstrować przy czymś
tan [tæn] *s* opalenizna; *vt vi* opalać (się); **get a ~** opalić się
tan•gi•ble [`tændʒɪbl] *adj* namacalny, rzeczywisty, faktyczny
tan•gle [`tæŋgl] *vt vi* gmatwać, plątać (się); *s* plątanina; *pot.* **~ with sb** wdawać się w bójkę <kłótnię>
tank [tæŋk] *s* zbiornik; *woj.* czołg; **fish ~** akwarium
tan•ta•lize [`tæntəlɑɪz] *vt* dręczyć; zwodzić
tap [tæp] *s* kran; zawór; klepnięcie; (*o piwie*) **on ~** z beczki; *vt* klepać; **~ sb's telephone** zakładać podsłuch na czyjś telefon
tape [teɪp] *s* taśma; kaseta; **~ deck** magnetofon (*bez wzmacniacza*); **(sticky) ~** taśma samoprzylepna; **magnetic ~** taśma magnetyczna; *przen.* **red ~** biurokracja; *vt* nagrywać; przyklejać (*taśmą*)
tape re•cord•er [`teɪprɪkɔdə(r)] *s* magnetofon
tap•es•try [`tæpɪstrɪ] *s* dekoracyjne obicie; gobelin
tape•worm [`teɪpwɔrm] *s med.* tasiemiec
tar [tɑ(r)] *s* smoła; *vt* smołować
tar•get [`tɑgɪt] *s* cel; *przen.* obiekt
tar•iff [`tærɪf] *s* taryfa celna; *bryt.* cennik
tar•pau•lin [tɑ`pɔlɪn] *s* brezent
tar•ra•gon [`tærəgən] *s* estragon
tart [tɑt] *s* ciastko z owocami; *bryt. pejor.* dziwka; *adj* cierpki; *vt*: **~ up** *bryt. pot.* odstawiać; *vi* **~ o.s. up** stroić się
task [tɑsk] *s* zadanie; **set sb a ~** dać komuś zadanie; **take sb to ~** udzielać komuś nagany
taste [teɪst] *s* smak; zmysł smaku; **have a ~ of this cake** spróbuj tego ciasta; **in good <bad> ~** w dobrym <złym> guście; **to ~** do smaku; *vt* próbować, kosztować; *vi* mieć smak (**of sth** czegoś)
taste•ful [`teɪstfʊl] *adj* gustowny
taste•less [`teɪstlɪs] *adj* bez smaku; niesmaczny (*żart*); niegustowny
tast•y [`teɪstɪ] *adj* smaczny
tat•too [tə`tu] *s* tatuaż; *vt* tatuować
taught *zob.* **teach**
tav•ern [`tævən] *s* tawerna, karczma
tax [tæks] *s* podatek; *vt* opo-

datkowywać; *przen.* wystawiać na próbę; ~ **relief** ulga podatkowa; ~ **return** deklaracja podatkowa
tax•a•tion [tæk`seɪʃən] *s* opodatkowanie; podatki
tax-free ['tæks`fri] *adj* wolny od podatku
tax•i [`tæksɪ] *s* taksówka; *bryt.* ~ **rank** <*am.* **stand**> postój taksówek; *vi lotn.* kołować
tax•i•cab [`tæksɪkæb] *s* taksówka
tax•pay•er [`tækspeɪə(r)] *s* podatnik
tea [ti] *s* herbata; *bryt.* herbatka, podwieczorek
teach [titʃ], **taught, taught** [tɔt] *vt* uczyć (**sb sth** <**sth to sb**> kogoś czegoś); *przen.* ~ **sb a lesson** dać komuś nauczkę
teach•er [`titʃə(r)] *s* nauczyciel
tea•cup [`tikʌp] *s* filiżanka do herbaty
team [tim] *s* zespół; *sport.* drużyna; *pl* ~ **games** gry zespołowe
tea•pot [`tipot] *s* imbryk, czajniczek
tear[1] [tɪə(r)] *s* łza; **burst into ~s** wybuchnąć płaczem
tear[2] [teə(r)], **tore** [tɔ(r)], **torn** [tɔn] *vt vi* rwać (się), drzeć (się); ~ **apart** rozrywać; rozdzierać; ~ **out** wyrywać; ~ **up** porwać, podrzeć; ~ **to shreds** drzeć na strzępy; *s* rozdarcie, dziura
tear•ful [`tɪəfʊl] *adj* zapłakany
tease [tiz] *vt* dokuczać, drażnić
tea•spoon [`tispun] *s* łyżeczka do herbaty
teat [tit] *s* smoczek (*na butelkę*)
tech•ni•cal [`teknɪkl] *adj* techniczny; *bryt.* ~ **college** technikum
tech•nique [tek`nik] *s* technika (*sposób, metoda*)
tech•nol•o•gy [tek`nolədʒɪ] *s* technologia; technika
ted•dy (bear) [`tedɪbeə(r)] *s* (pluszowy) miś
te•di•ous [`tidɪəs] *adj* nużący
teem [tim] *vi* roić się; obfitować; **the book ~s with mistakes** w książce roi się od błędów; **it is ~ing down** leje jak z cebra
teen•ag•er [`tineɪdʒə(r)] *s* nastolatek, nastolatka
teens [tinz] *s pl*: **be in one's ~** mieć naście lat *pot.*
teeth *zob.* **tooth**
tee•to•tal [ti`təʊtl] *adj* niepijący
tee•to•tal•(l)er [ti`təʊtlə(r)] *s* abstynent
tel•e•gram [`telɪgræm] *s* telegram
tel•e•graph [`telɪgrɑf] *s* telegraf
te•lep•a•thy [tə`lepəθɪ] *s* telepatia
tel•e•phone [`telɪfəʊn] *s* telefon; **cellular** <**mobile**> ~ telefon komórkowy; **by** ~ telefonicznie; ~ **box** <**booth**> budka telefoniczna; **be on the** ~ rozmawiać przez telefon; *vt vi* telefonować (**sb** do kogoś)

tel•e•scope [ˋtelɪskəʊp] *s* teleskop; *vt* składać (*teleskopowo*)
Tel•e•text [ˋtelɪtekst] *s* telegazeta
tel•e•vise [ˋtelɪvɑɪz] *vt* transmitować w telewizji
tel•e•vi•sion [ˋtelɪvɪʒən] *s* telewizja; (*także* ~ **set**) telewizor; **cable** ~ telewizja kablowa; **on** ~ w telewizji
tel•ex [ˋteləks] *s* dalekopis, teleks; *vt vi* przesyłać teleksem
tell [tel], **told, told** [təʊld] *vt vi* mówić; opowiadać; kazać (**sb to do sth** komuś coś zrobić); odróżniać (**sth from sth** coś od czegoś); ~ **the time** podawać godzinę; ~ **the way** wskazywać drogę; ~ **sb off** zbesztać kogoś
tell•er [ˋtelə(r)] *s* kasjer (*bankowy*)
tell•ing [ˋtelɪŋ] *adj* wymowny, wiele mówiący
tell•tale [ˋtelteɪl] *adj* charakterystyczny (*np. o cechach*); *s* skarżypyta
tel•ly [ˋtelɪ] *s bryt. pot.* telewizja
tem•per [ˋtempə(r)] *s* usposobienie; nastrój, humor; **in a bad** ~ w złym humorze; **lose one's** ~ stracić panowanie nad sobą
tem•per•a•ment [ˋtemprəmənt] *s* temperament, usposobienie
tem•per•ate [ˋtemprɪt] *adj* umiarkowany
tem•pe•ra•ture [ˋtemprətʃə(r)] *s* temperatura; **have <run> a** ~ mieć gorączkę; **take sb's** ~ zmierzyć komuś gorączkę
tem•ple [ˋtempl] *s* świątynia; *anat.* skroń
tem•po [ˋtempəʊ] *s* tempo
tem•po•ral [ˋtempərl] *adj* ziemski, doczesny; świecki; czasowy
tem•po•ra•ry [ˋtemprərɪ] *adj* tymczasowy, przejściowy
tem•po•rize [ˋtempərɑɪz] *vi* grać na zwłokę
tempt [tempt] *vt* kusić, wabić; **be ~ed** mieć ochotę (**to do sth** coś zrobić)
temp•ta•tion [tempˋteɪʃən] *s* pokusa, kuszenie
ten [ten] *num* dziesięć
te•nac•i•ty [təˋnæsətɪ] *s* upór; nieustępliwość
ten•ant [ˋtenənt] *s* lokator; dzierżawca
tend [tend] *vi* mieć w zwyczaju; zmierzać, dążyć; doglądać
tend•en•cy [ˋtendənsɪ] *s* tendencja; skłonność; zwyczaj
ten•der [ˋtendə(r)] *adj* czuły; obolały; (*o mięsie*) miękki, kruchy; *handl.* oferta; *vt* składać (*ofertę*)
ten•don [ˋtendən] *s* ścięgno
ten•nis [ˋtenɪs] *s* tenis; **table** ~ tenis stołowy; ~ **player** tenisista
tense[1] [tens] *adj* napięty; spięty; *vt* napinać, naprężać
tense[2] [tens] *s gram.* czas
ten•sion [ˋtenʃən] *s* napięcie; naprężenie
tent [tent] *s* namiot
ten•ta•cle [ˋtentəkl] *s zool.* macka; czułek; *przen.* macka

ten•ta•tive [`tentətɪv] *adj* wstępny; niepewny
tenth [tenθ] *num* dziesiąty
tep•id [`tepɪd] *adj* letni, chłodny
term [tɜm] *s* kadencja; termin; semestr; fachowy termin; *pl* **~s** warunki; **be on good ~s** być w dobrych stosunkach (**with sb** z kimś); **in ~s of** pod względem; **come to ~s with** pogodzić się z; *vt* określać, nazywać
ter•mi•nal [`tɜmɪnl] *adj* (*o chorobie*) nieuleczalny; *s* dworzec lotniczy; *komp.* terminal
ter•mi•nate [`tɜmɪneɪt] *vt* kończyć; przerywać (*ciążę*); rozwiązywać (*umowę*)
ter•mi•na•tion ['tɜmɪ`neɪʃən] *s* zakończenie; wygaśnięcie, rozwiązanie; *med.* przerwanie ciąży
ter•mi•nol•o•gy ['tɜmɪ`nolədʒɪ] *s* terminologia
ter•mite [`tɜmaɪt] *s* termit
ter•race [`terəs] *s* taras; *bryt.* szereg segmentów jednorodzinnych
ter•ra•in [te`reɪn] *s* teren
ter•ri•ble [`terəbl] *adj* straszny, okropny
ter•rif•ic [tə`rɪfɪk] *adj* straszny, okropny; *pot.* wspaniały
ter•ri•fy [`terɪfaɪ] *vt* przerażać
ter•ri•to•ry [`terɪtərɪ] *s* terytorium
ter•ror [`terə(r)] *s* przerażenie, strach
ter•ror•ist [`terərɪst] *s* terrorysta
ter•ror•ize [`terəraɪz] *vt* terroryzować
terse [tɜs] *adj* lapidarny; lakoniczny
ter•tia•ry [`tɜʃərɪ] *adj* trzeciorzędny
test [test] *s* próba; badanie; sprawdzian, test; *vt* testować; badać; sprawdzać
tes•ta•ment [`testəmənt] *s* testament
tes•ti•fy [`testɪfaɪ] *vt vi* zeznawać; poświadczać
tes•ti•mo•ni•al [testɪ`məʊnɪəl] *s* *bryt.* referencje
tes•ti•mo•ny [`testɪmənɪ] *s* świadectwo; zeznanie
test tube [`testtjub] *s* probówka
tes•ty [`testɪ] *adj* rozdrażniony; drażliwy
text [tekst] *s* tekst
text•book [`tekstbʊk] *s* podręcznik
tex•tiles [`tekstaɪlz] *pl* wyroby tekstylne <włókiennicze>
tex•ture [`tekstʃə(r)] *s* faktura; struktura
than [ðæn, ðən] *conj* niż; **he is older ~ me** on jest ode mnie starszy
thank [θæŋk] *vt* dziękować (**for sth** za coś); **~ you (very much)** dziękuję (bardzo); **~ God!** dzięki Bogu!
thank•ful [`θæŋkfʊl] *adj* wdzięczny

thank•less [`θæŋklɪs] *adj* niewdzięczny

thanks [θæŋks] *pl* podziękowania; ~ **a lot** stokrotne dzięki; ~ **to** dzięki (*czemuś*)

that [ðæt] *adj pron* (*pl* **those** [ðəuz]) ten, tamten; to, tamto; który, którzy; kiedy, gdy; **who's ~?** kto to?; **the man ~ I met** człowiek, którego spotkałem; *conj* że; ażeby; **he knows ~ you are here** on wie, że tutaj jesteś; *adv* (aż) tak <taki>; **it isn't ~ bad** nie jest (aż) tak źle

thaw [θɔ] *vi* tajać, topnieć; *vt* topić, roztapiać; *s* odwilż

the [ðə, ðɪ] *rodzajnik <przedimek> określony*: **what was ~ result?** jaki był wynik?; ~ **best way** najlepszy sposób; (*w funkcji zaimka wskazującego*) **call ~ man** zawołaj tego człowieka; *adv*: **all ~ better** tym lepiej; ~ **sooner ~ better** im wcześniej, tym lepiej

thea•tre, *am.* **theater** [`θɪətə(r)] *s* teatr; **(operating) ~** sala operacyjna

the•at•ri•cal [θɪ`ætrɪkl] *adj* teatralny

theft [θeft] *s* kradzież

their [ðeə(r)] *adj* ich, swój; **they love ~ country** kochają swój kraj

theirs [ðeəz] *pron* ich; **it's ~** to jest ich

them [ðem, ðəm] *pron* im, ich, nich; **give ~ some** daj im trochę

theme [θim] *s* temat

them•selves [ðəm`selvz] *pron pl* się; sobie, siebie, sobą; sami

then [ðen] *adv* wtedy; następnie, potem; zresztą; *conj* a więc, zatem; **but ~** ale przecież; **by ~** do tego czasu; **from ~ on** od tego czasu; *adj attr* ówczesny

the•ol•o•gy [θɪ`olədʒɪ] *s* teologia

the•o•ret•i•cal [θɪə`retɪkl] *adj* teoretyczny

theo•ry [`θɪərɪ] *s* teoria; **in ~** teoretycznie

ther•a•pist [`θerəpɪst] *s* terapeuta

ther•a•py [`θerəpɪ] *s* terapia

there [ðeə(r), ðə(r)] *adv* tam; ~ **is** jest; ~ **are** są; istnieje, istnieją; **from ~** stamtąd; **over ~** tam, po drugiej stronie; **~ ~!** (no) już dobrze!

there•a•bouts ['ðeə`baʊts] *adv* w okolicy; niedaleko; coś koło tego, mniej więcej

there•by ['ðeə`baɪ] *adv* przez to; tym samym; skutkiem tego

there•fore [`ðeəfɔ(r)] *adv* dlatego (też), zatem

ther•mal [`θɜml] *adj* cieplny; termiczny

ther•mom•e•ter [θə`momɪtə(r)] *s* termometr

ther•mos [`θɜməs] *s* (*także* **~ flask**) termos

these *zob.* **this**

the•sis [`θisɪs] *s* (*pl* **theses** [`θisiz]) teza; rozprawa <praca> (*doktorska*)

they [ðeɪ] *pron* oni, one
they'd [ðeɪd] *skr. od* **they had**, *skr. od* **they should**, *skr. od* **they would**
they'll [ðeɪl] *skr. od* **they shall**, *skr. od* **they will**
they're [ðeə(r)] *skr. od* **they are**
they've [ðeɪv] *skr. od* **they have**
thick [θɪk] *adj* gruby; gęsty; tępy
thick•en [ˈθɪkən] *vt* zagęszczać; *vi* gęstnieć
thick•et [ˈθɪkɪt] *s* gąszcz, zarośla
thick-skinned [ˈθɪkˈskɪnd] *adj* gruboskórny
thief [θif] *s* (*pl* **thieves** [θivz]) złodziej
thieves *zob.* **thief**
thigh [θaɪ] *s anat.* udo
thin [θɪn] *adj* cienki; chudy; rzadki; *adv* cienko; *vt* rozcieńczać; *vi* przerzedzać się
thing [θɪŋ] *s* rzecz; sprawa; *pl* **~s** rzeczy; **poor (little) ~!** biedactwo!; **first ~ in the morning** z samego rana; **how are ~s (going)?** co słychać?; **the ~ is** chodzi o to, że; **for one ~** po pierwsze, przede wszystkim
think [θɪŋk], **thought, thought** [θɔt] *vt vi* myśleć (**about <of> sth** o czymś); sądzić; **~ sb silly** uważać kogoś za głupca; **~ over** przemyśleć; rozważyć ponownie; **~ up** wymyślić
think•ing [ˈθɪŋkɪŋ] *s* myślenie; opinia
third [θɜd] *adj* trzeci
third•ly [ˈθɜdlɪ] *adv* po trzecie
thirst•y [ˈθɜstɪ] *adj* spragniony
thir•teen [ˈθɜˈtin] *num* trzynaście
thir•teenth [ˈθɜˈtinθ] *adj* trzynasty
thir•ti•eth [ˈθɜtɪəθ] *adj* trzydziesty
thir•ty [ˈθɜtɪ] *num* trzydzieści; **the thirties** lata trzydzieste
this [ðɪs] *adj pron* (*pl* **these** [ðiz]) ten, ta, to; **~ man** ten człowiek; **~ morning <evening>** dziś rano <wieczór>; **~ way** tędy
this•tle [ˈθɪsl] *s* oset
thorn [θɔn] *s* cierń, kolec
thor•ough [ˈθʌrə] *adj* gruntowny; (*o osobie*) skrupulatny
thor•ough•fare [ˈθʌrəfeə(r)] *s* arteria komunikacyjna; *bryt.* **no ~** przejazd zabroniony
thor•ough•ly [ˈθʌrəlɪ] *adv* gruntownie
those *zob.* **that**
though [ðəʊ] *conj* chociaż; **as ~** jak gdyby; *adv* jednak
thought[1] *zob.* **think**
thought[2] [θɔt] *s* myśl; namysł; *pl* **~s** zdanie, opinia; **on second ~s** po namyśle; **be lost in ~** być pogrążonym w myślach
thought•ful [ˈθɔtfʊl] *adj* zamyślony; troskliwy
thought•less [ˈθɔtlɪs] *adj* bezmyślny
thou•sand [ˈθaʊzənd] *num* tysiąc
thou•sandth [ˈθaʊzənθ] *adj* tysięczny

thread [θred] *s* nić; wątek; gwint; *vt* nawlekać
thread•bare [`θredbeə(r)] *adj* wytarty, przetarty
threat [θret] *s* groźba; zagrożenie
threat•en [`θretn] *vi* grozić, zagrażać; grozić (**sb with sth** komuś czymś)
three [θri] *num* trzy
three•fold [`θrifəʊld] *adj* potrójny; trzykrotny; *adv* potrójnie; trzykrotnie
thresh•old [`θreʃhəʊld] *s* próg; *przen.* **be on the ~ of** być u progu
threw *zob.* **throw**
thrift•y [`θrɪftɪ] *adj* oszczędny, gospodarny
thrill [θrɪl] *s* dreszcz; dreszczyk emocji; *vt* przejmować dreszczem, ekscytować; *vi* drżeć, dygotać (*z emocji*)
thrill•er [`θrɪlə(r)] *s* dreszczowiec
throat [θrəʊt] *s* gardło; **I have a sore ~** boli mnie gardło; **clear one's ~** odchrząknąć
throne [θroʊn] *s* tron
through [θru] *praep* przez, poprzez; z powodu, dzięki; *adv* bezpośrednio, prosto; **~ and ~** całkowicie; *am.* **(from) Monday ~ Friday** od poniedziałku do piątku włącznie; **be ~** mieć połączenie (*telefoniczne*); skończyć (**with sb <sth>** z kimś <czymś>); **let sb ~** przepuszczać kogoś; **put sb ~** połączyć kogoś telefonicznie (**to sb** z kimś); *adj* bezpośredni; **a ~ train** pociąg bezpośredni
through•out [θru`aʊt] *praep* w całym (*np. domu*); przez cały (*np. dzień*); **~ his life** przez całe (swoje) życie; *adv* wszędzie; pod każdym względem
throw [θrəʊ], **threw** [θru], **thrown** [θrəʊn] *vt* rzucać; zrzucać; **~ a glance** rzucić okiem (**at sb** na kogoś); **~ open** otwierać na oścież; **~ away** odrzucać; trwonić; **~ off** zrzucać; pozbywać się (**sth** czegoś); **~ out** wyrzucać, wypędzać; odrzucać; rzucać (*pomysły*); *pot.* **~ up** wymiotować; *s* rzut
thru [θru] *am. zob.* **through**
thrust [θrʌst] *vt* pchać; *s* pchnięcie; *techn.* ciąg; *przen.* kierunek, cel
thud [θʌd] *s* łomot
thumb [θʌm] *s* kciuk; *vt*: **~ a lift** zatrzymywać samochody (*w autostopie*); **~ through** kartkować
thun•der [`θʌndə(r)] *s* grzmot; *vi* grzmieć
thun•der•bolt [`θʌndəbəʊlt] *s* piorun
thun•der•storm [`θʌndəstɔm] *s* burza z piorunami
Thurs•day [`θɜzdɪ] *s* czwartek
thus [ðʌs] *adv* tak, w ten sposób; **~ far** dotąd; do tego stopnia
tick [tɪk] *vt vi* (*o zegarze*) tykać; *pot.* odfajkować, odhaczyć; **what**

makes him ~? co jest motorem jego działania?; *s* tykanie; *pot.* ptaszek, odfajkowanie; *bryt.* chwilka; *zool.* kleszcz; *bryt. pot.* **buy sth on ~** kupować coś na kredyt

tick•et [ˋtɪkɪt] *s* bilet; etykieta, metka; paragon; mandat; **single <return> ~** bilet w jedną stronę <powrotny>; **~ office** kasa biletowa

tick•le [ˋtɪkl] *vt vi* łaskotać; *przen.* bawić; *vi* swędzić

tide [taɪd] *s* pływ (*morza*); *przen.* fala; **high <low> ~** przypływ <odpływ>

ti•dy [ˋtaɪdɪ] *adj* czysty, schludny, porządny; *vt* (*także* **~ up**) porządkować, sprzątać

tie [taɪ] *s* krawat; wiązanie; *przen.* więź; *sport.* remis; *vt* wiązać, łączyć; zawiązywać; **~ up** związywać, krępować

ti•ger [ˋtaɪgə(r)] *s* tygrys

tight [taɪt] *adj* napięty; obcisły; ciasny; mocny; *adv* ciasno; szczelnie; mocno; *s pl* **~s** rajstopy

tight•en [ˋtaɪtn] *vt* ściskać, zaciskać; napiąć, naprężyć

tile [taɪl] *s* dachówka; kafelek; *vt* wykładać kafelkami

till[1] [tɪl] *praep* do, aż do; *conj* aż; *zob.* **until**

till[2] [tɪl] *s* kasa (*sklepowa*)

tim•ber [ˋtɪmbə(r)] *s* drewno

time [taɪm] *s* czas; godzina, pora; raz; **spare <free> ~** czas wolny; **all the ~** cały czas; **a long ~ ago** dawno temu; **at ~s** czasami; **at the same ~** równocześnie; **for the ~ being** na razie, chwilowo; **in ~** na czas; z czasem; **many ~s** wielokrotnie, często; **most of the ~** przeważnie; najczęściej; **once upon a ~** pewnego razu; **one at a ~** pojedynczo; **on ~** na czas (*o czasie*); **~ is up** czas upłynął; **have a good ~** dobrze się bawić; **take one's ~** nie spieszyć się; **what ~ is it?, what is the ~?** która godzina?; *vt* wyznaczać czas; mierzyć czas

time•ly [ˋtaɪmlɪ] *adj* w porę

time•ta•ble [ˋtaɪmteɪbl] *s* rozkład jazdy; *szk.* plan lekcji, program, plan

tim•id [ˋtɪmɪd] *adj* nieśmiały; bojaźliwy

tin [tɪn] *s* cyna; puszka; blacha do pieczenia; *vt* wkładać do puszek

tin•ned [tɪnd] *adj* konserwowy

tin o•pen•er [ˋtɪnəʊpnə(r)] *s bryt.* otwieracz do konserw

tint [tɪnt] *s* odcień, zabarwienie; *vt* farbować

ti•ny [ˋtaɪnɪ] *adj* drobny, malutki

tip[1] [tɪp] *s* koniuszek, czubek; **on the ~ of one's tongue** na końcu języka

tip[2] [tɪp] *s* rada, wskazówka; napiwek; *vt vi* dawać napiwek; przechylać; wysypywać; *pot.* **~ off** dawać cynk

tip•sy [`tɪpsɪ] *adj pot.* wstawiony
tip•toe [`tɪptəʊ] *s*: **on ~** na palcach; *vt* chodzić na palcach
tip•top [`tɪp`top] *s pot.* szczyt (*doskonałości*); *adj* super
tire[1] [`taɪə(r)] *vt vi* męczyć (się)
tire[2], *am.* **tyre** [`taɪə(r)] *s* opona
tired [`taɪəd] *adj* zmęczony (**of sth** czymś); **be sick and ~ of sth** mieć czegoś dość <po uszy>
tire•less [`taɪəlɪs] *adj* niestrudzony
tire•some [`taɪəsəm] *adj* męczący, dokuczliwy
tis•sue [`tɪʃu] *s* tkanka; chusteczka higieniczna; **~ paper** bibułka
tit [tɪt] *s* sikorka; *wulg.* cycek; **~ for tat** wet za wet
ti•tle [`taɪtl] *s* tytuł; *prawn.* **~ to...** tytuł do...
ti•tled [`taɪtəld] *adj* zatytułowany; utytułowany
to [tu, tə] *praep* (*kierunek*) do, ku; **go to Poland** jechać do Polski; **to me** według mnie; **to the right** na prawo; **to this day** do dzisiejszego dnia; (*stosunek*) dla, na, wobec; **he is good to me** on jest dla mnie dobry; (*wynik*) ku; **to my surprise** ku memu zdziwieniu; (*cel*) żeby, ażeby; **man eats to live** człowiek je, ażeby żyć; (*tłumaczy się celownikiem*) **give it to me** daj mi to; (*z czasownikiem w bezokoliczniku*) **to see** widzieć; **I want to eat** chcę jeść; *adv*: **to and fro** tam i z powrotem
toad [təʊd] *s* ropucha
toad•stool [`təʊdstul] *s* muchomor
toast [təʊst] *s* grzanka, tost; toast; *vt* opiekać; wznosić toast (**sb** na czyjąś cześć)
to•bac•co [tə`bækəʊ] *s* tytoń
to•day [tə`deɪ] *adv* dziś; *s* dzień dzisiejszy; dzisiejsze czasy
tod•dle [`todl] *vi* dreptać
tod•dler [`todlə(r)] *s* berbeć, szkrab
toe [təʊ] *s* palec (*u nogi*)
to•geth•er [tə`geðə(r)] *adv* razem; **get ~** gromadzić się; **~ with sth** razem z czymś
toil•et [`toɪlət] *s* toaleta; **~ paper <tissue>** papier toaletowy
to•ken [`təʊkən] *s* znak; pamiątka; talon; żeton; *adj* symboliczny
told *zob.* **tell**
tol•e•ra•ble [`tolərəbl] *adj* znośny
tol•e•rance [`tolərəns] *s* tolerancja
tol•e•rate [`toləreɪt] *vt* tolerować, znosić
toll[1] [təʊl] *s* opłata (*za przejazd*); liczba ofiar; **~ road** droga z płatnym przejazdem
toll[2] [təʊl] *vi* (*o dzwonie*) bić
to•ma•to [tə`mɑtəʊ, *am.* tə`meɪtəʊ] *s* pomidor
tomb [tum] *s* grobowiec
to•mor•row [tə`morəʊ] *adv* ju-

tro; *s* jutro; **the day after ~** pojutrze
tone [toʊn] *s* ton; sygnał (*w telefonie*); *vt*: **~ down** tonować, łagodzić
tongs [toŋz] *s pl* szczypce, obcęgi
tongue [tʌŋ] *s* język; *kulin.* ozór; **mother ~** język ojczysty; **slip of the ~** przejęzyczenie; **hold one's ~** trzymać język za zębami
ton•ic [ˋtonɪk] *s* (*także* **~ water**) tonik
to•night [təˋnɑɪt] *adv* dziś w nocy <wieczorem>; *s* dzisiejsza noc; dzisiejszy wieczór; **(I'll) see you ~** do zobaczenia wieczorem
tonne [tʌn] *s* tona
ton•sil [ˋtonsɪl] *s anat.* migdałek
ton•sil•li•tis [ˈtonsɪˋlɑɪtɪs] *s* zapalenie migdałków
too [tu] *adv* zbyt, za; też, także; **it's ~ small** to jest za małe; **you're ~ kind** jesteś bardzo uprzejmy; **I like it ~** ja też to lubię
took *zob.* **take**
tool [tul] *s* narzędzie; **~ kit** zestaw narzędzi
toot [tut] *vi* trąbić (*klaksonem*); *s* trąbienie (*klaksonu*)
tooth [tuθ] *s* (*pl* **teeth** [tiθ]) ząb; **have a sweet ~** przepadać za słodyczami; **by the skin of one's teeth** o mały włos
tooth•ache [ˋtuθeɪk] *s* ból zęba
tooth•brush [ˋtuθbrʌʃ] *s* szczoteczka do zębów
tooth•paste [ˋtuθpeɪst] *s* pasta do zębów
tooth•pick [ˋtuθpɪk] *s* wykałaczka
top [top] *s* szczyt; wierzchołek; zakrętka; wieczko; blat; (*o ubraniu*) góra; bąk (*zabawka*); **be at the ~** być najlepszym **(in the class** w klasie); *adj* najwyższy; *vt vi* znajdować się na czele; wznosić się; przewyższać; pokrywać od góry; *pot.* **go over the ~** przesadzić, przeholować; **~ hat** cylinder
top•ic [ˋtopɪk] *s* temat
top•i•cal [ˋtopɪkl] *adj* aktualny, bieżący
top•most [ˋtopməʊst] *adj* najwyższy
top•ple [ˋtopl] *vt* (*także* **~ down** **<over>**) powalić; *vi* zwalić się
top-se•cret [ˈtopˋsikrɪt] *adj* ściśle tajny
top•sy-tur•vy [ˈtopsɪˋtɜvɪ] *adv* do góry nogami; *adj* przewrócony do góry nogami
torch [tɔtʃ] *s bryt.* latarka; pochodnia
tore *zob.* **tear**[2]
torn *zob.* **tear**[2]
tor•ment [ˋtɔment] *s* męczarnia, męka; *vt* [tɔˋment] męczyć, dręczyć
tor•na•do [tɔˋneɪdəʊ] *s* tornado
tor•so [ˋtɔsəʊ] *s* tors, tułów
tor•toise [ˋtɔtəs] *s* żółw
tor•ture [ˋtɔtʃə(r)] *adj* tortury;

przen. tortura, męczarnia; *vt* torturować; *przen.* zadręczać
toss [tos] *vt* rzucać; podrzucać; przewracać; (*także* ~ **up**, ~ **a coin**) rzucać monetą
tot [tot] *s bryt. pot.* brzdąc; kropelka (*alkoholu*); *vt bryt. pot.* ~ **up** podliczać, sumować
to•tal [ˈtəʊtl] *adj* całkowity, totalny; *s* suma, wynik; **in** ~ w sumie; *vt vi* sumować; wynosić (*w sumie*)
to•tal•i•tar•i•an [toʊˈtælɪˈteərɪən] *adj* totalitarny
to•tal•i•ty [təʊˈtælɪtɪ] *s* całość; ogół
touch [tʌtʃ] *vt vi* dotykać (się); poruszać; wzruszać; ~ **down** lądować; ~ **on** poruszać (*temat*); *s* dotyk; dotknięcie; **get in** ~ skontaktować się; **keep in** ~ utrzymywać kontakt (**with sb** z kimś); ~ **wood!** odpukać (w nie malowane drewno)!
touch•and•go [ˈtʌtʃənˈgəʊ] *adj* niepewny
touch•ing [ˈtʌtʃɪŋ] *adj* wzruszający
touch•y [ˈtʌtʃɪ] *adj* drażliwy; przewrażliwiony
tough [tʌf] *adj* twardy, mocny; wytrzymały; *przen.* trudny; ~ **luck!** trudno!
tough•en [ˈtʌfən] *vt* hartować, wzmacniać; utwardzać
tour [tʊə(r)] *s* podróż (**of Europe** po Europie); wycieczka (*objazdowa*); tournée; **on** ~ w trasie; na tournée; *vt vi* objeżdżać; zwiedzać
tour•is•m [ˈtʊərɪzm] *s* turystyka
tour•ist [ˈtʊərɪst] *s* turysta; ~ **class** klasa turystyczna; ~ **office** biuro turystyczne
tow [təʊ] *vt* holować; *s* holowanie; **take sth in** ~ brać coś na hol
to•ward(s) [təˈwɔdz] *praep* ku, w kierunku; wobec, w stosunku do; (*o czasie*) około
tow•el [ˈtaʊəl] *s* ręcznik; **sanitary** ~ podpaska higieniczna
tow•er [ˈtaʊə(r)] *s* wieża; *vi* wznosić się (**over sth** nad czymś)
town [taʊn] *s* miasto; **out of** ~ na prowincji
tox•ic [ˈtoksɪk] *adj* toksyczny, trujący
toy [toɪ] *s* zabawka; *vt* bawić się (**with sth** czymś)
trace [treɪs] *s* ślad; *vt* odnaleźć (*po śladach*); śledzić, iść śladem; kalkować
track [træk] *s* ślad; szlak, ścieżka; tor (*wyścigowy*); bieżnia; *pl* ~**s** tory kolejowe; **keep** ~ śledzić (*bieg wydarzeń*); **lose** ~ stracić kontakt (**of sb <sth>** z kimś <czymś>); *vt* tropić; ~ **down** wytropić
tract [trækt] *s* przestrzeń; traktat; **respiratory** ~ drogi oddechowe
trade [treɪd] *s* handel; branża; zawód; **by** ~ z zawodu; **home <foreign>** ~ handel wewnę-

trzny <zagraniczny>; ~ **name** nazwa firmowa; ~ **union** związek zawodowy; *vi* handlować (**in sth** czymś, **with sb** z kimś); wymieniać (**sth for sth** coś za coś)

trade•mark [ˋtreɪdmɑk] *s* znak fabryczny

trad•er [ˋtreɪdə(r)] *s* handlowiec, kupiec

tra•di•tion [trəˋdɪʃən] *s* tradycja

tra•di•tion•al [trəˋdɪʃənl] *adj* tradycyjny

traf•fic [ˋtræfɪk] *s* komunikacja; ruch uliczny; transport; handel (*narkotykami*); ~ **jam** korek uliczny; ~ **lights** sygnalizacja świetlna; ~ **regulations** przepisy drogowe; *am.* ~ **circle** rondo; ~ **sign** znak drogowy

trag•e•dy [ˋtrædʒədɪ] *s* tragedia

tra•gic [ˋtrædʒɪk] *adj* tragiczny

trail [treɪl] *s* ślad; trop; szlak; smuga; *vt* ciągnąć; wlec; tropić; *vi* ciągnąć się; wlec się

trail•er [ˋtreɪlə(r)] *s* przyczepa; *am.* przyczepa kempingowa; *film.* zwiastun

train [treɪn] *s* pociąg; sznur (*ludzi, wozów*); tren; **go by** ~ jechać pociągiem; **slow <fast>** ~ pociąg osobowy <pośpieszny>; *vt vi* szkolić (się); trenować; tresować

train•er [ˋtreɪnə(r)] *s* trener; treser; but sportowy, adidas

train•ing [ˋtreɪnɪŋ] *s* szkolenie; trening, ćwiczenia; tresura

trait [treɪt] *s* cecha, rys

trai•tor [ˋtreɪtə(r)] *s* zdrajca

tram [træm] *s* tramwaj

tramp [træmp] *vt vi* włóczyć się; przemierzać; *s* włóczęga

tram•ple [ˋtræmpl] *vt* deptać; podeptać (**on sth** coś)

tran•quil [ˋtræŋkwɪl] *adj* spokojny

tran•quil•lizer [ˋtræŋkwɪlɑɪzə(r)] *s* środek uspokajający

trans•ac•tion [trænˋzækʃən] *s* transakcja

tran•scend [trænˋsend] *vt* wykraczać poza

trans•scrip•tion [trænsˋskrɪpʃən] *s* transkrypcja

trans•fer [trænsˋfɜ(r)] *vt vi* przenosić (się); przesiadać się; przekazywać (*prawo własności*); *s* [ˋtrænsfɜ(r)] przeniesienie; przelew (*pieniężny*)

trans•form [trænsˋfɔm] *vt* przekształcać

trans•fu•sion [trænsˋfjuʒən] *s* transfuzja; **blood** ~ transfuzja krwi

trans•gress [trænzˋgres] *vt* przekraczać; naruszać (*przepisy*)

tran•sit [ˋtrænzɪt] *s* tranzyt; przejazd; ~ **visa** wiza tranzytowa

tran•si•tion [trænˋzɪʃn] *s* przejście; okres przejściowy

trans•late [trænsˋleɪt] *vt* tłumaczyć (**from Polish** z polskiego, **into English** na angielski)

trans•la•tion [trænsˋleɪʃən] *s* tłumaczenie

trans•la•tor [trænsˋleɪtə(r)] *s* tłumacz

trans•mis•sion [trænz`mɪʃən] *s* transmisja; przekazywanie; *techn.* przekładnia

trans•mit [trænz`mɪt] *vt* przesyłać, transmitować; nadawać; przenosić (*chorobę*)

trans•mit•ter [trænz`mɪtə(r)] *s* przekaźnik

trans•par•ent [træn`spærənt] *adj* przezroczysty; przejrzysty

trans•plant [træns`plɑnt] *vt* przesadzać (*rośliny*); przeszczepiać (*organy*); *s* [`trænsplənt] przeszczep

trans•port [`trænspɔt] *s* transport; **public ~** komunikacja miejska; *vt* [træn`spɔt] przewozić

trans•por•ta•tion ['trænspɔ`teɪʃən] *s am.* transport, przewóz

trap [træp] *s* pułapka; sidła; zasadzka; *vt* łapać w pułapkę; przytrzasnąć

trash [træʃ] *s* tandeta; szmira; bzdury; *am.* śmieci; *am.* hołota; **~ can** kosz na śmieci

trau•ma [`trɔmə] *s* bolesne przeżycie; *med.* uraz

trav•el [`trævl] *vi* podróżować; jechać; poruszać się; rozchodzić się; *vt* przejeżdżać (*odległość*); *s* podróżowanie, podróż; **~ agency <bureau>** biuro podróży

trav•el•(l)er [`trævlə(r)] *s* podróżny; podróżnik; **~'s cheque <check>** czek podróżny

trav•el•(l)ing [`trævəlɪŋ] *adj* podróżny; wędrowny; objazdowy; **~ expenses** koszty podróży; *s* podróżowanie

trav•es•ty [trævəstɪ] *s* parodia

tray [treɪ] *s* taca

treach•e•ry [`tretʃərɪ] *s* zdrada

tread [tred], **trod** [trod], **trod•den** [trodn] *vi* stąpać; *vt* deptać; *s* chód; stopień (*schodów*); *mot.* bieżnik

trea•son [`trizn] *s* zdrada stanu

treas•ure [`treʒə(r)] *s dosł. przen.* skarb; *vt* wysoko cenić

treat [trit] *vt* traktować; obchodzić się (**sth** z czymś); uważać (**sth as sth** coś za coś); leczyć (**sb for sth** kogoś na coś); stawiać (**sb to sth** komuś coś); *s* przyjemność; poczęstunek

treat•ment [`tritmənt] *s* traktowanie, obchodzenie się; leczenie; **be under ~** być leczonym

trea•ty [`tritɪ] *s* traktat

tree [tri] *s* drzewo

trek [trek] *s* wędrówka; wyprawa; *vi* wędrować

tremble [`trembl] *vi* trząść się; dygotać; drżeć; **~ with anger** trząść się z gniewu; *s* drżenie

tre•men•dous [trɪ`mendəs] *adj* ogromny, olbrzymi; wspaniały

trench [trentʃ] *s* rów; okop; **~ coat** trencz (*płaszcz*)

trend [trend] *s* trend, tendencja

tres•pass [`trespəs] *vi*: **~ on private property** wkraczać na teren prywatny

tres•pass•er [`trespəsə(r)] *s* osoba wkraczająca na teren prywatny bez zgody właściciela

tri•al [`traıl] *s prawn.* proces; próba; utrapienie; **on ~** na próbę; **~ period** okres próbny; **put to ~** poddawać próbie
tri•an•gle [`traıæŋgl] *s* trójkąt
tri•an•gu•lar [traı`æŋgjulə(r)] *adj* trójkątny
tribe [`traıb] *s* plemię
trib•ute [`trıbjut] *s* hołd; uznanie; wyrazy uznania; danina; **pay ~ to** wyrażać uznanie dla
trick [trık] *s* sztuczka; figiel; lewa (*w kartach*); **play a ~** spłatać figla (**on sb** komuś); **do ~s** pokazywać sztuczki; *vt* oszukiwać
trick•e•ry [`trıkərı] *s* oszustwo
trick•y [`trıkı] *adj* skomplikowany; podstępny
tri•fle [`traıfl] *s* drobnostka, drobiazg; *vi* traktować lekceważąco (**with sb <sth>** kogoś <coś>)
trig•ger [`trıgə(r)] *s* spust; cyngiel; *vt*: **~off** wywoływać
trim [trım] *vt* przycinać, przystrzygać; ozdabiać (**with sth** czymś); *s* podcięcie, przystrzyżenie; *adj* szczupły; (*o ogrodzie*) zadbany
trip [trıp] *vi* potykać się (**over sth** o coś); *s* wycieczka; podróż; **go on a business ~** wyjechać w podróż służbową
triple [`trıpl] *adj* potrójny; *vt* potroić
tri•umph [`traıəmf] *s* tryumf; *vi* tryumfować
triv•i•al [`trıvıəl] *adj* błahy; pospolity, banalny
trol•ley [`trolı] *s* wózek (*sklepowy*); stolik na kółkach; (*także* **~ bus**) trolejbus
trom•bone [trom`bəʊn] *s muz.* puzon
troop [trup] *s* grupa, gromada; stado; oddział wojska; *teatr.* trupa; *pl* **~s** wojsko
tro•phy [`trəʊfı] *s* trofeum
trop•ic [`tropık] *s* zwrotnik; *pl* **the ~s** tropik, tropiki
trop•ical [`tropıkl] *adj* tropikalny; zwrotnikowy
trot [trot] *s* trucht; kłus; *vi* biec truchtem; kłusować; **~ out** recytować, klepać
trou•ble [`trʌbl] *s* kłopot; zamieszki; **be in ~** mieć kłopoty; **get into ~** popaść w tarapaty; *vt* niepokoić; martwić; *vi*: **~ to do sth** zadawać sobie trud zrobienia czegoś
trou•ble•some [`trʌblsəm] *adj* kłopotliwy, uciążliwy
trou•sers [`traʊzəz] *s pl* spodnie
trout [traʊt] *s* pstrąg
tru•ant [`truənt] *s* wagarowicz; *bryt.* **play ~** iść na wagary
truck [trʌk] *s* samochód ciężarowy; wózek (*na bagaż*)
true [tru] *adj* prawdziwy; wierny (**to sb <sth>** komuś <czemuś>); **come ~** sprawdzić się; spełnić się; **it's ~** to prawda
tru•ly [`trulı] *adv* prawdziwie, wiernie; naprawdę; **~ yours** (*w liście*) z poważaniem

trump [trʌmp] *s* atut; *vt* przebić atutem
trum•pet [\`trʌmpɪt] *s* trąbka
trun•cheon [\`trʌntʃən] *s bryt.* pałka policyjna
trunk [trʌŋk] *s* pień; kufer; trąba słonia; tułów; *am.* bagażnik; *pl* ~**s** kąpielówki; *bryt.* ~ **road** główna droga, magistrala
trust [trʌst] *s* zaufanie; wiara, ufność; *ekon.* trust; *vi* ufać, wierzyć (**sb** komuś)
trust•ee [trʌs\`ti] *s* powiernik; członek zarządu
trust•ful [\`trʌstfʊl] *adj* ufny
trust•wor•thy [\`trʌstwɜðɪ] *adj* godny zaufania
trust•y [\`trʌstɪ] *adj* wierny; sprawdzony
truth [truθ] *s* prawda; **in** ~ w rzeczywistości; **tell the** ~ mówić prawdę
truth•ful [\`truθfʊl] *adj* prawdomówny; zgodny z prawdą
try [trɑɪ] *vt* próbować; sądzić (**sb for sth** kogoś za coś); *vi* usiłować; starać się; ~ **on** przymierzać; ~ **out** wypróbować; *s* próba; usiłowanie; **have a** ~ próbować
tub [tʌb] *s* kadź; balia; wanna
tube [tjub] *s* tuba; rur(k)a; dętka; tubka; *anat.* przewód; *bryt. pot.* metro
tu•ber•cu•lo•sis [tju'bɜkjʊ\`ləʊsɪs] *s* gruźlica
Tues•day [\`tjuzdɪ] *s* wtorek
tug [tʌg] *vt vi* ciągnąć; holować; szarpać; *s* holownik
tu•i•tion [tju\`ɪʃən] *s bryt.* nauka; *am.* czesne
tu•lip [\`tjulɪp] *s* tulipan
tum•my [\`tʌmɪ] *s pot.* brzuch
tu•mo(u)r [\`tjumə(r)] *s med.* guz
tu•na [\`tjunə] *s* (*także* ~ **fish**) tuńczyk
tune [tjun] *s* ton; melodia; **be in** ~ (*o instrumencie*) być nastrojonym; śpiewać <grać> czysto; **be out of** ~ (*o instrumencie*) być rozstrojonym; fałszować; *vt vi* stroić; regulować (*silnik*); ~ **in** nastawiać (*odbiornik*)
tun•nel [\`tʌnl] *s* tunel; *vt* przekopywać tunel
tun•ny [\`tʌnɪ] *s* tuńczyk
tur•bu•lent [\`tɜbjulənt] *adj* niespokojny; gwałtowny; burzliwy
Turk [tɜk] *s* Turek
tur•key [\`tɜkɪ] *s* indyk
Turk•ish [\`tɜkɪʃ] *adj* turecki; *s* język turecki
tur•moil [\`tɜmoɪl] *s* zamieszanie, wrzawa
turn [tɜn] *vt vi* obracać (się); odwracać (się); przewracać (się); zwracać (się); skręcać; ~ **the corner** skręcić na rogu (*ulicy*); ~ **pale** zblednąć; ~ **forty** skończyć czterdzieści lat; ~ **right <left>** skręcać w prawo <lewo>; ~ **back** odwracać się (*tyłem*); zawracać; ~ **down** przyciszać (*radio*); odrzucać (*ofertę*); ~ **off** zakręcać (*kran*); wyłączać (*światło, radio*); skręcać (*w drogę podrzędną*); ~ **on**

odkręcać (*kran*); włączać (*światło, radio*); nastawić; **~ out** wyłączać (*światło*); opróżniać (*kieszenie*); okazać się; **he ~ed out (to be) a nice boy** okazał się (być) miłym chłopcem; **~ up** pogłaśniać; podkręcać; pojawiać się; *s* obrót, zwrot; zakręt; kolej; **it's my ~** teraz na mnie kolej; **at every ~** przy każdej sposobności; **in <by> ~s** po kolei

turn•a•bout [`tɜnəbaʊt] *s przen.* zwrot o 180 stopni

turn•coat [`tɜnkəʊt] *s* renegat

turn•ing [`tɜnɪŋ] *s* zakręt; **take the first ~ on the left** skręcić w pierwszą (ulicę) w lewo; **~ point** punkt zwrotny

turn•out [`tɜnaʊt] *s* zgromadzenie, frekwencja

turn•o•ver [`tɜnəʊvə(r)] *s handl.* obroty; fluktuacja (*kadr*); *kulin.* rolada owocowa

turn•pike [`tɜnpaɪk] *s am.* autostrada (*zw. płatna*)

tur•pen•tine [`tɜpəntaɪn] *s* terpentyna

tur•quoise [`tɜkwoɪz] *s* turkus

tur•ret [`tʌrɪt] *s* wieżyczka

tur•tle [`tɜtl] *s* żółw wodny

tu•tor [`tjutə(r)] *s bryt.* korepetytor; wykładowca

tux•e•do [tʌk`sidəʊ] *s am.* smoking

tweed [twid] *s* tweed

twee•zers [`twizəz] *s pl* pinceta

twelfth [twelfθ] *adj* dwunasty

twelve [twelv] *num* dwanaście

twen•ti•eth [`twentɪəθ] *adj* dwudziesty

twen•ty [`twentɪ] *num* dwadzieścia

twice [twaɪs] *adv* dwa razy, dwukrotnie; **~ as much** dwa razy tyle

twid•dle [`twɪdl] *vt* bawić się (czymś) bezmyślnie, kręcić (czymś); *pot.* **~ one's thumbs** zbijać bąki

twi•light [`twaɪlaɪt] *s* zmierzch; brzask

twin [twɪn] *s* bliźniak; *adj attr* bliźniaczy; **~ brother <sister>** bliźniak <bliźniaczka>

twin•kle [`twɪŋkl] *vi* migotać; błyszczeć; *s* migotanie; błysk

twist [twɪst] *vt vi* skręcać (się); kręcić (się); wykręcać; przekręcać *(znaczenie)*; **~ off** odkręcać; *s* skręt, skręcenie; ostry zakręt; zwrot

twist•ed [`twɪstɪd] *adj* poskręcany; skręcony; pokręcony; skrzywiony

two [tu] *num* dwa; *s* dwójka; **in ~s** dwójkami

two•faced ['tu`feɪst] *adj* dwulicowy

two•fold [`tufəʊld] *adj* dwukrotny; podwójny; *adv* dwukrotnie

two-way ['tu`weɪ] *adj* dwukierunkowy; **~ radio** krótkofalówka

type [taɪp] *s* typ; czcionka; **in bold ~** tłustym drukiem; *vt* pisać na maszynie

type•script [\`taɪpskrɪpt] *s* maszynopis
type•writ•er [\`taɪp'raɪtə(r)] *s* maszyna do pisania
type•writ•ten [\`taɪprɪtən] *adj* napisany na maszynie
ty•phoon [taɪ\`fun] *s* tajfun
ty•phus [\`taɪfəs] *s* tyfus plamisty
typ•i•cal [\`tɪpɪkl] *adj* typowy (**of sth** dla czegoś)
typ•ist [\`taɪpɪst] *s* maszynistka
tyr•an•ny [\`tɪrənɪ] *s* tyrania
ty•rant [\`taɪərənt] *s* tyran
tyre, *am.* **tire** [taɪə(r)] *s* opona

U

UFO [\`jufəʊ] *s* (*skr. od* **Unidentified Flying Object** UFO) niezidentyfikowany obiekt latający
ug•ly [\`ʌglɪ] *adj* brzydki; ~ **duckling** brzydkie kaczątko
U•krain•i•an [jʊ\`kreɪnɪən] *adj* ukraiński; *s* język ukraiński
ul•cer [\`ʌlsə(r)] *s med.* wrzód
ul•te•ri•or [ʌl\`tɪərɪə(r)] *adj* ukryty (*motyw*)
ul•ti•mate [\`ʌltɪmɪt] *adj* ostateczny; najwyższy; największy
ul•ti•mate•ly [\`ʌltɪmətlɪ] *adv* ostatecznie
ul•tra•vi•o•let ['ʌltrə\`vaɪəlɪt] *adj* ultrafioletowy
um•brel•la [ʌm\`brelə] *s* parasol, parasolka; *przen.* parasol (*ochronny*)
um•pire [\`ʌmpaɪə(r)] *s* arbiter, sędzia; *vt vi* sędziować; rozsądzać
un•a•ble [ʌn\`eɪbl] *adj* niezdolny; **be ~ to do sth** nie być w stanie czegoś zrobić
un•ac•cept•a•ble ['ʌnək\`septəbl] *adj* nie do przyjęcia
un•ac•com•pa•nied ['ʌnə\`kʌmpənɪd] *adj* sam (*bez towarzystwa, bez opieki, bez akompaniamentu)*
u•nan•i•mous [ju\`nænɪməs] *adj* jednomyślny
un•as•sum•ing ['ʌnə\`sjumɪŋ] *adj* bezpretensjonalny, skromny
un•at•tached ['ʌnə\`tætʃt] *adj* samotny; nie związany (**to** z)
un•a•void•a•ble ['ʌnə\`vɔɪdəbl] *adj* nieunikniony
un•a•ware ['ʌnə\`weə(r)] *adj* nieświadomy (**of sth** czegoś)
un•a•wares ['ʌnə\`weəz] *adv* znienacka
un•bal•anc•ed [ʌn\`bælənst] *adj* niezrównoważony
un•bear•a•ble [ʌn\`beərəbl] *adj* nieznośny, nie do wytrzymania
un•be•com•ing ['ʌnbɪ\`kʌmɪŋ] *adj* nie na miejscu, niestosowny; **it's ~ of you to...** nie wypada ci...
un•be•lie•va•ble ['ʌnbɪ\`livəbl] *adj* niewiarygodny
un•born ['ʌn\`bɔn] *adj* nie narodzony

un•bound•ed [ʌnˋbaʊndɪd] *adj* bezgraniczny
un•bro•ken [ʌnˋbrəʊkən] *adj* nie złamany; nie uszkodzony; nieprzerwany
un•bur•den [ʌnˋbɜdn] *vtr* zdjąć ciężar (**sb <sth>** z kogoś <czegoś>); odciążyć
un•but•ton [ʌnˋbʌtn] *vt* rozpiąć
un•called-for [ʌnˋkɔldfɔ(r)] *adj* niestosowny; nie na miejscu
un•can•ny [ʌnˋkænɪ] *adj* niesamowity
un•ceas•ing [ʌnˋsisɪŋ] *adj* nieustający
un•cer•tain [ʌnˋsɜtn] *adj* niepewny
un•checked [ʌnˋtʃekt] *adj* nie kontrolowany
un•ci•vil [ʌnˋsɪvɪl] *adj* nieuprzejmy; niekulturalny
un•cle [ˋʌŋkl] *s* wuj; stryj
un•clear [ʌnˋklɪə(r)] *adj* niejasny
un•com•for•ta•ble [ʌnˋkʌmftəbl] *adj* niewygodny; (*o osobie*) nieswój, zażenowany
un•com•mon [ʌnˋkomən] *adj* niezwykły
un•com•pro•mis•ing [ʌnˋkɔmprəmɑɪzɪŋ] *adj* bezkompromisowy
un•con•cerned [ˈʌnkənˋsɜnd] *adj* nie zainteresowany; niefrasobliwy; **be ~ about sth** nie przejmować się czymś
un•con•di•tion•al [ˈʌnkənˋdɪʃənl] *adj* bezwarunkowy
un•con•scious [ʌnˋkonʃəs] *adj* nieprzytomny; nieświadomy
un•con•vin•cing [ˈʌnkənˋvɪnsɪŋ] *adj* nieprzekonujący
un•cov•er [ʌnˋkʌvə(r)] *vt* odkrywać
un•de•cid•ed [ˈʌndɪˋsɑɪdɪd] *adj* niezdecydowany; nie rozstrzygnięty
un•de•ni•a•ble [ˈʌndɪˋnɑɪəbl] *adj* niezaprzeczalny
un•der [ˋʌndə(r)] *praep* pod, poniżej; pod rządami; w myśl, według; w trakcie (*leczenia*); *adv* poniżej
un•der•age [ˈʌndərˋeɪdʒ] *adj* niepełnoletni
un•der•clothes [ˋʌndəkləʊðz] *s pl* bielizna
un•der•de•vel•oped [ˈʌndədɪˋveləpt] *adj* nierozwinięty, zacofany
un•der•done [ˈʌndəˋdʌn] *adj* (*o mięsie*) nie dogotowany
un•der•es•ti•mate [ˈʌndərˋestɪmeɪt] *vt* nie doceniać
un•der•foot [ˈʌndəˋfʊt] *adv* pod nogami
un•der•go [ˈʌndəˋgəʊ], **un•der•went** [ˈʌndəˋwənt], **un•der•gone** [ˈʌndəˋgon] *vt* ulegać (*zmianom*); przechodzić (*operację*)
un•der•grad•u•ate [ˈʌndəˋgrædʒʊət] *s* student (*przed dyplomem BA*)
un•der•ground [ˈʌndəˋgraʊnd] *adv* pod ziemią; *adj* podziemny; *s* [ˋʌndəgraʊnd] *bryt.* metro; podziemie
un•der•hand [ˈʌndəˋhænd] *adj* podstępny; *adv* podstępnie

un•der•line ['ʌndə`laɪn] *vt* podkreślać
un•der•ling [`ʌndəlɪŋ] *s pejor.* podwładny
un•der•mine ['ʌndə`maɪn] *vt* podkopać
un•der•neath ['ʌndə`niθ] *praep* pod; *adv* poniżej, pod spodem
un•der•nour•ished ['ʌndə`nʌrɪʃt] *adj* niedożywiony
un•der•paid ['ʌndə`peɪd] *adj* źle opłacany
un•der•pants [`ʌndəpænts] *s pl* majtki, slipy
un•der•rate ['ʌndə`reɪt] *vt* nie doceniać
un•der•signed ['ʌndə`saɪnd] *adj attr* niżej podpisany; *s*: **the ~** niżej podpisany
un•der•stand ['ʌndə`stænd], **un•der•stood, un•der•stood** ['ʌndə`stʊd] *vt vi* rozumieć; **make o.s. understood** porozumieć się, dogadać się
un•der•stand•ing ['ʌndə`stændɪŋ] *s* rozumienie; znajomość (*tematu*); porozumienie; wyrozumiałość; *adj* wyrozumiały
un•der•state ['ʌndə`steɪt] *vt* pomniejszyć; zaniżyć
un•der•state•ment ['ʌndə`steɪtmənt] *s* niedomówienie; **that's an ~!** to mało powiedziane!
un•der•stood *zob.* **understand**
un•der•stud•y [`ʌndəstʌdɪ] *s teatr.* dubler, dublerka
un•der•take ['ʌndə`teɪk], **un•der•took** ['ʌndə`tʊk], **un•der•tak•en** ['ʌndə`teɪkən] *vt vi* brać na siebie, podejmować się
un•der•tak•er [`ʌndəteɪkə(r)] *s* przedsiębiorca pogrzebowy
un•der•tak•ing ['ʌndə`teɪkɪŋ] *s* przedsięwzięcie; zobowiązanie
un•der•took *zob.* **undertake**
un•der•wear [`ʌndəweə(r)] *s* bielizna
un•der•went *zob.* **undergo**
un•der•world [`ʌndəwɜld] *s* półświatek
un•de•sir•a•ble ['ʌndɪ`zaɪərəbl] *adj* niepożądany
un•de•vel•oped ['ʌndɪ`veləpt] *adj* nie rozwinięty; nie zagospodarowany
un•did *zob.* **undo**
un•di•vid•ed ['ʌndɪ`vaɪdɪd] *adj* całkowity; niepodzielny; **you have my ~ attention** słucham cię z całą uwagą
un•do [ʌn`du], **un•did** [ʌn`dɪd], **un•done** [ʌn`dʌn], *vt* rozwiązywać (*sznurowadła*); rozpinać (*guziki*); rozpakowywać; niweczyć
un•doubt•ed [ʌn`daʊtɪd] *adj* niewątpliwy
un•dress [ʌn`dres] *vt vi* rozbierać (się)
un•eas•y [ʌn`izɪ] *adj* zaniepokojony; niespokojny
un•ed•u•cat•ed [ʌn`edʒukeɪtɪd] *adj* niewykształcony
un•em•ployed ['ʌnɪm`plɔɪd] *adj* bezrobotny; nie wykorzystany
un•em•ploy•ment ['ʌnɪm`plɔɪmənt] *s* bezrobocie

un•end•ing [ʌnˈendɪŋ] *adj* nie kończący się, wieczny
un•e•qual [ʌnˈikwəl] *adj* nierówny; **be ~ to** nie móc sprostać
un•err•ing [ʌnˈɜrɪŋ] *adj* nieomylny
un•e•ven [ʌnˈivən] *adj* nierówny; nieparzysty
un•fair [ʌnˈfeə(r)] *adj* nieuczciwy; niesprawiedliwy; (*o grze*) nieprzepisowy
un•faith•ful [ʌnˈfeɪθfʊl] *adj* niewierny (**to sb** komuś)
un•fa•mil•iar [ˈʌnfəˈmɪlɪə(r)] *adj* nie zaznajomiony, nie przyzwyczajony; obcy, nieznany
un•fashion•able [ʌnˈfæʃənəbl] *adj* niemodny
un•fa•vour•a•ble [ʌnˈfeɪvərəbl] *adj* nieprzychylny, niepomyślny
un•feel•ing [ʌnˈfilɪŋ] *adj* okrutny, bez serca
un•fit [ʌnˈfɪt] *adj* w słabej kondycji; nieodpowiedni, nie nadający się (**for sth** do czegoś)
un•fold [ʌnˈfəʊld] *vt* rozwinąć; odsłaniać; wyjawiać
un•for•get•ta•ble [ˈʌnfəˈgetəbl] *adj* niezapomniany
un•for•giv•a•ble [ˈʌnfəˈgɪvəbl] *adj* niewybaczalny
un•for•tu•nate [ʌnˈfɔtʃənət] *adj* pechowy; niefortunny, nieszczęśliwy
un•found•ed [ʌnˈfaʊndɪd] *adj* bezpodstawny
un•friend•ly [ʌnˈfrendlɪ] *adj* nieprzyjazny; nieprzyjemny
un•grate•ful [ʌnˈgreɪtfʊl] *adj* niewdzięczny
un•hap•py [ʌnˈhæpɪ] *adj* nieszczęśliwy; niezadowolony
un•harmed [ʌnˈhɑmd] *adj* nie uszkodzony, nietknięty, bez szwanku
un•health•y [ʌnˈhelθɪ] *adj* niezdrowy
un•heard [ʌnˈhɜd] *adj* nie słyszany; **~ of** niesłychany, niebywały
un•hurt [ʌnˈhɜt] *adj* nie uszkodzony; bez szwanku; bez obrażeń
un•i•den•ti•fied [ˈʌnaɪˈdentɪfaɪd] *adj* nie zidentyfikowany; nieznany
u•ni•form [ˈjunɪfɔm] *s* mundur; *adj* jednolity
u•ni•form•i•ty [ˈjunɪˈfɔmɪtɪ] *s* jednolitość
u•ni•fy [ˈjunɪfaɪ] *vt* jednoczyć się, ujednolicać
un•im•por•tant [ˈʌnɪmˈpɔtənt] *adj* nieważny, nieistotny
un•ion [ˈjunjən] *s* unia, zjednoczenie; (*także* **trade ~**) związek zawodowy; **the Union Jack** flaga brytyjska
u•nique [juˈnik] *adj* jedyny, unikatowy; wyjątkowy
u•nit [ˈjunɪt] *s* jednostka; **kitchen ~** szafka kuchenna
u•nite [juˈnaɪt] *vt vi* jednoczyć (się)
u•nit•ed [juˈnaɪtɪd] *adj* połączony; wspólny; zjednoczony
u•ni•ty [ˈjunɪtɪ] *s* jedność

u•ni•ver•sal ['junɪ`vɜsl] *adj* uniwersalny, powszechny
u•ni•verse [`junɪvɜs] *s* wszechświat
u•ni•ver•si•ty ['junɪ`vɜsɪtɪ] *s* uniwersytet
un•just ['ʌn`dʒʌst] *adj* niesprawiedliwy
un•kempt ['ʌn`kempt] *adj* rozczochrany; zaniedbany, niechlujny
un•kind ['ʌn`kɑɪnd] *adj* nieuprzejmy; nieżyczliwy
un•known ['ʌn`nəʊn] *adj* nieznany; nieznajomy; *s* nieznane; **the journey into the ~** podróż w nieznane
un•leash [ʌn`liʃ] *vt* wyładować (*gniew*) (**upon sb** na kimś); przypuścić (*atak*); rozpętać (*walkę*)
un•less [ən`les] *conj* jeśli nie, chyba że; **~ he agrees** jeśli się nie zgodzi
un•like ['ʌn`lɑɪk] *praep* w odróżnieniu od; niepodobny do; *adj* niepodobny
un•like•ly [ʌn`lɑɪklɪ] *adj* nieprawdopodobny; nieoczekiwany; **he is ~ to come** on prawdopodobnie nie przyjdzie
un•load ['ʌn`ləʊd] *vt* rozładować; wyładować
un•lock ['ʌn`lok] *vt* otworzyć (*kluczem*)
un•luck•y [ʌn`lʌkɪ] *adj* nieszczęśliwy, pechowy
un•mar•ried ['ʌn`mærɪd] *adj* nieżonaty; niezamężna
un•matched ['ʌn`mætʃt] *adj* niezrównany
un•mis•tak•a•ble ['ʌnmɪs`teɪkəbl] *adj* niewątpliwy, oczywisty
un•nat•u•ral [ʌn`nætʃrəl] *adj* nienaturalny
un•nec•es•sa•ry [ʌn`nesɪsərɪ] *adj* niepotrzebny, zbyteczny
un•nerve [ʌn`nɜv] *vt* wytrącić z równowagi
un•no•ticed ['ʌn`nəʊtɪst] *adj* nie zauważony
un•of•fi•cial ['ʌnə`fɪʃəl] *adj* nieoficjalny; nie potwierdzony
un•pack ['ʌn`pæk] *vt, vi* rozpakowywać (się)
un•par•don•a•ble [ʌn`pɑdənəbl] *adj* niewybaczalny
un•pleas•ant [ʌn`plezənt] *adj* nieprzyjemny
un•plug ['ʌn`plʌg] *vt* wyłączać z sieci
un•prec•e•dent•ed [ʌn`presɪdəntɪd] *adj* bez precedensu
un•pre•ten•tious ['ʌnprɪ`tenʃəs] *adj* bezpretensjonalny
un•prin•ci•pled [ʌn`prɪnsɪpəld] *adj* bez zasad
un•ques•tion•a•ble [ʌn`kwestʃənəbl] *adj* niewątpliwy, bezsporny
un•qui•et ['ʌn`kwɑɪət] *adj* niespokojny
un•real ['ʌn`rɪəl] *adj* nierealny; nieprawdziwy
un•rea•son•a•ble [ʌn`rizənəbl] *adj* nierozsądny; niedorzeczny; (*o cenie*) wygórowany
un•rest [ʌn`rest] *s* niepokój

un•set•tled ['ʌn`setəld] *adj* nie rozstrzygnięty; zmienny, niepewny; niespokojny
un•skilled ['ʌn`skɪld] *adj* nie mający wprawy; niewykwalifikowany
un•so•cia•ble [ʌn`səʊʃəbl] *adj* nietowarzyski
un•spea•ka•ble [ʌn`spikəbl] *adj* niewymowny, niewypowiedziany; okropny
un•suc•cess•ful ['ʌnsʌk`sesfʊl] *adj* nie mający powodzenia; nieudany
un•suit•a•ble ['ʌn`sutəbl] *adj* nieodpowiedni, nie nadający się
un•think•a•ble [ʌn`θɪnkəbl] *adj* nie do pomyślenia
un•ti•dy [ʌn`tɑɪdɪ] *adj* nieporządny; nie posprzątany
un•tie [ʌn`tɑɪ] *vt* rozwiązywać; odwiązywać
un•til [ʌn`tɪl] *praep* (aż) do; *conj* aż; dopóki nie; **~ now** dotychczas; **wait ~ he comes** poczekaj aż przyjdzie; *zob.* **till**
un•time•ly [ʌn`tɑɪmlɪ] *adj* nie w porę; niedogodny; przedwczesny
un•told ['ʌn`təʊld] *adj* nieopisany, niesłychany
un•true [ʌn`tru] *adj* niezgodny z prawdą
un•u•su•al [ʌn`juʒʊəl] *adj* niezwykły
un•war•rant•ed [ʌn`worəntɪd] *adj* nieuzasadniony
un•wel•come [ʌn`welkəm] *adj* niepożądany; niewygodny (*fakt*)
un•well [ʌn`wel] *adj praed* niezdrowy
un•will•ing [ʌn`wɪlɪŋ] *adj* niechętny
un•wise ['ʌn`wɑɪz] *adj* niemądry
un•want•ed ['ʌn`wontɪd] *adj* niepotrzebny; niechciany
un•wor•thy [ʌn`wɜðɪ] *adj* niegodny, niewart
up [ʌp] *adv* w górze; na górze; do góry, w górę; w pozycji stojącej; **up and down** w górę i w dół; **up to** aż do, po (*kolana*); do (*południa*); **up to date** na czasie, w modzie; **be up** być na nogach; **there is sth up** coś się szykuje; **it's up to you** to zależy od ciebie; **he is not up to that job** on nie podoła tej pracy; **go up the road** iść drogą; **up (with) Tom!** niech żyje Tom!; **burn up** spalić doszczętnie; (*zakończenie czynności*) **your time is up** twój czas minął; *praep* w górę (*po czymś*); **up the stairs** w górę po schodach; **live up the road** mieszkać przy końcu drogi; *adj*: **road up** naprawa drogi; *pot.* **what's up?** co się dzieje?; *s*: **ups and downs** wzloty i upadki
up•bring•ing [`ʌpbrɪŋɪŋ] *s* wychowanie
up•heav•al [ʌp`hivl] *s* wstrząs; *polit.* wrzenie
up•hill [ʌp`hɪl] *adv* pod górę; *adj* pod górę; *przen.* żmudny
up•hol•ster•y [ʌp`həʊlstrɪ] *s* tapicerka, obicie

up•keep [`ʌpkip] *s* utrzymanie, koszty utrzymania
up•on [ə`pon] *praep* na
up•per [`ʌpə(r)] *adj attr* górny, wyższy; **~ classes** klasy wyższe; **get the ~ hand** zdobywać przewagę
up•per•most [`ʌpəməʊst] *adj* najwyższy; *adv* na samej górze
up•right [`ʌprɑɪt] *adj* wyprostowany, pionowy; uczciwy, prawy; *adv* pionowo
up•ris•ing [`ʌprɑɪzɪŋ] *s* powstanie
up•roar [`ʌprɔ(r)] *s* wrzawa, poruszenie
up•set [ʌp`set], **up•set, up•set** [ʌp'set] *vt* przewracać; udaremniać; denerwować; martwić; *adj* zaniepokojony; zdenerwowany; **become <get> ~** zdenerwować się; *s* [`ʌpset] niepokój, przygnębienie; rozstrój (*żołądka*)
up•side-down ['ʌpsɑɪd`dɑʊn] *adv* do góry nogami
up•stairs ['ʌp`steəz] *adv* na piętro (*po schodach*); na górze, na piętrze; *s*: **the ~** piętro, góra
up•stream ['ʌp`strim] *adv* w górę rzeki
up-to-date ['ʌptə`deɪt] *adj* nowoczesny; aktualny; dobrze poinformowany
up•turn [`ʌptɜn] *s* zmiana na lepsze
up•turned ['ʌp`tɜnd] *adj* zadarty (*nos*); przewrócony do góry nogami (*samochód*)
up•ward [`ʌpwəd] *adj* (*o ruchu*) w górę
up•wards [`ʌpwədz] *adv* w górę; **~ of** z górą, powyżej
u•ra•ni•um [ju`reɪnɪəm] *s* uran
ur•ban [`ɜbən] *adj attr* miejski
urge [ɜdʒ] *vt* nalegać; ponaglać, popędzać; *s* chęć; popęd
ur•gen•cy [`ɜdʒənsɪ] *s* pośpiech; nagła potrzeba
ur•gent [`ɜdʒənt] *adj* pilny; naglący; natarczywy
u•rine [`jʊərɪn] *s* mocz
urn [ɜn] *s* urna
us [ʌs, əs] *pron* nas, nam, nami
us•age [`juzɪdʒ] *s* używanie, stosowanie (*wyrazu*)
use [juz] *vt* używać, stosować; wykorzystywać (*kogoś*); **~ up** zużywać, wyczerpywać; *s* [jus] użycie, stosowanie; użytek, zastosowanie; **in ~** w użyciu; **out of ~** nie używany, przestarzały; **be of ~** być użytecznym, przydawać się; **go out of ~** wychodzić z użycia; **have no ~ for a thing** nie potrzebować czegoś; **make ~ of sth** używać czegoś; wykorzystywać coś; **it's no ~ going there** nie ma sensu tam chodzić; **what's the ~ of worrying?** po co się martwić?
used [juzd] *adj* używany; **~ up** zużyty, wyczerpany, skończony
used to[1] [`justu,`justə]: **be ~ sth <doing sth>** być przyzwyczajonym do czegoś <robienia cze-

goś>; **get <become> ~ sth <doing sth>** przyzwyczaić się do czegoś <robienia czegoś>
used to² [`justu,`justə] *v aux* (*powtarzanie się czynności w przeszłości*): **I ~ play tennis** kiedyś grywałem <zwykłem grać> w tenisa; **he ~ say** mawiał, zwykł mawiać
use•ful [`jusfʊl] *adj* użyteczny
use•less [`juslɪs] *adj* bezużyteczny
us•er [`juzə(r)] *s* użytkownik
ush•er [`ʌʃə(r)] *s* (*w teatrze, w kinie, na weselu*) osoba sadzająca gości na wyznaczonych miejscach
u•su•al [`juʒʊəl] *adj* zwyczajny, zwykły; **as ~** jak zwykle
u•su•al•ly [`juʒʊəlɪ] *adv* zwykle, zazwyczaj
u•sur•er [`juʒərə(r)] *s* lichwiarz
u•surp [ju`zɜp] *vt* uzurpować sobie
u•ten•sil [ju`tensl] *s* naczynie; narzędzie; *pl* **~s** naczynia; przybory
u•til•i•ty [ju`tɪlɪtɪ] *s* użyteczność; *pl* **public utilities** usługi komunalne
u•til•ize [`jutɪlaɪz] *vt* zużytkować, wykorzystać
ut•most [`ʌtməʊst] *adj* krańcowy, najwyższy; *s*: **I'll do my ~** uczynię wszystko, co w mojej mocy
ut•ter¹ [`ʌtə(r)] *adj* kompletny; całkowity
ut•ter² [`ʌtə(r)] *vt* wydawać (*okrzyk*); wypowiadać
ut•ter•ance [`ʌtərəns] *s* wypowiedź
ut•ter•ly [`ʌtəlɪ] *adv* zupełnie
U-turn [`jutɜn] *s mot.* zawracanie; *przen.* zwrot o 180 stopni

V

va•can•cy [`veɪkənsɪ] *s* wolny pokój (*w hotelu*); wolny etat, wakat
va•cant [`veɪkənt] *adj* wolny, nie zajęty; (*o wzroku*) nieobecny
va•cate [və`keɪt] *vt* zwolnić (*pokój, posadę*)
va•ca•tion [və`keɪʃən] *s am.* urlop; wakacje; **go on ~** pojechać na urlop
vac•cin•ate [`væksɪneɪt] *vt* szczepić
vac•cin•ation ['væksɪ`neɪʃən] *s* szczepienie (**against sth** przeciwko czemuś)
vac•cine [`væksin] *s* szczepionka
vac•u•um [`vækjuəm] *s* próżnia; **~ cleaner** odkurzacz; **~ flask** termos
va•gi•na [ve`dʒaɪnə] *s anat.* pochwa
vague [veɪg] *adj* niewyraźny; niejasny; ogólnikowy

vain [veɪn] *adj* próżny; daremny; **in ~** na próżno
val•id [`vælɪd] *adj* uzasadniony; przekonujący (*argument*); ważny (*paszport*)
va•lid•i•ty [və`lɪdɪtɪ] *s* wiarygodność; ważność
val•ley [`vælɪ] *s* dolina, kotlina
val•u•a•ble [`væljʊəbl] *adj* cenny, wartościowy; *s pl* **~s** kosztowności
val•u•a•tion ['vælјʊ`eɪʃən] *s* oszacowanie; ocena
val•ue [`vælju] *s* wartość; znaczenie; **of great <little> ~** dużej <małej> wartości; **of no ~** bezwartościowy; *pl* **~s** wartości; *vt* wyceniać; cenić, doceniać
vam•pire [`væmpɑɪə(r)] *s* wampir
van [væn] *s* furgonetka; *bryt.* wagon bagażowy
van•dal [`vændəl] *s* wandal
van•dal•ize [`vændəlɑɪz] *vt* dewastować
va•nil•la [və`nɪlə] *s* wanilia
van•ish [`vænɪʃ] *vi* znikać
van•i•ty [`vænɪtɪ] *s* próżność; **~ bag** kosmetyczka
va•por•ize [`veɪpərɑɪz] *vt* odparować; *vi* parować
va•po(u)r [`veɪpə(r)] *s* para; opary
var•i•a•ble [`veərɪəbl] *adj* zmienny; regulowany; *s* czynnik; *mat.* zmienna
var•i•ance [`veərɪəns] *s* niezgodność, sprzeczność; **be at ~** nie zgadzać się, być w sprzeczności
var•i•ant [`veərɪənt] *s* odmiana, wariant; *adj attr* różny
var•i•a•tion ['veərɪ`eɪʃən] *s* odmiana; zmiany; *muz.* wariacja; **price ~** wahania cen
var•i•cose veins [`værɪkəʊs `veɪnz] *s pl anat.* żylaki
va•ried [`veərɪd] *adj* różnorodny; urozmaicony
va•ri•e•ty [və`rɑɪətɪ] *s* urozmaicenie; wybór; rodzaj, odmiana
var•i•ous [`veərɪəs] *adj* różny, rozmaity; *attr* kilka; **at ~ times** o różnych porach
var•nish [`vɑnɪʃ] *s* lakier; *vt* lakierować
var•y [`veərɪ] *vi* różnić się (**in sth** czymś); *vt* urozmaicać
vase [vɑz] *s* wazon
Vas•e•line [`væsɪlin] *s* wazelina
vast [vɑst] *adj* ogromny; rozległy
vault [volt] *s* krypta; grobowiec; skarbiec; skok; *vt* przeskoczyć (**over the wall** przez mur)
veal [vil] *s* cielęcina
vege•ta•ble [`vedʒɪtəbl] *s* warzywo; *adj attr* roślinny; warzywny
ve•ge•tar•i•an ['vedʒɪ`teərɪən] *s* wegetarianin; *adj* wegetariański
veg•e•ta•tion ['vedʒɪ`teɪʃən] *s* roślinność
ve•hi•cle [`viɪkl] *s* pojazd; *przen.* narzędzie, środek (*wyrazu*)
veil [veɪl] *s* woalka; welon; zasłona; *przen.* maska; *vt* zasła-

niać; *przen.* ukrywać, maskować
vein [veɪn] *s* żyła; żyłka
vel•vet [ˋvelvɪt] *s* aksamit; *adj* aksamitny
vend•ing ma•chine [ˋvendɪŋmə-ˋʃin] *s* automat (*do sprzedaży papierosów, napojów itp.*)
vendor [ˋvendə(r)] *s* sprzedający; **street ~** sprzedawca uliczny
ven•e•ra•ble [ˋvenərəbl] *adj* czcigodny; szacowny
ve•ne•re•al [vɪˋnɪərɪəl] *adj med.* weneryczny; **~ disease** choroba weneryczna
venge•ance [ˋvendʒəns] *s* zemsta
ve•nom [ˋvenəm] *s* jad
ven•om•ous [ˋvenəməs] *adj* jadowity
ven•ti•late [ˋventɪleɪt] *vt* wietrzyć
ven•ti•la•tor [ˋventɪleɪtə(r)] *s* wentylator; *med.* respirator
ven•ture [ˋventʃə(r)] *s* przedsięwzięcie; **joint ~** wspólne przedsięwzięcie; *vi* odważyć się; *vt* zaryzykować; **~ an opinion** ośmielić się wyrazić opinię
ve•rac•i•ty [vɪˋræsɪtɪ] *adj* prawdomówność; prawdziwość
ve•ran•da(h) [vəˋrændə] *s* weranda
verb [vɜb] *s* czasownik
verb•al [ˋvɜbəl] *adj* ustny; słowny; werbalny
ver•dict [ˋvɜdɪkt] *s* werdykt, orzeczenie; *przen.* opinia
verge [vɜdʒ] *s* kraniec, krawędź; *bryt.* pobocze; **she was on the ~ of tears** była bliska płaczu; *vt*: **~ on...** graniczyć z...
ver•i•fy [ˋverɪfɑɪ] *vt* sprawdzić, potwierdzić
ver•nac•u•lar [vəˋnækjulə(r)] *s* język rodzimy, mowa ojczysta
ver•sa•tile [ˋvɜsətɑɪl] *adj* wszechstronny; mający wiele zastosowań
verse [vɜs] *s* wiersze; strofa, zwrotka; werset (*biblijny*)
versed [vɜst] *adj* obeznany (**in sth** z czymś)
ver•sion [ˋvɜʃn] *s* wersja
ver•sus [ˋvɜsəs] *praep* przeciw
ver•te•brate [ˋvɜtɪbrɪt] *s* kręgowiec
ver•ti•cal [ˋvɜtɪkl] *adj* pionowy
verve [vɜv] *s* werwa; zapał
ver•y [ˋverɪ] *adv* bardzo; **~ much** bardzo; *adj*: **in the ~ same place** dokładnie w tym samym miejscu; **the ~ last time** naprawdę ostatni raz; **to the ~ end** do samego końca; **he used this ~ pen** on używał tego właśnie długopisu
ves•sel [ˋvesl] *s* statek; naczynie; **blood ~** naczynie krwionośne
vest[1] [vest] *s* podkoszulek; *am.* kamizelka
vest[2] [vest] *vt* powierzać (**sth in sb <sb with sth>** coś komuś)
vet [vet] *s* weterynarz
vet•e•ran [ˋvetərən] *s* weteran, kombatant

vet•e•ri•na•ri•an [vetərɪne(ə)rɪən] *s am.* weterynarz
vet•e•ri•nar•y [`vetrɪnərɪ] *adj* weterynaryjny; *bryt.* ~ **surgeon** weterynarz
vex [veks] *vt* drażnić; irytować
via [`vɑɪə] *praep* przez (*miejscowość*)
vi•a•duct [`vɑɪədʌkt] *s* wiadukt
vi•brate [vɑɪ`breɪt] *vi* wibrować, drgać
vi•bra•tion [vɑɪ`breɪʃən] *s* wibracja, drganie
vic•ar [`vɪkə(r)] *s* pastor (*w Kościele anglikańskim*); wikary (*w Kościele rzymskokatolickim*)
vice [vɑɪs] *s* wada, przywara; *techn.* imadło
vice- [`vɑɪs] *praef* wice...
vi•ce ver•sa ['vɑɪs `vɜsə] *adv* na odwrót, vice versa
vi•cin•i•ty [vɪ`sɪnɪtɪ] *s*: **in the** ~ w pobliżu <sąsiedztwie> (**of sth** czegoś)
vi•cious [`vɪʃəs] *adj* brutalny; gwałtowny; ~ **circle** błędne koło
vic•tim [`vɪktɪm] *s* ofiara; **fall** ~ **to sth** ucierpieć z powodu czegoś
vic•tor [`vɪktə(r)] *s* zwycięzca
vic•to•ri•ous [vɪk`tɔrɪəs] *adj* zwycięski
vic•to•ry [`vɪktrɪ] *s* zwycięstwo; **win a** ~ odnieść zwycięstwo (**over sb** nad kimś)
vid•e•o [`vɪdɪəʊ] *s* film wideo; wideo; ~ **cassette** kaseta wideo; ~ **cassette recorder** magnetowid
vid•e•o cam•e•ra [`vɪdɪəʊ'kæmərə] *s* kamera wideo
vid•e•o•tape [`vɪdɪəʊteɪp] *s* taśma wideo; *vt pot.* nagrywać na taśmę wideo
vie [vɑɪ] *vi* współzawodniczyć (**for sth** o coś)
Viet•na•mese ['vjetnə`miz] *s* Wietnamczyk; język wietnamski; *adj* wietnamski
view [vju] *s* widok; pogląd; **be in** ~ być widocznym; **have sth in** ~ mieć coś na oku; **point of** ~ punkt widzenia; **on** ~ (*o obrazie*) wystawiony; **in** ~ **of sth** zważywszy; **in my** ~ moim zdaniem; *vt* oglądać; uważać (**sth as sth** coś za coś)
view•er [`vjuə(r)] *s* widz
view•find•er [`vjufɑɪndə(r)] *s* wizjer, celownik
view•point [`vjupoɪnt] *s* punkt widzenia; punkt widokowy
vig•il [`vɪdʒɪl] *s* czuwanie; **keep** ~ czuwać
vig•i•lance [`vɪdʒɪləns] *s* czujność
vig•o(u)r [`vɪgə(r)] *s* wigor, energia
vile [vɑɪl] *adj* podły; *pot.* wstrętny
vil•i•fy [`vɪlɪfɑɪ] *vt* oczerniać; szkalować
vil•la [`vɪlə] *s* willa
vil•lage [`vɪlɪdʒ] *s* wieś
vil•lag•er [`vɪlɪdʒə(r)] *s* mieszkaniec wsi

vil•lain [`vılən] *s* łajdak, nikczemnik; czarny charakter
vin•dic•tive [vın`dıktıv] *adj* mściwy
vine [vaın] *s* winorośl
vin•e•gar [`vınıgə(r)] *s* ocet
vine•yard [`vınjəd] *s* winnica
vi•o•late [`vaıəleıt] *vt* pogwałcić; naruszać; zakłócać
vi•o•lence [`vaıələns] *s* gwałtowność; przemoc
vi•o•lent [`vaıələnt] *adj* gwałtowny
vi•o•let [`vaıələt] *s bot.* fiołek; fiolet; *adj* fioletowy
vi•o•lin ['vaıə`lın] *s* skrzypce
vi•o•lin•ist ['vaıə`lınıst] *s* skrzypek, skrzypaczka
vi•per [`vaıpə(r)] *s zool.* żmija
vir•gin [`vɜdʒın] *s* dziewica; prawiczek; *adj attr* dziewiczy
vir•gin•i•ty [vɜ`dʒınıtı] *s* dziewictwo
vi•ril•i•ty [vı`rılıtı] *s* męskość
vir•tu•al [`vɜtjʊəl] *adj* faktyczny, rzeczywisty; *komp.* ~ **reality** rzeczywistość wirtualna
vir•tu•ous [`vɜtjʊəs] *adj* cnotliwy, prawy
vir•tue [`vɜtʃu] *s* cnota; zaleta; **by ~ of** z racji
vi•rus [`vaıərəs] *s* wirus
vi•sa [`vizə] *s* wiza; **entry <exit>** ~ wiza wjazdowa <wyjazdowa>
vis•i•ble [`vızəbl] *adj* widzialny; widoczny
vi•sion [`vıʒən] *s* wzrok; zdolność przewidywania; wizja
vis•it [`vızıt] *vt* zwiedzać; odwiedzać; wizytować; *s* wizyta; **be on a ~** być z wizytą; **pay a ~ to sb** złożyć komuś wizytę
vis•i•tor [`vızıtə(r)] *s* gość
vis•ta [`vıstə] *s* perspektywa; widok
vi•su•al [`vıʒʊəl] *adj* wizualny; wzrokowy
vi•su•al•ize [`vıʒʊəlaız] *vt* wyobrażać sobie
vi•tal [`vaıtl] *adj* żywotny; istotny
vi•tal•i•ty [vaı`tælıtı] *s* żywotność, witalność
vit•a•min [`vıtəmın] *s* witamina
viv•id [`vıvıd] *adj* jaskrawy; żywy
vo•cab•u•la•ry [və`kæbjʊlərı] *s* słownictwo; zasób słów
vo•cal [`vəʊkəl] *adj* głosowy; wokalny; *pl* ~ **cords** wiązadła głosowe
vo•cal•ist [`vəʊkəlıst] *s* wokalista
vo•ca•tion [vəʊ`keıʃən] *s* powołanie
vo•ca•tio•nal [vəʊ`keıʃənl] *adj* zawodowy
vodka [`vodkə] *s* wódka
vogue [vəʊg] *s* powodzenie; moda; **be in ~** być w modzie
voice [voıs] *s* głos; *gram.* strona (*czasownika*); *vt* głosić, wyrażać
void [voıd] *adj* pusty; *prawn.* nieważny; pozbawiony; **~ of** pozbawiony (**sth** czegoś); *s* przepaść; *przen.* pustka

vol•a•tile [\`volətaɪl] *adj chem.* lotny; przelotny, zmienny
vol•can•ic [vol\`kænɪk] *adj* wulkaniczny
vol•ca•no [vol\`keɪnəʊ] *s* wulkan
vol•ley•ball [\`volɪbɔl] *s sport.* siatkówka
vol•tage [\`vəʊltɪdʒ] *s elektr.* napięcie
vol•ume [\`voljum] *s* głośność; objętość; natężenie (*ruchu*); tom
vo•lu•mi•nous [və\`lumɪnəs] *adj* obszerny; obfity
vol•un•ta•ry [\`voləntrɪ] *adj* dobrowolny
vol•un•teer ['volən\`tɪə(r)] *s* ochotnik; *vi* zgłaszać się na ochotnika (**for sth** do czegoś); ofiarować się (**to do sth** że się coś zrobi)
vo•lup•tu•ous [və\`lʌptjʊəs] *adj* lubieżny; zmysłowy
vom•it [\`vomɪt] *vt vi* wymiotować; *s* wymiociny
vote [vəʊt] *s* głos; prawo do głosowania; *vi* głosować (**for sb** na kogoś; **on sth** nad czymś; **against sb <sth>** przeciwko komuś <czemuś>)
vot•er [\`vəʊtə(r)] *s* głosujący, wyborca
vot•ing [\`vəʊtɪŋ] *s* głosowanie
vouch•er [\`vaʊtʃə(r)] *s* kupon, talon; kwit
vow [vaʊ] *s* ślubowanie; **take <make> a ~** ślubować; **take ~s** złożyć śluby zakonne; *vt* ślubować
vow•el [\`vaʊəl] *s gram.* samogłoska
voy•age [\`voɪɪdʒ] *s* podróż; **go on a ~** wyruszyć w podróż
voy•ag•er [\`voɪɪdʒə(r)] *s* podróżnik
vul•gar [\`vʌlgə(r)] *adj* ordynarny; wulgarny
vul•ner•a•ble [\`vʌlnərəbl] *adj* podatny na (*zranienie*); narażony na (*ciosy*); wrażliwy
vul•ture [\`vʌltʃə(r)] *s* sęp; *przen.* (*o osobie*) hiena

W

wade [weɪd] *vt vi* brnąć, brodzić; *przen.* **~ through** przebrnąć
wa•fer [\`weɪfə(r)] *s* wafel; *rel.* opłatek
wag [wæg] *vt* merdać (*ogonem*); kiwać (*palcem*); *vi* kiwać się
wage [weɪdʒ] *s* (*także pl* **~s**) zarobek, płaca (*zw. tygodniowa*)
wag•(g)on [\`wægən] *s* wóz (*zaprzęgowy*); *bryt.* wagon
waist [weɪst] *s* talia, pas
waist•coat [\`weɪstkəʊt] *s bryt.* kamizelka
wait [weɪt] *vi* czekać (**for sb <sth>** na kogoś <coś>); *vt*: **~ on** obsługiwać (*w restauracji*);

~ a minute! zaraz, zaraz!, chwileczkę!
wait•er [`weɪtə(r)] *s* kelner
wait•ing room [`weɪtɪŋrʊm] *s* poczekalnia
wait•ress [`weɪtrəs] *s* kelnerka
wake [weɪk], **woke** [wəʊk], **woken** [`wəʊkən] *lub* **~d, ~d** [weɪkt] (*także* **~ up**) *vt vi* budzić (się)
wak•en [`weɪkən] *vt vi zob.* **wake**
walk [wɔk] *vi* chodzić; przechadzać się; *vt* odprowadzać; wyprowadzać (*psa*); przechodzić (*odległość*); **~ away** wyjść bez szwanku (**from the accident** z wypadku); **~ away** porzucić (**from one's duties** swoje obowiązki); **~ out** wychodzić (*nagle*); *am.* strajkować; **~ out on sb** porzucić kogoś; **~ over** wygrać walkowerem; **~ through** przećwiczyć; *s* spacer; chód; alejka, ścieżka; **go for a ~** iść na spacer; *przen.* **a ~ of life** profesja; warstwa (*społeczna*)
walk•er [`wɔkə(r)] *s* piechur
walkie-talkie ['wɔkɪ`tɔkɪ] *s* krótkofalówka
walk•ing stick [`wokɪŋ`stɪk] *s* laska
walk•o•ver [`wɔk'əʊvə(r)] *s* walkower; *pot.* łatwe zwycięstwo
Walk•man [`wɔkmən] *s* walkman
wall [wɔl] *s* mur; ściana; *vt* otaczać murem
wal•let [`wolɪt] *s* portfel
wall•pa•per [`wɔlpeɪpə(r)] *s* tapeta; *vt* tapetować
wal•nut [`wɔlnʌt] *s* orzech włoski
waltz [wɔls] *s* walc; *vi* tańczyć walca
wand [wond] *s* różdżka; **magic ~** czarodziejska różdżka
wan•der [`wondə(r)] *vi* wędrować; *vt* przemierzać; *przen.* (*o myślach*) błądzić
wan•der•ing [`wondərɪŋ] *adj* wędrowny
wane [weɪn] *vi* zanikać, ubywać; marnieć; *s* zanik; schyłek; zmniejszanie się; **on the ~** w zaniku
want [wont] *vt* chcieć; potrzebować; **be ~ed** być poszukiwanym (*przez policję*); **he ~s you to wait here** on chce, żebyś tu poczekała; **the car ~s repairing** samochód wymaga naprawy; *s* potrzeba; brak; **be in ~ of sth** potrzebować czegoś
want•ing [`wontɪŋ] *adj* brakujący; pozbawiony (**in sth** czegoś); **be ~** brakować
want ads [`wont`ædz] *s am.* ogłoszenia drobne
war [wɔ(r)] *s* wojna; **be at ~** być w stanie wojny; **go to ~** wszczynać wojnę
ward [wɔd] *s* oddział (*szpitalny*); okręg, dzielnica; **casualty ~** oddział urazowy
war•den [`wɔdn] *s* przełożony; naczelnik; *bryt.* strażnik ruchu ulicznego
ward•er [`wɔdə(r)] *s bryt.* strażnik więzienny

ward•robe [`wɔdrəʊb] *s* szafa; garderoba, ubranie; *teatr.* garderoba
ware [weə(r)] *s* towar
ware•house [`weəhaʊs] *s* magazyn; hurtownia
war•fare [`wɔfeə(r)] *s* działania wojenne, wojna
war•like [`wɔlaɪk] *adj* wojenny; wojowniczy
warm [wɔm] *adj* ciepły; serdeczny; *vt vi* ogrzewać (się); **~ up** ocieplać się; odgrzewać; rozgrzewać (się)
warmth [wɔmθ] *s* ciepło
warn [wɔn] *vt* ostrzegać (**sb of <against> sth** kogoś przed czymś)
warn•ing [`wɔnɪŋ] *s* ostrzeżenie; uprzedzenie
warp [wɔp] *vt vi* paczyć (się), wykrzywiać (się); *s* osnowa; spaczenie
war•rant [`worənt] *s* nakaz; (*także* **search ~**) nakaz rewizji; *vt* usprawiedliwiać; gwarantować
war•ran•ty [`worəntɪ] *s* gwarancja; **under ~** na gwarancji
war•ship [`wɔʃɪp] *s* okręt wojenny
wart [wɔt] *s* brodawka
was [woz, wəz] *zob.* **be**
wash [woʃ] *vt vi* myć (się); prać; **~ away** wymywać; **~ down** spłukiwać; *bryt.* **~ up** zmywać naczynia, *am.* myć się; *s* pranie
wash•a•ble [`woʃəbl] *adj* zmywalny; nadający się do prania
wash•ba•sin [`woʃbeɪsn] *s* umywalka
wash•bowl [`woʃbəʊl] *s am.* umywalka
wash•er [`woʃə(r)] *s techn.* uszczelka; *pot.* pralka; pomywacz, pomywaczka
wash•ing [`woʃɪŋ] *s* pranie; bielizna do prania; **~ machine** pralka; **~ powder** proszek do prania
wasn't [`woznt] *skr. od* **was not**
wasp [wosp] *s* osa
WASP [wosp] *s am. pot.* (*skr. od* **White Anglo-Saxon Protestant**) biały protestant pochodzenia anglosaskiego
waste [weɪst] *s* marnowanie; strata; marnotrawstwo; odpady; *pl* **~s** nieużytki; **~ of time** strata czasu; *vt* tracić; marnować; **~ away** (*o człowieku*) marnieć; *adj* odpadowy; nie wykorzystany; jałowy; **~ paper** makulatura; **~ products** odpady produkcyjne
waste•ful [`weɪstfʊl] *adj* marnotrawny; rozrzutny; nieekonomiczny
watch [wotʃ] *vt vi* przyglądać się; oglądać; obserwować; uważać na (*coś*); **~ for** oczekiwać; **~ out for sb <sth>** uważać na kogoś <coś>; **~ over** pilnować, chronić; **~ out!** uważaj!; *s* zegarek; obserwacja; warta; wachta; **be on the ~** uważać (**for sb <sth>** na kogoś <coś>);

keep ~ obserwować, pilnować (**on sb <sth>** kogoś <czegoś>)

watch•ful [`wotʃfʊl] *adj* czujny; badawczy

watch•man [`wotʃmən] *s* (*także* **night ~**) nocny stróż

wa•ter [`wotə(r)] *s* woda; *pl* **~s** fale; wody lecznicze; **by ~** drogą wodną; **running ~** bieżąca woda; **~ skiing** narciarstwo wodne; *vt* podlewać; poić; **~ down** rozwadniać; *vi* łzawić; **my mouth is ~ing** cieknie mi ślinka

wa•ter•col•o(u)r [`wotəkʌlə(r)] *s* akwarela

wa•ter•fall [`wɔtəfɔl] *s* wodospad

wa•ter•proof [`wɔtəpruf] *adj* wodoszczelny, nieprzemakalny

wa•ter•way [`wɔtəweɪ] *s* droga wodna; kanał

wave [weɪv] *vt vi* machać; wymachiwać; powiewać; skinąć ręką (**to sb** na kogoś); *vi* falować, powiewać; *s* fala; machnięcie

wave-band [`weɪvbænd] *s* zakres częstotliwości

wav•y [`weɪvɪ] *adj* falisty; falujący

wax [wæks] *s* wosk; *vt* woskować

wax•en [wæksn] *adj* woskowo blady

way [weɪ] *s* droga; kierunek; sposób; zwyczaj; *bryt.* **~ in** „wejście"; *bryt.* **~ out** „wyjście"; **on the ~** po drodze; **by ~ of London** przez Londyn; **by ~ of** zamiast; w celu; **by the ~** à propos, nawiasem mówiąc; **in a ~** w pewnym sensie; **in some ~s** pod pewnymi względami; **this ~** tędy; w ten sposób; **be on one's ~** być w drodze; **be in the ~** zawadzać; **get one's own ~** stawiać na swoim; **give ~** ustępować (*także pierwszeństwa przejazdu*); **lose one's ~** zabłądzić; **which ~?** którędy?; *pot.* **no ~!** nie ma mowy!

we [wi] *pron pl* my

weak [wik] *adj* słaby

weak•en [`wikn] *vi* słabnąć; *vt* osłabiać

weak•ling [`wiklɪŋ] *s* słabeusz

weak•ness [`wiknɪs] *s* słabość

wealth [welθ] *s* bogactwo

wealth•y [`welθɪ] *adj* bogaty

weap•on [`wepən] *s* broń; **nuclear ~** broń nuklearna

wear [weə(r)], **wore** [wɔ(r)], **worn** [wɔn] *vt vi* mieć na sobie (*ubranie*); nosić (*okulary, brodę*); zużywać (się); **~ off** mijać, przechodzić; **~ out** zdzierać (się), niszczyć (się); wyczerpywać; *s* noszenie; zużycie; **men's <women's> ~** odzież męska <damska>

wear•i•some [`wɪərɪsəm] *adj* nużący

wear•y [`wɪərɪ] *adj* znużony; męczący, nużący; *vt vi* męczyć (się), nużyć (się) (**of sth** czymś)

weath•er [`weðə(r)] *s* pogoda

weath•er fore•cast [`weðəfɔkɑst] *s* prognoza pogody

weave [wiv], **wove** [wəʊw], **woven** [`wəʊvən] *vt* tkać; pleść; *vi* przemykać się
weav•er [`wivə(r)] *s* tkacz, tkaczka
web [web] *s* pajęczyna; *przen.* sieć
we'd [wid] *skr. od* **we had**, *skr. od* **we should**, *skr. od* **we would**
wed•ding [`wedɪŋ] *s* ślub; wesele; ~ **ring** obrączka ślubna
Wednes•day [`wenzdɪ] *s* środa
weed [wid] *s* chwast; *pot.* cherlak; *pot.* papierosy; trawka *pot.*; *vt* odchwaszczać
week [wik] *s* tydzień
week•day [`wikdeɪ] *s* dzień powszedni
week•end [wik`end] *s* koniec tygodnia, weekend
week•ly [`wiklɪ] *adj* cotygodniowy; *adv* co tydzień; *s* tygodnik
weep [wip], **wept, wept** [wept] *vi* płakać, łkać
weigh [weɪ] *vt vi* ważyć; *przen.* (*także* ~ **up**) rozważać; ~ **down** obciążać, przygniatać; ~ **out** odważać
weight [weɪt] *s* waga; ciężar; odważnik; **put on <lose>** ~ przybierać <tracić> na wadze
weird [wɪəd] *adj* dziwny, dziwaczny; niesamowity
wel•come [`welkəm] *vt* witać; *adj* mile widziany; ~ **to Poland** witamy w Polsce; **make sb** ~ życzliwie kogoś przyjmować; **be** ~ **to do sth** mieć swobodę w zrobieniu czegoś; **you are** ~ proszę bardzo; *am.* **you're** ~**!** proszę bardzo! (*odpowiedź na „dziękuję"*); *s* powitanie
weld [weld] *vt* spawać; *s* spaw
weld•er [`weldə(r)] *s* spawacz
wel•fare [`welfeə(r)] *s* dobrobyt; *am.* opieka społeczna; *am.* zasiłek (*z opieki społecznej*)
well [wel] *s* studnia; *adv* (*comp* **better**, *sup* **best**) dobrze; **as** ~ również; **as** ~ **as** zarówno jak, jak również; ~ **done!** brawo!, doskonale!; *adj praed* zdrowy; w porządku; **be** ~ być zdrowym; mieć się dobrze; **get** ~ wyzdrowieć; *int* ~ **then?** no więc?
we'll [wil] *skr. od* **we shall**, *skr. od* **we will**
well-be•haved ['welbɪ`heɪvd] *adj* dobrze wychowany, układny
well-be•ing ['wel`biɪŋ] *s* pomyślność; dobre samopoczucie
well-in•formed ['welɪn`fɔmd] *adj* dobrze poinformowany; wykształcony
well-known ['wel`nəʊn] *adj* dobrze znany
well-off ['wel`of] *adj* dobrze sytuowany, zamożny
Welsh [welʃ] *adj* walijski; *s* język walijski
Welsh•man [`welʃmən] *s* Walijczyk
well-to-do ['weltə`du] *adj* dobrze sytuowany, zamożny
went [went] *zob.* **go**
wept [wept] *zob.* **weep**
were [wɜ(r)] *zob.* **be**

we're [wɪə(r)] *skr. od* **we are**
weren't [wɜnt] *skr. od* **were not**
west [west] *s* zachód; *adj* zachodni; *adv* na zachód; **~ of Paris** na zachód od Paryża
west•ern [`westən] *adj* zachodni; *s film.* western
wet [wet] *adj* mokry; dżdżysty; **~ paint** świeżo malowane; *s* wilgoć; *vt* moczyć
we've [wiv] *skr. od* **we have**
whale [weɪl] *s* wieloryb
what [wot] *pron* co; *adj* jaki; **~ size?** jaki rozmiar?; **~ for?** po co?; **~ is he like?** jaki on jest?; **~ time is it?** która godzina?; **~ a pity!** jaka szkoda!; **so ~!** i co z tego!; *pot.* **~'s up?** co się dzieje?
what•ev•er [wot`evə(r)] *pron* cokolwiek; *adj* jakikolwiek
what's [wots] *skr. od* **what is**
what•so•ev•er ['wotsəʊ`evə(r)] *zob.* **whatever**
wheat [wit] *s* pszenica
wheel [wil] *s* koło; (*także* **steering ~**) kierownica; **at the ~** za kierownicą; *vt* pchać (*wózek*)
wheel•bar•row [`wilbærəʊ] *s* taczki
wheel•chair [`wiltʃeə(r)] *s* wózek inwalidzki
when [wen] *adv* kiedy; *conj* kiedy, gdy; podczas gdy; **since ~** odkąd; **till ~** do kiedy, do czasu gdy
when•ev•er [wen`evə(r)] *adv* ilekroć; kiedykolwiek
where [weə(r)] *adv conj* gdzie; dokąd; **from ~** skąd
where•a•bouts ['weərə`baʊts] *adv* gdzie (*w przybliżeniu*); *s* miejsce pobytu
where•as [weər`æz] *conj* podczas gdy
wher•ev•er [weər`evə(r)] *adv* gdzieś, gdzie; skąd; gdziekolwiek, dokądkolwiek; **go ~ you like** idź, dokąd chcesz
wheth•er [`weðə(r)] *conj* (*w zdaniach podrzędnych*) czy; **I don't know ~ I should do that** nie wiem, czy powinienem to zrobić
which [wɪtʃ] *pron* który; co; **after ~** po czym; **he said she was dead, ~ was true** powiedział, że ona nie żyje, co było prawdą; **~ of the books is yours?** która z książek jest twoja?
which•ev•er [wɪtʃ`evə(r)] *adj pron* który; którykolwiek; **take ~ you want** weź, który chcesz
while [waɪl] *s* chwila; **for <in> a ~** przez <za> jakiś czas; **it's worth your ~** warto, opłaci się; *conj* gdy, podczas gdy; chociaż; *vt*: **~ away the time** skrócić sobie czas
whim [wɪm] *s* grymas, zachcianka
whim•si•cal [`wɪmzɪkl] *adj* kapryśny; dziwaczny
whip [wɪp] *s* bicz; woźnica; *vt* bić batem; ubijać (*pianę*); *vi* szybko umknąć
whirl [wɜl] *vt vi* wirować, kręcić (się); *s* wir

whirl•pool [`wɜlpul] *s* wir (*wodny*)
whirl•wind [`wɜlwɪnd] *s* trąba powietrzna
whir(r) [wɜ(r)] *vi* warkotać; *s* warkot
whisk [wɪsk] *s* trzepaczka (*do ubijania piany*); miotełka; *vt* ubijać; *vi*: ~ **away** śmignąć, pomknąć
whisk•ers [`wɪskəz] *s pl* (*także* **side** ~) bokobrody, baczki; wąsy (*u zwierząt*)
whis•ky, *am.* **whis•key** [`wɪskɪ] *s* whisky
whis•per [`wɪspə(r)] *vt vi* szeptać; *s* szept
whis•tle [`wɪsl] *s* gwizd; gwizdek; *vt vi* gwizdać
white [waɪt] *adj* biały; ~ **coffee** kawa z mlekiem; *s* biel; biały (*człowiek*); białko
white-col•lar [`waɪtkolə(r)] *adj*: ~ **worker** pracownik umysłowy, urzędnik; ~ **work** praca umysłowa
white•wash [`waɪtwoʃ] *s* wapno do bielenia; *vt* bielić; *przen.* wybielać
whiz(z) [wɪz] *vi* zaświstać; świszczeć; *s*: ~ **kid** cudowne dziecko
who [hu] *pron* (*w pytaniach*) kto; ~ **is she dancing with?** z kim ona tańczy?; *pron.* (*względny*: *w zdaniach podrzędnych o ludziach*) który, która
who•ev•er [hu`evə(r)] *pron* ktokolwiek; kto
whole [həʊl] *adj attr* cały; *s* całość; **as a** ~ w całości; **on the** ~ ogólnie biorąc
whole-heart•ed ['həʊl`hɑtɪd] *adj* szczery; serdeczny; niekłamany
whole•food(s) [`həʊlfud(z)] *s* żywność naturalna
whole•sale [`həʊlseɪl] *s* hurt; *adj* hurtowy; masowy; *adv* hurtem
whole•sal•er [`həʊlseɪlə(r)] *s* hurtownik
whole•some [`həʊlsəm] *adj* (*o klimacie*) zdrowy
who'll [hul] *skr. od* **who will**
whol•ly [`həʊlɪ] *adv* całkowicie
whole•meal [`həʊlmil] *adj* gruboziarnisty (*chleb*)
whom [hum] *pron* (*w pytaniach*) kogo, komu, kim; **with** ~ **is she dancing** z kim ona tańczy?; (*pron względny*) który, którego...; **people** ~ **I trust** ludzie, którym ufam
whoop•ing-cough [`hupɪŋkof] *s* koklusz
who's [huz] *skr. od* **who is**, *skr. od* **who has**
whore [hɔ(r)] *s wulg.* dziwka, kurwa
whose [huz] *adj* czyj; *pron* którego, której, których; ~ **are these shoes?**, ~ **shoes are these?** czyje są te buty?; **the children** ~ **house was burned down** dzieci, których dom został spalony
why [waɪ] *adv conj* dlaczego; ~ **not?** czemu nie?; **that's** ~ dlatego też; **difficult?** ~, **it's**

easy! trudne? ależ skąd, przecież to łatwe!
wick [wɪk] *s* knot; *bryt. pot.* **get on sb's ~** działać komuś na nerwy
wick•ed [`wɪkɪd] *adj* podły, niegodziwy; zły
wick•er [`wɪkə(r)] *adj* wiklinowy
wide [waɪd] *adj* szeroki, obszerny; *adv* szeroko; **~ open** szeroko otwarty
wid•en [`waɪdn] *vt vi* poszerzać, rozszerzać (się)
wide•ly [`waɪdlɪ] *adv* znacznie; szeroko; **~ read** oczytany; poczytny
wide•spread [`waɪdspred] *adj* rozpowszechniony
wid•ow [`wɪdəʊ] *s* wdowa
wid•owed [`wɪdəʊd] *adj* owdowiały
wid•ow•er [`wɪdəʊə(r)] *s* wdowiec
width [wɪdθ] *s* szerokość
wife [waɪf] *s* (*pl* **wives** [waɪvz]) żona
wig [wɪg] *s* peruka; *pot.* **big ~** gruba ryba *pot.*
wild [waɪld] *adj* dziki; szalony; burzliwy; **make a ~ guess** zgadywać na chybił trafił; **go ~** oszaleć; *pot.* wściec się; *s*: *pot.* **in the ~** (*o zwierzętach*) na wolności
wil•der•ness [`wɪldənɪs] *s* pustkowie, odludzie; **the voice of one crying in the ~** głos wołającego na puszczy
wil(l)•ful [`wɪlfʊl] *adj* uparty, samowolny; umyślny
will[1] [wɪl] *v aux* (*służy do tworzenia czasu przyszłego*): **he ~ do it** on to zrobi; (*prośba, polecenie*): **~ you open the door?, open the door, ~ you?** czy możesz otworzyć drzwi?
will[2] [wɪl] *s* wola; (*także* **last ~**) testament; **at ~** dowolnie, zależnie od (czyjegoś) życzenia; **against sb's ~** wbrew czyjejś woli
will•ing [`wɪlɪŋ] *adj* chętny
wil•low [`wɪləʊ] *s* wierzba
wil•ly-nil•ly ['wɪlɪ`nɪlɪ] *adv* chcąc nie chcąc
will•pow•er [`wɪlpaʊə(r)] *s* siła woli
win [wɪn], **won, won** [wʌn] *vt vi* wygrywać; zwyciężać; zdobywać; **~ back** odzyskiwać; **~ over** pozyskać sobie (*kogoś*); *s* zwycięstwo, wygrana
wind[1] [wɪnd] *s* wiatr; dech; *med.* wzdęcie; *przen.* **get ~** zwęszyć (**of sth** coś); *vt* pozbawiać tchu
wind[2] [waɪnd], **wound, wound** [waʊnd] *vt* kręcić, obracać; owijać; nawijać; nakręcać (*zegarek*); *vi* wić się; **~ up** nakręcać; zakończyć (*spotkanie*); zlikwidować (*spółkę*)
wind•mill [`wɪndmɪl] *s* wiatrak
win•dow [`wɪndəʊ] *s* okno
win•dow-shop•ing [`wɪndəʊʃopɪŋ] *s* oglądanie wystaw sklepowych
win•dow•sill [`wɪndəʊsɪl] *s* parapet

wind•pipe [ˋwɪndpɑɪp] *s anat.* tchawica
wind•screen [ˋwɪndskrin] *s mot.* przednia szyba; ~ **wiper** wycieraczka
wind•shield [ˋwɪndʃild] *s am. zob.* **windscreen**
windsurf•ing [ˋwɪndsɜfɪŋ] *s* windsurfing
wind•y [ˋwɪndɪ] *adj* wietrzny
wine [wɑɪn] *s* wino
wing [wɪŋ] *s* skrzydło; *mot.* błotnik
wink [wɪŋk] *vt vi* mrugać (**at sb** do kogoś); *s* mrugnięcie
win•ner [ˋwɪnə(r)] *s* zwycięzca
win•ter [ˋwɪntə(r)] *s* zima; **in** ~ zimą; *vi* zimować
wipe [wɑɪp] *vt* ścierać, wycierać; ~ **one's nose** wycierać nos
wip•er [ˋwɑɪpə(r)] *s mot.* wycieraczka
wire [ˋwɑɪə(r)] *s* drut; *elektr.* przewód; *am.* telegram; **barbed** ~ drut kolczasty; *vt* podłączać (*do sieci*); *am.* ~ **sb** wysłać komuś telegram
wis•dom [ˋwɪzdəm] *s* mądrość
wise [wɑɪz] *adj* mądry
wise•crack [ˋwɑɪzkræk] *s* dowcipna uwaga
wish [wɪʃ] *vt vi* życzyć (sobie); pragnąć (**for sth** czegoś); ~ **sb well** życzyć komuś dobrze; **I ~ I were...** chciałbym być..., żałuję, że nie jestem...; *s* życzenie; *pl* **best ~es** najlepsze życzenia (**for the New Year** z okazji Nowego Roku)
wish•ful [ˋwɪʃful] *adj*: ~ **thinking** pobożne życzenia
wit [wɪt] *s* dowcip; dowcipniś; (*także pl* **~s**) bystrość; **be at one's ~s' end** nie wiedzieć, co robić
witch [wɪtʃ] *s* czarownica
witch•craft [ˋwɪtʃkrɑft] *s* czary, czarna magia
with [wɪð] *praep* z, przy, u, za pomocą; **I want to be ~ you** chcę być z tobą; *pot.* **are you ~me?** kontaktujesz? *pot.*; **he is staying ~ his friends** on przebywa u przyjaciół; **eat ~ a spoon** jeść łyżką
with•draw [wɪðˋdrɔ], **with•drew** [wɪðˋdru], **with•drawn** [wɪðˋdrɔn] *vt vi* wycofywać (się); odwoływać; podejmować (*pieniądze z banku*)
with•draw•al [wɪθˋdrɔəl] *s* wycofanie (się); odwołanie; podjęcie (*pieniędzy*)
with•er [ˋwɪðə(r)] *vi* usychać; więdnąć
with•hold [wɪðˋhəuld], **with•held, with•held** [wɪðˋheld] *vt* wstrzymywać; odmawiać
with•in [wɪðˋɪn] *praep* wewnątrz; w obrębie; w zasięgu; (*o czasie*) w przeciągu; *adv* wewnątrz, w środku; ~ **reach of** w zasięgu; ~ **sight** w zasięgu wzroku
with•out [wɪðˋɑut] *praep* bez; **do ~ sth** obywać się bez czegoś
with•stand [wɪðˋstænd], **with-stood, with•stood** [wɪðˋstud] *vt vt* stawiać opór, wytrzymywać

wit•ness [ˋwɪtnəs] *s* świadek; *vt* być świadkiem (**sth** czegoś); świadczyć (**sth** o czymś); **~ to sth** zaświadczać o czymś
wit•ty [ˋwɪtɪ] *adj* dowcipny
wives *zob.* **wife**
wiz•ard [ˋwɪzəd] *s* czarodziej, czarnoksiężnik
woke, wok•en *zob.* **wake**
wolf [wʊlf] *s* (*pl* **wolves** [wʊlvz]) wilk
wolves *zob.* **wolf**
wom•an [ˋwʊmən] *s* (*pl* **women** [ˋwɪmɪn]) kobieta
wom•an•hood [ˋwʊmənhʊd] *s* kobiecość
wom•an•ish [ˋwʊmənɪʃ] *adj* zniewieściały
wom•an•ize [ˋwʊmənɑɪz] *vi* uganiać się za spódniczkami
wom•an•kind [ˋwʊmənkɑɪnd] *s zbior.* kobiety, ród kobiecy
wom•an•ly [ˋwʊmənlɪ] *adj* kobiecy
womb [wum] *s anat.* macica; *przen.* łono
wom•en *zob.* **woman**
won *zob.* **win**
won•der [ˋwʌndə(r)] *vt vi* być ciekawym, chcieć wiedzieć; zastanawiać się; dziwić się (**at sth** czemuś); **I ~ where he is** ciekaw jestem, gdzie on jest; *s* zdumienie; cud; **no ~** nic dziwnego; **work ~s** czynić cuda
won•der•ful [ˋwʌndəfʊl] *adj* cudowny
won•der•land [ˋwʌndəlænd] *s* kraina czarów
won't [wəʊnt] *skr. od* **will not**
wood [wʊd] *s* drewno; (*także* **~s**) las; **touch ~!** odpukać (w nie malowane drewno)!
wood•cut [ˋwʊdkʌt] *s* drzeworyt
wood•en [ˋwʊdn] *adj* drewniany; *przen.* tępy
wood•peck•er [ˋwʊdpekə(r)] *s* dzięcioł
wood•work [ˋwʊdwɜk] *s* stolarka
wood•y [ˋwʊdɪ] *adj* drzewny; lesisty
wool [wʊl] *s* wełna
wool•len [ˋwʊlən] *adj* wełniany
wool•ly [ˋwʊlɪ] *adj* wełnisty; *przen.* mglisty, niejasny
word [wɜd] *s* wyraz, słowo; wiadomość; **what's the ~ for "love" in French?** jak brzmi słowo „miłość" po francusku?; **by ~ of mouth** ustnie; **play on ~s** gra słów; **in other ~s** innymi słowy; **have a ~ with sb** zamienić z kimś parę słów; **keep <break> one's ~** dotrzymywać <nie dotrzymywać> słowa; **put sth into ~s** wyrażać coś słowami; *komp.* **~ processor** edytor tekstu; *vt* wyrażać słowami
word•y [ˋwɜdɪ] *adj* rozwlekły (*styl*)
wore *zob.* **wear**
work [wɜk] *s* praca; dzieło; utwór; **at ~** przy pracy; w pracy; **out of ~** bezrobotny; **get <set> to ~** zabierać się do

roboty; *pl* ~**s** mechanizm; zakład (*przemysłowy*); *vi* pracować; (*o urządzeniu*) działać; *vt* obsługiwać; obrabiać; ~ **out** wypracować; dopracować; ćwiczyć, trenować; (*o planie*) powieść się; ~ **wonders** czynić cuda

wor•ka•ble [`wɜkəbl] *adj* wykonalny; nadający się do wykorzystania

work•day [`wɜkdeɪ] *s* dzień roboczy

work•er [`wɜkə(r)] *s* pracownik; robotnik

work•ing [`wɜkɪŋ] *adj* pracujący; czynny; **in ~ order** sprawny, na chodzie; ~ **knowledge of sth** praktyczna znajomość czegoś; ~ **capital** kapitał obrotowy; ~ **hours** godziny pracy

work•shop [`wɜkʃop] *s* warsztat

work•out [`wɜkaʊt] *s* ćwiczenia, trening

world [wɜld] *s* świat; ~ **war** wojna światowa; **all over the ~** na całym świecie; **be all the ~ to sb** być dla kogoś całym światem; **not for all the ~** za nic w świecie; **what in the ~ are you doing?** co ty u licha robisz?

world•ly [`wɜldlɪ] *adj* światowy; ziemski, doczesny

worm [wɜm] *s* robak

worm•y [`wɜmɪ] *adj* robaczywy

worn *zob.* **wear**

wor•ry [`wʌrɪ] *vt vi* niepokoić (się), martwić (się) (**about** <**over**> **sb** <**sth**> o kogoś <coś>); **don't ~** nie martw się; *s* zmartwienie, troska

worse [wɜs] *adj* (*comp od* **bad**) gorszy; w gorszym stanie; **be ~** czuć się gorzej; *adv* gorzej

wors•en [`wɜsn] *vt vi* pogarszać się

wor•ship [`wɜʃɪp] *s* cześć; uwielbienie; nabożeństwo; *vt* czcić, wielbić

worst [wɜst] *adj* (*sup od* **bad**) najgorszy; **at (the) ~** w najgorszym razie; *adv* najgorzej

worth [wɜθ] *adj* wart, zasługujący; **it's ~ reading** warto to przeczytać; **it isn't ~ your while** to nie warte twojego zachodu; *s* wartość; **thousands of pounds' ~ of damage** straty wartości tysięcy funtów

worth•less [`wɜθlɪs] *adj* bezwartościowy

worth•while ['wɜθ`waɪl] *adj* wart zachodu

worth•y [`wɜðɪ] *adj* czcigodny; godny, szlachetny; **be ~ of sth** być wartym czegoś

would [wʊd] *v aux* (*tryb warunkowy*): **she ~ be surprised** byłaby zaskoczona; (*mowa zależna*): **he said he ~ do that** powiedział, że to zrobi; (*chęć, prośba, zachęta*): **~ you open the door?** czy mógłbyś otworzyć drzwi?; **~ you like a cake?** może ciasteczko?; (*powtarzalność czynności w prze-*

złości): **he ~ go there every winter** jeździł tam każdej zimy
would-be [`wʊdbi] *adj attr* niedoszły
wound[1] *zob.* **wind**[2]
wound[2] [wund] *s* rana; *vt* ranić
wrap [ræp] *vt* (*także* **~ up**) pakować, owijać; szal; narzutka; *pot.* **keep sth under ~s** trzymać coś w tajemnicy
wrap•per [`ræpə(r)] *s* opakowanie; *bryt.* obwoluta
wrath [roθ] *s* gniew
wreak [rik] *vt* wyładować (**one's rage upon sb** swoją wściekłość na kimś)
wreath [riθ] *s* wieniec
wreck [rek] *s* (*o statku*; *o człowieku*) wrak; *vt* rozbić, zniszczyć
wreck•age [`rekɪdʒ] *s* szczątki
wres•tle [`resl] *vt vi* borykać się, zmagać się
wres•tling [`reslɪŋ] *s sport.* zapasy
wretch [retʃ] *s* nieszczęśnik; **poor ~** biedaczysko
wretch•ed [`retʃɪd] *adj* nieszczęśliwy, pożałowania godny; *przen.* cholerny
wring [rɪŋ], **wrung, wrung** [rʌŋ] *vt* wyżymać; ukręcać; **~ one's hands** załamywać ręce
wrin•kle [`rɪŋkl] *s* zmarszczka; *vt vi* marszczyć (się)
wrist [rɪst] *s* przegub
wrist•watch [`rɪstwotʃ] *s* zegarek na rękę
write [rɑɪt], **wrote** [rəʊt], **writ•ten** [`rɪtn] *vt vi* pisać, wypisywać; **~ back** odpisywać; **~ down** zapisywać; **~ out** przepisywać; wypisywać (*czek*); **~ off** spisać na straty
writ•er [`rɑɪtə(r)] *s* pisarz
writhe [rɑɪð] *vi* wić się, skręcać się (**with shame** ze wstydu, **with agony** z bólu)
writ•ing [`rɑɪtɪŋ] *s* pismo; napis; pisarstwo
writ•ten *zob.* **write**
wrong [roŋ] *adj* niesłuszny; niewłaściwy, nieodpowiedni; zły; **be ~** nie mieć racji, mylić się; **something is ~** coś jest nie w porządku; **what's ~?** co się stało?; *adv* źle, niesłusznie; **go ~** pomylić się; popsuć się; *s* krzywda; zło; **be in the ~** nie mieć racji; być winnym; *vt* skrzywdzić, wyrządzić krzywdę
wrote *zob.* **write**
wrung *zob.* **wring**

X

Xe•rox [`zɪəroks] *vt* kserować; *s* (*także* **~ machine**) kserokopiarka, *pot.* ksero; kserokopia
X•mas [`krɪsməs] *zob.* **Christmas**
X-rat•ed [`eksreɪtɪd] *adj am. film.* dozwolony od lat 18

X-ray [ˋeksreɪ] *s* promień Roentgena; rentgen, prześwietlenie; *vt* prześwietlać

Y

yacht [jot] *s* jacht
yacht•ing [ˋjotɪŋ] *s* żeglarstwo
yard[1] [jɑd] *s* jard (91,4 cm)
yard[2] [jɑd] *s* dziedziniec; podwórze; *am.* ogródek za domem
yawn [jɔn] *vi* ziewać; *s* ziewnięcie
yea [jeɪ] *s* głos za wnioskiem (*w głosowaniu*); *zob.* **yes**
yeah [jeə] *pot.* tak, aha
year [jɪə(r)] *s* rok; **all the ~ round** przez cały rok; **~ after ~** rok za rokiem; **per <a> ~** na rok, rocznie; **~ in, ~ out** z roku na rok
year•book [ˋjɪəbʊk] *s* rocznik (*statystyczny*)
year•ly [ˋjɪəlɪ] *adj* roczny; coroczny; doroczny; *adj* rocznie; corocznie; raz w roku
yearn [jɜn] *vi* tęsknić (**for sth <to do sth>** za czymś <za robieniem czegoś>)
yeast [jist] *s* drożdże
yell [jel] *vt vi* wrzeszczeć; wykrzykiwać; *s* wrzask
yel•low [ˋjeləʊ] *adj* żółty; *s* kolor żółty; *vi* żółknąć; *vt* żółcić
yel•low•ish [ˋjeləʊɪʃ] *adj* żółtawy
yelp [jelp] *vi* krzyczeć; skowyczeć; *s* okrzyk; skowyt
yen [jen] *s* chęć; **have a ~ for <to do> sth** mieć wielką ochotę na coś <robienie czegoś>
yes [jes] *adv* tak
yes•ter•day [ˋjestədɪ] *adv* wczoraj; *s* wczoraj, dzień wczorajszy; **the day before ~** przedwczoraj
yet [jet] *adv* jeszcze; (*w pytaniach*) już; *conj* mimo to, lecz jednak; nadal; **as ~** jak dotąd; **not ~** jeszcze nie
yew [ju] *s* cis
yield [jild] *vt* wydawać (*plon*); dostarczać; dawać (*wyniki*); *vi* poddawać się, ustępować; uginać się (*pod naciskiem*); *mot. am.* ustępować pierwszeństwa przejazdu; *s* wynik; plon
yo•ga [ˋjəʊgə] *s* joga
yog•(h)urt [ˋjəʊgət] *s* jogurt
yoke [jəʊk] *s* jarzmo; *vt* ujarzmiać
yolk [jəʊk] *s* żółtko
you [ju] *pron* ty, wy, cię, ciebie, was, ci, tobie, wam; pan, pani, państwo; **can I help ~?** czym mogę panu <pani, państwu> służyć?; (*zdania bezosobowe*) **~ can never tell** nigdy nie wiadomo
you'd [jud] *skr. od* **you had**, *skr. od* **you would**
you'll [jul] *skr. od* **you will**
young [jʌŋ] *adj* młody; *s pl*: **the**

~ młodzież; (*o zwierzętach*) młode
young•ster [`jʌŋstə(r)] *s* chłopak; dziewczyna; dziecko
your [jɔ(r)] *pron* twój, wasz; pański
you're [jɔ(r), juə(r)] *skr. od* **you are**
yours [jɔz, juəz] *pron* twój, swój, wasz, pański
your•self [jɔ`self] *pron* siebie, sobie, się; ty sam, pan sam; *pl* **yourselves** [jɔ`selvz] siebie, sobie, się; wy sami, państwo sami
youth [juθ] *s* młodość; młodzieniec; *zbior.* **the ~** młodzież
youth•ful [`juθful] *adj* młodzieńczy
youth hostel [`juθhostl] *s* schronisko młodzieżowe
you've [juv] *skr. od* **you have**
yup•pie [`jʌpɪ] *s* yuppie

Z

zeal [zil] *s* gorliwość, zapał
zeal•ous [`zeləs] *adj* zapalony, zagorzały
ze•bra [`zibrə] *s* zebra; *bryt.* **~ crossing** przejście dla pieszych, pasy
zen•ith [`zenɪθ] *s* zenit; *przen.* szczyt (*sławy*)
ze•ro [`zɪərəu] *s* zero; *fiz.* **absolute ~** zero bezwzględne; *vi*: **~ in on** koncentrować się na
zest [zest] *s* zapał, entuzjazm; **orange ~** skórka pomarańczowa
zig•zag [`zɪgzæg] *s* zygzak; *vi* iść <jechać> zygzakiem

CZASOWNIKI NIEREGULARNE
LIST OF IRREGULAR VERBS

Czasowników modalnych (modal verbs) o jednej tylko formie, jak np. **ought**, lub dwóch formach, jak np. **can**, **could**, należy szukać w odpowiednich miejscach słownika.

Bezokolicznik Infinitive	**Czas przeszły Past**	**Imiesłów czasu przeszłego Past Participle**
abide [ə`baɪd]	**abode** [ə`bəud]	**abode** [ə`bəud]
arise [ə`raɪz]	**arose** [ə`rəʊz]	**arisen** [ə`rɪzn]
awake [ə`weɪk]	**awoke** [ə`wəʊk]	**awoke** [ə`wəʊk]
be [bi]	**was** [woz, wəz] *pl* **were** [wɜ(r)]	**been** [bin]
bear [beə(r)]	**bore** [bɔ(r)]	**borne** [bɔn] **born** [bɔn]
beat [bit]	**beat** [bit]	**beaten** [`bitn]
become [bɪ`kʌm]	**became** [bɪ`keɪm]	**become** [bɪ`kʌm]
beget [bɪ`get]	**begot** [bɪ`got]	**begotten** [bɪ`gotn]
begin [bɪ`gɪn]	**began** [bɪ`gæn]	**begun** [bɪ`gʌn]
bend [bend]	**bent** [bent]	**bent** [bent]
bet [bet]	**bet** [bet]	**bet** [bet]
bid [bid]	**bade** [beɪd, bæd] **bid** [bɪd]	**bidden** [`bɪdn] **bid** [bɪd]
bind [baɪnd]	**bound** [baʊnd]	**bound** [baʊnd]
bite [baɪt]	**bit** [bɪt]	**bitten** [`bɪtn]
bleed [blid]	**bled** [bled]	**bled** [bled]

blend [blend]	**blended** [blendɪd]	**blended** [ˋblendɪd]
	blent [blent]	**blent** [blent]
blow [bləʊ]	**blew** [blu]	**blown** [bləʊn]
break [breɪk]	**broke** [brəʊk]	**broken** [ˋbrəʊkən]
breed [brid]	**bred** [bred]	**bred** [bred]
bring [brɪŋ]	**brought** [brɔt]	**brought** [brɔt]
build [bɪld]	**built** [bɪlt]	**built** [bɪlt]
burn [bɜn]	**burnt** [bɜnt]	**burnt** [bɜnt]
	burned [bɜnd]	**burned** [bɜnd]
burst [bɜst]	**burst** [bɜst]	**burst** [bəst]
buy [baɪ]	**bought** [bɔt]	**bought** [bɔt]
cast [kɑst]	**cast** [kɑst]	**cast** [kɑst]
catch [kætʃ]	**caught** [kɔt]	**caught** [kɔt]
choose [tʃuz]	**chose** [tʃəʊz]	**chosen** [ˋtʃəʊzn]
cling [kliŋ]	**clung** [klʌŋ]	**clung** [klʌŋ]
come [kʌm]	**came** [keɪm]	**come** [kʌm]
cost [kost]	**cost** [kost]	**cost** [kost]
creep [krip]	**crept** [krept]	**crept** [krept]
cut [kʌt]	**cut** [kʌt]	**cut** [kʌt]
dare [deə(r)]	**dared** [deəd]	**dared** [deəd]
	durst [dɜst]	
deal [dil]	**dealt** [delt]	**dealt** [delt]
dig [dɪg]	**dug** [dʌg]	**dug** [dʌg]
do [du]	**did** [dɪd]	**done** [dʌn]
draw [drɔ]	**drew** [dru]	**drawn** [drɔn]
dream [drim]	**dreamt** [dremt]	**dreamt** [dremt]
	dreamed [drimd]	**dreamed** [drimd]
drink [drɪŋk]	**drank** [dræŋk]	**drunk** [drʌŋk]
		drunken [ˋdrʌŋkən]
drive [draɪv]	**drove** [drəʊv]	**driven** [ˋdrɪvn]
dwell [dwel]	**dwelt** [dwelt]	**dwelt** [dwelt]
	dwelled [dweld]	**dwelled** [dweld]
eat [it]	**ate** [et, *am.* eɪt]	**eaten** [ˋitn]
fall [fɔl]	**fell** [fel]	**fallen** [ˋfɔlən]
feed [fid]	**fed** [fed]	**fed** [fed]
feel [fil]	**felt** [felt]	**felt** [felt]
fight [faɪt]	**fought** [fɔt]	**fought** [fɔt]
find [faɪnd]	**found** [faʊnd]	**found** [faʊnd]
flee [fli]	**fled** [fled]	**fled** [fled]

fly [flaɪ]	**flew** [flu]	**flown** [fləʊn]
forbid [fə`bɪd]	**forbade** [fə`beɪd]	**forbidden** [fə`bɪdn]
	forbad [fə`bæd]	
forecast [`fɔkɑst]	**forecast** [`fɔkɑst]	**forecast** [`fɔkɑst]
foresee [fɔ`si]	**foresaw** [fɔ`sɔ]	**foreseen** [fɔ`sin]
foretell [fɔ`tel]	**foretold** [fɔ`təʊld]	**foretold** [fɔ`təʊld]
forget [fə`get]	**forgot** [fə`got]	**forgotten** [fə`gotn]
forgive [fə`gɪv]	**forgave** [fə`geɪv]	**forgiven** [fə`gɪvn]
forsake [fə`seɪk]	**forsook** [fə`sʊk]	**forsaken** [fə`seɪkən]
freeze [friz]	**froze** [frəʊz]	**frozen** [`frəʊzn]
get [get]	**got** [got]	**got** [got]
	am. **gotten** [`gotn]	
gird [gɜd]	**girded** [`gɜdɪd]	**girded** [`gɜdɪd]
	girt [gɜt]	**girt** [gɜt]
give [gɪv]	**gave** [geɪv]	**given** [`gɪvn]
go [gəʊ]	**went** [went]	**gone** [gon]
grind [graɪnd]	**ground** [graʊnd]	**ground** [graʊnd]
grow [grəʊ]	**grew** [gru]	**grown** [grəʊn]
hang [hæŋ]	**hung** [hʌŋ]	**hung** [hʌŋ]
	hanged [hæŋd]	**hanged** [hæŋd]
have [hæv]	**had** [hɑd]	**had** [hɑd]
hear [hɪə(r)]	**heard** [hɜd]	**heard** [hɜd]
hide [haɪd]	**hid** [hɪd]	**hidden** [`hɪdn]
		hid [hɪd]
hit [hɪt]	**hit** [hɪt]	**hit** [hɪt]
hold [həʊld]	**held** [held]	**held** [held]
hurt [hɜt]	**hurt** [hɜt]	**hurt** [hɜt]
keep [kip]	**kept** [kept]	**kept** [kept]
kneel [nil]	**knelt** [nelt]	**knelt** [nelt]
knit [nɪt]	**knit** [nɪt]	**knit** [nɪt]
	knitted [`nɪtɪd]	**knitted** [`nɪtɪd]
know [nəʊ]	**knew** [nju]	**known** [nəʊn]
lay [leɪ]	**laid** [leɪd]	**laid** [leɪd]
lead [lid]	**led** [led]	**led** [led]
lean [lin]	**leant** [lent]	**leant** [lent]
	leaned [lind]	**leaned** [lind]
leap [lip]	**leapt** [lept]	**leapt** [lept]
	leaped [lipt, lept]	**leaped** [lipt, lept]

learn [lɜn]	**learnt** [lɜnt] **learned** [lɜnd]	**learnt** [lɜnt] **learned** [lɜnd]
leave [liv]	**left** [left]	**left** [left]
lend [lend]	**lent** [lent]	**lent** [lent]
let [let]	**let** [let]	**let** [let]
lie [laɪ]	**lay** [leɪ]	**lain** [leɪn]
light [laɪt]	**lighted** [`laɪtɪd] **lit** [lɪt]	**lighted** [`laɪtɪd] **lit** [lɪt]
lose [luz]	**lost** [lost]	**lost** [lost]
make [meɪk]	**made** [meɪd]	**made** [meɪd]
mean [min]	**meant** [ment]	**meant** [ment]
meet [mit]	**met** [met]	**met** [met]
mislay [mɪs`lei]	**mislaid** [mɪs`leɪd]	**mislaid** [mɪs`leɪd]
mislead [mɪs`lid]	**misled** [mis`led]	**misled** [mis`led]
mistake [mɪ`steɪk]	**mistook** [mɪ`stuk]	**mistaken** [mɪ`steɪkn]
misunderstand ['mɪsʌndə`stænd]	**misunderstood** ['mɪsʌndə`stʊd]	**misunderstood** ['mɪsʌndə`stʊd]
mow [məʊ]	**mowed** [məʊd]	**mown** [məʊn], *am.* **mowed** [məʊd]
outdo [aʊt`du]	**outdid** [aʊt`dɪd]	**outdone** [aʊt`dʌn]
outrun [aʊt`rʌn]	**outran** [aʊt`ræn]	**outran** [aʊt`rʌn]
overcome ['əʊvə`kʌm]	**overcame** ['əʊvə`keɪm]	**overcome** ['əʊvə`kʌm]
overdo ['əʊvə`du]	**overdid** ['əʊvə`dɪd]	**overdone** ['əʊvə`dʌn]
overeat ['əʊvər`it]	**overate** ['əʊvər`eɪt]	**overeaten** ['əʊvər`ɪtn]
overhear ['əʊvə`hɪə]	**overheard** ['əʊvə`hɜd]	**overheard** ['əʊvə`hɜd]
overtake ['əʊvə`teɪk]	**overtook** ['əʊvə`tʊk]	**overtaken** ['əʊvə`teɪkən]
overthrow ['əʊvə`θrəʊ]	**overthrew** ['əʊvə`θru]	**overthrown** ['əʊvə`θrəʊn]
pay [peɪ]	**paid** [peɪd]	**paid** [peɪd]
put [pʊt]	**put** [pʊt]	**put** [pʊt]
read [rid]	**read** [red]	**read** [red]
rid [rɪd]	**rid** [rɪd] **ridded** [`rɪdɪd]	**rid** [rɪd] **ridded** [`rɪdɪd]
ride [raɪd]	**rode** [rəʊd]	**ridden** [`rɪdn]
ring [rɪŋ]	**rang** [ræŋ]	**rung** [rʌŋ]
rise [raɪz]	**rose** [rəʊz]	**risen** [`rɪzn]

run [rʌn]	**ran** [ræn]	**run** [rʌn]
saw [sɔ]	**sawed** [sɔd]	**sawn** [sɔn]
		sawed [sɔd]
say [seɪ]	**said** [sed]	**said** [sed]
see [si]	**saw** [sɔ]	**seen** [sin]
seek [sik]	**sought** [sɔt]	**sought** [sɔt]
sell [sel]	**sold** [səʊld]	**sold** [səʊld]
send [send]	**sent** [sent]	**sent** [sent]
set [set]	**set** [set]	**set** [set]
sew [səʊ]	**sewed** [səʊd]	**sewed** [səʊd]
		sewn [səʊn]
shake [ʃeɪk]	**shook** [ʃʊk]	**shaken** [`ʃeɪkən]
shed [ʃed]	**shed** [ʃed]	**shed** [ʃed]
shine [ʃɑɪn]	**shone** [ʃon]	**shone** [ʃon]
shoot [ʃut]	**shot** [ʃot]	**shot** [ʃot]
show [ʃəʊ]	**showed** [ʃəʊd]	**shown** [ʃəʊn]
		showed [ʃəʊd]
shrink [ʃrɪŋk]	**shrank** [ʃræŋk]	**shrunk** [ʃrʌŋk]
shut [ʃʌt]	**shut** [ʃʌt]	**shut** [ʃʌt]
sing [sɪŋ]	**sang** [sæŋ]	**sung** [sʌŋ]
sink [sɪŋk]	**sank** [sæŋk]	**sunk** [sʌŋk]
sit [sit]	**sat** [sæt]	**sat** [sæt]
slay [sleɪ]	**slew** [slu]	**slain** [sleɪn]
sleep [slip]	**slept** [slept]	**slept** [slept]
slide [slɑɪd]	**slid** [slɪd]	**slid** [slɪd]
		slidden [`slɪdn]
sling [slɪŋ]	**slung** [slʌŋ]	**slung** [slʌŋ]
slink [slɪŋk]	**slunk** [slʌŋk]	**slunk** [slʌŋk]
slit [slɪt]	**slit** [slɪt]	**slit** [slɪt]
smell [smel]	**smelt** [smelt]	**smelt** [smelt]
	smelled [smeld]	**smelled** [smeld]
sow [səʊ]	**sowed** [səʊd]	**sown** [səʊn]
		sowed [səʊd]
speak [spik]	**spoke** [spəʊk]	**spoken** [`spəʊkən]
speed [spid]	**sped** [sped]	**sped** [sped]
	speeded [`spidɪd]	**speeded** [`spidɪd]
spell [spel]	**spelt** [spelt]	**spelt** [spelt]
	spelled [speld]	**spelled** [speld]

spend [spend]	**spent** [spent]	**spent** [spent]
spill [spɪl]	**spilt** [spɪlt]	**spilt** [spɪlt]
	spilled [spɪld]	**spilled** [spɪld]
spin [spɪn]	**spun** [spʌn]	**spun** [spʌn]
	span [spæn]	
spit [spɪt]	**spit** [spɪt]	**spit** [spɪt]
	spat [spæt]	**spat** [spæt]
split [splɪt]	**split** [splɪt]	**split** [splɪt]
spoil [spɔɪl]	**spoilt** [spɔɪlt]	**spoilt** [spɔɪlt]
	spoiled [spɔɪld]	**spoiled** [spɔɪld]
spread [spred]	**spread** [spred]	**spread** [spred]
spring [sprɪŋ]	**sprang** [spræŋ]	**sprung** [sprʌŋ]
stand [stænd]	**stood** [stʊd]	**stood** [stʊd]
steal [stil]	**stole** [stəʊl]	**stolen** [`stəʊlən]
stick [stɪk]	**stuck** [stʌk]	**stuck** [stʌk]
sting [stɪŋ]	**stung** [stʌŋ]	**stung** [stʌŋ]
stink [stɪŋk]	**stunk** [stʌŋk]	**stunk** [stʌŋk]
	stank [stæŋk]	
strike [straɪk]	**struck** [strʌk]	**struck** [strʌk]
string [strɪŋ]	**strung** [strʌŋ]	**strung** [strʌŋ]
strive [straɪv]	**strove** [strəʊv]	**striven** [`strɪvn]
swear [sweə(r)]	**swore** [swɔ(r)]	**sworn** [swɔn]
sweep [swip]	**swept** [swept]	**swept** [swept]
swell [swel]	**swelled** [sweld]	**swelled** [sweld]
		swollen [`swəʊlən]
swim [swɪm]	**swam** [swæm]	**swum** [swʌm]
swing [swɪŋ]	**swung** [swʌŋ]	**swung** [swʌŋ]
take [teɪk]	**took** [tʊk]	**taken** [`teɪkən]
teach [titʃ]	**taught** [tɔt]	**taught** [tɔt]
tear [teə(r)]	**tore** [tɔ(r)]	**torn** [tɔn]
tell [tel]	**told** [təʊld]	**told** [təʊld]
think [θɪŋk]	**thought** [θɔt]	**thought** [θɔt]
thrive [θraɪv]	**throve** [θrəʊv]	**thriven** [`θrɪvən]
	thrived [θraɪvd]	**thrived** [θraɪvd]
throw [θrəʊ]	**threw** [θru]	**thrown** [θrəʊn]
thrust [θrʌst]	**thrust** [θrʌst]	**thrust** [θrʌst]
tread [tred]	**trod** [trod]	**trodden** [`trodn]
		trod [trod]

undergo ['ʌndə`gəʊ]	**underwent** ['ʌndə`went]	**undergone** ['ʌndə`gon]
understand ['ʌndə`stænd]	**understood** ['ʌndə`stʊd]	**understood** ['ʌndə`stʊd]
undertake ['ʌndə`teɪk]	**undertook** ['ʌndə`tʊk]	**undertaken** ['ʌndə`teɪkən]
undo [ʌn`du]	**undid** [ʌn`dɪd]	**undone** [ʌn`dʌŋ]
upset [ʌp`set]	**upset** [ʌp`set]	**upset** [ʌp`set]
wake [weɪk]	**woke** [wəʊk] **waked** [weɪkt]	**woken** [`wəʊkən] **waked** [weɪkt]
wear [weə(r)]	**wore** [wɔ(r)]	**worn** [wɔn]
weave [wiv]	**wove** [wəʊv]	**woven** [`wəʊvn] **wove** [wəʊv]
weep [wip]	**wept** [wept]	**wept** [wept]
win [wɪn]	**won** [wʌn]	**won** [wʌn]
wind [waɪnd]	**wound** [waʊnd]	**wound** [waʊnd]
withdraw [wɪð`drɔ]	**withdrew** [wɪð`dru]	**withdrawn** [wɪð`drɔn]
withhold [wɪð`həʊld]	**withheld** [wɪð`held]	**withheld** [wɪð`held]
withstand [wɪð`stænd]	**withstood** [wɪð`stʊd]	**withstood** [wɪð`stʊd]
wring [rɪŋ]	**wrung** [rʌŋ]	**wrung** [rʌŋ]
write [raɪt]	**wrote** [rəʊt]	**written** [`rɪtn]

NAZWY GEOGRAFICZNE GEOGRAPHICAL NAMES*

Adriatic ['eɪdrɪ`ætɪk] Adriatyk
Adriatic Sea ['eɪdrɪ`ætɪk `si] Morze Adriatyckie
Afghanistan [æf'gænɪ`stæn] Afganistan
Africa [`æfrɪkə] Afryka
Alaska [ə`læskə] Alaska
Albania [æl`beɪnɪə] Albania
Alberta [æl`bɜtə] Alberta
Algeria [æl`dʒɪərɪə] Algieria
Alps [ælps] Alpy
Amazon [`æməzn] Amazonka
America [ə`merɪkə] Ameryka
Andes [`ændiz] Andy
Ankara [`æŋkərə] Ankara
Antarctic [æn`tɑktɪk], **Antarctic Continent** [`kontɪnənt] Antarktyda
Antilles [æn`tɪliz] Antyle
Antipodes [æn`tɪpədiz] Antypody
Appenines [`æpɪnɑɪnz] Apeniny
Arabian Sea [ə`reɪbɪən si] Morze Arabskie
Arctic [`ɑktɪk] Arktyka
Arctic Ocean [`ɑktɪk əʊʃn] Ocean Lodowaty Północny, Morze Arktyczne
Argentina ['ɑdʒən`tinə] Argentyna
Arizona ['ærɪ`zəʊnə] Arizona
Arkansas [`ɑkənsɔ] Arkansas
Armenia [ɑ`minɪə] Armenia
Asia [eɪʃə] Azja
Athens [`æθnz] Ateny
Atlantic, Atlantic Ocean [ət`læntɪk əʊʃn] Atlantyk, Ocean Atlantycki
Atlas Mts [`ætləs mɑʊntɪnz] góry Atlas
Auckland [`ɔklənd] Auckland
Australia [o`streɪlɪə] Australia
Austria [`ostrɪə] Austria
Azerbaijan [ɑ'zɜbɑɪ`dʒɑn] Azerbejdżan
Azores [ə`zɔz] Azory

Bahamas, the [Bɑ`hɑməz] Bahamy
Balkans [`bɔlkənz] Bałkany; **Balkan Peninsula** [`bɔlkən pə`nɪnsjʊlə] Półwysep Bałkański
Baltic [`bɔltɪk] Bałtyk
Baltic Sea [`bɔltɪk si] Morze Bałtyckie
Bangladesh ['bænglə`deʃ] Bangladesz
Bath [bɑθ] Bath
Beijing [`beɪdʒɪŋ] Pekin
Belfast [`belfɑst] Belfast
Belgium [`beldʒəm] Belgia

* *Uwaga: skróty* **Ils** *i* **Mts** *odpowiadają wyrazom* **Islands** *i* **Mountains.**

Belgrade ['bel`greɪd] Belgrad
Bering Sea [`berɪŋ si] Morze Beringa
Berlin [bɜ`lɪn] Berlin
Bermudas, the [bɜ`mjudəz] Bermudy
Bern, Berne [bɜn] Berno
Birmingham [`bɜmɪŋəm] Birmingham
Black Sea [`blæk si] Morze Czarne
Bolivia [bə`lɪvɪə] Boliwia
Bombay [bom`beɪ] Bombaj
Borneo [`bɔnɪəʊ] Borneo
Bosnia [`boznɪə] Bośnia
Bosphorus [`bosfərəs] Bosfor
Boston [`bostən] Boston
Brasilia [brə`sɪlɪə] Brazylia (*stolica*)
Brazil [brə`zɪl] Brazylia (*państwo*)
Brighton [`brɑɪtn] Brighton
Britain *zob.* **Great Britain**
British Columbia [`brɪtɪʃkə`lʌmbɪə] Kolumbia Brytyjska
British Commonwealth (of Nations) [`brɪtɪʃ `komənwelθ (əv `neɪʃənz)] Brytyjska Wspólnota Narodów
Brooklyn [`bruklɪn] Brooklyn
Brussels [`brʌslz] Bruksela
Bucharest ['bjukə`rest] Bukareszt
Buckingham [`bʌkɪŋəm] Buckingham
Budapest ['bjudə`pest] Budapeszt
Buenos Aires [`bweɪnəs `eəriz] Buenos Aires
Bulgaria ['bʌl`geərɪə] Bułgaria
Burma [`bɜmə] Birma
Byelorussia [bɪələʊ`rʌʃə] Białoruś

Cairo [`kɑɪərəʊ] Kair
Calcutta [kæl`kʌtə] Kalkuta
California ['kælɪ`fɔnɪə] Kalifornia
Cambodia ['kæm`bəʊdɪə] Kambodża
Cambridge [`keɪmbrɪdʒ] Cambridge
Canada [`kænədə] Kanada
Canary Ils [kə`neərɪ ɑɪləndz] Wyspy Kanaryjskie
Canberra [`kænbərə] Canberra
Cardiff [`kɑdɪf] Cardiff
Caribbean Sea ['kærɪ`bɪən si] Morze Karaibskie
Carpathians [kɑ`peɪθɪənz], **Carpathian Mts** [kɑ`peɪθɪən mɑʊntɪnz] Karpaty
Caspian Sea [`kæspɪən si] Morze Kaspijskie
Caucasus, the [`kɔkəsəs] Kaukaz
Celebes [sə`libiz] Celebes
Ceylon [sɪ`lon] Cejlon
Channel Ils [`tʃænl ɑɪləndz] Wyspy Normandzkie
Chelsea [`tʃelsi] Chelsea (*w Londynie*)
Chicago [ʃɪ`kɑgəʊ] Chicago
Chile [`ʃtɪlɪ] Chile
China [`ʃtɑɪnə] Chiny
Chinese People's Republic [ʃtɑɪ`niz `piplz rɪ`pʌblɪk] Chińska Republika Ludowa

Cleveland [`klivlənd] Cleveland
Colorado [`kolə`rɑdəʊ] Kolorado
Columbia [kə`lʌmbɪə] Kolumbia
Congo [`koŋgəʊ] Kongo
Connecticut [kə`netɪkət] Connecticut
Constantinople ['konstəntɪ`nəʊpl] *hist.* Konstantynopol, Stambuł
Copenhagen [`kəʊpnheɪgən] Kopenhaga
Cordilleras ['kɔdɪl`jeərəz] Kordyliery
Cornwall [`kɔnwl] Kornwalia
Corsica [`kɔsɪkə] Korsyka
Cracow [`krɑkəʊ] Kraków
Creta [krit] Kreta
Crimea [krɑɪ`mɪə] Krym
Croatia [krəʊ`eɪʃə] Chorwacja
Cuba [`kjubə] Kuba
Cyprus [`sɑɪprəs] Cypr
Czech Republic [`tʃek rɪ`pʌblɪk] Republika Czeska, Czechy

Damascus [də`mæskəs] Damaszek
Danube [`dænjub] Dunaj
Dardanelles ['dɑdə`nelz] Dardanele
Delaware [`deləweə(r)] Delaware
Delhi [`delɪ] Delhi
Denmark [`denmɑk] Dania
Djakarta [dʒə`kɑtə] Dżakarta
Dover [`dəʊvə(r)] Dover; **Strait of Dover** [`streɪt əv `dəʊvə(r)] Cieśnina Kaletańska
Dublin [`dʌblɪn] Dublin

Edinburgh [`ednbrə] Edynburg
Egypt [`idʒɪpt] Egipt
Eire [`eərə] Irlandia (Republika Irlandzka)
England [`ɪŋglənd] Anglia
English Channel [`ɪŋglɪʃ `tʃænl] kanał La Manche
Erie [`ɪəri] Erie
Estonia [e`stəʊnɪə] Estonia
Ethiopia ['iθi`əʊpɪə] Etiopia
Europe [`jʊərəp] Europa
Everest [`evərɪst] Everest

Finland [`fɪnlənd] Finlandia
Florida [`florɪdə] Floryda
France [frɑns] Francja

Geneva [dʒɪ`nivə] Genewa
Georgia [`dʒɔdʒjə] Georgia (w USA); Gruzja
Germany [`dʒɜmənɪ] Niemcy
Gibraltar [dʒɪ`brɔltə(r)] Gibraltar
Glasgow [`glɑzgəʊ] Glasgow
Great Britain ['greɪt`brɪtn] Wielka Brytania
Greece [gris] Grecja
Greenland [`grinlənd] Grenlandia
Greenwich [`grenɪtʃ] Greenwich
Guinea [`gɪnɪ] Gwinea

Hague, the [heɪg] Haga
Haiti [`heɪtɪ] Haiti
Hanoi [hæ`nɔɪ] Hanoi
Havana [hə`vænə] Hawana
Hawaii [hə`wɑɪi], **Hawaiian Ils** [hə`wɑɪən ɑɪləndz] Hawaje, Wyspy Hawajskie

Hebrides [`hebrədiz] Hebrydy
Helsinki [`helsɪŋkɪ] Helsinki
Himalayas ['hɪmə`leɪəz] Himalaje
Holland [`holənd] Holandia
Houston [`hjustən] Houston
Hudson Bay [`hʌdsn beɪ] Zatoka Hudsona
Hull [hʌl] Hull
Hungary [`hʌŋgərɪ] Węgry

Iceland [`ɑɪslənd] Islandia
Idaho [`ɑɪdəhəʊ] Idaho
Illinois ['ɪlɪ`nɔɪ] Illinois
India [`ɪndɪə] Indie (*państwo*); Półwysep Indyjski
Indiana ['ɪndɪ`ænə] Indiana
Indian Ocean [`ɪndɪən əʊʃn] Ocean Indyjski
Indonesia ['ɪndə`nizɪə] Indonezja
Iowa [`ɑɪəwə] Iowa
Iran [ɪ`rɑn] Iran
Iraq [ɪ`rɑk] Irak
Ireland [`ɑɪələnd] Irlandia
Israel [`ɪzreɪl] Izrael
Italy [`ɪtəlɪ] Włochy

Jamaica [dʒə`meɪkə] Jamajka
Japan [dʒə`pæn] Japonia
Java [`dʒɑvə] Jawa
Jerusalem [dʒə`rusələm] Jerozolima
Jordan [`dʒɔdn] Jordan; Jordania

Kansas [`kænzəs] Kansas
Kentucky [ken`tʌkɪ] Kentucky
Kiev [ki`ev] Kijów
Kishinev [`kɪʃɪnəv] Kiszyniów
Korea [kə`rɪə] Korea; **Democratic People's Republic of Korea** [demə`krætɪk `piplz rɪ`pʌblɪk əv kə`rɪə] Koreańska Republika Ludowo-Demokratyczna; **South Korea** ['sɑʊθ kə`rɪə] Korea Południowa

Labrador [`læbrədɔ(r)] Labrador
Laos [`lɑʊz] Laos
Latvia [`lætvɪə] Łotwa
Lebanon [`lebənən] Liban
Leeds [lidz] Leeds
Leicester [`lestə(r)] Leicester
Liberia [laɪ`bɪərɪə] Liberia
Libya [`lɪbɪə] Libia
Lisbon [`lɪzbən] Lizbona
Lithuania ['lɪθju`eɪnɪə] Litwa
Liverpool [`lɪvəpul] Liverpool
London [`lʌndən] Londyn
Londonderry ['lʌndən`derɪ] Londonderry
Los Angeles [los`ændʒəliz] Los Angeles
Luisiana [lu'izɪ`ænə] Luizjana
Luxemburg [`lʌksmbɜg] Luksemburg

Macedonia ['mæsə`dəʊnɪə] Macedonia
Madagascar ['mædə`gæskə(r)] Madagaskar
Madrid [mə`drɪd] Madryt
Magellan [mə`gelən], **Strait of Magellan** [`streɪt əv mə`gelən] Cieśnina Magellana
Maine [məɪn] Maine

Malay Archipelago [mə`leɪ ɑkɪ-`peləgəʊ] Archipelag Malajski
Malay Peninsula [mə`leɪ pɪ`nɪn-sjʊlə] Półwysep Malajski
Malaysia [mə`leɪzɪə] Malezja
Malta [`mɔltə] Malta
Manchester [`mæntʃɪstə(r)] Manchester
Manitoba ['mænɪ`təʊbə] Manitoba
Maryland [`meərɪlænd] Maryland
Massachusetts ['mæsə`tʃusɪts] Massachusetts
Mediterranean Sea ['medɪtə`reɪnɪən si] Morze Śródziemne
Melanesia ['melə`niziə] Melanezja
Melbourne [`melbən] Melbourne
Mexico [`meksikəʊ] Meksyk
Miami [mɑɪ`æmɪ] Miami
Michigan [`mɪʃɪgən] Michigan
Minnesota ['mɪnɪ`səʊtə] Minnesota
Minsk [`mɪnsk] Mińsk
Missisipi ['mɪsɪ`sɪpɪ] Missisipi
Missouri [mɪ`zʊərɪ] Missouri
Moldavia [mol`deɪvɪə] Mołdawia
Monaco [`monəkəʊ] Monako
Mongolia [moŋ`gəʊlɪə] Mongolia
Montana [mon`tænə] Montana
Mont Blanc ['mõ`blõ] Mont Blanc
Montevideo ['montɪvɪ`deɪəʊ] Montevideo
Montreal [montrɪ`ɔl] Montreal
Morocco [mə`rokəʊ] Maroko
Moscow [`moskəʊ] Moskwa
Nebraska [nɪ`bræskə] Nebraska
Netherlands [`neðələndz] Niderlandy, Holandia
Nevada [nɪ`vɑdə] Nevada
New Brunswick ['nju`brʌnzwɪk] Nowy Brunszwik
New Delhi ['nju`delɪ] Nowe Delhi
Newfoundland ['njufənd`lænd] Nowa Fundlandia
New Guinea ['nju `gɪnɪ] Nowa Gwinea
New Hampshire ['nju `hæmpʃə(r)] New Hampshire
New Jersey ['nju `dʒɜzɪ] New Jersey
New Mexico ['nju `meksɪkəʊ] Nowy Meksyk
New Orleans ['nju ɔ`lɪənz] Nowy Orlean
New South Wales ['nju saʊθ `weɪlz] Nowa Południowa Walia
New York ['nju`jɔk] Nowy Jork
New Zealand ['nju `zilənd] Nowa Zelandia
Niagara Falls [nɑɪ`ægərə fɔlz] wodospad Niagara
Niger [`nɑɪdʒə(r)] Niger
Nigeria [nɑɪ`dʒɪərɪə] Nigeria
Nile [nɑɪl] Nil
North America ['nɔθ ə`merɪkə] Ameryka Północna
North Carolina ['nɔθ 'kærə`lɑɪnə] Karolina Północna
North Dakota ['nɔθ də`kəʊtə] Dakota Północna
Northern Ireland ['nɔðən `ɑɪələnd] Irlandia Północna

Northern Territory ['nɔðən `terɪtərɪ] Terytorium Północne
North Sea [`nɔθ si] Morze Północne
Norway [`nɔweɪ] Norwegia
Nova Scotia ['nəʊvə `skəʊʃə] Nowa Szkocja

Oder [əʊdə(r)] Odra
Ohio [əʊ`haɪəʊ] Ohio
Oklahoma ['əʊklə`həʊmə] Oklahoma
Ontario [on`teərɪəʊ] Ontario
Oregon [`orɪgən] Oregon
Oslo [`ozləʊ] Oslo
Ottawa [`otəwə] Ottawa
Oxford [`oksfəd] Oksford, Oxford

Pacific Ocean [pə`sɪfɪk əʊʃn] Pacyfik, Ocean Spokojny
Pakistan ['pɑkɪ`stɑn] Pakistan
Panama [`pænəmɑ] Panama; **Panama Canal** [`pænəmɑ kə`næl] Kanał Panamski
Paraguay [`pærəgwɑɪ] Paragwaj
Paris [`pærɪs] Paryż
Pennsylvania ['pensl`veɪnɪə] Pensylwania
Persia [`pɜʃə] Persja; **Persian Gulf** [`pɜʃən gʌlf] Zatoka Perska
Peru [pə`ru] Peru
Philadelphia ['fɪlə`delfɪə] Filadelfia
Phillippines [`fɪlɪpinz] Filipiny
Plymouth [`plɪməθ] Plymouth
Poland [`pəʊlənd] Polska
Polynesia ['polɪ`niziə] Polinezja
Portugal [`pɔtʃʊgl] Portugalia
Prague [prɑg] Praga
Pyrenees ['pɪrə`niz] Pireneje

Quebec [kwɪ`bek] Quebec
Qeensland [`kwinzlənd] Queensland

Reading [`redɪŋ] Reading
Red Sea [`red si] Morze Czerwone
Republic of South Africa [rɪ`pʌblɪk əv `saʊθ `æfrɪkə] Republika Południowej Afryki
Reykjavik [`reɪkɪəvik] Rejkiawik
Rhine [rɑɪn] Ren
Rhode Island [`rəʊd ɑɪlənd] Rhode Island
Riga [`rigə] Ryga
Rockies [`rokɪz], **Rocky Mts** [`rokɪ mɑʊntɪnz] Góry Skaliste
Rome [rəʊm] Rzym
Rumania [ru`meɪnɪə] Rumunia
Russia [`rʌʃə] Rosja

Sahara [sə`hɑrə] Sahara
San Francisco ['sæn frən`sɪskəʊ] San Francisco
Santiago ['sæntɪ`ɑgəʊ] Santiago
Sardinia [sɑ`dɪnɪə] Sardynia
Saskatchewan [səs`kætʃəwən] Saskatchewan
Saudi Arabia [`sɑʊdɪ ə`reɪbɪə] Arabia Saudyjska

Scandinavia ['skændɪ`neɪvɪə] Skandynawia
Scotland [`skotlənd] Szkocja
Seine [seɪn] Sekwana
Serbia [`sɜbiə] Serbia
Seoul [səʊl] Seul
Siam [sɑɪ`æm] *zob.* **Thailand**
Sicily [`sɪslɪ] Sycylia
Singapore ['sɪŋgə`pɔ(r)] Singapur
Slovakia [sləʊ`vɑkɪə] Słowacja
Slovenia [sləʊ`viniə] Słowenia
Sofia [`səʊfɪə] Sofia
South America ['sɑʊθ ə`merɪkə] Ameryka Południowa
Southampton [sɑʊθ`æmptən] Southampton
South Australia ['sɑʊθ ɔs`treɪlɪə] Australia Południowa
South Carolina ['sɑʊθ 'kærə`lɑɪnə] Karolina Południowa
South Dakota ['sɑʊθ də`kəʊtə] Dakota Południowa
Southern Yemen ['sʌðən `jemən] Jemen Południowy
Spain [speɪn] Hiszpania
Stamboul [stæm`bul] Stambuł
Stockholm [`stokhəʊm] Sztokholm
Sudan [su`dæn] Sudan
Suez [`suɪz] Suez; **Suez Canal** ['suɪz kə`næl] Kanał Sueski
Sumatra [sʊ`mɑtrə] Sumatra
Sweden [`swidn] Szwecja
Switzerland [`swɪtsələnd] Szwajcaria
Sydney [`sɪdnɪ] Sydney
Syria [`sɪrɪɑ] Syria

Taiwan [tɑɪ`wæn] Tajwan
Tallinn [`tɑlɪn] Tallin
Tatra Mts [`tætrə mɑʊntɪnz] Tatry
Teheran [tɪə`rɑn] Teheran
Tennessee ['tenə`si] Tennessee
Texas [`teksəs] Teksas
Thailand [`tɑɪlænd] Tajlandia; *hist.* Syjam
Thames [temz] Tamiza
Tiber [`tɑɪbə(r)] Tyber
Tibet [tɪ`bet] Tybet
Tirana [tɪ`rɑnə] Tirana
Tokyo [`təʊkɪəʊ] Tokio
Toronto [tə`rontəʊ] Toronto
Tunis [`tjunɪs] Tunis (*miasto*)
Tunisia [tju`nɪzɪə] Tunezja (*kraj*)
Turkey [`tɜkɪ] Turcja

Ukraine [ju`kreɪn] Ukraina
Ulan-Bator [`ulɑn bɑtɔ(r)] Ułan Bator
Ulster [`ʌlstə(r)] Ulster
United Kingdom of Great Britain and Northern Ireland [ju`nɑɪtɪd `kɪŋdəm əv `greɪt `brɪtən ənd `nɔðən `ɑɪələnd] Zjednoczone Królestwo Wielkiej Brytanii i Północnej Irlandii
United States of America [ju`nɑɪtɪd `steɪts əv ə`merɪkə] Stany Zjednoczone Ameryki
Ural [`jʊərəl] Ural
Uruguay [`jʊərəgwɑɪ] Urugwaj
Utah [`jʊtɑ] Utah

Vatican City ['vætɪkən`sɪtɪ] Watykan (*miasto*)

Venezuela [`venə`zweɪlə] Wenezuela
Vermont [vɜ`mont] Vermont
Victoria [vɪk`tɔrɪə] Wiktoria
Vilnius [`vɪlnɪəs] Wilno
Vienna [vɪ`enə] Wiedeń
Vietnam [vɪ'ət`næm] Wietnam
Virginia [və`dʒɪnɪə] Wirginia
Vistula [`vɪstjʊlə] Wisła
Volga [`volgə] Wołga

Wales [weɪlz] Walia
Warsaw [`wɔsɔ] Warszawa
Washington [`woʃɪŋtən] Waszyngton
Wellington [`welɪŋtən] Wellington
Wembley [`wemblɪ] Wembley
West Virginia ['west və`dʒɪnɪə] Wirginia Zachodnia
Wisconsin [wɪs`konsɪn] Wisconsin

Yugoslavia ['jugəʊ`slaviə] Jugosławia

Słownik polsko-angielski

WSKAZÓWKI DLA UŻYTKOWNIKA
GUIDE TO THE USE OF THE DICTIONARY

Hasła

Wyrazy hasłowe podano pismem półgrubym w ścisłym porządku alfabetycznym. Opatrzono je, zależnie od przynależności do poszczególnych części mowy oraz do poszczególnych dziedzin życia, odpowiednimi skrótami.

Homonimy podano jako osobne hasła, oznaczone kolejnymi cyframi, np.:

Headwords

The headwords are printed in boldfaced type in strictly alphabetical order. They are labelled by pertinent abbreviations indicating their grammatical categories to which they belong. Other symbols denote the particular branches of learning or the special walks of life.

Homonyms are grouped under separate entries and marked with successive numerals, e.g.:

zamek[1] *m* (*budowla*) castle
zamek[2] *m* (*u drzwi*) lock; (...)

Jeżeli poszczególne wyrazy hasłowe zawierają odpowiedniki o różnych znaczeniach albo pełnią różne funkcje gramatyczne, oddzielono je średnikiem oraz odpowiednim kwalifikatorem gramatycznym, np.:

If a Polish headword contains various English meanings or denotes different grammatical categories, the particular lexical units on the Polish side are separated by a semicolon and, besides, they are provided with a pertinent grammatical label, e.g.:

pchać *imperf vt* push, shove; (*wpychać*) shove, thrust; **~ się** *vr (tłoczyć się)* (...)

Hasła rzeczownikowe

Ze względu na objętość słownika pominięto pewną ilość rzeczowników żeńskich, które w języku angielskim mają formę identyczną z odpowiednimi rzeczownikami męskimi, np.: **nauczyciel** teacher, **nauczycielka** teacher, **Niemiec** German, **Niemka** German.

Hasła czasownikowe

Brak analogii w tworzeniu postaci dokonanej i nie dokonanej czasownika w języku polskim i angielskim nastręcza wiele trudności. Tak np. forma dokonana czasownika **padać, upaść** – to fall zmienia się w niedokonaną przez zastosowanie Continuous Form – to be falling. W innych wypadkach czasownik w formie niedokonanej **siadać** – to sit, zmienia się przez dodanie przysłówka down: **siąść** – to sit down.

Czasowniki zostały najczęściej podane w formie niedokonanej.

Nouns

Some Polish nouns of feminine gender have been omitted since their masculine and feminine equivalents are identical in English, e.g.: **nauczyciel** teacher, **nauczycielka** teacher, **Niemiec** German, **Niemka** German.

Verbs

The reader is sometimes faced with serious difficulties whenever he may occasionally have to deal with verbal aspects, which we find in Polish as compared with those in English, e.g.: **siadać** and **siedzieć** and **usiąść** versus to sit and to be sitting and to sit down, **padać** and **upaść** versus to be falling and to fall (down).

Generally, in the present dictionary the verbs ought to be looked up in their imperfective form.

Odpowiedniki

Angielskie odpowiedniki haseł i zwrotów podano pismem jasnym. Wyrazy bliskoznaczne oddzielono przecinkami; odpowiedniki dalsze – średnikami. W nawiasach okrągłych kursywą zamieszczono objaśnienia dotyczące znaczenia i zastosowania wyrazu, np.:

Equivalents

The English equivalents of Polish headwords and expressions are given in light type. The synonyms, if any, are separated by commas, those more distant in meaning are marked off by semicolons. When necessary, the given synonyms have been provided with explanations, in round brackets, concerning their meaning and usage. E.g.:

chować *imperf vt* (*ukrywać*) hide, conceal; (*przechowywać*) keep; (*wkładać, np. do szuflady*) put; (*grzebać zwłoki*) bury; (*hodować*) raise, breed, rear; (*wychowywać*) bring up, educate; (...)

ALFABET POLSKI
POLISH ALPHABET

a	m
ą	n
b	ń
c	o
ć	ó
d	p
e	r
ę	s
f	ś
g	t
h	u
i	w
j	y
k	z
l	ź
ł	ż

A

a *conj* and; **on jest Anglikiem, a ja Polakiem** he is English, and I am Polish; **od a do z** from beginning to end
abażur *m* lampshade
abecadło *n* ABC, alphabet; *przen.* (*podstawy*) the ABCs
abonament *m* subscription; (*stała opłata*) standing charges; **~ teatralny** season ticket
abonent *m* subscriber; (*telefoniczny*) telephone subscriber
abonować *imperf vt* subscribe (**coś** to sth)
aborcja *f* abortion
absolutnie *adv* absolutely; **~ nie** definitely not
absolutn|y *adj* absolute, complete; **~a cisza** complete silence; **~a władza** absolute power
absolwent *m* graduate, *am.* alumnus
abstrakcja *f* abstraction
abstrakcyjny *adj* abstract
abstynent *m* teetotaller
absurd *m* nonsense, absurdity; **sprowadzić do ~u** reduce to absurdity
absurdalny *adj* absurd
aby *conj* so that, in order that; (*przed bezokolicznikiem*) to, in order to
ach *int* oh!
aczkolwiek *conj* though, although
adamaszek *m* damask
adaptacja *f* adaptation; *muz.* arrangement
adapter *m* record player
adidasy *pl* training shoes *pl*, trainers *pl*, *am.* sneakers *pl*, tennis shoes *pl*
administracja *f* administration, management
adopcja *f* adoption
adoptować *imperf vt* adopt
adres *m* address; **pod ~em** to <at> the address
adresat *m* addressee
adresować *imperf vt* address
adwokat *m* lawyer, barrister, solicitor, *am.* attorney; *przen.* advocate
aerobik *m* aerobics
aerozol *m* aerosol
afera *f* scandal; *pot.* **ale ~!** what a mess!
aferzysta *m* swindler, schemer
Afgańczyk *m* Afghan
afgański *adj* Afghan
afisz *m* poster, bill
afiszować się *imperf vr* make a show (**z czymś** of sth), show off

aforyzm *m* aphorism
afront *m* affront, insult; **zrobić komuś ~** affront <insult> sb
Afrykanin *m* African
afrykański *adj* African
agencja *f* agent(s); **~ prasowa** news agency
agent *m* agent, representative; (*szpieg*) agent, spy
agonia *f* agony
agrafka *f* safety pin
agresja *f* aggression
agrest *m* gooseberry; (*krzew*) gooseberry bush
agresywny *adj* aggressive
aha! *int* oh!
AIDS *m* AIDS (acquired immune deficiency syndrome)
aj! *int* oh!, ouch!
ajencja *f* franchise
ajent *m* franchise holder
akacja *f* acacia
akademia *f* (*uczelnia*, *instytucja*) academy; (*zebranie*) session of celebration, commemorative meeting; **Akademia Nauk** Academy of Sciences
akademicki *adj* academic; **dom ~** hall of residence, *am*. dormitory
akademik *m pot*. dorm
akcent *m* (*wymowa*) accent; (*nacisk*) stress
akcentować *imperf vt* stress; *przen*. stress, emphasize
akceptować *imperf vt* accept
akcja *f* action; *ekon*. share, *am*. stock; **~ ratunkowa** rescue action; **~ powieści <sztuki>** plot, action
akcjonariusz *m ekon*. shareholder, *am*. stockholder
akcyjn|y *adj* share *attr*, *am*. stock *attr*; **spółka ~a** joint-stock company
aklimatyzować się *imperf vr* acclimatize; adapt, adjust, *am*. acclimate
akonto *n* down payment
akord *m muz*. chord, harmony; **pracować na ~** do piece-work
akordeon *m muz*. accordion
akredytacja *f* accreditation
akrobacja *f* acrobatics
aksamit *m* velvet
akt *m* act, deed; (*w sztuce*) nude; (*dokument*) certificate; **~ rozpaczy** act of despair; **~ notarialny** notarial act <deed>; **~ oskarżenia** indictment; **~ ślubu <urodzenia, zgonu>** marriage <birth, death> certificate; **~a** *pl* record(s), file(s)
aktor *m* actor
aktorka *f* actress
aktówka *f* briefcase, attaché case
aktualności *pl* current events *pl*; news *pl*
aktualny *adj* (*obecny*) current, present; (*będący na czasie*) up-to-date, current
aktywność *f* activity
aktywny *adj* active
akumulator *m elektr*. accumulator; *mot*. battery

akurat *adv* just, exactly, precisely; **~!** tell me another!
akuszerka *f* midwife
akwarela *f* watercolour
akwarium *n* fish tank, aquarium
akwizycja *f* canvassing
akwizytor *f* canvasser
alarm *m* alarm; (*stan gotowości*) alert; **podnieść ~** sound <raise> the alarm
Albańczyk *m* Albanian
albański *adj* Albanian
albinos *m* albino
albo *conj* or; **~..., ~...** either... or...; **~ ten, ~ tamten** either of them <of the two>
albowiem *conj* for, because
album *m* album; **~ do znaczków pocztowych** stamp album
ale *conj* but; **~ pogoda!** what weather!
aleja *f* avenue; (*w parku*) alley
alergi|a *f med.* allergy; **mieć na coś ~ę** be allergic to sth
alergiczny *adj* allergic
ależ *part*: **~ oczywiście!** but of course!; **~ skąd!** not at all!
alfabet *m* alphabet; **~ Morse'a** Morse (code); **~ Braille'a** Braille
alfabetyczny *adj* alphabetical; **w porządku ~m** in alphabetical order
alibi *n* alibi
alimenty *pl* alimony, maintenance
alkohol *m* alcohol
alkoholik *m* alcoholic
alpinista *m* mountain climber
alt *m muz.* alto
altanka *f* arbour; (*domek na działce*) garden shed
alternator *m mot.* alternator
alternatywa *f* alternative
aluzj|a *f* allusion, hint; **robić ~ę** allude (**do czegoś** to sth), hint (**do czegoś** at sth)
amant *m* (*kochanek*) beau, lover; **~ filmowy** screen lover
amator *m* (*dyletant*) amateur, layman; (*miłośnik*) amateur, lover, fan; *sport.* amateur
amatorski *adj* (*niedoskonały*) amateurish; (*niezawodowy*) amateur
ambasada *f* embassy
ambasador *m* ambassador; **~ Wielkiej Brytanii w Polsce** the British ambassador to Poland
ambicja *f* ambition
ambitny *adj* ambitious
ambona *f* pulpit
ambulatorium *n* out-patients' clinic, dispensary
amen *n* amen; *pot.* **na ~** completely; *pot.* **jak ~ w pacierzu** for sure
Amerykanin *m* American
amerykanizm *m* Americanism
amerykański *adj* American
amfetamina *f* amphetamine
amfiteatr *m* amphitheatre
amnesti|a *f* amnesty, pardon; **na mocy ~i** on pardon
amnezja *f* amnesia

amoniak *m* ammonia, ammonia water
amoralny *adj* amoral
amortyzacja *f ekon.* depreciation; *techn.* shock absorption
amortyzator *m techn.* shock absorber
ampułka *f* ampoule
amputacja *f* amputation
amulet *m* amulet
amunicja *f* ammunition
analfabeta *m* illiterate
analiza *f* analysis
analizować *imperf vt* analyse
ananas *m* pineapple
anarchia *f* anarchy
anatomia *f* anatomy
anatomiczny *adj* anatomical
anegdota *f* anecdote
aneks *m* annexe, *am.* annex
anemia *f* anaemia
angażować *imperf vt* engage, involve; (*zatrudniać*) hire, employ; ~ **się** *vr* become involved (**w coś** in sth); (*do pracy*) take up a job
Angielka *f* Englishwoman
angielsk|i *adj* English; **mówić po ~u** speak English; **wyjść po ~u** take French leave
angina *f med.* strep throat
Anglia *f* England; (*pot. Wielka Brytania*) Britain, UK
Anglik *m* Englishman
ani *conj* nor, neither, not a, not even; **~..., ~...** neither... nor...; ~ **jeden** not a single (one); ~ **razu** not even once; ~ **trochę** not a bit
animowany *adj*: **film ~** cartoon
anioł *m* angel; ~ **stróż** guardian angel
ankieta *f* (*formularz*) questionnaire; (*badanie opinii publicznej*) (public) opinion poll
anonimowy *adj* anonymous
anormalny *adj* abnormal
antena *f* aerial, antenna; ~ **satelitarna** satellite dish
antybiotyk *m* antibiotic
antyczny *adj* antique, ancient
antyk *m* (*przedmiot*) antique; (*okres*) antiquity
antykoncepcja *f* contraception
antykoncepcyjn|y *adj* contraceptive; **środki ~e** contraceptives
antykwariat *m* antique shop; (*książkowy*) second-hand <antiquarian> bookshop
antylopa *f zool.* antilope
antypatia *f* antipathy
anulować *imperf vt* annul, cancel
aparat *m* apparatus, appliance; ~ **fotograficzny** camera; ~ **telefoniczny** telephone (set); ~ **do mierzenia ciśnienia** pressure gauge
apartament *m* apartment; (*w hotelu*) suite
apatia *f* apathy
apel *m* (*odezwa*) appeal; (*zbiórka*) assembly
apelować *imperf vi* appeal (**do kogoś o coś** to sb for sth); *prawn.* appeal
apetyt *m* appetite

apostoł *m* apostle
apostrof *m* apostrophe
aprobować *imperf vt* approve (**coś** of sth)
aprowizacja *f* provisioning; (*żywności*) food supply
apteczka *f* medicine cabinet <chest>; (*samochodowa*) first aid kit
apteka *f* pharmacy
Arab *m* Arab
arabski *adj* Arabian, Arabic
aranżacja *f* arrangement
arbiter *m* arbitrator; (*sędzia np. w koszykówce*, w *piłce nożnej*) referee
arbuz *m bot.* watermelon
archeologia *f* archeology
archipelag *m* archipelago
architekt *m* architect; **~ wnętrz** interior designer
architektura *f* architecture; **~ wnętrz** interior design
archiwum *n* archive(s), registry
arcydzieło *n* masterpiece
arena *f* arena
aresz|t *m* arrest; (*pomieszczenie*) detention house; **~t domowy** house arrest; **w ~cie** in custody
aresztowa|ć *imperf vt* arrest, take in custody; **jest pan ~ny** you're under arrest
Argentyńczyk *m* Argentine
argentyński *adj* Argentine
argument *m* argument; **wysuwać ~y** put forward arguments (**za czymś <przeciw czemuś>** for <against> sth)
argumentować *imperf vi* argue
aria *f muz.* aria
arkusz *m* sheet
armata *f* cannon
Armeńczyk *m* Armenian
armeński *adj* Armenian
armia *f* army
arogancja *f* arrogance
aromat *m* aroma, flavour
arteria *f* artery
artretyzm *m med.* arthritis
artykuł *m* article; **~ wstępny** editorial; **~y spożywcze** groceries *pl*; **~y pierwszej potrzeby** necessities
artysta *m* artist
artystyczn|y *adj* artistic; **rzemiosło ~e** artistic handicraft
arystokrata *m* aristocrat
arytmetyka *f* arithmetic
as *m* ace; **as karo** ace of diamonds
asekurować *imperf vt* protect, safeguard; **~ się** *vr* cover o.s.
asfalt *m* asphalt
asortyment *m* assortment, range
aspekt *m* aspect
aspiryna *f* aspirin
astma *f med.* asthma
astrologia *f* astrology
astronauta *m* astronaut
astronomia *f* astronomy
asymilować *imperf vt* assimilate; **~ się** *vr* assimilate, adapt
asystent *m* assistant
atak *m* attack; *sport.* (*zawodnicy*) the forwards; (*choroby*) fit; *med.* **~ serca** heart attack
atakować *imperf vt* attack

ateista *m* atheist
atlantycki *adj* Atlantic
atlas *m* atlas; **~ samochodowy** road atlas
atleta *m* athlete; (*w zapasach*) wrestler; (*w cyrku*) strong man
atletyka *f*: *sport*. **lekka ~** athletics
atmosfera *f* atmosphere; *przen*. atmosphere, climate
atomow|y *adj* atomic, nuclear; **bomba ~a** atom(ic) bomb, A-bomb; **broń ~a** atomic <nuclear> weapons
atrakcj|a *f* attraction; **główna ~a** highlight; **~e turystyczne** sights
atrakcyjny *adj* attractive
atrament *m* ink
atramentow|y *adj*: **drukarka ~a** inkjet printer
atu *n* trump; **bez ~** no trump
atut *m* trump (card)
audiencj|a *f* audience; **udzielić ~i** grant an audience (**komuś** to sb)
audycja *f* broadcast, programme
aukcja *f* auction
Australijczyk *m* Australian
australijski *adj* Australian
austriacki *adj* Austrian
Austriak *m* Austrian
aut *m sport*. out
autentyczny *adj* authentic, genuine
auto *n* car, *am*. automobile
autoalarm *m* car alarm
autobiografia *f* autobiography
autobus *m* bus; **jechać ~em** go by bus
autobusowy *adj*: **przystanek ~** bus stop
autocasco *n* car insurance
autograf *m* autograph
autokar *m* coach
automat *m* automatic device <machine>; (*robot*) automaton; (*do sprzedaży*) slot-machine, vending machine; (*broń*) machine gun; **~ telefoniczny** pay phone, public telephone
automatyczny *adj* automatic
autoportret *m* self-portrait
autopsj|a *f* autopsy; *med*. post-mortem (examination); **znać coś z ~i** know sth from experience
autor *m* author; (*pisarz*) writer
autorka *f* author, authoress; (*pisarka*) writer
autorski *adj*: **prawa ~e** copyright; **honoraria ~e** royalties
autoryzować *imperf vt* authorize
autoserwis *m* car service, service station
autostop *m* hitch-hike, hitch-hiking; **podróżować ~em** hitch-hike
autostopowicz *m* hitch-hiker
autostrada *f* motorway, *am*. highway, freeway; (*płatna*) turnpike
awangarda *f* avant-garde
awans *m* promotion, advancement; **dostać ~** get a promotion
awansować *perf imperf vt* promote; *vi* get promoted

awantur|a *f* brawl, row; **zrobić ~ę** make a scene; kick up a row

awaria *f* breakdown, failure; **~ silnika** engine failure

awaryjn|y *adj* emergency *attr*; **wyjście ~e** emergency exit; **lądowanie ~e** crash <emergency> landing; **światła ~e** hazard lights

awitaminoza *f* vitamin deficiency

awizo *n* advice note

Azjata *m* Asian

azjatycki *adj* Asiatic, Asian

azyl *m* asylum, refuge, sanctuary; **prawo ~u** (right of) asylum; **szukać ~u** seek refuge; **udzielić ~u** give <grant> asylum

azylant *m* refugee

aż *conj* till, until; **aż dotąd** (*o czasie*) till now, up to now; (*o przestrzeni*) as far as; **aż do Warszawy** as far as Warsaw; **aż tyle wody** this <that> much water; **aż tak daleko?** this <that> far?

B

babcia *f* granny, grandma; *pot.* (*staruszka*) old woman

babiarz *m pot.* ladies' man, Don Juan

babka *f* grandmother; *kulin.* pound cake, brioche

baczność|ć *f wojsk.* attention; **stać na ~ć** stand at attention; **mieć się na ~ci** beware, stand on one's guard, look out

bać się *imperf vr* be afraid (**kogoś <czegoś>** of sb <sth>); fear (**kogoś <czegoś>** sb <sth>, **o kogoś <coś>** for sb <sth>)

badać *imperf vt* investigate, look <go> into, explore, study; (*chorego, świadka*) examine

badani|e *n* investigation, exploration; (*chorego*) medical, check-up; (*świadka*) examination; **~a naukowe** *pl* research, study

bagaż *m* luggage, *am.* baggage; **nadać na ~** register one's luggage; **oddać na ~** check in <deposit> one's luggage; **odebrać ~** reclaim one's luggage; **przechowalnia ~u** left-luggage office

bagażnik *m* (*na rowerze itp.*) carrier; (*w samochodzie*) boot, *am.* trunk; (*na dachu samochodu*) roof rack

bagażowy *adj* luggage *attr*, *am.* baggage *attr*; *m* (*tragarz*) porter

bagietka *f* baguette

bagno *n* marsh, swamp, bog

bajka *f* fairy tale

bajt *m komp.* byte

bak *m* (fuel) tank

bakalie *pl* nuts and raisins *pl*

bakteri|a *f* bacterium, *pot.* germ; *pl* **~e** bacteria *pl*
bal[1] *m* (*zabawa*) ball; **~ kostiumowy** fancy-dress ball, *am.* costume ball
bal[2] *m* (*kłoda*) log
balast *m* ballast
baldachim *m* canopy
baleron *m* smoked ham
balet *m* ballet
balkon *m* balcony; (*w teatrze*) gallery, balcony
ballada *f* ballad
balon *m* balloon
balsam *m* balm, balsam; *przen.* balm
bałagan *m* mess, muddle; **robić ~** make a mess (**w czymś** of sth); **ale ~!** what a mess!
bałaganić *imperf vi* mess <jumble> things up
bałtycki *adj* Baltic; **Morze Bałtyckie** the Baltic Sea
bałwan *m* (*ze śniegu*) snowman; (*fala*) roller; (*głupiec*) moron
banalny *adj* hackneyed, banal, commonplace
banan *m* banana
banda *f* (*grupa*) gang, band; *sport.* (*krawędź*) border
bandaż *m* bandage, dressing
bandażować *imperf vt* bandage, dress, bind (up)
bandera *f* banner, flag
banderola *f* excise band
bandyta *m* bandit
bank *m* bank; **~ handlowy** commercial bank; **~ emisyjny** bank of issue
bankier *m* banker
bankiet *m* banquet
banknot *m* (bank)note, *am.* bill
bankomat *m* cashpoint, cash dispenser
bankowość *f* banking
bankructwo *n* bankruptcy
bankrutować *imperf vi* go bankrupt, go broke
bańka *f* (*naczynie*) can; **~ mydlana** bubble
bar *m* bar; **~ kawowy** coffee bar; **~ samoobsługowy** self-service restaurant
barak *m* barrack
baran *m* ram; **nosić kogoś na ~a** carry sb piggyback
baranina *f* mutton
barbarzyński *adj* barbarian, barbarous, barbaric
bardzo *adv* very; (*z czasownikiem*) much, greatly; **~ możliwe** very likely; (*ocena szkolna*) **~ dobry** very good, A; **~ dziękuję** thank you very much; **~ przepraszam** I'm very sorry, I'm so sorry; **proszę ~** (*nie ma za co*) not at all, you're welcome; **nie ~** not much, not really
bariera *f* barrier
bark *m* *anat.* shoulder, pectoral girdle
barman *m* barman, *am.* bartender
barmanka *f* barmaid
barok *m* baroque

barometr *m* barometer; **~ idzie do góry <spada>** the glass is rising <falling>
barometryczny *adj* barometric(al); **niż ~** depression, low pressure; **wyż ~** high pressure
barszcz *m*: **~ czerwony** beetroot soup; **~ ukraiński** borsch; *przen.* **tani jak ~** dirt-cheap
barw|a *f* colour, hue, tint; (*brzmienie*) timbre; **~a ochronna** (natural) camouflage; **~y państwowe** national colours *pl*
barwnik *m* dye
bary *pl pot.* shoulders *pl*; **wziąć się z kimś za ~** wrestle with sb
baryton *m muz.* baritone
bas *m muz.* bass
basen *m* basin, tank; **~ pływacki** swimming pool
baśń *f* fable, fairy tale
bateria *f* battery
baton(ik) *m*: **~ czekoladowy** chocolate bar
bawełn|a *f* cotton; *przen.* **owijać w ~ę** beat about the bush; **nie owijać w ~ę** straight from the shoulder
bawić *imperf vt* amuse, entertain; **~ się** *vr* amuse o.s., enjoy o.s., play (**w coś** at sth); **dobrze się ~** have fun <a good time>
baza *f* basis, base; *komp.* **~ danych** database
bazar *m* bazaar; market (place)
bazylika *f* basilica
bażant *m zool.* pheasant
bąbel *m* bubble; *med.* blister
bąk *m* (*owad*) bumblebee; (*zabawka*) (humming) top; *pot.* (*dziecko*) tot; *pot.* **puścić ~a** fart, pass gas; *pot.* **zbijać ~i** mess about <around>, laze around
beczk|a *f* barrel, cask; **piwo z ~i** beer in draught, *am.* draft
befsztyk *m* beefsteak
bekać *imperf vi pot.* burp
bekon *m* bacon
beletrystyka *f* fiction
Belg *m* Belgian
belgijski *adj* Belgian
belka *f* beam; *woj.* (*naszywka*) bar
bełkot *m* bubbling
bełkotać *imperf vi* gibber, babble
benzyna *f* benzine; (*paliwo*) petrol, *am.* gasoline, gas; **~ bezołowiowa** unleaded <lead-free> petrol, *am.* gasoline
benzynow|y *adj* benzine *attr*, petrol *attr*, *am.* gasoline <gas> *attr*; **stacja ~a** filling <petrol> station, *am.* gas station
ber|ek *m* tag; **bawić się w ~ka** play tag
beret *m* beret
beton *m* concrete
bez[1] *m bot.* lilac
bez[2] *praep* without; **~ butów <kapelusza>** with no shoes <hat> on; **~ grosza** penniless; **~ końca** endlessly; **~ wątpie-**

nia indoubtedly; **~ względu na coś** regardless of sth
beza *f* meringue
bezalkoholowy *adj* nonalcoholic, alcohol-free; **napój ~** soft drink
bezbarwny *adj* colourless; *przen.* pallid
bezbłędny *adj* faultless; *pot.* super
bezbolesny *adj* painless, pain-free
bezbronny *adj* helpless, defenceless
bezcelowy *adj* purposeless, pointless; (*nadaremny*) useless, of no use
bezcen *adv*: **za ~** for nothing
bezcenny *adj* priceless, invaluable, inestimable
bezcłowy *adj* duty-free
bezczelny *adj* insolent, impertinent, impudent, cheeky
bezczynny *adj* inactive, idle
bezdomny *adj* homeless; **~ pies** stray dog
bezduszny *adj* unfeeling, callous
bezdzietny *adj* childless
bezinteresowny *adj* disinterested, free from self-interest
bezkarnie *adv* with impunity; **ujść ~** go unpunished, get away with it
bezkofeinowy *adj* decaffeinated
bezkompromisowy *adj* uncompromising
bezkonfliktowy *adj* (*o człowieku*) peaceful, peaceable
bezkonkurencyjny *adj* unbeatable
bezkrytyczny *adj* uncritical, indiscriminate
bezkształtny *adj* shapeless
bezlitosny *adj* merciless, pitiless, ruthless
bezludn|y *adj* desolate, uninhabited, deserted; **~a wyspa** desert island
bezładny *adj* disordered, disorganized; (*o mowie*) disconnected, incoherent
bezmięsn|y *adj*: **danie ~e** vegetarian dish
bezmyślny *adj* thoughtless, careless; (*o czynie*) mindless; (*o wyrazie twarzy*) blank
beznadziejny *adj* hopeless
bezokolicznik *m gram.* infinitive
bezołowiow|y *adj*: **benzyna ~a** unleaded petrol, *am.* gasoline
bezosobowy *adj* impersonal
bezowocny *adj* fruitless, unproductive, ineffectual
bezpański *adj* ownerless; (*pies, kot*) stray
bezpieczeństwo *n* safety, security
bezpiecznik *m elektr.* fuse
bezpieczny *adj* safe, secure
bezpłatny *adj* free (of charge); **urlop ~** unpaid leave
bezpłodność *adj* infertility, sterility
bezpłodny *adj* infertile, sterile

bezpodstawny *adj* groundless, baseless, unfounded
bezpośredni *adj* direct, immediate; (*o człowieku*) straightforward
bezprawny *adj* lawless, unlawful, illegal, illicit
bezpretensjonalny *adj* unpretentious, unpretending, unassuming
bezradny *adj* helpless
bezrobocie *n* unemployment
bezrobotn|y *adj* unemployed, out of work, jobless; *pl* **~i** the unemployed
bezsenność *f* sleeplessness, insomnia
bezsenny *adj* sleepless
bezsens *m* senselessness
bezsensowny *adj* senseless
bezsilny *adj* powerless; (*o płaczu, o złości*) helpless
bezskuteczny *adj* ineffective, unavailing
bezsporny *adj* unquestionable, indisputable
bezstronny *adj* impartial, unbiased, fair
beztroski *adj* unconcerned, careless, carefree
bezustanny *adj* incessant
bezużyteczny *adj* useless, (of) no use
bezwartościowy *adj* worthless
bezwarunkowy *adj* unconditional; absolute, total
bezwiednie *adv* unknowingly, involuntarily, unconsciously
bezwładny *adj* inert; (*np. o inwalidzie*) immobile
bezwstydny *adj* shameless
bezwzględny *adj* peremptory, categorical, dictatorial
bezzwłocznie *adv* without delay, promptly
bezzwrotny *adj* non-returnable
beżowy *adj* beige
bęben *m* drum
bębenek *m* drum; *med.* eardrum
bękart *m* bastard
białaczka *f med.* leukaemia
białko *n* (*oka, jajka*) white; *chem.* protein, albumen
Białorusin *m* Byelorussian, Belarussian
białoruski *adj* Byelorussian, Belarussian
biał|y *adj* white; **~y jak kreda <ściana>** (as) white as a sheet <ghost>; *przen.* **~y kruk** rarity; **do ~ego rana** till dawn; **malować coś na ~o** paint sth white; **w ~y dzień** (in) broad daylight
Biblia *f* the Bible
biblijny *adj* biblical
bilioteczka *f* (*mebel*) bookcase
biblioteka *f* library
bibuła *f* (*do atramentu*) blotting paper; (*cienki papier*) tissue paper; (*nielegalna prasa*) illegal publication
bić *imperf vt* beat; (*o zegarze*) strike; (*o dzwonie*) ring; (*o sercu*) beat, bound; **~ brawo** applaud (**komuś** sb); **~ kogoś**

po twarzy slap sb in the face; ~ **rekordy** beat records; ~ **głową w mur** bang one's head against a brick wall; ~ **się** *vr* fight, brawl; *przen.* ~ **się z myślami** wrestle with one's thoughts; ~ **się w piersi** beat one's chest
biec *imperf vi zob.* **biegać**
bied|a *f* poverty, misery; *pot.* (*kłopot*) trouble; *pot.* **od ~y** it will just do; **~a w tym, że...** trouble is that...
biedny *adj* poor; ~ **jak mysz kościelna** (as) poor as a church mouse
biedronka *f* ladybird, *am.* ladybug
bieg *m* run; (*życia*, *czasu*, *rzeki*) course; *techn.* gear; *sport.* ~ **przez płotki** hurdles; *sport.* ~ **z przeszkodami** obstacle race; *mot.* **pierwszy <wsteczny>** ~ first <rear> gear; *mot.* **skrzynia ~ów** gearbox; **z ~iem czasu** in the course of time; *przen.* **być ciągle w ~u** be always on the run
biegacz *m* runner
biegać *imperf vi* run; (*rekreacyjnie*) jog; *przen.* ~ **za czymś** chase sth
biegły *adj* expert; (*w mowie*) fluent; *m* expert
biegun *m fiz. geogr.* pole; **koń na ~ach** rocking horse
biegunka *f med.* diarrhoea, *am.* diarrhea
bielizna *f* underwear; ~ **pościelowa** (bed) linen
biernik *m gram.* accusative (case)
bierny *adj* passive
bieżąc|y *adj* (*o wodzie*) running; (*miesiąc*, *rok*) current; **rachunek ~y** current account, *am.* checking account; **list z 7. ~ego miesiąca** letter of the 7th instant
bieżnia *f* (race) track, *am.* racecourse
bigamista *m* bigamist
bigos *m* Polish dish made of sauerkraut, sausage and mushrooms
bilans *m* balance; *przen.* total effect
bilard *m* billiards
bilet *m* ticket; ~ **ulgowy** reduced-price ticket; ~ **w jedną stronę <powrotny>** one-way <return> ticket
bileter *m* usher
bilion *m* trillion
bilon *m* coin, change
bimber *m* bootleg vodka, *am.* moonshine
biodro *n* hip
bioenergoterapia *f* biotherapy
biografia *f* biography
biologia *f* biology
biorca *m* recipient
biosfera *f* biosphere
bis *m* encore; **~!** encore!; **śpiewać <grać> na** ~ sing <play> as an encore
biskup *m* bishop

bisować *imperf vi* perform an encore
bitw|a *f* battle; **pole ~y** battlefield
biuletyn *m* bulletin; **~ informacyjny** newsletter
biurko *n* (writing) desk
biuro *n* office, bureau; **~ informacyjne** information office <bureau>; **~ podróży** travel agency
biurokracja *f* bureaucracy, red tape
biust *m* breasts *pl*, bust
biustonosz *m* brassiere, *pot.* bra
biwak *m* bivouac, camp
biżuteria *f* jewellery
blacha *f* sheet metal; (*do ciasta*) baking tin
blady *adj* pale, pallid; **~ jak ściana** (as) white as a sheet
blankiet *m* form
blask *m* (*słońca*) glare; (*księżyca*) glow; (*klejnotów*) glitter
blaszan|y *adj* tin; *muz.* **instrumenty ~e** the brass
blaszka *f* metal strip; *bot.* blade
blat *m* counter(top); **~ stołu** table top
blefować *imperf vi* bluff
blisk|i *adj* near, close; (*np. o zbliżającym nieszczęściu*) imminent; **być ~im płaczu** be close to tears; **być ~im śmierci** be at the point <on the verge> of death; **z ~a** at close range; **~i znajomy** close acquaintance
blisko *adv* near, close; **zima ~** winter is close; **on ma ~ 50 lat** he is almost 50
blizna *f* scar
bliźni *m* fellow creature, neighbour
bliźniak *m* twin; (*dom*) semidetached house, semi
bloczek *m* (*notes*) notepad; *techn.* (small) pulley
blok *m* block; (*do pisania*) writing-pad; *techn.* pulley; **~ mieszkalny** block of flats, *am.* apartment house
blokada *f* blockade
blond *adj*: **włosy ~** blonde <fair> hair
blondyn *m* blonde, blond
blondynka *f* blonde
bluszcz *m* ivy
bluza *f* sweatshirt; *woj.* tunic
bluzka *f* blouse
bluźnić *imperf vi* blaspheme
błagać *imperf vi* beg; **~ kogoś o coś** beg sb for sth; **~ kogoś, żeby coś zrobił** beg sb to do sth
błahy *adj* insignificant, trifling
błazen *m* clown; (*dworski*) jester
błąd *m* mistake, error, fault; **~ drukarski** misprint; **~ ortograficzny** spelling error; **popełnić ~** make a mistake; **naprawić swój ~** correct one's mistake
błądzić *imperf vi* err, blunder; (*błąkać się*) wander (about), roam
błędn|y *adj* wrong, false, incor-

rect; **~e koło** vicious circle; **~y ognik** will-o'-the-wisp; **~y rycerz** knight-errant
błękit *m* blue, azure
błękitnooki *adj* blue-eyed
błękitny *adj* blue
błogi *adj* blissful
błogosławić *imperf vt* bless
błogosławiony *adj* blessed
błona *f* membrane; **~ fotograficzna** film; *anat.* **~ dziewicza** hymen
błotnik *m* mudguard, *am.* fender; *mot.* wing, *am.* fender
błot|o *n* mud; **wyrzucać pieniądze w ~o** throw money down the drain; *przen.* **obrzucać kogoś ~em** sling mud at sb
błysk *m* flash
błyskawica *f* lightning
błyskawicznie *adv* instantly; in a flash, in no time (at all)
błyskawiczny *adj* instant; **zamek ~** zip (fastener), *am.* zipper
błyszczeć *imperf vi* (*o gwiazdach, o słońcu*) shine; (*o klejnotach*) glitter; (*o oczach*) glisten, glitter
bo *conj* because, for
boazeria *f* panelling
bochen(ek) *m* loaf
bocian *m zool.* stork
boczek *m* bacon
bocznica *f*: **~ kolejowa** siding
boczn|y *adj* lateral, side *attr*; **~a ulica** back <side> street
bodziec *m* stimulus, incentive
bogacić się *imperf vr* grow <become> rich
bogactwo *n* richness; wealth, riches; (*obfitość*) abundance
boga|ty *adj* rich, wealthy; **~ty w witaminy** rich in vitamins; *pl* **~ci** the rich <wealthy>
bogini *f* goddess
bohater *m* hero
bohaterka *f* heroine
boisko *n* sports field <ground>; **~ piłkarskie** football field <pitch>
boja *f* buoy
bojaźliwy *adj* fearful
bok *m* side, flank; **~iem** sidelong; **odkładać na ~** put <lay> aside; **widok z ~u** side-view; **trzymać się z ~u** keep <stay> away
boks *m sport.* boxing
bokser *m* boxer
bol|eć *imperf vi* ache, hurt; (*żałować*) regret, grieve; **~i mnie głowa <ząb>** I have a headache <toothache>; **~i mnie palec** my finger hurts; **~i mnie gardło** I have a sore throat; **co cię ~i?** what hurts <ails> you?
bolesny *adj* painful, sore; (*sprawiający przykrość*) grievous, distressing
bomba *f* bomb; *pot.* (*o wiadomości*) bomb shell; **~ atomowa** atom(ic) bomb
bombardować *imperf vt* bomb
bombka *f*: **~ na choinkę** glass ball

bombonierka *f* chocolate box
bombowiec *m* bomber
bombowy *adj* bomb *attr*; *pot.* smashing; **nalot ~** bomb raid
bon *m* token, voucher; **~ skarbowy** Treasury bond
bonifikata *f* discount; *sport.* bonus
bordowy *adj* maroon
borować *imperf vt* drill
borowik *m bot.* boletus
borówka *f*: *bot.* **~ brusznica** cowberry; **~ amerykańska** blueberry
boski *adj* divine
boso *adv* barefoot
bosy *adj* barefoot
botki *pl* boots *pl*
botanika *f* botany
boży *adj* God's; **Boże Ciało** Corpus Christi; **Boże Narodzenie** Christmas
bóg *m* god; **Bóg** God; **Pan Bóg** God, Lord; **mój Boże!** good God!, dear me!; **chwała Bogu!** thank God!; **na Boga!** for God's sake!; **szczęść Boże!** God bless you!
bójka *f* fight, brawl
ból *m* pain, ache; **~ głowy** headache; **~ gardła** sore throat; **~ zębów** toothache
brać *imperf vt* take; **~ udział** take part; **~ pod uwagę** take into consideration <account>; **~ do wojska** enlist; **~ górę** get <gain> the upper hand (**nad kimś <czymś>** over sb <sth>); **~ na serio** take seriously; **~ na siebie obowiązek** take on duty; **~ ślub** get married (**z kimś** to sb)
brak *m* lack, deficiency, absence, want; (*wada*) defect, fault, shortcoming; **z ~u czegoś** for <through> lack of sth; **cierpieć na ~ czegoś** suffer from the want of sth; (*nieosobowo*) **~ mi pieniędzy** I'm short of money; **~ mi ciebie** I miss you
brakowa|ć *imperf vi* lack, be short of, be deficient in, want; **tylko tego ~ło** that was all we needed; **mało ~ło!** that was a close shave!
brama *f* gate; **~ wjazdowa** gateway
bramk|a *f* gate; *sport.* goal; **zdobyć ~ę** score a goal
bramkarz *m sport.* goalkeeper; (*w klubie*) bouncer
bransoletka *f* bracelet
branża *f* line, trade
branżowy *adj* trade *attr*
brat *m* brother; **~ cioteczny <stryjeczny>** (first) cousin; **~ przyrodni** stepbrother, half-brother; **~ zakonny** brother (*pl* brethren)
bratanek *m* nephew
bratanica *f* niece
bratek *m bot.* pansy
braterski *adj* brotherly, fraternal
braterstwo *n* brotherhood, fraternity; **~ broni** brotherhood in arms

bratowa *f* sister-in-law
braw|o *int* bravo!; **bić ~o** applaud (**komuś** sb); *pl* **~a** applause; **gromkie ~a** rapturous <enthusiastic> applause
Brazylijczyk *m* Brazilian
brazylijski *adj* Brazilian
brąz *m* bronze; (*kolor*) brown
brązowy *adj* bronze; (*kolor*) brown; **~ medal** bronze (medal)
brednie *pl* nonsense, rubbish
bredzić *imperf vi* rave; *przen.* talk rubbish
brew *f* eyebrow
brezent *m* tarpaulin
brod|a *f* chin; (*zarost*) beard; **zapuścić ~ę** grow a beard; **kawał z ~ą** old chestnut
brokuły *pl* broccoli
bronchit *m med.* bronchitis
bronić *imperf vt* defend (**przed kimś <czymś>** against <from> sb <sth>); (*strzec, osłaniać*) guard, protect; **~ się** *vr* defend o.s.
broń *f* weapon, arms *pl*; **~ palna** firearms; **~ nuklearna <chemiczna>** nuclear <chemical> weapons *pl*; **chwycić za ~** take (up) arms
broszka *f* brooch
broszura *f* brochure, pamphlet, folder, booklet
browar *m* brewery; *pot.* (*piwo*) brew
brud *m* dirt, filth
brudnopis *m* (*tekst*) first draft
brudny *adj* dirty, filthy
brudzić *imperf vt* soil, dirty; **~ sobie twarz <ręce>** soil one's face <hands>; **~ się** *vr* get <become> soiled <dirty>
brukselka *f* Brussels sprouts
brunatny *adj* dark brown; **niedźwiedź ~** brown bear; **węgiel ~** lignite, dark coal
brunet *m* dark-haired man
brunetka *f* brunette
brutalny *adj* brutal; (*o grze*) rough
bruzda *f* furrow, trench; (*na twarzy*) furrow, line
brydż *m* bridge; **grać w ~a** play bridge
brygada *f* brigade; (*robocza*) (working) gang; (*policji*) squad
brylant *m* diamond
brylantyna *f* brillantine
bryła *f* block, lump; *mat.* solid figure; **~ ziemi** clod of earth
Brytyjczyk *m* Briton, *am.* Britisher
brytyjski *adj* British
brzeg *m* (*krawędź*) edge, border, brim; (*rzeki*) bank, riverside; (*morza, jeziora*) shore, coast, coastline
brzęk *m* (*kluczy*) clink; (*szkła*) clink, clatter; (*owadów*) buzz, hum
brzmi|eć *imperf vi* sound, ring; (*o ustawie, o tekście*) purport; **tekst ~ jak następuje** the text runs as follows
brzoskwinia *f* peach; (*drzewo*) peach-tree
brzoza *f* birch

brzuch *m* abdomen, stomach, belly
brzydki *adj* ugly; (*o słowach*) dirty
brzydzić się *imperf vr* abhor, loathe (**czymś** sth), have an aversion (**czymś** to sth)
bubel *m pot.* shoddy article, trash
buda *f*: ~ **dla psa** kennel
buddysta *m* Buddhist
budka *f* (*z gazetami*) kiosk; ~ **telefoniczna** call <telephone> box, *am.* (tele)phone booth; ~ **dla ptaków** nesting box
budowa *f* construction, structure; building; ~ **ciała** structure of the body, build
budować *imperf vt* build, construct; ~ **się** *vr* have a new house built
budownictwo *n* architecture, construction
budynek *m* building
budyń *m* pudding
budzić *imperf vt* wake (up), awake, rouse, call; (*uczucie*) inspire, arouse; ~ **się** *vr* wake (up)
budzik *m* alarm-clock
budżet *m* budget
bufet *m* (*przekąski*) buffet; (*np. w teatrze*) refreshment bar
bujać *imperf vi* (*unosić się*) float, hover, soar; (*kołysać*) rock, shoot; *pot.* (*nabierać*) spoof, hoax; *przen.* ~ **w obłokach** daydream
buk *m bot.* beech
bukiet *m* bouquet; ~ **z jarzyn** assorted vegetables
bulion *m kulin.* consommé
bulwar *m* boulevard
Bułgar *m* Bulgarian
bułgarski *adj* Bulgarian
bułka *f* roll; (*słodka*) bun; ~ **paryska** white loaf; ~ **tarta** breadcrumbs; *przen.* ~ **z masłem** piece of cake
bunt *m* mutiny, rebellion, revolt
buntować *imperf vt* stir (up), rouse to revolt; ~ **się** *vr* revolt, rebel
buraczki *pl kulin.* beets *pl*, beetroot puree
burak *m bot.* beet(root)
burmistrz *m* mayor
bursztyn *m* amber
burza *f* storm; (*z piorunami*) thunderstorm; *przen.* ~ **w szklance wody** a storm in a teacup
burzyć *imperf vt* destroy, demolish; (*włosy*) ruffle; ~ **dom** pull down a house
but *m* shoe; (*wysoki*) boot; **głupi jak** ~ (as) thick as two (short) planks
butelk|a *f* bottle; *przen.* **nabić kogoś w** ~**ę** take sb in
butik *m* boutique
by *part warunkowa*: **on by tego nie zrobił** he wouldn't do it; *zob.* **aby**
być *imperf vi v aux* be; **było nas dwóch** there were two of us; **jest dużo ludzi** there is a

lot of people; **jest ładna** she's pretty; **jest lekarzem** he's a physician; ~ **dobrej myśli** be cheerful; **jestem!** present!, here!; **jestem szczęśliwy** I'm happy; **jest mi ciepło <zimno>** I'm warm <cold>; **jest mi przykro** I'm sorry; **to jest** that is; **tak jest!** yes, sir!; **jestem za <przeciw>** I'm for <against>; ~ **może** perhaps, maybe; **niech będzie, co chce** come what may; **niech i tak będzie** let it be so; **co z nim będzie?** what will become of him?

bydło *n* cattle

byk *m* bull; *pot.* spelling mistake; **silny jak ~** (as) strong as an ox

byle *adv*: ~ **co** anything; ~ **kto** anybody; ~ **gdzie** anywhere; ~ **jaki** any, whatever; ~ **jak** anyhow, carelessly; **to nie ~ kto** he's not just anybody; **nie ~ co** nothing to sneeze at

były *adj* former, past, old, ex-; ~ **mąż** ex-husband

bynajmniej *adv* not at all, by no means, not in the least; (*z oburzeniem*) I should say <think> not

bystry *adj* (*o nurcie*) swift; (*o człowieku*) bright, quick-witted, sharp-witted; (*o wzroku*) sharp

byt *m* existence; *filoz.* being; **zapewnić ~ rodzinie** provide for the family

bywać *imperf vi* frequent (**gdzieś** some place), be <go> often, frequently call (**u kogoś** on sb); (*zdarzać się*) happen

bzdur|a *f* nonsense, absurdity, rubbish; **pleść ~y** talk nonsense <rubbish>

C

całkiem *adv* (*dość*) quite, pretty, fairly; (*całkowicie*) entirely, completely

całkowit|y *adj* entire, total, complete; *mat.* **liczba ~a** integer

całodobowy *adj* round-the-clock; twenty-four-hour

całodzienny *adj* around the clock; daylong

całoroczny *adj* yearlong

całoś|ć *f* whole, the lot; **w ~ci** on the whole; *pot.* **iść na ~ć** go the whole hog, go all the way

całować *imperf vt* kiss; **~ się** *vr* kiss

całus *m* kiss

cał|y *adj* whole, all, entire; **~e miasto** the whole town; **~y rok** all the year; **przez ~y dzień** all day long; **~y (i zdrowy)** safe (and sound); **~ymi godzinami** for hours and hours; **~e szczęście!** thank goodness!; **~y we krwi** all blood

cebula *f* onion

cebulka *f bot.* bulb; (*włosa*) root
cecha *f* feature, characteristic, quality, trait; ~ **szczególna** peculiarity
cechować *imperf vt* characterize, mark; ~ **się** *vr*: ~ **się czymś** be characterized <marked> by sth
cedzić *imperf vt* (*odcedzać*) strain, percolate; (*wolno pić*) sip; *przen.* ~ **słowa** drawl one's words
cegła *f* brick
cel *m* aim, purpose, goal, object; (*tarcza strzelnicza*; *przen.*) target; ~ **podróży** destination; **bez ~u** aimlessly; **w tym ~u** to this end; **osiągnąć swój ~** gain one's end; **trafić do ~u** hit the mark; **chybić ~u** miss the mark; **strzelać do ~u** shoot at the target; **mieć coś na ~u** be aimed at sth
celnik *m* customs officer
celny[1] *adj* (*trafny*) accurate, well-aimed; (*o komentarzu*) apt
celn|y[2] *adj* customs; **opłata ~a** (customs) duty; **komora ~a** customs house; **odprawa ~a** customs clearance
celować *imperf vi* aim, take aim (**do czegoś** at sth); ~ **w czymś** excel at sth
celowo *adv* on purpose, purposefully, intentionally
celowy *adj* suitable, purposeful, expedient
celujący *adj* excellent, perfect; **stopień** ~ full marks
cement *m* cement
cementować *imperf vt dosł. przen.* cement
cen|a *f* price; **~a stała** fixed price; **~a obniżona** reduced price; **po tej ~ie** at that price; **~a detaliczna <hurtowa>** retail <whole sale> price; **za wszelką ~ę** at any <all> cost, at any price; *przen.* **być w ~ie** be of value
cenić *imperf vt* value, prize; ~ **się** *vr* value o.s.
cennik *m* price list
cenny *adj* valuable, precious
cent *m* cent
centrala *f* headquarters, head office; ~ **telefoniczna** (telephone) exchange, switchboard
centraln|y *adj* central; **~e ogrzewanie** central heating
centrum *n* centre, *am.* center; ~ **miasta** town <city> centre, *am.* downtown; ~ **handlowe** shopping centre, *am.* mall; **być w ~ uwagi** be in the public eye
centymetr *m* centimetre
cenzura *f* censorship; (*szkolna*) school report
cera *f* (*twarzy*) complexion, skin
cerata *f* oilcloth
ceremonia *f* ceremony
cerkiew *f* Orthodox church
cesarstwo *n* empire
cesja *prawn.* transfer, cession
cętki *pl* spots *pl*, dots *pl*; **w** ~ spotted, dotted
chałtura *f pot.* sideline

chałupa *f* cottage, hut, shack, cabin
chałwa *f* halva
cham *m pot.* cad, boor
chaotyczny *adj* chaotic
charakte|r *m* character, nature; **silny <słaby> ~r** strong <weak> personality; **człowiek z ~rem** man with a spine; **~r pisma** handwriting; **czarny ~r** villain; **występować w ~rze kogoś** act in the capacity of sb
charakterystyczn|y *adj* characteristic (**dla kogoś <czegoś>** of sb <sth>); **cecha ~a** distinctive trait
charakterystyka *f* characterization, profile; (*cecha*) characteristic, distinctive trait
chart *m* greyhound
charytatywny *adj* charitable
charyzma *f* charisma
chata *f* hut, cabin
chcieć *imperf vt* want, be willing, wish; **chcę, żeby pojechał** I want him to go; **chce mi się pić** I am thirsty; **chce mi się tańczyć** I feel like dancing; **chciałbym** I would like; **~ dobrze** mean well
chciwy *adj* greedy, covetous
chemia *f* chemistry
chemiczny *adj* chemical
chę|ć *f* (*życzenie*) will, willingness; (*zamiar*) intention; **~ć do życia** will to live; **dobre ~ci** good intentions; **mieć ~ć na coś** want sth; **nie mieć ~ci czegoś robić** not to feel like doing sth; **z ~cią** with pleasure
chętnie *adv* willingly, eagerly, readily
chętny *adj* willing, eager; **~ do nauki** eager to learn
Chilijczyk *m* Chilean
chilijski *adj* Chilean
Chińczyk *m* Chinese
chiński *adj* Chinese
chipsy *pl* crisps *pl*, *am.* chips *pl*
chirurg *m* surgeon
chlapać *imperf vt* splash; *pot.* blab; **~ się** *vr* splash
chleb *m* bread; **~ z masłem** bread and butter; **~ powszedni** daily bread; **~ razowy <pszenny>** brown <white> bread
chlebak *m* haversack
chlew *m* pigsty, *am.* pigpen
chlub|a *f* glory, pride; **być ~ą rodziny** be the pride of one's family; **to mu przynosi ~ę** this does him credit
chlubić się *imperf vr*: **~ czymś** take pride in sth
chlupać *imperf vi* (*o cieczy*) plash, bubble
chłodnia *f* freezer, refrigerator; **samochód <statek> ~** refrigeration truck <ship>
chłodnica *f mot.* radiator
chłodnik *m kulin.* usually vegetable or fruit soup served cold
chłodno *adv* (*niециepło*) coolly; **jest ~** it is cool <chilly>; **jest mi ~** I feel chilly; **~ kogoś**

przyjąć give sb a cool reception
chłodny *adj* cool; (*o napoju, o pogodzie*) chilly; (*oschły*) reserved, cool
chłodziarka *f* refrigerator
chłodzić *imperf vt* chill, cool; **~ się** *vr* cool
chłop *m* peasant; *pot.* fellow, chap
chłopak *m* boy; (*sympatia*) boyfriend; **~ na posyłki** errand boy
chłopiec *m zob.* **chłopak**
chłopka *f* peasant woman, countrywoman
chłopski *adj* peasant *attr*, countryman *attr*; **~ rozum** common sense
chłód *m* chill; *przen.* coolness
chmiel *m bot.* hop; (*do zaprawy piwa*) hops
chmura *f* cloud
chmurny *adj* cloudy; *przen.* gloomy
choć, chociaż *conj* though, although; *part* (*przynajmniej*) at least; **~ trochę** even so little
choćby *conj* even if; *part* (*nawet*) even; **przyjedź ~ na krótko** come even for a short while
chodnik *m* pavement, *am.* sidewalk; (*dywan*) runner, rug
chodzi|ć *imperf vi* walk, go; **~ć do szkoły** go to school; **~ć na wykłady** attend lectures; **~ć z kimś** *pot.* go out with sb, *am.* be dating sb; **~ć za kimś** follow sb; **o co ~?** what's the matter?; **o co ci ~?** what' s your problem?; **chodźmy do kina** let's go to the cinema
choinka *f* Christmas tree
cholera *f med.* cholera; *pot.* **~!** shit!, damn!; *pot.* **niech cię ~!** damn you!; *pot.* **zimno jak ~** it's damn cold
cholerny *adj pot.* bloody, damned
cholesterol *m* cholesterol
chomik *m zool.* hamster
chorągiew *f* flag, banner
choroba *f* illness, sickness, disease; **~ zakaźna** infectious disease; **~ morska** seasickness; **~ umysłowa** mental disorder <illness>, insanity
chorować *imperf vi* be ill, *am.* be sick (**na coś** with sth); **~ na grypę** have flue; *przen.* **~ na coś** be dying for sth
chorowity *adj* sickly
chorwacki *adj* Croatian
Chorwat *m* Croat
chor|y *adj* ill (**na coś** with sth); sick, unwell; **~e gardło** sore throat; **śmiertelnie ~y** fatally ill; **~y z miłości** lovesick
chować *imperf vt* (*ukrywać*) hide, conceal; (*przechowywać*) keep; (*wkładać, np. do szuflady*) put; (*grzebać zwłoki*) bury; (*hodować*) raise, breed, rear; (*wychowywać*) bring up, educate; **~ do kieszeni** put into one's pocket; *przen.* **~ głowę w piasek** bury one's head in the sand; **~ się** *vr* hide (**przed**

kimś from sb); *pot.* (*wychowywać się*) be brought up

chód *m* gait, walk; (*o koniu*) pace; *sport.* (race) walking; **być na chodzie** be in running order; *przen.* **mieć chody** have connections

chór *m* chorus; (*zespół*) choir; **~em** in chorus

chrapać *imperf vi* snore

chromy *adj* lame

chroniczny *adj* chronic

chronić *imperf vt* protect, preserve, shelter (**przed czymś** from sth), guard (**przed czymś** against sth); **~ się** *vr* take shelter

chrupać *imperf vt* (*o człowieku*) munch, crunch

chrupki *adj* crisp, crispy; **~ chleb** crisp bread; *pl* crisps

chrypa *f* hoarse <husky> voice

chrzan *m* horseradish

chrząkać *imperf vi* clear one's throat; (*o świni*) grunt

chrząstka *f anat.* cartilage, gristle

chrząszcz *m* beetle

chrzcić *imperf vt* baptize, christen

chrzciny *pl* party given by parents on the day of their child's baptism

chrzest *m* baptism, christening; **~ bojowy** baptism of fire

chrzestn|y *adj*: **ojciec ~y** godfather; **matka ~a** godmother

chrześcijanin *m* Christian

chrześcijański *adj* Christian

chrześcijaństwo *n* Christianity

chuchać *imperf vi*: **~ na coś** blow on sth; *przen.* nurse (**na kogoś <coś>** sb <sth>), pet (**na kogoś** sb)

chudnąć *imperf vi* lose weight, thin

chud|y *adj* thin, skinny; (*o mięsie*) lean; **~e mleko** skimmed <low-fat> milk; **~y jak szczapa** (as) thin as a rack

chuligan *m* hooligan

chusta *f* scarf

chustka *f* scarf; **~ do nosa** handkerchief

chwalić *imperf vt* praise; **~ się** *vr* boast (**czymś** of sth)

chwała *f* glory; **~ Bogu** thank God

chwast *m* weed

chwiać się *imperf vr* (*kołysać się*) shake, rock; **~ na nogach** reel, stagger

chwil|a *f* moment, instant, while; **co ~a** every now and then; **lada ~a, w każdej ~i** any moment <minute>; **na ~ę** for a moment; **przed ~ą** a while <moment> ago; **w ostatniej ~i** at the last moment; **w wolnych ~ach** at one's leisure, in one's free time; **nie mieć wolnej ~i** not to have a moment to spare; **za ~ę** in a moment; *pot.* **w tej ~i!** (*natychmiast*) now!; *przen.* **~a!** just a moment!

chwyci|ć *imperf vt* catch, seize,

grasp, grab; **~ć kogoś za rękę** grab <seize> sb by the hand; **~ć za broń** take up arms; *przen.* **~ć za serce** touch one's heart; **mróz ~ł** it froze; **~ć się** *vr* seize (**czegoś** at sth); **~ć się za głowę** take one's head in one's hands
chwyt *m* hold, grip; *przen.* trick, catch
chwytać *imperf vt zob.* **chwycić**
chyba *part adv* probably, maybe; **~ tak** I think so; **~ nie** I don't think so; **~ się znają** they seem to have met somewhere; *conj*: **~ że** unless; *pot.* **no ~!** you bet!
chybi|ć *imperf vi* miss; **na ~ł trafił** at random
chyłkiem *adv* stealthily, furtively, sneakingly
chytry *adj* covetous, stingy; (*przebiegły*) cunning, sly, clever
ci *pron zob.* **ten**
ciał|o *n* body; (*tkanka*) flesh; *przen.* (*grono*) staff; **~o niebieskie** heavenly body; *przen.* **~em i duszą** body and soul
ciasny *adj* narrow, tight; (*o mieszkaniu*) small, cramped; (*o butach*) tight; (*o umyśle*) narrow
ciastko *n* cake, cookie
ciasto *n* dough, pastry; (*wypiek*) cake, pie
ciąć *imperf vt* cut (**na kawałki** into pieces)
ciąg *m mat.* sequence; **~ powietrza** draught, *am.* draft; **~ komunikacyjny** route; **w ~u dnia** by day; **w ~u tygodnia** within a week; **~ dalszy** continuation; **~ dalszy nastąpi** to be continued; **jednym ~iem** at a stretch; **w ~u roku** in (the) course of the year; **w dalszym ~u coś robić** continue to do sth
ciągle *adv* continually, constantly, continuously
ciągły *adj* continuous; (*o strachu*) constant; (*o ruchu*) continual
ciągnąć *imperf vt* draw, pull; (*wlec*) drag, haul; **~ kogoś za uszy** pull sb by the ears; **~ się** *vr* (*rozciągać się*) extend, stretch; (*w czasie*) continue, last; (*o gumie do żucia*) be chewy
ciągnienie *n* drawing
ciągnik *m* tractor
ciąż|a *f* pregnancy; **być w ~y** be pregnant
cicho *adv* quietly, silently; **mówić ~** speak in a low <soft> voice; **bądź ~!** silence!, hush!; **siedzieć ~** sit still
cich|y *adj* quiet, silent; (*o głosie*) low; **po ~u** silently; *przen.* **~a woda** still waters; **~y wielbiciel** secret admirer
ciec *imperf vi* (*kapać*) drip, trickle; (*przeciekać*) leak
ciecz *f* liquid, fluid
ciekawostka *f* curiosity, interesting fact

ciekawość *f* curiosity

ciekawski *adj* prying, nosy

ciekawy *adj* curious; (*interesujący*) interesting, curious; ~ **czegoś** curious about sth; **jestem ciekaw, czy...** I'm curious if...

cieknąć *imperf vi zob.* **ciec**

cielę *n* calf; *pot.* oaf

cielęcina *f* veal

cielęc|y *adj*: **skóra ~a** calf (skin); **pieczeń ~a** roast veal

ciemno *adv*: **jest** ~ it's dark; **robi się** ~ it's getting dark; *pot.* **strzał w** ~ shot in the dark; **randka w** ~ blind date

ciemnoczerwony *adj* dark red

ciemność *f* darkness, dark

ciemnota *f pot.* ignorance

ciemnowłosy *adj* dark-haired

ciemny *adj* dark; (*o pomieszczeniu*) dim; (*o chlebie*) brown; ~ **typ** shady character

cienki *adj* thin; (*o tkaninie*) fine

cienkopis *m* fine-tip felt pen

cie|ń *m* shade; (*odbicie*) shadow; **~ń nadziei** faint hope; **~ń do powiek** eye-shadow; **w ~niu** in the shade; *przen.* **pozostawać w ~niu** stay <keep> in the background

ciep|ło *n* warmth; *fiz.* heat; **trzymać w ~le** keep warm; *adv* (*serdecznie*) warmly; **jest mi ~ło** I'm warm; **robi się ~ło** it's getting warm

ciepł|y *adj* warm; **~e kraje** southern <warm> climates; **~e przyjęcie** warm welcome

cierń *m* thorn

cierpieć *imperf vt vi* suffer (**na coś, z powodu czegoś** from sth), be in pain; (*znosić*) bear; ~ **głód** starve; **nie ~ kogoś <czegoś>** hate <detest> sb <sth>

cierpienie *n* suffering

cierpliwość *f* patience

cierpliwy *adj* patient

ciesz|yć *imperf vt* gladden, delight; **~yć się** *vr* enjoy (**czymś** sth), be glad (**z czegoś** of sth); **~ę się, że cię widzę** I'm glad to see you; **~yć się dobrym zdrowiem** enjoy good health

cieśnina *f* strait

cięcie *n* cut, cutting; *med.* **cesarskie** ~ caesarean (operation)

ciężar *m* load, weight; *przen.* burden; **być ~em** be a burden (**dla kogoś** to <on> sb); **podnoszenie ~ów** weight lifting

ciężarna *f* pregnant woman

ciężarówka *f* lorry, *am.* truck

ciężk|i *adj* heavy, weighty; (*o pracy*) hard; (*o chorobie*) serious; (*o problemie*) tough; (*o powietrzu*) stuffy; *sport.* **waga ~a** heavy weight

ciężko *adv* heavily; ~ **pracować** work hard; ~ **chory** seriously ill; ~ **ranny** badly wounded; ~ **strawny** indigestible; **jest mi** ~ I have a hard time

ciocia *f* auntie

cios *m* blow, stroke; **zadać komuś** ~ strike a blow at sb;

przen. ~ **poniżej pasa** low blow

ciotka *f* aunt

cisz|a *f* silence; **głęboka ~a** dead silence; **proszę o ~ę!** silence, please!

ciśnienie *n* pressure; ~ **krwi** blood pressure

clić *imperf vt* lay <impose> duty (**coś** on <upon> sth)

cło *n* duty; ~ **wwozowe** import tariff <duty>; **wolny od cła** duty-free

cmentarz *m* cemetery; (*przy kościele*) graveyard, churchyard

cnota *f* virtue; (*dziewictwo*) virginity

co *pron* what; **co to jest?** what's that?; **co to za książka?** what book is that?; **po co?** what for?; **co do...** as for <as regards, as to>; **co miesiąc** every month; **co drugi dzień** every other day; **co krok** continually; **co do joty** literally; **co prawda** to be sure; **co niemiara** in abundance; **niech robi, co chce** let him do whatever he wants; **co ty na to?** what do you say?; **dopiero co** just now; **co za rozkosz!** what pleasure!

codziennie *adv* every day, daily

codzienny *adj* everyday, daily

cofać *imperf vt* (*rękę*) take back; (*samochód*) reverse; (*zegarek*) put back; (*słowo*) withdraw; ~ **się** *vr* move back; (*uciekać*) retreat, pull back

cokolwiek *pron* anything; whatever; (*trochę*) a little, some, something; ~ **byś zrobił** no matter what you do

cola *f* Coke

coraz *adv* repeatedly; ~ **lepszy** better and better; ~ **więcej** more and more

coroczny *adj* yearly, annual

coś *pron* something, anything; ~ **do picia** something to drink; ~ **innego** something else; ~ **w tym rodzaju** something like that

córka *f* daughter; ~ **chrzestna** goddaughter

cóż *pron*: **~, zabierajmy się do pracy** well, let's get to work

cud *m* miracle, wonder, marvel; **dokazywać ~ów** do <work> wonders; **~em** by a miracle, miraculously; **jakim ~em?** how come?

cudown|y *adj* miraculous; (*zachwycający*) wonderful, marvellous; **~e dziecko** child prodigy

cudzoziemiec *m* foreigner, alien

cudzy *adj* somebody else's; other's, another's, others'

cudzysłów *m* inverted commas *pl*, quotation marks *pl*

cukier *m* sugar; ~ **w kostkach** lump sugar; ~ **puder** icing sugar

cukierek *m* sweet, *am.* candy

cukiernia *f* confectioner's (shop), cake shop

cukiernica *f* sugar bowl
cukinia *f* courgette, *am.* zucchini
cukrzyca *f med.* diabetes
cwaniak *m pot.* sly dog
cwany *adj* shrewd, canny
cyfr|a *f* digit, figure; **~y arabskie <rzymskie>** Arabic <Roman> numerals
cyfrowy *adj* digital, numeric(al)
Cygan *m* Gypsy
cyganeria *f* bohemians
cygański *adj* gypsy
cygarniczka *f* cigarette holder
cygaro *n* cigar
cykl *m* cycle, series
cykliczny *adj* serial
cyklon *m* cyclone
cykoria *f* chicory
cylinder *m* top hat; *techn.* cylinder
cynamon *m* cinnamon
cyniczny *adj* cynical
cypel *m* cape, headland
Cypryjczyk *m* Cypriot
cypryjski *adj* Cypriot
cyprys *m bot.* cypress
cyrk *m* circus; *pot.* **ale ~!** what a lark <farce>!
cyrkiel *m* compasses *pl*
cyrkonia *f* zircon
cysterna *f* tanker, *am.* tank truck
cytat *m* quotation, citation
cytować *imperf vt* quote, cite
cytryna *f* lemon
cywil *m woj.* civilian; **w ~u** in civilian life
cywilizacja *f* civilization
cywiln|y *adj* civil; (*niewojskowy*) civilian; **stan ~y** marital status; **urząd stanu ~ego** registry office; **ślub ~y** civil ceremony; **odwaga ~a** civil liberty
czajniczek *m*: **~ do herbaty** teapot
czajnik *m* kettle
czapka *f* cap
czar *m* charm; *pl* **~y** magic
czara *f* goblet
czarno-biały *adj* black and white
czarnoskóry *adj* black
czarn|y *adj* black; (*o myślach, o humorze*) dark, gloomy; (*Murzyn*) black; *przen.* **~y rynek** black market; **~a kawa** black coffee; *przen.* **~y koń** dark horse; *przen.* **~o na białym** down in black and white; **praca na ~o** illegal work; **na ~ą godzinę** for a rainy day
czarodziej *m* wizard, sorcerer
czarownica *f* witch
czarujący *adj* charming, enchanting
czas *m* time; *gram.* tense; **~ miejscowy <lokalny>** local time; **wolny ~** leisure <spare> time; **do ~u aż** till, until; **na ~** on time; **od ~u do ~u** from time to time; **od ~u jak...** since...; **od jakiegoś ~u** for some time now; **po pewnym ~ie** after a while; **przez cały ~** all the time; **z ~em** in time; **w swoim ~ie** in due time; **najwyższy ~** it's high time

czasem *adv* sometimes; *pot.* (*przypadkiem*) by any chance
czasopismo *n* magazine, periodical
czasownik *m gram.* verb
czaszka *f* skull
czcić *imperf vt* venerate, revere; (*rocznicę*) celebrate; (*pamięć*) commemorate
czcionka *f* type, font
czczo *adv*: **na ~** on an empty stomach; **jestem na ~** I have not had my breakfast
Czech *m* Czech
czego *pron zob.* **co**
czek *m* cheque, *am.* check; **~iem** by cheque; **~ podróżny** traveller's cheque; **~ na okaziciela** cheque to bearer; **~ bez pokrycia** unsecured cheque
czekać *imperf vi* wait (**na kogoś** for sb), expect (**na kogoś** sb)
czekolad|a *f* chocolate; **tabliczka ~y** bar of chocolate
czekoladka *f* chocolate, *am.* chocolate candy
czekow|y *adj*: **książeczka ~a** chequebook; **konto ~e** current account, *am.* checking account
czep|ek *m* bonnet; **~ek kąpielowy** bathing cap; *przen.* **w ~ku urodzony** born with a silver spoon in his mouth
czepiać się *imperf vr* cling to, stick to; *przen.* (*szykanować, zaczepiać*) pick on
czereśnia *f* sweet cherry; (*drzewo*) cherry tree
czerstwy *adj* (*o chlebie*) stale; (*krzepki*) hale, ruddy; **mieć ~ wygląd** look hale
czerwiec *m* June
czerwienić się *imperf vr* turn red, redden; (*rumienić się*) blush
czerwonka *f med.* dysentery
czerwony *adj* red; **~ jak burak** (as) red as a beetroot; **Czerwony Krzyż** Red Cross
czesać *imperf vt* comb, brush; (*o fryzjerze*) do; **~ się** *vr* comb <brush> one's hair
czeski *adj* Czech
czesne *n* tuition, fee
cześć *f* honour, reverence; **oddawać ~** do honour, pay one's respects (**komuś** to sb); **ku czci** in memory; **~!** hi!, hello!; (*na pożegnanie*) see you!
często *adv* often, frequently
częstotliwość *f* frequency
częstować *imperf vt* treat (**kogoś czymś** sb to sth); **~ się** *vr* treat o.s. (**czymś** to sth), help o.s. (**czymś** to sth); **częstuj się, proszę!** help yourself, please!
częsty *adj* frequent, common
częściowo *adv* partly, in part
częś|ć *f* part, portion, piece; (*udział*) share; **~ć zamienna** spare (part); **rozebrać na ~ci** take into pieces
czkawka *f* hiccup
członek *m* member; *anat.* **~ męski** penis
człowiek *m* man, human being, individual; **szary ~** man in

the street; ~ **czynu** man of action; ~ **ciężko pracuje** one works <you work> hard
czołg *m* tank
czoło *n* forehead; **stać na czele** head; **stawić** ~ face, oppose
czołow|y *adj* frontal; (*przodujący*) leading, chief; **zderzenie ~e** head-on collision <crash>
czołówka *f* forefront; (*w gazecie*) front page; (*w filmie*) the credits *pl*; *sport.* leads, top
czopek *m med.* suppository
czosnek *m* garlic
czterdziesty *num* fortieth
czterdzieści *num* forty
czternasty *num* fourteenth
czternaście *num* fourteen
cztery *num* four
czterysta *num* four hundred
czubat|y *adj* (*łyżka*) heaped; (*mający czub*) crested; **~a łyżka cukru** heaped spoonful of sugar
czuć *imperf vt* feel; (*zapach*) smell (**czymś** of sth); (*smak*) taste; *przen.* ~ **pismo nosem** smell a rat; ~ **do kogoś urazę** bear sb a grudge; ~ **czosnkiem** it smells of garlic; ~ **się** *vr* feel; ~ **się dobrze** feel well <all right>
czujnik *m techn.* sensor
czujny *adj* vigilant, wary; **mieć ~ sen** be a light sleeper
czuły *adj* tender, affectionate; sensitive (**na coś** to sth); ~ **punkt** sore point
czuwać *imperf vi* be vigilant; (*nie spać*) sit up; (*pilnować*) watch (**nad kimś <czymś>** over sb <sth>)
czuwanie *n* watch, vigil
czwartek *m* Thursday; **Wielki Czwartek** Maundy Thursday
czwart|y *num* fourth; **jedna ~a** one fourth; **wpół do ~ej** half past three; **o ~ej** at four (o'clock)
czworo *num* four
czworokąt *m* quadrangle
czy *conj* (*w zdaniach pytających podrzędnych*) if, whether; (*w zdaniach pytających głównych nie tłumaczy się*): **nie wiem, ~ mam iść** I don't know if I should go; ~ **wierzysz w to?** do you believe that?; **~..., ~...** whether... or; ~ **tu,** ~ **tam** whether here or there; ~ **chcesz tego,** ~ **nie?** do you want that or not?; **tak ~ inaczej** one way or another; **prędzej ~ później** sooner or later
czyj *pron* whose
czyjś *pron* somebody's, someone's
czyli *part* that is, i.e.
czyn *m* deed, act, action; **wprowadzać w ~** carry into effect; **przejść od słów do ~ów** put the words into action
czynić *imperf vt* do, act; ~ **dobro <zło>** do good <evil>; ~ **kroki** take steps; ~ **postępy** make progress
czynnik *m* factor

czynność *f* activity, action; *med.* function
czynn|y *adj* active; (*o urządzeniu*) in working condition; *woj.* **~a służba** active service; **sklep jest ~y od 7.00 do 20.00** the shop is open from 7 a.m. to 8 p.m.
czynsz *m* rent
czyrak *m* boil, furuncle
czysto *adv* clean(ly), clear(ly), pure(ly); **~ umyty** washed clean; **~ ubrany** neatly dressed; **przepisać na ~** make a final copy; *pot.* **wyjść na ~** break even.; **zarobić na ~ x złotych** have a net profit of x zloty
czystoś|ć *f* cleanliness, cleanness, purity; (*dziewiczość*) chastity; **utrzymywać w ~ci** keep in cleanliness
czyst|y *adj* clean, clear, pure; (*schludny*) neat; **~a prawda** plain truth; **~e sumienie** clear conscience; **~y jak łza** (as) clean as a whistle; **~ej krwi** pureblooded; **~y zysk** net profit; **~e szaleństwo** sheer madness
czyścić *imperf vt* clean, cleanse; purify; **~ szczotką** brush; **~ buty** polish shoes
czytać *imperf vt* read (**coś, o czymś** sth <about> sth); **~ po angielsku** read English
czytelnia *f* reading room
czytelnik *m* reader
czytelny *adj* legible

Ć

ćma *f zool.* moth
ćmić *imperf vi* puff (on <at>)
ćpać *imperf vi pot.* do drugs
ćpun *m pot.* junkie
ćwiartka *f* quarter
ćwiczenie *n* exercise; (*na instrumencie*) practice; *sport.* exercises; (*na uczelni*) class
ćwiczyć *imperf vi* practise, exercise, train; **~ karate** practise karate
ćwierć *f* quarter
ćwierkać *imperf vi* twitter, chirp
ćwikła *f kulin.* beetroot and horse radish salad

D

dach *m* roof; **mieć ~ nad głową** have a roof over one's head
dać *perf vt* give (**coś komuś** sb sth); **~ komuś spokój** let <leave> sb alone; **~ komuś w twarz** slap sb's face; **~ komuś znać o czymś** let sb know about sth; **~ słowo** give a word; **~ ogłoszenie** put out <in> an ad; **~ komuś do zro-**

zumienia give sb to understand; ~ **sobie radę** manage; ~ **komuś łapówkę** bribe sb; *pot.* ~ **komuś w łapę** grease sb's palm; ~ **za wygraną** give in; **dałbym głowę** I'll bet my life; **dajmy na to** let's say; **daj mi ten nóż!** let me have this knife!; ~ **się** *vr*: **nie daj się!** don't give in!; ~ **się pokonać** surrender; **brać, ile się da** take as much as one can

daktyl *m bot.* date

dalej *adv* farther, further; **i tak** ~ and so on (and so forth); **mów ~!** go on!, go ahead!

dalek|i *adj* far, distant, far-off, faraway; **~i krewny** distant relative; **~i spacer** long walk; **~ie kraje** faraway countries; **z ~a** from a distance <faraway>

daleko *adv* far; **jak ~ jest do dworca?** how far is it to the station?

dalekobieżny *adj* long-distance *attr*

dalekowidz *m* farsighted <longsighted> person; **być ~em** be farsighted <longsighted>

dalszy *adj* farther, further; **ciąg ~ nastąpi** to be continued; **na ~m planie** in the background

daltonista *m* colour blind

dama *f* lady; (*w kartach*) queen

damsk|i *adj* lady's, ladies', women's; **~i fryzjer** lady's hairdresser; **po ~u** lady like

dane *pl* data *pl*; ~ **personalne** personal details; **mieć wszelkie ~ po temu, żeby coś zrobić** be justified in doing sth

danie *n* dish, course; **główne ~** main course

dansing *m* dance

dar *m* gift; **w darze** as a gift

daremny *adj* futile, vain

darmo *adv*: **na ~** in vain; **za ~** free; **pół ~** dirt-cheap

darować *imperf vt* give; (*przebaczać*) pardon, forgive; *przen.* ~ **komuś życie** spare sb's life

darowizna *f* donation; (*umowa*) deed of gift

data *f* date; ~ **urodzenia** date of birth

dawać *imperf vt zob.* **dać**

dawka *f* dose

dawniej *adv* formerly, in former times

dawno *adv* long ago, a long time ago; ~ **temu** a long time ago, in old days <times>; **jak ~ tu jesteś?** how long have you been here?

dawn|y *adj* former; **od ~a** for a long time; **po ~emu** as before

dąb *m* oak; **chłop jak ~** strapping fellow; **włosy stanęły mi dęba** my hair stood on end

dążyć *imperf vt* aspire (**do czegoś** to <after> sth), strive (**do czegoś** after sth), aim (**do czegoś** at sth); ~ **do celu** pursue a goal

dbać *imperf vi* care (**o coś** for sth), take care (**o coś** of sth)

debata *f* debate

debet *m*: **mieć ~** have a deficit, be in the red
debil *m* imbecil, *pot.* moron
dech *m* (*oddech*) breath; **bez tchu** out of breath
decydent *m* decision maker
decydować *imperf vi* decide (**o czymś** about sth), determine (**o czymś** sth), make <take> decisions; **~ się** *vr* make up one's mind, decide (**na coś, coś zrobić** on sth, on doing sth)
decyzj|a *f* decision; **powziąć ~ę** arrive at <make> a decision
dedykacja *f* dedication; (*napis*) inscription
defekt *m* defect
deficyt *m ekon.* deficit; (*niedobór*) shortage; **~ budżetowy** budget deficit
defilada *f* military parade
definicja *f* definition
deformacja *f* deformation
degeneracja *f* degeneration, degeneracy
degustacja *f* tasting
dekada *f* decade
deklaracja *f* declaration; (*zobowiązanie*) pledge; **~ podatkowa** tax return; **~ celna** customs declaration
deklarować *imperf vt* declare; (*zobowiązywać się*) pledge; **~ się** *vr* declare
deklinacja *f gram.* declension
dekoder *m* decoder
dekolt *m* low-cut neck; **suknia z ~em** low-cut dress
dekoracja *f* decoration; (*teatralna, filmowa*) setting; (*wystawy sklepowej*) window dressing
dekorować *imperf vt* decorate
dekret *m* decree
delegacja *f* delegation; (*z pełnomocnictwem*) commission; *pot.* (*wyjazd służbowy*) business trip
delegat *m* delegate
delfin *m zool.* dolphin
delikatesy *pl* dainties, delicacies; (*sklep*) deli(catessen)
delikatny *adj* delicate, subtle, gentle, mild
demagogia *f* demagogy
demografia *f* demography
demokracja *f* democracy
demokratyczny *adj* democratic
demolować *imperf vt* vandalize, wreck
demon *m* demon
demonstracja *f* demonstration
demonstrować *imperf vt* demonstrate
demontować *imperf vt* dismantle, disassemble
demoralizacja *f* loss of morale, depravation
denerwować *imperf vt* get on one's nerves, irritate, annoy; **~ się** *vr* be nervous (**czymś** about sth), be irritated
dentysta *m* dentist
departament *m* department
depozy|t *m* deposit; **złożyć coś w ~cie** deposit sth
depresja *f* depression
deptać *imperf vt* tread, tram-

ple (on); ~ **komuś po piętach** tread on sb's heels
deptak *m* promenade, walk
dermatolog *m* dermatologist
desant *m* landing (operation)
deseń *m* design, pattern
deser *m* dessert, afters
desk|a *f* board, plank; **~a surfingowa** surfboard; **od ~i do ~i** from cover to cover; **ostatnia ~a ratunku** the last resort; **wieś zabita ~ami** whistle stop
deskorolka *f* skateboard
despota *m* despot
destabilizacja *f* destabilization
deszcz *m* rain; *przen.* shower; **pada ~** it's raining; *przen.* **z ~u pod rynnę** out of the frying pan into the fire
deszczowiec *m* raincoat
detal *m* detail; *pot.* (*w handlu*) retail
detaliczny *adj* retail *attr*; **handel ~** retail trade
detektyw *m* detective; **prywatny ~** private investigator
dewaluacja *f* devaluation
dewiza *f* creed, motto
dewizy *pl* foreign currency
dewotka *f* bigot
dezaprobata *f* disapproval
dezerter *m* deserter
dezodorant *m* deodorant
dezynfekować *imperf vt* disinfect
dętka *f* (inner) tube; (*w piłce*) bladder
dęt|y *adj*: **instrument ~y** wind <brass> intrument; **orkiestra ~a** brass band
diab|eł *m* devil; **do ~ła!** damn it!; **idź do ~ła!** go to hell!; **co u ~ła?** what the hell?; **a niech to ~li!** to hell with it!
diagnoz|a *f* diagnosis; **postawić ~ę** make a diagnosis
diagram *m* diagram
dialekt *m* dialect
dialog *m* dialogue
diament *m* diamond
diecezja *f* diocese
die|ta *f* diet; **~ta odchudzająca** slimming diet; **być na ~cie** be on a diet; **przestrzegać ~ty** stick to a diet
diety *pl* expenses, allowance; **~ poselskie** MP's salary
dla *praep* for; to, towards; **jest ~ niej dobry** he's good to her; **~ przyjemności** for pleasure; **~ dorosłych** for adults; **miły ~ oka** pleasant to the eye
dlaczego *adv* why
dlatego *adv* therefore, for that reason, that's why; *conj*: **~ że** because, for
dło|ń *f* palm; **bratnia ~ń** helping hand; **jak na ~ni** very clearly; *przen.* **mieć serce na ~ni** wear one's heart on one's sleeve
dłubać *imperf vi* (*żłobić*) hollow out; *pot.* **~ przy czymś** tinker with <at> sth; **~ w nosie** pick one's nose
dług *m* debt; **zaciągnąć ~** in-

cur a debt; **mieć ~i** be in debt; **spłacić ~** pay off a debt

długi *adj* long; **~ na metr** a metre long; **upadł jak ~** he fell flat on the ground

długo *adv* long, for a long time; **jak ~?** how long?; **tak ~ jak** as long as

długofalowy *adj* long-term, long-range

długoletni *adj* veteran, of long standing

długopis *m* (ballpoint) pen

długość *f* length; **~ geograficzna** longitude

długoterminow|y *adj* long-term; **pożyczka ~a** long-term loan

długotrwały *adj* long-lasting

długowieczny *adj* long-lived

długowłosy *adj* longhaired

dłużnik *m* debtor

dłużny *adj*: **być komuś coś ~m** owe sb sth, owe sth to sb

dmuchać *imperf vi* blow; **~ na zimne** be overcautious

dniówka *f* (*wynagrodzenie*) day's wages

dno *n* bottom; **bez dna** bottomless; **pójść na ~** go under <down>

do *praep* to, into; (*o czasie*) till, until; **do piątku** till <until> Friday; **do trzech godzin** up to three hours; **skończyć do trzeciej** finish by three; **do apteki <pracy, domu>** to the pharmacy <to work, to home>; **wejść do pokoju** enter a room; **do szuflady <kieszeni>** into a drawer <one's pocket>; **aż do granicy** as far as the frontier; **do zobaczenia!** see you!; **coś do jedzenia** something to eat; **co do mnie** as for me; **rzeczy do zrobienia** things to do; **telefon do ciebie** phone for you; **raz do roku** once a year

dob|a *f* day (and night), twenty-four hours; **całą ~ę** day and night; **cena za ~ę** price per day

dobić *perf vt*: **~ kogoś** finish sb off; **~ do brzegu** reach the shore; **~ targu** strike a bargain

dobór *m* selection

dobrać się *perf vr* (*dopasować się*) make a good match; **~ się do czegoś** tamper with sth; *pot.* **~ się do kogoś** make a pass at sb; **~ się jak w korcu maku** be like two peas in a pod

dobranoc *int* good night!; **pocałować kogoś na ~** kiss sb good night

dobranocka *f* bedtime TV cartoon

dobrany *adj* well-chosen, becoming; (*o parze ludzi*) well-matched

dobr|o *n* good; **dla czyjegoś ~a** for sb's (own) good, for sb's sake <the sake of sb>; *pl* **~a** (*majątek*) property; (*towary*) goods *pl*

dobrobyt *m* wellbeing, prosperity, welfare

dobroczynność *f* charity

dobroć *f* goodness
dobrowolny *adj* voluntary
dobr|y *adj* good, kind; (*ocena szkolna*) B; **on jest ~y z ortografii** he is good at spelling; **bądź tak ~y i zrób coś** would you be so kind as to do sth?; **~a wola** goodwill; **~y gust** good taste; **na ~ą sprawę** actually; **na ~e** for good; **na ~e i złe** for better or worse; *pot.* **~a!** O.K.!
dobrze *adv* well, all right; **~ ubrany** well-dressed; **~ znany** well-known; **~ wyglądać** look good; **~ się czuć** feel good; **~ się komuś powodzi** sb is well off; **~ się bawić** have a good time; **~ ci tak!** it serves you right!; **~!** good!, O.K.!, all right!
dochodowy *adj* profitable, profit-making; **podatek ~** income tax
dochodzi|ć *imperf vi* reach, come, arrive; **twój list doszedł do mnie wczoraj** your letter reached me <arrived, came> yesterday; **~ trzecia (godzina)** it is getting on to three (o'clock); **~ć prawdy** seek <search for> the truth; **~ć do siebie** (*po chorobie*) recover; **doszło do wypadku** there was an accident
dochód *m* income; **~ na osobę** income per person
doczeka|ć się *perf vr* live to see; **nie ~sz się go** it's no use waiting for him; **~ć się późnej starości** live to an old age; **nie mogę się ~ć** I can't wait, I can hardly wait
dodać *perf vt zob.* **dodawać**
dodatek *m* (*do gazety, do książki*) supplement; (*do pensji*) bonus; (*do potrawy*) additive; **~ rodzinny** child benefit, *am.* family allowance; **na ~** in addition (**do czegoś** to sth), besides
dodatni *adj* positive
dodawać *imperf vt* add; (*sumować*) add (up), sum up; *przen.* **~ ducha** cheer up; **~ odwagi** encourage; **~ gazu** step on it, *am.* step on the gas
dodawanie *n mat.* addition
dogadać się *perf vr* reach an agreement
doglądać *imperf vi* mind, look (**kogoś, czegoś** after sb <sth>), watch (**kogoś, czegoś** over sb <sth>); (*pielęgnować chorego*) tend
dogodny *adj* convenient; (*sprzyjający*) favourable; **na ~ch warunkach** on easy terms
dogonić *perf vt* catch up (**kogoś** with sb)
dogrywka *f sport.* extra time, *am.* overtime; (*na giełdzie*) extra time trading
doić *imperf vt* milk
dojazd *m* (*dostęp*) approach, access; (*do budynku*) drive, approach <access> road
dojechać *perf vi* arrive (**dokądś**

at <in> a place), reach (**dokądś** a place)

dojeżdżać *imperf vi* (*zbliżać się*) approach; ~ **do pracy** commute

dojrzały *adj* (*o człowieku, o winie*) mature; (*o owocu*) ripe; (*o serze*) ripe, mature

dojść *perf vi* arrive (**dokądś** at <in> a place), reach (**dokądś** a place)

dokąd *pron* where (to); ~ **idziesz?** where are you going?; **nie wiem,** ~ **pójść** I don't know where to go; **nie mam** ~ **pójść** I have nowhere to go

dokładać *imperf vt* add; ~ **wszelkich starań** do one's best; ~ **do interesu** run a losing business

dokładk|a *f* (*jedzenia*) second helping; *pot.* **na ~ę** on top of that

dokładny *adj* accurate, exact, precise

dokoła, dookoła *adv* all around; *praep* (a)round; **rozejrzeć się** ~ look around

dokonać *perf vt* (*odkrycia*) make; (*wynalazku*) come up with; (*morderstwa*) commit; (*dokazać*) achieve, accomplish

dokonanie *n* achievement, accomplishment

doktor *m* doctor; **iść do ~a** go to the doctor

doktorat *m* (*stopień*) doctorate; (*praca*) doctoral <PhD> dissertation, thesis

dokucza|ć *imperf vi* harass, annoy, nag; **~ł im głód** hunger was nagging them

dokuczliwy *adj* bothersome, nagging

dokument *m* document; *pl pot.* **~y** identification, I.D.

dola *f* (*los*) lot; *pot.* share

dolegliwość *f* ailment

dolewać *imperf vt* pour more; ~ **komuś wina <herbaty>** replenish <refill> sb's glass (up)

doliczyć *perf vt* (*dodać*) add; ~ **do dziesięciu** count up to ten

dolina *f* valley

dolny *adj* lower, bottom *attr*

dołączyć *perf vt* attach, annexe; (*w liście*) enclose; (*do kogoś*) join; ~ **się** *vr* (*do dyskusji*) join in; ~ **się do grupy** join the group

dołożyć *perf vt zob.* **dokładać**

dom *m* (*budynek*) house; (*mieszkanie*) home; **do ~u** home; **w ~u** at home; **poza ~em** away from home; **czuć się jak w ~u** feel at home; **prowadzić ~** run the house; **dostawa do ~u** home delivery; **pan ~u** host; **pani ~u** hostess; **z dobrego ~u** of good family; **z ~u Kowalska** née Kowalska; ~ **towarowy** department store; ~ **publiczny** brothel; ~ **wolno stojący** detached house; *pot.* ~ **wariatów** madhouse

domagać się *imperf vr* demand, claim, call for

domator *m* stay-at-home, *am.* homebody
domek *m*: **letni ~** summer cottage; **~ dla ptaków** birdhouse; **~ na działce** cabin; **~ z kart** house of cards
domiar *m*: **na ~ złego** make matters worse
dominować *imperf vi* dominate, predominate
domofon *m* entryphone, buzzer
domow|y *adj* home, house *attr*, domestic; **~e jedzenie** homemade food; **gospodarstwo ~e** household; **gospodyni ~a** housewife; **wojna ~a** civil war
domyślać się *imperf vr* guess
domyślny *adj* quick to understand, quick-witted
doniczka *f* flowerpot
donos *m* information, denunciation
dopasować *perf vt* fit, adapt, adjust; (*dobrać*) match; **~ się** *vr* adapt o.s.
dopędzić *perf vt* catch up with
dopiero *adv* only, just; **~ co** (only) just, just now; *pot.* **a co ~** let alone
dopiln|ować *perf vt* see to (**czegoś** sth); **~uj, żeby to było zrobione** see to it that it is done
doping *m sport.* doping; (*publiczności*) cheers
dopłata *f* additional <extra> charge
dopływ *m* (*rzeki*) tributary, affluent; (*towarów, prądu*) supply
dopóki *conj* as long as
doprawić *perf vt* (*potrawę*) season
doprowadzać, doprowadzić *imperf perf vt* (*przyprowadzać*) take, lead, bring; (*wodę, prąd*) supply; **~ do czegoś** lead to sth, result in sth; **~ coś do końca** carry sth through; **~ do porządku** put in order; **~ do skutku** carry into effect; **~ kogoś do szału** drive sb mad
dopuszczać, dopuścić *imperf perf vt* admit; **~ kogoś do głosu** let sb speak; **nie ~ kogoś do egzaminu** not admit sb to an examination
dorabiać *imperf vt* (*dodatkowo zarabiać*) have a second job, moonlight; **~ klucze** make a duplicate key; **~ się** *vr* grow rich
doradca *m* adviser, *am.* advisor
doradzać *imperf vi* advise, counsel
doraźn|y *adj* (*natychmiastowy*) immediate; (*o celu, o korzyści*) short-term; (*środek*) temporary; *prawn.* summary; **~a pomoc** relief
doręczać, doręczyć *imperf perf vt* deliver, hand (over)
dorob|ek *m* possessions; (*twórczość*) output; **być na ~ku** feather one's nest
dorobić *perf vt zob.* **dorabiać**
doroczny *adj* annual, yearly

dorosły *adj m* adult, grown-up
dorożka *f* horse-driven cab; hackney carriage
dorównać, dorównywać *perf imperf vi* equal (**komuś** to sb), come up (**komuś** to sb)
dorsz *m zool.* cod
dorywcz|y *adj* occasional; **~a praca** odd job
dosiadać, dosiąść *imperf perf vt*: **~ konia** mount a horse; **~ się** *vr*: **~ się do kogoś** join sb
doskonałość *f* perfection, excellence
doskonały *adj* perfect, excellent
dosłowny *adj* literal; **w ~m znaczeniu** literally
dostać *perf vi* get, be given (sth); (*nabawić się*) contract, get; **~ pracę** get a job; **~ nagrodę** get <be awarded> a prize; **~ kataru** catch a cold; **~ gorączki** run a fever; **~ lanie** get spanked; **~ po głowie** get smacked upside the head; **~ za swoje** get one's just desserts; **~ się** *vr* (*dotrzeć*) get (**gdzieś** somewhere); **~ się do środka** get in(to)
dostarczać, dostarczyć *imperf perf vt* deliver (**coś komuś** sth to sb), supply <provide> (**komuś coś** sb with sth)
dostateczny *adj* sufficient; (*zadowalający*) satisfactory; (*ocena szkolna*) C
dostat|ek *m* affluence, abundance; **pod ~kiem** in abundance
dostatni *adj* affluent
dostawa *f* delivery
dostęp *m* access
dostępny *adj* accessible
dostojnik *m* dignitary
dostosować *perf vt* adapt <adjust> (**coś do czegoś** sth to sth); **~ się** *vr* adapt <adjust> o.s. (**do czegoś** to sth)
dostrzec, dostrzegać *perf imperf vt* catch sight (**coś** of sth), perceive, spot
dosyć, dość *adv* enough; (*ładny*) fairly; (*brzydki*) rather; **~ tego!** enough of that!, that's enough!, that will do!; **mieć czegoś ~** have got enough, be sick (and tired) of sth, be fed up with sth
doświadczać *imperf vt* (*doznawać*) experience (**czegoś** sth)
doświadczalny *adj* experimental
doświadczenie *n* (*życiowe*) experience; (*naukowe*) experiment; **robić ~** experiment
doświadczony *adj* experienced, expert
doświadczyć *perf vt zob.* **doświadczać**
dotacja *f* subsidy, grant
dotąd *adv* (*o miejscu*) this <that> far; (*o czasie*) up to now, so far; **jak ~** as yet; **jak ~ dobrze** so far so good
dotknąć *perf vt* touch, feel; (*urazić*) hurt
dotrzymać, dotrzymywać *perf imperf vt*: **~ obietnicy <tajem-**

nicy, słowa> keep a promise <a secret, one's word>; **~ komuś kroku** keep pace with sb

dotychczas *adv* up to now, so far

dotyczy|ć *imperf vt* concern (**kogoś, czegoś** sb, sth), relate (**kogoś**, **czegoś** to sb <sth>); **co ~** with regard to, as far as sth is concerned

dotyk *m* touch, feel

dotykać *imperf vt zob.* **dotknąć**

doustny *adj* oral

dowcip *m* joke; (*humor*, *bystrość*) wit

dowcipny *adj* witty

dowiadywać się *imperf vr* inquire (**o kogoś, o coś** after sb <sth>); *zob.* **dowiedzieć się**

do widzenia *int* goodbye

dowiedzieć się *perf vr* learn (**o czymś** about <of> sth), find out

dowieźć *perf vt* bring, drive

dowodzić *imperf vi* prove <demonstrate> (**czegoś** sth), be demonstrative (**czegoś** of sth); (*argumentować*) argue; (*komenderować*) command

dowolnie *adv* freely

dowolny *adj* any; free

dowozić *imperf vt zob.* **dowieźć**

dowód *m* proof, evidence; (*odbioru*) receipt; **w ~ wdzięczności** as a mark of gratitude; **~ osobisty** identity card; *prawn.* **~ rzeczowy** material evidence

dowódca *m* commander

doznać *perf vt* experience; (*obrażeń*) sustain; (*życzliwości*) meet with

dozorca *m* caretaker, *am.* janitor; (*więzienny*) warder

dożynki *pl* harvest home

dożywotni *adj* life *attr*, lifelong; **kara ~ego więzienia** life sentence <inprisonment>

dół *m* pit, hole; (*dolna część*) bottom; **w dole** down (below); **na dole** at the bottom; **z dołu** from below; **na ~, w ~** downwards; (*na niższe piętro*) downstairs

drabina *f* ladder

drań *m pot.* bastard

drapać *imperf vt* scratch; **~ się** *vr* scratch o.s.; **~ się w głowę** scratch one's head; (*wspinać się*) scramble

drażetka *f* coated tablet

drażliwy *adj* sensitive, touchy

drażnić *imperf vt* irritate, annoy; **~ się** *vr* tease (**z kimś** sb)

drążek *m* rod, stick; (*dźwignia*) lever

dreszcz *m* shudder, shiver; **mieć ~e** be shivering

dreszczyk *m* thrill

drewniak *m* (*but*) clog; *pot.* (*budynek*) wooden hut, log cabin

drewniany *adj* wooden, wood <timber> *attr*

drewno *n* wood, timber

dręczyć *imperf vt* torment, opress; **~ się** *vr* be tormented

drętwieć *imperf vi* stiffen; (*o kończynie*) go numb

drobiazg *m* trinket, knick-knack; *pl* **~i** odds and ends; **to ~!** never mind!

drobnostka *f* trifle

drobn|y *adj* small, fine; *pl* **~e** small change

dro|ga *f* way, road, route; **~ga dla pieszych** footpath; **główna <boczna> ~ga** main <side> road; **~ga dojazdowa** access road; **krótsza ~ga** (*na przełaj*) short cut; **~gą lądową** by land; **~gą wodną <morską>** by water <sea>; **ruszyć w ~gę** set off on a journey; **być w ~dze** be on one's way; **po ~dze** on the way; **wejść komuś w ~gę** get in sb's way; **zejść z ~gi** (*ustąpić*) give way to; **~ga wolna!** the coast is clear!; **z ~gi!** out of my way!; **swoją ~gą** to be sure; **być na dobrej <złej> ~dze** be on the right <wrong> path; **5 minut ~gi** (*pieszo*) 5 minutes walk; *anat.* **~gi oddechowe** respiratory tract

drogeria *f* chemist's (shop), *am.* drugstore

drogi *adj* (*kosztowny*) expensive, costly; (*kochany*) dear; **~e kamienie** precious stones

drogo *adv*: **~ zapłacić** pay a lot; *przen.* **~ za coś zapłacić** pay dearly for sth

drogowskaz *m* signpost

drogow|y *adj* road *attr*; **przepisy ~e** traffic regulations; **znak ~y** traffic <road> sign; **wypadek ~y** road accident

drożdż|e *pl* yeast; **rosnąć jak na ~ach** shoot up

drożyzna *f* dearness

drób *m* poultry

drugi *num* second, other; **kupować z ~ej ręki** buy second-hand; **co ~** every other <second>; **~e tyle** twice as much; **jeden po ~m** one after another; **po ~e** second(ly); **z ~ej strony** on the other hand

drugorzędny *adj* second-rate, minor

druk *m* print; (*tekst*) print; **w ~u** in press; *pl* **~i** printed matter

drukarka *f* printer; **~ atramentowa** inkjet printer; **~ laserowa** laser printer

drukarnia *f* printing firm, printing house

drukować *imperf vt* print

drut *m* wire; **~ kolczasty** barbed wire; **robić na ~ach** knit

drużyna *f* troop, team

drzazga *f* splinter

drzeć *imperf vt* (*rwać*) tear, rip; (*zużywać*) wear out; **~ się** *vr* (*zużywać się*) wear out; *pot.* (*krzyczeć*) bawl

drzemać *imperf vi* doze, nap

drzemk|a *f* nap; **uciąć sobie ~ę** take a nap

drzewo *n* tree; (*drewno*) wood, timber

drzwi *pl* door

drżeć *imperf vi* tremble, shiver; ~ **ze strachu <z zimna>** tremble <shiver> with fear <cold>; ~ **o kogoś** tremble for sb

duch *m* spirit; (*zjawa*) ghost, phantom; **w ~u** inwardly; **Duch Święty** Holy Spirit <Ghost>; **ani żywego ~a** not a living spirit; **iść z ~em czasu** keep up with the spirit of the times; **wyzionąć ~a** give up the ghost; **upaść na ~u** lose heart; **podnieść kogoś na ~u** raise sb's spirit

duchowny *m* clergyman

duchowy *adj* spiritual; mental

duet *m* (*utwór*) duet; (*zespół*) duo

duma *f* pride

dumny *adj* proud (**z czegoś** of sth)

Duńczyk *m* Dane

duński *adj* Danish

dupa *f pot.* arse, *am.* ass; *pot.* (*oferma*) duffer, oaf, asshole

duplikat *m* duplicate

dur[1] *m*: *med.* ~ **brzuszny** typhoid fever

dur[2] *m muz.* major

dureń *m* fool, idiot

dusić *imperf vt* (*ściskać za gardło*) strangle; (*powstrzymywać*) supress; *kulin.* stew; ~ **się** *vr* suffocate

dusz|a *f* soul; **bratnia ~a** kindred spirit; **być ~ą czegoś** be the life and soul of sth; *przen.* **mieć ~ę na ramieniu** have one's heart in one's mouth; **w głębi ~y** deep down; **z całej ~y** with all one's heart; **jest mi ciężko <lekko> na ~y** I have a heavy <light> heart

duszno *adv*: ~ **tutaj** it's stuffy here

duszny *adj* (*o powietrzu*) sultry, close; (*o pomieszczeniu*) stuffy

dużo *adv* (*ludzi*, *książek*) many, a lot of; (*wody*, *pieniędzy*) much, a lot of; ~ **pić** drink a lot; **za ~** too much, too many

duż|y *adj* big, large; (*dorosły*) big; **~e litery** capital letters; **~y palec** (*u ręki*) thumb, (*u nogi*) big toe

dwa *num* two; ~ **razy** twice; ~ **kroki stąd** round the corner; **co ~ dni** every other day; *przen.* **bez dwóch zdań** no doubt about it

dwadzieścia *num* twenty

dwanaście *num* twelve

dwieście *num* two hundred

dwoje *num* two

dworzec *m*: ~ **kolejowy** railway, *am.* railroad station; ~ **autobusowy** bus station

dwójk|a *f* two; *pot.* **dostać ~ę** get a bad mark

dwór *m* (*królewski*) court; (*budynek*) mansion; **wyjść na ~** go out; **na dworze** out, outside, out of doors

dwudziest|y *num* twentieth; **godzina ~a** eight p.m., twenty hours

dwujęzyczny *adj* bilingual

dwukropek *m* colon
dwukrotnie *adv* twice
dwunasty *num* twelfth
dwustronny *adj* bilateral
dwuznaczny *adj* ambiguous
dykta *f* plywood
dyktafon *m* dictaphone
dyktando *n* dictation
dym *m* smoke; **czarny od ~u** smoky; **pójść z ~em** end in smoke; **puścić z ~em** reduce to ashes
dymisja *f* (*zwolnienie z urzędu*) dismissal; (*rezygnacja*) resignation
dynamiczny *adj* dynamic
dynamit *m* dynamite
dynastia *f* dynasty
dynia *f* pumpkin
dyplom *m* diploma
dyrekcja *f* management, board of directors
dyrektor *m* manager, director; (*szkoły*) headmaster, *am.* principal
dyrygent *m* conductor
dyscyplina *f* discipline
dysk *m sport.* discus; *med.* disc, *am.* disk; *komp.* disk
dyskietka *f komp.* (floppy) disk, diskette
dyskoteka *f* disco, discotheque
dyskretny *adj* discreet
dyskusja *f* discussion
dyskutować *imperf vt* discuss; *vi* debate
dywan *m* carpet, rug
dyżur *m* duty hours *pl*; **mieć ~** be on duty; **nocny ~** night duty; **ostry ~** emergency service offered at night by a clinic
dyżurny *adj*: **lekarz <oficer> ~** doctor <officer> on duty; *m* (*w szkole*) monitor
dzban *m* jug, pitcher
dziać się *imperf vr* happen, take place, occur, go on; **co tu się dzieje?** what's going on here?
dziadek *m* grandfather, grandpa; *pot.* (*stary człowiek*) old man; **~ do orzechów** nutcrackers
dział *m* section, department, division
działać *imperf vi* act; (*o maszynie*) work, operate; (*o leku*) have an effect; **~ w dobrej wierze** act in good faith; **~ komuś na nerwy** get on sb's nerves
działanie *n* action; (*o maszynie*) operation, work; (*o leku*) effect; *mat.* operation
działka *f* allotment, plot, *am.* lot
działo *n* cannon
dziąsło *n* gum
dziczyzna *f* (*mięso*) venison, game
dziecinny *adj* childish, infantile; **pokój ~** nursery
dzieciństwo *n* childhood
dzieck|o *n* child, kid *pot.*; **od ~a** from childhood
dziedziczyć *imperf vt* inherit (**coś po kimś** sth from sb)
dziedzina *f* domain, field

dzielenie *n mat.* division
dzielić *imperf vt* divide, share out; ~ **przez...** divide by...; ~ **na...** divide into; ~ **się** *vr* divide; ~ **się czymś z kimś** share sth with sb
dzielnica *f* quarter, district
dzielny *adj* brave
dzieło *n* work; ~ **sztuki** work of art
dziennie *adv* daily; **dwa razy** ~ twice a day
dziennik *m* (*gazeta*) daily (newspaper); (*pamiętnik*) diary
dziennikarz *m* journalist
dzienn|y *adj* daily, day *attr*; (*nienocny*) daytime; **światło ~e** daylight
dzień *m* day; ~ **dobry!** (*przed południem*) good morning!, (*po południu*) good afternoon; ~ **powszedni** workday; ~ **świąteczny** holiday; ~ **wolny** day off; **co** ~ every day; ~ **po dniu** day by day, weekday; **cały** ~ all day long; **co drugi** ~ every other day; **na drugi** ~ on the next day; **raz na** ~ once a day; **z dnia na** ~ from day to day, (*nagle*) overnight; **za dnia** by day, in the daytime; **pewnego dnia** one day, (*w przeszłości*) the other day
dziesiąty *num* tenth
dziesięć *num* ten
dziewczyna *f* girl; (*sympatia*) girlfriend
dziewiąty *num* ninth
dziewięć *num* nine
dziewięćdziesiąt *num* ninety
dziewięćdziesiąty *num* ninetieth
dziewięćset *num* nine hundred
dziewiętnasty *num* nineteenth
dziewiętnaście *num* nineteen
dzięki *pl* thanks; *prep* thanks to, owing to (**komuś, czemuś** sb, sth); ~! thanks!; ~ **Bogu!** thank God!
dziękować *imperf vi vt* thank; **dziękuję (bardzo)!** thank you (very much)!
dzik *m* wild boar
dziki *adj* wild, savage
dziób *m* beak, bill; (*statku*) prow, bow
dzisiaj, dziś *adv* today; ~ **rano** this morning; ~ **wieczór** this evening; **od** ~ **za tydzień** this day week
dziur|a *f* hole; (*w zębie*) cavity; (*pot. o miejscowości*) hole in the ground; **szukać ~y w całym** nitpick
dziwaczny *adj* eccentric, odd
dziwak *m* eccentric, oddball
dziwić *imperf vt* surprise, astonish; ~ **się** *vr* be surprised
dziwka *f pot.* hooker
dziwn|y *adj* strange, weird; **nic ~ego, że...** (it's) no wonder that...
dzwon *m* bell
dzwoni|ć *imperf vi* ring (a bell); (*pot. telefonować*) call <ring> (**do kogoś** sb); ~ **mi w uszach** my ears are ringing
dźwięk *m* sound

dźwig *m* crane; (*winda*) lift, *am.* elevator
dźwigać *imperf vt* (*nosić*) carry; (*podnosić*) lift, heave
dżem *m* jam
dżentelmen *m* gentleman
dżinsy *pl* jeans *pl*, denims *pl*
dżungla *f* jungle

E

ech|o *n* echo; *pl* **~a** (*sprawy*) repercussions
edukacja *f* education
efekt *m* effect
efektowny *adj* spectacular, impressive
Egipcjanin *m* Egyptian
egipski *adj* Egyptian
egoistyczny *adj* egoistic, selfish
egzamin *m* exam(ination); **zdawać ~** take <sit> an exam(ination); **zdać <oblać> ~** pass <fail> an exam(ination)
egzemplarz *m* copy
ekipa *f* crew, team
ekologia *f* ecology
ekonomia *f* economy; (*nauka*) economics
ekonomiczny *adj* economic(al)
ekran *m* screen
ekspedient *m*, **ekspedientka** *f* shop assistant, *am.* salesclerk
ekspert *m* expert (**w czymś** at <in> sth)
eksperyment *m* experiment
eksplozja *f* explosion
eksponat *m* exhibit
eksponować *imperf vt* display, exhibit
eksport *m* export
eksportować *imperf perf vt* export
ekspres *m* (*pociąg*) express (train); (*list*) express letter; **~ do kawy** coffee maker
ekstraklasa *f sport.* Premier League
ekwipunek *m* gear, equipment
ekwiwalent *m* equivalent
elastyczny *adj* elastic; *przen.* flexible
elegancki *adj* elegant, dapper, smart
elektrokardiogram *m* electrocardiogram
elektroniczny *adj* electronic
elektronika *f* electronics
elektrownia *f* power station <plant>; **~ jądrowa** nuclear power station <plant>
elektryczność *f* electricity
elektryczny *adj* electric
elektryk *m* electrician
element *m* element
elementarz *m* primer
eliminować *imperf vt* eliminate
emalia *f* enamel
emeryt *m* retired person, (old age) pensioner
emerytu|ra *f* retirement; (*świadczenie*) (old age) pen-

sion; **przejść na ~rę** retire; **być na ~rze** be retired
emigracja *f* emigration; (*polityczna*) exile
emigrant *m* emigrant; (*polityczny*) émigré
emigrować *imperf vi* emigrate
emisja *f* emission; (*akcji*) issue
emitować *imperf vt* emit; (*akcje*) issue; (*program*) broadcast
encyklopedia *f* encyclopaedia
energia *f* energy; (*elektryczna*) power
energiczny *adj* energetic, vigorous
entuzjazm *m* enthusiasm
epidemia *f* epidemic
epoka *f* epoch; (*geologiczna*) age
erotyczny *adj* erotic
esej *m* essay
esencja *f* essence; (*herbaciana*) tea brew
estetyczny *adj* aesthetic
estetyka *f* aesthetics
Estończyk *m* Estonian
estoński *adj* Estonian
estrada *f* platform, stage
etat *m* tenure, full time; **wolny ~** (job) vacancy; **pół ~u** part-time job
etatowy *adj*: **pracownik ~** full-time <tenured> employee
etyczny *adj* ethical
etykieta *f* etiquette; (*nalepka*) label, tag
Europejczyk *m* European
europejski *adj* European
ewakuować *imperf perf vt* evacuate; **~się** *vr* evacuate
ewangelia *f* Gospel
ewangelicki *adj* Protestant
ewangelik *m* Protestant
ewentualnie *adv* if need be; possibly; (*albo*) alternatively
ewentualny *adj* possible
ewidencj|a *f* record, file; **prowadzić ~ę** keep a record
ewolucja *f* evolution

F

fabryka *f* factory, works
fabularny *adj*: **film ~** feature film
facet *m pot.* guy, fellow
fach *m* trade; **kolega po ~u** professional colleague
fachowiec *m* expert, specialist; *pot.* repairman
fachowy *adj* professional, expert; (*o czasopiśmie*) specialist
fajka *f* pipe
fajny *adj pot.* great, cool
faks *m* fax; (*urządzenie*) fax (machine)
fakt *m* fact; **~ dokonany** fait accompli
faktura *f* texture; *handl.* invoice
faktycznie *adv* in fact, actually
faktyczny *adj* actual
fala *f* wave; *przen.* tide, surge; **~ ciepła <zimna>** heat <cold>

wave; *techn.* ~ **dźwiękowa** sound wave
falbanka *f* frill
falochron *m* breakwater
falować *imperf vi* wave
falsyfikat *m* forgery
fałda *f* fold
fałszerstwo *n* forgery
fałszować *imperf vt* falsify, forge, counterfeit; *vi* (*śpiewać* <*grać*> *nieczysto*) be <sing, play> out of tune
fałszywy *adj* false; (*podrobiony*) counterfeit, forged, faked
fanatyk *m* fanatic
fantastyczny *adj* fantastic
fantazja *f* imagination, fancy; (*wymysł*) fantasy
farba *f* paint; (*barwnik*) dye; ~ **olejna** oil paint; ~ **wodna** watercolour
farbować *imperf vt* dye; ~ **włosy na czarno** dye one's hair black
farmacja *f* pharmacy
farsz *m kulin.* stuffing
fartuch *m* apron; (*lekarski*) (doctor's) gown
fasola *f* bean; ~ **szparagowa** French <string> bean(s *pl*)
fasolka *f*: *kulin.* ~ **po bretońsku** (baked) beans in tomato sauce
fason *m* (*krój*) cut, fashion, form; (*styl*) manner, fashion
faszerowany *adj kulin.* stuffed
faszyzm *m* fascism
fatalny *adj* fatal, disastrous; *pot.* (*bardzo zły*) awful, nasty
fatyg|a *f* trouble; **zadać sobie ~ę** take (the) trouble
fauna *f* fauna
faworyt *m* favourite
faworyzować *imperf vt* favour
faza *f* phase, stage; *elektr.* phase
federacja *f* federation
federalny *adj* federal
feler *m pot.* defect, flaw, snag
felga *f pot.* rim (of a wheel)
felieton *m* column; (*radiowy*) talk
feminizm *m* feminism
fenomen *m* wonder; (*człowiek*) prodigy
feralny *adj* unlucky, ill-fated
ferie *pl* break; ~ **zimowe** winter holiday(s *pl*), *am.* vacation
ferma *f* chicken <poultry> farm
festiwal *m* festival; ~ **filmowy** film festival
festyn *m* fair
fiask|o *n* fiasco; **skończyć się ~iem** end in fiasco
figa *f* fig; *pot.* zero, nothing; *pot.* ~ **z makiem!** forget it!, no way!
fig|iel *m* joke, trick, prank; **płatać ~le** play tricks; **spłatać ~la** play a trick (**komuś** on sb)
figur|a *f* figure; *pot.* (*osobistość*) personage, celebrity, figure; **mieć ładną ~ę** have a fine figure
fikcyjny *adj* fictitious, fictional
filatelista *m* stamp collector
filharmonia *f* concert hall
filia *f* branch

filiżanka *f* cup
film *m* film, *am.* movie; ~ **dokumentalny** documentary; ~ **fabularny** (feature) film; ~ **animowany** cartoon (film); **nakręcić** ~ shoot <make> a film
filmow|y *adj* film *attr*, *am.* movie *attr*; **gwiazda ~a** film star, *am.* movie star; **kronika ~a** newsreel
filologia *f* philology
filozofia *f* philosophy
filtr *m* filter
filtrować *imperf vt* filter
Fin *m* Finn
finał *m* ending; *sport.* final; *muz.* finale
finanse *pl* finance(s *pl*)
finansować *imperf vt* fund, finance
finansowy *adj* financial
finisz *m sport.* finish
fiński *adj* Finnish
fioletowy *adj* violet, purple
fiołek *m bot.* violet
firanka *f* (net) curtain
firm|a *f* firm, company; **założyć ~ę** found a firm <company>
fiszka *f* index card
fizjologia *f* physiology
fizyczny *adj* physical; **pracownik ~** labourer, blue-collar worker
fizyka *f* physics
flaga *f* flag, banner
flak *m* skin; *pl pot.* **~i** (*wnętrzności*) guts; *kulin.* tripe
flamaster *m* felt-tip pen
flanela *f* flannel
flądra *f zool.* flounder, plaice
flejtuch *m pot.* slob
flesz *m* flash
flet *m muz.* flute
flirt *m* flirtation
flirtować *imperf vi* flirt
flota *f* fleet; ~ **wojenna** navy; ~ **handlowa** merchant marine
foka *f zool.* seal
folder *m* brochure
folgować *imperf vi*: ~ **sobie w czymś** indulge in sth
folia *f* foil
folklor *m* folklore
fontanna *f* fountain
form|a *f* form, shape; *techn.* (*do odlewu*) mould; **być w dobrej ~ie** be in a good shape
formalny *adj* formal
format *m* format, size
formować *imperf vt* form, shape; ~ **się** *vr* form
formularz *m* form
formuła *f* formula
fornir *m* veneer
forsa *f pot.* cash, dough
forteca *f* fortress
fortepian *m* grand piano
fortuna *f* fortune
forum *n* forum; **na ~ publicznym** in public
fotel *m* armchair; (*urząd*) office; ~ **bujany** rocking chair
fotograf *m* photographer
fotografia *f* (*technika*) photography; (*zdjęcie*) photo(graph)
fotografować *imperf vt* photograph
fotokomórka *f* photocell, electric eye

fotokopia *f* photocopy
fotomontaż *m* trick photo(graph)
fotoreporter *m* press photographer
fragment *m* fragment
frajd|a *f* fun, thrill *pot.*; **sprawić komuś ~ę** tickle sb (pink)
frak *m* tail coat, tails *pl*
frakcja *f* fraction
framuga *f* frame
francusk|i *adj* French; **ciasto ~ie** puff pastry; **klucz ~i** monkey wrench; **mówić po ~u** speak French
Francuz *m* Frenchman
fresk *m* fresco
frezja *f* freesia
front *m* front; *woj.* the front; **~em do czegoś** facing sth; **ciepły <zimny> ~** warm <cold> front; **zmienić ~** change front
frotté *n* terry; **ręcznik ~** terry towel
fruwać *imperf vi* fly
frytki *pl* (potato) chips *pl*, *am.* French fries *pl*
frywolny *adj* frivolous
fryzjer *m* hairdresser; (*męski*) barber
fryzura *f* hairdo, haircut, hairstyle
fucha *f pot.* sideline, side <odd> job
fundacja *f* foundation
fundament *m* foundation(s *pl*)
fundamentalizm *m* fundamentalism
fundator *m* benefactor; (*założyciel*) founder
fundować *imperf vt* (*stypendium*) found, establish; **~ komuś coś** treat sb to sth
fundusz *m* fund; *pl* **~e** funds *pl*
funkcja *f* function
funkcjonować *imperf vt* function, work, run
funt *m* pound; **~ szterling** pound sterling
furgonetka *f* van
furmanka *f* cart
furor|a *f*: **zrobić ~ę** win applause, make it big
furtka *f* gate
fusy *pl* dregs *pl*
fuszerka *f pot.* botch(-up)
futbol *m* football, soccer
futerał *m* holder, case
futro *n* fur; (*płaszcz*) fur coat
futryna *f* frame

G

gabinet *m* study; (*w biurze*) office; **~ lekarski** surgery, *am.* doctor's office; **~ kosmetyczny** beauty salon <parlour>
gablota *f* showcase, cabinet
gad *m zool.* reptile
gadać *imperf vi* talk, chatter
gadatliwy *adj* talkative, loquatious

gaduła *f* chatterbox
gaf|a *f* gaffe, gauche; **popełnić ~ę** blunder
gala *f* gala
galaret(k)a *f* jelly
galeria *f* gallery; **~ sztuki** art gallery
galowy *adj*: **strój ~** ceremonial garb <attire>
gałąź *f* branch
gama *f muz.* scale; *pot.* (*wybór*) range
gang *m* gang, mob
ganiać *imperf vi* run <rush> about; **~ się** *vr* chase one another
ganić *imperf vt* rebuke, reprimand
gap|a *f pot.* dope; **jechać na ~ę** steal a ride
gapić się *imperf vr* stare <gape> (**na coś** at sth)
garaż *m* garage
garb *m* hump
garbić się *imperf vr* stoop
gard|ło *n* throat; **wąskie ~ło** bottleneck; *przen.* **mieć nóż na ~le** be in a tight corner
gardzić *imperf vt* despise <scorn> (**czymś** sth)
garmażeria *f* deli(catessen)
garnek *m* pot
garnitur *m* (*ubranie*) suit
garś|ć *f* handful (**czegoś** of sth); (*dłoń*) cupped hand; **wziąć się w ~ć** pull o.s. together; **mieć kogoś w ~ci** have sb on toast
gasić *imperf vt* extinguish, put out; (*światło*) turn <switch> off; **~ pragnienie** quench one's thirst
gasnąć *imperf vi* go out, expire
gaśnica *f* fire-extinguisher
gatunek *m* kind, sort, brand; *biol.* species
gawędzić *imperf vi* chat
gaz *m* gas; **~ ziemny** natural gas; **dodać ~u** accelerate
gazeta *f* (news)paper
gazow|y *adj* gaseous, gas *attr*; **kuchenka ~a** gas cooker; **butla ~a** gas cylinder
gaźnik *m mot.* carburettor
gąbka *f* sponge
gąsienica *f zool.* caterpillar
gdy *conj* when, as
gdyby *conj* if; **jak ~** as if; **~ tylko** if only
gdyż *conj* for, because, since
gdzie *conj* where; **~ indziej** elsewhere; **~ bądź** anywhere; **~ tam!** nothing of the kind!
gdziekolwiek *adv* anywhere; **~ pójdziesz** wherever you go
gdzieniegdzie *adv* here and there
gdzieś *adv* somewhere, someplace; **~ koło trzeciej** (somewhere) around three
generaln|y *adj* general; **próba ~a** dress rehearsal; **~e porządki** spring-clean
generał *m* general
genetyczny *adj* genetic
genialny *adj* genius
geografia *f* geography
geologia *f* geology

geometria *f* geometry

gest *m* gesture; *przen.* **mieć szeroki ~** be free with money

gęb|a *f pot.* mug; *pot.* **mieć niewyparzoną ~ę** have a big mouth; *pot.* **~a na kłódkę!** keep your mouth shut!

gęsty *adj* thick, dense

gęś *f zool.* goose; **rządzić się jak szara ~** boss around, be bossy

giąć *imperf vt* bend, bow; **~ się** *vr* bend, bow (down)

giełda *f* exchange; **~ papierów wartościowych** stock exchange

gimnastyka *f* gymnastics

ginąć *imperf vi* (*umierać*) perish; (*zanikać*) vanish, disappear; (*gubić się*) get lost

ginekolog *m* gynaecologist

gips *m* plaster; (*opatrunek*) plaster cast; **mieć nogę w ~ie** have one's leg in plaster

gitara *f muz.* guitar

glazura *f* (*płytki ceramiczne*) tiles *pl*

gleba *f* soil

gliceryna *f* glycerine

glina *f* clay; *pot.* (*policjant*) cop

gładki *adj* smooth, even; (*o włosach*) sleek; (*bez wzoru*) plain

głaskać *imperf vt* stroke

głębi|a, głębina *f* depth; **w ~ duszy** in the depth of one's soul

głęboki *adj* deep; *przen.* profound; **~ na metr** a metre deep; **~ sen** profound sleep

głęboko *adv* deep, deeply; **~ poruszony** deeply touched

głodn|y *adj* hungry; **być ~ym** be <feel> hungry; **~y jak wilk** ravenous; *przen.* **~y miłości** hungry for love; **~emu chleb na myśli** the tongue ever turns to the aching tooth

głodówka *f* (*dieta*) starvation diet; (*pot. strajk głodowy*) hunger strike

głos *m* voice; (*w głosowaniu*) vote; **zabrać ~** take the floor; **czytać na ~** read aloud <out loud>; *pot.* **prawo ~u** right to speak

głosować *imperf vi* vote; **~ na kogoś <coś>** vote for sb <sth>; **~ przeciw komuś <czemuś>** vote against sb <sth>

głosowanie *n* vote, voting; **tajne ~** ballot; **powszechne ~** general election

głośnik *m* loudspeaker

głośny *adj* loud; (*hałaśliwy*) noisy; (*sławny*) famous

głow|a *f* head; (*zwierzchnik*) head (**czegoś** of sth); **na ~ę mieszkańca** per capita; **~a państwa** head of state; **~a do góry!** cheer up!; *pot.* **z ~y** off the cuff; **łamać sobie nad czymś ~ę** rack one's brains about sth; **mieć coś z ~y** get sth over with; **mieć ~ę do interesów** have a good head for business; **marzenie ściętej ~y** utter imposibility; **mieć ~ę na karku** have one's head screwed on; *przen.* **stracić ~ę** lose one's head; **przyszło mi do ~y** it occurred to me; **całkiem wyleciało mi to z ~y** it completely slipped my mind; **sukces uderzył mu do ~y** success went to his head; **zachodzę w ~ę** I can't make out; **być oczkiem w ~ie** be the apple of the eye; **~a mi pęka** my head is splitting; **walić ~ą w mur** bang one's head against a brick wall; **od stóp do głów** from head to foot; **wybij to sobie z ~y!** forget it!

głowica *f techn.* head

głód *m* hunger; starvation; (*klęska głodu*) famine; **poczuć ~** become hungry

główn|y *adj* main, chief, principal; (*o stacji, o zarządzie*) central; **~a wygrana** first prize; **~a rola** lead part; *gram.* **zdanie ~e** main clause; *gram.* **liczebnik ~y** cardinal number

głuchoniemy *m* deaf-mute

głuch|y *adj* deaf; (*o dźwięku*) hollow, dull; **~y na jedno ucho** deaf in one ear; **~a cisza** dead silence; **~y jak pień** (as) dead as a post

głupek *m pot.* fool, idiot

głupi *adj* silly, stupid, foolish; **~a sytuacja** it's awkward; **~ jak but** (as) stupid as a donkey

głupiec *m* fool

głupota *f* stupidity, foolishness

głupstw|o *n* foolish <stupid> thing; (*bzdura*) nonsense; (*drobnostka*) trifle; **pleść ~a** talk nonsense; **zrobić ~o** do sth foolish

gmach *m* edifice, building

gmina *f* commune, district

gnębi|ć *imperf vt* (*ciemiężyć*) oppress; (*trapić*) worry, bother; **co cię ~?** what bothers you?

gniazdko *n elektr.* socket, *am.* outlet

gniazdo *n* nest; **uwić ~** built a nest

gnić *imperf vi* decay

gnieść *imperf vt* press, squeeze; **~ ciasto** kneed dough; **~ się** *vr* (*o tkaninie*) crease, crumple

gniew *m* anger, wrath; **wpaść w ~** fly into a rage

gniewać się *imperf vr* be cross (**na kogoś** with sb); (*żyć w niezgodzie*) be on bad terms (**z kimś** with sb)

gnój *m* manure, dung; *pot.* (*brud*) filth

gobelin *m* tapestry

godło *n* emblem

godność *f* dignity, self-respect; **jak pańska ~?** what's your name, please?

godny *adj* stately; **~ zaufania** trustworthy; **~ podziwu** admirable

godzić *imperf vt* (*jednać*) reconcile; **~ coś z czymś** reconcile sth with sth; **~ w coś** threaten sth; **~ się** *vr* become reconciled; **~ się na coś** agree to sth; **~ się z czymś** come to terms with sth

godzin|a *f* hour; **~y nadliczbowe** overtime; **~y przyjęć <otwarcia>** office <opening> hours; **~a policyjna** curfew; **pół ~y** half an hour; **która ~a?** what time is it?; **~a drogi stąd** an hour away from here; **na czarną ~ę** for a rainy day

gofr *m* waffle

goić *imperf vt* heal; **~ się** *vr* heal (up)

gol *m* goal; **strzelić ~a** score a goal

golarka *f* shaver; (electric) razor

goleni|e *n* shaving; **pianka do ~a** shaving foam; **płyn po ~u** aftershave

golić *imperf vt* shave; **~ się** *vr* shave

golonka *f kulin.* knuckle of pork

gołąb *m zool.* pigeon

gołoledź *f* glazed frost

goł|y *adj* naked; (*ogołocony*) bare; (*obnażony*) nude, naked; **~ym okiem** with the naked eye; **z ~ą głową** bareheaded

gong *m* gong

gonić *imperf vt* (*ścigać*) chase, pursue; (*poganiać*) drive

goniec *m* (*w biurze*) messenger, gopher; (*w hotelu*) bellboy; (*w szachach*) bishop

gonitwa *f* chase, race

gorąco *n* heat; *adv* hot; (*serdecznie*) warmly; **jest ~** it's hot; **jest mi ~** I'm <I feel> hot; *kulin.* **na ~** served hot; *techn.* **na ~** heated

gorący *adj* hot; *przen.* (*płomienny*) ardent; (*żarliwy*) fervent

gorączk|a *f* fever; **zmierzyć ~ę** take temperature; **mieć ~ę** have <run> fever; **~a złota** gold rush; **doprowadzić kogoś do białej ~i** infuriate sb

gorsz|y *adj* worse; **co ~a** what's worse; **coraz ~y** worse and worse

gorycz *f* bitterness; (*smak*) bitter taste

goryl *m zool.* gorilla; *pot.* bodyguard

gorzała *f pot.* booze

gorzej *adv* worse; **tym ~** so much the worse; **~ się czuję** I feel worse

gorzki *adj* bitter; (*nie posłodzony*) unsweetened

gospoda *f* inn, roadhouse

gospodarczy *adj* economic; (*wiejski*) farm *attr*

gospodarka *f* economy; (*zarządzanie*) management, administration; **~ rynkowa** market economy

gospodarny *adj* thrifty, economical

gospodarstwo *n* (*rolne*) farm; (*domowe*) household

gospodarz *m* (*rolnik*) farmer; (*pan domu*) host; (*zarządca*) manager

gospodyni *f* (*żona rolnika*) farmer's wife; (*pani domu*) hostess; **~ domowa** housewife

gosposia *f* housekeeper

gościć *imperf vt* have as a guest; (*o hotelu*) house, accommodate

gościn|a *f*: **być u kogoś w ~ie** stay with sb; **udzielić komuś ~y** put sb up

gościnność *f* hospitality; **dziękować komuś za ~** thank sb for their hospitality

gościnny *adj* hospitable; **pokój ~** guest room

goś|ć *m* guest, visitor; *pot.* fellow, guy; **przyjmować ~ci** receive guests; *pot.* **fajny ~ć** (good) sport

gotować *imperf vt* cook; (*wodę*) boil; (*przygotowywać*) prepare; **~ się** *vr* (*o wodzie, o mleku*) boil; (*o potrawach*) cook

gotow|y *adj* ready, finished; (*przygotowany*) prepared; (*kupiony gotowy*) ready-made; **~y do wyjścia <na wszystko>** ready to go <for anything>; **do biegu ~i, start!** ready, set, go!

gotówk|a *f* cash; **płacić ~ą** pay (in) cash

gotyk *m* Gothic (style)

goździk *m bot.* carnation, pink; (*przyprawa*) clove

gór|a *f* mountain; (*górna część*) top; (*piętro*) upstairs; (*np. książek*) heap; **~a lodowa** iceberg; **iść na ~ę** go upstairs; **iść pod ~ę <z ~y>** walk uphill <downhill>; **mieszkać na górze** (*na górnym piętrze*) live upstairs; **spojrzeć w ~ę** look up(wards); **do ~y nogami** upside down; **od ~y do dołu** from top to bottom; *przen.* **patrzeć na kogoś z ~y** look down on sb; **obiecywać złote ~y** promise wonders; **płacić z ~y** pay in advance; **ręce do ~y!** hands up!

góral *m* highlander

górnictwo *n* mining (industry)

górnik *m* miner

górn|y *adj* upper; (*wierzchni*) top; **~a granica** upper <top> limit; **~a warga** upper lip

górsk|i *adj* mountain *attr*; **~i klimat** mountain climate; **łańcuch ~i** mountain range; **miejscowość ~a** mountain resort

górzysty *adj* mountainous, hilly

gówniarz *m pot.* squirt, punk

gówno *n pot.* shit, turd, crap

gra *f* game; (*w teatrze*) acting; (*pot. udawanie*) act; (*świateł*) play; **~ w karty** card game; **~ komputerowa** computer game; **~ hazardowa** gamble; **~ słów** pun, play on words; **to nie wchodzi w grę** it's out of the question

grabie *pl* rake

gracz *m* player

gra|ć *imperf vi* play; **~ć w szachy** play chess; **~ć na skrzypcach <gitarze>** play the violin <the guitar>; **~ć w tenisa <karty>** play tennis <cards>; **~ć rolę** play <act> a part; *przen.* **~ć komuś na nerwach** get on sb's nerves; **~ć pierwsze skrzypce** play first fiddle; **~ć na zwłokę** play for time; **co ~ją dzisiaj?** what's on today?; **to nie ~ roli** it doesn't matter

grad *m* hail; **pada ~** it's hailing

grafika *f* graphic arts; (*dzieło*) print

gram *m* gram(me)

gramatyczny *adj* grammatical

gramatyka *f* grammar

gramofon *m* gramophone

granat *m* (*pocisk*) grenade; (*owoc*) pomegranate; (*kolor*) navy (blue)

granatowy *adj* navy (blue)

granic|a *f* (*państwa*) border, frontier; (*miasta*) boundary, *am.* limit(s); (*kres, zakres*) limit; **za ~ą, za ~ę** abroad; **przejść zieloną ~ę** cross the border illegally; *przen.* **bez ~** without limits; **na ~y płaczu** on the brink <on the verge> of tears

grat *m pot.* (piece of) junk; (*o samochodzie*) junk, lemon; *pl* **~y** lumber

gratis *adv* gratis, free (of charge)

gratulacje *pl* congratulations; **moje ~!** congratulations!

gratulować *imperf vi* congratulate (**komuś czegoś** sb on sth)

grecki *adj* Greek

grejpfrut *m* grapefruit

Grek *m* Greek; **udawać ~a** play dumb

grobowiec *m* tomb

groch *m bot.* pea; *pl* **~y** (*deseń*) polka dots; *przen. pot.* **~ z kapustą** hotch potch, *am.* hodge podge

grochówka *f kulin.* pea soup

gromada *f* group; *biol.* class

gromadzić *imperf vt* (*rzeczy*) gather, accumulate; (*ludzi*) assemble, bring <call> together; **~ się** *vr* assemble, come <get> together; (*o rzeczach*) collect, accumulate

grosz *m* grosz (*Polish monetary unit equal to 1/100 zloty*); **zostać bez ~a** be penniless, be stony broke

grosz|ek *m bot.* sweet pea; **~ek zielony** green pea; **w ~ki** (*deseń*) polka-dotted

grota *f* grotto, cave

grozi|ć *imperf vt* threaten (**komuś czymś** sb with sth); (*zagrażać*) be imminent; **~ nam powódź** there is a threat of flooding; **~ nam epidemia** there is a danger of epidemic

groźb|a *f* threat, menace; **pod ~ą kary grzywny** under penalty of a fine; **~a epidemii** danger of epidemic

groźn|y *adj* dangerous, threatening, menacing; **~a mina** scowl; **~a choroba** serious ill-

ness <disease>; **~e obrażenia** nasty injuries
grób *m* grave; **milczeć jak ~** be as silent as a grave
grub|y *adj* thick; (*o człowieku*) fat; *pot.* **~a ryba** bigwig, big shot; **~a zwierzyna** big game; **~e pieniądze** big money; **~y błąd** grievous mistake; *anat.* **jelito ~e** large intestine
gruczoł *m anat.* gland
grudzień *m* December
grun|t *m* ground; (*rolny*) soil; (*teren*) land; (*dno*) bottom; **podatny ~t** favourable conditions for sth; **w ~cie rzeczy** as a matter of fact; **~t to...** the main thing is to...
gruntownie *adv* thoroughly, radically
grupa *f* group; **~ krwi** blood group
grusza *f* pear tree
gruszka *f* pear; (*drzewo*) pear tree
gruz *m* rubble, debris; *pl* **~y** (*ruiny*) ruins; **lec w ~ach** crumble into ruin
Gruzin *m* Georgian
gruziński *adj* Georgian
gruźlica *f med.* tuberculosis, TB
grymasić *imperf vi* be fussy <choosy, particular>; (*o dziecku*) be fretful
grypa *f med.* influenza, flu
gryźć *imperf vt* bite; (*żuć*) chew, munch; (*kość*) gnaw; (*o owadach*) sting; (*o sumieniu*) gnaw (at); **~ się** *vr pot.* (*kłócić się*) fight; *pot.* (*martwić się*) worry, eat one's heart out; (*o kolorach*) clash
grzać *imperf vt* warm, heat; (*o słońcu*) heat down; **~ się** *vr* warm o.s.; (*na słońcu*) bask; (*o wodzie*) heat up
grzałka *f* warmer
grzanka *f* toast
grządka *f* bed
grzbiet *m* back, spine; (*góry*) ridge; (*książki*) back
grzebać *imperf vi* (*szukać*) rummage, poke; *vt* (*zwłoki*) bury
grzebień *m* comb; (*u zwierząt*) crest
grzech *m* sin; **~ śmiertelny** mortal sin
grzechotka *f* rattle
grzechotnik *m zool.* rattlesnake
grzeczny *adj* polite, kind; (*o dziecku*) good
grzejnik *m* heater, radiator, convector
grzeszyć *imperf vi* sin
grzmieć *imperf vi* thunder
grzmot *m* thunder
grzyb *m biol.* fungus; (*jadalny*) mushroom; (*trujący*) toadstool; (*na ścianie*) mould; **zbierać ~y** pick mushrooms; **wyrastać jak ~y po deszczu** mushroom
grzywka *f* fringe
grzywn|a *f* fine; **ukarać ~ą** fine
gubernator *m* governor
gubić *imperf vt* lose; **~ się** *vr* lose one's way, get lost; **~ się w domysłach** speculate

gulasz *m kulin.* goulash
gum|a *f* rubber; **~a do żucia** chewing gum; *pot.* **złapać ~ę** have a flat tyre
gumka *f* (*do ścierania*) rubber, *am.* eraser; (*do bielizny*) elastic; (*recepturka*) rubber band
gust *m* taste; **mieć (dobry) ~** have a good taste
guz *m* bump; *med.* tumour
guzik *m* button; **zapiąć na ~i** button (up), do one's buttons
gwałcić *imperf vt* (*prawo*) violate; (*np. kobietę*) rape
gwałt *m* (*np. na kobiecie*) rape; (*przemoc*) violence; *pot.* **nie ma ~u** there is no hurry
gwałtown|y *adj* (*porywczy*) violent; (*nagły*) sudden; (*o ulewie*) torrential; **~a śmierć** violent death; **~y ruch** sudden move
gwara *f* local dialect
gwarancja *f* guarantee; (*na zakup*) warranty
gwiazda *f* star; **~ filmowa** film <movie> star
gwiazdka *f* (small) star; (*w druku*) asterisk; (*Boże Narodzenie*) Christmas; **~ filmowa** starlet
gwizdać *imperf vi* whistle; (*o wietrze*) howl; *pot.* **gwiżdżę na to** I don't care
gwizdek *m* whistle
gwóźdź *m* nail; **przybić gwoździami** nail up <down>; *przen.* **~ programu** highlight, main feature

H

haczyk *m* hook; (*do wędki*) (fish) hook; **połknąć ~** swallow hook
haft *m* embroidery
haftka *f* hook and eye
haftować *imperf vt vi* embroider
hak *m* hook; *sport.* (*w boksie*) hook; **dwa kilometry z ~iem** two kilometres easy
hala *f* hall; (*górska*) mountain pasture; **~ fabryczna** factory; **~ targowa** market place; **~ sportowa** sports hall
halka *f* petticoat, slip
halo *int* I say!, *am.* say!, hi!; (*do telefonu*) hello!
halogen *m* halogen
halowy *adj sport.* indoor *attr*
hałas *m* noise; *przen.* fuss; **wiele ~u o nic** much ado about nothing
hałasować *imperf vi* make a noise
hałaśliwy *adj* noisy
hamak *m* hammock
hamować *imperf vt* (*rozwój, wzrost*) slow down, restrain; (*łzy*) hold back; *vi* brake, put the brake on; **~ się** *vr* hold back, control o.s.
hamul|ec *m* brake; *przen.* restraint; **~ec ręczny** handbrake, *am.* parking brake; **~ec bez-**

pieczeństwa emergency brake; *przen.* **bez ~ców** uninhibited, no holds barred

handel *m* trade, commerce; **~ zagraniczny** foreign trade; **~ hurtowy <detaliczny>** wholesale <retail> trade; **~ zamienny** barter

handlarz *m* salesman, dealer; **~ uliczny** vendor

handlować *imperf vi* trade; **~ czymś** trade <deal> in sth

handlowiec *m* merchant, tradesman

handlow|y *adj* trade *attr*; **szkoła ~a** business school <college>

hangar *m* hangar

hańba *f* disgrace, dishonour

haracz *m* tribute

harcerka *f* scout, girl guide, *am.* girl scout

harcerstwo *n* scout movement, scouting

harcerz *m* scout, *am.* boy scout

harem *m* harem

harfa *f muz.* harp

harmonia *f* harmony; (*instrument*) concertina

harmonijka *f*: **~ ustna** harmonica, mouth organ

harmonogram *m* schedule

harować *imperf vi* slave (away)

harówka *f* hard work, slavery

hartować *imperf vt techn.* temper; (*o człowieku*) toughen; **~ się** *vr* toughen o.s.

hasł|o *n* signal; (*slogan*) watchword; *woj.* password; (*w słowniku*) entry; **pod ~em** under the banner

haszysz *m* hashish

haust *m* gulp; **~em** in <at> one gulp

hazard *m* gambling

hebrajski *adj* Hebrew

hej! *int* hey!

hejnał *m* bugle-call

hektar *m* hectare

helikopter *m* helicopter, chopper

hełm *m* helmet

hemoroidy *pl med.* haemorrhoids *pl*, *pot.* piles *pl*

herb *m* coat of arms

herbata *f* tea; **~ ziołowa** herbal tea

herbatnik *m* biscuit, *am.* cookie

hermetyczny *adj* hermetic, airtight; *przen.* closed

hiena *f zool.* hyena

hierarchia *f* hierarchy

higiena *f* hygiene

Hindus *m* Indian

hinduski *adj* Hindu

hipis *m* hippy

hipnoza *f* hypnosis

hipochondryk *m* hypochondriac

hipokryzja *f* hypocrisy

hipopotam *m zool.* hippopotamus, hippo

hipoteka *f* (*księga*) mortgage deed

hipoteza *f* hypothesis

histeria *f* hysteria

histori|a *f* history; (*opowieść*) story; **~a najnowsza <staro-**

żytna, średniowieczna> modern <ancient, medieval> history; *med.* **~a choroby** case history; **przejść do ~i** go down in history; **ładna ~a!** good grief!

historyczny *adj* (*dotyczący historii*) historical; (*ważny*) historic

Hiszpan *m* Spaniard

hiszpański *adj* Spanish

hodować *imperf vt* (*zwierzęta*) raise, breed; (*rośliny*) grow, breed

hodowla *f* (*zajęcie*) raising, breeding; **~ bydła** stockbreeding, (*zakład*) stock-farm; **~ drobiu** chicken-farming; **~ psów** (*zakład*) kennel(s *pl*)

hojny *adj* generous

hokej *m* hockey; **~ na lodzie** (ice) hockey; **~ na trawie** field hockey

hol *m* (*korytarz*) hall(way); (*lina*) towrope; **wziąć kogoś na ~** give sb a tow

Holender *m* Dutchman

holenderski *adj* Dutch

holować *imperf vt* tow

hołd *m* homage; **składać ~** pay <do> homage

hołota *f* trash

homar *m zool.* lobster

homeopatia *f* homeopathy

homoseksualista *m* homosexual, *pot.* gay

honor *m* honour

honorari|um *n* fee; **~a autorskie** royalties

hormon *m* hormone

horoskop *m* horoscope

horror *m* (*film grozy*) horror film <movie>; (*pot. groza*) horror

horyzont *m* horizon; **mieć szerokie <wąskie> ~y** be broad <narrow> minded

hossa *f* (*na giełdzie*) bull-market

hotel *m* hotel; **~ robotniczy** worker's hostel

hrabina *f* countess

huczny *adj* (*o brawach*) loud; (*o uroczystości*) grand

huk *m* bang, boom

hulajnoga *f* scooter

hulanka *f* rowdy <wild> party

humanistyczn|y *adj* humanistic; **przedmioty ~e** humanities

humanitarn|y *adj* humanitarian; **pomoc ~a** humanitarian aid

humo|r *m* humour; (*nastrój*) mood; *pl* **~ry** whims; **poczucie ~ru** sense of humour; **być w dobrym <złym> ~rze** be in good <bad> mood; **zepsuć komuś ~r** put sb out of humour

hura! *int* hurrah!

huragan *m* hurricane

hurt *m* wholesale; **~em** wholesale, *pot.* across the board

hurtownia *f* wholesalers *pl*, (wholesale) warehouse

huśtać *imperf vt* swing; **~ się** *vr* swing

huśtawka *f* swing; (*podparta w*

środku) seesaw; *przen.* **~ nastrojów** swinging moods
huta *f* steelworks; **~ szkła** glassworks
hydrant *m* fire hydrant, fireplug
hydraulik *m* plumber
hymn *m* hymn; **~ narodowy** national anthem

I

i *conj* and; **jeść i pić** eat and drink; **i tak dalej** and so on
ich *pron* their, theirs
idea *f* idea
idealny *adj* perfect, ideal
ideał *m* ideal; **~ kobiecej urody** ideal beauty; **~ mężczyzny** ideal man
identyczny *adj* identical
identyfikator *m* name tag
ideologia *f* ideology
idiota *m pot.* idiot, fool, moron
iglast|y *adj* coniferous; **drzewo ~e** conifer, evergreen
iglica *f arch.* spire
igł|a *f* needle; **nawlec ~ę** thread a needle; *przen.* **szukać ~y w stogu siana** look <search> for a needle in a haystack; *przen.* **robić z ~y widły** make a mountain out of a molehill
ignorancja *f* ignorance
ignorować *imperf vt* ignore, disregard
igrzyska *pl*: **~ olimpijskie** Olympic games, the Olympics
ikona *f* icon
ikr|a *f* spawn; *przen.* **facet z ~ą** guy with guts
iksy *pl* (*pot. krzywe nogi*) knock-knees
ile *adv* how much, how many; **~ to kosztuje?** how much is it?; **~ cukru?** how much sugar?; **~ jabłek?** how many apples?; **~ masz lat?** how old are you?; **~ razy?** how many times?; **o ~ wiem** as far as I know; *pot.* **o tyle o ~** not too bad
iloczyn *m mat.* product
iloraz *m mat.* quotient; **~ inteligencji** intelligence quotient
ilość *f* amount, quantity
ilustracja *f* illustration
iluzja *f* illusion
iluzjonista *m* conjurer
im *adv*: **im..., tym...** the... the...
imbir *m* ginger
imieniny *pl* nameday
imiesłów *m gram.* participle
imi|ę *n* name, first <Christian> name; **jak ci na ~ę?** what's your name?; **zwracać się po ~eniu** call sb by his first name; **o ~eniu** by the name of; **w czyimś ~eniu** on sb's behalf; **w ~ę czegoś** in the name of sth; **nazywać rzeczy po ~eniu** call a spade a spade; **Teatr ~enia Słowackiego** the

Słowacki Theatre; **dobre ~ę** good name

imigrować *imperf vi* immigrate

imitacja *f* imitation

imitować *imperf vt* imitate, mimic

immunitet *m* immunity

impas *m* deadlock, impass; (*w kartach*) finesse

imperium *n* empire

impertynencja *f* impertinence

impet *m* impetus; **z ~em** vigorously

imponować *imperf vi* impress (**komuś czymś** sb with sth)

imponujący *adj* impressive

import *m* importation

impotent *m* impotent

impresjonizm *m* impressionism

impreza *f* (*np. sportowa*) event; *pot.* (*przyjęcie*) do; *pot.* **kosztowna ~** costly venture

impuls *m* impulse; **pod wpływem ~u** on impulse

inaczej *adv* differently; **~ mówiąc** in other words; **tak czy ~** one way or another; **bo ~** or (else), otherwise

inauguracja *f* inauguration

in blanco *adv*: **czek ~** blank cheque

incognito *n* incognito; **zachować ~** preserve one's incognito

incydent *m* incident

indeks *m* index; (*studencki*) credit book

Indianin *m* (American) Indian

indiański *adj* (American) Indian

Indonezyjczyk *m* Indonesian

indonezyjski *adj* Indonesian

indyjski *adj* Indian

indyk *m* turkey

indywidualny *adj* individual

infekcja *f* infection

inflacja *f* inflation (rate)

informacj|a *f* (piece of) information (**o czymś** on <about> sth); (*miejsce*) information booth <desk>; **zadzwonić do ~i** ring directory enquiries, *am.* call information

informator *m* informer; (*publikacja*) guidebook

informatyk *m* computer scientist

informatyka *f* computer science

informować *imperf vt* inform; **~ się** *vr* inquire (**o czymś** about sth)

ingerować *imperf vt* interfere (**w coś** in sth)

inicjały *pl* initials *pl*

inicjatyw|a *f* initiative; **wystąpić z ~ą** suggest; **z własnej ~y** on one's own initiative; **z czyjejś ~y** at sb's suggestion

inkasent *m* collector

innowierca *m* infidel

inn|y *adj* another, other, different; **kto ~y** somebody else; **~ym razem** another time; **~ymi słowy** in other words; **między ~ymi** among others; **~y niż wszyscy** different than others; *pl* **~i** the others

inspekt *m* hothouse, hotbed

inspektor *m* inspector

inspirować *imperf vt* inspire

instalacja *f* installation; **~ elektryczna** wiring

instalować *imperf vt* instal, put in

instrukcja *f* instruction; **~ obsługi** instructions (for use)

instruktor *m* instructor

instrument *m* instrument; **~y dęte <smyczkowe>** wind <stringed> instruments

instynkt *m* instinct; **~ macierzyński** maternal instinct

instytucja *f* institution

instytut *m* institute

integracja *f* integration

integrować się *imperf vr* integrate

intelekt *m* intellect

intelektualny *adj* intellectual

inteligencja *f* intelligence; (*warstwa społeczna*) intelligentsia

inteligentny *adj* intelligent

intencj|a *f* intention, intent; **mieć dobre ~e** mean well

intensywny *adj* intensive; (*o kolorach*) intense

interes *m* interest; (*przedsięwzięcie*) business; (*transakcja*) deal; **we własnym ~ie** in one's own (best) interest; **człowiek ~u** businessman; **zrobić ~** make a deal; **to nie twój ~** it's none of your business; *przen.* **złoty ~** gold mine

interesant *m* client

interesować *imperf vt* interest; **~ się** *vr* be interested (**czymś** in sth)

interesowny *adj* mercenary

interesujący *adj* interesting

internat *m* (school) dormitory; **szkoła z ~em** boarding school

internista *m med.* general practitioner, GP

internować *imperf vt* intern

interpretacja *f* interpretation

interpretować *imperf vt* interpret

interpunkcja *f* punctuation

interwencja *f* intervention

interweniować *imperf vi* intervene; **~ w kłótni** intervene in dispute

intonacja *f* intonation

intratny *adj* lucrative

introligator *m* bookbinder

intruz *m* intruder

intryga *f* intrigue, plot

intuicja *f* intuition, insight

intymny *adj* intimate

inwalida *m* invalid, disabled person; **~ wojenny** invalid war veteran

inwazja *f* invasion

inwentarz *m* inventory; **żywy ~** livestock

inwestować *imperf vi* invest

inwestycja *f* investment

inżynier *m* engineer; **~ budowlany** civil engineer

Irlandczyk *m* Irishman

irlandzki *adj* Irish

ironia *f* irony

irracjonalny *adj* irrational

irys *m bot.* iris

irytować *imperf vt* irritate, an-

noy; **~ się** *vr* get irritated (**czymś** at <about> sth)
iskra *f* spark; **~ nadziei** flicker of hope
Islandczyk *m* Icelander
islandzki *adj* Icelandic
istnieć *imperf vi* be, exist
istnienie *n* existence
isto|ta *f* creature; (*sedno*) essence, substance; **~ta ludzka** human being; **~ta rzeczy** heart of the matter; **w ~cie** in fact, in reality
istotny *adj* essential, crucial; (*o różnicy*) significant
iść *imperf vi* go, walk; **idzie wiosna** spring is coming; **~ dalej** go on; **~ ulicą** walk along <down> the street; **~ na ryby <popływać>** go fishing <swimming>; **~ spać** go to bed; **~ po coś** go and get sth; **~ za kimś <czymś>** follow sb <sth>; **~ w górę** (*o cenach*) go up; **~ gęsiego** walk in (Indian) file; **~ pod rękę** walk arm in arm; **wszystko idzie dobrze** everything goes fine; **idzie jak z płatka** things are running smooth; **~ na emeryturę** retire; **~ na medycynę** go to the Medical School; **już idę** I'm coming; **jak ci idzie?** how are you getting along?; **mogę ~ z tobą?** may I come along?; **idzie o życie** it's a question of life and death; **idzie o pieniądze** we're talking about money
izba *f* room; (*w parlamencie*) house; **~ przyjęć** reception room; **~ lekarska <handlowa>** Chamber of Physicians <Commerce>
izolacja *f* isolation; *techn.* insulation
izolatka *f* isolation ward
izolować *imperf vt* isolate; *techn.* insulate; **~ się** *vr* isolate (**od kogoś <czegoś>** from sb <sth>)
Izraelczyk *m* Israeli
izraelski *adj* Israeli
iż *conj* that

J

ja *pron* I; **to tylko ja** it's only me; **ja też** me too; **daj to mnie** give it to me; **chodź ze mną** go with me; **moje drugie ja** my other self; **ja sam** I myself
jabłko *n* apple; **zbić kogoś na kwaśne ~** beat sb to a pulp; **~ Adama** Adam's apple
jabłoń *f* apple tree
jacht *m* yacht
jad *m* venom, poison
jadalny *adj* edible; **pokój ~** dining room
jadłospis *m* menu, bill of fare
jadowity *adj* venomous, poisonous

jagnię *n* lamb
jagoda *f* berry; **czarna ~** bilberry
jajecznica *f* scrambled eggs
jajk|o *n* egg; **~o na miękko <na twardo>** soft-<hard-> boiled egg; **~a sadzone** fried eggs; **obchodzić się z czymś jak z ~iem** handle sth with kid gloves
jak *adv conj part* how, as; **~ długo?** how long?; **~ się masz?** how are you?, *am.* how are you doing?; **~ się nazywasz?** what's your name?; **~ on wygląda?** what does he look like?; **~ najprędzej** as soon as possible; **~ przyjdzie** when he comes; **~ tylko wrócę** as soon as I'm back; **~ to?** how is that?; **~ zwykle** as usual; **~ również** as well as; **nie wiem ~** I don't know how; **zarówno..., ~...** both... and..., alike; **już dwa lata ~ wyjechał** it's been two years since he left; **widziałam, ~ wychodził** I saw him leaving
jakby *adv conj* if, as if, like; **~ś miał czas** if you have the time; **~ się zawahał** he sort of hesitated
jak|i *pron* what, how; **~a to książka?** what book is this?; **~a dzisiaj pogoda?** what's the weather like today?; **~ą miałeś podróż?** how was your journey?; **~a ona piękna!** how beautiful she is!; **~i taki** not too bad; **~i pan, taki kram** like master like man
jakikolwiek *pron* any, whatever
jak|iś *pron* some; **dzwoniła ~aś pani** some lady called; **~iś pan Kowalski** a Mr. Kowalski; **~iś czas temu** some time ago; **czekałem ~ieś 10 minut** I waited some 10 minutes; **jesteś ~iś przestraszony** you're kind of frightened
jakkolwiek *conj* (*chociaż*) though; *adv* however, no matter how
jako *adv conj* as; **~ że** since, as; **~ taki** as such; **~ tako** not too bad, so-so, tolerably
jakoś *adv* somehow; **~ to będzie** things will work out
jakość *f* quality
jałmużna *f* alms *pl*, charity
jałowy *adj* sterile; (*o glebie*) barren; (*o dyskusji*) idle; **~ opatrunek** sterile dressing; *techn.* **~ bieg** idling
jama *f* cave, burrow, hole; *anat.* **~ ustna** oral cavity
jamnik *m* dachshund
Japończyk *m* Japanese
japoński *adj* Japanese
jarmark *m* fair
jarski *adj* vegetarian
jarzeniówka *f* arc lamp; (*pot. świetlówka*) fluorescent lamp
jarzębina *f bot.* rowan, mountain ash
jarzyna *f* vegetable, greenstuff
jarzynow|y *adj* vegetable *attr*; **zupa ~a** vegetable soup
jasiek *m* small pillow

askinia *f* cave, cavern; *przen.* **~ hazardu** gambling den

askółka *f zool.* swallow; **jedna ~ wiosny nie czyni** one swallow doesn't make a summer

askrawy *adj* (*o kolorach*) vivid, bright; (*o świetle*) bright, dazzling; (*o stroju*) gaudy, garish; (*przykład*) striking

asno *adv* brightly; clearly; **~ się wyrazić** make o.s. clear; **ale tu ~!** it's so bright in here!

asnozielony light green

asn|y *adj* bright; (*zrozumiały*) clear; (*o kolorze*) light; (*o cerze, o włosach*) fair; **niebo było ~e** the sky was bright; *pot.* **~e!** sure!; **to ~e** that's for sure; **~e jak słońce** (as) clear as day

astrząb *m zool.* hawk

aszczurka *f zool.* lizard

aśmin *m bot.* jasmine

awn|y *adj* overt, public; (*o niechęci*) open; **~a rozprawa** open trial; **~e głosowanie** public vote; **~y rozbój** downright robbery

azd|a *f* ride, drive; **~a konna** horse riding; **~a figurowa** figure skating; **prawo ~y** driving licence, *am.* driver's license; **rozkład ~y** timetable; *pot.* **~a stąd!** get out of here!

ądro *n anat.* testicle; (*komórki, atomu*) nucleus; **~ sprawy** heart of the matter

ądrow|y *adj* nuclear; **broń ~a** nuclear weapons *pl*; **elektrownia ~a** nuclear power plant

jąkać się *imperf vr* stammer, stutter

jechać *imperf vi* go; (*motocyklem, rowerem*) ride; (*samochodem jako pasażer*) ride, (*samochodem jako kierowca*) drive; **~ pociągiem <autobusem>** go by train <by bus>; **~ za granicę <na urlop>** go abroad <on holidays, *am.* on vacation>; **~ nad morze <w góry>** go to the seaside <to the mountains>

jed|en *num* one; **ani ~en** not a single one; **~na druga** a <one> half; **z ~nej strony..., z drugiej strony...** on one hand... on the other hand; **za ~nym zamachem** on one go; **~en diabeł** (it's) all the same; **wszystko ~no co** no matter what; **wszystko mi ~no** I don't care (a hang, *am.* a red cent); **taki ~en** somebody, someone; **co to za ~en?** who is he?; **mieszkamy w ~nym domu** we live in the same house

jedenasty *num* eleventh

jedenaście *num* eleven

jednak *conj adv* but, yet, still; however

jednakowy *adj* the same, equal

jednoczesny *adj* simultaneous

jednocześnie *adv* simultaneously

jednoczyć *imperf vt* unite

jednokierunkowy *adj* one-way *attr*; **ruch ~** one-way traffic

jednolity *adj* uniform

jednomyślnie *adv* unanimously, with one accord
jednorazow|y *adj* single; **~ego użytku** disposable
jednorodny *adj* homogeneous
jednostajny *adj* monotonous
jednostka *f* unit, entity; (*człowiek*) individual; **~ miary** unit of measure
jednostronny *adj* one-side *attr*, one-sided *attr*; *prawn.* unilateral
jedność *f* unity
jedwab *m* silk
jedynak *m* only child
jedynka *f* one
jedyn|y *adj* only, sole; **jeden ~y** the one and only; **~y sposób** the only way; **~y w swoim rodzaju** unique; **to ~e co mnie pociesza** that's my only comfort; **mój ~y** my dearest
jedzeni|e *n* (*żywność*) food; (*czynność*) eating; **coś do ~a** something to eat; **po ~u** after meal(s)
jeleń *m zool.* (red) deer; *przen.* sucker
jelito *n* intestine; **~ grube <cienkie>** large <small> intestine
jemioła *f bot.* mistletoe
jeniec *m* prisoner, captive; **~ wojenny** prisoner of war
jesie|ń *f* autumn, *am.* fall; **~nią** in autumn, *am.* in fall
jesionka *f* overcoat
jeszcze *adv* still; (*z przeczeniem*) yet; **co <kto> ~?** what <who> else?; **~ raz** once again <more>; **~ jak!** and how!; **~ tydzień temu** no further back than a week ago; **~ czas** there is still time
jeść *imperf vt vi* eat; **chce mi się ~** I'm hungry; **~ śniadanie <obiad, kolację>** have breakfast <lunch, dinner>
jeśli *conj* if; **~ nie** unless
jezdnia *f* road, roadway
jezioro *n* lake
jeździć *imperf vi* go; (*kursować*) run; (*podróżować*) travel; **~ na nartach** ski; **~ na rowerze** ride a bike; **~ po Polsce** travel about Poland; *zob.* **jechać**
jeździec *m* rider
jeż *m zool.* hedgehog; **fryzura na ~a** crew-cut
jeżeli *conj zob.* **jeśli**
jeżyna *f bot.* blackberry, bramble
jęczeć *imperf vi* groan, moan; (*utyskiwać*) whine, moan
jęczmień *m bot.* barley; (*na oku*) sty(e)
jędza *f pot.* shrew, hag
jęk *m* groan, moan
język *m anat.* tongue; language; **~ ojczysty** mother tongue, vernacular; **~ obcy** foreign language; **ciągnąć kogoś za ~** pump sb; **trzymać ~ za zębami** keep one's tongue (between one's teeth); *dosł. przen.* **ugryźć się w ~** briddle one's tongue; **pokazać komuś ~** put out one's tongue to sb
jodła *f bot.* fir(tree)
jogurt *m* yoghurt

ubilat *m* man celebrating his birthday or anniversary
ubiler *m* jeweller, *am.* jeweler
ubileusz *m* jubilee
udaizm *m* Judaism
udasz *m* Judas; (*wizjer*) peephole
utr|o *n adv* tomorrow; **do ~a!** see you tomorrow!; **~o wieczorem** tomorrow evening <night>
uż *adv* already; **~ nie** no more, no longer; **~ nigdy** never again; **~ dawno** long ago; **i ~** and that's that

K

abaczek *m bot.* marrow, *am.* squash
abaret *m* cabaret
abel *m* cable
abina *f* cabin; (*telefoniczna*) (tele)phone booth <box>; (*w samolocie*) cockpit
abriolet *m* convertible
ac *m* hangover
aczka *f zool.* duck; **~ dziennikarska** canard
adencja *f* tenure, term (of office)
adłub *m* trunk; (*zwierzęcia*) carcass; (*statku*) hull; (*samolotu*) fuselage
kadr|a *f* personnel, staff; *woj.* cadre; *sport.* **~a narodowa** national team; *pot. pl* **~y** personnel
kadzidło *n* incense
kafelek *m* tile
kajak *m* kayak, canoe; **pływać ~iem** paddle
kajdanki *pl* handcuffs *pl*; **założyć komuś ~** handcuff sb
kajuta *f* cabin
kajzerka *f* kaiser roll
kakao *n* cocoa
kaktus *m* cactus
kalafior *m* cauliflower
kaleczyć *imperf vt* cut, hurt; *przen.* (*język*) murder
kaleka *m f* cripple, disabled person
kalendarz *m* calendar; (*terminarz*) diary
kalesony *pl* drawers, pants, long johns
kalka *f* (*kopiująca*) carbon paper; **~ techniczna** tracing paper
kalkulator *m* calculator
kaloria *f* calorie
kaloryfer *m* radiator, heater
kalosz *m* wellington, galosh; *przen.* **to inna para ~y** that's a different cup of tea
kałuża *f* puddle, pool
kamera *f* camera; **~ wideo** camcorder
kameraln|y *adj* (*nastrój*) intimate, cosy; **muzyka ~a** chamber music
kamienica *f* tenement house

kamienny *adj* stone *attr*; (*wzrok*) stony; (*sen*) heavy
kamień *m* stone; **~ szlachetny** gemstone; **~ milowy** milestone; **~ węgielny** cornerstone, *przen.* cornerstone, keystone; **~ żółciowy** gallstone; **~ nerkowy** kidney stone; **przepaść jak ~ w wodę** disappear into thin air
kamionka *f* (*naczynie*) stoneware
kamizelka *f* waistcoat, *am.* vest; **~ ratunkowa** life jacket; **~ kuloodporna** bulletproof vest
kampania *f* campaign; **~ wyborcza** electoral campaign
Kanadyjczyk *m* Canadian
kanadyjski *adj* Canadian
kanalizacja *f* sewage system
kanał *m* canal, (*rów*) ditch; (*ściekowy*) sewer; (*morski, telewizyjny*) channel; **kanał La Manche** the English Channel
kanapa *f* sofa, couch
kanapka *f* sandwich; **~ z szynką** ham sandwich
kanarek *m zool.* canary
kancelaria *f* office; **~ adwokacka** chambers *pl*, *am.* law firm
kanciarz *m pot.* swindler
kanclerz *m* chancellor
kandydat *m* candidate
kangur *m zool.* kangaroo
kanister *m* jerry can
kant *m* edge; (*spodni*) crease; *pot.* (*oszustwo*) swindle, fraud; *pot.* **puścić kogoś ~em** ditch sb
kantor *m* office; **~ wymiany walut** exchange office
kap|ać *imperf vi* drip; trickle (*o łzach, o świecy*) run; **~ie mu z nosa** he runs <drops> at the nose
kapeć *m* slipper
kapela *f* band; **~ ludowa** folk group; *pot.* (*zespół młodzieżowy*) band
kapelusz *m* hat
kapitalizm *m* capitalism
kapitalny *adj* (*zasadniczy*) fundamental; (*pot. świetny*) brilliant
kapitał *m* capital; **~ zakładowy** initial capital
kapitan *m* captain
kaplica *f* chapel
kapliczka *f* wayside shrine
kapłan *m* priest
kapral *m* corporal
kaprys *m* caprice, whim, fancy **~ losu** quirk, caprice
kapsel *m* cap, seal
kaptur *m* hood
kapusta *f* cabbage; **~ kiszona** sauerkraut; **~ czerwona** red cabbage
kapuś *m pot.* stoolpigeon
kar|a *f* punishment; (*sądowa*) penalty; (*pieniężna*) fine; **~a cielesna** corporal punishment **~a śmierci** death penalty, capital punishment; **za ~ę** as a punishment
karabin *m* rifle; **~ maszynowy** machine gun

karać *imperf vt* punish; *prawn.* penalize; ~ **grzywną** fine

karaluch *m zool.* cockroach

karambol *m* multiple crash, pile

karawan *m* hearse

karawana *f* caravan

karczma *f* inn

kardynał *m* cardinal

kareta *f* carriage; (*w kartach*) four of a kind

karetka *f*: ~ **pogotowia** ambulance

kariera *f* career

karierowicz *m* careerist

kark *m* nape (of the neck); **brać kogoś za** ~ take sb by the collar; **nadstawiać ~u** run risk; **skręcić** ~ break one's neck

karmić *imperf vt* feed; (*piersią*) breast-feed, suckle; ~ **się** *vr* feed (**czymś** on sth)

karnawał *m* carnival

karnet *m* season ticket

karn|y *adj* disciplined; *prawn.* penal; **prawo ~e** criminal law; *sport.* **rzut ~y** penalty kick

karo *n* (*w kartach*) diamond

karoseria *f* body (of a car)

karp *m* carp

kart|a *f* (*w książce*) leaf; (*do gry*) (playing) card; **~a telefoniczna** phonecard; **~a kredytowa** credit card; **~a gwarancyjna** warranty; **~a pocztowa** postcard; **rozdawać ~y** deal cards; **grać w otwarte ~y** play with one's card on the table; *przen.* **postawić wszystko na jedną ~ę** stake everything on one roll of the dice

kartka *f* sheet (of paper); (*w książce*) leaf; ~ **pocztowa** postcard; ~ **bożonarodzeniowa** Christmas card

kartofel *m* potato

karton *m* cardboard; (*pudełko*) carton, cardboard box

kartoteka *f* card index; (*zbiór danych*) files *pl*

karuzela *f* merry-go-round, roundabout, *am.* carousel

kasa *f* cash desk, check-out, till; (*na dworcu*) ticket office; (*w teatrze, w kinie*) box office; ~ **pancerna** safe, strong box; ~ **fiskalna** cash register

kaseta *f* cassette

kasjer *m* cashier; (*bankowy*) teller

kask *m* helmet

kasłać *imperf vi* cough

kasować *imperf vt* (*bilet*) punch; (*nagranie, plik*) erase

kasownik *m* ticket puncher

kasowy *adj* (*dot. obrotów bankowych*) cash *attr*; (*dochodowy*) box office *attr*; **sukces** ~ box office success <hit>

kasyno *n* casino; *woj.* mess

kasz|a *f* groats; (*potrawa*) porridge; **~a manna** semolina (porridge); **~a jęczmienna** pearl barley (porridge); **~a gryczana** buckwheat (porridge); *przen.* **nie dać sobie w ~ę dmuchać** not to let o.s. be led by the nose

kaszanka *f kulin.* black <blood> pudding, *am.* blood sausage
kaszel *m* cough
kasztan *m* chestnut; (*drzewo*) chestnut (tree)
kat *m* executioner
kataklizm *m* disaster, calamity
katalog *m* catalogue
katar *m* catarrh, runny nose
katastrofa *f* disaster, catastrophe
katechizm *m* catechism
katedra *f* cathedral; (*na uniwersytecie*) chair
katolicyzm *m* Catholicism
katolik *m* Catholic
kaucja *f prawn.* bail
kaw|a *f* (*krzew*) coffee (tree); (*ziarna*) coffee (beans); (*napój*) coffee; (*porcja*) (a cup of) coffee; **czarna <biała> ~a** black <white> coffee; *przen.* **wyłożyć ~ę na ławę** not to mince words
kawaler *m* (*nieżonaty*) single, bachelor; (*młodzieniec*) youth; (*adorator*) beau; (*orderu*) knight
kawalerka *f* (*mieszkanie*) studio
kawał *m* (*duża część*) chunk; (*dowcip*) joke; (*psota*) (practical) joke; **~ czasu** ages; **~ chłopa** strapping fellow; **brzydki ~** foul trick
kawał|ek *m* bit, piece; **po ~ku** piece by piece
kawiarnia *f* coffee shop, café
kawior *m* caviar
kazać *imperf perf vi* tell (**komuś coś zrobić** sb to do sth); **~ komuś na siebie czekać** keep sb waiting
kazanie *n* sermon; *przen.* talking-to
każd|y *pron* every, each; (*każdy człowiek*) everybody, everyone; **~y z was** each of you; **~y by to zrobił** everybody would do it; **~y to wie** everybody knows that; **o ~ej porze** any time of the day; **w ~y wtorek** every Tuesday; **w ~ym calu** every bit <inch>; **z ~ym dniem** daily
kąpać *imperf vt* bath, *am.* bathe; **~ się** *vr* take a bath, *am.* bathe
kąpiel *f* bath; **~ słoneczna** sunbath; **wziąć ~** take a bath
kąpielowy *adj*: **strój ~** swimming costume, *am.* bathing suit; **ręcznik ~** bath towel
kąt *m* corner; *mat.* angle; **chodzić z ~a w ~** potter about; **mieć własny ~** have a corner of one's own; **postawić dziecko do ~a** send a child to the corner; **pod ~em czegoś** from the point of view of sth
kciuk *m* thumb
kefir *m* kefir
kelner *m* waiter
kelnerka *f* waitress
kemping *m* camp(ing) site
kempingow|y *adj*: **przyczepa ~a** caravan, *am.* trailer; **domek ~y** cabin, chalet
kęs *m* bite

kibic *m* looker-on; *sport.* supporter, fan
kicha|ć *imperf vi* sneeze; **~m na to** I don't give a hoot about it
kicz *m* kitsch
kiedy *conj* when, as; *adv* ever; (*podczas gdy*) while; **~ przyjedziesz?** when will you come?; **spał już, ~ ojciec wrócił** he was asleep when his father came back; **od ~?** since when?; **rzadko ~** hardly ever; **~ indziej** some other time
kiedykolwiek *conj* at any time, whenever; (*w pytaniach*) ever
kiedyś *adv* once, sometime; (*w przyszłości*) one <some> day, sometime; **~ pojedziesz** you will go some day; **~ dawno temu** long ago; **czy myślałeś ~ o tym?** have you ever thought about it?
kielisz|ek *m* glass; *pot.* **zaglądać do ~ka** hit the bottle
kieł *m* canine (tooth), eye tooth, fang; (*słonia*) tusk
kiełbasa *f* sausage
kiepsk|i *adj* mean, lousy; **~a wymówka** lame excuse
kier *m* (*w kartach*) heart
kiermasz *m* fair
kierować *imperf vt* direct; (*samochodem*) drive; (*firmą*) manage, run; **~ kroki dokądś** bend one's steps to a place; **~ się** *vr* go, direct, head; (*powodować się*) be guided, led, follow; **~ się instynktem** follow one's instinct
kierowca *m* driver
kierownica *f* (*samochodu*) (steering) wheel; (*roweru*) handlebar(s *pl*)
kierownictwo *n* management, administration
kierownik *m* manager
kierun|ek *m* direction; (*w sztuce*) trend; **w ~ku czegoś** towards sth, in the direction of sth; **pod czyimś ~kiem** under sb's guidance
kierunkowskaz *m* indicator, *am.* turn signal
kieszeń *f* pocket; **znać coś jak własną ~** know sth inside out
kieszonkowe *n* pocket money
kieszonkowiec *m* pickpocket
kij *m* stick; (*w grach*) bat; **~ bilardowy** (billiards) cue; **~ hokejowy** hockey stick; **~ narciarski** ski stick
kilka, kilku *num* a few, several, some
kilkadziesiąt *num* a few dozen
kilkakrotnie *adv* several times, on several occasions
kilkanaście, kilkunastu *num* a dozen or so
kilkaset, kilkuset *num* a few hundred
kilkoro *num* a few, several, some
kilo *n pot.* kilo
kilogram *m* kilogram(me), kilo
kilometr *m* kilometre
kineskop *m* picture tube
kinkiet *m* wall light <lamp>
kin|o *n* cinema, *am.* the movies

pl; **iść do ~a** go to the cinema <*am*. movies>

kiosk *m* kiosk, stand, stall; (*z gazetami*) newsstand, news agent

kisiel *m* jelly-type dessert made with potato starch

kiszka *f pot.* intestine, bowel, gut; *pot.* **ślepa ~** appendix

kiwać, kiwnąć *imperf perf vt* (*pot. oszukiwać*) double-cross; **~ ręką** wave (one' hand) (**do kogoś** at <to> sb); **~ ręką na pożegnanie** wave a farewell; **~ głową** nod; **nie kiwnąć palcem** not to lift a finger; *sport.* dribble; **kiwać się** *vr* swing

klacz *f* mare

klakson *m* hoot, horn

klamerka *f* (*zapinka*) clasp

klamka *f* handle, knob

klamra *f* buckle, clamp; (*nawias*) brace

klapa *f* (*pokrywa*) cover; (*zawór*) valve; (*kołnierza*) lapel; (*pot. fiasko*) flop

klaps *m* smack, slap; **dać komuś ~a** smack <slap> sb

klas|a *f* class; (*sala szkolna*) classroom; (*rocznik szkolny*) form, *am*. grade; **gra w ~y** hopscotch

klaskać *imperf vi* clap (**w ręce** one's hands); (*bić brawo*) applaud

klasyczn|y *adj* classic(al); **filologia ~a** Classics; **taniec ~y** classical dance; **~y przykład** prime example; *sport.* **styl ~y** breaststroke

klasztor *m* convent, monastery

klatka *f* cage; *anat.* **~ piersiowa** chest; **~ schodowa** staircase; **~ filmowa** frame

klawiatura *f* keyboard

kląć *imperf vi* curse, swear

kleić *imperf vt* glue; **~ się** *vr* stick

klej *m* glue

klejnot *m* jewel, gem

klepk|a *f* stave; (*parkiet*) floorboard; *pot.* **brak mu piątej ~i** he has a screw loose

kler *m* clergy

kleszcz *m* tick

klęczeć *imperf vi* kneel

klęczk|i *pl*: **na ~ach** on one's knees

klękać *imperf vi* kneel (down)

klęsk|a *f* defeat, disaster; **ponieść ~ę** suffer defeat; **zadać ~ę** defeat; **~a żywiołowa** natural calamity

klient *m* client; (*w sklepie*) customer

klimat *m* climate

klimatyzacja *f* air conditioning

klinika *f* clinic

klips *m* clip

klocek *m* (*do zabawy*) block; *mot.* **~ hamulcowy** brake pad

klomb *m* (flower) bed

klops *m* meatball; *pot.* flop

klosz *m* (*abażur*) (lamp)-shade; (*krój spódnicy*) flare (of a skirt)

klozet *m* lavatory, toilet, *am*. restroom

klub *m* club
klucz *m* key; *muz.* clef; *techn.* spanner, *am.* wrench; (*do zagadki, do problemu*) clue; **zamknąć na ~** lock; **trzymać pod ~em** keep under lock and key
kluczow|y *adj* key *attr*; **~a rola** key role
kluska *f* dumpling, noodle
kładka *f* footbridge
kłamać *imperf vi* lie; **~ jak najęty** lie blatantly
kłamca *m* liar
kłamstwo *n* lie
kłaniać się *imperf vr* bow, nod; (*pozdrawiać*) greet (**komuś** sb)
kłaść *imperf vt* lay, put; **~ kogoś spać** put sb to bed; **~ czemuś kres** put an end to sth; **~ nacisk na coś** lay <place> emphasis on sth; **~ trupem** kill; **~ komuś coś do głowy** din sth into sb's ears; **~ się** *vr* lie down; **~ się spać** go to bed
kłopot *m* problem; *pl* **~y** trouble; **mieć ~y** be in trouble; **wpaść w ~y** get into trouble
kłócić się *imperf vr* argue, quarrel (**o coś** about sth); (*nie pasować*) clash
kłódk|a *f* padlock; **zamknąć na ~ę** padlock
kłótnia *f* quarrel, argument, row
kłu|ć *imperf vt vi* prick; *przen.* **~je mnie w boku** I have a stabbing pain in my side; *pot.* **~ć w oczy** make people jealous
kminek *m* caraway (seed)
knajpa *f pot.* joint
koalicja *f* coalition
kobiecy *adj* feminine, female, women's *attr*
kobieta *f* woman
kobra *f zool.* cobra
koc *m* blanket
kochać *imperf vi* love; **~ się** *vr* be in love (**w kimś** with sb), make love (**z kimś** to sb)
kochanek *m* lover
kochanie! *int* darling!
kochanka *f* lover, mistress
kochany *adj* dear; **mój ~** my love <dear>
kociak *m* kitten; *pot.* (*o dziewczynie*) chick
kocioł *m techn.* boiler
kod *m* code; **~ pocztowy** postcode, *am.* zip code
kodeks *m* code; **~ drogowy** rules of the road; **~ cywilny <karny>** civil <criminal> code
kofeina *f* caffeine
kogel-mogel *m kulin. pot.* yolk stirred with sugar
kogut *m* cock, *am.* rooster
kojarz|yć *imperf vt* (*fakty*) associate; (*pary*) join; *pot.* **nie ~ę** I don't get it; **~yć się** *vr*: **to mi się ~y z...** it makes me think of...; **to mi się z niczym nie ~y** this has no meaning for me
kok *m* bun
kokaina *f* cocaine

kokarda *f* bow
kokietować *imperf vt* coquet
kokos *m* coconut; *pot.* **robić ~y** rake it in
kokosow|y *adj*: **wiórki ~e** desiccated coconut; *pot.* **~y interes** gold mine
koktajl *m* cocktail
kolacj|a *f* supper; **jeść ~ę** have supper
kolan|o *n* knee; **po ~a** knee-deep
kolarstwo *n* cycling
kolarz *m* cyclist
kolba *f* (*karabinu*) butt; (*kukurydzy*) cob
kolczyk *m* earring
kolec *m* spike, thorn; (*u zwierząt*) spine
kolega *m* friend; **~ z pracy** colleague, fellow worker; **~ szkolny** classmate, school friend
kole|j *f* railway, *am.* railroad; (*następstwo*) turn; **po ~i** in turn; **~j na mnie** it's my turn
kolejarz *m* railwayman, *am.* railroader
kolej|ka *f* train; (*ogonek*) queue, line; **~ka linowa** cable railway; **~ka wąskotorowa** narrow-gauge railway, *am.* narrow-gage railroad; **stać w ~ce po coś** queue for sth; *pot.* **postawić ~kę** buy a round (of drinks)
kolejno *adv* in turn
kolejnoś|ć *f* order, sequence; **w ~ci** successively
kolejny *adj* succeeding, following; (*następny*) next
kolekcja *f* collection
kolekcjoner *m* collector
koleżanka *f* friend; **~ z pracy** colleague, fellow worker; **~ szkolna** classmate, school friend
kolę|da *f* Christmas carol; **chodzić po ~dzie** go carolling
kolidować *imperf vi* clash (**z czymś** with sth)
kolizj|a *f* collision; (*sprzeczność*) conflict; **w ~i z prawem** against the law
kolokwium *n* test
koloni|a *f*: **~a domków** housing estate(s *pl*), *am.* housing project; **~e letnie** summer camp
kolońsk|i *adj*: **woda ~a** cologne, eau de Cologne
kolor *m* colour; (*w kartach*) suit; **jakiego ~u jest...?** what colour is...?
kolorow|y *adj* (*wielobarwny*) colourful; **~a telewizja** colour television; **ludność ~a** coloured people
kolumna *f* column; (*głośnikowa*) speaker
kołdra *f* quilt, duvet
kołnierz *m* collar
koł|o[1] *n* (*okrąg*) circle, ring; (*pojazdu*) wheel; (*grupa ludzi*) circle, sphere; **obwód ~a** circumference; **błędne ~o** vicious circle; **~o zapasowe** spare wheel; **~o zębate** cog-

wheel; **~o ratunkowe** lifebelt; **~o polarne** polar circle; **~a polityczne <parlamentarne>** political <parlamentary> circles

koło[2] *praep* (*obok*) near, close to; (*w przybliżeniu*) around, somewhere round

kołować *imperf vi* (*krążyć*) circle, go in circles; (*o samolocie*) taxi; *vt pot.* **~ kogoś** (*oszukiwać*) lead sb a pretty dance

kołysać *imperf vt* rock; (*drzewami*) sway, swing; (*o statku*) roll; (*do snu*) lull; **~ się** *vr* rock; (*o drzewie*) sway

kołysanka *f* lullaby

kołyska *f* cradle

komar *m zool.* mosquito

kombajn *m* (combine) harvester

kombatant *m* veteran

kombi *n* estate car, *am.* station wagon

kombinacja *f* combination; (*sprytny plan*) contrivance, scheme

kombinat *m* works, plant, factory

kombinator *m pot.* wheeler-dealer

kombinerki *pl* combination pliers *pl*, *am.* lineman's pliers *pl*

kombinezon *m* (*roboczy*) uniform; (*zimowy*) snow suit

kombin|ować *imperf vi* (*zastanawiać się*) think; (*działać podstępnie*) engineer, contrive, wangle; **on coś ~uje** he is up to something

komedia *f* comedy

komend|a *f* command; (*dowództwo*) headquarters; **wydać ~ę** command; **pod czyjąś ~ą** under sb's command; **jak na ~ę** in unison; **~a policji** police headquarters

komendant *m* commanding officer

komentarz *m* commentary; (*uwaga*) comment; **bez ~a** no comment

komentować *imperf vt* comment (**coś** on sth)

komercjalizacja *f* commercialization

kometa *f* comet

kometka *f pot.* badminton

komfort *m* comfort

komfortowy *adj* (*wygodny*) comfortable; (*luksusowy*) luxury *attr*, luxurious

komiczny *adj* comic(al)

komiks *m* comic strip, cartoon; (*pismo*) comic, *am.* comic book

komin *m* chimney

kominek *m* fireplace

kominiarz *m* chimney sweep

komis *m* (*sklep*) commision shop <agent>; **oddać coś w ~** deposit sth for commision sale

komisariat *m*: **~ policji** police station

komisja *f* commission, committee; **~ egzaminacyjna** examining board

komitet *m* committee; **~ rodzi-**

cielski parent-teacher association, PTA, *am.* parents' association

komoda *f* chest of drawers

komora *f* chamber; ~ **celna** customs-house

komorne *n pot.* rent

komórk|a *f biol.* cell; (*schowek*) closet; (*organizacyjna*) unit; *anat.* **szare ~i** grey <*am.* gray> matter

komórkowy *adj* cellular; **telefon ~** cellular (tele)phone, mobile phone

kompakt *m* (*płyta*) CD; (*odtwarzacz*) CD player

kompania *f woj.* company; (*towarzystwo*) company; ~ **honorowa** guard of honour

kompas *m* compass

kompatybilny *adj* compatible

kompetentny *adj* competent

kompleks *m* complex; ~ **niższości** inferiority complex

komplement *m* compliment; **prawić ~y** pay compliments

komple|t *m* set; (*ubraniowy*) suit; **~t mebli** suite of furniture; **~t na widowni** full house; **być w ~cie** be present in full force

kompletny *adj* complete, full; (*zupełny*) complete, thorough, total; ~ **wariat** utter fool

komplikować *imperf vt* complicate

komponować *imperf vt* compose

kompot *m* stewed fruit; *pot* homemade drug

kompozycja *f* composition

kompozytor *m* composer

kompres *m* compress

kompromis *m* compromise, concession; **iść na ~** compromis (**w sprawie czegoś** on sth)

kompromitować *imperf vt* discredit; ~ **się** *vr* disgrace o.s.

komputer *m* computer

komputerow|y *adj*: **sprzęt ~** hardware; **oprogramowani ~e** software

komuna *f* commune; (*pot. system komunistyczny*) communist system; *pot.* (*komuniści* communists

komunia *f* communion

komunikacj|a *f* transport, *am* transportation; (*łączność*) communication; **~a miejska** public transport <*am.* transportation>; **środki ~i** means o transport <*am.* transportation

komunikat *m* bulletin

komunista *m* communist

komunizm *m* communism

koncentracja *f* concentration

koncentracyjny *adj*: **obóz ~** concentration camp

koncentrat *m* concentrate; ~ **pomidorowy** tomato puree

koncentrować *imperf vt* concentrate; ~ **się** *vr* concentrate (**na czymś** on sth)

koncepcja *f* concept, conception

koncern *m* concern

koncert *m* concert; (*utwór*) concerto
koncesja *f* concession, licence
kondolencje *pl* condolences *pl*; **składać ~** offer one's condolences
kondom *m* condom
konduktor *m* conductor, ticket inspector
kondycj|a *f* (*sprawność fizyczna*) fitness; **być w dobrej <złej> ~i** be in a good <bad> shape; **~a finansowa** financial standing
koneksje *pl* connections *pl*
konewka *f* watering can
konfederacja *f* confederation
konfekcja *f* ready-to-wear clothes
konferansjer *m* compere, master of ceremony
konferencja *f* conference; **~ prasowa** press conference
konfiskata *f* confiscation
konfitura *f* conserve
konflikt *m* conflict
konfrontacja *f* confrontation
kongres *m* congress
koniak *m* (*francuski*) cognac; brandy
koniczyna *f bot.* clover
koniec *m* end; (*czubek*) tip; **dobiegać końca** be drawing to an end; **w końcu** finally; **pod ~** at the end; **bez końca** without end, on and on; **mieć coś na końcu języka** have sth on the tip of one's tongue; **wiązać ~ z końcem** make ends meet
konieczny *adj* necessary, essential
konik *m* small horse, pony; **~ polny** grasshopper
koniunktura *f*: **dobra <zła> ~** boom <slump> in the market
konkretny *adj* concrete
konkubina *f* concubine
konkurencja *f* competition; *sport.* event
konkurs *m* competition, contest
konn|y *adj* horse *attr*; (*pojazd*) horse-drawn; (*policja*) mounted; **jazda ~a** horse riding; **wyścigi ~e** horseraces
konsekwencj|a *f* consistency; (*skutek*) consequence; **ponosić ~e czegoś** take <suffer> consequences of sth
konsekwentny *adj* consistent
konserwa *f* tinned <*am.* canned> food
konserwatysta *m* conservative
konspiracja *f* (*tajność*) conspiracy; (*podziemie*) underground
konstrukcja *f* (*budowla*) structure, construction; (*budowa*) construction
konstytucja *f* constitution
konsul *m* consul
konsulat *m* consulate
konsultacja *f* consultation
konsultant *m* consultant; (*o lekarzu*) consulting physician
konsument *m* consumer
konsumpcja *f* consumption
konsumpcyjn|y *adj* consumer *attr*; **towary ~e** consumer goods

konsylium *n med.* consultation
kontak|t *m* contact; (*gniazdko*) socket, *am.* outlet; (*wyłącznik*) switch; **być w ~cie** be in contact <touch> (**z kimś** with sb); **stracić ~t** lose touch (**z kimś** with sb); **włączyć do ~tu** plug in
kontener *m* container
konto *n* account; **założyć ~** open an account; *przen.* **mieć czyste ~** have a clear record
kontrabas *m* double bass
kontrahent *m* contracting party
kontrakt *m* contract (**na coś** for <of> sth); **zawrzeć ~** contract, enter into a contract
kontrast *m* contrast
kontrol|a *f* (*sprawdzenie*) check, inspection; (*nadzór*) control; **przeprowadzić ~ę** check <inspect> (**czegoś** sth)
kontroler *m* inspector; (*biletów*) ticket inspector
kontrolny *adj* control *attr*, testing
kontrolować *imperf vt* check (on), control
kontrwywiad *m* counterespionage, counterintelligence
kontuar *m* counter
kontuzja *f sport.* injury
kontynent *m* continent
kontynuować *imperf vt* continue, pursue
konwalia *f bot.* lily of the valley
konwencja *f* convention
konwersacja *f* conversation
konwojent *m* escort
konwój *m* convoy
koń *m* horse; (*w szachach*) knight; **~ mechaniczny** horsepower; **~ na biegunach** rocking horse; **~ wierzchowy** saddle-horse; **zdrów jak ~** (as) sound as a bell; *przen.* **~ by się uśmiał** it would make a cat laugh
końcowy *adj* final; **~ przystanek** terminal
kończy|ć *imperf vt* end, finish; **~ć 10 lat** be getting on for ten years; **~ć się** *vr* end, finish, terminate; **~ nam się chleb** we're running out of bread
kończyna *f* limb
koński *adj*: **~ ogon** (*uczesanie*) ponytail
kooperacja *f* co-operation
koordynacja *f* co-ordination
kopać *imperf vt vi* dig; (*nogą*) kick
kopalnia *f* mine; **~ węgla** coal mine; *przen.* **~ wiedzy** mine of information
kopalny *adj* fossil
koparka *f* excavator
koper *m* dill
koperta *f* envelope
kopia *f* copy; (*obrazu*) reproduction; (*broń*) (tilting) lance
kopiować *imperf vt* copy
kopytka *pl* potato dumplings *pl*
kopyt|o *n* hoof; *pot.* **wyciągnąć ~a** kick the bucket
kora *f* bark; *anat.* **~ mózgowa** cortex

koral *m zool.* coral; *pl* **~e** (necklace of) beads
koralik *m* bead
korba *f* crank
Koreańczyk *m* Korean
koreański *adj* Korean
korek *m* cork; (*zatyczka*) plug; *pot. elektr.* fuse; (*w bucie*) lift; (*uliczny*) (traffic) jam
korekta *f* proof-reading; (*poprawka*) correction
korepetycj|e *pl* private lessons *pl*; **udzielać ~i** give private lessons, coach (**komuś z czegoś** sb in sth)
korespondencja *f* correspondence; (*listy*) post, *am.* mail
korespondent *m* correspondent
korespondować *imperf vi* correspond, exchange letters
korkociąg *m* corkscrew
korona *f* crown; **~ drzewa** treetop; **~ cierniowa** crown of thorns; *przen.* **~ ci z głowy nie spadnie** it won't tarnish your halo
koronka *f* lace; (*na zębie*) crown, *am.* cap
korozja *f* corrosion
korpus *m* trunk, body; *woj.* (army) corps; **~ dyplomatyczny** diplomatic corps
kort *m*: **~ tenisowy** tennis court
korupcja *f* corruption
korygować *imperf vt* correct
korytarz *m* hall, corridor, passage, passageway
koryto *n* trough; (*rzeki*) bed
korze|ń *m* root; *przen.* **zapuszczać ~nie** put down roots
korzystać *imperf vi* (*użytkować*) use (**z czegoś** sth); (*odnosić korzyść*) benefit, profit (**na czymś** by <from> sth); (*wyzyskać*) take advantage (**z czegoś** of sth); **~ ze słownika** use a dictionary; **~ z okazji** take <seize> an opportunity; **~ z życia** enjoy life
korzystn|y *adj* (*przynoszący korzyść*) profitable; (*pomyślny*) favourable; **mieć ~e zdanie o kimś** have a high opinion about sb
korzyś|ć *f* (*pożytek*) advantage; (*zysk*) profit; **na czyjąś ~ć** in favour of sb; **mieć ~ć z czegoś** profit, gain by sth; **czerpać ~ci** derive profit (**z czegoś** from sth)
kosić *imperf vt* mow
kosmetyczka *f* (*kobieta*) beautician; (*torebka*) vanity bag <case>
kosmetyczny *adj* cosmetic; **gabinet ~** beauty salon <parlour>
kosmetyk *m* cosmetic
kosmiczn|y *adj* space *attr*; cosmic; **przestrzeń ~a** (outer) space; **promieniowanie ~e** cosmic rays; **statek ~y** spacecraft, spaceship
kosmita *m* extraterres-trial, *pot.* alien
kosmonauta *m* astronaut
kosmos *m* (*przestrzeń kosmicz-*

na) (outer) space; (*wszechświat*) cosmos

kostium *m* (*damski*) suit; (*teatralny*) costume; **~ kąpielowy** bathing suit

kostka *f* (*u ręki*) knuckle; (*u nogi*) ankle; (*sześcian*) cube; (*do gry*) dice; **~ cukru** sugar lump; **~ brukowa** cobblestones

kostnica *f* mortuary, morgue

kosz *m* basket; **~ na śmieci** dustbin, waste basket, *am.* garbage can; *pot.* **grać w ~a** play basketball; *przen.* **dostać ~a** be rejected

koszary *pl* barracks *pl*

koszmar *m* nightmare

koszt *m* cost, price; *pl* **~y** cost, expense; *przen.* **~em czegoś** at the cost <expense> of sth; **na ~ firmy** on the house; **bez względu na ~** at all costs; **bawić się cudzym ~em** have a laugh at sb's expense <cost>; **~y utrzymania** cost of living; **~y podróży** travelling expenses

kosztorys *m* cost estimate <calculation>

koszt|ować *imperf vt* cost; (*próbować*) try, taste; **ile to ~uje?** how much does it cost <is it>?

kosztowny *adj* dear, expensive, costly

koszula *f* shirt; (*bielizna damska*) chemise; **~ nocna** nightdress, nightgown

koszulka *f* T-shirt

koszyk *m* basket

koszykówka *f sport.* basketball

kościół *m* church

koś|ć *f* bone; *pl* **~ci** (*do gry*) dice; **~ć słoniowa** ivory; *przen.* **~ć niezgody** bone of contention; **przy ~ci** plump; **zmarznąć na ~ć** be chilled to the bone <marrow>; **porachować komuś ~ci** beat sb black and blue

kot *m zool.* cat; *przen.* **biegać jak ~ z pęcherzem** be restless; *przen.* **żyć jak pies z ~em** live like cat and dog; *przen.* **kupować ~a w worku** buy a pig in a poke; *pl* **~y** (*rodzina*) the felines

kotara *f* curtain

kotek *m* (*młody kot*) kitten; *pot.* pussy(cat)

kotlet *m* cutlet, chop; **~ schabowy** pork chop; **~ mielony** patty

kotlina *f* valley

koturn *m* wedge heel

kotwica *f* anchor

kowal *m* blacksmith

koz|a *f zool.* goat; *pot.* (*piecyk*) iron stove; *pot.* (*więzienie*) clink, nick; *pot.* **raz ~ie śmierć!** sink or swim!

kozaczki *pl* high boots *pl*

kozioł *m* billygoat; *sport.* (*przyrząd gimnastyczny*) horse; *przen.* **~ ofiarny** scapegoat

kożuch *m* sheepskin coat; (*na mleku*) skin

kółko *n* circle, ring; **biegać w ~** run in circles; **w ~ to samo** over and over (again)

kpi|ć *imperf vi* scoff, mock, jeer
kra *f* ice floe
krab *m zool.* crab
krach *m* crash, slump, smash
kradzież *f* theft, robbery; **~ w sklepie** shoplifting
kraj *m* country, land
krajobraz *m* scenery, landscape
krajowiec *m* native
krajowy *adj* national; domestic; homemade; home
kraksa *f* crash, accident
kran *m* tap, *am.* faucet
krańcowy *adj* extreme
krasnoludek *m* dwarf
kraść *imperf vt* steal (**coś komuś** sth from sb)
krata *f* grating, bars *pl*; (*wzór*) check
krater *m* crater
kratk|a *f*: **w ~ę** (*o papierze*) squared; (*o tkaninie*) checked, checkered; **w ~ę** (*nieregularnie*) irregularly; **za ~ami** behind bars
kraul *m sport.* crawl (stroke); **pływać ~em** do <swim> the crawl
krawat *m* (neck) tie
krawcowa *f* dressmaker
krawędź *f* edge
krawężnik *m* kerb, *am.* curb
krawiec *m* tailor; (*damski*) dressmaker, *am.* seamstress
krążek *m* disc, *am.* disk; (*hokejowy*) puck
krążyć *imperf vi* circulate, make circles, rotate; (*o przedmiocie*) be passed; **~ po pokoju** walk up and down a room
kreda *f* chalk
kredens *m* cupboard
kredka *f* crayon, coloured pencil; **~ do oczu** eyeliner
kredyt *m* credit; **~ hipoteczny** mortgage; **kupować na ~** buy on credit; **~ zaufania** confidence, trust
krem *m* cream; **~ nawilżający** moisturizing cream; *kulin.* **ciastko z ~em** cream cake
kreska *f* line; (*w wyrazie*) hyphen
kreskówka *f* (animated) cartoon
kreślić *imperf vt* draught, draft; (*skreślać*) cross out
kret *m zool.* mole
kretyn *m* cretin
krew *f* blood; **rozlew krwi** bloodshed; **dawca krwi** blood donor; **grupa krwi** blood group; **mrożący ~ w żyłach** bloodcurdling; **zachować zimną ~** keep cool
krewetka *f* shrimp, prawn
krewny *m* relative, relation
kręci|ć *imperf vt* (*obracać*) turn, twirl, spin; (*ucierać*) mix; *pot.* (*kierować*) boss, run the show; *vi pot.* (*wyłgiwać się*) gibble; **~ć film** shoot a film; **~ć sobie włosy** curl one's hair; **~ć głową** shake one's head; **~ć się** *vr* (*w koło*) turn round, rotate, spin; (*wiercić się*) fidget, wriggle; (*wić się*) wind, bend; **~ mi się w głowie** I feel dizzy;

~ć się pod nogami get under foot
kręgielnia *f* bowling alley
kręgle *pl* (*gra*) skittles *pl,* bowling
kręgosłup *m* spine, backbone
kręgowce *pl zool.* vertebrates
krępować się *imperf vr* (*żenować się*) be <feel> embarrased
kroić *imperf vt* cut; (*materiał*) tailor; **~ chleb** slice bread; **~ w kostkę** dice
krok *m* step, pace; (*działanie*) move, measure, steps *pl*; **dotrzymywać ~u** keep up (**komuś** with sb); **poczynić ~i** take steps <measures>; **~ za ~iem** step by step
krokiet *m kulin.* croquette
krokodyl *m zool.* crocodile
kromka *f* slice; **~ chleba** slice of bread
kronika *f* chronicle; **~ towarzyska** gossip column; **~ filmowa** newsreel
krop|ka *f* dot; (*znak przestankowy*) full stop, *am.* period; *przen.* **być w ~ce** be stuck between a rock and a hard place; **w ~ki** dotted, spotted
kropl|a *f* drop; **~e do oczu** eye drops; **jak dwie ~e wody** as two peas, as peas in a pod
kroplówka *f med.* drip
krosta *f* spot, pimple
krowa *f zool.* cow
krój *m* cut
król *m* king
królestwo *n* kingdom; *przen.* realm
królewski *adj* royal, king *attr,* queen *attr*
królik *m zool.* rabbit
królowa *f* queen; **~ piękności** beauty queen
krótk|i *adj* short; (*zwięzły; krótkotrwały*) brief; **mieć ~i wzrok** be shortsighted <nearsighted>; *przen.* **na ~ą metę** in the short run; **w ~im czasie** in a short time; **w ~ich słowach** briefly, in brief
krótko *adv* short; (*zwięźle*) briefly; **~ mówiąc** in brief, in short
krótkotrwały *adj* of short duration, short-lived *attr*
krótkowidz *m* shortsighted person
krówka *f* (*cukierek*) fudge; **boża ~** ladybird, *am.* ladybug
krtań *f* larynx
kruchy *adj* (*łamliwy*) fragile; (*wątły*) frail; (*chrupiący*) crisp, crusty; (*o mięsie*) tender
kruk *m zool.* raven; *przen.* **biały ~** white crow, rarity
krupnik *m kulin.* barley soup
kruszyć *imperf vt* crumble; (*miażdżyć*) crush; *przen.* **~ kopie o coś** fight over sth; **~ się** *vr* crumble
krwawić *imperf vi* bleed
krwiodawca *m* blood donor
krwotok *m* haemorrhage, bleeding
kryć *imperf vt* (*ukrywać*) hide, conceal; (*okrywać*) cover; *sport.*

cover; *przen.* ~ **kogoś** cover up for sb; ~ **się** *vr* hide; ~ **się z czymś** keep sth hidden
kryjówka *f* hideout
kryminalista *m* criminal
kryminał *m* (*lektura*) detective story; (*film*) detective picture; *pot.* (*więzienie*) slammer
kryształ *m* crystal
kryterium *n* criterion
kryty *adj* covered; *pot.* clean
krytyk *m* critic
krytyka *f* criticism; (*recenzja*) critique
krytykować *imperf vt* criticize
kryzys *m* crisis, depression
krzak *m* bush, shrub; *pl* **~i** shrubbery
krzesło *n* chair; ~ **składane** collapsible <folding> chair
krztusić się *imperf vr* choke
krzyczeć *imperf vi* shout, screem; ~ **na kogoś** shout at sb; ~ **z bólu** scream with pain; ~ **z radości** shout for joy
krzyk *m* shout, scream; *przen.* **ostatni ~ mody** all the rage
krzywd|a *f* harm, wrong; **wyrządzić komuś ~ę** harm sb
krzywica *f med.* rickets
krzywo *adv*: ~ **patrzeć na kogoś <coś>** frown at sb <sth>; ~ **stać** stand askew
krzyw|y *adj* crooked; (*o powierzchni*) uneven; *s*: *mat.* **~a** *f* curve
krzyż *m* cross; *anat.* small of the back; **na** ~ crosswise; **znak ~a** the sign of the cross; *przen.* **dźwigać swój** ~ bear one's cross; **bóle w ~u** pains in the small of the back
krzyżówka *f* crossword
ksenofobia *f* xenophobia
kserokopia *f* Xerox (copy)
kserograf *m* Xerox (machine), copier
kserować *imperf vt* Xerox
ksiądz *m* priest
książeczka *f*: ~ **oszczędnościowa** savings book; ~ **do nabożeństwa** prayer book
książę *m* prince, duke
książka *f* book; ~ **telefoniczna** telephone book, directory; ~ **kucharska** cookbook, cookery book
księg|a *f* tome; **~a pamiątkowa** visitors' book; **~a wieczysta** chain of title; *handl.* **prowadzić ~i** keep accounts
księgarnia *f* bookshop, *am.* bookstore
księgowość *f* book-keeping, accounting; (*dział w firmie*) accounts
księgowy *m* accountant
księżyc *m* moon; ~ **w pełni** full moon; **w świetle ~a** in the moonlight
kształcić *imperf vt* educate, instruct; (*cechę charakteru*) train, school; ~ **się** *vr* learn, go to school
kształ|t *m* shape; **w ~cie gruszki** pear-shaped; **nadać ~t** shape; *pl pot.* **~ty** curves *pl*

kto *pron* who; **~ tam?** who is it?; **~ bądź** anybody, anyone; **byle ~** no matter who; **mało ~** hardly anybody <anyone>; **~ chce, może wyjść** those who wish (to) may leave
ktokolwiek *pron* anybody, anyone
ktoś *pron* somebody, someone; **~ inny** somebody <someone> else
którędy *pron* which way
któr|y *pron* who, which, that; **~y chcesz?** which one do you want?; **~a godzina?** what time is it?, what's the time?; **ta, ~ą widzisz** the one (that) you see; **nie wiem, ~y wybrać** I don't know which one to choose; **człowiek, z ~ym rozmawiałem** the man (that) I talked to; **~y bądź** any; **rzadko ~y** hardly any
któryś *pron* one, some
Kubańczyk *m* Cuban
kubański *adj* Cuban
kubek *m* mug; *pot.* **~ w ~ jak...** the very image of...
kubeł *m* (*wiadro*) bucket; (*na śmieci*) dustbin, waste basket, *am.* garbage can
kucać *imperf vi* squat
kucharz *m* cook
kuchenka *f* (*urządzenie*) cooker, stove; **~ gazowa <elektryczna>** gas <electric> cooker; **~ mikrofalowa** microwave (oven), microwave cooker
kuchnia *f* (*pomieszczenie*) kitchen; (*potrawy*) cuisine; **~ polska** Polish cuisine
kucyk *m* pony; (*fryzura*) ponytail
kufel *m* (*naczynie*) mug; (*porcja*) pint (of beer)
kujon *m pot.* swot, *am.* grind
kukiełka *f* puppet
kukiełkowy *adj*: **teatr ~** puppetshow
kukułk|a *f* cuckoo; **zegar z ~ą** cuckoo clock
kukurydz|a *f* maize, *am.* corn; **prażona ~a** popcorn; **kolba ~y** corn cob
kula *f* ball; (*bryła*) sphere; (*proteza*) crutch; (*do gry*) bowl; (*pocisk*) bullet; **~ śnieżna** snowball; **~ ziemska** the globe; *przen.* **~ u nogi** ball and chain
kulawy *adj* lame; (*stół*) rickety
kuleć *imperf vi* limp
kulig *m* sleigh ride
kult *m* cult
kultur|a *f* culture; **brak ~y** lack of manners; **dom ~y** community centre; **~a fizyczna** physical education
kulturalny *adj* (*człowiek*) well-mannered, cultured; (*o rozwoju, o życiu*) cultural
kumpel *m pot.* mate, pal, chap
kupa *f* (*sterta*) pile; *pot.* lump of faeces
kupić *perf vt* buy, purchase; **~ coś tanio** buy sth cheap
kupiec *m* merchant, dealer; (*nabywca*) buyer

kupować *imperf vt zob.* **kupić**
kura *f zool.* hen; *przen.* **~ domowa** homebody; **jak zmokła ~** like a drowned rat; *przen.* **~ znosząca złote jaja** the goose with the golden eggs
kuracj|a *f* cure, treatment; **zastosować ~ę** take a cure
kurcz *m* cramp
kurczę *n zool.* chicken; **pieczone ~** roast chicken; *pot.* **~!** darn!
kurczyć się *imperf vr (o tkaninie, o zapasach)* shrink; *(ściągać się)* contract
kuria *f* curia
kuropatwa *f zool.* partridge
kurs *m (przejazd)* ride; *(kierunek)* course; *(szkolenie)* course; **~ walut** exchange rate; **~ na prawo jazdy** driving course; **~ tańca** dancing classes; **chodzić na ~y** attend classes; *pot.* **być w ~ie** be up-to-date
kursować *imperf vi* circulate; *(o komunikacji)* run
kurtka *f* jacket; *(zimowa)* anorak
kurtyna *f* curtain
kurwa *f wulg.* whore
kurz *m* dust
kusić *imperf vt* tempt; **~ los** tempt fate <providence>
kuszetka *f* berth, couchette; sleeping car
kutas *m wulg.* prick
kuzyn *m* cousin
kuźnia *f* smithy, forge
kwadrans *m* quarter; **~ po piątej** quarter past, <*am.* after> five; **za ~ trzecia** quarter to three
kwadrat *m* square
kwalifikacje *pl* qualifications *pl*
kwarantanna *f* quarantine
kwartał *m* quarter
kwartet *m* quartet
kwas *m* acid
kwaśn|y *adj* sour, acid; *przen.* **~a mina** wry face; **~e mleko** sour milk; **~y deszcz** acid rain
kwatera *f woj.* billet, quarters *pl*; **~ prywatna** lodging
kwaterunkow|y *adj*: **mieszkanie ~e** council flat, *am.* public housing
kwestia *f (sprawa)* issue; question, matter; **~ gustu** matter of taste
kwestionariusz *m* questionnaire
kwiaciarnia *f* florist('s)
kwiat *m* flower; *(roślina doniczkowa)* plant; *(drzewa owocowego)* blossom; *przen.* **~ młodzieży** the cream of youth; **w kwiecie wieku** in the prime of life
kwiecień *m* April
kwietnik *m* flowerbed
kwintet *m* quintet
kwit *m* receipt, slip; **~ na bagaż** luggage receipt, *am.* baggage claim slip
kwitnąć *imperf vi (o kwiatach)* bloom; *(o drzewach)* blossom; *przen.* flourish, thrive
kwot|a *f* sum, amount; **na ~ę** amounting to

L

labirynt *m* labyrinth, maze

laboratorium *n* laboratory, *pot.* lab

lać *imperf vt vi* (*płyn*) pour; *pot.* (*bić*) beat, belt; **leje jak z cebra** it's pouring with rain, it's raining cats and dogs; *pot.* **~ wodę** waffle; **~ się** *vr* pour; *pot.* (*bić się*) fight

lada *f* (*sklepowa*) counter; *part*: **~ chwila** any minute; **nie ~ osiągnięcie** no mean achievement

laicki *adj* lay

laik *m* layman

lakier *m* lacquer, varnish; **~ do paznokci** nail polish; **~ do włosów** hair spray

lalka *f* doll

lamentować *imperf vi* lament

lampa *f* lamp

lampart *m zool.* leopard

lampka *f* lamp; **~ wina** glass of wine

landrynka *f* fruit drop

lanie *n* hiding, beating

lansować *imperf vt* promote, launch

las *m* wood, forest; **~ liściasty <iglasty>** deciduous <coniferous> forest

laska *f* (walking) stick, cane; *pot.* (*dziewczyna*) chick

lat|a *pl* years *pl*; **ile masz ~?** how old are you?; **mam 10 ~** I'm ten (years old); **~a dwudzieste** the twenties; **sto ~!** many happy returns (of the day)!

latać *imperf vi* fly; (*biegać*) run; **~ za dziewczynami** run after <chase> girls

latarka *f* torch, *am.* flashlight

latarnia *f* lantern; **~ uliczna** street lamp; **~ morska** lighthouse

lataw|iec *m* kite; **puszczać ~ca** fly a kite

lat|o *n* summer; **~em** in (the) summer; **babie ~o** (*okres*) Indian summer; (*pajęczyna*) gossamer

laureat *m* prizewinner

lawa *f* lava

lawenda *f bot.* lavender

lawina *f* avalanche

ląd *m* land; **~ stały** main land; **~em** by land

lądować *imperf vi* land

lądowy *adj* land *attr*, terrestrial; **transport ~** overland transport

leci|eć *imperf vi* fly; (*pędzić*) fly, dash; (*o czasie*) fly, pass; (*o liściach*) fall (down); (*o krwi*) flow; **~eć samolotem** fly; **muszę już ~eć** I must fly; **czas ~** time goes by; *pot.* **jak ~?** how are things going?

lecz *conj* but, yet

leczenie *n* treatment, cure

lecznica *f* clinic; **~ dla zwierząt** animal <veterinary> clinic

leczy|ć *imperf vt* treat, cure; **~ć się** *vr* be treated; **u kogo się ~sz?** who is your doctor?

ledwie, ledwo *adv* hardly, scarcely, barely; *conj* no sooner... than...; **~ dyszy** he can hardly breathe; **~ zdołałem uciec** I hardly managed to run away; **~ wyszliśmy, zaczęło padać** no sooner had we left than it started to rain; **ledwie ledwie** only just

legalny *adj* legal, lawful

legenda *f* legend

legitymacja *f* identity card, ID; (*członkowska*) membership card; **~ studencka** student card

legitymować *imperf vt*: **~ kogoś** check sb's ID; **~ się** *vr* show one's ID

lejek *m* funnel

lekarstw|o *n* medicine, drug, cure, remedy; **zażyć ~o** take a medicine; **na to nie ma ~a** there is no medicine to cure this

lekarz *m* physician, doctor; **~ ogólny** general practitioner; **iść do ~a** visit a doctor

lekceważyć *imperf vt* (*nie przywiązywać wagi*) neglect; (*traktować pogardliwie*) scorn, disdain; (*nie zwracać uwagi*) disregard; **~ obowiązki** neglect one's duties; **~ swoje zdrowie <czyjeś uczucia>** trifle with one's health <sb's feelings>

lekcj|a *f* lesson, class; **udzielać ~i angielskiego** give English lessons; *pl* **~e** (*praca domowa*) homework; **odrabiać ~e** do (one's) homework

lekk|i *adj* light; (*słaby*) slight, gentle; **~i krok** light step; **~a sukienka** light dress; *przen.* **~i chleb** easy gain; **przemysł ~i** light industry; **~ą ręką** recklessly

lekko *adv* lightly; (*nieznacznie*) slightly; (*delikatnie*) gently; (*łatwo*) easily; **~ ubrany** dressed lighty; **zrobiło mi się ~ na sercu** I felt relieved; **~ licząc** at least

lekkoatletyka *f sport.* athletics, *am.* track and field (events)

lekkomyślny *adj* rash, reckless

lekko strawny light (food)

lektor *m* reader

lektorat *m* foreign language course

lektura *f* (*czytanie*) reading; (*materiał do czytania*) reading matter; *pot.* (*w szkole*) reading list

len *m bot.* flax; (*tkanina*) linen

leniwy *adj* lazy

leń *m* lazy, idler

lepiej *adv* better; **czuję się ~** I feel better; **tym ~** that's even better; **~ już idź** you had better go now; **~ byś się nie odzywał** I wish you'd keep quiet

lepki *adj* sticky

lepszy *adj* better; **pierwszy ~** any(one); **kto pierwszy, ten ~** first come, first served

lesbijka *f* lesbian

leśny *adj* forest *attr*, wood *attr*

letni *adj* tepid, lukewarm; (*dotyczący lata*) summer *attr*; **domek ~** summer cottage

lew *m zool.* lion; **odważny jak ~** (as) brave as a lion

lew|a *f* (*w kartach*) trick; **wziąć ~ę** take <win> a trick

lewarek *m* jack

lewatywa *f med.* enema

lewica *f* the left

lewicowy *adj* left-wing, leftist

leworęczny *adj* left-handed

lew|y *adj* left; *pot.* phoney; **~a strona** left-(hand) side, (*materiału*) inside; **w ~o** (to the) left

leżak *m* deckchair

leż|eć *imperf vi* lie; (*znajdować się*) lie, be, be situated; (*o ubraniu*) fit, suit; **~eć w łóżku** (*dłużej*) stay in bed; **~eć na wznak** lie on one's back; **~eć!** (*do psa*) down!; **~y jak ulał** it's a perfect fit; **~y mi to na sumieniu** it lies heavy on my conscience; *przen.* **~eć do góry brzuchem** loll (about)

lęk *m* fear; **~ wysokości** fear of height

liberalny *adj* liberal

licealny *adj* secondary school *attr*, *am.* high school *attr*

licencja *f* licence

licencjat *m* Bachelor's degree

liceum *m* secondary school, *am.* high school

licytacja *f* auction; (*w kartach*) bidding

liczba *f* number; **~ pojedyncza <mnoga>** singular <plural> (number)

liczebnik *m gram.* numeral; **~ główny <porządkowy>** cardinal <ordinal> number

liczenie *n* count, calculation, computing

licznik *m* (*przyrząd*) meter; **~ gazowy** gas meter; *mat.* numerator

liczny *adj* numerous

licz|yć *imperf vi* calculate; *vt* count; (*spodziewać się*) expect; (*polegać*) rely <depend> (**na kogoś <coś>** on sb <sth>); **~yć sobie x lat** number x years; **~ę, że przyjdziecie** I expect you to come; **~ę na ciebie** I depend on you; **ile on ~y za wizytę?** what does he charge for a consultation?; **~yć się** *vr* (*mieć znaczenie*) matter; (*brać pod uwagę*) take into account; (*być branym pod uwagę*) count, enter into account

lider *m* leader

liga *f* league

likier *m* liqueur

likwidować *imperf vt* (*zwijać*) liquidate, close down; (*znosić*) supress, abolish

lila *adj* (*kolor*) lilac, mauve

limit *m* limit

limuzyna *f* limo(usine)

lin|a *f* rope, cord; (*metalowa*) cable; **chodzić po ~ie** perform on the tightrope

lingwistyczny *adj* linguistic
lini|a *f* line; (*trasa*) line, route; **dbać o ~ę** watch one's weight
linijka *f* line; (*przyrząd*) ruler
linow|y *adj*: **kolejka ~a** cable railway
lipa *f bot.* lime (tree), linden; *pot.* (*oszustwo*) humbug, eyewash
lipiec *m* July
liryczny *adj* lyric
lis *m zool.* fox
list *m* letter; **~ polecony** registered letter; **~ polecający** reference; **~ gończy** (arrest) warrant; **~ miłosny** love letter; **~ otwarty** open letter
lista *f* list, register; **~ obecności** attendance record; **~ płac** payroll; **~ przebojów** the charts
listonosz *m* postman, *am.* mailman
listopad *m* November
liść *m* leaf
litera *f* letter; **wielka ~** capital letter; **mała ~** small <lowercase> letter
literacki *adj* literary
literatura *f* literature
litewski *adj* Lithuanian
litość *f* mercy
litować się *imperf vr* take pity <have mercy> (**nad kimś** on sb)
litr *m* litre
Litwin *m* Lithuanian
lizać *imperf vt* lick; *pot.* **palce ~!** scrumptious!, yum-yum!
lizak *m* lollipop
liznąć *perf vt*: *pot.* **~ czegoś** get a smattering of sth
lizus *m pot.* toady, crawler
lodowaty *adj* ice-cold; *przen.* icy
lodowiec *m* glacier
lodowisko *n* skating <ice> rink
lodow|y *adj*: **deser ~y** ice-cream dessert; **góra ~a** iceberg
lodówka *f* refrigerator, fridge
logika *f* logic
lojalny *adj* loyal
lokal *m* premises *pl*; (*restauracja*) restaurant; **nocny ~** night club
lokalny *adj* local
lokata *f ekon.* investment; (*w banku*) deposit; (*pozycja*) position
lokator *m* tenant, occupant
lokomotywa *f* locomotive, engine
lokować *imperf vt* place; *ekon.* invest
lokówka *f* curler
lombard *m* pawnshop
lornetka *f* binoculars *pl*, field glasses *pl*
los *m* (*dola*) lot; (*przeznaczenie*) fate, doom; (*na loterii*) (lottery) ticket
lot *m* flight; **odwołać ~** cancel a flight; **opóźnić ~** delay a flight; **widok z ~u ptaka** bird's eye view; **w ~** instantly
loteri|a *f* lottery; **wygrana na ~i** prize
lotka *f sport.* shuttlecock, cock
lotnia *f* hang-glider

lotnictwo *n* aviation; **~ wojskowe** air force

lotnicz|y *adj*: **linie ~e** airlines; **poczta ~a** air-mail

lotnik *m* aviator

lotnisko *n* airport

lód *m* ice; **kostka lodu** ice cube; **zimny jak ~** (as) cold as ice; **lody** *pl* ice-cream

lub *conj* or

lubi|ć *imperf vt* like (**coś** sth), be fond (**coś** of sth); **~ę go** I like him; **~ę pływać** I like swimming <to swim>

lud *m* people, folk

ludność *f* population

ludobójstwo *n* genocide

ludowy *adj* (*o tańcu*) folk; (*o władzy*) people's *attr*

ludzi|e *pl* people; **przy ~ach** in public; *przen.* **będą z niego ~e** he will grow into a splendid fellow

ludzk|i *adj* human; (*humanitarny*) humane; **rodzaj ~i** mankind; **po ~u** (*przyzwoicie*) decently, (*należycie*) properly

ludzkość *f* mankind

lufa *f* barrel

luka *f* gap; **~ w prawie** loophole

lukier *m* icing

luksusowy *adj* luxury *attr*

lusterko *m* mirror; **~ wsteczne** rear-view mirror

lustro *n* mirror

luty *m* February

luz *m* (*wolna przestrzeń*) room; (*wolny czas*) (free) time; *techn.* play; *mot.* neutral; **~em** (*bez opakowania*) in bulk; *pot.* **na ~ie** laidback

luźn|y *adj* loose; **~e spodnie** loose(-fitting) trousers; **~e kartki** loose sheets of paper

lżyć *imperf vt* revile

Ł

łabędź *m* swan

łacina *f* Latin

ład *m* order; **doprowadzić coś do ~u** put sth straight <in order>

ładnie *adv* nicely; **~ ci w tym** it suits you very well; **~ wyglądać <pachnieć>** look <smell> nice <pretty>; **to ~ z twojej strony** it's nice of you; **jutro będzie ~** it will be a fine day tomorrow

ładn|y *adj* pretty, nice, lovely; **~ych parę groszy** a pretty penny; **~a historia!** here's a pretty kettle of fish!

ładować *imperf vt* load; (*akumulator*) charge

ładowny *adj* capacious

ładunek *m* load; **~ elektryczny** charge; **~ wybuchowy** charge

łagodny *adj* mild, gentle; (*o zwierzęciu*) tame; **~ klimat** mild climate; **~ uśmiech** genial smile; **~ guz** benign tumour

łajdak *m* rascal, scoundrel
łajno *n pot.* dung
łakomczuch *m* glutton
łakomstwo *n* greediness, gluttony
łakomy *adj* gluttonous, greedy
łam|ać *imperf vt* break; **~ać prawo** break the law; **~ać sobie głowę** rack one's brains (**nad czymś** about sth); **~ie mnie w kościach** my bones are aching; **~ać się** *vr* break; (*o głosie*) falter; *pot.* (*wahać się*) waver
łaman|y *adj* broken; **mówić ~ą polszczyzną** speak broken Polish; **3 ~e przez 5** 3 stroke 5
łamigłówka *f* puzzle; (*układanka*) jigsaw (puzzle)
łańcuch *m* chain; **~ górski** mountain range
łańcuszek *m* chain; **złoty ~** golden chain
łap|a *f* paw; (*pot. ręka*) paw; *przen.* **dostać po ~ach** get a rap on the knuckles; *pot.* **żyć (z kimś) na kocią ~ę** shack up (with sb)
łapać *imperf vt* catch, seize, grasp; **~ ryby** fish; **~ taksówkę** stop a cab; **~ kogoś za coś** grasp sb by sth; **~ kogoś na gorącym uczynku** catch sb red-handed; **~ się** *vr*: **~ się za głowę** clutch one's head; **~ się na czymś** catch o.s. doing sth
łapówk|a *f* bribe; **dać komuś ~ę** bribe sb
łapu-capu *adv*: **na ~** helter-skelter
łas|ka *f* grace, favour; **akt ~ki** act of grace; **prawo ~ki** the act of reprieve; **robić (komuś) ~kę** condescend (to sb); *pot.* **bez ~ki!** I can do without it!; **jak z ~ki** reluctantly; **~ka Boża** God's grace; **być zdanym na czyjąś ~kę** be at the mercy of sb; **na ~ce losu** at the mercy of fortune; **wkraść się w czyjeś ~ki** worm o.s. into sb's favour; **z ~ki swojej** if you please; **co ~ka** whatever you can spare
łaskawy *adj* (*wielkoduszny*) gracious; (*sprzyjający*) favourable; **bądź ~ to zrobić** be so kind and do it
łaskotać *imperf vt* tickle
łata *f* patch
łatać *imperf vt* patch (up)
łatwo palny *adj* (in)flammable
łatwowierny *adj* credulous, gullible
łatwy *adj* easy
ław|a *adj* bench; (*stolik*) coffee table; **~a oskarżonych** dock; **kolega z ~y szkolnej** schoolmate, school friend
ławka *f* bench; (*w kościele*) pew
łazić *imperf vi* loiter, dawdle; (*o zwierzętach*) crawl, creep; **~ po drzewach** climb trees
łazienka *f* bathroom
łaźnia *f* baths *pl*
łącznie *adv* (*razem*) together;

~ **z** together with, along with; ~ **z kosztami transportu** including transport; ~ **100 złotych** one hundred zlotys (al)together

łączność *f* (*kontakt*) contact; (*komunikacja*) communication(s *pl*)

łącz|yć *imperf vt* join, link, connect, unite; **~ę!** I'm putting you through!; **~yć się** *vr* join, be joined, merge, be associated

łąka *f* meadow

łeb *m* (*u zwierząt*) head; *pot.* nut; **mieć ~ na karku** have brains; ~ **w** ~ neck and neck; **brać się za łby** come to grips; **palnąć sobie w ~** blow out one's brains; **patrzeć spode łba** scowl

łkać *imperf vi* sob

łobuz *m* hooligan

łodyga *f* stem, stalk

łok|ieć *m* elbow; **rozpychać się ~ciami** elbow one's way; **trącić ~ciem** nudge

łon|o *n anat.* womb; *przen.* bosom; **na ~ie natury** in the open

łopata *f* shovel

łosoś *m zool.* salmon

łowić *imperf vt* hunt, catch; ~ **ryby** fish

łoże *n* bed

łożysko *n anat.* placenta; *techn.* bearing

łódź *f* boat; ~ **motorowa** motor boat; ~ **ratunkowa** life boat; ~ **podwodna** submarine

łóżeczko *n* cot, *am.* crib

łóżk|o *n* bed; **~o polowe** camp bed, *am.* cot; *pot.* **iść z kimś do ~a** go to bed with sb

łudzić *imperf vt* deceive; ~ **się** *vr* deceive o.s.

łuk *m* (*broń*) bow; (*sklepienie*) arch; *mat. fiz. elektr.* arc

łup *m* loot; **paść ~em** fall prey (**kogoś, czegoś** to sb <sth>); *pl* **~y** spoils *pl*

łupież *m* dandruff

łupina *f* (*skorupka*) shell; (*skórka*) skin, peel

łuska *f* (*ryby*) scale; (*nasiona*) husk; (*naboju*) shell

łuskać *imperf vt* shell

łydka *f* calf

łyk *m* draught, gulp

łykać *imperf vt* swallow; *przen.* ~ **łzy** gulp one's tears

łysina *f* bald patch

łys|y *adj* bald; *przen.* **~e opony** bald tyres

łyżeczka *f*: ~ **do herbaty** teaspoon; (*miara*) teaspoonful

łyżka *f* spoon; (*zawartość*) spoonful; ~ **wazowa** ladle; ~ **do butów** shoehorn

łyżwa *f* skate

łyżwiarstwo *n* skating; ~ **figurowe <szybkie>** figure <speed> skating

łza *f* tear; **czysty jak ~** (as) clear as crystal; **ronić łzy** shed tears; **zalewać się ~mi** cry one's heart out

M

machać *imperf vi* (*ręką*) wave; (*ogonem*) wag; (*skrzydłami*) flap
machnąć *perf vi*: *przen*. **~ na coś ręką** not to bother with sth
macierzyńsk|i *adj* maternal, motherly; **miłość ~a** motherly love; **urlop ~i** maternity leave
mafia *f* mob; *przen*. mafia
magazyn *m* (*budynek*) storehouse, warehouse; (*czasopismo*) magazine
magia *f* magic
magiczny *adj* magic
magiel *m* linen press
magister *m* (*nauk ścisłych i przyrodniczych*) Master of Science; (*nauk humanistycznych*) Master of Arts
magnes *m* magnet
magnetofon *m* tape recorder; **~ kasetowy** cassette recorder <deck>
magnetowid *m* video (cassette recorder)
maj *m* May
majątek *m* (*mienie*) property, possessions *pl*; (*majątek ziemski*) estate; (*bogactwo*) fortune
majonez *m* mayonnaise
major *m* major
majówka *f* picnic
majster *m* foreman
majster-klepka *m* DIY <do-it-yourself> man, *pej*. jack-of-all-trades
majstrować *imperf vi*: *pot*. **~ przy czymś** tinker <fiddle> with sth
majtki *pl* (*męskie*) briefs *pl*; (*damskie, dziecięce*) panties *pl*
mak *m bot*. poppy; (*ziarenka*) poppy seed; **cicho jak ~iem zasiał** (as) silent as the grave; **rozbić w drobny ~** smash to smithereens
makaron *m* pasta, macaroni, noodles
makieta *f* model
makijaż *m* make-up
makler *m* (stock)broker
makowiec *m* poppyseed cake
makrela *f* mackerel
maksimum *n adv* maximum
maksymalnie *adv* to a maximum
maksymalny *adj* maximum
makulatura *f* recycling paper
malaria *f med*. malaria
malarstwo *n* painting
malarz *m* painter
malina *f* raspberry
malinowy *adj* raspberry *attr*
malować *imperf vt* paint; **~ się** *vr* make up
malowniczy *adj* picturesque
maluch *m* toddler; *pot*. tiny tot
mało *adv* (*ludzi, książek*) few; (*wody, pieniędzy*) little; **za ~** too little, too few; **o ~ co nie upadł** he nearly <almost> fell; **~ tego** what's more; **~ kto**

<**kiedy**> hardly anybody <ever>

małolitrażowy *adj*: **samochód ~** small-engine car

małomówny *adj* taciturn, reticent

małostkowy *adj* petty

małpa *f* monkey; (*człekokształtna*) ape; (*pot. o kobiecie*) bitch

mał|y *adj* small, little; (*niedorosły*) young; *pl* **~e** (*o potomstwie zwierząt*) young; **~y palec** little finger; **~a chwila** short while; **o ~y włos** by a hairbreadth

małżeński *adj* marital; **związek** <**stan**> **~** matrimony, wedlock

małżeństwo *n* marriage; (*para*) married couple

małżonek *m* spouse, husband

małżonka *f* spouse, wife

mama *f pot.* mummy, mum, *am.* mom, momma

mandarynka *f* tangerine, mandarin

mandat *m* ticket; (*pełnomocnictwo*) mandate

manewr *m* manoeuvre, *am.* maneuver; *woj. pl* **~y** man(o)euvres *pl*

maniak *m* maniac

manicure *m* manicure

manier|a *f* (*styl*) manner; *pl* **~y** manners *pl*

manifestacja *f* demonstration

manipulować *imperf vt* manipulate

mankiet *m* cuff; (*u spodni*) turn-up

manko *n* cash shortage

manna *f* (*kasza*) semolina; *przen.* **~ z nieba** manna from heaven

mapa *f* map; **~ samochodowa** road map

maraton *m* marathon

marchew *f* carrot

margaryna *f* margarine

margines *m* margin; **na ~ie** in passing; **~ społeczny** the dregs of society

marka *f* (*znak fabryczny*) brand; (*samochodu*) make; (*waluta*) mark

markiz *m* marquis, marques

markiza *f* marchioness; (*osłona*) awning

marmolada *f* jam, marmalade

marmur *m* marble

marmurowy *adj* marble *attr*

marnotrawstwo *n* waste

marnować *imperf vt* waste; **~ czas** waste time; **~ się** *vr* go to waste

marny *adj* poor, paltry; **~ twój los** you will have a bad time of it

marsz *m* march

marszczyć *imperf vt* wrinkle; **~ brwi** knit one's brows; **~ się** *vr* wrinkle; (*przen. krzywo patrzeć*) frown

martw|ić *imperf vt* upset; **~ić się** *vr* worry (**o kogoś, o coś** about sb <sth>), be concerned; **nie ~ się!** don't worry!

martw|y *adj* dead; **~a natura** still life; **~y sezon** slack season; **~y punkt** deadlock
marynarka *f* (*część ubrania*) jacket; (*handlowa*) merchant marine, navy; (*wojenna*) navy
marynarz *m* sailor, seaman
marzec *m* March
marzenie *n* dream; **~ ściętej głowy** castles in the air; pipe-dream
marznąć *imperf vi* freeze
marzyć *imperf vi* daydream; **~ o...** dream of...
marża *f ekon.* margin
masa *f* mass; *elektr.* earth, *am.* ground; (*wielka ilość*) mass, lot
masakra *f* massacre
masaż *m* massage
maseczka *f* mask
maska *f* mask; (*samochodu*) bonnet, *am.* hood; **~ gazowa** gas mask
maskotka *f* mascot
masło *n* butter; **~ orzechowe** peanut butter
masowo *adv* in masses
masow|y *adj* mass *attr*; **komunikacja ~a** mass communication; **środki ~ego przekazu** mass media; **broń ~ej zagłady** mass destruction weapons
masywny *adj* (*o człowieku*) hefty
maszerować *imperf vi* march
maszt *m* pole; (*w żeglarstwie*) mast
maszyna *f* machine, engine; **~ do pisania** typewriter; **~ do szycia** sewing machine
maszynista *m* machinist; (*kolejowy*) engine driver, *am.* engineer
maszynistka *f* typist
maszynka *f* (*kuchenka*) cooker; **~ do golenia** razor; **~ do mięsa** mincer
maszynopis *m* typescript
maszynow|y *adj* machine *attr*; (*wykonany maszynowo*) machine-made; **broń ~a** machine gun
maść *f med.* ointment; (*konia*) colour
mata *f* mat
matematyka *f* mathematics, *pot.* maths, *am.* math
materac *m* mattress; **~ dmuchany** air mattress
materi|a *f* matter; **przemiana ~i** metabolism
materialista *m* materialist
materializm *m* materialism
materialn|y *adj* material; **sytuacja ~a** financial situation
materiał *m* material; (*tkanina*) fabric, cloth; **~ dowodowy** evidence; **to dobry ~ na męża** he will make a good husband
matka *f* mother; **~ chrzestna** godmother
matoł *m pot.* blockhead
matowy *adj* mat(t) *attr*
matura *f* GCSE, General Certificate of Secondary Education, *am.* high school finals
maturzysta *m* secondary school leaver, *am.* high school graduate

mazgaj *m pot.* cry-baby

mazurek *m muz.* mazurka; *kulin.* frosted cake traditionally eaten at Easter

mądrala *m pot.* know-all

mądrość *f* wisdom

mądry *adj* wise, clever

mąka *f* flour

mąż *m* husband; **~ stanu** statesman; **wyjść za ~** marry sb, get married; **jak jeden ~** with one accord

mdleć *imperf vi* faint

mdli|ć *imperf vi* nauseate, make sick; **~ mnie** I feel sick

mdłości *pl* nausea

mdły *adj* nauseating; (*bez wyrazu*) bland

meb|el *m* piece of furniture; *pl* **~le** furniture

mecenas *m* patron; *prawn.* title given to lawyers

mecenat *m* patronage

mech *m bot.* moss

mechaniczny *adj* mechanical; **koń ~** horsepower

mechanik *m* mechanic

mechanizm *m* mechanism

mecz *m sport.* match, game

medal *m* medal; *przen.* **druga strona ~u** the other side of the coin

medalik *m* small medal worn by Catholics as a religious symbol

medalion *m* medallion

media *pl* the media *pl*

medycyna *f* medicine

medytacja *f* meditation

megafon *m* megaphone

Meksykanin *m* Mexican

meksykański *adj* Mexican

meldować *imperf vi vt* report; (*lokatora*) register; **~ się** *vr* report; (*jako lokator*) register

meldunek *m* report; (*zameldowanie*) registration

melina *f pot.* shebeen; (*złodziejska*) den

melodia *f* melody

melon *m* melon

melonik *m* bowler (hat)

memoriał *m* memorial; *sport.* memorial contest

menstruacja *f* menstruation

menu *n* menu

met|a *f* finish (line); **na dalszą <krótszą> ~ę** in the long <short> run

metal *m* metal

metalik *m* metallic (finish)

metalowy *adj* metal *attr*

metka *f* tag; (*naklejana*) label; (*kiełbasa*) meat spread

metoda *f* method

metr *m* metre, *am.* meter; **~ bieżący <kwadratowy>** running <square> metre <*am.* meter>

metraż *m* living area

metro *n* underground, tube, *am.* subway

metryka *f* certificate; **~ urodzenia <ślubu>** birth <marriage> certificate

mewa *f zool.* seagull

męczyć *imperf vt* torment; (*dokuczać*) bother; (*nużyć*) tire; ~

się *vr* get tired; (*cierpieć*) suffer; ~ **się nad czymś** toil at sth

męka *f* torture, torment

męsk|i *adj* male, masculine, men's *attr*; (*właściwy mężczyźnie*) manly, manlike; *gram.* **rodzaj ~i** masculine (gender); **po ~u** like a man, (*odważnie*) manfully

męstwo *n* bravery

mężatka *f* married woman

mężczyzna *m* man

mglisty *adj* hazy; (*dzień*) misty, foggy; *przen.* vague

mgła *f* fog, mist; (*lekka*) haze

mianowicie *adv* namely

miar|a *f* measure; (*przymiarka*) fitting; **~a długości** measure of length; **~a objętości** cubic measure; **brać ~ę** take measurements; **garnitur szyty na ~ę** tailor-made suit; **przebrać ~ę** exceed the bounds; **w pewnej mierze** to some extent; **w dużej mierze** to a high degree; **w ~ę** moderately

miasteczko *n* (small) town; **wesołe** ~ funfair, *am.* amusement park

miasto *n* city, town

mieć *imperf vt* have; ~ **czas** have time; ~ **rację** be right; **stół ma cztery nogi** a table has four legs; ~ **20 lat** be 20 (years old); ~ **jasne włosy** have fair hair; ~ **operację** have an operation; ~ **coś na sobie** wear sth; **co miałem robić?** what was I to do?; **masz pióro!** here's a pen!; **mają przyjść o piątej** they are (due) to be here at five (o'clock); ~ **się** *vr*: ~ **się dobrze** be doing well

miednica *f* basin, bowl; *anat.* pelvis

miedź *f* copper

miejsc|e *n* place, spot; (*przestrzeń*) room, space; **~e zamieszkania** (place of) residence; **~e przeznaczenia** (place of) destination; **~e siedzące** seat; **~e urodzenia** birthplace; **czułe ~e** tender spot; **mieć ~e** take place; **mało <dużo> ~a** little <much> room; **nie ma ~a** there is no room; **zająć pierwsze ~e** to come first; **zginąć na ~u** be killed on the spot; **płatne na ~u** payable on the spot; **na twoim ~u** if I were you

miejscowy *adj* local

miejscowość *f* place, village

miejscówka *f* seat reservation

miejsk|i *adj* urban; **ludność ~a** urban population

mienie *n* property, possessions *pl*

mierny *adj* mediocre

mierzyć *imperf vt* measure; (*ubranie*) try on; *vi* (*celować*) aim (**do kogoś, do czegoś** at sb <sth>)

miesiąc *m* month; **od dziś za ~** this day month; ~ **miodowy** honeymoon

miesiączka *f pot.* period

miesiączkować *imperf vi* menstruate

miesięcznik *m* monthly

miesięczny *adj* monthly

miesza|ć *imperf vt* stir, blend, mix; (*mylić*) mix up, confuse; **~ć kogoś w coś** involve sb in sth; **~ć się** *vr* (*łączyć się*) mix, blend; (*wtrącać się*) meddle; **wszystko mi się ~** I'm all mixed up

mieszaniec *m* cross-breed

mieszanka *f* blend, mixture

mieszan|y *adj* mixed; **~e towarzystwo** mixed company; **~e uczucia** mixed feelings

mieszkać *imperf vi* live; (*chwilowo*) stay

mieszkanie *n* flat, *am.* apartment

mieszkaniec *m* (*miasta*) inhabitant; (*kraju*) resident

między *praep* (*o dwóch osobach* <*rzeczach*>) between; (*o większej liczbie*) among(st); **~ innymi** among others; **~ nami mówiąc** between you and me

międzymiastow|y *adj*: **rozmowa ~a** trunk call, *am.* long-distance call

międzynarodowy *adj* international

miękki *adj* soft; (*o mięsie*) tender; **~ w dotyku** soft to the touch; **mieć ~e serce** be soft-hearted

miękko *adv* softly; **jajka na ~** soft-boiled eggs

mięsień *m* muscle

mięsny *adj* meat *attr*; **sklep ~** butcher's

mięso *n* meat

mięta *f* mint

miętowy *adj* (pepper)mint

migacz *m mot. pot.* indicator, *am.* turn signal

migać *imperf vi* flash; **~ się** *vr* (*pot. unikać*) blow (sth) off

migawka *f* snapshot; (*w aparacie*) shutter

migdał *m* almond; *anat.* tonsil; **myśleć o niebieskich ~ach** daydream

migrena *f* migraine

mija|ć *imperf vt* pass, go past; *vi* (*o czasie*) pass, go by; **~ć się** *vr* pass each other; **to się ~ z celem** there is no point in it; **~ć się z prawdą** (*o człowieku*) depart from the truth

mikrobus *m* minibus

mikrofalow|y *adj* microwave *attr*; **kuchenka ~a** microwave (oven)

mikrofon *m* microphone, *pot.* mike

mikroklimat *m* microclimate

mikroskop *m* microscope

mikser *m* (*kuchenny*) food mixer, *am.* blender

mila *f* mile

milczeć *imperf vi* keep <remain> silent

milczenie *n* silence

miliard *m* billion

milimetr *m* millimetre

milion *m* million

miło *adv* pleasantly, nicely; **~**

mi pana poznać nice to meet you; **to bardzo ~ z twojej strony** that's very kind of you; **~ tu** it's nice (in) here
miłosny *adj* love *attr*
miłość *f* love; **~ własna** self-love; *pot.* **na ~ boską!** for God's sake!
miłośnik *m* lover, fan
miły *adj* pleasant, nice
mimo *praep* despite, in spite of; **~ to** nevertheless; **~ woli** unintentionally; **~ że** although, even though
min|a[1] *f* (*wyraz twarzy*) face, look (on sb's face); **ze smutną ~ą** with a long face; **nadrabiać ~ą** put on a brave face; **robić ~y** make <pull> faces
mina[2] *f* (*bomba*) mine
minąć *perf vi zob.* **mijać**
mineralny *adj* mineral
mini *f* (*pot. spódniczka*) mini(skirt)
miniatura *f* miniature
minimalny *adj* minimum, minimal
minimum *n* minimum
miniony *adj* last, past
minister *m* minister, Secretary of State, *am.* Secretary
ministerstwo *n* ministry, *am.* department; **Ministerstwo Spraw Zagranicznych** ministry of foreign affairs, Foreign (and Commonwealth) Office, *am.* Department of State; **Ministerstwo Obrony Narodowej** Ministry of Defence, *am.* Department of Defense
minus *m mat.* minus; (*wada*) minus, drawback; (*o temperaturze*) below zero
minuta *f* minute
miodowy *adj* honey *attr*; **miesiąc ~** honeymoon
miotła *f* broom
miód *m* honey; **~ pitny** mead
misja *f* mission
misjonarz *m* missionary
miska *f* bowl; *mot.* **~ olejowa** (oil) sump
miss *f* beauty queen; **Miss Polski** Miss Poland
mistrz *m* master; *sport.* champion
mistrzostwo *n* mastery; *sport.* championship
miś *m pot.* bear; **~ pluszowy** teddy bear
mit *m* myth
mitologia *f* mythology
mizeria *f kulin.* cucumber salad
mlecz *m bot.* sow thistle
mleczko *n* milk; **~ kosmetyczne** cleanser
mleczn|y *adj* milk *attr*; (*kolor*) milky; **krowa ~a** dairy <milk> cow; **czekolada ~a** milk chocolate; **zęby ~e** milk teeth; **produkty ~e** dairy products; *astr.* **Droga Mleczna** the Milky Way
mleko *n* milk; **chude ~** low-fat <skimmed> milk; **~ w proszku** powdered milk
młodociany *adj* juvenile
młodość *f* youth

młod|y *adj* young; **pan ~y** (bride)-groom; **panna ~a** bride; **~e lata** youth; **za ~u** in one's young days; **~e ziemniaki** new potatoes; *pl* **młodzi** (the) young; *pl* **~e** (*u zwierząt*) young *pl*, offspring *pl*
młodzieniec *m* young man, youth
młodzież *f* youth
młodzieżowy *adj* youth *attr*
młotek *m* hammer
młyn *m* mill
młynek *m*: **~ do kawy** coffee mill
mniej *adv* less, fewer; **~ więcej** more or less
mniejszość *f* minority
mniejsz|y *adj* smaller; (*mniej istotny*) minor; **~a o to!** never mind!
mnog|i *adj*: *gram*. **liczba ~a** the plural
mnożenie *n* multiplication
mnożyć *imperf vt* multiply; **~ się** *vr* multiply
mnóstwo *n* multitude, great numbers, lots
mobilizować *imperf vt* mobilize; **~ kogoś do czegoś** stimulate sb to sth; **~ się** *vr* (*zbierać się w sobie*) pull o.s. together
moc *f* force, power; **~ produkcyjna** capacity; **~ prawna** legal force; **na ~y decyzji** by the terms of a decision; **być w ~y** be in force; **to nie jest w mojej ~y** it's not within my power; *pot. zob.* **mnóstwo**
mocarstwo *n* superpower
mocno *adv* (*silnie*) hard, strongly, firmly; **~ padało** it rained hard; **~ przekonany** strongly convinced; **~ trzymać** hold tight; **~ spać** sleep soundly; **~ kochać** love very much
mocn|y *adj* strong, powerful, firm; **~a kawa** strong coffee; **~y argument** powerful argument; **~a strona** strong point; **~y uścisk** firm grip; **mieć ~ą głowę** have a strong head
mocz *m* urine
moczyć *imperf vt* (*zwilżać*) wet; (*zanurzać w płynie*) soak
mod|a *f* fashion; **być w modzie** be in fashion <vogue>; **wyjść z ~y** go out of fashion; **pokaz ~y** fashion show
model *m* model
modelka *f* model
modlić się *imperf vr* say prayers, pray
modlitwa *f* prayer
modny *adj* fashionable
moknąć *imperf vi* get wet, soak
mokry *adj* wet
molo *n* pier
moment *m* moment; **na ~** for a while <moment>; **wrócę za ~** I'll be back in a moment
monarchia *f* monarchy
monet|a *f* coin; *przen*. **wziąć coś za dobrą ~ę** take sth at face value
mongolski *adj* Mongolian

Mongoł *m* Mongolian
monitor *m* monitor; (*ekran*) display
monolog *m* monologue, *am.* monolog
monopol *m* monopoly
montaż *m* (*składanie*) assembly; (*zakładanie*) instalment, *am.* installment
montować *imperf vt* (*składać*) assemble; (*zakładać*) install
moralność *f* morality
moralny *adj* moral
morderstwo *n* murder
mordować *imperf vt* murder; (*pot. dręczyć*) torment; **~ się** *vr*: *pot.* **~ się z czymś** struggle with sth
morela *f* apricot; (*drzewo*) apricot (tree)
morfina *f* morphine
morfologia *f* morphology
morsk|i *adj* sea *attr*, marine *attr*; **brzeg ~i** seashore, sea coast; **choroba ~a** seasickness; **klimat ~i** maritime climate; **szkoła ~a** naval school
morz|e *n* sea; **jechać nad ~e** go to the seaside; **nad ~em** at <by> the seaside; *przen.* **kropla w ~u** a drop in the ocean; *przen.* **~e łez** oceans <floods> of tears
mosiądz *m* brass
most *m* bridge
motel *m* motel
motocykl *m* motorcycle
motor *m* motor; *pot.* (motor)bike
motorower *m* lightweight motorcycle, moped
motorówka *f* motorboat
motoryzacja *f* motorization
motyl *m zool.* butterfly
motyw *m* motif; (*powód*) motive
mow|a *f* speech; (*język*) language, tongue; **~a ojczysta** mother tongue; **~a potoczna** colloquial speech; *gram.* **część ~y** part of speech; *gram.* **~a zależna** indirect speech; **wygłosić ~ę** deliver <make> a speech; *przen.* **stracić <odzyskać> ~ę** lose <find> one's tongue
mozaika *f* mosaic
może *adv* maybe, perhaps; **~ coś zjesz?** why don't you eat something?
możliwoś|ć *f* possibility; (*okazja*) chance, opportunity; *pl* **~ci** (*widoki*) prospects *pl*; **w miarę moich ~ci** to the best of my ability; **~ci do wyboru** options, possibilities to choose from; **to przekracza moje ~ci** that's beyond my power
możliw|y *adj* possible; *pot.* (*znośny*) passable; **~e!** maybe!
można *nieodm.* it is possible, one can; **jeśli tylko ~** if at all possible; **czy ~?** may I?
móc *imperf vi* (*potrafić*) can, be able to; (*mieć pozwolenie*) may, be allowed <permitted> to; **czy mogę rozmawiać z Kate?** may I speak to Kate, please?; **mogłeś mnie spytać** you could have asked me

mój *pron* my, mine
mól *m zool.* moth; *przen.* **~ książkowy** bookworm
mówić *imperf vt* say, tell; *vi* speak, talk; **~ po angielsku** speak English; **~ prawdę** tell the truth; **~ od rzeczy** talk thirteen to the dozen; **nie ma o czym ~** there's nothing to speak of; (*grzecznościowo*) don't mention it, not at all
mózg *m* brain
mrok *m* darkness, dimness
mrozić *imperf vt* freeze, chill; *przen.* **~ krew w żyłach** curdle one's blood
mrożon|y *adj* deep-frozen; **~e mięso** frozen meat
mroźny *adj* frosty
mrówka *f zool.* ant
mróz *m* frost; **10 stopni mrozu** ten degrees below (zero)
mruczeć *imperf vi* murmur; (*o kocie*) purr
mrugać *imperf vi* wink (**do kogoś** at sb); (*migotać*) twinkle, flicker; **~ oczami** blink
msz|a *f* mass; **odprawiać ~ę** say mass
mścić się *imperf vr* revenge o.s. <take revenge> (**na kimś za coś** on sb for sth)
mucha *f* fly
mumia *f* mummy
mundur *m* uniform
mur *m* wall; *przen.* **przyprzeć kogoś do ~u** drive sb to the wall
Murzyn *m* Black (man); *pl* **~i** Blacks, Black people
musi|eć *imperf vi* must, have (got) to, need to; **muszę to zrobić** (*konieczność*) I have (got) to do it, (*jestem zobowiązany*) I must do it, I need to do it; **on ~ być w kuchni** he must be in the kitchen
musz|ka *f* fly; (*do fraka*) bow tie; (*w broni*) frontsight; **mieć kogoś na ~ce** have sb at gunpoint
muszla *f* shell; **~ klozetowa** toilet bowl; **~ koncertowa** (concert) bowl
musztarda *f* mustard
muza *f* muse
muzeum *n* museum
muzułmanin *m* Muslim
muzyk *m* musician
muzyka *f* music; **~ poważna** classical music; **~ taneczna** dance music
my *pron* we; **to my** it's us
myć *imperf vt* wash; **~ ręce** wash one's hands; **~ zęby** clean one's teeth; **~ się** *vr* wash (o.s.)
mydelniczka *f* soap dish
mydlić *imperf vt* soap; *przen.* **~ komuś oczy** pull the wool over sb's eyes; **~ się** *vr* (*o człowieku*) soap o.s., (*o mydle*) lather
mydło *n* soap
myjnia *f* (*samochodowa*) car wash
myl|ić *imperf vt* (*mieszać*) confuse, mix up; (*wprowadzać w*

błąd) mislead; **pozory ~ą** appearances are misleading; **~ić się** *vr* (*robić błędy*) make mistakes; (*być w błędzie*) be wrong

mysz *f* mouse

myśl *f* thought; **mieć coś na ~i** have sth in mind; **być dobrej ~i** hope for the best; **wiesz, co mam na ~i** you know what I mean; **przychodzi mi na ~** it occurs to me; **robić coś z ~ą o czymś** do sth for the sake of sth; **nosić się z ~ą o czymś** contemplate sth; **~ przewodnia** central idea; **być pogrążonym w ~ach** be lost in thoughts; **wymiana ~i** exchange of views

myśl|eć *imperf vi* think; **co ~isz robić?** what are you going to do?; **co o tym ~isz?** what do you think?; **~ę, że tak** I think so; **~ę, że nie** I don't think so; **o czym ~isz?** what are you thinking about?

myśliwiec *m woj.* fighter (plane)

myśliwy *m* hunter

myślnik *m gram.* dash

mżawka *f* drizzle

N

na *praep* (*oznacza miejsce*) on; **na stole <ścianie>** on the table <wall>; **na niebie** in the sky; **na wsi** in the country; **na końcu** at the end; **na obrazku** in the picture; (*oznacza kierunek*) to, towards; **na północ** to the north; **na pocztę** to the post-office; **na dwór** out; (*oznacza czas*) for; **na wiosnę** in spring; **na krótko** for a while; **na zawsze** for ever; **raz na rok** once a year; (*oznacza cel*) for, to; **na sprzedaż** for sale; **iść na spacer** go for a walk; **przerwa na kawę** coffee break; (*oznacza sposób*); **kroić na kawałki** cut into pieces; **na sztuki** by the piece; **na ogół** in general; **na czyjś koszt** at sb's expense; **na pamięć** by heart; **na piśmie** in writing; **malować coś na biało** paint sth white; **porwać na strzępy** tear to shreds; **zamknąć na klucz** lock; **zapiąć na guziki** button; (*inne znaczenia*) **chorować na coś** be ill with sth; **dwóch na jednego** two to one; **na sam widok** at the very sight; **grać na pianinie** play the piano; **na czyjąś prośbę** at sb's request; **5 na 7** five by seven; **na zdrowie!** cheers!

nabiał *m* dairy products

nabierać *imperf vt zob.* **nabrać**

nabożeństwo *n* service

nabój *m* cartridge

nabór *m* recruitment

nabrać *perf vt* (*zagarnąć*) take; (*wciągnąć w siebie*) draw in; (*nabyć*) gather, develop; **~ dużo**

czegoś take a great deal of sth; ~ **sił** get stronger; ~ **wprawy** become adept; ~ **doświadczenia** gather experience; ~ **prędkości** gather speed; ~ **ochoty do czegoś** develop a liking for sth; (*pot. oszukać*) ~ **kogoś** take sb in; *pot.* ~ **się** *vr* be taken in

nabyć, nabywać *perf imperf vt* acquire, gain; (*kupować*) buy, purchase

nabytek *m* purchase, acquisition

nachylać *imperf vt* bend, incline; ~ **się** *vr* (*o człowieku*) bend, lean forward; (*o terenie*) slope

nachylenie *n* inclination, slope

nachylić *perf vt zob.* **nachylać**

naciągacz *m* con man

naciągać *imperf vt* (*linę*) tighten; (*łuk*) bend; (*ubranie*) pull on; *vi* (*o herbacie*) draw, infuse; *pot.* (*oszukiwać*) con; *pot.* (*namawiać*) tap, pump

nacierać *imperf vt* rub; *vi* (*atakować*) charge (**na kogoś** at sb)

nacisk *m* pressure; (*akcent*) **kłaść** ~ **na coś** put <place> emphasis on sth; **wywierać** ~ exert pressure (**na kimś** on sb)

naciskać, nacisnąć *imperf perf vt vi* press; ~ **na kogoś, żeby coś zrobił** press sb to do sth

nacjonalizm *m* nationalism

naczelny *adj* head *attr*, chief *attr*; **dyrektor ~y** general manager; **~y dowódca** commander-in-chief; *zool. pl* **~e** primates *pl*

naczyni|e *n* vessel; (*kuchenne*) dish; **~e krwionośne** blood vessel; *pl* **~a** dishes; **zmywać ~a** wash up, do the dishes

nad *praep* (*ponad*) over, above; ~ **morzem <rzeką>** by the sea <river>; ~ **górami** over the mountains; ~ **ranem** at daybreak; **zastanawiać się ~ czymś** think about sth

nadać *perf vt zob.* **nadawać**

nadal *adv* still; ~ **coś robić** go on <continue> doing sth

nadaremnie *adv* in vain

nadawać *imperf vt* (*program*) broadcast; (*listy*) send, *am.* mail; ~ **imię** give a name; ~ **komuś tytuł** confer a title on sb; ~ **się** *vr* (*o człowieku*) be fitted (**do czegoś** for sth); (*pasować*) fit

nadawca *m* sender

nadąsany *adj* sulky, petulant

nadchodzi|ć *imperf vi* come, arrive; ~ **zima** winter is coming

nadciśnienie *n med.* hypertension

nadejście *n* arrival

nadejść *perf vi zob.* **nadchodzić**

nadgarstek *m* wrist

nadgraniczny *adj* frontier *attr*, border *attr*

nadjechać, nadjeżdżać *perf imperf vi* arrive, come

nadlecieć *perf vi* come flying; (*o samolocie*) arrive
nadliczbow|y *adj* additional; **godziny ~e** overtime
nadmia|r *m* excess; **w ~rze** in excess
nadmierny *adj* excessive
nadmorski *adj* seaside *attr*
nadobowiązkowy *adj* optional
nadpłacić *perf vt* overpay
nadpłata *f* excess payment
nadprodukcja *f* overproduction
nadprogramowy *adj* additional, extra
nadprzyrodzony *adj* supernatural
nadrabiać, nadrobić *imperf perf vt* make up (**coś** for sth); **~ czas** make up for the lost time; **~ brak czegoś** compensate for sth; *przen.* **nadrabiać miną** put on a brave face
nadruk *m* printed design
nadto *adv* (*co więcej*) moreover; **aż ~** more than enough
nadużycie *n* abuse; **~ finansowe** misuse of funds
nadużyć, nadużywać *perf imperf vt* abuse, misuse (**czegoś** sth); **~ alkoholu** overuse alcohol; **~ czyjegoś zaufania** abuse sb's confidence
nadwag|a *f* overweight; **mieć ~ę** be overweight
nadwerężyć, nadwerężać *perf imperf vt* strain, overtax; **~ czyjąś cierpliwość** strain sb's patience
nadwozie *n* body(work)
nadwrażliwość *f* oversensitivity
nadwyżka *f* surplus
nadziej|a *f* hope; **mieć ~ę** hope (**na coś** for sth); **~e na przyszłość** future prospects
nadzienie *n kulin.* filling, stuffing
nadzór *m* supervision, inspection
nadzwyczajny *adj* extraordinary
nafta *f* kerosene
nagana *f* reprimand, rebuke
nag|i *adj* naked, nude; (*odsłonięty*) bare; *przen.* **~a prawda** plain truth
naglący *adj* urgent, pressing
nagle *adv* suddenly, all of a sudden
nagli|ć *imperf vt* urge, press; **czas ~** time presses
nagłówek *m* headline, title
nagł|y *adj* abrupt, sudden; **w ~ym wypadku** in case of emergency; **~a śmierć** sudden death
nago *adv* in the nude; **chodzić ~** go about naked
nagrać *perf vt* record
nagranie *n* recording
nagradzać *imperf vt* reward (**kogoś czymś** sb with sth)
nagrobek *m* tombstone, gravestone
nagrod|a *f* reward; (*w zawodach*) prize; **główna ~a** first prize; **w ~ę** in reward (**za coś** for sth); **zdobyć ~ę** win a prize

nagrodzić *perf vt zob.* **nagradzać**
nagrywać *imperf vt zob.* **nagrać**
naiwny *adj* naive; (*łatwowierny*) credulous
najazd *m* invasion
najbardziej *adv* the most; (*ze wszystkiego*) most (of all); **jak ~!** by all means!
najemca *m*: **~ lokalu** occupier
najemnik *m* mercenary
najemny *adj*: **pracownik ~** hired man
najeść się *perf vr* eat one's fill; *przen.* **~ się wstydu** blush for shame
najgorszy *adj* (the) worst
najlepszy *adj* (the) best
najmniej *adv* least; **co ~** at least
najmniejszy *adj* (the) smallest
najpierw *adv* first of all, in the first place
najwięcej *adv* (the) most
najwyżej *adv* (the) highest; (*w najlepszym razie*) at the most, at best
najwyższy *adj* (the) highest, (the) tallest; (*o sądzie, o mądrości*) supreme; **~ czas, żebyśmy poszli** it's high time we left
nakarmić *perf vt* feed
nakaz *m* order; *prawn.* warrant; **~ urzędowy** writ
naklejka *f* sticker
nakład *m* (*koszt*) expenditure; (*książki*) edition
nakręcać, nakręcić *imperf perf vt* (*zegar*) wind up
nakrycie *n* (*stołowe*) cover; **~ głowy** headgear
nakryć, nakrywać *perf imperf vt* cover; *pot.* nail; **~ do stołu** lay the table
nalać *perf vt zob.* **nalewać**
nalegać *imperf vi* insist; **~ na kogoś, żeby coś zrobił** insist on sb's doing sth
nalepić *perf vt* stick, paste
nalepka *f* label
naleśnik *m* pancake
nalewać *imperf vt* pour
należ|eć *imperf vi* belong to; **~y** (*trzeba*) it is necessary, one should; **~eć do spisku** belong to a plot; **to ~y do moich obowiązków** it's my job; **~eć się** *vr*: **ile się ~y?** how much do I owe you?; **~y mu się nagroda** he deserves a reward
należność *f* amount due
należny *adj* due
nalot *m* (*powłoka*) coating; (*na języku*) fur; (*policji*) raid; (*powietrzny*) air raid
nałóg *m* bad habit; (*uzależnienie*) addiction
namawiać *imperf vt* (*nakłaniać*) induce, encourage
namiastka *f* substitute (**czegoś** for sth)
namiętność *f* passion
namiot *m* tent
namoczyć *perf vt* soak, steep
namow|a *f* suggestion, insti-

gation; **ulec ~om** yield to persuasion
namówić *perf vt*: **~ kogoś do zrobienia czegoś** coax <talk> sb into doing sth
namy|sł *m* consideration, thought; **bez ~słu** without a second thought; **po ~śle** on second thoughts
namyślać się *imperf vr* think it over
naoczny *adj*: **~ świadek** eye witness
naokoło *adv praep* round, around
na oślep *adv*: **biec ~** rush headlong; **strzelać ~** shoot wild
napad *m* assault; (*choroby, gniewu*) fit; **~ z bronią w ręku** armed <aggravated> assault
napad|ać *imperf vt vi* attack, assail, assault; **co cię ~ło?** whatever possessed you?
napar *m* infusion
naparstek *m* thimble
naparzyć *perf vt* brew, infuse
napastnik *m* assailant, attacker; *sport.* forward
napaść *perf vt zob.* **napadać**
napełniać, napełnić *imperf perf vt* fill; **~ się** *vr* fill
na pewno *adv* certainly, surely, for sure
napęd *m* drive; **~ na cztery koła** four wheel drive
napiąć, napinać *perf imperf vt* (*linę*) tighten; (*mięśnie*) tense
napić się *perf vr* have a drink; **~ się kawy** have a cup of coffee
napięcie *n* tension; *elektr.* voltage
napis *m* inscription; (*pod obrazkiem*) caption
napisać *perf vt* write, write out
napiwek *m* tip
napływ *m* afflux, influx
napotykać *imperf vt* encounter, come across
napój *m* drink, beverage; **~ bezalkoholowy** soft drink; **~ chłodzący** refreshing drink
napraw|a *f* repair; **muszę oddać zegarek do ~y** I must have my watch repaired
naprawdę *adv* really, truly; **~?** really?
naprawić *perf vt* mend, repair, fix; **tego się nie da ~** it's beyond repair
naprzeciw *adv* opposite, across from; *praep* opposite; **mieszkać ~** live opposite; **wyjść komuś ~** meet sb half way
na przekór *adv praep* (*wbrew*) in despite (**komuś, czemuś** of sb <sth>)
na przełaj *adv*: **iść ~** take a short cut; *sport.* **bieg ~** cross-country (race)
na przemian *adv* by turns, alternately
naprzód *adv* forward, ahead, on; **~!** forward!
na przykład *adv* for instance, for example
narada *f* conference, meeting
naradzać się *imperf vr* confer, deliberate

naraz *adv* (*jednocześnie*) at the same time

narazić, narażać *perf imperf vt* endanger, jeopardize; **~ kogoś na coś** expose sb to sth; **~ życie** risk one's life; **~ się** *vr* expose o.s., risk, incur; **~ się na przykrości** look for trouble

na razie *adv* for the time being

narciarstwo *n* skiing; **~ wodne** water skiing

narciarz *m* skier

nareszcie *adv* at last, finally

narkoman *m* drug addict

narkomania *f* drug addiction

narkotyk *m* narcotic, drug

narkoza *f* narcosis; *med.* anaesthesia

narodowość *f* nationality

narodowy *adj* national

narodzenie *n* birth; **Boże Narodzenie** Christmas

narożnik *m* corner; (*kanapa*) corner settee

naród *m* nation

narta *f* ski; **jeździć na ~ch** go skiing

narząd *m* organ

narzeczona *f* fiancée

narzeczony *m* fiancé

narzekać *imperf vi* complain (**na coś** about sth)

narzekanie *n* complaints *pl*

narzędzie *n* tool, instrument

narzuta *f* bedspread, coverlet

nasenny *adj* sleeping; **środek ~** sleeping pill

nasienie *n bot.* seed; (*sperma*) semen

nasilenie *n* intensification, increase; (*intensywność*) intensity

naskórek *m* epidermis

nasta|ć *perf vi* come; (*o człowieku*) take over; **~ła zima** winter came

nastarczać *imperf vt*: **~ z czymś** meet the demand for sth

nastawić *perf vt* (*w jakimś kierunku*) direct, switch; (*odpowiednio ustawić*) fix, set; *med.* (*kości*) set; **~ czajnik** put the kettle on; **~ radio** turn on the radio

nastąpi|ć *perf vi* (*nastać*) take place, come (about); (*nadepnąć*) step <tread> (**na coś** on sth); (*pojawić się po czymś*) follow (**po kimś <czymś>** sb <sth>); **~ły mrozy** frost came; **jak następuje** as follows

następca *m* successor

następnie *adv* then, next

następny *adj* following, next

następujący *adj* following

nastolatek *m* teenager, adolescent

nastraszyć *perf vt* frighten, scare

nastroić *perf vt muz.* tune (an instrument); (*usposobić*) dispose (**kogoś do czegoś** sb to sth); **~ się** *vr*: **~ się uroczyście** adopt a mood of solemnity

nastr|ój *m* atmosphere; (*humor*) mood; **być w dobrym <złym> ~oju** be in a good <bad> mood; **mieć ~ój do czegoś** be in a mood for sth

nasypać *perf vt* pour, put

nasz *pron* our; ours; **to ~ dom** this is our house; **ten dom jest ~** this house is ours

naszyć *perf vt* sew

naszyjnik *m* necklace

naśladować *imperf vt* copy, emulate; (*imitować*) imitate

naśmiecić *perf vi* litter, make a mess

natchnienie *n* inspiration

natężać *imperf vt* (*potęgować*) intensify; (*wysilać*) strain, exert

natężenie *n elektr.* intensity; (*dźwięku*) volume

natężyć *perf vt zob.* **natężać**

natka *f* tops *pl*; **~ pietruszki** parsley

natknąć się *perf vr* encounter, come up against

natomiast *adv* however, instead

natrafić *perf vt* meet <encounter> (**na kogoś <coś>** sb <sth>), come across (**na kogoś** sb)

natrętny *adj* importunate

natrysk *m* shower

natrzeć *perf vt zob.* **nacierać**

natu|ra *f* nature; **z ~ry** by nature; **malować z ~ry** paint from nature; **martwa ~ra** still life; **płacić w ~rze** pay in kind

naturalnie *adv* naturally; (*oczywiście*) of course

naturaln|y *adj* natural; **przyrost ~y** population growth; **bogactwa ~e** natural resourses

naturysta *m* naturist

natychmiast *adv* immediately, instantly

natychmiastowy *adj* immediate, instant

nauczanie *n* teaching, instruction

nauczk|a *f* lesson; **dać komuś <dostać> ~ę** teach sb <learn> a lesson

nauczyciel *m* teacher

nauczyć *perf vt* teach; **~ się** *vr* learn

nauka *f* (*zajęcia w szkole*) school; (*uczenie się*) study; (*wiedza*) science

naukowiec *m* scientist, scholar

naukow|y *adj* scientific; **stopień ~y** academic degree; **praca ~a** research work

naumyślnie *adv* deliberately, on purpose

nawet *adv* even

nawias *m* parenthesis, bracket; **w ~ach** in parenthesis; **~em mówiąc** by the way

nawiązać *perf vt* (*kontakty*) establish; (*rozmowy*) enter into; **~ rozmowę** start a conversation; **~ znajomość** make sb's acquaintance; *vi*: **~ do czegoś** refer to sth

nawierzchnia *f* surface

nawilżacz *m* humidifier

nawlec *perf vt* (*igłę*) thread; (*korale*) string

nawóz *m* (*naturalny*) manure; (*sztuczny*) fertilizer

nawrót *m* recurrence; **~ choroby** relapse into illness

nawyk *m* habit
nawzajem *adv* one another; each other; **dziękuję, ~!** thank you!, same to you!
nazajutrz *adv* (on) the next <following> day
nazbyt *adv* too, excessively
naznaczyć *perf vt* mark; (*wyznaczyć*) set
nazw|a *f* name; **nosić ~ę** be named
nazwać *perf vt zob.* **nazywać**
nazwisk|o *n* surname, family <last> name; **ktoś o ~u X** sb by the name of X; **nie wymieniając ~a** to mention no names
nazywa|ć *imperf vt* call, name; **~ć rzeczy po imieniu** call a spade a spade; **~ć się** *vr* be called; **~m się X.Y.** my name is X.Y.; **jak się ~sz?** what's your name?
negatyw *m* negative
negatywny *adj* negative
negocjować *imperf vt* negotiate
negować *imperf vt* negate; (*zaprzeczać*) deny
nerka *f* kidney
nerw *m* nerve; **działać komuś na ~y** get on sb's nerves; **mieć żelazne ~y** have nerves of steel
nerwica *f med.* neurosis
nerwowy *adj* nervous; (*o człowieku*) edgy; **atak ~** fit of nerves
neska *f pot.* instant coffee
netto *adv* net; **waga ~** net weight
neutralny *adj* neutral
nędza *f* misery
nędzny *adj* miserable, wretched; (*obskurny*) shabby; (*bezwartościowy*) trashy, worthless
ni *conj* nor; **ni..., ni...** nor... neither...; **ni stąd, ni zowąd** out of the blue
niania *f* nanny
nic *pron* nothing; **nikt ~ nie wie** nobody knows anything; **~ dziwnego** no wonder; **~ nie szkodzi** never mind; **~ mi nie jest** I'm all right; **~ mu nie będzie** he is going to be fine; **tyle co ~** next to nothing; **~ szczególnego** nothing particular; **~ dobrego** (*o człowieku*) good-for-nothing; **za ~ w świecie** not for anything; **~ a ~** not a thing
niczyj *adj* nobody's, noone's
nić *f* thread
nie *part* no; (*z czasownikiem*) not; **~ ma tu nikogo** there is nobody (in) here; **~ ma go tutaj** he's not here; **~ wiem** I don't know; **~ mają co jeść** they have nothing to eat; **co to, to ~!** that is out of the question!; **~ wiedząc o tym** without knowing about it; **czemu ~?** why not?; **~ do uwierzenia** unbelievable; **mało ~ umarł** he almost died; **już ~** no more, no longer; **ja też ~** me neither
niebawem *adv* soon
niebezpieczeństw|o *n* (*zagroże-*

nie) danger; (*narażenie*) risk, hazard; **w razie ~a** in an emergency

niebezpieczny *adj* (*o sytuacji*; *o człowieku*) dangerous; (*ryzykowny*) risky; (*dla zdrowia*) hazardous

niebieski *adj* blue

nieb|o *n* sky; *przen.* heaven; **na ~ie** in the sky; **pod gołym ~em** in the open; **o ~o lepszy** far better; *pot.* **~o w gębie!** delicious!; **być w siódmym ~ie** be in heaven; **wielkie ~a!** good heavens!

nieborak *m* poor thing

nieboszczyk *m* the deceased

niech *part* let; **~ (sobie) idzie** let him go; **~ spojrzę** let me see; **~ żyje!** three cheers for...!

niechcący *adv* unintentionally, by accident

niechę|ć *f* dislike, aversion; **z ~cią** reluctantly

niechętny *adj* unwilling, reluctant

niechlujny *adj* sloppy

nieciekawy *adj* uninteresting

niecierpliwy *adj* impatient

nieco *adv* somewhat, a little

nieczuły *adj* insensitive, callous

nieczynny *adj* (*zamknięty*) closed; (*zepsuty*) out of order

nieczystości *pl* waste

nieczytelny *adj* illegible; (*niejasny*) unclear

niedaleko *adv* near (by)

niedawno *adv* not long ago, recently

niedbały *adj* careless, clumsy; (*o stroju*) untidy

niedelikatny *adj* indelicate, tactless

niedługi *adj* short; **w ~m czasie** in a short time, shortly

niedługo *adv* (*wkrótce*) soon, before long

niedobór *m* deficiency, shortage

niedobry *adj* not good, bad; (*nieprzyjemny*) unpleasant; (*o dziecku*) naughty

niedobrze *adv* badly, wrongly; **czuć się ~** feel unwell <sick>; **jest mi ~** I feel <am> sick

niedojrzały *adj* immature; (*o owocach*) unripe, green

niedokładny *adj* inaccurate; (*o człowieku*) careless, negligent

niedokrwistość *f med.* anaemia, *am.* anemia

niedołężny *adj* infirm

niedopałek *m* (cigarette) butt <end, stub>

niedopatrzenie *n* oversight, omission

niedorozwinięty *adj* (*o człowieku*) retarded, mentally handicapped

niedostateczny *adj* insufficient, inadequate; (*stopień*) unsatisfactory mark, *am.* grade

niedostatek *m* want, indigence; (*zbyt mało*) insufficiency; **cierpieć ~** be in distress

niedostępny *adj* inaccesible

niedoszły *adj* (*o człowieku*) would-be

niedoświadczony *adj* inexperienced
niedozwolony *adj* prohibited; *prawn.* illicit
niedrogi *adj* inexpensive, cheap
niedrogo *adv* cheap
niedużo *adv* (*ludzi*, *książek*) not many, few; (*wody*, *pieniędzy*) not much, little
niedyskretny *adj* indiscreet
niedyspozycja *f* indisposition
niedziela *f* Sunday; **co ~** every Sunday
niedźwiedź *m* bear
nieekonomiczny *adj* uneconomical
niefart *m pot.* mishap, bad luck
niefortunny *adj* unfortunate
niegłupi *adj* (pretty) clever
niegroźn|y *adj* not dangerous, not serious; **~e obrażenia** minor injuries
niegrzeczny *adj* (*nieuprzejmy*) impolite, rude; (*o dziecku*) naughty
niehigieniczny *adj* unhygenic, insanitary
nieistotny *adj* unimportant; (*nie powiązany*) irrelevant
niejaki *adj* certain, a, some; **~ p. Smith** a Mr. Smith
niejasny *adj* vague, unclear
niejeden *adj* quite a number; **~ raz** many a time
niejednoznaczny *adj* ambiguous
niekompetentny *adj* incompetent
niekorzystny *adj* unfavourable, disadvantageous
niektórzy *adj* some
nielegalny *adj* illegal
nieletni *adj* juvenile; *m* juvenile, minor
nieliczn|y *adj* few, sparce; *pl* **~i** the few; **~e wyjątki** few exceptions; **w ~ych przypadkach** in few cases
nielogiczny *adj* illogical
nieludzki *adj* inhuman(e)
nieład *m* disarray
nieładny *adj* plain; (*postępek*) unfair
niełatwy *adj* not easy
niemal *adv* almost, nearly
niemało *adv* quite a lot, a good deal
Niemiec *m* German
niemiecki *adj* German
niemłody *adj* oldish
niemniej *adv* still, however; nevertheless
niemodny *adj* out-of-date, unfashionable
niemoralny *adj* immoral
niemowa *m* mute
niemowlę *n* baby
niemożliwy *adj* impossible
niemy *adj* dumb, mute
nienaganny *adj* impeccable
nienawidzić *imperf vt* hate, detest, loathe
nienawiść *f* hatred, hate
nienormalny *adj* abnormal; (*chory psychicznie*) mad, insane
nieobecny *adj* absent
nieobliczalny *adj* unpredictable

nieobowiązkowy *adj* optional, voluntary
nieoczekiwany *adj* unexpected
nieodpłatny *adj* free
nieodpowiedni *adj* inappropriate, unsuitable
nieodpowiedzialny *adj* irresponsible
nieodwracalny *adj* irreversible
nieoficjalny *adj* unofficial, informal
nieograniczony *adj* unlimited, unrestricted
nieokreślony *adj* indeterminate, indefinite
nieokrzesany *adj* coarse, crude
nieopanowany *adj* unrestrained; (*o człowieku*) quick-tempered, hot-blooded
nieopłacalny *adj* unprofitable
nieosiągalny *adj* unattainable
nieostrożny *adj* imprudent, careless
niepalący *adj* non-smoking; *m* non-smoker
niepamiętny *adj*: **od ~ch czasów** from time immemorial
nieparzysty *adj* odd
niepełnoletni *adj* under age, under-age *attr*
niepełnosprawny *adj* handicapped
niepełny *adj* incomplete
niepewny *adj* uncertain; (*krok*) unsteady; **być ~m czegoś** be uncertain <unsure> of sth
niepodległość *f* independence
niepodległy *adj* independent
niepodobn|y *adj* unlike; **oni są do siebie zupełnie ~i** they have nothing in common
niepodważalny *adj* unquestionable
niepogoda *f* bad weather
niepojęty *adj* inconceivable, unimaginable
niepokoić *imperf vt* bother; (*przeszkadzać*) disturb; **~ się** *vr* worry (**o kogoś** about sb)
niepokój *m* anxiety, unrest
niepoprawny *adj* incorrigible; (*błędny*) incorrect
nieporadny *adj* (*niezgrabny*) clumsy, awkward
nieporozumienie *n* misunderstanding
nieporządek *m* disorder, mess
nieporządny *adj* disorderly, untidy, messy
nieposłuszny *adj* disobedient
niepotrzebny *adj* unnecessary, needless
niepowodzenie *n* failure, misfortune
niepozorny *adj* inconspicuous
niepraktyczny *adj* impractical, unpractical
nieprawda *f* untruth, lie; **to ~!** that's not true!
nieprawdopodobny *adj* incredible, improbable
nieprawidłowy *adj* incorrect; (*niezgodny z normami*) against the rules
nieproszony *adj*: **~ gość** unwelcome <uninvited> guest <visitor>
nieprzemakalny *adj* waterproof;

(*o odzieży*) rainproof; **płaszcz ~** raincoat
nieprzepisowy *adj woj.* contrary to the regulations; *sport.* foul
nieprzerwany *adj* uninterrupted, continuous
nieprzydatny *adj* useless, unserviceable
nieprzyjaciel *m* enemy
nieprzyjazny *adj* unfriendly, hostile
nieprzyjemny *adj* unpleasant; (*zapach*) nasty
nieprzytomny *adj* unconscious, senseless; (*roztargniony*) distracted; **~ wzrok** vacant stare
nieprzyzwoity *adj* obscene, indecent
niepunktualny *adj* unpunctual
nieraz *adv* many a time, many times
nierdzewn|y *adj* stainless, rustproof; **stal ~a** stainless steel
nierealny *adj* unreal
nieregularny *adj* irregular
nierozsądny *adj* unreasonable
nierozważny *adj* reckless
nierób *m pot.* idler, loafer
nierówny *adj* unequal, uneven; (*o charakterze*) inconsistent
nieruchomoś|ć *f* property, *am.* real estate; *prawn. pl* **~ci** immovables
nieruchomy *adj* immovable, motionless; *prawn.* (*o majątku*) immovable
nierząd *m* prostitution
niesamowity *adj* amazing; (*przerażający*) eerie
niesforny *adj* unruly
nieskazitelny *adj* flawless, immaculate
nieskończony *adj* endless; *mat.* infinite
nieskromny *adj* immodest; (*nieprzyzwoity*) indecent
niesłowny *adj* unreliable
niesłuszny *adj* unjust, unfair
niesłychany *adj* unheard-of
niesmaczny *adj* tasteless; **~ żart** tasteless <sick> joke
niesmak *m* unpleasant <bad> taste; (*odraza*) disgust; **wzbudzać ~** be disgusting
niespodzianka *f* surprise
niespodziewany *adj* unexpected
niespokojny *adj* restless, anxious
niesprawiedliwy *adj* unjust
niestety *adv* unfortunately
niestosowny *adj* improper
niestrawność *f* indigestion
nieswojo *adv*: **czuć się ~** feel uneasy <uncomfortable>
nieszczery *adj* insincere
nieszczęści|e *n* unhappiness, misfortune, bad luck; **na ~e** unfortunately; **nie ma ~a** it's no great harm
nieszczęśliwy *adj* unfortunate, unhappy, unlucky; **~ wypadek** fatal accident
nieszkodliwy *adj* harmless
nieszpory *pl* vespers *pl*
nie|ść *imperf vt* carry; bring,

take; **~ść pomoc** bring help; **wieść ~sie, że...** it is rumoured that...

nieśmiały *adj* timid, shy

nieświadomy *adj* unconscious; (*bezwiedny*) involuntary; **być ~m czegoś** be unaware of sth

nieświeży *adj* not <no longer> fresh; (*oddech*) bad; (*brudny*) dirty

nietakt *m* faux pas, gaffe

nietaktowny *adj* tactless, indelicate

nietknięty *adj* intact

nietłukący *adj* non-breakable, unbreakable

nietolerancja *f* intolerance

nietoperz *m* bat

nietrzeźwy *adj* drunk, intoxicated; **w stanie ~m** in a state of drunkenness

nietykalny *adj* untouchable

nietypowy *adj* atypical, nonstandard

nieuczciw|y *adj* unfair, dishonest; **~a konkurencja** unfair competition

nieuczynny *adj* unhelpful, disobliging

nieudany *adj* unsuccessful

nieudolny *adj* inept, ineffectual

nieuleczalny *adj* incurable

nieumyślny *adj* unintentional, inadvertent

nieunikniony *adj* unavoidable, inevitable

nieurodzaj *m* crop failure

nieuwag|a *f* inattention; **przez ~ę** through inattention

nieużyteczny *adj* useless

nieważny *adj* unimportant, insignificant; (*przedawniony*) invalid

niewątpliwy *adv* undoubted, unquestionable

niewdzięczny *adj* ungrateful; (*o pracy*) unrewarding

niewiadoma *f mat.* unknown

niewiadomy *adj* unknown

niewiarygodny *adj* incredible, unbelievable

niewidom|y *adj* blind; *m* blind man; *pl* **~i** the blind

niewiele *adv* (*osób, książek*) not many, few; (*wody, pieniędzy*) not much, little

niewielki *adj* not big <large>, smallish; **~e szanse** slender prospects

niewierny *adj* unfaithful

niewierzący *m* non-believer

niewinny *adj* innocent; *prawn.* not guilty

niewłaściwy *adj* wrong; (*niestosowny*) inappropriate, improper

niewol|a *f* captivity; **wziąć kogoś do ~i** take sb captive <prisoner>

niewolnik *m* slave

niewybaczalny *adj* unforgivable, inexcusable

niewygoda *f* discomfort

niewygodny *adj* uncomfortable; (*niedogodny*) inconvenient

niewypał *m* dud

niewyraźny *adj* faint, dim; (*niepewny*) vague

niewystarczający *adj* insufficient
niezadowolenie *n* discontent, dissatisfaction
niezadowolony *adj* dissatisfied, unhappy
niezależny *adj* independent
niezamężna *adj* unmarried, single
niezastąpiony *adj* irreplaceable
niezawodny *adj* dependable, reliable
niezbędny *adj* essential, indispensable
niezbity *adj* irrefutable, incontrovertible
niezbyt *adv* not very <too>
niezdara *m pot.* clutz, clumsy
niezdatny *adj* unfit (**do czegoś** for sth); ~ **do użytku** unfit for use
niezdecydowany *adj* undecided, irresolute
niezdolny *adj* (*nieinteligentny*) unintelligent; ~ **do czegoś** incapable of sth; ~ **do służby wojskowej** incapable of military service
niezdrow|y *adj* unhealthy, unwell; (*szkodliwy*) unhealthy; **~a cera** sallow complexion; **~e zainteresowanie** unhealthy interest; **~a wyobraźnia** morbid imagination
niezgoda *f* disagreement, discord
niezgrabny *adj* (*niezdarny*) clumsy, awkward; (*nieforemny*) unshapely
nie zidentyfikowany *adj* unidentified; ~ **obiekt latający** unidentified flying object, UFO
niezły *adj* not bad, pretty good
niezmordowany *adj* indefatigable, tireless
nieznajomy *adj* unknown, unfamiliar; *m* stranger
nieznany *adj* unknown
nieznośny *adj* unbearable, intolerable
niezręczny *adj* (*niezdarny*) clumsy, awkward; (*kłopotliwy*) awkward
niezrozumiały *adj* unintelligible, incomprehensible
niezwykły *adj* uncommon, unusual
nieżyt *adj med.* inflammation; ~ **nosa** rhinitis; ~ **żołądka** gastritis
nieżywy *adj* lifeless, dead
nigdy *adv* never; (*w pytaniach i przeczeniach*) ever
nigdzie *adv* nowhere; (*w pytaniach i przeczeniach*) anywhere
nijaki *adj* nondescript; *gram.* (*rodzaj*) neuter
nikotyna *f* nicotine
nikt *pron* no one, nobody; (*w pytaniach i przeczeniach*) anyone, anybody
niniejszy *adj* present; **~m...** I hereby...
niski *adj* low; (*człowiek*) short
niskokaloryczny *adj* low-calorie

niszczyć *imperf vt* destroy, damage; (*ubranie*) wear out; **~ się** *vr* deteriorate, decay; (*o ubraniu*) wear out
nitka *f* thread
nizina *f* lowland
niż[1] *m* depression
niż[2] *conj* than
niżej *adv* lower; (*w tekście*) below; **~ podpisany** the undersigned
niższy *adj* lower; (*człowiek*) shorter
no *part*: **no, no!** well, well!; **no to co?** so what?; **no to chodźmy!** so let's go!; **no nie?** right?
noc *f* night; **w ~y** at night; **dziś w ~y** tonight; **wczoraj w ~y** last night
nocleg *m* night's lodging
nocnik *m* chamber pot, potty
nocn|y *adj* night *attr*; **koszula ~a** nightgown, nightdress; **~a zmiana** night shift; **~y lokal** nightclub; **~y marek** night owl
nocować *imperf vi* stay for the night
nog|a *f* leg; (*stopa*) foot; **do góry ~ami** upside down; **być na ~ach** be on one's feet; **wstać lewą ~ą** have got out on the wrong side of the bed; *pot.* **dać ~ę** hook it
nogawka *f* (trouser) leg
nominacja *f* appointment, nomination
nomenklatura *f* nomenclature; (*nazewnictwo*) terminology
nonsens *m* nonsense
nora *f* hole, burrow; *przen.* (*o mieszkaniu*) hole, hovel
nork|a *f zool.* mink; *pl* **~i** (*futro*) mink coat
norm|a *f* standard, norm; **wrócić do ~y** be back to normal
normalny *adj* normal
Norweg *m* Norwegian
norweski *adj* Norwegian
nos *m* nose; **wydmuchać ~** blow one's nose; **kręcić ~em** pick and choose; **mruczeć pod ~em** mumble under one's breath; *przen.* **mam to w ~ie** I don't give a hoot; **zatrzasnąć komuś drzwi przed ~em** slam the door in sb's face; *przen.* **zadzierać ~a** be stuck up
nosiciel *m* carrier
nosić *imperf vt* carry; (*ubranie*) wear; (*brodę, wąsy*) have, wear
nosorożec *m* rhinoceros, rhino
nostalgia *f* nostalgia
nosze *pl* stretcher
nośność *f* (*mostu*) load capacity; (*statku*) deadweight
notariusz *m* notary (public)
notarialny *adj* (*akt*) notarized; (*o biurze*) notary's
notatka *f* note
notatnik, notes *m* notebook, notepad
notować *imperf vt* (*zapisywać*) write down; (*rejestrować*) keep a record
notowanie *n* record; (*na giełdzie*) quotation
nowalijka *f* early vegetable
nowela *f* short story

nowina *f* news
nowobogacki *adj* nouveau riche
nowoczesny *adj* modern
noworoczny *adj* New Year's *attr*
nowość *f* novelty
nowotwór *m med.* tumour; **~ łagodny <złośliwy>** benign <malicious> tumour
nowożytny *adj* modern
nowy *adj* new; **Nowy Rok** New Year
nożyczki *pl* scissors *pl*
nów *m* new moon
nóż *m* knife; **~ sprężynowy** flick knife, *am.* switchblade; *przen.* **mieć ~ na gardle** be in a tight corner
nuda *f* boredom
nudności *pl* nausea
nudny *adj* boring, dull; **~ jak flaki z olejem** (as) boring as ditch-water
nudysta *m* nudist
nudzić *imperf vt* bore; **~ się** *vr* be bored
numer *m* number; (*rozmiar*) size; (*czasopisma*) issue, number; *pot.* (*wybieg*) trick
numeracja *f* numbering
numerek *m* (*w szatni*) ticket
numerować *imperf vt* number
numizmatyka *f* numismatics
nur|ek *m* diver; **dać ~ka** dive
nurkować *imperf vi* dive
nurt *m* current; (*tendencja*) trend
nut|a *f* note; *pl* **~y** score; **kłamać jak z ~** lie through one's teeth
nylon *m* nylon

O

o *praep* on, of, about, with, by, for; **niepokoić się o kogoś** worry about sb; **kłócić się o coś** quarrel about sth; **prosić o coś** ask for sth; **o czym ty mówisz?** what are you talking about?; **o zmroku <północy>** at dusk <midnight>; **o piątej** at 5 o'clock; **starszy o dwa lata** two years older; **powiększyć o połowę** increase by a half; **o wiele lepszy <gorszy, mniejszy>** much better <worse, smaller>; **spóźnił się o godzinę** he was an hour late; **rzucać czymś o coś** throw with sth at <against> sth; **oprzeć się o ścianę** lean against a wall
oaza *f* oasis; **~ spokoju** oasis of peace
oba (obaj, obie, oboje) *num* both
obalić *perf vt* (*rząd*) overthrow; (*teorię*) refute; (*testament*) revise
obaw|a *f* fear, anxiety; **z ~y** for fear (**przed czymś** of sth)
obawiać się *imperf vr* fear <dread> (**czegoś** sth); **~ o kogoś** be concerned about sb; **~, że...** be afraid that...
obcas *m* heel
obcęgi *pl* pliers *pl*, pincers *pl*

obchodzi|ć *imperf vt* walk <go> round; (*przepisy*) evade; (*święto, urodziny*) celebrate, observe; (*interesować*) care; **to mnie nic nie ~** I don't care about it; **~ć się** *vr* do (**bez czegoś** without sth), handle <use> (**z czymś** with sth), treat (**z kimś** sb); *pot.* **obejdzie się!** thanks a lot!
obciąć *perf vt* cut off; (*nożyczkami*) clip; (*zmniejszyć*) cut down (on)
obciążać *imperf vt* weight, ballast; (*obowiązkami*) burden; *ekon.* **~ czyjeś konto** be charged to sb's account
obcinać *imperf vt zob.* **obciąć**
obcisły *adj* (skin)tight, close-fitting
obcokrajowiec *m* foreigner
obcy *adj* strange, alien; *m* stranger, alien
obecnie *adv* at present, currently
obecny *adv* present, current; **~!** here!, present!
obejmować *imperf vt* embrace, hug; (*zawierać*) include; (*podjąć się*) take over, assume; **~ stanowisko <kierownictwo>** take office <charge>
obejrzeć *perf vt zob.* **oglądać**
oberwać, obrywać *perf imperf vt* tear off; (*owoce*) pick; *vi pot.* (*dostać lanie*) get a beating; **~ się** *vr* tear off, come off
obfity *adj* abundant, heavy
obiad *m* dinner; **jeść ~** dine, have dinner
obiecać, obiecywać *perf imperf vi vt* promise
obiecujący *adj* promising
obieg *m* circulation; **wprowadzić w ~** put into circulation; **wycofać z ~u** withdraw from the circulation
obiekt *m* object; (*budynek*) structure; **być ~em czegoś** be a target of sth
obiektyw *m* lens, objective
obiektywny *adj* objective
obierać, obrać *imperf perf vt* (*ze skórki*) peel; (*ze skorupki*) shell; **~ kierunek** choose a direction
obietnic|a *f* promise; **dotrzymać ~y** keep a promise
objaw *m* symptom, sign
objazd *m* tour; (*stały*) bypass; **~** (*tabliczka*) diverted traffic, *am.* detour
objazdowy *adj* (*droga*) roundabout *attr*, bypass *attr*; (*teatr*) travelling *attr*
objąć *perf vt zob.* **obejmować**
objechać *perf vt* go round, circle
objętość *f fiz. geom.* volume
oblać *perf vt* sprinkle, coat; *pot.* (*uczcić*) celebrate; *pot.* (*nie zdać*) fail, flunk
obliczać, obliczyć *imperf perf vt* calculate, work out; (*pieniądze*) count
obliczenie *n* calculation
obligacje *pl ekon.* bonds *pl*
oblodzenie *n* icing, ice-formation

obława *f* hunt, chase; **~ policyjna** raid
obłąkany *adj* insane, mad
obłęd *m* insanity, madness
obłok *m* cloud
obłuda *f* hypocrisy
obmawiać *imperf vt* backbite
obmyślać, obmyślić *imperf perf vt* ponder (**coś** over sth); **~ plan** consider a plan
obniżać, obniżyć *imperf perf vt* lower, reduce; **~ się** *vr* drop, fall
obniżka *f* reduction, cut
obojczyk *m anat.* collarbone, clavicle
obojętność *f* indifference
obojętny *adj* indifferent; (*chemicznie*) neutral
obok *adv praep* near, by, close to; **~ okna** by the window; **przejść ~ czegoś** walk past sth
obowiąz|ek *m* duty, obligation; **spełnić swój ~ek** do one's duty; *pl* **~ki** duties *pl*; **pełniący ~ki** acting
obowiązkowy *adj* obligatory, mandatory; (*człowiek*) diligent, conscientious
obowiązujący *adj* current, (currently) valid; (*o ustawie*) in force, binding
obowiązywać *imperf vi vt* be obligatory <mandatory>; bind <oblige> (**kogoś do czegoś <do robienia czegoś>** sb to sth <to do sth>)
obozować *imperf vi* camp
obozowisko *n* camp(site)
obóz *m* camp; **rozbić ~** pitch <set up> a camp; **zwinąć ~** break up a camp
obracać, obrócić *imperf perf vt* turn, move around; **~ coś w dłoniach** roll sth in one's hands; **~ coś w żart** turn sth into ridicule; **~ się** *vr* (*okręcać się*) turn round; **~ się do kogoś plecami** turn one's back on sb; **~ się na pięcie** swing round on one's heel; **~ się przeciwko komuś** turn against sb
obrać *perf vt zob.* **obierać**
obradować *imperf vi* debate
obrady *pl* proceedings *pl*, debate
obraz *m* picture, painting; (*widok*) sight; (*na ekranie*) image; **żywy ~ kogoś** living <spitting> image of sb
obraza *f* offence; (*zniewaga*) insult; **~ moralności** scandal; **~ sądu** contempt of court
obrazek *m* (little) picture; (*ilustracja*) picture; (*scenka*) scene, picture
obrazić *perf vt* offend; **~ się** *vr* be offended (**na kogoś o coś** with sb at sth), take offence (**o coś** at sth)
obrączka *f* ring; **~ ślubna** wedding ring
obręb *m* (*tkaniny*) hem; (*obszar*) grounds *pl*, limits *pl*
obron|a *f* defence; *sport.* backs *pl*; **w ~ie własnej** in self-defence

obrońca *m* defender; *prawn.* lawyer; *sport.* back
obroża *f* collar
obrócić *perf vt zob.* **obracać**
obrót *m* turn, revolution; *ekon.* turnover; (*sprawy*) turn; **przybrać pomyślny ~** take a favourable turn
obrus *m* tablecloth
obrzęd *m* ritual, ceremony
obrzęk *m* swelling
obrzydliwy *adj* disgusting, abominable
obrzydzenie *n* disgust, abomination
obsada *f* (*oprawka*) holder; (*aktorska*) cast
obserwacja *f* observation; **~ policyjna** observation, surveillance
obserwator *m* observer
obserwatorium *n* observatory
obserwować *imperf vt* watch, observe
obsesja *f* obsession
obsługa *f* service, maintenance; (*załoga*) staff, personnel; **~ hotelowa** hotel service
obsługiwać, obsłużyć *imperf perf vt* serve, attend to; (*maszynę*) operate, work
obstawa *f* guard; (*osobista*) bodyguard
obstrukcja *f* obstruction; *med.* constipation
obszar *m* area, territory
obszerny *adj* (*o mieszkaniu*) spacious; (*o ubraniu*) loose; (*tekst*) extensive
obtarcie *n* sore
obudowa *f* casing, housing
obudzić *perf vt zob.* **budzić**
oburącz *adv* with both hands
oburzać *imperf vt* revolt (**kogoś** sb); **~ się** *vr* be <feel> indignant (**na kogoś <coś>** with sb <at sth>), resent (**na coś** sth)
oburzenie *n* indignation
obuwie *n* footwear
obwieszczenie *n* announcement
obwiniać, obwinić *imperf perf vt* accuse (**kogoś o coś** sb of sth), blame (**kogoś o coś** sb for sth)
obwodnica *f* bypass; ring road, *am.* beltway
obwoluta *f* dust cover
obwód *m* (*okręgu*) circumference; *elektr.* circuit; (*okręg*) district
oby *part*: **~!** if only it were so!; **~ wyzdrowiał** may he recover
obycie *n* manners; (*z czymś*) familiarity
obyczaj *m* custom, habit; *pl* **~e** customs *pl*
obydwaj (obydwie, obydwoje) *num* both
obywatel *m* citizen
obywatelski *adj* civic, civil; **prawa ~e** civil rights; **komitet ~** civic committee
obywatelstwo *n* citizenship
ocaleć *perf vi* survive
ocalić *perf vt* save; **~ komuś życie** save sb's life
ocean *m* ocean

ocena *f* assessment, opinion; (*szkolna*) mark, *am.* grade
oceniać, ocenić *imperf perf vt* estimate, evaluate; (*osądzać*) judge, assess
ocet *m* vinegar
och! *int* oh!
ochłod|a *f* refreshment; **dla ~y** for refreshment
ochłodzenie *n* cold(er) weather; (*stosunków*) cooling
ochłodzi|ć *perf vt* cool, chill; **~ć się** *vr* cool (down); **~ło się** it got colder
ochot|a *f* willingness; **z ~ą** eagerly, willingly; **mam ~ę coś zrobić** I feel like doing sth
ochotnik *m* volunteer
ochraniacz *m* guard; (*na łokcie, na kolana*) pad
ochraniać, ochronić *imperf perf vt* protect <shield> (**kogoś przed czymś** sb against sth), preserve (**coś przed czymś** sth against sth)
ochrona *f* protection, guard; **~ przyrody** nature conservation <preservation>
ochroniarz *m pot.* security guard, bodyguard
ochronić *perf vt zob.* **ochraniać**
ochronn|y *adj* protective; **barwa ~a** natural camouflage; **szczepienia ~e** preventive vaccination
ociemniały *adj* blind; *m* blind person
ocieplenie *n* warming up; (*o pogodzie*) warmer weather
ocierać, otrzeć *imperf perf vt* (*wycierać*) wipe; (*skórę*) graze; **~ łzy** wipe away one's tears; **~ sobie czoło** mop one's forehead; **~ się** *vr* rub <brush> (**o coś** against sth)
oclić *perf vt* impose duty (**coś** on sth)
oczekiwać *imperf vi* wait (**kogoś <czegoś>** for sb <sth>), await <expect> (**kogoś <czegoś>** sb <sth>)
oczekiwani|e *n* awaiting; *pl* **~a** expectations *pl*; **wbrew ~om** contrary to expectation(s)
oczk|o *n* (*w rajstopach*) ladder, *am.* run; (*w pierścionku*) stone; (*gra*) blackjack; *przen.* **być czyimś ~iem w głowie** be the apple of sb's eye
oczyszczać, oczyścić *imperf perf vt* clean(se); (*wodę, powietrze*) purify; *prawn.* **~ kogoś z winy <zarzutów>** clear sb of guilt <charges>
oczyszczalnia *f*: **~ ścieków** sewage treatment plant
oczyścić *perf vt zob.* **oczyszczać**
oczywisty *adj* evident, obvious
oczywiście *adv* certainly, obviously; **~!** of course!, sure!, certainly!
od *praep* from; of, for; since; **od dawna** for a long time; **od przyjaciela** from a friend; **twarz mokra od łez** face damp with tears; **na wschód od Warszawy** to the east of Warsaw; **od**

czasu do czasu from time to time; **od niedzieli** since Sunday; **od jutra** starting tomorrow; **od dziecka** since childhood; **okna od ulicy** front windows; **ja jestem od tego, żeby...** it's my job to...; **kluczyki od samochodu** car keys; **dziurka od klucza** keyhole

odbicie *n* reflection; (*piłki*) return

odbić *perf vt zob.* **odbijać**

odbierać *imperf vt zob.* **odebrać**

odbijać *imperf vt* (*obraz, światło*) reflect; (*głos*) echo; (*piłkę*) return; (*odzyskiwać*) win back; **~ komuś męża <żonę>** win away sb's husband <wife>; **~ się** *vr* (*o świetle*) reflect; (*skokiem od ziemi*) take off; (*o piłce*) rebound; (*wywierać wpływ*) have repercussions; (*bekać*) eruptate, belch; **~ się głośnym echem** reverberate

odbiorca *m* receiver, recipient; (*przesyłki*) addressee

odbiornik *m elektr.* receiver

odbiór *m* receipt, collection; **potwierdzić ~** acknowledge receipt

odbitka *f* print

odbudowa *f* reconstruction

odbudować *perf vt* rebuild, reconstruct

odbyć, odbywać *perf imperf vt* (*wykonać*) perform, do; **~ zebranie** hold a meeting; **~ służbę wojskową** do one's military service; **~ się** *vr* take place, be held

odchodzić *imperf vi* go away, leave; **~ na emeryturę** retire; *przen.* **~ od zmysłów** be out of one's mind <senses>

odchudzać się *imperf vr* slim, diet

odciąć *perf vt zob.* **odcinać**

odcień *m* tint, shade

odcinać *imperf vt* cut off; (*dostęp*) cut <seal> off; **~ się** *vr* (*ostro odpowiadać*) retort, answer back

odcinek *m* section; (*czasu*) period; (*kwit*) stub; (*filmu*) episode

odcisk *m* imprint; (*nagniotek*) corn; **~ stopy** footprint; **~ palca** fingerprint

odczuć, odczuwać *perf imperf vt* feel; (*wyczuć*) sense; **dać komuś coś ~** show sb how one feels about sth

odczyt *m* lecture

oddać, oddawać *perf imperf vt* (*dać*) give away; (*zwrócić*) return; (*dług*) give <pay> back; (*cios*) return; **~ coś do naprawy** have sth repaired; **~ komuś przysługę** render sb a service; **~ krew** donate blood; **~ sprawę do sądu** bring a case to court; **~ życie za kogoś <coś>** give one's life for sb <sth>; **~ się** *vr* (*poświęcić się*) devote o.s. (**czemuś** to sth)

oddech *m* breath

oddychać *imperf vi* breathe;

przen. ~ **pełną piersią** breathe freely; *zob.* **odetchnąć**

oddział *m* department, branch; (*w szpitalu*) ward; (*policji*) squad; *woj.* unit

oddziaływać *imperf vi*: ~ **na** affect, influence

oddzielny *adj* separate

odebrać *perf vt* (*wziąć*) collect, pick up; (*odzyskać*) get back, reclaim; (*otrzymać*) receive; (*telefon*) get, answer

odejmować *imperf vt mat.* subtract; (*umniejszać*) deduct

odejmowanie *n mat.* subtraction

odejść *perf vi zob.* **odchodzić**

odesłać *perf vt zob.* **odsyłać**

odetchnąć *perf vi*: ~ **głęboko** breathe deeply; ~ **z ulgą** breathe a sigh of relief; *zob.* **oddychać**

odezwać się *perf vr zob.* **odzywać się**

odgadnąć, odgadywać *perf imperf vt* guess

odgłos *m* sound

odgrzać, odgrzewać *perf imperf vt* warm up

odjazd *m* departure

odjąć *perf vt zob.* **odejmować**

odjechać, odjeżdżać *perf imperf vi* leave; (*o pociągu*) leave, depart

odkąd *pron* since; **~?** since when?; (*od którego miejsca*) where from?; ~ **pamiętam** for as long as I remember

odkładać *imperf vt* (*kłaść z boku*) put away <aside>; (*pieniądze*) put aside; (*odraczać*) postpone, put off; ~ **coś na miejsce** put sth back in its place; ~ **decyzję do jutra** put the decision off to the next day

odkryć, odkrywać *perf imperf vt* (*odsłonić*) uncover; (*dokonać odkrycia*) discover; *przen.* ~ **karty** lay one's cards on the table

odkrywca *m* discoverer

odkurzacz *m* vacuum cleaner, hoover

odlatywać, odlecieć *imperf perf vi* fly away <off>; (*o samolocie*) take off

odległoś|ć *f* distance; **na ~ć ramienia** at arm's length; **w pewnej ~ci** some distance off

odległ|y *adj* distant, remote; **~a przeszłość** remote past

odlot *m* departure; (*ptaków*) migration

odłączyć *perf vt* separate, disconnect; ~ **się** *vr* separate

odłożyć *perf vt zob.* **odkładać**

odmawiać *imperf vt* refuse, decline; (*modlitwę*) say

odmiana *f* (*wariant*) variety; (*zmiana*) change; *gram.* inflection

odmieniać, odmienić *imperf perf vt* change, alter, modify; *gram.* (*czasowniki*) conjugate; *gram.* (*rzeczowniki*) decline

odmowa *f* refusal

odmówić *perf vt zob.* **odmawiać**

odmrażać, odmrozić *imperf perf vt* thaw, defrost
odmrożenie *n* frostbite; (*odmrożone miejsce*) chilblain; (*rozmrożenie*) defrosting
odnawiać, odnowić *imperf perf vt* (*mieszkanie*) renovate, refurbish; (*znajomość*) renew
odnieść, odnosić *perf imperf vt* take (back), carry (back); **~ korzyść** derive profit; **~ wrażenie** have the impression; **~ zwycięstwo** gain <win> a victory; **~ się** *vr* (*traktować*) treat; (*dotyczyć*) relate to, apply to, refer to
odnośnie do *adv praep* regarding, with regard
odnośnik *m* reference mark; (*przypisek*) footnote
odnowić *perf vt zob.* **odnawiać**
odór *m* stench, reek
odpady *pl* waste (material); (*śmieci*) garbage
odpiąć, odpinać *perf imperf vt* unbutton, undo
odpis *m* copy; *ekon.* deduction
odpisać, odpisywać *perf imperf vt* (*przepisać*) copy; (*na list*) write back, answer (a letter); *ekon.* deduct
odpłatnie *adv* for a fee; payable
odpłatność *f* payment
odpłatny *adj* paid; payable
odpłynąć *perf vt* (*o człowieku*) swim away; (*o statku*) sail away <out>
odpływ *m* outflow; (*morza*) low tide
odpływać *imperf vt zob.* **odpłynąć**
odpocząć *perf vi zob.* **odpoczywać**
odpoczynek *m* rest
odpoczywać *imperf vi* rest, take <have> a rest
odporność *f* resistance; *med.* immunity, resistance
odporny *adj* resistant; *med.* immune
odpowiada|ć *imperf vi* answer, reply; (*reagować*) respond; (*być odpowiedzialnym*) be responsible (**za coś** for sth); (*być zgodnym*) correspond (**czemuś** with sth); **~ć na zarzuty** respond to accusations; **to mi ~** it suits me (fine)
odpowiedni *adj* adequate; appropriate; suitable; **w ~m czasie** in due course
odpowiedzialnoś|ć *f* responsibility, liability; **~ć karna** criminal responsibility; **spółka z oraniczoną ~cią** limited liability company; **pociągnąć kogoś do ~ci** bring sb to account
odpowiedzialny *adj* reliable, trustworthy; **~ za coś** responsible for sth
odpowiedź *f* answer, reply; (*reakcja*) response
odprawa *f* (*wynagrodzenie*) severance pay; (*replika*) retort; (*zebranie*) briefing; (*pasażerów*) check-in, clearance

odprężenie *n* relaxation; (*polityczne*) détente

odprężyć się *perf vr* relax

odprowadzać, odprowadzić *imperf perf vt* (*towarzyszyć*) escort, accompany; ~ **kogoś do domu <na stację>** see sb home <to the station>

odpukać *perf vi*: ~ **(w nie malowane drewno)!** touch wood!

odpust *m* (*grzechów*) indulgence, pardon; (*zabawa*) church fete

odpychający *adj* disgusting, repulsive

odra *f med.* measles *pl*

odrabiać, odrobić *imperf perf vt* (*pracę*) catch up on; (*co się straciło*) make up for; ~ **stracony czas** make up for the lost time; ~ **lekcje** do homework

odradzać, odradzić *imperf perf vt*: ~ **komuś coś** dissuade sb from sth, advise sb against sth

od razu *adv zob.* **raz**

odrębny *adj* separate, distinct

odręczny *adj* (*rysunek*) freehand; (*podpis*) hand-written

odrobić *perf vt zob.* **odrabiać**

odrobin|a *f* bit; **ani ~y** not a bit

odrodzenie *n* rebirth, revival; (*okres*) the Renaissance

odróżniać, odróżnić *imperf perf vt* distinguish, differentiate; ~ **się** *vr* be distinct

odróżnieni|e *n* distinction; **w ~u** (*inaczej niż*) unlike (**od kogoś <czegoś>** sb <sth>)

odruch *m med.* reflex; (*reakcja*) impulse

odruchowo *adv* involuntarily, instinctively

odrzec *perf vi* reply

odrzucać, odrzucić *imperf perf vt* (*na bok*) throw aside; (*piłkę*) throw back; (*odmawiać*) reject, turn down; *med.* ~ **przeszczep** reject a transplant

odrzutowiec *m* jet (plane)

odsetki *pl ekon.* interest

odsmażyć *perf vt* warm up on the pan

odstęp *m* (*w tekście*) space

odstraszyć *perf vt* scare away; (*zniechęcić*) deter (**kogoś od czegoś** sb from sth)

odsunąć, odsuwać *perf imperf vt* move away <back>, draw back; (*zasuwkę*) pull back; ~ **się** *vr* move aside, stand back

odsyłacz *m* (*znak graficzny*) reference mark; (*w słowniku*) cross-reference

odsyłać *imperf vt* send; (*zwracać*) send back, return

odszkodowanie *n* compensation, damages *pl*; (*zadośćuczynienie*) settlement

odśnieżać, odśnieżyć *imperf perf vt* clear of snow

odświeżać, odświeżyć *imperf perf vt* refresh; (*odnowić*) restore; (*wiadomości*) brush up (on)

odświętny *adj* festive

odtąd *adv* (*od teraz*) from now on; (*od tego czasu*) from then on, since then; (*o miejscu*) (starting) from here

odurzając|y *adj*: **środki ~e** intoxicants *pl*, drugs *pl*

odurzenie *n* daze, intoxication

odwag|a *f* courage; **~a cywilna** civil liberty; **dodawać komuś ~i** bolster up sb's courage

odważnie *adv* courageously, bravely

odważny *adj* courageous, brave

odważyć się *perf vr* dare (**coś zrobić** to do sth); **~ na coś** risk sth

odwdzięczyć się *perf vr* repay, return

odwiedzać, odwiedzić *imperf perf vt* visit, call on, come and see; (*bywać*) frequent

odwiedziny *pl* visit

odwieźć, odwozić *perf imperf vt* take (back), drive back

odwilż *f* thaw

odwlec, odwlekać *perf imperf vt* (*opóźniać*) delay, put off

odwołać, odwoływać *perf imperf vt* (*alarm*) cancel; (*obietnicę*) withdraw; (*ze stanowiska*) dismiss; **~ się** *vr prawn.* appeal

odwołanie *n* (*cofnięcie*) cancellation; (*ze stanowiska*) dismissal, recall; *prawn.* appeal

odwracać, odwrócić *imperf perf vt* (*zmieniać kierunek*) turn round, reverse; **~ czyjąś uwagę** divert sb's attention from sth; **~ się** *vr* turn round; **~ się od kogoś** turn one's back on sb

odwrotnie *adv* (*na odwrót*) inversely

odwrócić *perf vt zob.* **odwracać**

odwr|ót *m* retreat, withdrawal; **~ót od czegoś** turn away from sth; **na ~ót** on the contrary; **na ~ocie** overleaf

odwzajemniać się, odwzajemnić się *imperf perf vr* return, reciprocate

odziedziczyć *perf vt* inherit

odzież *f* clothing, garments; **~ letnia <zimowa>** summer <winter> wear <clothes>

odznaczać się *imperf vr* (*wyróżniać się*) be conspicuous (**czymś** by sth); (*charakteryzować się*) be characterized (**czymś** by sth)

odznaczyć *perf vt* (*orderem*) decorate; **~ się** *vr* (*wsławić się*) distinguish o.s.

odznaka *f* badge; (*wyróżnienie*) distinction

odzwyczajać się, odzwyczaić się *imperf perf vr* (*od nałogu*) get out of the habit (of doing sth)

odzyskać *perf vt* get <win> back; **~ przytomność** regain consciousness; **~ zdrowie** recover

odzywa|ć się *imperf vr* (*mówić*) speak; (*o dźwięku*) sound; **nie ~ją się do siebie** they are not speaking with each other

odżywianie *n* nutrition, nourishment

odżywka *f* nutrient; (*dla dzieci*) baby-food, *am*. (baby) formula; (*do włosów*) conditioner
ofensywa *f* offensive
oferować *imperf vt* offer
oferta *f* offer
ofiar|a *f* victim; (*w wypadku*) casualty; (*datek*) contribution; (*poświęcenie*) sacrifice; (*pot. niezdara*) duffer; **paść ~ą** fall victim (**czegoś** to sth)
ofiarodawca *m* donor
ofiarować *perf vt* (*dać*) give; (*datek*) donate; (*złożyć w ofierze*) offer
oficer *m* officer
oficjalny *adj* official, formal
ogień *m* fire; (*do papierosa*) light; **krzyżowy ~ pytań** cross-examination; **sztuczne ognie** fireworks; **zimne ognie** sparkles; *przen.* **słomiany ~** a flash in the pan
oglądać *imperf vt* look at, examine, watch; **~ się** *vr* (*za siebie*) look back
ogłaszać, ogłosić *imperf perf vt* announce; (*proklamować*) declare, proclaim; **~ się** *vr* (*w gazecie*) advertise
ogłoszenie *n* announcement; (*pisemne*) notice; (*w gazecie*) advertisement, ad
ognisko *n* bonfire; (*impreza*) (camp-)fire; (*centrum*) centre; **~ domowe** hearth and home
ogolić *perf vt* shave; **~ się** *vr* shave
ogon *m* tail
ogólnokrajowy *adj* nation-wide, country-wide
ogólny *adj* general, universal
ogół *m* totality, the whole; **na ~** in general; **w ogóle** generally, (*wcale*) at all; **dobro ~u** the common good
ogórek *m* cucumber
ograniczać *imperf vt zob.* **ograniczyć**
ograniczenie *n* limitation, restriction; **~ szybkości** speed limit
ograniczyć *perf vt* limit, restrict; (*wydatki*) reduce, cut down; **~ się** *vr* limit o.s.
ogrodnik *m* gardener
ogrodniczki *f* (*spodnie*) dungarees *pl*
ogrodzenie *n* fence
ogromny *adj* immense, huge, vast
ogród *m* garden; **~ warzywny** vegetable garden; **~ botaniczny** botanical garden(s *pl*); **~ zoologiczny** zoological garden(s), zoo
ogródek *m* garden; (*kawiarniany*) open-air café; **~ działkowy** garden plot
ogryzek *m* core
ogrzewanie *n* heating; **centralne ~** central heating
ogumienie *n* tyres, *am.* tires
ohyda *f* monstrosity, eyesore
ohydny *adj* hideous
ojciec *m* father; **~ chrzestny** godfather; **przybrany ~** adoptive father

ojczyzna *f* motherland, homeland
okap *m* (*kuchenny*) hood
okaz *m* (*wzór*) exemplar; **rzadki ~** rarity; **~ zdrowia** picture of health
okazać, okazywać *perf imperf vt* show, present; **~ zainteresowanie** show interest; **~ komuś pomoc** come to sb's help; **~ się** *vr* turn out, prove; **~ się łajdakiem** prove <turn out> to be a scoundrel; **okazało się, że...** it turned out that...
okaziciel *m* bearer; **czek na ~a** cheque, *am*. check to bearer
okazj|a *f* chance, opportunity; (*korzystny zakup*) bargain; **z ~i czegoś** on the occasion of sth
okazywać *imperf vt zob*. **okazać**
okiennica *f* shutter
oklaski *pl* applause, clapping
okład *m med*. compress
okładka *f* cover
okno *n* window
oko *n* eye; **na pierwszy rzut oka** at first glance; **na ~** roughly; *przen*. **mieć coś na oku** have sth in sight; **bez zmrużenia oka** without batting an eye(lid); **nie spuszczać kogoś <czegoś> z oka** keep an eye on sb <sth>; **puszczać do kogoś ~** wink at sb; **stracić z oczu** lose sight (**kogoś <coś>** of sb <sth>); **wpaść komuś w ~** catch sb's fancy
okolic|a *f* neighbourhood, surroundings *pl*; **w ~y** in the vicinity
okolicznoś|ć *f* circumstance; *pl* **~ci** circumstances *pl*; **zbieg ~ci** coincidence; **~ci łagodzące <obciążające>** extenuating <aggravating> circumstances
około *praep* about, around
okradać, okraść *imperf perf vt* rob (**kogoś z czegoś** sb of sth)
okrągły *adj* round
okrążać, okrążyć *imperf perf vt* (*obchodzić*) go (a)round; (*otaczać*) surround
okres *m* time; (*czas trwania*) period; (*menstruacja*) period; **~ gwarancji** warranty (coverage); **~ urzędowania** term of office
określać, określić *imperf perf vt* define, determine
okręg *m* district; **~ wyborczy** constituency
okręt *m* battleship; *pot*. ship; **~ podwodny** submarine
okrężn|y *adj* circular; roundabout; **iść drogą ~ą** go by a roundabout way
okropny *adj* horrible, terrible, awful
okrutny *adj* cruel
okryć *perf vt* cover
okrzyk *m* cry, shout
okulary *pl* glasses *pl*; **~ słoneczne** sunglasses
okulista *m* oculist, optometrist, eye doctor
okup *m* ransom

okupacja *f* occupation

olać *perf vt pot.* not to give a damn for

olbrzym *m* giant

olej *m* oil; (*obraz olejny*) oil; (*silnikowy*) engine oil; **~ napędowy** diesel oil; **~ jadalny** <salad> cooking oil

olejny *adj* oil *attr*; **obraz ~** oil painting

olimpiada *f* Olympic Games *pl*, the Olympics *pl*; (*konkurs*) contest

olimpijski *adj* Olympic, Olympian; **igrzyska ~e** Olympic Games *pl*, the Olympics *pl*

oliw|a *f* (*olej z oliwek*) olive oil; (*olej mineralny*) oil (lubricant); **dolać ~y do ognia** add fuel to the flames, fan

oliwić *imperf vt* oil, lubricate

oliwka *f* olive

olśnić *perf vt* blind, dazzle

ołów *m* lead

ołówek *m* pencil

ołtarz *m* altar

omal *adv* almost, nearly

omawiać *imperf vt* discuss, talk over

omdlenie *n* fainting

omen *m* omen; **zły <dobry> ~** ill <good> omen

omijać, ominąć *imperf perf vt* (*okrążać*) pass round; (*mijać*) pass by; (*unikać*) evade, avoid; (*przeoczyć*) pass by, overlook

omlet *m* omelette

omylić się *perf vr* make a mistake, be mistaken

omyłk|a *f* mistake, error; **przez ~ę** by mistake

on *pron* he

ona *pron* she

one, oni *pron* they

onkolog *m* oncologist

onkologia *f* oncology

ono *pron* it

opad *m* (*deszcz*) rain(fall), shower; *med.* E.S.R., erytrocyte sedimentation rate; *pl* **~y** precipitation

opadać *imperf vi* fall, come down; (*o temperaturze*) subside; **~ z sił** lose one's strength

opakowanie *n* wrapping, packaging

opalać *imperf vt* (*ogrzewać*) heat; (*na słońcu*) (sun)tan; **~ się** *vr* sunbathe

opalenizna *f* (sun)tan

opał *m* fuel; **drewno na ~** firewood

opanować *perf vt* (*zagarnąć*) capture; (*okiełznać*) bring under control, contain; (*osiągnąć sprawność*) master; **~ się** *vr* control o.s.; contain o.s.

oparzenie *n* burn

oparzyć *perf vt* burn; **~ się** *vr* get burned

opaska *f* band

opaść *perf vi zob.* **opadać**

opatrunek *m* dressing

opera *f* opera; (*budynek*) opera house

operacj|a *f* operation, surgery; **poddać się ~i** undergo an operation

operator *m* (*dźwigu*) operator; (*filmowy*) cameraman

operować *imperf vt* operate

opieka *f* care, protection; *prawn.* custody; **~ społeczna** welfare; **~ medyczna** medical care

opiekacz *m* toaster

opiekować się *imperf vr* take care (**kimś <czymś>** of sb <sth>), look after (**kimś <czymś>** sb <sth>)

opiekun *m* protector; *prawn.* guardian

opiekunka *f*: **~ do dzieci** babysitter

opierać *imperf vt* lean (**coś o coś** sth against sth), rest (**coś o coś** sth on sth); (*uzasadniać*) base <ground> (**coś na czymś** sth on sth); **~ się** *vr* lean (**o coś** against sth); (*mieć podstawę*) be founded <based> (**na czymś** on sth); (*przeciwstawiać się*) resist (**komuś** sb)

opini|a *f* opinion; **~a publiczna** public opinion; **cieszyć się dobrą ~ą** enjoy a good reputation

opis *m* description

opisać *perf vt* describe

opłaca|ć, opłaci|ć *imperf perf vt* pay; (*przekupywać*) pay off; **~ć z góry** prepay; **~ć się** *vr* pay; **nie ~ się tego robić** it's not worth doing

opłata *f* charge, payment; (*za przejazd*) fare

opłatek *m* wafer

opodatkować *perf vt* tax

opon|a *f* tyre, *am.* tire; *med.* **zapalenie ~ mózgowych** meningitis

opowiadać *imperf vi* talk (about); *vt* tell; **~ się** *vr*: **~ się za** opt for

opowiadanie *n* story; (*utwór literacki*) short story

opowiedzieć *perf vt zob.* **opowiadać**

opowieść *f* tale, story

opozycja *f* opposition

opór *m* resistance; **ruch oporu** Resistance; **stawiać ~** put up <offer> resistance; **iść po linii najmniejszego oporu** take the line of least resistance

opóźnienie *n* delay

opracować *perf vt* work out

oprawa *f* (*książki*) binding; (*klejnotu; sceniczna*) setting

oprawka *f* (*okularów*) frame, rim; (*żarówki*) socket

oprocentowanie *n* interest

oprogramowanie *n komp.* software

oprowadzać, oprowadzić *imperf perf vt* show round

oprócz *praep* apart <aside> from, beside(s); (*z wyjątkiem*) except; **~ tego** besides

opryszczka *f* cold sore

oprzeć *perf vt zob.* **opierać**

optyczn|y *adj* optical; **szkła ~e** optical glasses

optyk *m* optician

optymista *m* optimist

opublikować *perf vt* publish

opuchlizna *f* swelling

opuszczać, opuścić *imperf perf vt* (*obniżyć*) lower; (*porzucić*) leave, abandon; (*przeoczyć*) omit, leave out; (*lekcję*) miss
orać *imperf vt* plough, *am.* plow; *vi pot.* sweat
oranżada *f* orangeade
oraz *conj* and, as well as
orbita *f* orbit
order *m* medal, decoration
ordynacja *f* (*przepisy*) regulations; ~ **wyborcza** electoral law
ordynarny *adj* (*niegrzeczny*) rude; (*wulgarny*) vulgar
orędzie *n* address
organ *m anat.* organ
organizacja *f* organization
organizm *m* organism
organizować *imperf vt* organize, arrange; ~ **się** *vr* organize
organki *pl* mouth organ, harmonica
organy *pl muz.* organ
orientacj|a *f* orientation; (*w temacie*) knowledge; **stracić ~ę** lose one's bearings, be lost
orientować się *imperf vr* (*w terenie*) orientate o.s.; (*w temacie*) be familiar <at home> (**w czymś** with sth)
orkiestra *f* orchestra
Ormianin *m* Armenian
ormiański *adj* Armenian
orszak *m* (*świta*) retinue; (*pochód*) procession
ortografia *f* (*pisownia*) spelling
oryginalny *adj* (*prawdziwy*) genuine, authentic; (*pierwotny*) original
orzech *m* nut; ~ **kokosowy** coconut; ~ **laskowy** hazelnut; ~ **włoski** walnut; *przen.* **twardy ~ do zgryzienia** hard <tough> nut to crack
orzeczenie *n* (*opinia*) judgement; *prawn.* verdict, ruling; *gram.* predicate
orzeł *m zool.* eagle; *przen.* highflyer; ~ **czy reszka?** heads or tails?
orzeźwiając|y *adj* refreshing; **napoje ~e** refreshments
osa *f zool.* wasp
osad *m* sediment
osada *f* settlement
oset *m bot.* thistle
osiadać *imperf vi zob.* **osiąść**
osiągnąć *perf vt* (*dojść*) reach; (*zdobyć*) achieve, accomplish
osiąść *perf vi* (*osiedlić się*) settle (down); (*o kurzu*) settle; (*o budynku*) set, subside; ~ **na mieliźnie** run aground
osiedlać się *imperf vr* settle (down)
osiedle *n* settlement; ~ **mieszkaniowe** (housing) estate, *am.* housing development
osiem *num* eight
osiemdziesiąt *num* eighty
osiemnast|y *num* eighteenth; **~a** (*godzina*) 6 p.m.
osiemnaście *num* eighteen
osiemset *num* eight hundred
osioł *m zool.* donkey; *pot.* ass
osiwieć *perf vi* turn grey <*am.* gray>
oskarżać *imperf vt* accuse (**o**

coś of sth); *prawn.* charge (**o coś** with sth)

oskarżeni|e *n* accusation; *prawn.* prosecution; **wystąpić z ~em** bring an accusation (**przeciw komuś** against sb); *prawn.* **akt ~a** indictment; *prawn.* **świadek ~a** witness for the prosecution

oskarżony *adj* (the) accused, (the) defendant; **ława ~ch** dock

oskarżyć *perf vt zob.* **oskarżać**

oskrzel|a *pl anat.* bronchial tubes *pl*; **zapalenie ~i** bronchitis

osłabiać, osłabić *imperf perf vt* weaken

osłabienie *n* weakness

osłodzić *perf vt* sweeten; *przen.* sugar, brighten up

osłon|a *f* cover, shield; **pod ~ą nocy** under cover of darkness

osoba *f* person; ~ **prawna** legal entity <person>

osobistość *f* personage; (*znana osoba*) celebrity

osobist|y *adj* personal; **dowód ~y** identity card, ID; **rzeczy ~e** personal belongings

osobiście *adv* personally, in person

osobnik *m* individual

osobno *adv* separately

osobny *adj* separate

osobowość *f* personality

osobowy *adj gram.* personal; **pociąg ~** passenger train; **skład ~** members

ospa *f med.* smallpox; **~ wietrzna** chicken pox

osprzęt *m techn.* equipment

ostatecznie *adv* (*na dobre*) definitely; (*w końcu*) finally, eventually

ostateczny *adj* final; **Sąd Ostateczny** (the) final <last> Judgement

ostatni *adj* last; (*najświeższy*) latest, recent

ostatnio *adv* lately, recently

ostrość *f* sharpness; *fot.* focus; (*surowość*) sharpness, strictness

ostrożny *adj* cautious, careful

ostry *adj* sharp; (*np. o bólu*) acute; (*spiczasty*) sharp, acute; (*o zimnie*) piercing, biting; (*o grze*) rough; (*o świetle*) sharp, dazzling; (*o ruchach*) sharp, brisk; **~ dyżur** emergency service; **~ zakręt** sharp turn <bend>

ostryga *f* oyster

ostrze *n* blade, edge

ostrzec, ostrzegać *perf imperf vt* warn (**kogoś przed kimś <czymś>** sb against sb <sth>)

ostrzegawczy *adj* warning *attr*; **sygnał ~** danger signal

ostrzeżenie *n* warning

ostrzyc *perf vt* cut (**sobie włosy** one's hair); **~ się** *vr* have <get> one's hair cut, have a haircut

oswajać, oswoić *imperf perf vt* (*zwierzę*) tame, domesticate; **~ kogoś z czymś** accustom sb to sth; **~ się** *vr* get used <grow accustomed> (**z czymś** to sth)

oszaleć *perf vi* go mad
oszczep *m* spear; *sport.* javelin
oszczerstw|o *n* slander; **rzucać ~a** slander (**na kogoś** sb)
oszczędnoś|ć *f* thrift(iness), economy; *pl* **~ci** savings *pl*; **robić ~ci** economize, cut costs
oszczędny *adj* (*człowiek*) thrifty; **~ w słowach** chary of words
oszczędzać *imperf vt* save, spare; *vi* save (up), economize; **~ pieniądze** save (up) money; **~ siły** spare one's strength
oszukać, oszukiwać *perf imperf vi* cheat; *vt* deceive
oszust *m* fraud, cheat
oszustwo *n* fraud, deception
oś *f* axis; *techn.* axle
ość *f* fishbone
oślepiać, oślepić *imperf perf vt* blind; (*latarką*) dazzle
ośmielać się, ośmielić się *imperf perf vr* (*mieć śmiałość*) dare
ośmiornica *f* octopus
ośrodek *m* centre
oświadczać *imperf vt* declare; **~ się** *vr* propose (**komuś** to sb)
oświadczenie *n* declaration
oświata *f* education
oświecenie *n* enlightment; **Oświecenie** the Enlightment
oświetlenie *n* lighting, illumination
otaczać *imperf vt* surround, enclose; **~ się** *vr* surround o.s. (**kimś <czymś>** with sb <sth>)
oto *part* here (is), there is; **~ i on** here he is; **~ wasz nowy nauczyciel** here is your new teacher
otoczenie *n* (*okolica*) surroundings *pl*; (*środowisko*) environment
otoczyć *perf vt zob.* **otaczać**
otóż *part* and so, well; **~ to** exactly!, that's just it!
otręby *pl* bran
otruć *perf vt* poison
otrzeć *perf vt zob.* **ocierać**
otrzeźwieć *perf vi* sober up; (*odzyskać przytomność*) come round
otrzymać *perf vt* receive, obtain
otuch|a *f*: **dodać komuś ~y** cheer sb up, raise sb's spirit; **nabrać ~y** take heart
otwarcie[1] *n* opening
otwarcie[2] *adv* openly
otwart|y *adj* open; **~e morze** open sea; **~a rana** gaping wound; **na ~ym powietrzu** in the open air
otwierać, otworzyć *imperf perf vt* open; (*kluczem*) unlock
otw|ór *m* opening; (*luka*) gap; (*szpara*) slot; (*dziura*) hole; **stać ~orem** be open
otyły *adj* obese
owacja *f* ovation
owad *m zool.* insect
owca *f zool.* sheep
owczarek *m* sheepdog; **~ alzacki** Alsatian
owczy *adj* sheep's; *przen.* **~ pęd** craze
owdowieć *perf vi* become a widow <widower>

owies *m* oats *pl*
owłosienie *n* hair
owłosiony *adj* hairy
owoc *m* fruit
owsian|y *adj*: **płatki ~e** oatmeal
owszem *adv* (*twierdzenie*) yes; **i ~** certainly
ozdabiać *imperf vt* decorate
ozdoba *f* decoration
ozdobić *perf vt zob.* **ozdabiać**
oziębły *adj* frigid, cold
oznaczać, oznaczyć *imperf perf vt* (*robić znaki*) mark; (*znaczyć*) mean; (*wyrażać*) signify; (*o skrócie*) stand for
oznajmiać, oznajmić *imperf perf vt* announce; *vi* declare
oznaka *f* sign, symptom
ozon *m* ozone
ozór *m* tongue
ożenić się *perf vr* get married (**z kimś** to sb), marry (**z kimś** sb)
ożywienie *n* animation
ożywiony *adj* animated

Ó

ósmy *num* eighth
ówczesny *adj* then *attr*; **~ prezydent** the then president
ówdzie *adv*: **tu i ~** here and there

P

pa *int* bye, bye-bye
pach|a *f* armpit; **pod ~ą** under one's arm
pachnący *adj* scented, fragrant
pachnieć *imperf vi* smell (**czymś** of sth); **ładnie ~** smell nice
pachwina *f anat.* groin
pacierz *m* prayer; **odmawiać ~** say one's prayer(s *pl*)
pacjent *m* patient
pacyfista *m* pacifist
paczka *f* parcel, package; (*papierosów*) packet, *am.* pack(age); (*grupa ludzi*) gang, pack
padaczka *f med.* epilepsy
pada|ć *imperf vi* (*przewracać się*) fall, drop; (*ginąć*) fall, perish; **~ deszcz <śnieg>** it's raining <snowing>; **~ć z nóg** be dead on one's feet; **~ć ofiarą czegoś** fall victim to sth
pagórek *m* hillock, knoll
pająk *m zool.* spider
pakiet *m*: *ekon.* **~ kontrolny (akcji)** controlling interest <share>
pakować *imperf vt* pack; *pot.* (*wpychać*) stuff; **~ walizkę** pack (up); **~ się** *vr* pack (up); *pot.* (*wchodzić*) barge (into)
pakt *m* pact
pakunek *m* package
palacz *m* stoker; (*tytoniu*) smoker

palarnia *f* smoking room

palący *m* smoker; **przedział dla ~ch** smoking compartment

pal|ec *m* finger; (*u nogi*) toe; **~ec wskazujący** index finger; **~ec środkowy** middle finger; **~ec serdeczny** ring finger; **mały ~ec** little finger; **duży ~ec** big toe; *przen.* **pokazywać coś ~cem** point a finger at sth; **mieć coś w małym ~cu** know sth inside out; **nie kiwnąć ~cem** not to lift <raise> a finger; *przen.* **maczać w czymś ~ce** have a hand in sth; **~ce lizać!** yummy!

pali|ć *imperf vt vi* burn; (*papierosy*) smoke; (*w piecu*) light the fire; **~ć światło** have the light; *przen.* **~ć mosty** burn one's boats; **~ć się** *vr* (*płonąć*) burn; (*o pożarze*) be on fire; **~ć się do czegoś** be keen on (doing) sth; **~ się światło** light is on

paliwo *n* fuel

palma *f* palm (tree)

palnik *m* burner

palto *n* overcoat

pałac *m* palace

pałka *f* club; (*policyjna*) baton, truncheon, *am.* nightstick

pamiątk|a *f* reminder, memento; (*upominek*) souvenir; **dać coś komuś na ~ę** give sb sth as a keepsake

pamiątkowy *adj* commemorative

pamię|ć *f* memory; **na ~ć** by heart; **świętej ~ci...** (the) late...

pamiętać *imperf vt* remember

pamiętnik *m* diary; *pl* **~i** (*utwór literacki*) memoirs

pan *m* gentleman, man; (*zwracając się*) you; (*przed nazwiskiem*) Mr; (*nauczyciel*) master, teacher; **proszę ~a!** excuse me, sir!; **Panie Prezydencie** Mister President; **~ domu** the master of the house; **~ młody** (bride)groom

pani *f* lady, woman; (*zwracając się*) you; (*przed nazwiskiem*) Mrs; (*nauczycielka*) mistress, teacher; **proszę ~!** excuse me, madam!; **~ doktor** Doctor; **~ domu** the mistress of the house

panienka *f* young lady

panierować *imperf vt kulin.* coat in breadcrumbs

panika *f* panic

panna *f* (*kobieta niezamężna*) unmarried woman; **~ młoda** bride; **stara ~** old maid, spinster

panorama *f* (*widok*) panorama

panować *imperf vi* rule, reign; (*podporządkować sobie*) control, command; (*występować*) reign, prevail; **~ nad sobą** be in control of o.s.; **panuje przekonanie** it is generally believed

pantera *f zool.* panther

pantof|el *m* shoe; **ranne ~le** slippers

pański *adj* your; (*gest; o manierach*) lordly
państw|o *n* (*kraj*) state; (*zwracając się*) you; **~o Kowalscy** the Kowalskis; **proszę ~a!** ladies and gentlemen!
państwowy *adj* state *attr*, state-owned; (*o święcie*) national
papeteria *f* stationery, stationer('s)
papier *m* paper; **arkusz ~u** sheet of paper; **~ listowy** stationery; **~ toaletowy** toilet paper; **~ ścierny** sandpaper; *pl* **~y** (*dokumenty*) papers *pl*; *ekon.* **~y wartościowe** securities *pl*
papieros *m* cigarette
papież *m* pope
papka *f* pulp, pap
paproć *f bot.* fern
papryka *f* pepper; (*w proszku*) paprika
papuga *f zool.* parrot
par|a[1] *f fiz.* vapour; (*wodna*) steam; *przen.* **pełną ~ą** (at) full blast
para[2] *f* pair, couple; **~ małżeńska** married couple; **młoda ~** the bride and the bridegroom, (*po ślubie*) the newly-weds; **~ butów** pair of shoes
paradoks *m* paradox
parafia *f* parish
paragon *m* receipt
paragraf *m* paragraph; *prawn.* article
paraliż *m med.* paralysis
parametr *m* parameter
parapet *m* (window)sill
parasol *m* umbrella; (*słoneczny*) parasol, sunshade
parawan *m* screen
parę, paru *num* a few, a couple; *przen.* **parę groszy** a few pennies
park *m* park; **~ narodowy** national park
parkan *m* fence
parkiet *m* parquet floor; (*do tańca*) dance floor
parking *m* car park, *am.* parking lot; **~ strzeżony** attended car park
parkować *imperf vt* park
parkowanie *n* parking; **~ wzbronione** no parking
parlament *m* parliament
parny *adj* sultry
parodia *f* parody
parowóz *m* steam engine
parówka *f* (*kiełbaska*) sausage; (*kąpiel*) steam bath
parter *m* ground floor, *am.* first floor
partia *f* party; (*towaru*) batch; (*rola*) part; (*w grze*) game
partner *m* partner
partyzant *m* partisan
partyzantka *f pot.* guerrilla war
parzyć *imperf vt* (*palić*) burn; (*herbatę*) brew
parzyst|y *adj* even; **liczba ~a** even number
pas *m* belt; (*materiału*) strip; (*talia*) waist; (*w brydżu*) no bid; *pl* **~y** (*dla pieszych*) zebra crossing; **~ startowy** runway; **~ bezpieczeństwa** seat-belt,

safety belt; ~ **ruchu** lane; **w ~y** striped; *przen.* **zaciskać ~a** tighten one's belt; *przen.* **wziąć nogi za ~** show a clean pair of heels

pasaż *m* passage(way)

pasażer *m* passenger; **~ na gapę** (*na statku*) stowaway; (*w pociągu*) fare dodger

pasażerski *adj* passenger *attr*

pas|ek *m* (*do spodni*) belt; (*wzór*) stripe; **~ek do zegarka** watch strap; **materiał w ~ki** striped cloth

paser *m* fence

pasierb *m* stepson

pasierbica *f* stepdaughter

pasj|a *f* passion; (*złość*) fury, passion; **wpaść w ~ę** fly into a fury

pasjans *m* patience, *am.* solitaire; **stawiać ~a** play patience

pasmanteria *f* haberdashery, *am.* dry goods; (*sklep*) haberdashery, draper's shop

pasmo *n* strip; (*częstotliwości*) band; **~ włosów** strand of hair; **~ ruchu** lane; **~ górskie** mountain range; *przen.* **~ nieszczęść** series of calamities

pas|ować *imperf vi* (*kształtem, wielkością*) fit; (*nadawać się*) suit, match; (*o ubiorze*) become (**komuś** sb); **to do niego nie ~uje** it's not like him; **~ować do siebie** fit together

pasożyt *m* parasite

passa *f*: **dobra <zła> ~** run of good <bad> luck

pasta *f* paste; (*na kanapki*) spread; **~ do zębów** toothpaste; **~ do butów** shoe polish

pastelowy *adj* pastel

pasterz *m* shepherd

pastor *m* pastor, minister

pastwić się *imperf vr* torment (**nad kimś** sb)

pastwisko *n* pasture

pastylka *f* tablet, pill

pasywa *pl ekon.* liabilities *pl*

pasza *f* fodder

paszport *m* passport

pasztecik *f kulin.* patty, pasty

pasztet *m* pâté

paść[1] *perf vi zob.* **padać**

paść[2] *imperf vt* (*tuczyć*) fatten; **~ się** *vr* (*o zwierzętach*) graze

patelnia *f* frying pan

patent *m* patent

patologia *f* pathology

patriota *m* patriot

patriotyzm *m* patriotism

patrol *m* patrol

patronat *m* patronage; **pod ~em** under the auspices

patrzeć *imperf vi* look (**na kogoś <coś>** at sb <sth>); **~ na kogoś z góry** look down on sb; *przen.* **~ na coś przez palce** turn a blind eye on <to> sth; *przen.* **~ komuś na ręce** keep a watchful eye on sb; **miło ~** it's a pleasure to see

patyk *m* stick

pauza *f* pause; (*w szkole*) break

paw *m zool.* peacock

pawilon *m* pavilion
pawlacz *m* storage place
pazerny *n pot.* greedy (**na coś** for sth)
paznokieć *m* nail
pazur *m* claw; **pisać jak kura ~em** scrawl
październik *m* October
pączek *m bot.* bud; (*ciastko*) doughnut, *am.* donut
pchać *imperf vt* push, shove; (*wpychać*) shove, thrust; **~ się** *vr* (*tłoczyć się*) force <push> one's way
pchła *f* flea
pchnąć *perf vt* (*zadać cios*) thrust <stab> (**nożem** with a knife); *zob.* **pchać**
pech *m* bad luck; **a to ~!** bad luck!
pedał *m* pedal; *pot.* queer
pedantyczny *adj* pedantic
pediatra *m* paediatrician, *am.* pediatrician
pediatria *f* paediatrics, *am.* pediatrics
pejzaż *m* landscape
pelargonia *f* geranium
pełen *adj zob.* **pełny**
pełni|a *f* (*obfitość*) fullness; (*Księżyca*) full moon; **~a szczęścia** complete happiness; **~a sezonu** high season; **w ~** (*całkowicie*) fully, entirely
pełnić *imperf vt* (*rolę, obowiązki*) fulfil, *am.* fulfill; (*zastępować*) act; **~ służbę** serve; **~ obowiązki dyrektora** act as manager
pełno *adv* full (**czegoś** of sth); (*dużo*) a lot <plenty> of
pełnoletni *adj* of age
pełnomocnictwo *n* power of attorney, proxy
pełnomocnik *m* proxy, plenipotentiary
pełnopłatny *adj* full price <payment> *attr*
pełnoprawny *adj* rightful; **~ członek** full member
pełnotłusty *adj* (*o mleku*) full, whole; (*ser*) full-cream
pełnowartościowy *adj o pożywieniu* balanced
pełn|y *adj* full; (*całkowity*) complete; **szklanka ~a wody** glass full of water; **mieć ~e prawo** have every right; **na ~ym morzu** on the high sea(s); **~e wydanie** complete edition
penicylina *f* penicillin
penis *m anat.* penis
pensja *f* (*płaca*) salary, pay
pensjonat *m* guest house
perfumy *pl* perfume
pergamin *m* parchment
pergola *f* pergola
perkusja *f* drums *pl*
perła *f* pearl
peron *m* platform
Pers *m* Persian
perski *adj* Persian; **Zatoka Perska** the Persian Gulf; **robić ~e oko** wink
personel *m* staff, personnel
perspektyw|a *f* perspective, vista; (*przen. możliwość*) pros-

pect; **mieć coś w ~ie** have sth in prospect
perswadować *imperf vt* persuade (**komuś coś** sb of sth)
pertraktacje *pl* negotiations *pl*
peruka *f* wig
Peruwiańczyk *m* Peruvian
peruwiański *adj* Peruvian
perwersja *f* perversion
peryferie *pl* periphery; (*miasta*) ouskirts *pl*
perypetie *pl* vicissitudes *pl*, up and downs *pl*
pestka *f* (*wiśni*) stone; (*jabłka*) pip; (*słonecznika*) seed; *pot.* **to ~** it's a piece of cake
pesymista *m* pessimist
pesymistyczny *adj* pessimistic
pet *m pot.* fag end
petarda *f* squib, firecracker, petard
petent *m* inquirer
petycja *f* petition
pewien *adj* (*niejaki*) (a) certain; *zob.* **pewny**
pewnie *adv* (*zdecydowanie*) firmly, confidently; (*chyba*) probably; **~ się czuć** feel confident; **~ przyjdzie** he will probably come; *pot.* **no ~!** you bet!, sure!
pewno *adv* probably; **~ jesteś głodny** you must be hungry
pewność *f* (*zdecydowanie*) firmness; (*przekonanie*) certainty; **~ siebie** self-assurance, self-confidence
pewny *adj* sure, certain; (*bezpieczny*) safe, secure; **~ siebie** self-confident, cocksure; **być ~m czegoś** be sure of sth, be positive about sth
pęcherz *m anat.* bladder; (*na skórze*) blister
pęcz|ek *m* bunch; *pot.* **mieć czegoś na ~ki** have heaps of sth
pędzel *m* brush
pędzić *imperf vi* run, hurry (**gdzieś** somewhere); *vt* (*poganiać*) drive; (*spędzać*) lead, spend; (*produkować*) destil; **~ ostatkiem sił** be exhausted
pęk *m* (*włosów*; *kwiatów*) bunch
pękać, pęknąć *imperf perf vi* (*o lodzie*) crack; (*o linie*) burst; (*o materiale*) rip; *pot.* **głowa mi pęka** my head is splitting; *przen.* **pękać ze śmiechu** burst with laughter
pępek *m anat.* naval; *pot.* **~ świata** the hub of the universe
pęseta *f* tweezers *pl*
pętelka *f* loop
pętla *f* loop; (*tramwajowa*, *autobusowa*) terminus
piach *m* sand
piana *f* froth, foam; (*mydlana*) lather
pianino *n* piano
pianista *m* pianist
piasek *m* sand
piaskownica *f* sandpit, sandbox
piątek *m* Friday; **Wielki Piątek** Good Friday
piąt|y *num* fifth; *przen.* **brak**

mu **~ej klepki** he has a screw loose
picie *n* drinking; (*pot. napój*) drink
pić *imperf vt vi* drink; **~ mi się chce** I'm thirsty; **~ czyjeś zdrowie** drink to sb
piec[1] *m* stove; (*do pieczenia*) oven; (*hutniczy*) furnace
piec[2] *imperf vt* (*ciasto*) bake; (*mięso*) roast; *vi* (*palić*) burn; **~ się** *vr*: **~ się na słońcu** roast under the sun
piechotą *adv*: *pot.* **iść ~** walk, go on foot
piecyk *m* (*do ogrzewania*) heater; (*piekarnik*) oven
pieczarka *f bot.* mushroom
pieczątk|a *f* (rubber) stamp; (*znak*) stamp; **postawić ~ę** stamp
pieczeń *f* roast; **~ wołowa** roast beef
pieczęć *f* stamp; (*lakowa*) seal
pieczywo *n* bread
piegi *pl* freckles *pl*
piegowaty *adj* freckled
piekarnia *f* bakery, baker's
piekło *n* hell
pielęgnacja *f* (*chorych*) nursing; (*roślin*) nurturing
pielęgniarka *f* nurse
pielęgnować *imperf vt* (*zajmować się*) take care of, tend; (*ludzi*) nurse; (*tradycje*) maintain
pielgrzymka *f* pilgrimage
pielucha, pieluszka *f* nappy, *am.* diaper
pieniądz *m* money; *pl* **~e** money; **mieć mało pieniędzy** have little money; **ciężkie <grube> ~e** pots of money; **zbijać ~e** make money; *przen.* **wyrzucać ~e w błoto** waste money
pienić się *imperf vr* (*o mydle*) lather; *pot.* **~ ze złości** be frothing at the mouth
pień *m* trunk; (*po ścięciu*) stump; **głuchy jak ~** (as) deaf as a post, stone-deaf
pieprz *m* pepper
pieprzyć *imperf vt* pepper; *wulg.* (*psuć*) screw up; *wulg.* (*kopulować*) screw; *vi wulg.* (*mówić głupstwa*) talk nonsense; *wulg.* **~ się** *vr* fuck
pieprzyk *m* mole
pierdzieć *imperf vi wulg.* fart
piernik *m* gingerbread; *pot.* **stary ~** old fogey
pierogi, pierożki *pl kulin.* small squares of pasta filled with meat, cottage cheese or fruit, folded and boiled
pier|ś *f* (*klatka piersiowa*) breast, chest; *pl* **~si** breasts; **karmić dziecko ~sią** breast-feed a child
pierścionek *m* ring; **~ zaręczynowy** engagement ring
pierwiastek *m* element; *mat.* root
pierwotny *adj* primeval, original; (*człowiek*) primitive
pierwowzór *m* prototype
pierwszeństwo *n* priority, precedence

pierwszorzędny *adj* first-rate
pierwsz|y *num* first; **~ego stycznia** the first of January; **~a pomoc** first aid; *pot.* **~y lepszy** anybody, anyone; **~a** (*godzina*) one o'clock; **po ~e** first, firstly; **pani ~a!** after you!
pierze *n* feathers *pl*
pies *m* dog; *pot.* **~ z kulawą nogą** not a soul; **pogoda pod psem** wretched weather; *przen.* **zejść na psy** go to the dogs
pieszczota *f* caress
pieszo *adv* on foot
pieszy *m* pedestrian; **przejście dla ~ch** (pedestrian) crossing
pieścić *imperf vt* caress, pet
pieśniarz *m* songster
pieśń *f* song
pietruszka *f bot.* parsley; (*korzeń*) parsley-root
pięciolinia *f muz.* staff
pięcioro *num* five
pięć *num* five
pięćdziesiąt *num* fifty
pięćdziesiąt|y *adj* fiftieth; **lata ~e** the fifties
pięćset *num* five hundred
piękno *n* beauty
piękn|y *adj* beautiful; **literatura ~a** belles-lettres; **~a pogoda** beautiful weather; **sztuki ~e** fine arts; **płeć ~a** the fair sex; **odpłacić ~ym za nadobne** give sb a tit for tat
pięściarz *m* boxer
pięś|ć *f* fist; **prawo ~ci** might is right; **pasować jak ~ć do oka** be a bad match
pięta *f* heel
piętnast|y *num* fifteenth; **~a** (*godzina*) fifteen hours, 3 p.m.
piętnaście *num* fifteen
piętro *n* floor, storey, *am.* story
pigułka *f* pill
pijak *m* drunk, drunkard
pijan|y *adj* drunk(en); *m* drunk; **jazda po ~emu** drink driving, *am.* drunk driving
pik *m* (*w kartach*) spade
pikantny *adj* piquant, hot; (*dowcip*) bawdy; (*szczegół*) juicy
pikieta *f* picket
piknik *m* picnic
pilnik *m* file
piln|ować *imperf vt* mind, look after; (*nadzorować*) supervise; *pot.* **~uj swego nosa!** mind your own business!; **~ować porządku** maintain order; **~ować się** *vr* take care of o.s., *am.* watch one's step
pilny *adj* diligent; (*naglący*) urgent
pilot *m* pilot; (*przewodnik*) guide; (*np. telewizyjny*) remote control
piła *f* saw
piłka *f* ball; *sport.* **~ nożna** football, soccer
piłkarz *m* football <soccer> player, footballer
pinezka *f* drawing pin, *am.* thumbtack
pionek *m* pawn
pionier *m* pioneer
pionowy *adj* vertical
piorun *m* lightning, (thunder) bolt; **rażony ~em** thunder-

struck; *pot.* **~em** in less than no time, like a shot
piorunochron *m* lightning conductor <rod>
piosenka *f* song
piosenkarz *m* singer
piórnik *m* pencil case
pióro *n* feather; (*do pisania*) pen; **wieczne ~** fountain pen
piramida *f* pyramid
piracki *adj* pirate *attr*, pirated
pirat *m* pirate
pisać *imperf vt* write; **~ na maszynie** type; **jak się to pisze?** how do you spell that?; *pot.* **~ się na coś** to be on for sth
pisak *m* felt-tip (pen)
pisanka *f* Easter egg
pisarz *m* writer
pisemny *adj* written
pisk *m* squeal, squeak; (*opon*) screech
pisklę *n* nestling
pismo *n* writing, (*charakter pisma*) hand(writing); (*dokument*) letter; (*czasopismo*) magazine; **Pismo Święte** the Scripture; **na piśmie** in writing, on paper
pisownia *f* spelling
pistolet *m* gun, pistol; **~ maszynowy** submachine gun
piszczeć *imperf vi* squeal, screech
piśmienn|y *adj*: **materiały ~e** stationery
pitrasić *imperf vt pot.* cook
piwiarnia *f* pub
piwnica *f* cellar
piwny *adj* beer *attr*; (*kolor oczu*) hazel
piwo *n* beer; **~ beczkowe** beer on draught, *am.* draft; **~ ciemne** brown ale; **~ jasne** lager
piżama *f* pyjamas *pl*, *am.* pajamas *pl*
pizzeria *f* pizzeria
plac *m* square; (*działka*) lot; **~ zabaw** playground
plac|ek *m kulin.* pancake, pie; (*ciasto*) cake; **~ki kartoflane** potato pancakes
placówka *f* (*przedstawicielstwo*) post
plajt|a *f pot.* bancruptcy; *pot.* **zrobić ~ę** go broke
plakat *m* poster, placard
plakietka *f* badge
plama *f* spot, patch; (*brudna*) stain
plan *m* (*zamiar*) plan; (*program*) scheme, schedule; **~ miasta** street map; **~ zajęć** timetable; **pierwszy <dalszy> ~** foreground <background>
planeta *f* planet
planować *imperf vt* plan
planowy *adj* planned; (*na czas*) on time <schedule>
plansza *f* chart; (*do gier*) board
plantacja *f* plantation
plaster *m* (sticking) plaster; (*szynki*) slice; (*miodu*) honeycomb
plastik *m* plastic
plastyczn|y *adj techn.* plastic; **sztuki ~e** fine <plastic> arts;

med. **operacja ~a** plastic surgery
plastyk *m* (*artysta*) artist
platforma *f* platform
platfus *m* flatfoot
platyna *f* platinum
plaża *f* beach
plebiscyt *m* plebiscite
plecak *m* rucksack, *am.* backpack
plec|y *pl* back; **leżeć na ~ach** lie on one's back; *przen.* **za ~ami** behind one's back; *przen.* **obrócić się do kogoś ~ami** turn one's back on sb; *przen.* **mieć ~y** have friends in high places
plemię *n* tribe
plemnik *m* sperm (cell)
plener *m* open air; (*w filmie*) location
pleść *imperf vt* plait; (*pot. gadać*) blubber
pleśń *m* mildew, mould, *am.* mold
plik *m* bundle; *komp.* file
plomba *f* (*w zębie*) filling; (*pieczęć*) seal
plon *m* crop
plotk|a *f* rumour, *am.* rumor, gossip; *pl* **~i** (*pogłoski*) gossip
plotkować *imperf vi* gossip
pluć *imperf vi* spit
pluralizm *m* pluralism
plus *m mat.* plus; (*zaleta*) plus, advantage; **~y i minusy** pros and cons
pluskwa *f zool.* bedbug
pluton *m* platoon
płac|a *f* pay, earnings *pl*, salary, wage; **lista ~** payroll
płacić *imperf vt* pay; **~ gotówką** pay in cash; **~ z góry** pay in advance
płacz *m* crying, weeping; **wybuchnąć ~em** burst into tears
płakać *imperf vi* cry, weep; **~ rzewnymi łzami** cry one's eyes out
płask|i *adj* flat; (*w geometrii*) **figura ~a** plane
płaszcz *m* (over)coat; **~ przeciwdeszczowy** raincoat; **~ kąpielowy** bath robe
płaszczyzna *f geom.* plane
płatek *m* (*kwiatu*) petal; (*śniegu*) flake
płatność *f* payment
płatn|y *adj* paid; **~y morderca** contract killer; **~e przy odbiorze** paid on delivery
płaz *m zool.* amphibian
płciowy *adj* sexual
płeć *f* sex; **~ piękna** the fair sex
płetwa *f* fin; (*pływaka*) flipper
płetwonurek *m* scuba diver
płomie|ń *m* flame; **stanąć w ~niach** burst into flames; **~ń namiętności** flame of passion
płonąć *imperf vi* burn; *przen.* **~ ze wstydu** burn with shame
płot *m* fence
płód *m* foetus, *am.* fetus
płótno *n* linen; (*malarskie; żaglowe*) canvas
płuc|o *n* lung; *med.* **zapalenie ~** pneumonia

pług *m* plough, *am.* plow
płukać *imperf vt* rinse; **~ gardło** gargle
płyn *m* liquid; **~ do kąpieli** bath foam
płynąć *imperf vi* flow; (*unosić się na wodzie*) float; (*pływać*) swim; (*o statku*) sail; (*o czasie*) go by
płynny *adj* (*ciekły*) liquid; (*wymowa*) fluent
płyta *f* plate, slab; **~ kompaktowa** compact disc, CD; **~ pamiątkowa** commemorative plaque
płytka *f* plate; (*ceramiczna*) tile
płytki *adj* shallow; *przen.* superficial; **~ talerz** dinner plate
pływać *imperf vi zob.* **płynąć**
pływak *m* swimmer; (*przyrząd*) float
pływalnia *f* (*basen*) swimming-pool
p.o. *skr.* acting *attr*
po *praep* (*o czasie*) after; **po obiedzie** after dinner; **pięć po piątej** five past, *am.* after five; **po tygodniu** after a week; (*o miejscu*) in, on; **po lesie** in the woods; **po trawie** on the grass; **po ulicy** down the street; (*o celu*) for; **po co?** what for?; **iść po kogoś** go and fetch sb; **zadzwonić po lekarza** call for a doctor; (*o sposobie*) by; **po kolei** by turns; **po kawałku** piece by piece; **po trochu** little by little; **poznać kogoś po głosie** identify sb by his voice; (*aż do*) (up) to; **po dziś dzień** up to the present day; **po brzegi** to the rim; (*następstwo*) next to; **pierwszy po Bogu** next to God; (*inne*) **po raz pierwszy** for the first time; **po pierwsze** firstly; **mówić po angielsku** speak English; *pot.* **po ile?** how much?; **ma to po dziadku** he has it from his grandfather
pobić *perf vt* (*pokonać*) beat; **~ rekord** beat <break> a record; **~ się** *vr* have a fight
pobliski *adj* nearby *attr*
pobocze *n* verge, *am.* shoulder
pobór *m techn.* (*mocy*) consumption; (*należności*) collection; *woj.* conscription, *am.* draft
pobudka *f* (*sygnał*) reveille; (*powód*) motive; **~!** wake up!
pobyt *m* stay; **~ stały <tymczasowy>** permanent <temporary> residence; **przedłużyć ~** extend one's stay
pocał|ować *perf vt* kiss; *wulg.* **~uj mnie gdzieś** kiss my arse <*am.* ass>
pocałunek *m* kiss
pochlebiać *imperf vi* flatter (**komuś** sb)
pochlebstwo *n* flattery
pochłaniać, pochłonąć *imperf perf vt* absorb; *przen.* (*wiedzę*) devour
pochmurny *adj* cloudy; *przen.* (*ponury*) gloomy
pochodzenie *n* origin

pochować *perf vt* (*pogrzebać*) bury; *zob*. **chować**

pochwa *f* sheath; *anat*. vagina

pochwała *f* praise; (*na piśmie*) citation

pochylać, pochylić *imperf perf vt* bend, incline; ~ **się** *vr* bend down; (*o budynku*) lean

pochyły *adj* (*o drzewie*) leaning; (*teren*) sloping

pociąg *m* train; (*skłonność*) attraction; ~ **towarowy** freight <goods> train

pociągać, pociągnąć *imperf perf vt* pull (**za coś** (at) sth), draw; *vi* attract

pocić się *imperf vr* sweat

pociecha *f* consolation, comfort; (*dziecko*) kid

po ciemku *adv* in the dark

pocieszać, pocieszyć *imperf perf vt* cheer (up), console, comfort; ~ **się** *vr* console o.s.

pocisk *m* missile

począt|ek *m* beginning, start; **na ~ku** at the beginning; **na ~ek** for a start

początkujący *m* beginner

poczekalnia *f* waiting room

poczekani|e *n*: **na ~u** while you wait, offhand

poczęstować *perf vt* treat (**kogoś czymś** sb to sth)

poczt|a *f* post, *am*. mail; (*budynek*) post office; **wysłać ~ą** send by post, post, *am*. mail; **~a elektroniczna** e-mail

pocztow|y *adj* postal; **opłata ~a** postage; **urząd ~y** post office; **skrzynka ~a** postbox, *am*. mailbox; **znaczek ~y** postage stamp

pocztówka *f* postcard

poczuć *perf vt* feel, sense; ~ **się** *vr* feel

poczwarka *f zool*. chrysalis

poczytać *perf vi*: ~ **sobie** read, do some reading; ~ **coś za zaszczyt** consider sth to be an honour

pod *praep* under; ~ **stołem** under the table; ~ **spodem** underneath; ~ **ścianą** by the wall; ~ **górę** uphill; ~ **numerem 10** at No 10; ~ **światło** against the light; ~ **wieczór** towards evening; ~ **warunkiem, że...** on condition that...; ~ **ręką** at hand; ~ **przysięgą** on <under> oath; ~ **tym względem** in this respect; ~ **Warszawą** near Warsaw

podać *perf vt zob*. **podawać**

podanie *n* (*prośba*) application; (*opowieść*) legend; *sport*. pass

podatek *m* tax; ~ **dochodowy** income tax

podatkow|y *adj* tax *attr*; **przepisy ~e** tax regulations; **zeznanie ~e** tax return

podatnik *m* taxpayer

podawać *imperf vt* give, pass; ~ **rękę** shake hands (**komuś** with sb); ~ **sól** pass salt; ~ **do wiadomości** announce; ~ **się** *vr*: ~ **się za kogoś** pose as sb; ~ **się do dymisji** hand in one's resignation

podaż *f* supply

podbój *m* conquest

podbródek *m* chin

podbrzusze *n* abdomen; (*u zwierzęcia*) underbelly

podczas *praep* during; **~ gdy** while, when

poddać, poddawać *perf imperf vt* (*twierdzę*) surrender; (*myśl*) suggest; (*krytyce*) subject; **~ coś pod głosowanie** put sth to the vote; **~ kogoś <coś> próbie** put sb <sth> to the test; **~ się** *vr* (*zrezygnować*) give up; (*nieprzyjacielowi*) surrender; (*podporządkować się*) submit; **~ się losowi** resign o.s. to one's fate; **~ się leczeniu** undergo a medical treatment

poddany *m* subject

poddasze *n* loft, attic

podejmować *imperf vt* take (up); (*przedsięwziąć*) undertake; (*gości*) receive; **~ decyzję** take <make> a decision; **~ działania** take steps; **~ uchwałę** pass a resolution; **~ pieniądze z konta** withdraw money from an account; **~ wysiłki** make an effort; **~ się** *vr*: **~ się czegoś <coś zrobić>** undertake sth <to do sth>

podejrzany *adj* suspicious; *m prawn.* suspect; **~ o coś** suspected of sth

podejrzenie *n* suspicion

podejrzewać *imperf vt* suspect (**kogoś o coś** sb of sth)

poderwać *perf vt* (*z ziemi*) snatch (from the ground); *pot.* (*dziewczynę*) pick up; **~ czyjś autorytet** undermine sb's authority

podeszły *adj*: **w ~m wieku** advanced in years

podeszwa *f* sole

podium *n* podium

podjąć *perf vt zob.* **podejmować**

podjechać, podjeżdżać *perf imperf vi* (*do miejsca*) draw up, drive up

podkładka *f techn.* washer; (*pod talerz*) mat

podkolanówki *pl* kneelength socks *pl*

podkop *m* tunnel

podkoszulek *m* vest, *am.* undershirt

podkowa *f* horseshoe

podkreślać, podkreślić *imperf perf vt* underline; (*uwydatniać*) stress, emphasize

podlać, podlewać *perf imperf vt* water

podlegać *imperf vi* (*kierownictwu*) be subordinate (**komuś <czemuś>** to sb <sth>); **~ czemuś** be subject to sth; **~ prawu** come under the law; **~ zmianom** undergo changes

podlizywać się *imperf vr pot.* suck up (**komuś** to sb)

podlotek *m* teenage girl

podłączyć, podłączać *perf imperf vt* connect, *pot.* hook up

podłoga *f* floor

podłoże *n* ground; (*podstawa*) basis

podłużny *adj* elongated; (*przekrój*) longitudinal

podmiejsk|i *adj* suburban; **komunikacja ~a** (*kolejowa*) suburban shuttle train service

podmiot *m* subject

podmokły *adj* wet; (*bagnisty*) boggy, marshy

podmorski *adj* under-sea *attr*

podmuch *m* gust (**wiatru** of wind); (*od wybuchu*) blast

podniebienie *n* palate

podniecać, podniecić *imperf perf vt* excite; (*seksualnie*) excite, arouse; **~ się** *vr* get excited; (*seksualnie*) get excited <aroused>; *pot.* **~ się czymś** get excited about sth

podnieść, podnosić *perf imperf vt* raise, lift; (*zbierać*) pick up; (*ręce*) raise; (*płace, ceny, podatki*) raise; **~ głos** raise one's voice; **~ krzyk** raise a rumpus; **~ kotwicę** weigh anchor; **~ się** *vr* (*wstać*) stand up, rise

podoba|ć się *imperf vr* be attractive; **~ć się komuś** appeal to sb; **ona mi się ~** I like her; **~ mi się tutaj** I like it here

podobieństwo *n* similarity; (*wyglądu*) likeness, resemblance

podobnie *adv* similarly, alike; (*równie*) as; **~ jak** like

podobno *adv* supposedly

podobn|y *adj* similar, alike; **być ~ym do kogoś** resemble sb; **coś ~ego!** really!; **nic ~ego!** nothing of the sort!

podołać *perf vi* cope (**czemuś** with sth), manage (**czemuś** sth)

podopieczny *m*: **mój ~** my charge

podpalić *perf vt* set fire to; (*wzniecić pożar*) set fire (**dom** to a house), set on fire (**dom** a house)

podpaska *f* (*higieniczna*) sanitary pad <towel>

podpinka *f* (*pod płaszcz*) detachable lining

podpis *m* signature; (*pod rysunkiem*) caption; **złożyć ~ pod czymś** put one's signature to sth

podpisać *perf vt* sign; **~ się** *vr* sign one's name

podpórka *f* support

podrabiać *imperf vt* forge

podręcznik *m* (*szkolny*) textbook, handbook

podręczny *adj*: **~ bagaż** hand luggage, *am.* baggage; **~ słownik** concise dictionary

podrobić *perf vt zob.* **podrabiać**

podroby *pl kulin.* offal; (*drobiowe*) giblets *pl*

podroż|eć *perf vi* go up (in price); **mięso ~ało o 5%** meat has gone up by 5 percent

podróż *f* journey; (*krótka*) trip; **~ służbowa** business trip; **~ poślubna** honeymoon; **biuro ~y** travel agency; **szczęśliwej ~y!** happy journey!

podróżny *m* passenger
podróżować *imperf vi* travel
podrywać *imperf vt zob.* **poderwać**
podrzeć *perf vt* tear up
podskakiwać, podskoczyć *imperf perf vt* jump, leap; (*o piłce*) bounce; (*o cenach*) run up; (*ze strachu*) start; ~ **z radości** jump for joy
podsłuch *m* bug; (*na linii*) tap
podsłuchać *perf vt* overhear
podsłuchiwać *imperf vi* eavesdrop
podstaw|a *f* basis; (*w geometrii*) base; **na ~ie czegoś** on the basis of sth; **mieć ~y, żeby coś zrobić** have good reasons to do sth; **na jakiej ~ie?** on what grounds?
podstawić *perf vt* (*umieścić*) place; ~ **komuś nogę** trip sb (up)
podstawow|y *adj* basic; **szkoła ~a** elementary <primary> school
podstemplować *perf vt* (*budynek*) pin, prop; (*dokument*) stamp
podstęp *m* trick, ruse
podsumować *perf vt* add up; (*streścić*) sum up
podszewka *f* lining
podświadomy *adj* subconscious
podtrzymywać *imperf vt* support, hold up; (*stosunki*) maintain; (*popierać*) back up; ~ **kogoś na duchu** buoy sb up
poduszka *f* (*część pościeli*) pillow; (*do ozdoby*) cushion; ~ **powietrzna** airbag
poduszkowiec *m* hovercraft
podwieczorek *m* afternoon tea
podwijać, podwinąć *imperf perf vt:* ~ **rękawy** roll up one's sleeves; ~ **nogi pod siebie** tuck up one's legs under one
podwładny *adj* subordinate
podwodn|y *adj* underwater *attr*, submarine; **łódź ~a** submarine
podwozie *n* chassis
podwójn|y *adj* double; *sport.* **gra ~a** doubles
podwórze *n* yard
podwyżka *f* rise, *am.* raise; (*cen*) rise
podwyższać, podwyższyć *imperf perf vt* raise, heighten; (*wzmagać*) increase; ~ **zarobki** raise wages
podział *m* division, partition
podziałka *f* scale
podziel|ić, podziel|ać *perf imperf vi* divide, share; **~ać czyjeś zdanie** share sb's opinion; **~ić czyjś los** cast in one's lot with sb; **~ić się** *vr* divide; **~ić się czymś** share sth; **~ić się z kimś wiadomością** impart a piece of news with sb
podziemie *n* basement, vaults; *przen.* the underground
podziemn|y *adj* underground *attr*; **przejście ~e** subway, *am.* underpass
podziękować *perf vi zob.* **dziękować**

podziękowanie *n* thanks *pl*
podziw *m* admiration
podziwiać *imperf vt* admire
podzwrotnikowy *adj* tropical
poeta *m* poet
poezja *f* poetry
poganin *m* pagan, heathen
pogański *adj* pagan, heathen
pogard|a *f* contempt; **godny ~y** contemptible
pogarszać *imperf vt zob.* **pogorszyć**
pogląd *m* view, opinion; **~ na świat** outlook; **wymiana ~ów** exchange of views
pogłębiać *imperf vt* deepen; **~ się** *vr* deepen
pogniewać się *perf vr* be cross (**na kogoś** with sb), have fallen out (**z kimś** with sb)
pogoda *f* weather; **~ ducha** cheerfulness
pogodzić *perf vt* reconcile; **~ się** *vr* be reconciled (**z kimś** with sb), reconsile o.s. (**z czymś** to sth)
pogoń *f* chase, pursuit
pogorszyć *perf vt* worsen; **~ się** *vr* worsen, deteriorate
pogotowi|e *n* (*stan gotowości*) alert; (*instytucja*) emergency service; **karetka ~a** ambulance; **być w ~u** be on stand-by, be on the alert; **~e ratunkowe** ambulance service
pogranicze *n* borderland
pogrzeb *m* funeral
pogrzebać *perf vt zob.* **grzebać**
pojawić się *perf vr* appear; (*o człowieku – przyjść*) turn up, show up
pojazd *m* vehicle
pojechać *perf vi zob.* **jechać**
pojedyncz|y *adj* single; (*jeden z wielu*) individual; *gram.* **liczba ~a** the singular
pojemnik *m* container, receptacle; **~ na śmieci** rubbish bin, *am.* garbage can
pojemność *f* capacity
pojęci|e *n* concept, idea; **nie mam zielonego ~a** I don't have the faintest <foggiest> idea
pojutrze *adv* the day after tomorrow
pokarm *m* food; (*mleko matki*) milk
pokaz *m* demonstration, show; **~ mody** fashion show; **na ~** for show
pokazać, pokazywać *perf imperf vt* show; (*wskazywać*) point (**coś** at sth); **~ się** *vr* appear; (*o człowieku*) turn <show> up
poker *m* poker
pokła|d *m* (*warstwa*) layer; (*statku*) deck; **na ~dzie** on board
pokłócić *perf vt*: **~ się** *vr* (*posprzeczać się*) have a quarrel (**z kimś** with sb)
pokochać *perf vt* come to love
pokojowy *adj* peace *attr*; (*zgodny*) peaceful; **malarz ~** painter
pokojówka *f* maid; (*w hotelu*) (chamber) maid

pokolenie *n* generation

pokonać *perf vt* defeat, beat; (*przemóc*) overcome; **~ odległość** cover a distance; **~ trudności** overcome difficulties

pokorny *adj* humble

pokój *m* peace; (*pomieszczenie*) room; **~ stołowy** dining room; **~ nauczycielski** staff room; **zawrzeć ~** make peace

pokrewieństwo *n* kinship; *przen.* affinity

pokroić *perf vt zob.* **kroić**

pokrowiec *m* cover

pokryć *perf vt* cover; (*obić*) upholster; **~ koszt** cover the cost; **~ stratę** make up for a loss

po kryjomu *adv* secretly, stealthily

pokrywać *imperf vt zob.* **pokryć**

pokrywka *f* lid

pokrzywa *f* nettle

pokrzyżować *perf vt*: **~ czyjeś plany** thwart sb's plans

pokusa *f* temptation

pokwitowanie *n* receipt

Polak *m* Pole

polana *f* clearing

polarny *adj* polar

pole *n* field; *mat.* area; **~ widzenia** field of vision; **~ bitwy** battlefield; *sport.* **~ karne** penalty field

polecać *imperf vt* (*kazać*) command; (*rekomendować*) recommend; (*powierzać*) entrust

polecenie *n* command, order

polecić *perf vt zob.* **polecać**

polega|ć *imperf vi*: **~ć na** (*mieć przyczynę*) consist in; (*ufać*) rely on, depend on; **można na nim ~ć** he is reliable <dependable>; **to ~ na tym, że...** the point is that...

polepsz|ać, polepszyć *imperf perf vi* improve; **~ać się** *vr* improve; **~yło mu się** he is better

polewa *f* glaze; (*na cieście*) icing

polędwica *f* loin

policja *f* police

policjant *m* policeman

policjantka *f* policewoman

policzek *m* cheek; (*uderzenie*) slap on the face; **wymierzyć komuś ~** give sb a slap on the face

policzyć *perf vt*: **~ komuś 10 zł za coś** charge sb 10 zlotys for sth; **~ się** *vr*: **~ się z kimś** get even with sb; *zob.* **liczyć**

polisa *f*: **~ ubezpieczeniowa** insurance policy

politechnika *f* polytechnic

polityczny *adj* political

polityk *m* politician

polityka *f* politics; (*kierunek postępowania*) policy

polka *f* (*taniec*) polka

polować *imperf vi* hunt

polowanie *n* hunting

polski *adj* Polish

polubić *perf vt* take a liking <fancy> (**kogoś <coś>** to sb <sth>)

połączenie *n* combination; (*telefoniczne*, *kolejowe*) connection
połączyć *perf vt* connect, join, link; (*telefonicznie*) put through; **~ się** *vr* unite, merge; (*telefonicznie*) get through (**z kimś** to sb)
połknąć *perf vt* swallow, gulp down
połow|a *f* half; (*środek*) middle; **na ~ę** in two; **w ~ie drogi** halfway; **w ~ie lipca** in mid-July; **za ~ę ceny** at half-price
położeni|e *n* (*miejsce*) location; (*warunki*) position, situation; **mieć korzystne ~e** be favourably situated; **być w ciężkim ~u** be in a sad <terrible> plight
położna *f* midwife
położyć *perf vt* lay (down), put (down); (*obalić*) lay <bring> down; **~ kres czemuś** put an end to sth; **~ się** *vr* lie down; **~ się spać** go to bed; *zob.* **kłaść**
połówka *f* half
południ|e *n* noon, midday; (*strona świata*) south; **przed ~em** in the morning; **w ~e** at noon; **po ~u** in the afternoon; **na ~e od...** to the south of...
południk *m* meridian
południowo-wschodni *adj* south-east(ern)
południowo-zachodni *adj* south-west(ern)
południowy *adj* south, southern
połykać *imperf vt zob.* **połknąć**
połysk *m* gloss, lustre
pom|agać *imperf vi* help; **~agać na kaszel** relieve coughs; **płacz nic nie ~oże** cry won't help
pomału *adv* slowly
pomarańcza *f* orange
pomidor *m* tomato
pomiędzy *praep zob.* **między**
pomija|ć *imperf vt* (*opuszczać*) omit, leave out; (*nie uwzględniać*) ignore, neglect; **~ć coś milczeniem** pass over sth in silence; **~jąc już...** to say nothing of...
pomimo *praep* in spite of, despite; **~ że** even though
pominąć *perf vt zob.* **pomijać**
pomnik *m* monument
pomoc *f* help, assistance; (*ratunek*) help, rescue; **~ domowa** housemaid; **pierwsza ~** first aid; **~ drogowa** emergency road service; **przyjść komuś z ~ą** come to sb's aid; **przy ~y kogoś** with the help <aid> of; **za ~ą czegoś** by means of sth; **na ~!** help!
pomocniczy *adj* auxiliary
pomocnik *m* assistant; *sport.* full-back
pomost *m* platform; (*na jeziorze*) pier, jetty
pomóc *perf vi zob.* **pomagać**
pompa *f techn.* pump; (*wystawność*) pomp
pompka *f* pump; (*ćwiczenie*) press-up, *am.* push-up; **~ rowerowa** bicycle pump

pomylić *perf vt* mistake; **~ się** *vr* make a mistake, be mistaken
pomyłk|a *f* mistake; **przez ~ę** by mistake
pomysł *m* idea; **wpaść na ~** hit upon an idea
pomyśl|eć *perf vi* think; **kto by ~ał!** who would have thought it!
pomyślnoś|ć *f* well-being; **życzyć komuś ~ci** wish sb luck
ponad *praep* above, over; **~ rok** over a year; **~ wszystko** above all; **to jest ~ moje siły** it's beyond me
ponadto *adv* moreover, further(more)
poniedziałek *m* Monday
poniekąd *adv* in a way, to some extent
poni|eść *perf vt*: **~eść ryzyko** incur risks; **~eść koszty** bear expenses; **~eść klęskę** sustain <suffer> a defeat; **~eść stratę** suffer a loss; **~osła go wściekłość** he flew into a rage; **~osło mnie** I lost control of myself
ponieważ *conj* because, as, since
poniżej *praep* below, beneath; (*mniej niż*) below, under; **~ zera** below zero; **~ czyjejś godności** beneath one's dignity
ponosić *perf vt zob.* **ponieść**
ponownie *adv* again
pontyfikat *m* pontificate
ponur|y *adj* (*o człowieku*) gloomy; (*o miejscu*) bleak, dreary; **~e myśli** dismal thoughts
pończocha *f* stocking
po omacku *adv* gropingly
poparci|e *n* support, backing; **udzielić komuś ~a** give sb (one's) support
poparzyć *perf vt* burn; **~ się** *vr* burn o.s.
popatrz|eć *perf vi* look; **~!** look!
popełnić *perf vt* commit; **~ błąd** make a mistake; **~ samobójstwo** commit suicide
popęd *m* (*skłonność*) urge; **~ płciowy** sex(ual) drive
popielaty *adj* grey, *am.* gray
popielniczka *f* ashtray
popierać *imperf vt* support, back up
popi|ół *m* ash; *pl* **~oły** ashes *pl*
popis *m* show, display
popisywać się *imperf vr* show off (**czymś** sth)
poplamić *perf vt* stain, soil
popłoch *m* panic; **wpaść w ~** panic
popołudnie *n* afternoon
poprawa *f* improvement
poprawczak *m pot.* approved school, reformatory
poprawiać, poprawić *imperf perf vt* (*doprowadzić do porządku*) put straight, adjust; (*ulepszyć*) improve; (*błędy*) correct; **~ krawat** straighten a tie; **~ rekord** beat a record; **~ się** *vr* (*polepszyć się*) improve, (*o człowieku*) reform; (*przytyć*) put on weight <flesh>

poprawka *f* correction; *prawn.* amendment; (*krawiecka*) alteration; *pot.* (*w szkole*) repeat <retake> exam
poprawny *adj* correct
poprosić *perf vt* ask, request; **~ do tańca** ask to a dance; **~ o rękę** propose; *zob.* **prosić**
po prostu *adv* simply; (*wprost*) plainly
poprzeczka *f* crossbeam; *sport.* crossbar
poprzeć *perf vt zob.* **popierać**
poprzedni *adj* previous, preceding, former; **~ego dnia** the day before
poprzednik *m* predecessor
poprzedzać, poprzedzić *imperf perf vt* precede
popsuć *perf vt* break, spoil; **~ się** *vr* spoil, break down; (*pogorszyć się*) deteriorate
popularnonaukowy *adj* popular science *attr*
popularny *adj* popular
popyt *m* demand (**na coś** for sth); **cieszyć się ~em** be in (great) demand
por[1] *m anat.* pore
por[2] *m bot.* leek
pora *f* time; **~ roku** season; **~ obiadowa** dinnertime; **do tej pory** till now; **o każdej porze** any time; **w porę** in time; **wizyta nie w porę** ill-timed visit
porachunki *pl*: **mieć z kimś ~** have a bone to pick with sb; **załatwić z kimś ~** pay off old scores with sb
porad|a *f* advice, counsel; **~a lekarska <prawna>** medical <legal> advice; **udzielić ~y** give advice <counsel>; **zasięgnąć czyjejś ~y** seek sb's advice; **za czyjąś ~ą** on sb's advice
poradnia *f* (*lekarska*) outpatient clinic
poradnik *m* guide, handbook
poradz|ić *perf vt* advise (**komuś coś** sb sth); *vi*: **~ić sobie** cope (**z czymś** with sth), manage (**z czymś** sth); (*znaleźć sposób*) help (**na coś** sth); **nic na to nie ~ę** I can't help it; **~ić się** *vr* consult (**kogoś** sb)
poranek *m* morning; (*w kinie*) matinée
porażenie *n med.* paralysis; **~ słoneczne** sunstroke
porażka *f* defeat; (*niepowodzenie*) failure
porcelana *f* china, porcelain
porcja *f* portion, helping
poręcz *f* banister, handrail; (*fotela*) arm
poręczenie *n* guarantee
poręczyć *perf vi* vouch (**za kogoś** for sb); *vt* (*weksel*) guarantee, underwrite
pornografia *f* pornography
porodówka *f pot.* delivery room
poronienie *n med.* miscarriage; (*sztuczne*) abortion
porozmawiać *perf vi* talk <speak> (**z kimś o czymś** to sb about sth)
porozumieć się, porozumiewać się *perf imperf vr* (*kontakto-*

wać się) communicate (**z kimś** with sb); (*dogadać się)* come to <reach> an understanding
porozumieni|e *n* agreement; **dojść do ~a** reach an agreement <understanding>
poród *m* (child)birth, delivery
porównać, porównywać *perf imperf vt* compare
port *m* port, harbour
portfel *m* wallet
portier *m* porter, doorman
portiernia *f* porter's lodge, reception desk
portmonetka *f* purse
portret *m* portrait
Portugalczyk *m* Portuguese
portugalski *adj* Portuguese
porucznik *m* lieutenant, *am.* (1st) lieutenant
poruszać, poruszyć *imperf perf vt* move (**coś** sth); **~ coś** (*omawiać*) bring sth up; **~ coś** (*napędzać*) drive; (*wzruszać*) touch; **~ niebo i ziemię** move heaven and earth; **~ się** *vr* move
porwać *perf vt zob.* **porywać**
porywacz *m* (*ludzi*) kidnapper; (*samolotu*) hijacker
porywać *imperf vt* (*unosić*) snap up; (*człowieka*) kidnap; (*samolot)* hijack; **~ się** *vr* make an attempt (**na kogoś** on sb's life)
porząd|ek *m* order; **w ~ku!** all right!; **doprowadzić coś do ~ku** put sth in order; **~ek alfabetyczny** alphabetical order
porządkować *imperf vt* set in order, sort (things) out; (*sprzątać*) clean, tidy
porządny *adj* (*lubiący porządek*) tidy; (*obywatel*) respectable
porzeczka *f* currant
porzucać, porzucić *imperf perf vt* abandon, leave; (*pracę*) quit
posada *f* job, post
posadzka *f* floor
posag *m* dowry
posąg *m* statue
poseł *m* member of parliament, MP; (*wysłannik*) envoy
posesja *f* property
posiadać *imperf vt* possess, own
posiadłość *f* property, estate
posiłek *m* meal
posłać[1] *perf vt* send <dispatch> (**kogoś po coś** sb for sth)
posłać[2] *perf vt*: **~ łóżko** make a bed
posłuchać *perf vi* listen; (*być posłusznym*) obey; **~ czyjejś rady** take sb's advice
posłuszny *adj* obedient
pospolity *adj* common; (*banalny*) commonplace
post *m* fast; **wielki ~** Lent
posta|ć *f* (*forma*) form; (*sylwetka*) figure; (*osoba*) person; (*rola*) character; **w ~ci czegoś** in the form of sth
postanawiać, postanowić *imperf perf vt vi* decide, resolve; make up one's mind
postanowienie *n* resolution, resolve; (*decyzja*) decision
postawa *f* (*wygląd*) bearing,

stance; (*stosunek*) attitude, stance

postawić *perf vi* (*umieścić*) put, place; (*zbudować*) build, erect; **~ stopę** set foot; **~ komuś obiad** treat sb to dinner; **~ uczniowi stopień** give a student a grade; **~ pytanie** put a question; **~ warunek** impose a condition; **~ kogoś na nogi** set sb on his feet; **~ na swoim** have one's way; **~ się** *vr* (*przeciwstawić się*) put one's foot down; **~ się na czyimś miejscu** put o.s. in sb's place

poste restante *nieodm.* poste restante, *am.* general delivery

posterunek *m* post; **~ policji** police station

postęp *m* progress; *pl* **~y** progress; **iść z ~em** be abreast of the times; **robić ~y** make progress

postępować *imperf vi* (*posuwać się*) proceed, progress, advance; (*zachowywać się*) act, behave

postój *m* stopover; (*miejsce*) (road) stop; **~ taksówek** taxi rank

postscriptum *n* postscript

posunąć, posuwać *perf imperf vt* move, push; **~ pracę naprzód** move the job forward; **~ się** *vr* move along <forward>; **~ się do czegoś** not to stop short of doing sth; *przen.* **~ się za daleko** go too far

posyłać *imperf vt zob.* **posłać**[1]

poszczególny *adj* individual

poszewka *f* pillowcase

poszukać, poszukiwać *perf imperf vt* look for

poszwa *f* quilt cover

pościć *imperf vi* fast

pościel *f* bedclothes

pościg *m* chase, pursuit

pośladek *m* buttock

poślizg *m* skid; *przen.* delay; **wpaść w ~** go into a skid

poślubić *perf vt* wed

pośpiech *m* haste, hurry; **w ~u** hurriedly, in haste; **nie ma ~u** there is no hurry

pośpieszny *adj* hasty; **pociąg ~** fast train

pośredni *adj* indirect

pośrednictw|o *n* mediation; (*handlowe*) agency; **za ~em kogoś <czegoś>** through <by> the agency of sb <sth>; **biuro ~a pracy** employment agency

pośrednik *m* mediator; (*handlowy*) agent

pośrodku *adv* in the middle

pośród *praep* in the midst (**czegoś** of sth)

poświadczać *imperf vt* certify, authenticate; **~ podpis** witness signature

poświadczenie *n* authentication, certification

poświadczyć *perf vt zob.* **poświadczać**

poświęcać *imperf vt* (*składać w ofierze*) sacrifice, devote; (*dedykować*) dedicate; (*święcić*) consecrate; ~ **czas** spend time (**czemuś** on sth); ~ **się** *vr* sacrifice o.s. (**dla sprawy** for a cause); devote o.s. (**czemuś** to sth)

poświęcenie *n* (*ofiara*) sacrifice; (*oddanie*) devotion, dedication; (*wyświęcenie*) consecration

poświęcić *perf vt zob*. **poświęcać**

pot *m* sweat, perspiration; **w pocie czoła** by the sweat of your brow

potąd *adv* up to here; **mam tego ~!** I've had it up to here!

potem *adv* (*w czasie*) afterwards, then, later (on); (*w kolejności*) afterwards, next; **na ~** for later

potęga *f* power; *mat*. power; ~ **przemysłowa** industrial power; ~ **miłości** power of love

potępiać, potępić *imperf perf vt* condemn

potężny *adj* powerful, mighty

potknąć się *perf vr* stumble (**o coś** against sth); *przen*. slip

potoczny *adj* popular; **język ~** colloquial speech; **zwrot ~** set expression, colloquialism

potok *m* stream; ~ **słów** stream of words; **~i łez** floods of tears

potomek *m* descendant; (*u zwierząt*) offspring

potomstwo *n* (*zwierząt*) offspring; (*ludzi*) children

potop *m* deluge

potrafić *imperf perf vi* be able (**coś zrobić** to do sth), manage (**coś zrobić** to do sth)

potrawa *f* dish

potrącać, potrącić *imperf perf vt* (*szturchać*) jostle, poke; (*odliczać*) knock off, deduct; (*samochodem*) run sb down

po trochu *adv* little by little, bit by bit

potrzask *m* trap; **wpaść w ~** get into a trap

potrzeb|a[1] *f* need; *pl* **~y** needs *pl*; **nagła ~a** emergency; **być w ~ie** be in need; **nie ma ~y** there is no need; **w razie ~y** should the need arise; **bez ~y** unnecessarily

potrzeba[2] *part*: **tego mi ~** that's what I need; ~ **nam czasu** we need time

potrzebować *imperf vt* need <be in need of, want> (**czegoś** sth)

potwierdzać, potwierdzić *imperf perf vt* confirm; (*odbiór czegoś*) acknowledge

potwornie *adv*: **wyglądać ~** look awful; ~ **brzydki** terribly ugly

potworny *adj* monstrous

potwór *m* monster

poufny *adj* confidential

powaga *f* gravity; seriousness; (*prestiż*) authority

poważać *imperf vt* esteem, respect

poważn|y *adj* serious, grave; (*szanowany*) respectable; (*ważny*) important; (*znaczny*) substantial; **muzyka ~a** classical music; **~y wiek** respectable old age; **~a strata** heavy loss; **w ~ym stopniu** materially

powidła *pl* plum jam

powiedzenie *n* saying

powiedzieć *perf vt* say (**coś komuś** sth to sb), tell (**coś komuś** sb sth)

powieka *f* eyelid

powierzchnia *f* surface; (*teren*) area

powiesić *perf vt* hang; **~ się** *vr* hang o.s.

powieściopisarz *m* novelist

powieść *f* novel

powietrz|e *n* air; **na ~u** in the open air, outdoors; **wylecieć w ~e** be blown up; **wysadzić coś w ~e** blow up sth

powiększyć *perf vt* increase, enlarge, magnify; **~ się** *vr* increase, grow

powin|ien (powinna, powinno) *v* should, ought to; **~nam już iść** I should <ought to> go now; **~ien był kogoś spytać** he should have asked sb; **~ien zaraz wrócić** he should be back any moment; **~no się coś z tym zrobić** one <you> should do sth about it

powitanie *n* welcome, greeting

powłoka *f* coat(ing), layer

powodować *imperf vt* cause, bring about; (*pociągać za sobą*) result in

powodzeni|e *n* success; **mieć ~e** be popular; **~a!** good luck!

powoli *adv* slowly

powołać *perf vt* (*wyznaczyć*) appoint; **~ć kogoś na stanowisko** appoint sb to a post; **~ć kogoś do wojska** conscript sb, *am.* draft sb; **~ć się** *vr* refer (**na kogoś <coś>** to sb <sth>); **~j się na mnie** tell them I sent you

powołanie *n* (*wyznaczenie*) appointment; (*zamiłowanie*) calling, vocation

powoływać *imperf vt zob.* **powołać**

powonienie *n* (sense of) smell

pow|ód *m* cause, reason; *prawn.* plaintiff; **z ~odu** because of, due to; **bez żadnego ~odu** for no reason whatever

powódź *f* flood(ing); *przen.* flood

powrotny *adj*: **bilet ~** return, *am.* round-trip ticket

powr|ót *m* return; **~ót do zdrowia** recovery; **na ~ót, z ~otem** back; **tam i z ~otem** back and forth

powstać *perf vi zob.* **powstawać**

powstanie *n* origin, rise; (*zbrojne*) uprising

powstawać *imperf vi* (*zacząć istnieć*) come into existence, arise; (*buntować się*) rise up

powszechn|y *adj* general, common; **~a opinia** common opinion; **~e głosowanie** general election; **historia ~a** universal history

powszedni *adj* commonplace;

chleb ~ daily bread; **dzień ~** weekday
powtarzać, powtórzyć *imperf perf vt* repeat; (*lekcje*) revise, *am.* review; **~ się** *vr* (*o człowieku*) repeat o.s.
powtórny *adj* second
powyżej *adv* above; *prep* above, over; **~ zera** above zero; **dzieci ~ 10 lat** children above the age of 10 years; *pot.* **mieć czegoś ~ uszu** be fed up with sth
poza[1] *praep* beyond; (*oprócz*) beside, apart from; **~ tym** besides, also; **być ~ domem** be out
poza[2] *f* pose
pozbawić *perf vt* deprive (**kogoś czegoś** sb of sth); **~ kogoś złudzeń** disillusion sb
pozbyć się, pozbywać się *perf imperf vr* get rid (**czegoś** of sth)
pozdrawiać, pozdrowić *imperf perf vt* greet; **pozdrów go ode mnie** give him my regards, say <hello> to him
pozdrowieni|e *n* greeting; *pl* **~a** (*z wakacji*) greetings *pl*, (*do przekazania*) regards *pl*; love; **~a dla mamy** give my regards to your mum
poziom *m* level; **~ życia** living standard; **nad ~em morza** above sea level
poziomka *f bot.* wild strawberry
poziomy *adj* horizontal
pozna|ć *perf vt* (*zawrzeć znajomość*) meet (**kogoś** sb), get to know (**kogoś <coś>** with sb <sth>); (*rozpoznać*) recognize; **~ć kogoś po głosie** recognize sb by his voice; **~ć się** *vr* meet; **~ć się bliżej** get to know each other better; **~liśmy się na przyjęciu** we met at a party; **~ć się na kimś** to see through sb; **~ć się na czyimś talencie** detect sb's talent
poznani|e *n* (*zdobycie wiedzy*) learning; **zmienił się nie do ~a** he has changed beyond recognition
poznawać *imperf vt zob.* **poznać**
pozorny *adj* apparent, seeming
pozostać, pozostawać *perf imperf vi* (*przebywać*) stay; (*być nadal*) remain, continue; **pozostawać w pamięci** be remembered; **pozostaje mi tylko...** all that is left for me to do is...
pozostawiać, pozostawić *imperf perf vt* leave; **~ za sobą** leave behind
pozować *imperf vi* pose
pozwalać *imperf vt* allow, permit, let; **za dużo sobie ~** go too far
pozwolenie *n* permit; (*zgoda*) permission
pozwolić *perf vt*: **(nie) mogę sobie na to ~** I can (can't) afford this; **proszę ~ za mną** follow me, please; *zob.* **pozwalać**
pozycja *f* position; (*w spisie*) i-

tem; ~ **społeczna** social position

pozytywny *adj* positive

pożar *m* fire

pożegnać *perf vt* bid (sb) goodbye; ~ **się** *vr*: ~ **się z kimś** (*wzajemnie*) bid each other goodbye; *przen.* ~ **się z czymś** say goodbye to sth

pożegnanie *n* leave-taking, farewell

pożyczać *imperf vt* lend (**coś komuś** sb sth <sth to sb>), borrow (**coś od kogoś** sth from sb)

pożyczk|a *f* loan; **udzielać komuś ~i** give sb a loan

pożyczyć *perf vt zob.* **pożyczać**

pożyteczny *adj* useful

pożytek *m* benefit; **mieć z czegoś ~** benefit from sth

pójść *perf vi* go; ~ **do pracy** go to work; ~ **na marne** go to waste; ~ **z dymem** go up in smoke; **jak ci poszło?** how did you get on?; *pot.* ~ **na coś** lend o.s.; *zob.* **iść**

póki *conj*: ~ **czas** before it's too late; *zob.* **dopóki**

pół *num* half; **za ~ ceny** half-price; ~ **na** ~ fifty-fifty; ~ **godziny** half an hour; **przerwać komuś w ~ słowa** cut sb short

półbuty *pl* shoes

półetat *m* part-time job

półfinał *m* semi-final

półgłówek *m pot.* half-wit

półka *f* shelf; ~ **na książki** bookshelf; **na ~ch (księgarskich)** on sale

półksiężyc *m* crescent

półkula *f* hemisphere

półmisek *m* platter, dish

północ *f* (*pora doby*) midnight; (*strona świata*) north; **na ~ od** to the north of; **na ~y** in the north; **o ~y** at midnight

północno-wschodni *adj* north-east(ern)

północno-zachodni *adj* north-west(ern)

północny *adj* north, northern

półpiętro *n* landing

półrocze *n* (*w szkole*) term, *am.* semester

półszlachetny *adj* semi-precious

półtor|a *num* one and a half; **~a kilometra** one and a half kilometre; **za ~ej godziny** in an hour and a half

półwysep *m* peninsula

półwytrawny *adj* semi-dry

później *adv* later (on), afterwards; **prędzej czy ~** sooner or later; **odkładać coś na ~** put sth off till later

późno *adv* late

późny *adj* late; ~ **wiek** advanced old age; **~m latem** in late summer

prac|a *f* work; (*zatrudnienie*) job; (*maszyny*) run(ning); **~a na akord** piece work; **~a magisterska** master's thesis; **ciężka ~a** hard work; **~a domowa** homework; **stała ~a** permanent job; **warunki ~y** working conditions; **być bez ~y** be out of work

pracodawca *m* employer

pracować *imperf vi* work; (*działać*) work, operate; **~ fizycznie** do manual work

pracownia *f* (*warsztat*) workshop; (*artysty*) studio, atelier; (*naukowa*) study, laboratory

pracownik *m* worker, employee

prać *imperf vt vi* wash (clothes), do the laundry; **~ chemicznie** dry-clean

pragnąć *imperf vt* desire

pragnienie *n* desire; (*chęć napicia się czegoś*) thirst

praktyczny *adj* practical

praktyka *f* (*doświadczenie*) practice, *am.* practise; (*staż*) training period; (*szkolenie*) training; (*u rzemieślnika*) apprenticeship

pralka *f* washing machine

pralnia *f* laundry; **~ chemiczna** dry-cleaner's

pranie *n* washing; (*rzeczy do prania*) washing, laundry

prasa *f* press; (*dziennikarze*) the Press; (*urządzenie*) press

prasować *imperf vt* iron, press

prawd|a *f* truth; **~ę mówiąc** to tell the truth

prawdopodobny *adj* probable, likely

prawdziwy *adj* true, genuine, real

prawica *f* (*pot. w polityce*) the Right

prawidłowy *adj* correct

prawie *adv* almost, nearly

prawnik *m* lawyer

prawny *adj* legal, lawful

prawo[1] *n* (*uprawnienie*) right; (*prawodawstwo, ustawa*) law; (*zasada*) principle, law; **~ karne <cywilne>** criminal <civil> law; **~ autorskie** copyright; **~ głosu** right to speak; **mieć ~ do czegoś <coś zrobić>** be entitled <have a right> to sth <to do sth>

prawo[2] *adv*: **w ~** (*w prawą stronę*) to the right; **na ~** (*po prawej stronie*) on <to> the right

prawosławny *adj* Orthodox

prawy *adj* right; (*uczciwy*) honest, righteous

prąd *m* current, stream; (*elektryczny*) current; (*elektryczność*) electricity; **pod ~** against the stream <tide>

prądnica *f techn.* generator

precz! *int* go away!

premia *f* bonus; (*nagroda*) prize

premier *m* prime minister, premier

premiera *f* premiere

prenumerata *f* subscription

prenumerować *imperf vt* subscribe (**coś** to sth)

preparat *m* preparation; *med.* specimen

presja *f* pressure

prestiż *m* prestige

pretekst *m* pretext; **pod ~em** under the pretext

pretensj|a *f* resentment; (*rosz-*

czenie) claim; **mieć do kogoś ~ę** hold a grudge against sb
prezent *m* present, gift
prezentacja *f* presentation; (*osób*) introduction
prezenter *m* presenter
prezerwatywa *f* condom, sheath
prezes *m* president, chairman
prezydent *m* president; (*miasta*) mayor
prezydium *n* presidium
prędko *adv* quickly, fast; (*wkrótce*) soon
prędzej *adv* quicker, faster; (*wcześniej*) sooner; **czym ~** as soon as possible; **~ czy później** sooner or later
problem *m* problem
proca *f* sling, *am.* slingshot
procedura *f* procedure
procent *m* percentage, per cent, *am.* percent; (*odsetki*) interest; **na pięć ~** at five per cent
proces *m* process; *prawn.* (law)-suit; **wytoczyć komuś ~** bring a suit against sb
procesja *f* procession
procesor *m* processor
prodiż *m* electric baking pan <can>
producent *m* producer
produkcja *f* production; (*wyrób*) production, output
produkować *imperf vt* produce, make
produkt *m* product; **~ uboczny** by-product; *pl* **~y** produce; **~y spożywcze** foodstuffs
profesor *m* professor
profil *m* profile; (*zarys*) outline
profilaktyka *f med.* prevention
prognoza *f* prognosis, forecast; **~ pogody** weather forecast
program *m* programme, *am.* program; (*nauczania*) curriculum, syllabus
programista *m komp.* programmer
projekcja *f* projection
projekt *m* (*szkic*) draft; (*plan działania*) project
projektant *m* designer; **~ mody** fashion designer
projektor *m* projector
projektować *imperf vt* design
prokurator *m prawn.* prosecutor
prom *m* ferry
promieniotwórczość *f* radioactivity
promie|ń *m* (*światła*) ray; (*Roentgena*) X-ray; (*koła*) radius; **~ń słońca** sunbeam; **w ~niu 100 m od** within a radius of 100 m from
promil *m* per mill
prominent *m* high-ranking official
promocja *f* promotion
propaganda *f* propaganda
proponować *imperf vt* suggest, propose, offer
proporcja *f* proportion
proporcjonalny *adj* proportional; (*kształtny*) well-proportioned; **wprost <odwrotnie> ~ do** directly <inversely> proportional to

propozycja *f* (*pomysł*) suggestion, proposal; (*oferta*) offer, proposal
prorok *m* prophet
pro|sić *imperf vt* ask (**kogoś o coś <żeby coś zrobił>** sb for sth <to do sth>); **~sić kogoś do środka** ask sb in; **~szę mi powiedzieć** tell me, please; **~szę pana** sir; **~szę pani** madam; **~szę!** (*wręczając coś*) here you are!; **~szę (bardzo)** (*odpowiedź na dziękuję*) you're welcome; **~szę (bardzo)** (*zgadzając się*) please, do, go ahead; **~szę o ciszę!** silence please!; **~szę?** pardon?
prosię *n* piglet
prospekt *m* prospectus, brochure
prostak *m* boor, simpleton
prosto *adv* (*o kierunku*) straight; (*nieskomplikowanie*) simply, clearly; (*trzymać się*) upright; **iść ~ przed siebie** go straight on <ahead>; *przen.* **~ z mostu** straight out <from the shoulder>; **patrzeć komuś ~ w oczy** look sb straight in the face
prostokąt *m mat.* rectangle
prostopadły *adj* perpendicular
prost|y *adj* (*równy*) straight; (*nieskomplikowany*) simple, plain; **linia ~a** straight line; **kąt ~y** right angle; **~e włosy** straight hair; **~e jedzenie** simple food
prostytutka *f* prostitute
prosz|ek *m* powder; (*lekarstwo*) pill; **~ek do prania** washing powder; **mleko w ~ku** powdered milk
prośb|a *f* request; **mam do ciebie ~ę** I have a favour to ask you; **na czyjąś ~ę** at sb's request
protest *m* protest
protestancki *adj* Protestant
protestant *m* Protestant
protestować *imperf vi* protest
proteza *f* (*kończyny*) artificial limb; (*zębowa*) dentures
protokół *m* (*akt urzędowy*) report; (*dyplomatyczny*) protocol; (*z posiedzenia*) minutes
prototyp *m* prototype
prowadzić *imperf vt* (*wieść*) lead, conduct; (*kierować*) manage, run; (*realizować*) carry on; *sport.* lead; **~ samochód** drive (a car); **~ dom** run a house; **~ rozmowę** carry on a conversation
prowiant *m* provisions; **suchy ~** packed lunch
prowincj|a *f* provinces *pl*; **na ~i** in the country
prowizja *f* commission
prowokacja *f* provocation
proza *f* prose
prób|a *f* test; (*usiłowanie*) trial, attempt; (*teatralna*) rehearsal; **wystawić kogoś na ~ę** tempt sb
próbować *imperf vt* (*poddawać próbie*) test; (*usiłować*) try, attempt; (*kosztować*) taste; *przen.*

~ **szczęścia (w czymś)** try one's luck (at sth)
próchnica *f med.* caries
próchno *n* rotten wood
próg *m* doorstep, threshold; *przen.* threshold
prószy|ć *imperf vi*: ~ **śnieg** it's snowing lightly
próżnia *f* vacuum
próżniak *m* idler, lazybones
próżno *adv*: **na** ~ in vain
próżny *adj* (*pusty*) empty, void; (*zarozumiały*) vain; (*daremny*) futile
prymas *m* primate
prymitywny *adj* primitive
pryszcz *m* pimple, spot
prysznic *m* shower
prywatny *adj* private
prywatyzacja *f* privatization
prywatyzować *imperf vt* privatize
przebaczać, przebaczyć *imperf perf vt* pardon, forgive
przebieg *m* course, run; (*trasa*) route; *mot.* mileage
przebierać, przebrać *imperf perf vt* (*sortować*) sort (out); *przen.* pick and choose; **przebrać miarkę** overstep the bounds; ~ **się** *vr* change (one's clothes); ~ **się (za kogoś)** dress up (as sb)
przebieralnia *f* dressing room; (*np. na basenie*) changing room
przeb|ój *m* (*muzyczny*) hit; (*sukces*) success; **iść ~ojem** be a go-getter
przebrać *perf vt zob.* **przebierać**
przebywać *imperf vi vt* (*być gdzieś*) stay; (*chorobę*) go through, suffer
przecena *f* reduction in prices
przechodzić *imperf vt zob.* **przejść**
przechodzień *m* passer-by
przechowalnia *f*: ~ **bagażu** left-luggage office, *am.* checkroom
przechylić *perf vt* tilt; *przen.* ~ **szalę** tip the scale; ~ **się** *vr* tilt
przeciąć *perf vt* cut
przeciąg *m* draught, *am.* draft
przeciek *m* leak(age); (*miejsce*) leak; *przen.* (*informacji*) leak
przeciekać *imperf vi* leak; *pot.* (*o informacji*) leak out
przecier *m* puree
przecież *adv* but, yet; ~ **to twój kolega** he is your friend, isn't he?
przeciętnie *adv* on (the) average
przeciętny *adj* average; (*średni*) mediocre
przecinać *imperf vt zob.* **przeciąć**
przecinek *m* comma; *mat.* point
przeciwbólowy *adj med.* analgesic; **środek** ~ analgesic, painkiller
przeciwieństw|o *n* (*odwrotność*) opposition, contradiction; (*sprzeczność*) contrast; **być ~em czegoś** be opposed to sth; **w ~ie do czegoś** contrary to sth
przeciw|ko *praep* against; **nie mam nic ~ko temu** I don't mind it; **za i** ~ pros and cons;

prawn. **sprawa X ~ko Y** case X versus Y

przeciwnie *adv* on the contrary, just the opposite

przeciwnik *m* adversary, opponent; *sport.* opponent

przeciwności *pl*: **~ losu** adversities *pl*

przeciwny *adj* (*przeciwległy*) opposite; (*odmienny*) contrary; **jestem temu ~** I'm against it; **w ~m razie** otherwise, or else

przeciwstawiać, przeciwstawić *imperf perf vt* oppose (**coś czemuś** sth to sth); **~ się** *vr* stand up (**komuś** to sb), oppose (**komuś <czemuś>** to sb <sth>)

przeczenie *n* negation

przecznica *f* cross-street

przeczucie *n* intuition, hunch; (*złe*) premonition

przeczuć, przeczuwać *perf imperf vt* sense

przeczytać *perf vt* read

przed *praep* (*o czasie*) before; (*o przestrzeni*) in front of; **~ tygodniem** a week ago; **~ czasem** ahead of time; **patrz ~ siebie** look in front of you; **ucieczka ~ czymś** flight from sth

przedawkować *perf vt med.* overdose

przedawnienie *n prawn.* prescription, limitation

przeddzień *m*: **w ~** on the eve of

przede *praep*: **~ wszystkim** first of all, in the first place; *zob.* **przed**

przedimek *m gram.* article

przedłużacz *m elektr.* extension lead, *am.* extension cord

przedłużać, przedłużyć *imperf perf vt* extend, prolong; **~ umowę** extend a contract; **~ komuś życie** prolong sb's life

przedmieście *n* suburb(s)

przedmiot *m* object; (*badań*) subject; (*rozmowy*) topic; (*w szkole*) subject

przedmowa *f* preface

przedni *adj* front *attr*; (*wyśmienity*) exquisite

przedostatni *adj* last but one, *am.* next to last

przedpłata *f* down <advance> payment

przedpokój *m* hall

przedpołudnie *n* morning

przedramię *n* forearm

przedsiębiorca *m* entrepreneur

przedsiębiorstwo *n* enterprise, company

przedsięwzięcie *n* undertaking, venture

przedsprzedaż *f* promotional sale

przedstawiać *imperf vt* present, show; (*gościa*) introduce; **~ się** *vr* introduce o.s. (**komuś** to sb)

przedstawiciel *m* representative; (*handlowy*) representative, agent

przedstawicielstwo *n* (*dyplomatyczne*) post; (*handlowe*) branch office, agency

przedstawienie *n* performance, show

przedszkole *n* nursery school, kindergarten

przedtem *adv* before, formerly

przedwczoraj *adv* the day before yesterday

przedwiośnie *n* early spring

przedwojenny *adj* pre-war *attr*

przedwyborczy *adj* pre-election *attr*

przedział *m* (*zakres*) range; (*w pociągu*) compartment

przedziałek *m* parting

przegląd *m* (*kontrola*) inspection; (*wertowanie*) review, survey

przeglądać *imperf vt* look through, skim; (*sprawdzać*) check; ~ **się** *vr*: ~ **się (w lustrze)** examine o.s. (in the mirror)

przegrać, przegrywać *perf imperf vt* lose; *muz.* copy

przegub *m anat.* wrist

przejaśniać się *imperf vr* clear (up)

przejazd *m* (*pociągiem*) ride; (*miejsce*) crossing; ~ **kolejowy** level <*am.* grade> crossing; **być (gdzieś) ~em** be passing through (a place)

przejąć *perf vt zob.* **przejmować**

przejechać *perf vi vt* (*przebyć*) travel; (*przekroczyć*) pass, cross; (*minąć*) go <drive> past; (*rozjechać*) run over

przejmować *imperf vt* take over; (*przechwycić*) intercept; ~ **podziwem** fill with admiration; ~ **strachem** seize with fear; ~ **się** *vr* be concerned (**czymś** about sth)

przejrzeć *perf vt zob.* **przeglądać**

przejście *n* passage; (*stadium przejściowe*) transition; (*doświadczenie*) experience; (*przykre doznanie*) ordeal; ~ **dla pieszych** (pedestrian) crossing; ~ **podziemne** subway, *am.* underpass

przejść *perf vi vt* (*trasę*) cover; (*przekroczyć*) cross; (*minąć*) pass by; (*chorobę*) suffer, go through; ~ **na emeryturę** retire; ~ **obok czegoś** go past sth; ~ **do historii** go down in history; ~ **grypę** have flu; ~ **komuś przez myśl** cross sb's mind; ~ **się** *vr* take a walk

przekaz *m ekon.* (*bankowy*) transfer; (*pocztowy*) postal <money> order; **środki masowego ~u** (mass) media

przekazać, przekazywać *perf imperf vt* (*dać*) give; (*wiadomość*) pass on; (*ofiarować*) donate; ~ **w spadku** bequeath; ~ **pieniądze na konto** transfer money to an account

przekąska *f* snack

przekleństwo *n* swearword; (*klątwa*) curse

przeklinać *imperf vt vi* curse, swear

przekład *m* translation

przekładać *imperf vt* (*zmieniać miejsce*) shift, transfer; (*termin*) put off, postpone; (*tłumaczyć*) translate

przekładnia *f techn.* transmission (gear)

przekłuć, przekłuwać *perf imperf vt* puncture, pierce (through)

przekonać, przekonywać *perf imperf vt* convince (**kogoś o czymś** sb of sth)

przekreślać, przekreślić *imperf perf vt* cross out, strike out; *przen.* ~ **nadzieje** shatter sb's hopes

przekrój *m* section; *przen.* profile

przekształcać, przekształcić *imperf perf vt* transform, convert

przekupić *perf vt* bribe

przekwalifikować się *perf vr* retrain

przelew *m* overflow; *ekon.* transfer; ~ **krwi** bloodshed

przelicznik *m* conversion rate

przeliczyć *perf vt* count; (*zamienić*) convert; ~ **się** *vr* miscalculate

przelotn|y *adj*: **~e spojrzenie** fleeting glimpse; **~e opady** occasional showers

przełączyć *perf vt* switch (over); ~ **na inny program** switch (over) to another channel, flip channel

przełęcz *f* pass

przełknąć, przełykać *perf imperf vt* swallow

przełom *m* gorge; (*zmiana*) breakthrough; *med.* crisis; **na ~ie wieku** at the turn of the century

przełomowy *adj* critical, crucial

przełożony *m* superior

przełożyć *perf vt zob.* **przekładać**

przełyk *m anat.* gullet

przemawia|ć *imperf vi* make <deliver> a speech <an address>; (*mówić*) speak; **~ć komuś do rozsądku** appeal to sb's common sense; **dużo za tym** ~ there is much to be said for it

przemęczenie *n* exhaustion, fatigue

przemiana *f* transformation; *med.* ~ **materii** metabolism

przemijać, przeminąć *imperf perf vi* pass, go by

przemoc *f* violence; **~ą** forcibly

przemoczyć *perf vt* wet through, soak

przemoknąć *perf vi* get soaked <wet>

przemówienie *n* speech, address

przemycać, przemycić *imperf perf vt* smuggle

przemysł *m* industry; ~ **lekki <ciężki>** light <heavy> industry

przemyt *m* smuggling

przenieść *perf vt* carry; (*zmienić miejsce*) transfer, displace; ~

wyraz divide a word; ~ **się** *vr* (*przeprowadzić się*) move
przenocować *perf vi vt* stay overnight; (*kogoś*) put up
przenosić *imperf vt zob.* **przenieść**
przenośny *adj* portable
przeoczyć *perf vt* overlook
przepaść[1] *f* precipice; *przen.* gap, gulf
przepaść[2] *perf vi* get lost, disappear; (*doznać niepowodzenia*) fail; ~ **bez wieści** be missing
przepić, przepijać *perf imperf vt*: ~ **pieniądze** spend money on drink
przepis *m* regulation, rule; (*kulinarny*) recipe; **~y drogowe** traffic regulations; **przestrzegać ~ów** obey rules
przepisać, przepisywać *perf imperf vt* (*lekarstwo*) prescribe; (*tekst*) rewrite, copy
przepona *f anat.* diaphragm
przeprasza|ć, przeprosić *imperf perf vt* apologize (**kogoś za coś** to sb for sth); **~m!** (I'm) sorry!; **~m, która godzina?** excuse me, what's the time?
przeprowadzać, przeprowadzić *imperf perf vt* (*przenosić*) take, remove; (*wykonywać*) carry out; ~ **kogoś przez ulicę** escort <see> sb across a street; ~ **się** *vr* move
przeprowadzka *f* move
przepuklina *f med.* hernia
przepustka *f* pass, permit
przerabiać *imperf vt zob.* **przerobić**
przerazić, przerażać *perf imperf vt* horrify, terrify; ~ **się** *vr* be terrified <horrified>
przerażenie *n* terror
przerobić *perf vt* (*zmienić*) alter; (*lekcje*) do
przeróbka *f* (*krawiecka*) alteration
przerw|a *f* break; (*w teatrze*) interval, intermission; **bez ~y** without a break
przerwać, przerywać *perf imperf vt* (*przedzielić*) break; (*zrobić przerwę*) interrupt, discontinue
przerzut *m* transfer, shift; *med.* metastasis
przesad|a *f* exaggeration; **do ~y** to a fault; **bez ~y** without exaggeration
przesadzać, przesadzić *imperf perf vi vt* exaggerate; (*roślinę*) transplant
przesąd *m* (*uprzedzenie*) prejudice; (*zabobon*) superstition
przesądny *m* superstitious
przesiadać się *imperf vr* move to another seat; (*z pociągu do pociągu*) change trains <to another train>
przesiadka *f* change
przesiąść się *perf vr zob.* **przesiadać się**
przesłać *perf vt* send
przesłona *f* screen; *fot.* aperture
przesłuchać, przesłuchiwać *perf*

imperf vt prawn. question, interrogate, examine; (*nagranie*) listen to
przespać się *perf vr* get some sleep; **~ z kimś** sleep with sb
przesta|ć *perf vt* cease, stop; **~ło padać** it stopped raining
przestarzały *adj* obsolete, dated
przestępca *m* criminal
przestępstwo *n* crime; **popełnić ~** commit a crime
przestraszyć *perf vt* frighten, scare; **~ się** *vr* get scared
przestrzegać *imperf vt* warn (**przed czymś** of sth); (*stosować się*) obey, observe, abide; **~ diety** keep <stick to> a diet
przestrzeń *f* space; **~ kosmiczna** (outer) space
przesunąć, przesuwać *perf imperf vt* move, shift; **~ się** *vr* move (over), shift
przesyłka *f* (*pocztowa*) mail
przeszczep *m med.* transplant
przeszkadzać *imperf vi* (*utrudniać*) prevent (**komuś w robieniu czegoś** sb from doing sth), interfere (**w czymś** with sth); (*być zawadą*) disturb (**komuś** sb)
przeszko|da *f* obstruction, obstacle; **stać komuś na ~dzie** stand in sb's way; *sport.* **bieg z ~dami** steeplechase
przeszkodzić *perf vi zob.* **przeszkadzać**
przeszłość *f* the past
przeszły *adj* past; *gram.* **czas ~** past tense
prześcieradło *n* sheet
prześwietlenie *n med.* X-ray
prześwietlić *perf vt med.* X-ray; **~ się** *vr* have an X-ray
przetarg *m* (*wybór ofert*) tender
przetłumaczyć *perf vt* translate; (*wytłumaczyć*) render
przetrwać *perf vi vt* (*przeżyć*) survive; (*zachować się*) be preserved, be still alive
przetwarzać, przetworzyć *imperf perf vt* transform, convert; (*przerabiać*) process
przetwórnia *f* processing plant, factory; **~ spożywcza** food processing plant, food factory
przewaga *f* advantage; (*wyższość*) superiority
przeważnie *adv* mostly, for the most part
przewidywać, przewidzieć *imperf perf vt* foresee, predict; (*oczekiwać*) anticipate
przewietrzyć *perf vt* ventilate, air; **~ się** *vr* take a breath of fresh air
przewiewny *adj* airy; (*strój*) cool
przewijać, przewinąć *imperf perf vt* rewind; **~ dziecko** change the baby
przewodniczący *m* chairman, president
przewodniczyć *imperf vi* be in the chair; **~ zebraniu** chair <preside over> a meeting
przewodnik *m* guide; (*książka*) guidebook; *elektr.* conductor

przewoźnik *m* carrier, haulier, *am.* hauler

przewód *m* pipe, line; *elektr.* wire; *anat.* ~ **pokarmowy** alimentary canal

przewóz *m* transport

przewracać, przewrócić *imperf perf vt* overturn, turn over; ~ **coś na drugą stronę** reverse sth; ~ **kartkę** turn a page; ~ **się** *vr* fall down <over>; *przen.* **przewróciło mu się w głowie** his head has turned

przewyższać, przewyższyć *imperf perf vt* (*być wyższym*) be taller than; (*liczebnie*) outnumber; ~ **kogoś pod jakimś względem** surpass sb in terms of sth

przez *praep* (*poprzez*) through, across, over; (*o czasie*) during, for, within, in; (*o sposobie*) by, through; ~ **cały dzień** all day long; ~ **cały rok** all the year; ~ **telefon** on the phone, by phone; ~ **przypadek** by accident; ~ **nieuwagę** through inattention

przeziębić się *perf vr* catch (a) cold

przeziębienie *n* cold

przeziębiony *adj*: **jestem** ~ I have a cold

przeznaczać, przeznaczyć *imperf perf vt* destine; (*pieniądze*) allocate

przeznaczeni|e *n* (*los*) destiny, fate; (*zastosowanie*) use; **miejsce ~a** destination

przeznaczyć *perf vt zob.* **przeznaczać**

przezrocze *n* slide

przezroczysty *adj* transparent

przezwisko *n* nickname

przezwyciężyć *perf vt* overcome; ~ **trudności** overcome <surmount> difficulties

przeżegnać się *perf vr* cross o.s.

przeżyć *perf vt* (*przetrwać*) survive, outlive; (*doświadczyć*) experience; (*przejść*) go <be> through

przeżytek *m* anachronizm

przodek *m* ancestor

prz|ód *m* front; **na ~odzie, z ~odu** in front; **do ~odu** foreword; **puścić kogoś ~odem** let sb go first

przy *praep* (*obok*) near, beside, by; (*o czasie*) when, at, on; (*o obecności*) with, by; **ramię ~ ramieniu** shoulder to shoulder; ~ **kawie** over coffee; ~ **pracy** at work; ~ **świetle księżyca** by moonlight; ~ **okazji** by the way; ~ **twojej pomocy** with your help; ~ **tym <czym>** at the same time; **nie mam ~ sobie pieniędzy** I have no money about <on> me; ~ **obcych <świadkach>** in the presence of strangers <witnesses>

przybliżeni|e *n* approximation; **w ~u** approximately, roughly

przybranie *n* (*ozdoba*) adornment

przybudówka *f* annexe, *am.* annex
przybyć, przybywać *perf imperf vi* arrive; **przybyło mu dwa kilo** he has gained <put on> two kilograms
przychodnia *f* out-patient clinic
przychodzić *imperf vi* come; (*o przesyłce*) arrive; ~ **do siebie** recover; **przyszło mi do głowy** it occured to me
przychód *m ekon.* income
przycisk *m* (*guzik*) button
przyciskać, przycisnąć *imperf perf vt* press; ~ **kogoś do siebie** clasp <hug> sb
przyczepa *f* trailer; (*do motocyklu*) sidecar; ~ **kempingowa** caravan, *am.* trailer
przyczepiać, przyczepić *imperf perf vt* attach, fasten, pin; ~ **się** *vr pot.* (*narzucać się*) tag along with sb; *pot.* (*mieć pretensje*) pick on sb
przyczyn|a *f* cause, reason; **z tej ~y** for that reason
przydać się, przydawać się *perf imperf vr* come in useful, be of use (**do czegoś** for sth)
przydatny *adj* useful, helpful
przydrożny *adj* wayside, roadside *attr*
przydział *m* allotment, allocation; (*część przydzielona*) ration
przydzielać, przydzielić *imperf perf vt* allocate, assign
przyglądać się *imperf vr* look on, watch (**komuś, czemuś** sb, sth)
przygnębienie *n* depression, low spirits
przygoda *f* adventure
przygotować, przygotowywać *perf imperf vt* prepare; ~ **się** *vr* get ready, prepare o.s.
przygraniczny *adj* border *attr*
przyimek *m gram.* preposition
przyjaciel *m* friend
przyjacielski *adj* friendly
przyjaciółka *f* (girl)friend
przyjazd *m* arrival
przyjazny *adj* friendly
przyjaźnić się *imperf vr* be friends
przyjaźń *f* friendship
przyjąć *perf vt vi* (*wziąć*) accept, receive, take; (*zaakceptować*) accept, admit; (*gości*) receive; (*założyć*) assume; ~ **propozycję** accept an offer; ~ **lekarstwo** take a medicine; ~ **coś jako rzecz naturalną** take sth for granted; ~ **kogoś z otwartymi ramionami** give sb a warm welcome; ~ **się** *vr* (*o roślinach*) take root; (*o zwyczaju*) catch on
przyjechać *perf vi zob.* **przyjeżdżać**
przyjemnoś|ć *f* pleasure; **z ~cią** with pleasure; **znajdować w czymś ~ć** take pleasure in sth
przyjemny *adj* pleasant, nice
przyjeżdżać *imperf vi* come, arrive

przyjęcie *n* reception; (*prezentu*) acceptance; (*kandydata*) admission; (*wniosku*) adoption
przyjmować *imperf vt zob.* **przyjąć**
przyjrzeć się *perf vr zob.* **przyglądać się**
przyjść *perf vi zob.* **przychodzić**
przykład *m* example, instance; **na ~** for instance, for example
przykro *adv*: **~ mi** I'm sorry; **~ mi to mówić** I'm sorry to say that; **zrobiło mu się ~** he felt sorry
przykrość *f* distress; (*kłopot*) trouble
przykry *adj* unpleasant
przykryć, przykrywać *imperf perf vt* cover (up)
przylądek *m* cape
przylepiać, przylepić *imperf perf vt* stick
przylepiec *m* (*plaster*) (sticking) plaster
przylot *m* arrival
przyłączać, przyłączyć *imperf perf* join, annexe, attach; **~ się** *vr* join (**do kogoś** sb)
przymiarka *f* (*próba*) trial run
przymierzać, przymierzyć *imperf perf vt* try on
przymiotnik *m gram.* adjective
przymrozek *m* ground frost
przymus *m* compulsion, constraint; **pod ~em** under compulsion
przynajmniej *adv* at least
przynęta *f* bait; *przen.* decoy
przynieść, przynosić *perf imperf vt* bring; **~ (z sobą)** bring along
przypad|ek *m* case; (*traf*) coincidence; **w ~ku** in case of, in the event of; **~kiem** by accident, by chance
przypadkowy *adj* accidental
przypalić *perf vt* burn; (*papierosa*) light
przypiąć *perf vt* (*szpilkami*) pin
przypieprzyć *perf vt*: *wulg.* **~ komuś** knock the shit out of sb; **~ się** *vr*: *wulg.* **~ się do kogoś** pick on sb
przypilnować *perf vt* watch, take care, see to
przypływ *m* inflow; (*morski*) high tide
przypominać, przypomnieć *imperf perf vi* resemble <be like> (**kogoś, coś** sb, sth), remind (**komuś o czymś** sb of sth); **~ sobie** recollect, recall
przyprawa *f* spice, seasoning
przypuszczać *imperf vt* suppose; (*zakładać*) presume
przyroda *f* nature
przyrodni *adj*: **~ brat** half-brother, stepbrother; **~a siostra** half-sister, stepsister
przyrząd *m* instrument, device
przyrządzać, przyrządzić *imperf perf vt* prepare
przyrzec *perf vt zob.* **przyrzekać**
przyrzeczenie *n* promise
przyrzekać *imperf vt* promise
przysięg|a *f* oath; **złożyć ~ę**

take <swear> an oath; **pod ~ą** under oath

przysięgać *imperf vt vi* swear

przysłać *perf vt* send (in), mail

przysłowie *n* proverb

przysłówek *m gram.* adverb

przysług|a *f* favour, *am.* favor; **wyświadczyć komuś ~ę** do sb a favour

przysmak *m* delicacy, dainty

przyspieszenie *n* acceleration

przystanek *m* stop

przystań *f* marina; *przen.* haven

przystawka *f* (*potrawa*) starter, hors d'oeuvre, *am.* appetizer; *techn.* accessory

przystojny *f* good-looking, handsome

przystosować się *perf vr* adapt

przysunąć, przysuwać *perf imperf vt* push <draw> near(er); **~ się** *vr* come <move> near(er)

przyszłoś|ć *f* future; **w ~ci** in the future; **na ~ć** for the future; **na ~ć** (*ostrzegając*) in future

przyszły *adj* future; **w ~m tygodniu** next week

przyszyć, przyszywać *perf imperf vt* sew (on)

przytomność *f* consciousness; **stracić <odzyskać> ~** lose <regain> consciousness; **~ umysłu** presence of mind

przytomny *adj* conscious; (*bystry*) astute

przywiązać, przywiązywać *perf imperf vt* tie, fasten; **przywiązywać wagę do czegoś** attach weight to sth; **~ się** *vr* tie <fasten> o.s.; (*uczuciowo*) become attached

przywilej *m* privilege

przywitać *perf vt* welcome, greet; **~ się** *vt* greet (**z kimś** sb), say "hallo" (**z kimś** to sb)

przywódca *m* leader

przywóz *m* importation; (*dostawa*) delivery

przyznać, przyznawać *perf imperf vt* admit; (*nagrodę*) award; (*kredyt*) grant; **~ się** *vr*: **~ się do czegoś** own up to <confess> sth; *prawn.* **(nie) ~ się do winy** plead (not) guilty; **~ się do błędu** recognize one's error

przyzwoity *adj* decent

przyzwyczajać, przyzwyczaić *imperf perf vt*: **~ kogoś do czegoś** accustom sb to sth; **~ się** *vr*: **~ się do czegoś** get accustomed <get used> to sth

przyzwyczajenie *n* habit

pseudonim *m* pseudonym; **~ literacki** pen name

psota *f* prank

pstrąg *m zool.* trout

psuć *imperf vt* spoil, damage; **~ się** *vr* spoil, get spoiled; (*o mechanizmie*) break down

psychiczn|y *adj* psychological, mental; **choroba ~a** mental disease

psychologia *f* psychology

psychopata *m* psychopath

psychoterapia *f* psychotherapy

pszczoła *f zool.* bee
pszenica *f* wheat
ptak *m* bird; *pot.* **niebieski ~** layabout; *pot.* **widok z lotu ~a** bird's eye view
ptaszek *m* (*znaczek*) tick, *am.* check; *przen.* **ranny ~** early bird
ptyś *m kulin.* cream puff
publicystyka *f* commentary
publicznie *adv* publicly, in public
publiczność *f* audience
publiczny *adj* public
puch *m* down; (*coś miękkiego*) fluff
puchar *m* cup
puchnąć *imperf vi* swell
pucz *m* coup
pudel *m* poodle
pudełko *n* box; **~ od zapałek** matchbox
puder *m* powder; **cukier ~** caster <castor> sugar
puderniczka *f* (powder) compact
pudło *n* box; *pot.* (*chybiony strzał*) miss; *pot.* (*więzienie*) pen
puenta *f* punchline
pukać *imperf vi* knock; **~ do drzwi** knock at <on> the door
pulchny *adj* (*ciało*) plump; (*o cieście*) spongy
pulower *m* pullover, jumper
puls *m* pulse; **mierzyć komuś ~** take sb's pulse
pułapk|a *f* trap; **zastawić ~ę** set a trap
pułk *m* regiment
pułkownik *m* colonel
punk|t *m* point; (*miejsce*) station, point; (*programu*) item; **mocny <słaby> ~t** strong <weak> point; **~t widzenia** point of view; **~t wyjścia** starting point; **szaleć na jakimś ~cie** be crazy about sth
punktacja *f* (*zasady*) grading scale; (*wynik*) score
punktualnie *adv* on time; **~ o szóstej** at six o'clock sharp
punktualny *adj* punctual
pusty *adj* empty, hollow
pustynia *f* desert
puszcza *f* (primeval) forest, jungle
puszczać *imperf vt* release, let go (of), let out; (*o barwniku*) fade; (*o plamie*) come off; **~ coś w ruch** set sth in motion; **~ wolno** set free; **~ coś mimo uszu** leave sth unnoticed; **~ wodze fantazji** give full rein to (sb's) imagination
puszka *f* tin, *am.* can
puszysty *adj* fluffy
puścić *perf vt zob.* **puszczać**
pycha *f* pride, conceit; *pot.* **~!** yum(-yum)!
pył *m* dust
pyłek *m* speck of dust; (*kwiatowy*) pollen
pysk *m* muzzle, mouth; *pot.* mug
pyszny *adj* (*wyniosły*) proud; (*smaczny*) delicious, scrumptious
pytać *imperf vt vi* ask (**kogoś o**

coś sb about sth); **~ kogoś z historii** give sb an oral in history; **~ kogoś o drogę <godzinę>** ask sb the way <time>
pytanie *n* question; **zadać ~** ask a question; **odpowiedzieć na ~** answer a question; **kłopotliwe ~** poser

R

rabat *m* discount
rabin *m* rabbi
rabować *imperf vt* steal (**coś** sth), rob (**kogoś z czegoś** sb of sth)
rabunek *m* robbery
rachunek *m* (*obliczenie*) calculation; (*należność*) bill; (*konto*) account; **~ bieżący** current account; **na własny ~** on one's own account
racja *f* (*słuszność*) right; (*powód*) reason; (*porcja*) ration
racjonalny *adj* rational
raczej *adv* rather; (*prędzej, chętniej*) sooner
rad|a *f* advice, tip; (*zespół*) council; **udzielić komuś ~y** give sb advice; **pójść za czyjąś ~ą** follow <take> sb's advice; **dać sobie ~ę (z czymś**) manage (sth); **nie ma ~y** there is nothing we can do about it; **~a miejska** city council
radar *m* radar
radca *m*: **~ prawny** legal adviser <advisor>, legal counsellor <*am.* counselor>
radi|o *n* radio; **w ~u** on the radio
radiomagnetofon *m* cassette radio
radioodbiornik *m* radio
radiosłuchacz *m* listener
radiostacja *f* radio station
radiowóz *m* police car
radiowy *adj* radio *attr*
radny *m* councillor, *am.* councilor
radosny *adj* joyful, cheerful
radoś|ć *f* joy, happiness; **z ~cią coś zrobić** be happy to do sth; **sprawić komuś ~ć** make sb happy
radzić *imperf vt vi* advise (**komuś** sb); (*obradować*) debate; **~ sobie z czymś** cope with sth; **~ się** *vr*: **~ się kogoś** consult sb, seek sb's advice
raj *m* paradise, heaven; **~ na ziemi** heaven on earth
rajd *m* rally
rajski *adj* (*niebiański*) blissful
rajstopy *pl* tights *pl*, *am.* pantihose, pantyhose
rak *m zool.* crayfish, *am.* crawfish; *med.* cancer
rakieta *f* rocket; *sport.* racket, racquet
rakietka *f sport.* bat
ram|a *f* frame; *pl* **~y** (*zakres*)

confines *pl*, framework; **oprawiać w ~y** frame; **w ~ach czegoś** within the confines of sth, in the framework
rami|ę *n* arm; (*bark*) shoulder; **~ę w ~ę** shoulder to shoulder; **mieć duszę na ~eniu** have one's heart in one's mouth; **wzruszać ~onami** shrug (one's shoulders); **objąć kogoś ~eniem** put one's arm round sb
ran|a *f* wound, injury; *pot.* **o ~y!, ~y boskie!** good(ness) gracious!
randka *f* date
ranek *m* morning
rang|a *f* rank; *przen.* importance; **być starszym ~ą od kogoś** rank above sb; **sprawa najwyższej ~i** a matter of (the) utmost importance
ranić *imperf vt* wound, injure; *przen.* hurt; **~ czyjeś uczucia** hurt sb's feelings
ranking *m* ranking, rating
ranny[1] *adj* wounded, injured; *m* casualty
ranny[2] *adj* (*poranny*) morning *attr*
ran|o[1] *n* morning; **nad ~em** in the small hours (of the morning); **z samego ~a** first thing in the morning; **do białego ~a** till daylight
rano[2] *adv* in the morning; **dziś <jutro> ~** this <tomorrow> morning
raport *m* report
rasa *f* (*ludzi*) race; (*zwierząt*) breed
rasizm *m* rasism
rasowy *adj* racial; (*o zwierzętach*) purebred; (*pies, kot*) pedigree
rat|a *f* instalment, *am.* installment; **kupić coś na ~y** buy sth on hire purchase <*am.* on the installment plan>
ratować *imperf vt* save, rescue; (*mienie*) salvage; **~ się** *vr* save o.s.
ratownik *m* rescuer; (*na plaży*) lifeguard
ratun|ek *m* (*pomoc*) help; (*wybawienie*) rescue, salvation; **wołać o ~ek** cry for help; **~ku!** help!
ratusz *m* town hall, city hall
raz *m* time; (*cios*) blow; *num* one; **(jeden) ~** once; **dwa ~y** twice; **trzy ~y** three times; **innym ~em** some other time; **jeszcze ~** once more; **od ~u** at once; **pewnego ~u** once upon a time; **po ~ pierwszy** for the first time; **~ na zawsze** once for all; **~ po ~** repeatedly, again and again; **tym ~em** this time; **na ~ie** for the time being; **w każdym ~ie** at any rate, in any case; **w najgorszym ~ie** at worst; **w najlepszym ~ie** at best; **dwa ~y dwa** two times two
razem *adv* together; **~ z** along <together> with
rączka *f* (*uchwyt*) handle; **złota ~** handyman

rdza *f* rust

reakcja *f* reaction, response

reaktor *m* reactor

realizm *m* realism

realizować *imperf vt* realize, execute; (*czek*) cash

realny *adj* (*rzeczywisty*) real; (*możliwy*) feasible

rebus *m* rebus

recenzja *f* review

recepcja *f* (*w hotelu*) reception (desk), *am.* front desk

recepcjonista *m* receptionist

recepta *f* prescription

recital *m* recital

redagować *imperf vt* edit

redakcj|a *f* (*czynność*) editing; (*zespół*) editorial staff; (*lokal*) editor's office; **pod czyjąś ~ą** edited by sb

redaktor *m* editor; **~ naczelny** editor-in-chief

redukcja *f* reduction; (*pracowników*) layoff, redundancy

referat *m* (*naukowy*) paper; (*dział*) department

referencje *pl* references *pl*, credentials *pl*

referendum *n* referendum

refleks *m* reflex; **mieć dobry <słaby> ~** have good <slow> reflexes

reflektor *m* (*lampa*) searchlight; (*samochodowy*) headlight

reforma *f* reform

reformować *imperf vt* reform

refren *m* refrain

regał *m* bookshelf

regaty *pl* regatta

region *m* region

regulamin *m* regulations *pl*

regularny *adj* regular

regulator *m* regulator; *pot.* **na cały ~** at full blast

regulować *imperf vt* regulate; (*zegarek*) adjust; (*ruch uliczny*) control; (*rachunek*) pay, settle

reguł|a *f* rule; **z ~y** as a rule; **~y gry** rules of the game

rehabilitacja *f* rehabilitation

rejestr *m* register; **wpisać do ~u** register

rejestracja *f* registration; (*miejsce*) reception; *pot. mot.* plates

rejestracyjn|y *adj*: **dowód ~y** registration; **numer ~y** registration number; **tablica ~a** number <*am.* license> plate

rejestrować *imperf vt* register; (*nagrywać*) record; **~ się** *vr* register

rejon *m* district, region; (*okolica*) area

rejs *m* (*statku*) voyage; (*turystyczny*) cruise

rekin *m zool.* shark

reklama *f* (*reklamowanie*) advertising; (*w prasie*) advertisement; (*w TV, w radiu*) commercial; (*tablica*) billboard; (*rozgłos*) publicity

reklamacja *f* complaint

reklamować *imperf vt* (*zgłaszać reklamację*) complain; (*propagować*) advertise; **~ się** *vr* advertise

reklamówka *f*: *pot.* (*film rekla-*

mowy) commercial, infomercial
rekompensata *f* compensation
rekonstrukcja *f* reconstruction
rekonwalescencja *f* convalescence
rekord *m* record; **ustanowić <pobić> ~** set <break> a record
rekreacja *f* recreation
rekrutacja *f* *(studentów)* enrolment; *woj.* recruitment, conscription, *am.* draft
rektor *m* vice chancellor, *am.* president
rekwizyt *m* prop
relacja *f* *(sprawozdanie)* report, account; *(stosunek)* relation
relaks *m* relaxation
religia *f* religion
religijny *adj* religious
remanent *m* *ekon.* stocktaking
remis *m* *sport.* draw, tie
remont *m* repair(s *pl*); **~ kapitalny** major overhaul
rencista *m* pensioner
renesans *m* the Renaissance; *(rozkwit)* renaissance
renifer *m* *zool.* reindeer
ren|ta *f* pension; *(inwalidzka)* disability pension; **być na ~cie** receive a pension
rentgen *m* *pot.* *(prześwietlenie)* X-ray
rentowny *adj* profitable
reorganizacja *f* reorganization
reperacja *f* repair, reparation
reperować *imperf vt* repair, mend, fix
repertuar *m* repertoire
replika *f* *(kopia)* replica
reportaż *m* report, reportage
reporter *m* reporter
represje *pl* repressive measures *pl*
reprezentacja *f* representation; *sport.* **~ kraju** national team
reprezentacyjny *adj* *(reprezentujący)* representative; *(okazały)* presentable
reprezentować *imperf vt* represent
reprodukcja *f* reproduction
reprywatyzacja *f* reprivatization
republika *f* republic
reputacja *f* reputation
resor *m* *mot.* (suspension) spring
resort *m* department
restauracja *f* restaurant; *(renowacja)* restoration
restrukturyzacja *f* restructuring
reszka *f* heads; **orzeł czy ~?** heads or tails?
reszt|a *f* rest, remainder; *(pieniądze)* change; **~y nie trzeba** keep the change
resztk|a *f* remainder; *pl* **~i** leftovers *pl*
retransmisja *f* rebroadcasting
reumatyzm *m* rheumatism
rewaloryzacja *f* revaluation
rewanż *m* *(odwet)* revenge; *(odwzajemnienie)* reciprocation; *sport.* return match
rewelacja *f* revelation, hit

rewers *m* reverse; (*w bibliotece*) slip

rewia *f* (*przedstawienie*) revue; (*pokaz*) parade

rewizj|a *f* (*przeszukanie*) search; (*zmiana*) review; *prawn.* appeal; **nakaz ~i** search warrant

rewolucja *f* revolution

rewolwer *m* revolver

rezerw|a *f* reserve; *woj.* (the) reserve; **zachowywać się z ~ą** be aloof

rezerwacja *f* reservation, booking

rezerwat *m* reserve, reservation; **~ przyrody** sanctuary, reserve

rezerwować *imperf vt* book, reserve

rezulta|t *m* result; **w ~cie** as a result, consequently

rezydencja *f* residence

rezygnacja *f* resignation

rezygnować *imperf vi* (*ze stanowiska*) resign; (*dać za wygraną*) give up; **~ z czegoś** give sth up

reżim *m* regimen; regime

reżyser *m* director

reżyseria *f* direction

reżyserować *imperf vt* direct

ręcznie *adv* manually, by hand; **~ robiony** handmade

ręcznik *m* towel

ręczn|y *adj* hand *attr*, manual; **robótka ~a** handiwork; **hamulec ~y** handbrake, *am.* emergency brake; *sport.* **piłka ~a** (team) handball

ręk|a *f* hand; **trzymać za ~ę** hold by the hand; *pot.* **iść komuś na ~ę** play into sb's hands; **od ~i** on the spot, offhand; **pod ~ą** at hand; **pod ~ę** arm in arm; **~a w ~ę** hand in hand; **dawać komuś wolną ~ę** give sb a free hand; **informacja z pierwszej ~i** first-hand information; **z pustymi ~ami** empty-handed; *przen.* **mieć związane ręce** be tied hand and foot; **prosić kogoś o ~ę** propose to sb; **wziąć coś w swoje ręce** take sth into one's hands; **ręce przy sobie!** keep your hands off!

rękaw *m* sleeve; **zawinąć ~y** roll up one's sleeves

rękawic|a *f* glove; (*z jednym palcem*) mitten; *przen.* **podnieść ~ę** pick up the glove

rękawiczka *f*: *przen.* **zrobić coś w białych ~ch** handle sth in velvet gloves; *zob.* **rękawica**

rękodzieło *n* handicraft

rękopis *m* manuscript

robaczywy *adj* wormy

robak *m* worm

robi|ć *imperf vt* make, do; **~ć obiad** make dinner; **~ć pieniądze <awantury, błędy>** make money <rows, mistakes>; **~ć swoje** do one's duty; **~ć na drutach** knit; **~ć z siebie durnia** make a fool of o.s.; **~ć komuś nadzieje** raise sb's hopes;

nic sobie nie ~ć z czegoś not to mind sth; **~ć się** *vr*: **~ się ciepło <zimno, późno>** it is getting warm <cold, late>; **~ mi się niedobrze** I'm beginning to feel sick; *pot.* **już się ~!** we'll get right down to it!; **~ć postępy** make progress

robocizna *f ekon.* labour, *am.* labor (cost)

robocz|y *adj* working; **ubranie ~e** working clothes; **dzień ~y** weekday

robot *m* robot; **~ kuchenny** food processor

robot|a *f* work, labour, *am.* labor job; **nie mieć nic do ~y** have nothing to do; *pot.* **mokra ~a** contract; **~y drogowe** *pl* roadworks *pl*, *am.* roadwork

robotnik *m* worker

rocznica *f* anniversary

rocznik *m* (*pokolenie*) generation; (*w szkole*) class; (*czasopism*) a year's issue; (*wina*) vintage

roczny *adj* year-long; (*liczący jeden rok*) year-old

rodak *m* fellow countryman, compatriot

rodowity *adj* native

rodzaj *m* kind, type, sort; *biol.* genus; *gram.* gender; **~ ludzki** humankind; **coś w tym ~u** something of that sort; **jedyny w swoim ~u** unique

rodzajnik *m gram.* article

rodzeństwo *n* siblings *pl*; **~ cioteczne** cousins

rodzice *pl* parents *pl*

rodzić *imperf vt* deliver, give birth to; (*o ziemi*) bear; *przen.* (*powodować*) generate, give rise to; **~ się** *vr* be born

rodzina *f* family

rodzinny *adj* family *attr*, home *attr*; **~ kraj** homeland

rodzynek *m* raisin

rogalik *m* croissant

rok *m* year; **~ szkolny** school year; **co drugi ~** every second year; **w przyszłym <zeszłym> ~u** next <last> year; **cały ~** whole year; **za ~** in a year; **Nowy Rok** (the) New Year

rol|a *f* part, role; **główna <tytułowa> ~a** leading <title> role <part>; **odgrywać ~ę** play a part; **to nie gra ~i** it doesn't matter

rolada *f kulin.* (*mięsna*) roulade; *kulin.* (*ciasto*) Swiss roll, *am.* (jelly) roll

roleta *f* roller blind, *am.* shade

rolka *f* roll

rolnictwo *n* agriculture

rolnik *m* farmer

roln|y *adj* agricultural; **gospodarstwo ~e** farm

romans *m* (*powieść*) romance; (*przygoda*) (love) affair

romantyzm *m* romanticism

romański *adj* Romanesque

rondel *m* saucepan

rondo *m* (*skrzyżowanie*) roundabout, *am.* traffic circle; (*kapelusza*) brim

ropa *f med.* pus; ~ **naftowa** (crude)oil, petroleum
ropucha *f* toad
rosa *f* dew
Rosjanin *m* Russian
rosnąć *imperf vi* grow; (*zwiększać się*) increase, grow; (*podnosić się*) rise
rosół *m kulin.* broth, consommé
rostbef *m kulin.* roast beef
rosyjski *adj* Russian
roślina *f* plant
rower *m* bicycle, bike; ~ **górski** mountain bike
rowerzysta *m* cyclist
rozbić *perf vt* crash, smash, break; ~ **na kawałki** break <smash> to pieces; ~ **namiot** pitch a tent; ~ **samochód** smash a car; ~ **rodzinę** break up a family; ~ **się** *vr* (*zostać rozbitym*) break, get broken; (*ulec wypadkowi*) have an accident
rozbierać *imperf vt* undress; (*na części*) take apart; (*budynek*) pull down; ~ **się** *vr* undress, take off one's clothes
rozbijać *imperf vt zob.* **rozbić**
rozbiórka *f* demolition
rozbitek *m* castaway
rozbrojenie *n* disarmament
rozchodzić się *imperf vr zob.* **rozejść się**
rozcieńczać, rozcieńczyć *imperf perf vt* dilute
rozczarować *perf vt* disappoint; ~ **się** *vr* be disappointed (**kimś, czymś** with sb <sth>)
rozczarowanie *n* disappointment
rozdać, rozdawać *perf imperf vt* distribute, give <hand> out; (*karty*) deal
rozdział *m* (*rozdzielenie*) distribution; (*oddzielenie*) separation; (*w książce*) chapter
rozdzielać *imperf vt* (*rozdawać*) distribute; (*oddzielać*) separate; ~ **coś pomiędzy kogoś** distribute sth among sb
rozdzielcz|y *adj*: *elektr.* **tablica ~a** control panel; *mot.* **deska ~a** dashboard
rozdzielić *perf vt zob.* **rozdzielać**
rozdzierać *imperf vt zob.* **rozedrzeć**
rozebrać *perf vt zob.* **rozbierać**
rozedrzeć *perf vt* tear (up); ~ **kopertę** tear <rip> open an envelope
rozejm *m* truce, armistice
rozejrzeć się *perf vr zob.* **rozglądać się**
rozejść się *perf vr* (*pójść w różne strony*) separate; (*rozproszyć się*) disperse; (*rozwieść się*) split; (*o wiadomościach*) spread; (*o towarze*) sell
rozerwać się *perf vr* (*rozedrzeć się*) tear, get torn; (*zabawić się*) have fun
rozgałęziacz *m elektr.* adaptor
rozglądać się *imperf vr* look around; ~ **za pracą** be on the lookout <be looking> for a job
rozgłośnia *f* broadcasting station

rozgniatać, rozgnieść *imperf perf vt* crush, squash
rozgniewać się *perf vr* get angry
rozgrzać, rozgrzewać *perf imperf vt* warm (up), heat (up); ~ **się** *vr* warm up, heat up; (*o człowieku*) warm o.s. up
rozgrzewka *f* warm-up
rozjaśnić *perf vt* brighten; ~ **się** *vr* clear up, brighten up; (*rozpromienić się*) light up, brighten
rozkaz *m* order
rozkazać, rozkazywać *perf imperf vi* order, command
rozkład *m* (*plan*) schedule, timetable; (*rozmieszczenie*) layout; (*upadek*) disintegration; *biol.* decomposition, decay
rozkładać *imperf vt* (*rozpościerać*) spread, unfold; (*rozmieszczać*) put, arrange; (*rozplanowywać*) dispose, divide; (*na części*) decompose, take apart; ~ **obrus <koc>** spread a tablecloth <blanket>; ~ **łóżko** unfold a bed; ~ **się** *vr* (*kłaść się*) stretch out; (*psuć się*) decay
rozkosz *f* delight, joy
rozkwi|t *m* heyday, prime; **być w pełnym ~cie** be in full bloom
rozlać, rozlewać *perf imperf vt* (*wylać*) spill; (*rozdzielić*) pour (out)
rozległy *adj* wide, broad; (*o planach*) extensive
rozliczać się, rozliczyć się *imperf perf vr* settle accounts (**z kimś** with sb)
rozluźnić *perf vt* loosen, relax; ~ **się** *vr* loosen; (*o człowieku*) loosen up
rozładować *perf vt* unload, discharge; *przen.* ~ **atmosferę** relieve the tension
rozłączać, rozłączyć *imperf perf vt* (*ludzi*) separate; (*przewody*) disconnect; ~ **się** *vr* (*telefonicznie*) ring off, *am.* hang up
rozłożyć *perf vt zob.* **rozkładać**
rozmawiać *imperf vi* speak, talk
rozmiar *m* size; (*zakres*) extent
rozmieniać, rozmienić *imperf perf vt* change
rozmieszczać, rozmieścić *imperf perf vt* place, distribute, arrange
rozmnażać się *imperf vr* reproduce, multiply
rozmowa *f* conversation, talk; ~ **telefoniczna** (tele)phone call; ~ **kwalifikacyjna** interview
rozmówca *m* interlocutor
rozmówki *pl* phrase book
rozmrażać, rozmrozić *imperf perf vt* defrost
rozmyślać *imperf vi* meditate; ~ **nad czymś** brood over sth
rozmyślić się *perf vr* change one's mind
rozmyślnie *adv* on purpose, deliberately
rozmyślny *adj* deliberate
rozpacz *f* despair; **wpaść w ~** fall <sink> into despair

rozpaczać *imperf vi* despair
rozpaczliwy *adj* desperate
rozpadać się[1] *imperf vr zob.* **rozpaść się**
rozpada|ć się[2] *perf vr*: **~ło się na dobre** (*o deszczu*) the rain has set in for the day
rozpakować *perf vt* unpack; **~ paczkę** unwrap a parcel; **~ się** *vr* unpack
rozpalać, rozpalić *imperf perf vt* (*ogień*) light; (*uczucia*) kindle
rozpaść się *perf vr* (*rozlecieć się*) break up, disintegrate; (*pęknąć*) come apart; **~ na kawałki** fall to pieces
rozpatrzyć *perf vt* consider
rozpęd *m* momentum; **nabrać ~u** gather momentum
rozpędzić *perf vt* (*tłum*) disperse; (*pojazd*) speed up, accelerate; **~ się** *vr* speed up
rozpętać *perf vt* (*dyskusję*) spark off; **~ się** *vr* (*o dyskusji*) break out
rozpiąć, rozpinać *perf imperf vt* (*z guzików*) unbutton; (*guziki, suwak*) undo; (*rozpościerać*) spread
rozplątać *perf vt* disentangle
rozpłakać się *perf vr* burst into tears
rozpocząć, rozpoczynać *perf imperf vt* begin, start
rozpogodzić się *perf vr* clear up; (*o człowieku*) cheer <brighten> up
rozporek *m* flies *pl*, *am.* fly
rozporządzenie *n* order; (*akt prawny*) decree
rozpoznać, rozpoznawać *perf imperf vt* recognize, identify; *med.* diagnose
rozpracować *perf vt pot.* work out, suss out
rozprawa *f* (*naukowa*) thesis, dissertation; *prawn.* trial, hearing
rozprawić się *perf vi* (*załatwić porachunki*) settle matters <settle accounts> (**z kimś** with sb)
rozprostować *perf vt* straighten, unbend; **~ nogi** stretch one's legs
rozpruć *perf vt* (*spruć*) unpick, rip up
rozpusta *f* debauchery
rozpuszczać *imperf vt* (*rozcieńczać*) dissolve; (*topić*) melt; (*odprawiać*) dismiss; **~ włosy** let loose one's hair; **~ plotki** spread rumours; *pot.* **~ dziecko** spoil a child; **~ się** *vr* dissolve; (*topnieć*) melt
rozpuszczalnik *m* solvent
rozpuścić *perf vt zob.* **rozpuszczać**
rozpylacz *m* atomizer, spray(er)
rozróżniać, rozróżnić *imperf perf vt* distinguish, differentiate
rozruch *m* start(ing); *pl* **~y** (*zamieszki*) riots *pl*
rozruszać *perf vt* (*wprawić w ruch*) set in motion, start up; (*ożywić*) animate, enliven; **~ się** *vr* liven up

rozrusznik *m techn.* starter; *med.* pacemaker

rozrywka *f* entertainment

rozrzucać *imperf vt* scatter, spread, drop

rozrzutny *adj* wasteful, extravagant

rozsądek *m* reason, sense; **zdrowy** ~ common sense

rozsądny *adj* sensible, reasonable

rozstać się *perf vr* part (**z kimś <czymś>** with sb <sth>)

rozstanie *n* parting

rozstawać się *imperf vr zob.* **rozstać się**

rozstrój *m*: *med.* ~ **nerwowy** nervous breakdown; *med.* ~ **żołądka** stomach disorder <upset>

rozstrzygać, rozstrzygnąć *imperf perf vt* decide, settle, determine

rozszerzać, rozszerzyć *imperf perf vt* widen, broaden; ~ **się** *vr* widen; (*rozprzestrzeniać się*) expand

rozśmieszać, rozśmieszyć *imperf perf vt*: ~ **kogoś** make sb laugh

roztargniony *adj* absentminded

roztropny *adj* prudent

roztwór *m* solution

roztyć się *perf vr* grow fat

rozum *m* reason, mind, sense; **na mój** ~ to my mind; **stracić** ~ be out of one's mind; **na zdrowy** ~ common sense suggests that...; *pot.* **ruszyć ~em** use one's brains <wits>

rozumie|ć *imperf vt* understand; (*pojmować*) comprehend; **~m** I understand <see>; **~ć się** *vr*: **~ć się (wzajemnie)** understand each other

rozumny *adj* rational, sensible

rozwag|a *f* (*namysł*) consideration, thought; **z ~ą** with deliberation

rozwalić *perf vt* smash up, shatter

rozważać *imperf vt* consider (**coś** sth), reflect (**coś** on sth)

rozwiązać *perf vt zob.* **rozwiązywać**

rozwiązanie *n* (*zagadki*) solution; (*umowy*) dissolution; *mat.* solution; *med.* delivery

rozwiązywać *imperf vt* undo, untie; (*zagadkę*) solve; (*unieważniać*) terminate

rozwiedziony *adj* divorced

rozwijać, rozwinąć *imperf perf vt* (*odpakowywać*) unwrap; (*rozszerzać*) expand; (*zwój*) unroll; (*zainteresowania*) develop; ~ **się** *vr* (*doskonalić się*) develop

rozwodnik *m* divorcee

rozwodzić się *imperf vr* get divorced; ~ **z kimś** divorce sb; ~ **nad czymś** dwell on sth

rozwolnienie *n* diarrhoea, *am.* diarrhea

rozwód *m* divorce; **wziąć** ~ get a divorce

rozwój *m* development

roż|en *m* (rotating) spit; **kur-**

czak z ~na spitroasted chicken

ród *m* family; (*linia*) house, line; **~ ludzki** the human race; **rodem z...** native of...

róg *m* (*u bydła*) horn; (*zbieg ulic, kąt*) corner; *muz.* horn; *sport.* corner; **na rogu** on <at> the corner; **za rogiem** round the corner

rów *m* ditch

równa|ć się *imperf vr*: **~ć się z kimś <czymś>** equal to sb <sth>; **~ć się czemuś** (*znaczyć to samo*) amount to sth; **dwa razy dwa ~ się cztery** two times two equals four

również *adv* also, as well; **jak ~** as well as

równik *m geogr.* equator

równina *f* plain

równo *adv* (*gładko*) evenly; (*dokładnie*) exactly; (*jednakowo*) evenly, equally

równoczesny *adj* simultaneous

równoległy *adj* parallel

równoleżnik *m geogr.* parallel

równorzędny *adj* equivalent

równość *f* equality; (*gładkość*) evenness; **~ wobec prawa** equality before the law

równouprawnienie *n* equality of rights

równowag|a *f* equilibrium, balance; (*opanowanie*) balance, poise; **stracić <zachować> ~ę** lose <keep> one's balance; **wyprowadzić kogoś z ~i** throw sb off balance

równ|y *adj* (*gładki*) even, flat; (*jednostajny*) even, steady; (*jednakowy*) equal; **~i wiekiem <wzrostem>** of the same age <height>; **jak ~y z ~ym** on equal terms; *pot.* **~y gość** good sport

róża *f bot.* rose

różaniec *m* rosary

różnic|a *f* difference; *mat.* remainder, difference; **~a zdań** difference of opinion; **to nie robi (żadnej) ~y** this makes no difference; **bez ~y** without distinction

różnić się *imperf vr* be different; **~ od kogoś <czegoś>** differ from sb <sth>; **~ czymś** differ in sth

różnorodny *adj* varied, diverse

różny *adj* (*odmienny*) different, distinct; (*rozmaity*) various

różowy *adj* pink; *przen.* rosy

różyczka *f med.* German measles

rtęć *f* mercury

rubel *m* rouble, ruble

rubin *m* ruby

rubryka *f* (*w blankiecie*) blank (space); (*w gazecie*) section

ruch *m* movement, motion; (*wysiłek*) exercise; (*w grze*) move; (*uliczny*) traffic; **zażywać ~u** take exercise; **mieć swobodę ~ów** be free to move about; **być w ~u** be on the move; **~ oporu** resistance

ruchliw|y *adj* (*ożywiony*) active,

lively; (*niespokojny*) restless; (*o miejscu*) busy; **~a ulica** busy street
ruchom|y *adj* moving, movable; **~e schody** escalator
ruda *f* ore
rudy *adj* ginger; (*rudowłosy*) red
ruina *f* ruin
ruletka *f* roulette
rulon *m* roll
rumianek *m bot.* c(h)amomile
rumienić *imperf vt kulin.* brown; **~ się** *vr* (*o człowieku*) blush, flush
Rumun *m* Rumanian
rumuński *adj* Rumanian
runąć *perf vi* collapse, tumble down
runda *f* round; (*okrążenie*) lap; **~ honorowa** lap of honour
rura *f* pipe, tube; **~ wydechowa** exhaust (pipe), *am.* tailpipe
rurociąg *m* pipeline
ruszać *imperf vt vi* (*dotykać*) touch; (*poruszać*) move, stir; (*wyruszać*) start, set off; *pot.* **~ głową** use one's head; *pot.* **nie ~ palcem** not lift a finger; **~ się** *vr* (*wykonywać ruch*) move, (*wychodzić*) get moving
ruszt *m* (*do pieczenia mięsa*) grill; (*część paleniska*) grate
ruszyć *perf vt vi zob.* **ruszać**
rwać *imperf vt vi* tear; (*kwiaty*) pick; (*zęby*) pull (out); (*o bólu*) shoot; **~ się** *vr* (*o tkaninie*) tear; *pot.* **~ się do czegoś** be spoiling for sth
ryb|a *f* fish; **iść na ~y** go fishing; **zdrów jak ~a** (as) right as rain; **czuć się jak ~a w wodzie** be in one's element; *przen.* **gruba ~a** bigwig
rybak *m* fisherman
rycerz *m* knight
ryczałt *m* lump sum; **~em** in the lump
rym *m* rhyme
rynek *m* market; (*plac*) marketplace; **czarny ~** black market; **wolny ~** free market
rynna *f* gutter
rynsztok *m* gutter
rys *m* (*charakteru*) trait, feature; *pl* **~y (twarzy)** (facial) features *pl*
rysa *f* crack; (*zarysowanie*) scratch; (*pot. skaza*) flaw
rysopis *m* description
rysować *imperf vi* draw; (*robić rysy*) scratch
rysunek *m* drawing
rysunkowy *adj*: **film ~** cartoon
ryś *m zool.* lynx
rytm *m* rhythm
rytuał *m* ritual
rywal *m* rival
rywalizować *imperf vt* rival (**z kimś** sb), compete (**z kimś <w czymś, o coś>** with sb <in sth, about sth>)
ryzyko *n* risk, hazard; **narażać się na ~** take <incur> risks
ryzykować *imperf vi vt* take

risks <hazard>; ~ **życie <majątek>** risk one's life <one's fortune>
ryż *m* rice
rzadki *adj* thin; (*nieczęsty*) rare, scarce
rzadko *adv* seldom, rarely; (*niegęsto*) sparcely
rząd[1] *m* row, line; **trzy dni z rzędu** four days in a row
rząd[2] *m* government, *am.* administration; *pl* **~y** rule
rządowy *adj* government *attr*
rządzić *imperf vt vi* (*sprawować rządy*) be in power, govern <rule> (**czymś** sth); (*kierować*) be in charge, manage <run> (**czymś** sth)
rzecz *f* thing; (*sprawa*) question, matter; *pl* **~y** (*mienie*) things; **~y osobiste** personal belongings; **do ~y** sensibly, to the point; **mówić od ~y** talk nonsense; **to ~ gustu** that's a matter of taste; **to nie ma nic do ~y** that's beside the point; **siłą ~y** quite naturally; **w gruncie ~y** in actual fact
rzecznik *m* spokesman, spokesperson
rzeczownik *m gram.* noun
rzeczpospolita *f* republic
rzeczywistoś|ć *f* reality; **w ~ci** in reality, in fact
rzeczywisty *adj* real, actual
rzek|a *f* river; **w dół <w górę> ~i** down <up> the river
rzekomo *adv* allegedly
rzekomy *adj* alleged, supposed; (*nie istniejący*) imaginary
rzemieślnik *m* craftsman, artisan
rzemiosło *n* craftsmanship, artisanship
rzemyk *m* thong
rzep *m bot.* burr; (*zapięcie*) Velcro; **przyczepić się jak ~** stick like a leech
rzepa *f bot.* turnip
rzepak *m bot.* rape
rzetelny *adj* reliable
rzeźba *f* sculpture; **~ terenu** relief
rzeźbiarz *m* sculptor
rzeźbić *imperf vt* sculpt
rzeźnia *f* slaughterhouse
rzeźnik *m* butcher; *pot.* (*sklep*) butcher's
rzęsa *f* (eye)lash; *bot.* duckweed
rzodkiewka *f bot.* radish
rzucać, rzucić *imperf perf vt* throw, cast; (*opuszczać*) abandon, desert; (*poniechać*) give up, quit; **~ się** *vr* (*na boki*) thrash about; (*w dół*) fling o.s.; **~ się na kogoś <coś>** pounce on <sth>; **~ się w oczy** stand out
rzut *m* throw; (*etap*) batch; **~ oka** glance; **na pierwszy ~ oka** at first glance; *sport.* **~ oszczepem** javelin throw; *sport.* **~ karny <wolny, rożny>** penalty <free, corner> kick
rzygać *imperf vi pot.* puke

S

sabotaż *m* sabotage

sacharyna *f* saccharine

sad *m* orchard

sadysta *m* sadist

sadzić *imperf vt* plant

sakrament *m* sacrament

saksofon *m muz.* saxophone

sala *f* hall, room; **~ konferencyjna** conference room; **~ gimnastyczna** gym(nasium); **~ operacyjna** (operating) theatre, *am.* operating room

salaterka *f* salad bowl

salceson *m* (*czarny*) black <blood> pudding, *am.* blood sausage; (*jasny*) brawn, *am.* headcheese

saldo *n ekon.* balance

salon *m* salon, parlour; (*pokój*) living <sitting, drawing> room

sałata *f* lettuce

sałatka *f* salad; **~ jarzynowa <owocowa>** vegetable <fruit> salad

sam (sama, samo, sami, same) *adj* (*bez pomocy*) oneself; (*bez towarzystwa*) alone, by oneself, on one's own; **zrobił to ~** he did it himself; **jest ~a jedna** she is all alone <all by herself>; **~ na ~** tête-à-tête; **na ~ej górze** at the very top; **mówić ~ą prawdę** speak nothing but the truth; **przybyć w ~ą porę** come just in time; **ten ~** the same; **taki ~** identical; **jedno i to ~o** one and the same (thing)

samica *f* female

samiec *m* male

samobójstwo *n* suicide; **popełnić ~** commit suicide

samoch|ód *m* car; **~ód ciężarowy** lorry, *am.* truck; **~ód terenowy** off-road vehicle, off-roader; **jechać ~odem** drive, go by car

samodzielny *adj* independent; (*oddzielny*) self-contained, individual

samogłoska *f* vowel

samolot *m* (aero)plane, *am.* (air)-plane; **~ odrzutowy** jet (plane); **~ pasażerski** passenger plane

samoobsługowy *adj* self-service *attr*

samoprzylepny *adj* self-adhesive

samorząd *m* self-government; **~ lokalny** local government

samotność *f* solitude, lone-liness

samotny *adj* solitary, lonely

sanatorium *n* sanatorium

sandał *m* sandal

sanie *pl* sleigh

sanitarny *adj* sanitary

sanki *pl* sledge, *am.* sled

sardynka *f* sardine

sarna *f* (roe)deer

satelita *m* satellite; **~ telekomunikacyjny** communications satellite

satelitarn|y *adj*: **telewizja <antena> ~a** satellite television <dish>
satyra *f* satire
satysfakcja *f* satisfaction
sąd *m* (*instytucja*) (law) court; (*proces*) trial; (*ocena*) judgement, opinion; **Sąd Ostateczny** Final <Last> Judgement
sądz|ić *imperf vt prawn.* try; (*oceniać*) judge; **co o tym ~isz?** what do you think (of that)?; **~ę, że...** I think <believe, *am.* guess>
sąsiad *m* neighbour, *am.* neighbor
sąsiedztwo *n* neighbourhood, *am.* neighborhood
scen|a *f* scene; (*podium*) stage; *przen.* **zrobić ~ę** make a scene
scenariusz *m* screenplay, script; *przen.* scenario
schab *m* pork loin
schabowy *adj*: *kulin.* **kotlet ~** pork chop
schludny *adj* neat, tidy
schnąć *imperf vi* dry; (*o kwiatach*) wither
schod|y *pl* stairs *pl*; **~y ruchome** escalator; **wejść <zejść> po ~ach** go up <down> the stairs
schodzić *imperf vi* (*iść w dół*) go down; (*zsiadać*) dismount; (*obniżać się*) descend; (*o czasie*) pass, go by; (*o plamach*) come off; **~ komuś z drogi** get out of sb's way; **~ na dalszy plan** recede to the background
schować *perf vi zob.* **chować**
schowek *m* (*w samochodzie*) glove compartment
schron *m* shelter
schronić się *perf vr* take refuge, shelter
schronienie *n* refuge, shelter
schronisko *n* (*górskie*) chalet, hut; (*turystyczne*) hostel; (*dla zwierząt*) shelter
schudnąć *perf vi* lose weight, slim (down)
schwycić *perf vt* (*złapać*) catch, grasp; (*owładnąć*) overcome
schwytać *perf vt* catch, grasp; **~ kogoś na gorącym uczynku** catch sb red-handed
schylać się, schylić się *imperf perf vr* bend, bow
scyzoryk *m* penknife
seans *m* (*filmowy*) show; (*spirytystyczny*) séance
sedes *m* toilet bowl
sedno *n*: **~ sprawy** heart of the matter; **trafić w ~** hit the nail on the head
segment *m* (*część*) segment; (*mebel*) wall unit set; (*dom*) town house
sejf *m* safe
sejm *m* the Seym (*lower house of the Polish Parliament*)
sekcja *f* section; **~ zwłok** autopsy, postmortem
sekret *m* secret
sekretariat *m* secretary's office, secretariat
sekretarka *f* secretary; **automatyczna ~** answering machine

sekretarz *m* secretary; **~ stanu** secretary of state
seks *m* sex
seksbomba *f pot.* bombshell
seksowny *adj* sexy
seksualny *adj* sexual
sekta *f* sect
sektor *m* sector
sekunda *m* second
sekundnik *m* second hand
selekcja *f* selection
seler *m bot.* celery
semestr *m* semester
seminarium *n* seminar; (*duchowne*) seminary
sen *m* sleep; (*marzenie senne*) dream; **koszmarny ~** nightmare; **środek na ~** sleeping pill; **mieć twardy <lekki> ~** be a sound <light> sleeper
senat *m* senate
senator *m* senator
senny *adj* sleepy, drowsy
sens *m* (*znaczenie*) sense; (*cel*) point; **to nie ma ~u** there is no point in it
sensacyjny *adj* sensational; (*o filmie, o powieści*) detective
sentyment *m* fondness
separacja *f prawn.* separation
ser *m* cheese; **biały <żółty> ~** cottage <hard> cheese
serc|e *n* heart; *pot.* **bez ~a** heartless; **brać sobie coś do ~a** take sth to heart
serdeczn|y *adj* hearty, cordial; **~y przyjaciel** bosom friend; **~e stosunki** cordial terms
serdelek *m* sausage
seria *f* series, course, round; **~ wydawnicza** book series
serial *m* series, serial
serio *adv* seriously
sernik *m kulin.* cheesecake
serw *m sport.* serve
serweta *f* tablecloth
serwetka *f* napkin
serwis[1] *m* (*naprawa, usługa*) service; (*komplet naczyń*) service, set; **~ informacyjny** news bulletin
serwis[2] *m sport.* serve
serwować *imperf vt vi* serve; *sport.* serve
seryjny *adj* serial; (*o produkcji*) mass *attr*
sesja *f* session; (*na uczelni*) end-of-term examinations
set *m sport.* set
setka *f* hundred; *pot.* (*wódki*) shot
setny *num* hundredth
sezon *m* season; **~ turystyczny** tourist season; **~ ogórkowy** silly season
sezonowy *adj* seasonal
sędzia *m* judge; *sport.* referee, umpire
sędziować *imperf vt* judge; *sport.* referee, umpire
sęk *m* knot; *pot.* **~ w tym, że...** the devil of it is that...
sęp *m zool.* vulture; *przen.* predator
sfer|a *f* (*obszar*) zone; (*dziedzina*) sphere; **wyższe <niższe> ~y** upper <lower> classes
siać *imperf vt* sow

siadać *imperf vi* sit (down); ~ **na konia** mount a horse; ~ **do stołu <obiadu>** sit down to table <dinner>
siano *n* hay
siarka *f* sulphur, *am.* sulfur
siatka *f* mesh, net; (*ogrodzenie*) (wire) fence; ~ **na zakupy** string bag
siatkówka *f anat.* retina; *sport.* volleyball
siąść *perf vi zob.* **siadać**
siebie *pron* oneself; (*wzajemnie*) each other, one another; **blisko** ~ close to each other; **obok** ~ side by side; **przed** ~ straight <right> ahead; **mów za ~!** speak for yourself!; **czuj się jak u ~ (w domu)** make yourself at home
sieć *f* (*rybacka*) net; *elektr.* grid; ~ **komputerowa** computer network; **zarzucić** ~ cast a net
siedem *num* seven
siedemdziesiąt *num* seventy
siedemdziesiąty *num* seventieth
siedemnasty *num* seventeenth
siedemnaście *num* seventeen
siedemset *num* seven hundred
siedząc|y *adj* sitting; sedentary; **~a praca** sedentary occupation; **~y tryb życia** sedentary life; **miejsce ~e** seat
siedzenie *n* seat; *pot.* bottom, behind
siedziba *f* seat, base; **główna** ~ headquarters *pl*, head office
siedzieć *imperf vi* sit; *pot.* (*w więzieniu*) do time; ~ **cicho** sit still <quiet>; ~ **w domu** stay at home
siekiera *f* axe, *am.* ax
sierota *m* orphan
sierp *m* sickle; *sport.* hook
sierpień *m* August
sierść *f* fur, coat
sierżant *m* sergeant
się *pron* oneself; (*wzajemnie*) each other, one another; **idzie ~ prosto** one goes <you go> straight on; **znali ~ od dawna** they knew each other long; **skaleczyła ~ w nogę** she hurt herself in the leg
sięg|ać, sięgnąć *imperf perf vi* reach; (*datować się*) go <date> back; **~nął po książkę** he reached for the book; **woda ~ała mu do pasa** water came up <reached> to his waist; **~ać pamięcią (do czegoś)** go back in one's mind (to sth)
sikać *imperf vi pot.* piss, pee; (*o cieczy*) squirt
siki *pl pot.* piss
sikorka *f zool.* tit
silnik *m* engine, motor
silny *adj* strong, powerful
sił|a *f* strength, power; *fiz.* force; **~ą** by force; **~a woli** willpower; **w sile wieku** in one's prime; **o własnych ~ach** unaided; **~a robocza** manpower; **~y zbrojne** armed forces
siłownia *f* fitness club; *techn.* field of force

siniak *m* bruise; (*pod okiem*) black eye
siny *adj* blue
siodło *n* saddle
siostra *f* sister; **~ cioteczna** cousin; **~ przyrodnia** stepsister, half-sister; **~ zakonna** nun
siostrzenica *f* niece
siostrzeniec *m* nephew
siódemka *f* seven
siódmy *num* seventh
sitko *n* strainer
sito *n* sieve, strainer
siwy *adj* grey, *am.* gray
skakać *imperf vi* jump, leap; (*podskakiwać*) skip; (*o cenach*) shoot up, jump; **~ sobie do oczu** fly at one another's throats; **~ z radości** dance for joy
skakan|ka *f* skipping rope, *am.* jump rope; **skakać na ~ce** skip
skala *f* scale
skaleczyć się *perf vr* cut <hurt> o.s.
skała *f* rock
skandal *m* scandal; **wywołać ~** give rise to scandal
skandynawski *adj* Scandinavian
skarb *m* treasure; *ekon.* **~ państwa** the treasury
skarbonka *f* moneybox, piggy bank
skarbow|y *adj*: *ekon.* **urząd ~y** revenue office; **opłata ~a** stamp duty
skarg|a *f* complaint; *prawn.* plaint, complaint; **iść na ~ę na kogoś** complain against sb; *prawn.* **wnieść ~ę przeciwko komuś** bring an action against sb
skarpetka *f* sock
skarżyć *imperf vi vt* (*donosić*) tell <tell tales> (**na kogoś** on sb); *prawn.* **~ kogoś do sądu** sue sb; **~ się** *vr* complain; **~ się na kogoś <coś>** complain about sb <sth>; *med.* **~ się na coś** complain of sth
skazać *perf vt* condemn; *prawn.* sentence
skąd *adv* from where, where... from; **~ ci to przyszło do głowy?** what makes you think so?; **~ wiesz?** how do you know?; **wracaj, ~ przyszedłeś** go back from where you came
skąpy *adj* miserly, stingy; (*zbyt mały*) scant
skierowanie *n* (*do lekarza*) referral
sklejka *f* plywood
sklep *m* shop, *am.* store; **~ spożywczy** grocer's (shop), grocery; **mieć ~** keep a shop
skład *m* composition; (*magazyn*) store, warehouse
składać *imperf vt* (*łączyć*) put together; (*list, kartkę*) fold; (*gromadzić*) store; (*wręczać*) turn in, file; **~ broń** lay down one's arms; **~ pieniądze** save money; **~ przysięgę** take <swear> an oath; **~ wizytę** pay a visit; **~ życzenia** express one's wishes; **~ wnio-**

sek apply; **~ się** *vr* (*o leżaku*) fold up; (*tworzyć całość*) consist; *pot.* (*robić składkę*) chip in; **tak się składa, że...** as it turns out...

składka *f* fee; (*ubezpieczeniowa*) premium; (*zbiórka*) collection

składnik *m* component; (*potrawy*; *lekarstwa*) ingredient

skłonność *f* inclination, tendency; (*sympatia*) liking

skocznia *f* ski jump

skoczyć *perf vi zob.* **skakać**

skok *m* jump; *pot.* robbery; *sport.* **~ w dal <wzwyż>** long <high> jump; **~ o tyczce** pole-vault; **~ do wody** dive

skomplikowany *adj* complicated, complex

skończyć *perf vt vi* finish, end; (*przestać*) stop; **~ 18 lat** be 18 (years old); **~ naukę** complete one's education; **~ szkołę <studia>** graduate; **~ z paleniem** stop smoking; **~ ze sobą** take away one's life; **~ się** *vr* end, be finished, be over; *zob.* **kończyć**

skorpion *m zool.* scorpion

skorupa *f* crust, shell; **~ ziemska** the earth's crust

skos *m* slant; **na ~** at <on> a slant

skośny *adj* diagonal; (*o oczach*) slanting

skowronek *m zool.* lark

skór|a *f* skin; (*materiał*) leather; **ratować swoją ~ę** save one's skin <neck>; *pot.* **~a i kości** bag of bones

skórka *f* (*ziemniaka*) skin; (*kiełbasy*) rind; (*owoców*) peel; (*chleba*) crust; **gęsia ~** gooseflesh

skórzany *adj* leather *attr*

skracać *imperf vt* shorten; (*tekst*) shorten, abridge; *mat.* reduce; **~ sobie drogę** take a short cut

skrajny *adj* extreme; (*o nędzy*) utter

skreślić *perf vt* cross out, strike off; (*usunąć*) delete, remove

skręcać *imperf vt vi* (*kręcić*) weave, twine; (*śrubami*) screw together; (*zmieniać kierunek*) turn; **~ w prawo** turn right

skręcić *perf vt*: **~ nogę w kostce** sprain <twist> an ankle; **~ kark** break one's neck; **~ papierosa** roll a cigarette

skrępowany *adj* tied up; (*onieśmielony*) embarrassed, ill-at-ease

skręt *m* turn; *pot.* (*papieros*) roll-up, roll-your-own

skromny *adj* modest; (*niewyszukany*) quiet, simple; **~ posiłek** frugal meal; **moim ~m zdaniem** in my humble opinion

skroń *f* temple

skrócić *perf vt zob.* **skracać**

skró|t *m* (*streszczenie*) summary; (*literowy*) abbreviation; (*krótsza droga*) short cut; **w ~cie** in short; **iść na ~ty** take a short cut

skrytka *f* hiding place; ~ **pocztowa** postoffice box
skrzela *pl zool.* gills
skrzep *m med.* blood clot
skrzydło *n* wing; (*okna*) sash
skrzynia *f* chest, crate; *mot.* ~ **biegów** gearbox
skrzynka *f* box, case; ~ **pocztowa** post box, *am.* mailbox; **czarna** ~ black box
skrzypce *pl* violin; *przen.* **grać pierwsze** ~ play first fiddle
skrzypieć *imperf vi* creak, squeak
skrzyżowanie *n* intersection; (*dróg*) crossroads
skupić się *perf vr* concentrate
skurcz *m med.* cramp
skurczybyk *m pot.* son of a gun <a bitch (*wulg.*)>
skurczyć się *perf vr* shrink, contract
skuteczny *adj* effective, efficacious
skut|ek *m* result, effect; **bez ~ku** to no effect; **na ~ek czegoś** as a result of sth
skuter *m* scooter
skwer *m* square
slajd *m* slide
slalom *m* slalom
sliping *m* sleeper
slipy *pl* briefs *pl*
slumsy *pl* slums *pl*
słab|y *adj* weak, feeble; **~a herbata** weak tea; **~y wzrok** poor vision; **~e zdrowie** poor health; **~e światło** feeble light; **~y punkt** weak point <spot>; **mieć ~ą głowę** have a weak head; **~a płeć** the weaker sex
słać *imperf vt* (*wysyłać*) send; (*rozpościerać*) spread; ~ **łóżko** make a bed
sława *f* fame; (*reputacja*) reputation; (*o osobie*) celebrity
sławny *adj* famous
słodki *adj* sweet
słodycze *pl* sweets *pl*, *am.* candy
słodzić *imperf vt* sweeten
słodzik *m* sweetener
słoik *m* jar
słoma, słomka *f* straw
słonecznik *m* sunflower
słoneczn|y *adj* solar; (*o pogodzie*) sunny; **porażenie ~e** sunstroke; **zegar ~y** sundial; **energia ~a** solar energy
słonina *f* pork fat
słon|y *adj* salt *attr*, salty; **~a cena** steep price
słoń *m zool.* elephant
słońce *n* sun
słowacki *adj* Slovak(ian)
Słowak *m* Slovak
Słoweniec *m* Slovene, Slovenian
słoweński *adj* Slovene, Slovenian
Słowianin *m* Slav
słowiański *adj* Slavic, Slavonic
słowik *m zool.* nightingale
słownictwo *n* vocabulary
słownie *adv*: **napisać liczbę ~** write the amount in words
słownik *m* dictionary; (*mały*) glossary

słowny *adj* (*dotrzymujący słowa*) reliable, dependable

słow|o *n* word; *pl* **~a** (*tekst piosenki*) lyrics *pl*; **~o wstępne** preface; **gra słów** pun, play on words; **~em** in a word; **innymi ~y** in other words; **~o w ~o** word for word; **dotrzymać ~a** keep one's word; **~o honoru!** my word of honour!

słój *m* jar; (*drzewa*) ring

słuch *m* hearing; (*muzyczny*) ear for music; **nie mieć ~u** be tone-deaf; **mieć słaby ~** be hard of hearing; **chodzą ~y, że...** rumour has it that...

słuchacz *m* (*radiowy*) listener

słucha|ć *imperf vt* listen; (*być posłusznym*) obey; **~m?** (*przez telefon*) hallo?, hello?

słuchawk|a *f* (*telefoniczna*) receiver; *pl* **~i** (*na uszy*) headphones *pl*

słup *m* post, pole

słuszny *adj* correct, right, just

służb|a *f* service; (*służący*) servants *pl*; **~a wojskowa <zdrowia>** military <health> service; **być na ~ie <po ~ie>** be on duty <off duty>

służbow|y *adj* business *attr*, official; **samochód ~y** company car; **drogą ~ą** through official channels

służy|ć *imperf vi* serve; (*być użytecznym*) be useful; **~ć w wojsku** serve in the army; **~ć krajowi** serve the country; **~ć do czegoś** be designed for sth; **~ć jako coś <za coś>** serve as <for> sth; **czym mogę ~ć?** may I help you?; **klimat mi nie ~** the climate isn't good for me

słychać *imperf vt*: **co ~?** how are things?, *am.* what's up?

słynny *adj* famous

słysz|eć *imperf vt* hear; **pierwsze ~ę** this is news to me; **nie chcę o tym ~eć** I won't hear of it

smaczn|y *adj* tasty; **~ego!** bon appétit!

smak *m* taste; (*potrawy*) taste, flavour, *am.* flavor; **bez ~u** tasteless; **jeść ze ~iem** eat with gusto; **urządzone ze ~iem** tastefully arranged

smak|ować *imperf vt vi* taste; **jak ci to ~uje?** how do you like it?

smalec *m* lard

smar *m techn.* lubricant, grease

smarkacz *m pot.* snotnose

smarować *imperf vt techn.* lubricate, grease; (*rozsmarowywać*) spread; (*masłem*) butter

smażyć *imperf vt* fry; **~ się** *vr* fry; **~ się na słońcu** bake in the sun

smoczek *m* dummy, *am.* pacifier; (*na butelkę*) teat

smok *m* dragon

smoking *m* dinner jacket, *am.* tuxedo

smoła *f* tar

smrodzić *imperf vi* give off a stench

smród *m* stench, stink

smukły *adj* slender
smutek *m* sorrow, sadness
smutny *adj* sad
smycz *f* lead, leash
smyczek *m muz.* bow
snob *m* snob
snobizm *m* snobbery
sobie *pron* oneself; (*sobie wzajemnie*) each other, one another; **mieć coś przy ~** have sth on o.s.; **tak <taki> ~** so-so; **przypomnieć ~** remember; **wyobrażać ~** fancy, imagine; **idź ~!** go away!
sobota *f* Saturday
sobowtór *m* double, look-alike
socjalizm *m* socialism
socjologia *f* sociology
soczewka *f* lens
soczysty *adj* juicy
sodow|y *adj*: **woda ~a** soda (water)
sofa *f* sofa, couch
soja *f bot.* soya bean, *am.* soybean
sojusz *m* alliance
sojusznik *m* ally
sok *m* juice; *anat.* **~i żołądkowe** gastric juices
sokowirówka *f* juice extractor, *am.* juicer
sokół *m zool.* falcon
solarium *n* solarium
solenizant *m* man celebrating his nameday
solić *imperf vt* salt, put salt on
solidarność *f* solidarity
solidny *adj* (*o człowieku*) solid, reliable; (*trwały*) solid, sturdy; (*gruntowny*) sound; (*o posiłku*) substantial
solista *m* soloist
solniczka *f* salt cellar, *am.* saltshaker
sonda *f techn. med.* probe; (*sondaż*) (opinion) poll
sondaż *m* (opinion) poll
sos *m kulin.* sauce; (*mięsny*) gravy; (*do sałatek*) dressing; *pot.* **być nie w ~ie** be out of sorts
sosna *f bot.* pine
sowa *f zool.* owl
sól *f* salt; **~ kamienna <kuchenna>** rock <table> salt
spacer *m* walk, stroll
spacerować *imperf vi* stroll, have a stroll
spać *imperf vi* sleep; **chce mi się ~** I am <feel> sleepy; **iść ~** go to bed; **on śpi <nie śpi>** he's asleep <awake>
spada|ć *imperf vi*: **~j!** *pot.* get lost *pot.*; *zob.* **spaść**
spadek *m* fall, drop; (*pochyłość*) slope; *prawn.* legacy, inheritance
spadochron *m* parachute
spalić *perf vt* burn (out); **~ się** *vr* burn; *przen.* burn o.s. out
spaliny *pl* (exhaust) fumes *pl*
sparzyć *perf vt* scald, burn; (*wrzątkiem*) blanch; **~ się** *vr* burn o.s., get burned; *przen.* get one's fingers burned
spaść *perf vi* (*upaść*) fall (down); (*o cenach, o temperaturze*) fall, drop; (*o obowiązku*) fall on sb

specjalista *m* specialist

specjalizacja *f* specialization

specjalizować się *imperf vr* specialize (**w czymś** in sth)

specjalność *f* speciality, *am.* specialty

specjalny *adj* special

spektakl *m* performance

spekulować *imperf vi* speculate, profiteer

spełni|ać, spełnić *imperf perf vt* (*obowiązek*) fulfil, *am.* fulfill; (*prośbę*) carry out; (*wymagania*) meet; (*oczekiwania*) live up to; **~ać się** *vr* be fulfilled; **moje marzenia się ~ły** my dreams came true

spędzać, spędzić *imperf perf vt* (*czas*) spend; (*zgromadzić*) round up; **~ czas na czytaniu** spend time reading; *przen.* **~ komuś sen z powiek** keep sb awake at night

spieprzyć *perf vt pot.* screw up

spierać się *imperf vr*: **~ o coś** contend <argue> about sth

spieszyć się *imperf vr zob.* **śpieszyć się**

spięcie *n* (*sprzeczka*) clash; *elektr.* short (circuit)

spiker *m* announcer

spinacz *m* clip, fastener

spinka *f* pin; (*do mankietów*) cuff link; (*do włosów*) hairpin, hair clip

spirala *f* spiral; *techn.* coil

spirytus *m* spirit

spis *m* list, register; **~ inwentarza** inventory; **~ treści** (table of) contents; **~ ludności** census

spisek *m* conspiracy, plot

spiżarnia *f* pantry

splajtować *perf vi pot.* go broke, go bankrupt

spleśniały *adj* mouldy, *am.* moldy

spłacać, spłacić *imperf perf vt* pay off, repay; **~ pożyczkę <dług>** pay off a loan <debt>

spłata *f* repayment

spocony *adj* sweaty

spod, spode *praep* from under; **spod Warszawy** from somewhere around Warsaw; **patrzeć spode łba** look askance, scowl

spodek *m* saucer

spodenki *pl*: **krótkie ~** shorts *pl*

spodnie *pl* trousers *pl*, *am.* pants *pl*

spodziewać się *imperf vr* expect; **~ kogoś <czegoś>** be expecting sb <sth>; **~ czegoś po kimś** expect sth of sb; **~ dziecka** be expecting; **kto by się spodziewał?!** who would have thought it?!

spojów|ka *f anat.* cojunctiva; **zapalenie ~ek** conjunctivitis

spojrzeć *perf vt* look, glance, have a look; *zob.* **patrzeć**

spojrzenie *n* look, glance

spokojnie *adv* calmly, quietly; **siedź ~!** sit still!, keep quiet!; **~!** stay cool!

spokojn|y *adj* quiet, calm, still; **być ~ym o kogoś <coś>** be confident about sb <sth>; **bądź**

~y! never fear!, don't you fear!; *pot.* **~a głowa!** not to worry!
spokój *m* calm, quiet; (*stan psychiczny*) calmness; **daj mi ~!** leave me alone!; **dać sobie z kimś <czymś> ~** forget sb <sth>; **proszę o ~!** quiet, please!
społeczeństwo *n* society
społeczność *f* community
społeczn|y *adj* social; **opieka ~a** welfare; **margines ~y** margin of society; **pochodzenie ~e** social background; **praca ~a** community service; **ubezpieczenie ~e** social security
spomiędzy *praep* from among
sponad *praep* from above
sponsorować *imperf vt* sponsor
spontaniczny *adj* spontaneous
sporo *adv* a good deal
sport *m* sport(s *pl*); **~ wyczynowy** professional athletics; **uprawiać ~** practice <*am.* practise> sports
sportowiec *m* athlete
sportowy *adj* sports *attr*
spos|ób *m* way, manner; (*fortel*) expedient, trick; **~ób bycia** manners; **w ten ~ób** this <that> way, thus; **jakimś ~obem** somehow
spostrzec, spostrzegać *perf imperf vt* notice, spot; (*zdać sobie sprawę*) perceive, observe
spośród *praep* from among
spotkać *perf vt zob.* **spotykać**
spotkanie *n* meeting; **umówione ~** appointment
spotykać *imperf vt* meet, com across; (*poznawać*) meet; (*zda rzać się*) happen to; **~ się** *v* meet, come together; **~ się kimś <czymś>** meet with s <sth>; **~ się z serdeczny przyjęciem** meet with a kin ly reception
spowiadać się *imperf vr* co fess
spowiedź *f* confession
spowodować *perf vt zob.* **powo dować**
spoza *praep* (from) outside; (*zz* from behind
spożycie *n* consumption
spożywcz|y *adj*: **artykuły ~** groceries; **sklep ~y** grocer' *am.* grocery (store)
spód *m* bottom; (*spodnia str na*) underside; **pod spode** underneath; **na spodzie** a the bottom
spódnica *f* skirt
spójnik *m gram.* conjunction
spółdzielnia *f* cooperative, c op; **~ mieszkaniowa** housin association
spółgłoska *f gram.* consonant
spółka *f* partnership, compan **~ akcyjna** joint-stock compa ny; **~ z ograniczoną odp wiedzialnością** limited (liabi ity) company
spór *m* dispute; *prawn.* litiga tion
spóźniać się, spóźnić si *imperf perf vr* be late; (*o zeg*

rze) be late <slow>; ~ **na pociąg** miss one's train

spóźnienie *n* lateness; (*zwłoka*) delay

spragniony *adj* thirsty; ~ **czegoś** avid <eager> for sth

spraw|a *f* affair, matter; *prawn.* case; **zdawać sobie ~ę, że...** realize that...; **zdawać sobie ~ę z czegoś** be aware of sth; **to nie twoja ~a** that's none of your business; **to ~a życia i śmierci** it's a matter of life and death; *prawn.* **wnieść ~ę do sądu** bring <file> a suit; **nie ma ~y** no problem

sprawdzać *imperf vt* check (up), *am.* check up on, inspect

sprawdzian *m* test; (*w szkole*) test, *am.* quiz

sprawdzić *perf vt zob.* **sprawdzać**

sprawiedliwość *f* justice

sprawiedliwy *adj* just, fair

sprawność *f* (*sprawne działanie*) efficiency; (*zręczność*) dexterity; ~ **fizyczna** (physical) fitness

sprawny *adj* (*zręczny*) adroit; (*o człowieku*) efficient; (*o maszynie*) in working order

sprawozdanie *n* report, account

sprawozdawca *m* (*radiowy, telewizyjny*) commentator

sprężyna *f* spring

sprośny *adj* obscene, bawdy

sprowadzać, sprowadzić *imperf perf vt* get, bring; (*wywoływać*) bring about; (*towary*) import; ~ **lekarza** call in <fetch> a doctor; ~ **się** *vr* move in; **sprowadzać się do czegoś** boil down <amount> to sth

spróbować *perf vt zob.* **próbować**

spryciarz *m pot.* smooth operator

spryt *m* shrewdness

sprytny *adj* smart, shrewd; *pot.* ~ **mechanizm** ingenious mechanism

sprzączka *f* buckle

sprzątaczka *f* cleaning lady

sprzątać, sprzątnąć *imperf perf vt vi* clean (up), tidy; (*usuwać*) remove, clear; ~ **ze stołu** clear the table

sprzeciwiać się *imperf vr* object (**czemuś** to sth), oppose (**czemuś** sth)

sprzeczka *f* argument

sprzed *praep* from before; ~ **domu** from in front of the house

sprzedać, sprzedawać *perf imperf vt vi* sell

sprzedawca *m* seller; (*handlowiec*) salesman; (*w sklepie*) shop assistant, *am.* sales clerk

sprzedaż *f* sale; **na** ~ for sale; ~ **detaliczna** retail; ~ **hurtowa** wholesale; ~ **ratalna** hire purchase, *am.* installment plan

sprzęgło *n* clutch; **włączyć <wyłączyć>** ~ let in <let out> the clutch

sprzęt *m* equipment; (*mebel*) piece of furniture; **~ sportowy** sports equipment; **~ komputerowy** (computer) hardware

sprzymierzeniec *m* ally

spuchnięty *adj* swollen

spuszczać, spuścić *imperf perf vt* (*opuszczać*) lower, drop; (*wypuszczać*) let out; *pot.* **~ cenę** bring down the price; **~ psa ze smyczy** unleash the dog; **~ wodę** (*w toalecie*) flush the toilet; *pot.* **~ z tonu** come down a peg or two

srebrn|y *adj* silver; **~e wesele** silver wedding

srebr|o *n* silver; *pl* **~a** silver (ware)

sroka *f zool.* magpie

ssać *imperf vt* suck

ssak *m zool.* mammal

ssanie *n* suction; *mot.* choke

stacja *f* station; **~ kolejowa** railway <*am.* railroad> station; **~ benzynowa** filling station, petrol <*am.* gas> station; *komp.* **~ dysków** disk drive

sta|ć *imperf vi* stand; (*być nieczynnym*) be at a standstill; **mój zegarek stoi** my watch has stopped; **~ć na czele** be at the head; **~ć na przeszkodzie** hinder; **~ć w miejscu** be at a standstill; **stój!** halt!; **nie ~ć mnie na to** I can't afford it; **~ć się** *perf vr* (*zdarzyć się*) happen, take place, occur; (*zostać*) become; **co się ~ło?** what happened; **co mu się ~ło?** what's happened to him?, (*co go naszło*) what's come over him?; **~ć się sławnym** become famous

stadion *m* stadium

stadium *n* stage

stado *n* (*bydła*) herd; (*wilków*) pack; (*ptaków*) flock

stajnia *f* stable

stal *f* steel

stale *adv* constantly, permanently

stał|y *adj* steady, constant, permanent; **~y mieszkaniec** permanent resident; **~e ceny** fixed prices; **~y ląd** mainland; **ciało ~e** solid (body); **~y klient** regular client; **na ~e** for good

stamtąd *praep* from (over) there

stan *m* state, condition; (*część państwa*) state; **~ cywilny** marital status; **~ prawny** legal status; **~ wojenny** martial law; **być w ~ie** be able (**coś zrobić** to do sth); **w dobrym ~ie** in good condition

stanąć *perf vi* (*powstać*) stand up; (*zatrzymać się*) stop; **~ na krześle** climb on a chair; **~ komuś na odcisk** tread on sb's corn; **~ po czyjejś stronie** side with sb; **~ na głowie** stand on one's head, *przen.* do one's utmost; *przen.* **~ na nogi** regain one's feet

standard *m* standard

stanik *m* brassiere, bra

stanowisk|o *n* (*miejsce*) position; (*posada*) post, position;

(*pogląd*) standpoint; **stać na ~u, że...** take the position that...; **człowiek na ~u** person of high standing
starać się *imperf vr* (*usiłować*) try; (*zabiegać*) try <make efforts> (**o coś** to get sth); **~ o pracę** be looking for a job; **bardzo się ~** try hard, do one's best
starczać, starczyć *imperf perf vt* be enough; **ledwie starcza** it's barely enough
starocie *pl pot.* (old) junk
starość *f* old age
starożytny *adj* ancient
Starówka *f pot.* old town
start *m* start; (*samolotu*) takeoff; **~!** go!
startować *imperf* start; (*rozpoczynać*) take off; (*w zawodach*) take part
staruszek *m* old man
star|y *adj* old; **~a panna** old maid, spinster; **~y kawaler** old bachelor; **~y chleb** stale bread; **po ~emu** as formely; *m pot.* (*ojciec*) old man; *pot.* (*kolega*) old boy; *pot.* (*szef*) boss
starzeć się *imperf vr* age; (*o żywności*) go stale
stat|ek *m* ship; **~ek handlowy <pasażerski>** merchant <passenger> ship; **~ek kosmiczny** spaceship; **płynąć ~kiem** sail
statut *m* (*przepisy*) statutes
statyw *m* tripod
staw *m* pond; *anat.* joint
stawać *imperf vi zob.* **stanąć**
stawać się *imperf vr zob.* **stać się**
stawiać *imperf vt* (*umieszczać*) put, place; (*budować*) put up; (*fundować*) stand, buy; (*obstawiać*) bet, wager; **~ na swoim** have one's own way; **~ kogoś na nogi** put sb back on his feet; **~ opór** put up resistance; *pot.* **~ się** *vr* report; put one's foot down
stawka *f* rate; (*w grze*) stake
staż *m* training, practice; **~ pracy** (job) seniority
stąd *praep* (*z tego miejsca*) from here; (*dlatego*) hence; **ni ~, ni zowąd** out of the blue
stelaż *m* (*podstawa*) stand
stempel *m* stamp; **~ pocztowy** postmark
stemplować *imperf vt* stamp
ster *m* rudder; *przen.* helm; **u ~u** at the helm
stereofoniczny *adj* stereo(phonic)
sternik *m* helmsman
sterować *imperf vt* steer; (*urządzeniem*) control
sterowanie *n*: **zdalne ~** remote control
sterylizować *imperf vt* sterilize
sterylny *adj* sterile
steward *m* steward
stewardesa *f* flight attendant, airhostess
stęchły *adj* musty
stłuc *perf vt* smash, break; (*ko-*

lano) hurt, bruise; *pot.* **~ kogoś** beat sb up

sto *num* hundred

stocznia *f* shipyard

stodoła *f* barn

stoisko *n* stall, stand

stok *m* slope

stokrotka *f bot.* daisy

stolarz *m* carpenter

stolec *m med.* stool

stolica *f* capital

stolik *m (w restauracji)* table

stołek *m* stool; *pot.* berth

stołówka *f* canteen

stop[1] *m (metali)* alloy

stop![2] hold it!, stop!

stop|a *f* foot; **~a procentowa** interest rate; **~a życiowa** standard of living; *prawn.* **odpowiadać z wolnej ~y** be released pending trial

stop|ień *m (jednostka miary)* grade; *(poziom)* degree, extent; *(w hierarchii)* rank; *(schodów)* stair, step; *(ocena)* mark, *am.* grade; **w pewnym ~niu** to some degree <extent>; **w jakim ~niu?** to what degree <extent>?; **15 ~ni Celsjusza** 15 degrees centigrade <Celsius>

stopniowo *adv* gradually

stosować *imperf vt* apply, use; **~ się** *vr* comply (**do czegoś** with sth), conform o.s. (**do czegoś** to sth); **~ się do wymagań** comply with requirements

stosowny *adj* suitable, appropriate

stosunek *m (zależność)* relation, relationship; *(liczbowy)* ratio; *(postawa)* attitude; *(płciowy)* intercourse

stowarzyszenie *n* association

stół *m* table; **siedzieć przy stole** sit at the table; **siąść do stołu** sit down to table

strach *m* fear; **~ na wróble** scarecrow

stracić *perf vt zob.* **tracić**

strajk *m* strike; **~ okupacyjny <głodowy>** sit-down <hunger> strike

strajkować *imperf vi* strike, be on strike

straszny *adj* terrible, horrible, awful

straszyć *imperf vt* frighten, scare; *vi (o duchach)* haunt

strat|a *f* loss; **ponieść ~ę** suffer a loss; **ze ~ą** at a loss

straż *f* guard, watch; **pełnić ~** stand guard, be on guard; *przen.* **stać na ~y czegoś** guard sth; **~ pożarna** fire brigade, *am.* fire department

strażak *m* fireman, fire fighter

strażnik *m* (security) guard; *(więzienny)* warder

strefa *f* zone; **~ podzwrotnikowa** the subtropics

stres *m* stress

streszczać, streścić *imperf perf vt* summarize

streszczenie *n* summary

striptiz *m* striptease

triptizerka *f* stripper

troić *imperf vt* (*ozdabiać*) decorate; (*instrument*) tune; **~ miny** make faces; **~ żarty** make fun (**z kogoś <czegoś>** of sb <sth>); **~ się** *vr* dress up

tromy *adj* steep

tron|a *f* side; (*stronica*) page; (*kierunek*) direction; *prawn.* party; *pl* **~y** (*okolica*) parts *pl*; **po lewej ~ie** on the left-(hand) side; **~a tytułowa** front page; **z jednej ~y..., z drugiej ~y** on (the) one hand..., on the other hand; **~y świata** the cardinal points; **być po czyjejś ~ie** be on sb's side; **po drugiej ~ie ulicy** across the street; **w którą ~ę?** which way?; **słaba ~a** weak point

tronnictwo *n* party

trój *m* dress, outfit, attire; **~ wieczorowy** evening dress; **~ ludowy <narodowy>** national dress; **~ wizytowy** formal attire

tróż *m* (*dozorca*) porter, *am.* janitor; **~ nocny** night watchman

truktura *f* structure

trumie|ń *m* stream; **lać się ~niem** stream; **deszcz lał się ~niami** rain came down in sheets

trumyk *m* brook

trun|a *f* string; *anat.* **~y głosowe** vocal cords

trup *m* scab

truś *m zool.* ostrich

strych *m* attic, loft

stryj, stryjek *m* uncle

strzał *m* shot

strzała, strzałka *f* arrow

strzec *imperf vt* guard, keep watch; **~ się** *vr* beware of

strzel|ać, strzelić *imperf perf vt vi* shoot; **~ać do kogoś** shoot at sb; **~ać z łuku** shoot a bow; *sport.* **~ić bramkę** score; score a goal; **~ić kogoś w twarz** slap sb's face; *pot.* **coś mu ~iło do głowy** something came over him; **człowiek ~a, Pan Bóg kule nosi** man proposes, God disposes

strzelba *f* rifle

strzel|ec *m* shooter; *sport.* scorer; **być dobrym ~cem** be a good shot

strzemię *n* stirrup

strzęp *m* shred; **w ~ach** in rags

strzyc *imperf vt* (*człowieka*) cut (sb's hair); (*trawnik*) mow; (*owce*) shear

strzykawka *f* syringe

student *m* student

studia *pl* studies *pl*; **skończyć ~** graduate

studiować *imperf vt* (*badać*) study, investigate; (*być studentem*) study, be a student

studium *m* (*rozprawa*) study; (*uczelnia*) college

studnia *f* well

studzić *imperf vt* cool (down)

stukać *imperf vi* knock, tap; **~ do drzwi** knock on <at> the door

stulecie *n* (*setna rocznica*) centenary; (*wiek*) century
stwierdzić *perf vi* state
stworzenie *n* (*czynność*) creation; (*istota*) creature
stworzyć *perf vt* create
stwórca *m* creator
styczeń *m* January
stygnąć *imperf vi* cool (down)
styl *m* style; (*pływacki*) stroke; **~ życia** life style; **to nie w jego ~u** it's not like him
stypendium *n* scholarship
styropian *m* polystyrene (foam), *am*. Styrofoam
sublokator *m* lodger, subtenant
subskrypcja *f* subscription
substancja *f* substance; **~ chemiczna** chemical
subtelny *adj* subtle
such|y *adj* dry; **wytrzeć coś do ~a** wipe sth dry; **przemoknąć do ~ej nitki** get soaked to the skin; *przen*. **nie zostawić na kimś ~ej nitki** pick sb to pieces
sufit *m* ceiling
sugerować *imperf vt* suggest, hint
sugestia *f* hint, suggestion
suka *f* bitch
sukces *m* success
sukienka *f* dress
sum|a *f* sum, total; (*nabożeństwo*) high mess; **w ~ie** all things considered; **bajońskie ~y** huge sums
sumieni|e *n* conscience; **czyste ~e** clear conscience; **wyrzuty ~a** remorse, pangs of conscience; **mieć kogoś <coś> na ~u** have sb <sth> on one's conscience; *rel*. **rachunek ~a** examination of conscience
supeł *m* knot, tangle
super *adj pot*. super
supersam *m* supermarket
suplement *m* supplement
surowica *f* serum
surowiec *m* raw material
surow|y *adj* (*o żywności*) raw; (*niewyrozumiały*) strict, severe; (*bez doświadczenia*) fresh, raw; **~a zima** severe winter
surówka *f kulin*. salad
susza *f* drought, dry weather
suszarka *f* dryer; **~ do włosów** hair dryer; **~ do naczyń** dish drainer
suszyć *imperf vt* dry; **~ się** *vr* dry, get dry
sutek *m anat*. nipple
sutener *m* pimp
suterena *f* basement
suwak *m* (*zamek*) zip, *am*. zipper
sweter *m* sweater, jumper; (*zapinany*) cardigan
swędzić, swędzieć *imperf vi* itch; **swędzi mnie noga** my leg is itching
swoboda *f* (*brak skrępowania*) liberty, freedom; (*łatwość*) ease
swój (swoja, swoje, swoi) *pron* one's; (*mój*) my; (*twój*) your; (*jego*) his; (*jej*) her; (*nasz*) our; (*wasz*) your; (*ich*) their; **robić**

swoje do one's job; **postawić na swoim** carry one's point; **jak na swój wiek** for one's age; **robić po swojemu** have one's own way; **w swoim czasie** in due time, (*w przeszłości*) once; **swoją drogą** still

sygnalizacja *f* signalling; **~ świetlna** traffic lights

sygna|ł *m* signal; (*w telefonie*) tone; **~ł alarmowy** distress signal; *pot.* **jechać na ~le** drive with the siren blaring

sygnet *m* signet ring

sylaba *f* syllable

sylwester *m* New Year's Eve; (*zabawa*) New Year's Eve party

sylwetka *f* silhouette, profile; (*figura*) figure

symbol *m* symbol

symetryczny *adj* symmetrical

symfonia *f* symphony

sympati|a *f* liking, attraction; *pot.* (*o dziewczynie*) girlfriend, (*o chłopcu*) boyfriend; **czuć ~ę do kogoś** be <feel> attracted to sb

sympatyczny *adj* attractive, likable, nice

symulować *imperf vt* fake, simulate

syn *m* son; **~ marnotrawny** prodigal son

synagoga *f* synagogue

synonim *m* synonym

synowa *f* daughter-in-law

syntetyczny *adj* synthetic

syntezator *m* synthesizer

syp|ać *imperf vt* pour, sprinkle; *pot.* inform on; **~ać żartami** reel off jokes; **śnieg ~ie** it's snowing; *pot.* **~ać się** *vr* (*rozpadać się*) fall apart

sypialnia *f* bedroom

sypialny *adj*: **wagon ~** sleeping car

syrena *f* (*przyrząd*) siren; (*nimfa*) mermaid, siren

syrop *m* syrup; **~ od kaszlu** cough syrup

Syryjczyk *m* Syrian

syryjski *adj* Syrian

system *m* system; **~ dziesiętny** decimal system; **~ słoneczny** solar system

sytuacj|a *f* situation; **w tej ~i** in such a situation; **beznadziejna ~a** (hopeless) plight

sytuowany *adj*: **dobrze ~** well off

szabla *f* sword

szachownica *f* chessboard

szachy *pl* chess

szacunek *m* (*poważanie*) respect, reverence; (*ocena*) estimate, assessment

szafa *f* wardrobe, *am.* closet; **~ pancerna** safe

szafka *f* cupboard, cabinet

szajba *f*: *pot.* **odbiła mu ~** he's got a screw loose

szajka *f* band

szal *m* shawl

szaleć *imperf vi* rage, be frantic; (*wariować*) go mad; (*hulać*) revel; **~ z radości** be frantic with joy; **~ z rozpaczy**

be frantic <mad> with despair; **~ za kimś** be mad <crazy> about sb
szaleniec *m* madman
szaleństwo *n* madness, insanity
szalet *m* public toilet
szalik *m* scarf
szalony *adj* mad, crazy, insane
szalupa *f* lifeboat
szał *m* madness, frenzy, rage; **wpaść w ~** fly into a rage; *pot.* **doprowadzać kogoś do ~u** drive sb mad
szałas *m* shelter, shanty
szałwia *f bot.* sage
szambo *n* cesspool, cesspit
szampan *m* champagne
szampon *m* shampoo
szanować *imperf vt* respect, look up to; (*chronić*) take care of
szanowny *adj* respectable, honourable; (*w liście*) **Szanowny Panie <Szanowna Pani>** Dear Sir <Madam>; **Szanowni Państwo!** Ladies and Gentlemen!
szansa *f* chance; **życiowa ~** the chance of a lifetime
szantaż *m* blackmail
szarpać, szarpnąć *imperf perf vt vi* pull at; (*o pojeździe*) jerk; *przen.* **szarpać nerwy** fray sb's nerves
szary *adj* grey, *am.* gray; *przen.* **~ człowiek** the man in the street; **na ~m końcu** at the tail end
szatan *m* satan
szatnia *f* cloakroom; (*przebieralnia*) changing room
szatyn *m* dark-haired man
szatynka *f* dark-haired woman
szczapa *f* chip, sliver; **chudy jak ~** (as) thin as a lath <rake>
szczaw *m bot.* sorrel
szczątki *pl* (*ludzkie*) remains *pl*; (*maszyny*) debris
szczeb|el *m* (*drabiny*) rung; (*hierarchii*) grade; **rozmowy na najwyższym ~lu** summit talks
szczebiot *m* chirp
szczególny *adj* special, particular; **znak ~** distinguishing mark
szczegół *m* detail
szczekać *imperf vi* bark
szczelny *adj* tight
szczeniak *m* puppy
szczepić *imperf vt med.* vaccinate; (*rośliny*) graft
szczepienie *n med.* vaccination, inoculation
szczepionka *f* vaccine
szczery *adj* sincere, frank, candid; (*prawdziwy*) genuine, pure
szczęka *f* jaw; **sztuczna ~** dentures, false teeth
szczęściarz *m pot.* lucky chap
szczęści|e *n* (*traf*) (good) luck, good fortune; (*stan*) happiness; **na ~e** fortunately, luckily; **mieć ~e** be lucky; **spróbować ~a** try one's luck; **głupi ma ~e** fortune favours fools
szczęśliw|y *adj* happy; (*pomyśl-*

ny) fortunate, lucky; **~ej podróży!** (have a) happy journey!
szczoteczka *f*: **~ do zębów** toothbrush
szczotka *f* brush; (*do zamiatania*) broom
szczupak *m zool.* pike
szczupły *adj* slim, slender
szczur *m zool.* rat
szczyp|ać *imperf vt* pinch; **oczy mnie ~ią** my eyes are stinging
szczypce *pl* pliers *pl*, pincers *pl*
szczypiorek *m bot.* chives
szczypta *f* pinch, sprinkle; *przen.* **~ prawdy** a speck of truth
szczy|t *m* top, peak; **godziny ~tu** rush hours; **spotkanie na ~cie** summit (meeting); **u ~tu sławy** at the height of fame; **to ~t wszystkiego** that beats everything
szef *m* boss; **~ kuchni** chef
szelki *pl* braces pl, *am.* suspenders *pl*
szept *m* whisper; **mówić ~em** whisper
szeptać *imperf vi* whisper
szereg *m* row; *mat.* series; (*duża ilość*) a number of; **stanąć w ~u** line up; **w ~u przypadków** in a number of cases
szeregowiec *m woj.* private
szermierka *f* fencing
szeroki *adj* wide, broad; **~ na metr** a metre wide; *przen.* **mieć ~ gest** be open-handed; **mężczyzna ~ w barach** wide-shouldered man; **~e poglądy** broad views
szerokość *f* width, breadth; **~ geograficzna** latitude
szesnasty *num* sixteenth
szesnaście *num* sixteen
sześcienny *adj* cubic
sześć *num* six
sześćdziesiąt *num* sixty
sześćdziesiąty *num* sixtieth
sześćset *num* six hundred
szew *m* seam; *med.* stitch
szewc *m* shoemaker, cobbler
szkic *m* draft, sketch
szkielet *m anat.* skeleton
szklanka *f* glass
szklarnia *f* greenhouse, glasshouse
szklarz *m* glazier
szkł|o *n* glass; (*wyroby*) glass(ware); **~o powiększające** magnifying glass; **~a kontaktowe** contact lenses
szkock|i *adj* Scottish, Scots; **~a krata** tartan
szkod|a *f* damage, harm; **przynieść komuś ~ę** harm sb; **wyrządzić ~ę** cause harm; **~a czasu** it's a waste of time; **~a słów!** you're wasting your breath!; **~a, że nie możesz przyjść** it's a pity you can't come; **~a!** too bad!
szkodliwy *adj* harmful, damaging
szkodzi|ć *imperf vi* (*być szkodliwym*) be harmful; **to ~ zdrowiu** it's bad for your health; **nie ~!** never mind!, it's all right!

szkolenie *n* training; **~ zawodowe** professional training
szkolić *imperf vt* train
szko|ła *f* school; **~ła podstawowa** primary <elementary> school; **~ła średnia** secondary school, *am.* high school; **~ła wyższa** college, university; **~ła wieczorowa** night school; **chodzić do ~ły** go to school; **w ~le** at school
Szkot *m* Scot(sman)
szlachetny *adj* noble; **kamień ~** precious stone
szlafrok *m* dressing gown, (bath)-robe
szlag *m*: *pot.* **~ mnie trafia** it gets my goat; *pot.* **niech to ~!** dammit!, damn it!
szlagier *m* (*film*) blockbuster; (*książka*) best seller; (*piosenka*) hit
szlak *m* route, track, trail; **utarty ~** beaten track; **~ handlowy** trade route
szlifować *imperf vt* grind, cut; *przen.* (*doskonalić*) polish up
szlochać *imperf vi* sob
szmal *m pot.* dough
szmat|a *f* rag; *pot.* (*o człowieku*) toe-rag; *pot.* (*o gazecie*) rag; *pot. pl* **~y** rags *pl*
szmelc *m pot.* junk
szminka *f* lipstick
szmira *f pot.* trash rubbish
sznur *m* rope, line; (*elektryczny*) lead, cord; **~ samochodów** car line; **~ pereł** string of pearls; **~ do bielizny** washing line, *am.* clothes line
sznurek *m* string
sznurowadło *n* (shoe)lace
sznycel *m* (meat) cutlet
szofer *m* chauffeur
szok *m* shock; **doznać ~u** get a shock
szopa *f* shed; *pot.* (*o włosach*) mop
szopka *f* (*w kościele*) crib; *pot.* carry-on
szorować *imperf vt* scrub, scour
szorty *pl* shorts *pl*
szosa *f* road
szósty *num* sixth
szpada *f* sword; *sport.* épée
szpadel *m* spade
szpakowaty *adj* grizzled
szpalta *f* column
szpanować *imperf vi pot.* swank, show off
szpara *f* gap, space
szparag *m bot.* asparagus; *pl kulin.* **~i** asparagus, spears *pl*
szpieg *m* spy
szpiegować *imperf vi vt* spy (**kogoś** on sb)
szpilka *f* pin
szpinak *m bot.* spinach
szpital *m* hospital
szprotka *m* sprat
szpulka *f* bobbin, spool
szrama *f* scar
szron *m* hoarfrost, (white) frost
sztab *m* staff, headquarters; **~ główny** general headquarters
sztacheta *f* pale
sztafeta *f sport.* relay

sztandar *m* flag, standard
sztorm *m* storm, gale
sztruks *m* corduroy, cord; *pl* **~y** cords *pl*
sztuczn|y *adj* artificial; (*udawany*) sham, affected; **~e oddychanie** artificial respiration; **~e ognie** fireworks; **nawozy ~e** fertilizers; **~e tworzywo** plastic; **~e zęby** false teeth
sztućce *pl* cutlery
sztuk|a *f* art; (*teatralna*) play; (*jednostka*) piece; **~i piękne** the fine arts; **po 3 złote za ~ę** 3 zlotys a piece; *pot.* **do trzech razy ~a** third time lucky; **~a polega na tym, żeby...** the trick is to...
szturchać, szturchnąć *imperf perf vt* nudge
szturm *m*: **przypuścić ~ na kogoś <coś>** launch an assault against sb <sth>
sztylet *m* dagger
sztywny *adj* stiff, rigid; (*o cenach*) fixed
szuflada *f* drawer
szuja *m pot.* rat
szukać *imperf vt* look for, seek; **~ słów** be at a loss for words; **~ szczęścia** seek one's fortune; **~ czegoś po omacku** feel about for sth
szuler *m* cardsharp
szum *m* hum, murmur; (*szelest*) rustle; **~ w uszach** buzzing in the ears
szwagier *m* brother-in-law
szwagierka *f* sister-in-law
Szwajcar *m* Swiss
szwajcarski *adj* Swiss
Szwed *m* Swede
szwedzki *adj* Swedish
szyba *f* (window) pane; *mot.* **przednia ~** windscreen, *am.* windshield
szybki *adj* quick, fast, swift
szybkoś|ć *f* speed, velocity; **z ~cią x mil <kilometrów> na godzinę** at (the speed of) x miles <kilometres> per hour; **nabierać ~ci** pick up speed
szybowiec *m* glider
szyć *imperf vt* sew; *med.* suture, stitch
szyfr *m* (secret) code, cipher
szyj|a *f* neck; **pędzić na łeb, na ~ę** rush headlong
szykować *imperf vt* prepare; **~ się** *vr* prepare, get ready
szyld *m* sign(board)
szympans *m* chimp(anzee)
szyna *f* rail; *med.* splint
szynka *f* ham
szyszka *f* cone

Ś

ścian|a *f* wall; **za ~ą** next door
ścianka *f* (*przepierzenie*) partition
ściąć *perf vt zob.* **ścinać**
ściągać, ściągnąć *imperf vt vi*

(*opuszczać*) pull down; (*zdjąć*) pull off; (*ściskać*) pull tight; (*przybywać*) come flocking; (*kurczyć*) contract; *przen.* (*sprowadzać*) attract, bring down; (*odpisywać*) cheat, crib; *pot.* (*kraść*) pinch; ~ **buty** pull one's shoes off; ~ **brwi** knit one's brow; ~ **podatki** collect taxes; ~ **na siebie nieszczęście** bring down misfortune on o.s.

ściek *m* sewer; *pl* **~i** sewage

ściemnia|ć się *imperf vr* get dark; ~ **się** it's getting dark

ścierka *f* cloth; (*do kurzu*) duster

ścieżka *f* (foot)path; ~ **dźwiękowa** soundtrack; ~ **zdrowia** fitness trail

ścięgno *n anat.* tendon

ścigać *imperf vt* pursue, chase; ~ **się** *vr* race

ścinać *imperf vt* cut (down); (*głowę*) behead; *sport.* smash; *przen.* (*o krwi*) curdle; ~ **drzewo** cut down <fell> a tree; ~ **trawę** mow grass

ścisk *m pot.* crush

ściska|ć *imperf vt* (*gnieść*) press, squeeze; (*mocno trzymać*) grip; (*mocno ściągać*) bind; (*obejmować*) embrace, hug; **~ć komuś rękę** shake sb's hand; **żal ~ serce** one's heart bleeds; **~ć się** *vr* (*obejmować się*) embrace, hug

ślad *m* trace, track, trail; ~ **stopy** footmark, footprint; **iść czyimś <czegoś> ~em** follow sb <sth>; *przen.* **iść w czyjeś ~y** follow in sb's footsteps; **zniknąć bez ~u** vanish <disappear> without trace

śledzić *imperf vt* (*obserwować*) follow, keep track; (*tropić*) spy (**kogoś** on sb), watch

śledztwo *n* inquiry, investigation

śledź *m zool.* herring; (*do namiotu*) tent peg

ślep|y *adj* blind; *m* blind man; *anat.* **~a kiszka** appendix; **~y nabój** blanc (cartridge); **~a ulica** cul-de-sac, dead end; **~y zaułek** blind alley, dead end

śliczny *adj* lovely, beautiful, *am. pot.* cute

ślimak *m zool.* snail; (*bez skorupy*) slug

ślina *f* saliva, spit

śliniak *m* bib

ślinić się *imperf vr* drool; (*o dziecku*) dribble

śliski *adj* slippery; *przen.* (*ryzykowny*) dodgy

śliwk|a *f* plum; **suszone ~i** prunes

ślizgać się *imperf* slide, glide; (*na łyżwach*) skate; (*o pojeździe*) skid

ślizgawka *f* slide

ślub *m* wedding, marriage; (*ślubowanie*) vow; ~ **kościelny** church wedding; ~ **cywilny** civil ceremony; **brać ~** get married, marry (**z kimś** sb)

ślubn|y *adj* wedding *attr*, marriage *attr*; **~a córka** legitimate daughter; **~a obrączka <suknia>** wedding ring

<dress>; **uroczystość ~a** marriage ceremony
ślusarz *m* locksmith
śmiać się *imperf vr* laugh (**z czegoś** at sth); **~ w kułak** laugh up one's sleeve; **~ do rozpuku** burst one's sides with laughter
śmiały *adj* (*odważny*) brave, bold, daring; (*z rozmachem*) bold; **~ plan** bold plan
śmiech *m* laughter; **wybuchnąć ~em** burst out laughing; **~ mnie bierze** I feel like laughing
śmieci *pl* rubbish, *am.* garbage; (*na ulicy*) litter; **kosz na ~** wastepaper basket <bin>, *am.* wastebasket; (*na ulicy*) litter basket <bin>
śmieciarz *m* dustman, *am.* garbage collector
śmieć[1] *m* piece of litter; rubbish, trash
śmie|ć[2] *imperf vi* dare; **jak ~sz!** how dare you!
śmier|ć *f* death; **wyrok <kara> ~ci** death sentence <penalty>; **nagła ~ć** sudden death; **umrzeć ~cią naturalną** die of natural causes; **na ~ć zapomniałem** I clean forgot
śmierdzieć *imperf vi* stink, smell (**czymś** of sth)
śmierteln|y *adj* lethal, deadly, mortal; **~a choroba** fatal disease; **~y wypadek** fatality; **~e niebezpieczeństwo** mortal danger; **grzech ~y** mortal sin
śmieszny *adj* (*zabawny*) funny, amusing; (*dziwaczny*) ridiculous, laughable
śmietana *f* cream; (*kwaśna*) sour cream; **bita ~** whipped cream
śmietanka *f* cream; **~ towarzyska** cream of society, the upper crust
śmietnik *m* (*miejsce*) the bins *pl*; (*pojemnik*) skip, *am.* dumpster; *przen.* (*bałagan*) mess; *przen.* (*miejsce*) pigsty; **wyrzucić coś na ~** dump sth
śmigłowiec *m* helicopter, *pot.* chopper
śniadanie *n* breakfast; **jeść ~** have breakfast
śni|ć *imperf vt vi* dream (**o kimś <czymś>** of <about> sb <sth>); **~ć się** *vr*: **~ło mi się, że fruwam** I dreamt (that) I was flying
śnieg *m* snow; **pada ~** it's snowing; **opady ~u** snowfall
śnieżka *f* snowball; *lit.* **Królewna Śnieżka** Snow White
śnieżyca *f* snowstorm; (*zamieć śnieżna*) blizzard
śpiesz|yć się *imperf vr* (be in a) hurry, (be in a) rush; (*o zegarku*) be fast; **nie ~ się!** take your time!
śpiew *m* singing
śpiewać *imperf vt vi* sing
śpiewak *f* singer
śpioch *m* late riser, sleepyhead
śpioszki *pl* rompers *pl*
śpiwór *m* sleeping bag
średni *adj* mean, average; **~ego wzrostu** of medium height; **~e fale** medium wave; **~e wy-**

kształcenie secondary education; **w ~m wieku** middleaged

średnia *f* mean, average

średnio *adv* on average

średniowiecze *n* the Middle Ages *pl*

środa *f* Wednesday

środ|ek *m* middle, centre; (*wnętrze*) inside; (*sposób*) means; *med.* medication; *przen.* remedy; *pl* **~ki** (*zasoby*) means; **~ek ciężkości** centre of gravity; **~ek transportu** means of transport, *am.* transportation; **~ki ostrożności** precautions; **w ~ku** (*wewnątrz*) inside, (*w centrum*) in the middle; **zapraszać kogoś do ~ka** ask sb in

środkowy *adj* central, middle *attr,* centre *attr*

środowisk|o *n* environment; **~o naturalne** the environment; **ochrona ~a** environmental protection, conservation

śródmieście *n* town <city> centre, *am.* downtown

śródziemnomorski *adj* Mediterranean

śruba, śrubka *f* screw

śrubokręt *m* screwdriver

świadczenia *pl* (*obowiązkowe usługi*) services *pl*; (*pomoc finansowa*) benefit

świadczyć *imperf vi* (*zeznawać*) testify; (*wskazywać*) show, manifest; **~ o kimś dobrze** to speak well for sb, to do sb credit; **~ usługi** render services (**komuś** to sb)

świadectw|o *n* certificate; (*dowód*) testimony; **~o szkolne** school report, *am.* report card; **~o urodzenia <ślubu, zgonu>** birth <marriage, death> certificate; **~o dojrzałości** certificate of secondary education; **być ~em czegoś** testify to sth

świadek *m* witness; **~ na ślubie** (*mężczyna*) best man, (*kobieta*) maid of honour; **naoczny ~** eye witness; **Świadek Jehowy** Jehovah's Witness

świadomie *adv* knowingly

świadomość *f* consciousness, awareness

świ|at *m* world; **tamten ~at** the next world; **przyjść na ~at** be born; **na ~ecie** in the world; **na całym ~ecie** all over the world; **wielki ~at** high society; **za nic w ~ecie!** not for the whole world!

światł|o *n* light; **~o dzienne** daylight; **~o księżyca** moonlight; **~o przednie <tylne>** headlight <rear light>; **~a mijania** low beam, dipped lights; **~a długie** full <*am.* high> beam; *pl* **~a** (*na skrzyżowaniu*) traffic lights; *przen.* **w świetle czegoś** in the light of sth

światopogląd *m* outlook

świąteczn|y *adj* (*odświętny*) festive; **dzień ~y** holiday; **ubranie ~e** one's Sunday best; **życzenia ~e** (*bożonarodzeniowe*) Season's <Christmas> greetings, (*wielkanocne*) Easter greetings

świątynia *f* temple
świder *m* drill
świeca *f* candle; **~ zapłonowa** spark plug
świecić *imperf vi* (*wysyłać światło*) shine; (*lśnić*) gleam, shine; **~ przykładem** be a shining example; **~ się** *vr* (*o świetle*) be on; (*lśnić*) shine, gleam
świecki *adj* lay, secular
świeczka *f* candle
świecznik *m* candlestick
świerk *m bot.* spruce
świerszcz *m zool.* cricket
świetlica *f* (*w szkole*) common room
świetnie *adv*: **~ się czuć <wyglądać>** feel <look> great; **~!** great!
świetny *adj* excellent, splendid, great
świeży *adj* recent, fresh, new; **~ chleb** fresh bread; **na ~m powietrzu** in the open (air)
święcić *imperf vt* (*poświęcać*) bless, consecrate; (*obchodzić*) celebrate
święt|o *n* holiday; **~o państwowe <kościelne>** national <religious> holiday; **~a Bożego Narodzenia** Christmas; **~a wielkanocne** Easter; **raz od wielkiego ~a** once in a blue moon
świętość *f* (*cecha*) holiness; (*rzecz święta*) sanctity; **to dla mnie ~** it is sacred for me
święt|y *adj* holy, sacred; (*przed imieniem*) Saint; (*o człowieku*) saintly; **Pismo Święte** the (Holy) Bible; **Ziemia Święta** Holy Land; **Święty Mikołaj** Santa Claus; **Wszystkich Świętych** All Saints' Day; **~e prawo** divine right; **~ej pamięci** late; **dla ~ego spokoju** for peace' sake
świnia *f zool.* pig; (*pot. o człowieku*) pig, swine
świnka *f med.* mumps; *zool.* **~ morska** guinea pig
świntuch *m pot.* dirty old man
świński *adj pot.* dirty, rotten; **~ kawał** dirty joke
świństw|o *n* (*czyn*) *pot.* dirty trick; *pot.* (*paskudztwo*) muck; *pl* **~a** obscenities *pl*; **zrobić komuś ~o** play a dirty <rotten> trick on sb
świr *m pot.* nut, freak; *pot.* **mieć ~a (na jakimś punkcie)** be nuts (about sth)
świ|t *m* dawn, daybreak; **o ~cie** at dawn

T

ta *pron zob.* **ten**
tabela *f* table
tabletka *f* tablet
tablic|a *f* (*szkolna*) blackboard; (*tabela*) chart; **~a ogłoszeń** noticeboard, *am.* bulletin board;

~a pamiątkowa plaque; **~e rejestracyjne** (number) plates *pl*, *am.* (license) plates *pl*; *techn.* **~a rozdzielcza** switchboard

tabliczka *f*: **~ czekolady** bar of chocolate; **~ mnożenia** multiplication table

taboret *m* stool

tabu *n* taboo

taca *f* tray

taczka *f* wheelbarrow

tajemnic|a *f* secret, mystery; **trzymać coś w ~y** keep sth secret; **robić coś w ~y** do sth in secret <*pot.* on the quiet>

tajny *adj* secret, classified

tak *part* yes; *adv* (*w taki sposób*): **zrób to ~** do it ike this; **~ więc** so, thus; **~ zwany** so called; **i ~ dalej** and so on (and so forth); **~ sobie** so-so; **~ czy owak** anyway

taki *pron* such; **~ sam** the same; **~ jak** such as; **~ bałagan** such a mess; **~ jeden** one guy; **nic ~ego** nothing special; **w ~m razie...** in that case...

taksówk|a *f* taxi, *am.* cab; **jechać ~ą** go by taxi

taksówkarz *m* taxi driver, *am.* cab driver

takt *m* tact; *muz.* bar

taktowny *adj* tactful

taktyka *f* tactics *pl*

także *adv* also, too, as well; **~ nie** neither

talent *m* talent, gift

talerz *m* plate; **głęboki <płytki>** ~ soup <dinner> plate; **latający ~** flying saucer

talia *f* (*kart*) deck, pack; (*pas*) waist

talizman *m* charm, talisman

talk *m* talc

tam *adv* (over) there; **kto ~?** who's there?; **~ i z powrotem** back and forth

tama *f* dam

tamować *imperf vt* (*ruch*) hamper; (*krew*) stem, staunch

tampon *m* tampon

tamten (tamta, tamto) *pron* that; **~ świat** the next world

tamtędy *adv* (down) that way

tancerz *m* dancer

tandeta *f* trash, rubbish

tani *adj* cheap; **~ jak barszcz** dirt cheap

taniec *m* dance

tanio *adv* cheap

tańczyć *imperf vi vt* dance

tapczan *m* bed, divan

tapeta *f* wallpaper

tapicerka *f* upholstery

tarapat|y *pl* trouble; **znaleźć się w ~ach** get into trouble

taras *m* terrace

tarcza *f* (*strzelecka*) target; (*osłona*) shield; (*szkolna*) badge; (*zegara*) face

tarczyca *f med.* thyroid (gland)

targ *m* market; *pl* **~i** fair; **dobić ~u** strike a bargain

targować się *imperf vr* bargain, haggle (**o coś** about sth)

targowisko *n* market(place)

targowy *adj*: **dzień ~** market day; **plac ~** marketplace
tarka *f* grater
taryfa *f* tariff, rates *pl*; **~ opłat** scale of charges; *pot.* cab
tasiemka *f* tape
taśma *f* band, tape; (*w fabryce*) assembly line; **~ filmowa** film; **~ izolacyjna** insulating tape
tata *m* dad, pa, *am.* pop
tatar *m kulin.* tartar(e) steak
tatuaż *m* tattoo
tatuś *m* dad(dy)
tchórz *m zool.* polecat; (*człowiek*) coward; *pot.* chicken
teatr *m* theatre; **~ kukiełkowy** puppet show
teatraln|y *adj* theatre *attr*, theatrical; **sztuka ~a** play
techniczny *adj* technical, technological
technika *f* technology; (*metoda*) technique
technikum *n* technical school <college>
technologia *f* technology
teczka *f* briefcase, portfolio; (*tekturowa*) folder
tekst *m* text; (*piosenki*) lyrics *pl*
tekstylny *adj* textile
tektura *f* cardboard
teledysk *m* (video) clip
telefon *m* (tele)phone; (*rozmowa*) phone call; **rozmawiać przez ~** be on the phone; **~ komórkowy** cellular phone, *pot.* mobile phone; **odebrać ~** pick up <answer> the phone; **~ do ciebie <pana>!** there's a (phone) call for you!; **podaj mi swój ~** give me your phone number
telefoniczn|y *adj* (tele)phone *attr*; **budka ~a** phone booth <box>; **karta ~a** phone card; **książka ~a** phone book, (telephone) directory
telefonistka *f* operator
telefonować *imperf vi* make a (phone) call, phone <call> (**do kogoś** sb), ring sb up
telegazeta *f* teletext
telegram *m* telegram, *pot.* cable
telekomunikacja *f* telecommunications
teleks *m* telex
telepatia *f* telepathy
teleskop *m* telescope
teleturniej *m* quiz show
telewidz *m* viewer
telewizj|a *f* television, TV, *pot.* telly; **~a kablowa** cable television; **~a satelitarna** satellite television; **co jest w ~i?** what's on TV?; **oglądać ~ę** watch TV
telewizor *m* television (set), TV (set)
temat *m* subject, topic; *muz.* theme; **na jakiś ~** on sth
temblak *m* sling
temperament *m* temperament
temperatur|a *f* temperature; (*gorączka*) fever; **mierzyć ~ę** take the temperature
temperówka *f* (pencil) sharpener
temp|o *n* pace, rate; *muz.* tem-

po; **w zwolnionym ~ie** in slow motion
temu *adv*: **rok ~** a year ago; **dawno ~** long ago
ten (ta, to) *pron* (*z rzeczownikiem*) this; (*bez rzeczownika*) this one; **~ sam** the same; **~ duży** the big one; **~, który wyszedł** the one who left
tenis *m* tennis; **grać w ~a** play tennis
tenisówki *pl* tennis shoes *pl*, plimsolls *pl*, *am*. sneakers *pl*
tenor *m* tenor
teologia *f* theology
teoria *f* theory
terakota *f* terracotta
terapeuta *m* therapist
terapia *f* therapy
teraz *adv* now; (*obecnie*) nowadays
teraźniejszy *adj* present, today's *attr*; *gram*. **czas ~** present tense
teren *m* area, ground, terrain; **na ~ie budowy** on the building site; **być w ~ie** be on the premises
termin *m* (*wyraz*) term; (*czas*) date, time limit; **ostateczny ~** the deadline; **wyznaczyć ~** set a date; **w ~ie** in time; **przed ~em** ahead of time
terminarz *m* (*kalendarz*) diary
terminowo *adv* on time
termofor *m* hot-water bottle
termometr *m* thermometer
termos *m* (vacuum) flask
terror *m* terror
terrorysta *m* terrorist
terroryzm *m* terrorism
terroryzować *imperf vt* terrorize
terytorium *n* territory
test *m* test
testament *m* will, testament; **Stary <Nowy> Testament** the Old <New> Testament
testować *imperf vt* test
teściowa *f* mother-in-law
teść *m* father-in-law
teza *f* thesis
też *adv* also, too; **~ nie** neither; **dlatego ~** that is why, therefore
tęcza *f* rainbow
tędy *adv* this way
tęg|i *adj* stout, podgy; **to ~a głowa** he has a head on his shoulders
tępy *adj* (*nieostry*) blunt; (*ścięty*) obtuse; (*mało bystry*) dense, dull, slow-witted
tęsknić *imperf vi* miss (**za kimś <czymś>** sb, sth), long <yearn> (**za kimś <czymś>** for sb <sth>); **~ za domem <rodziną>** be homesick
tęsknota *f* longing, homesickness
tętnica *f med*. artery
tętno *n* pulse
tkanina *f* fabric, texture
tlen *m* oxygen
tlenić *imperf vt* bleach
tło *n* background
tłoczyć się *imperf vr* crowd
tłok *m* (*ścisk*) crowd; *techn*. pis-

ton; **jest straszny ~** the place is packed

tłuc *imperf vt* (*rozbijać*) break; *pot.* **~ kogoś** bash sb out; **~ się** *vr* break; *pot.* (*bić się*) scrap; *pot.* **~ się po świecie** roam about the world

tłum *m* crowd

tłumacz *m* (*tekstów*) translator; (*ustny*) interpreter; **~ przysięgły** sworn <certified> translator

tłumaczenie *n* (*pisemne*) translation; (*wyjaśnianie*) explanation

tłumaczyć *imperf vt* (*wyjaśniać*) explain; (*przekładać pisemnie*) translate; (*przekładać ustnie*) interpret; (*usprawiedliwiać*) justify, excuse; **~ się** *vr* explain <excuse> o.s.

tłumić *imperf vt* (*ogień; śmiech*) smother; (*przyciszać*) muffle; (*likwidować*) supress

tłumik *m muz.* sordine; *techn.* silencer, muffler

tłust|y *adj* (*gruby*) fat; (*z tłuszczem*) fat, rich; (*zatłuszczony*) greasy, oily; **~e mleko** full-cream milk; **~y czwartek** the Thursday before Ash Wednesday <Lent>; **~y druk** bold type; **~a plama** greasy stain

tłuszcz *m* fat, grease

to[1] *pron zob.* **ten**; it; **to ja** it's me; **to nie takie proste** it's not that simple

to[2] *conj*: **jak to?** how come?; **no to co?** so what?; **otóż to** exactly; **chcesz, to idź** go if you wish

toaleta *f* (*ubikacja*) toilet, lavatory, *am.* rest room; (*strój*) dress; **~ damska** (the) Ladies; **~ męska** (the) Gents

toaletow|y *adj* toilet *attr*; **mydło ~e** toilet soap; **papier ~y** toilet paper; **przybory ~e** toiletries

toast *m* toast; **wznieść ~ za kogoś** drink a toast to sb

tok *m* course, progress; **być w ~u** be in progress

tokarz *m* turner

toksyczny *adj* toxic

tolerancja *f* tolerance

tom *m* volume

ton *m* tone; *muz.* tone; **spuścić z ~u** come down a peg or two

tona *f* tonne, ton

tonacja *f muz.* key, mode; (*głosu*) pitch

tonąć *imperf vi* drown; (*o statku*) sink; *przen.* **~ we łzach** be in floods of tears; *przen.* **~ w długach** be up to one's ears in debt

tonik *m* tonic

topić *imperf vt* drown; (*roztapiać*) melt; *przen.* **~ w czymś pieniądze** sink money in sth; *przen.* **~ smutki** drown one's sorrows; **~ się** *vr* drown, get drowned; (*roztapiać się*) melt, thaw

topola *f bot.* poplar

topór *m* axe, *am.* ax

tor *m* (*kolejowy*) track; (*trasa*)

path; *sport.* (*na bieżni*) lane; **boczny ~** branch line; **~ wyścigowy** racecourse; *am.* racetrack; **właściwy ~** the right track; *przen.* **toczyć się zwykłym ~em** take its course; **~y (kolejowe)** (railway, *am.* railroad) track

torba *f* bag; **~ podróżna** holdall

torebka *f* bag; (*damska*) handbag, *am.* purse

torf *m* peat

tornister *m* satchel

torsje *pl* vomiting

tort *m* cream cake, *am.* layer cake

tortura *f* torture

torturować *imperf vt* torture

tost *m* piece <slice> of toast

toster *m* toaster

totalny *adj* total

totolotek *m* National Lottery, *am.* Lotto

towar *m* commodity; *pl* **~y** commodities *pl*, goods *pl*

towarowy *adj*: **dom ~** department store; **pociąg ~** goods train, freight train; **znak ~** trademark

towarzystw|o *n* company, society; **nieodpowiednie ~o** bad company; **dotrzymywać komuś ~a** keep sb company

towarzyszyć *imperf vt* accompany (**komuś, czemuś** sb, sth)

tożsamoś|ć *f* identity; **dowód ~ci** identity card, ID

tracić *imperf vt* lose; (*marnować*) waste; **~ ważność** expire, run out; **~ panowanie nad sobą** lose one's temper; *przen.* **~ głowę** lose one's head; **~ kogoś z oczu** lose sight of sb

tradycja *f* tradition

trafiać, trafić *imperf perf vt vi* hit, hit the target; (*znajdować drogę*) find one's way; (*dostać się dokądś*) get; **~ do celu** hit the target; **~ w dziesiątkę** hit the bull's-eye; *przen.* be spot-on; **trafić do szpitala** land in (*am.* the) hospital; **dobrze <źle> trafić** fall on the right <wrong> person; **trafić w porę** come at the right moment; **trafić na kogoś** come across sb; **nie trafić** miss

trafienie *n* hit; (*w grze liczbowej*) lucky number

tragarz *m* porter

tragedia *f* tragedy

traktat *m* (*układ*) treaty

traktor *m* tractor

traktować *imperf vt* treat; **źle kogoś ~** treat sb badly, ill-treat sb; **~ kogoś z góry** patronize sb, look down on sb

trampki *pl* gym shoes *pl*, *am.* sneakers

trampolina *f* springboard

tramwaj *m* tram, *am.* streetcar

transakcja *f* transaction

transformacja *f* transformation

transformator *m* transformer

transfuzja *f* transfusion

transkrypcja *f* transcription

transmisja *f* transmission
transmitować *imperf vt* transmit; (*mecz, koncert*) broadcast
transport *m* transport, *am.* transportation; (*ładunek*) shipment
transportować *imperf vt* transport, ship
tranzyt *m* transit
trasa *f* route; (*podróży*) itinerary
trawa *f* grass
trawić *imperf vt* digest
trawka *f pot.* grass
trawnik *m* lawn
trąba *f* trumpet; (*słonia*) trunk; **~ powietrzna** whirlwind
trąbka *f muz.* trumpet
trefl *m* clubs
trema *f* stage fright; *pot.* jitters
trener *m* trainer, coach
trening *m* training, practice, *am.* practise
trenować *imperf vt* (*zawodników*) train, coach; (*ćwiczyć*) practise
tresować *imperf vt* train
treść *f* (*zawartość*) content; (*książki*) contents *pl*; (*sens*) essence
trochę *adv* a little, a bit; **ani ~** not a bit
trojaczki *pl* triplets *pl*
trolejbus *m* trolley bus
tron *m* throne
tropić *imperf vt* track, trail
tropik *m* the tropics *pl*; (*nad namiotem*) flysheet
troska *f* (*zmartwienie*) care, anxiety; (*dbałość*) care, concern
troszczyć się *imperf vr*: **~ o kogoś <coś>** (*martwić się*) care about sb <sth>; (*opiekować się*) care for, take care of sb <sth>
trójka *f* three; (*ocena szkolna*) C
trójkąt *m* triangle
trucizna *f* poison
truć *imperf vt vi* poison; *pot.* prattle, babble
trud *m* hardship; **z ~em** with difficulty; **zadać (sobie) ~ czegoś** take the trouble to do sth
trudno *adv* difficult, hard; **~ powiedzieć** it's hard to say; *pot.* **(to) ~!** tough (luck)!
trudność *f* difficulty
trudny *adj* difficult, hard
trujący *adj* poisonous, toxic
trumna *f* coffin, *am.* casket
trunek *m* alcoholic beverage
trup *m* corpse, dead body; **paść ~em** drop dead; **po moim ~ie** over my dead body
truskawka *f* strawberry
trwać *imperf vi vt* last, go on; **~ godzinę** last (for) an hour
trwał|y *adj* durable, lasting; **~a (ondulacja)** perm
tryb *m* mode; *pl techn.* **~y** gears *pl*, cogwheels *pl*
trybun|a *f* (*mównica*) rostrum; *pl sport.* **~y** stand
trybunał *m* tribunal
trzask *m* (*odgłos łamania*) crack; (*pioruna*) clap, boom; (*drzwi*) bang, slam
trzaskać, trzasnąć *imperf perf vt vi* (*uderzać*) bang, rattle,

strike; (*łamać się*) crack; (*drzwiami*) slam
trząść *imperf vt vi* shake; (*o pojeździe*) shake, jolt; *pot.* (*rządzić*) boss; ~ **się** *vr* shake; (*dygotać*) shake, tremble, shiver
trzeba *part* it is necessary to <that>; **jeśli** ~ if necessary; ~ **to było zrobić** one should have done it; ~ **mu powiedzieć** he should be told; **do tego** ~ **cierpliwości** it needs patience
trzeci *num* third
trzeć *imperf vt* (*pocierać*) rub; (*rozdrabniać*) grate
trzepać *imperf vt vi* beat
trzeźwy *adj* sober; (*rzeczowy*) sober, dispassionate, reasonable
trzęsienie *n* trembling, shaking; ~ **ziemi** earthquake
trzonek *m* handle
trzustka *f anat.* pancreas
trzy *num* three; *pot.* **pleść** ~ **po** ~ talk nonsense
trzydziesty *num* thirtieth
trzydzieści *num* thirty
trzymać *imperf vt vi* hold (on to); (*przetrzymywać, chować*) keep; ~ **coś mocno** grip sth; ~ **kogoś za rękę** hold sb by the hand; ~ **ręce w kieszeniach** have one's hands in one's pockets; ~ **kogoś krótko** keep a tight rein on sb; ~ **kogoś za słowo** hold sb to his promise; ~ **coś w cieple** keep sth warm; ~ **głowę wysoko** carry one's head high; *przen.* ~ **język za zębami** keep a secret; ~ **się** *vr*: ~ **się poręczy** hold on to the handrail; ~ **się przepisów** obey <stick to> to regulations; ~ **się z boku** to stay away; ~ **się razem** stick together; ~ **się za ręce** hold hands; *pot.* **trzymaj się!** take care!
trzynasty *num* thirteenth
trzynaście *num* thirteen
trzysta *num* three hundred
tu *adv* here
tubka *f* tube
tuczyć *imperf vt vi* fatten; (*o żywności*) be fattening
tulipan *m bot.* tulip
tułów *m* trunk
tunel *m* tunnel
tuńczyk *m zool.* tuna (fish)
tupać *imperf vi* stamp (**nogami** one's feet)
tupet *m* impudence, cheek; **mieć** ~ have a nerve
turban *m* turban
turbina *f* turbine
turecki *adj* Turkish
Turek *m* Turk
turniej *m* tournament
turnus *m* period
turysta *m* tourist
turystyczny *adj* tourist *attr*
turystyka *f* tourism; ~ **piesza** hiking
tusz *m* Indian ink; (*do rzęs*) mascara
tusza *f* (*otyłość*) fatness
tutaj *adv* here
tuzin *m* dozen
tuż *adv* (*obok*) nearby, close by;

(*o czasie*) just, close on; **tuż, tuż** close on; **~ za rogiem** just round the corner; **~ po północy** right after midnight

twardo *adv* hard, firmly, strictly; **jajko na ~** hardboiled egg; **spać ~** be fast <sound> asleep

tward|y *adj* hard, tough, rigid; **~y sen** sound sleep; **~y facet** tough fellow <guy>; *przen.* **~a ręka** heavy <iron> hand

twardziel *m pot.* tough guy

twaróg *m* cottage cheese

twarz *f* face; **rysy ~y** features; **wyraz ~y** (facial) expression; **~ą w ~** face to face; **jest ci w tym do ~y** it suits you; **powiedzieć coś komuś (prosto) w ~** to say sb sth outright <in the face>

twierdzić *imperf vi vt* claim, say; (*stanowczo*) assert

tworzyć *imperf vt* create, form; **~ się** *vr* form, be formed

tworzywo *n* material; **~ sztuczne** plastic

twój (twoja, twoje) *pron* your; (*bez rzeczownika*) yours; **czy ten ołówek jest ~?** is this pencil yours?

twórca *m* creator; (*założyciel*) originator, founder

twórczość *f* creation, production; (*dzieła*) works

ty *pron* you

tyć *imperf vi* get <grow> fat, put on weight

tydzień *m* week; **za ~** in a week(s time); **w przyszłym <zeszłym> tygodniu** next <last> week; *rel.* **Wielki Tydzień** Holy Week

tyfus *m med.* typhus

tygodnik *m* weekly

tygrys *m zool.* tiger

tyle *pron* so much <many>; (*bez rzeczownika*) this much <many>; **dwa razy ~** twice as much <many> as; **~ samo co** as much <many> as

tylko *adv* only, just; **to ~ formalność** it's a mere formality; **~ że...** only...; **jeśli ~** if only; **powiedz mu ~, żeby...** just tell him to...; **~ nie to!** anything but that!

tyln|y *adj* back, rear; **~e światło** tail <rear> light; **~e koło** rear wheel; **~a kieszeń** back <hip> pocket

tył *m* back, rear; **~em do kogoś <czegoś>** with one's back towards sb <sth>; **odwrócić się ~em** turn one's back (**do kogoś** on sb); **do ~u** to the back, backward(s); **z ~u** in the back <rear>; **w tyle** at the back; **pozostawać w tyle za kimś <czymś>** lag behind sb <sth>; **założyć coś ~em naprzód** put sth on back to front; **w ~ zwrot!** about turn <*am.* face>!

tyłek *m pot.* rear, bottom

tym *pron zob.* **ten (ta, to)**; *part*: **~ bardziej** all the more; **im więcej, ~ lepiej** the more the better

tymczasem *adv* (*podczas gdy*)

meanwhile, while; (*na razie*) in the meantime
tymczasowo *adv* temporarily
tymczasow|y *adj* temporary, provisional; **~e zajęcie** temporary job; **~e rozwiązanie** temporary <provisional> arrangement; **rząd ~y** provisional government
tynk *m* plaster
typ *m* type; **być w czyimś ~ie** be sb's type; *pot.* **podejrzany ~** suspicious looking individual
typowy *adj* typical
tysiąc *num* thousand
tysiączny *num* thousandth
tytoń *m* tobacco
tytuł *m* title; **pod ~em** (en)titled; **~ magistra** Master's degree; *prawn.* **~ własności** title deed

U

u *praep* at, with, by; **u Piotra** at Peter's (place); **u nas w kraju** in our country, back home; **u dentysty** at the dentist's; **mieszkać u przyjaciół** stay with friends; **u jego boku** by his side; **u czyjegoś ramienia** on sb's arm; *przen.* **kula u nogi** ball and chain; **być u władzy** be in power; **u góry <dołu>** at the top <bottom>; **mieć powodzenie u kobiet** be popular with women; **to jest częste u dzieci** it's common in children
ubezpieczenie *n* insurance; **~ od kradzieży <na życie>** theft <life> insurance; **~ od odpowiedzialności cywilnej** third-party insurance; **~ społeczne** national insurance, *am.* social security
ubezpieczyć, ubezpieczać *perf imperf vt* insure; **~ się** *vr* insure o.s.
ubiegły *adj* last, past
ubierać *imperf vt* dress; **~ się** *vr* get dressed, dress
ubikacja *f* lavatory, toilet
ubogi *adj* poor; scanty
ubrać *perf vt zob.* **ubierać**
ubranie *n* clothes *pl*, dress
uch|o *n* ear; (*uchwyt*) handle; (*igły*) eye; **odstające uszy** protruding ears; **słuchać jednym ~em** listen with half an ear; **nadstawiać ~a** prick up one's ears; **nie wierzyłem własnym uszom** I couldn't believe my ears; **puszczać coś mimo uszu** turn a deaf ear to sth; *pot.* **mieć czegoś powyżej uszu** be fed up with sth; **być zakochanym po uszy** be head over heels in love
uchodźca *m* refugee
uchwała *f* resolution
uchwyt *m* handle
uciąć *perf vt* cut (off); **~ dyskusję** cut a discussion short; **~ (sobie) drzemkę <pogawęd-**

kę> have a nap <chat>; **dałbym sobie za niego rękę ~** I would go fire and water for him
ucieczk|a *f* escape, flight; **ratować się ~ą** take (to) flight; **rzucić się do ~i** bolt
uciek|ać *imperf vi* escape, run away; **~ł mi autobus** I missed my bus; **czas ~a** time flies; **~ać się** *vr*: **~ać się do czegoś** resort to sth
ucieszyć *perf vt* make happy, please; **~ się** *vr* be glad (**czymś** of sth)
uciszać, uciszyć *imperf perf vt* silence, hush; **~ się** *vr* fall silent
uczcić *perf vt* honour; (*świętować*) commemorate, celebrate; **~ pamięć** commemorate
uczciwość *f* honesty
uczciwy *adj* honest
uczelnia *f* university, college
uczennica *f* schoolgirl, pupil, *am.* student
uczeń *m* schoolboy, pupil, *am.* student
uczesać się *perf vt* (*u fryzjera*) have one's hair done
uczesanie *n* hairdo, hairstyle
uczestniczyć *imperf vi* participate
uczestnik *m* participant
uczęszczać *imperf vi* frequent, attend; **~ do szkoły** go to school
uczony *m* (*humanista*) scholar; (*w dziedzinie nauk przyrodniczych*) scientist
uczta *f* feast; *przen.* (*rozkosz*) treat
uczu|cie *n* feeling, emotion; (*doznanie*) sensation; **~cie radości** feeling of joy; **~cia macierzyńskie** maternal feelings; **pozbawiony ~ć** unfeeling
uczulenie *n* allergy; **mieć ~** be allergic (**na coś** to sth)
uczyć *imperf vt vi* teach (**kogoś czegoś** sb sth); **~ się** *vr* learn, study; **~ się dobrze <źle>** be a good <bad> student
uda|ć się *perf vr* (*powieść się*) succeed, be fortunate <lucky>; (*pójść*) make one's way; **~ło ci się** you've been lucky; **~ło mu się ją znaleźć** he managed to find her; **~ć się do domu** make for home
udawać *imperf vt* pretend, make believe, feign, fake; (*naśladować*) imitate; **~ chorego** pretend to be sick; **~ głupiego** act <play> the fool, play ignorant
udany *adj* successful; **wieczór był (bardzo) ~** the evening was a (great) success
udar *m*: *med.* **~ mózgu** stroke; **~ słoneczny** sunstroke
uderzenie *n* strike, blow; (*odgłos*) bang; **~ serca <tętna>** heart <pulse> beat; **~ w twarz** slap in the face; *med.* **~ krwi do mózgu** cerebral congestion, *pot.* stroke
uderzy|ć *perf vt* strike, hit; **~ć kogoś** hit sb (**w coś** in <on> sth); **~ć w coś głową** bang

one's head against sth; *przen.* **sława ~ła mu do głowy** success went to his head; **~ć w płacz** burst into tears; **~ć się** *vr* hit <bump> (**o coś** against sth); **~ć się w piersi** beat one's breast

udko *n kulin.* leg

udo *m anat.* thigh

udowodnić *perf vt* prove

udogodnieni|e *n* convenience; *pl* **~a** facilities

udusić *perf vt* strangle; *kulin.* stew; **~ się** *vr* suffocate; *kulin.* stew, be stewed

udział *m* participation; *ekon.* share; **brać ~ w czymś** take part in sth; **mieć ~y w spółce** hold shares in a company

udzielać, udzielić *imperf perf vt* give, grant; **~ lekcji <wywiadu>** give lessons <an interview>; **~ pożyczki** grant a loan; **~ komuś pierwszej pomocy** give first aid to sb; **~ się** *vr* (*o nastroju*) be infectious; (*towarzysko*) socialize; **~ się komuś** infect sb

ufać *imperf vt* trust (**komuś** sb), confide (**komuś** in sb)

ufarbować się *perf vr*: *pot.* **~ na czarno** dye one's hair black

ufny *adj* trusting

UFO *n* UFO, unidentified flying object

ugasić *perf vt*: **~ pożar** put out <extinguish> fire; **~ pragnienie** quench one's thirst

ugod|a *f* settlement, compromise; **zawrzeć ~ę** reach a compromise

ugościć *perf vt*: **~ kogoś obiadem** treat sb to dinner

ująć *perf vt* (*chwycić*) seize, grasp; (*objąć*) clasp; (*złapać*) capture; (*zjednać*) win, captivate; (*odjąć*) deduct; *przen.* **~ kogoś za serce** win sb's heart; **~ się** *vr*: **~ się za kimś** take sb's side

ujemn|y *adj* negative; (*o temperaturze*) subzero; **~a strona** disadvantage; **mieć na kogoś ~y wpływ** affect sb's behaviour negatively

ujęcie *n* (*w filmie*) take

ujmować *imperf vt zob.* **ująć**

ukąsić *perf vt* (*ugryźć*) bite; (*użądlić*) bite, sting

układ *m* (*umowa*) agreement; (*rozmieszczenie*) arrangement; (*system*) system; *pot.* **~y** *pl* connections; **~ oddechowy** respiratory system; **~ scalony** integrated circuit; **~ graficzny** layout

układać *imperf vt* (*kłaść*) put (down); (*kłaść poziomo*) lie down; (*porządkować*) arrange; **~ dziecko do snu** put a child to bed; **~ sobie włosy** have one's hair styled; **~ melodię** compose music; **~ wiersze** write poetry; **~ plany** make plans; **~ się** *vr* lie down; (*o sprawach*) shape up well

układanka *f* jigsaw (puzzle)

ukłon *m* bow; (*głową*) nod; *pl*

~y compliments *pl*, best regards *pl*
ukłonić się *perf vr* bow (**komuś** to sb); (*pozdrowić*) greet (**komuś** sb)
ukłuć *perf vt* prick; **~ się** *vr* prick (**w palec** one's finger)
ukochany *adj* beloved; *m* beloved, sweetheart
ukos *m* slant; **na ~** at a slant; *przen.* **patrzeć na kogoś z ~a** look askance at sb
ukośny *adj* oblique, slanting
ukradkiem *adv* furtively, stealthily
Ukrainiec *m* Ukrainian
ukraiński *adj* Ukrainian
ukraść *perf vt* steal (**coś komuś** sth from sb)
ukryć, ukrywać *perf imperf vt* hide; (*zataić*) hide, conceal; **~ coś przed kimś** hide sth from sb; **~ się** *vr* hide (o.s.), be in hiding
ul *m* (bee)hive
ule|c, ulegać *perf imperf vi vt* (*poddać się*) give in, yield <succumb> to; (*podlegać*) undergo, suffer; (*doznać*) experience, be seized (**czemuś** with sth); **~c komuś** be defeated by sb; **~c pokusie <naciskom>** yield to temptation <pressure>; **~c wypadkowi** meet with an accident; **~c zmianom** undergo changes; **~c zepsuciu** get spoiled; **nie ~ga wątpliwości, że...** there is no doubt that...
ulepszać, ulepszyć *imperf perf vt* improve, better
ulewa *f* downpour, rainstorm
ulg|a *f* (*uczucie*) relief; (*zniżka*) reduction, allowance; **przynieść ~ę** bring relief; **poczuć ~ę** feel relief; **~a podatkowa** tax relief <allowance>
ulgowy *adj* reduced; *pot.* **~ bilet** cheap ticket
ulic|a *f* street; **na ~y** in <*am.* on> the street; **iść ~ą** walk down the street
ulotka *f* leaflet
ultrakrótki *adj*: **fale ~e** ultrahigh frequency waves
ultrasonograf *f* ultrasound scanner
ulubieniec *m* favourite, *am.* favorite
ulubiony *adj* favourite, *am.* favorite
ułamek *m* fragment; *mat.* fraction
ułatwiać, ułatwić *imperf perf vt* facilitate, make easier
ułożyć *perf vt zob.* **układać**
umawiać się *imperf vr* (*ustalać*) agree, arrange; (*na spotkanie*) make an appointment; **~ z kimś** (*chodzić z kimś*) date sb
umiar *m* moderation; **bez ~u** without moderation
umieć *imperf vt* (*znać*) know; (*potrafić*) can, be able to; **~ coś na pamięć** know sth by heart; **~ coś zrobić** know how to do sth, be able to do sth

umierać *imperf vi* die; **~ z głodu** die of starvation; *przen.* **~ z ciekawości** be dying to know; *przen.* **~ ze strachu** be frightened to death

umieszczać, umieścić *imperf perf vt* place, put; **~ reklamę w gazecie** insert an advertisement in a paper; **~ kogoś w szpitalu** put sb in a hospital

umocować *perf vt* fasten, fix

umorzyć *perf vt*: **~ dochodzenie** discontinue an investigation; **~ dług** write off a debt

umow|a *f* agreement, contract; **~a zbiorowa** collective agreement; **~a o pracę** contract of employment; **zawrzeć z kimś ~ę** enter into an agreement with sb; **złamać ~ę** breach an agreement; **zgodnie z ~ą** in accordance with the agreement

umowny *adj* conventional; (*zgodny z umową*) agreed, contracted

umożliwiać, umożliwić *imperf perf vt* enable, make possible

umówić się *perf vr zob.* **umawiać się**

umrzeć *perf vi* die; **~ nagle** die a sudden death; **~ na raka** die of cancer

umyć *perf vt zob.* **myć**

umy|sł *m* mind, intellect; **chory na ~śle** insane; **przytomność ~słu** presence of mind

umysłow|y *adj* mental, intellectual; **choroba ~a** mental illness; **pracownik ~y** white-collar worker

umyślnie *adv* on purpose, intentionally

umywalka *f* washbasin, *am.* washbowl

unia *f* union

unieść *perf vt* raise; (*udźwignąć*) lift; **~ się** *vr* (*podnieść się*) stand up, rise; (*wzlecieć*) rise into the air; **~ się gniewem** fly into a passion

unieważnić *perf vt* annul, cancel, invalidate

unieważnienie *n* annulment, cancellation, invalidation

uniewinnić *perf vt prawn.* acquit

unikać *imperf vt* avoid (**kogoś, czegoś** sb, sth), shun, evade

unikat *m* rarity

unikatowy *adj* unique

uniknąć *perf vt* avoid <escape> (**czegoś** sth); **~ nieszczęścia** evade a disaster; **~ śmierci** miss being killed

uniwersalny *adj* universal

uniwersytet *m* university

unosić *imperf vt zob.* **unieść**; **~ się** *vr* (*na falach*) float; (*o mgle*) go up

uogólniać *imperf vt* generalize

upadać *imperf vi* fall (down); (*o projekcie*) fall through; **~ na duchu** lose spirit; **~ ze zmęczenia** be dead tired

upadek *m* fall; (*klęska*) downfall; **~ moralny** moral decline

upalny *adj* torrid, sweltering

upał *m* heat

uparty *adj* obstinate, stubborn

upaść *perf vi zob.* **upadać**

upewnić się *perf vr* make sure <certain>

upić się, upijać się *perf imperf vr* get drunk

upierać się *imperf vr* insist; **~ przy czymś** insist on sth

upłynąć, upływać *perf imperf vi* (*o czasie*) elapse, go by; (*o terminie*) expire

upokarzać, upokorzyć *imperf perf vt* humiliate; **~ się** *vr* humiliate <abase> oneself

upominać się *imperf vr zob.* **upomnieć się**

upominek *m* gift

upomnieć się *perf vr*: **~ o coś** claim sth

upomnienie *n* (*uwaga*) rebuke, reproof; (*pismo*) admonition

upoważnić *perf vt*: **~ kogoś do zrobienia czegoś** authorize sb to do sth, entitle, empower

upoważnieni|e *n* authorization; **pisemne ~e** written authorization; **z czyjegoś ~a** authorized by sb

upór *m* obstinacy, stubbornness; **z uporem** obstinately, stubbornly

upraszczać *imperf vt* simplify

uprawa *f* cultivation; (*przedmiot uprawy*) crop

uprawiać *imperf vt* cultivate, grow; **~ ziemię** farm (land); **~ sport** go in for sport

uprzedzenie *n* prejudice, bias

uprzedzić, uprzedzać *perf imperf vt* (*ubiegać*) anticipate; (*informować*) warn; **~ się** *vr* be biased <prejudiced> (**do kogoś <czegoś>** against sb <sth>)

uprzejmoś|ć *f* politeness, courtesy; (*przysługa*) favour; **dzięki ~ci** by courtesy (**kogoś** of sb)

uprzejmy *adj* polite, kind

upuścić *perf vt* drop

uratować *perf* save, rescue; **~ kogoś od śmierci** save sb from death; **~ się** *vr* be saved

uraz *m med.* injury; (*psychiczny*) shock, trauma

uraz|a *f* resentment; **żywić do kogoś ~ę** bear sb a grudge

urlop *m* (*przerwa w pracy*) leave; (*wakacje*) holiday, vacation; **~ macierzyński** maternity leave; **~ zdrowotny** sick leave; **wziąć ~** take a leave; **być na ~ie** be on leave

uroczy *adj* charming, *am. pot.* cute

uroczystoś|ć *f* ceremony; **~ci pogrzebowe** funeral service

uroda *f* beauty, good looks *pl*

urodzaj *m* bumper crop

urodzeni|e *n* birth; **data <miejsce> ~a** date <place> of birth; **świadectwo ~a** birth certificate; **od ~a** from birth

urodzi|ć *perf vt* bear, give birth; **~ć się** *vr* be born; **~łem się w 1980 roku** I was born in 1980

urodziny *pl* birthday

urok *m* charm; (*czary*) spell

urosnąć *perf vi* grow

uruchomić *perf vt* start, activate; ~ **samochód** start a car

urwa|ć *perf vt* tear off; (*nagle przestać*) break off; **~ć się** *vr* break loose; (*o guziku*) come off; (*ustać*) stop, cease; (*z zebrania*) *pot.* push off; **ślad się ~ł** the trace ended

urząd *m* office; ~ **pocztowy** post office; ~ **stanu cywilnego** registry office; ~ **skarbowy** Internal Revenue, *am.* IRS, Internal Revenue Service; **z urzędu** ex officio

urządzać *imperf vt zob.* **urządzić**

urządzenie *n* appliance, device

urządzi|ć *perf vt* (*zorganizować*) arrange, organize; (*umeblować*) furnish; **~ć przyjęcie** give a party; **~ć awanturę** kick up a row; *pot.* **~ć kogoś** get sb into a mess; **~ć się** *vr* (*zainstalować się*) settle down; *pot.* **nieźle się ~ł** he got (himself) into a pretty mess

urzędnik *m* clerk, office worker; ~ **państwowy** civil servant

usiąść *perf vi* sit down; *zob.* **siadać**

usługa *f* service; (*przysługa*) favour; **być na czyichś ~ch** be at sb's service

usługiwać *imperf vi* serve (**komuś** sb); attend (**komuś** to sb); (*o kelnerze*) wait (on sb <at table>)

usnąć *perf vi* fall asleep

uspokoić *perf vt* calm (down), quieten (down), *am.* quiet (down); ~ **się** *vr* calm (down), quieten down, *am.* quiet (down)

usprawiedliwiać, usprawiedliwić *imperf perf vt* excuse; (*uzasadniać*) justify; ~ **się** *vr* excuse oneself (**z powodu czegoś** for sth)

usprawiedliwienie *n* excuse; (*uzasadnienie*) justification

ust|a *pl* mouth; *przen.* **odejmować sobie od ~** deprive o.s. for sb; *przen.* **wyjąć coś komuś z ~** take sth right out of sb's mouth; *przen.* **nie brać czegoś do ~** not touch sth; *przen.* **nabrać wody w ~a** keep one's mouth shut; **słuchać z otwartymi ~ami** listen openmouthed

ustalać, ustalić *imperf perf vt* (*wyznaczać*) establish, fix; (*rozstrzygać*) agree <settle> on; ~ **termin** appoint <fix> a date; ~ **warunki <reguły>** lay down conditions <rules>

ustaw|a *f* act, law; **projekt ~y** bill; **uchwalić ~ę** pass a bill

ustawiać, ustawić *imperf perf vt* (*umieszczać*) put, place; (*rozmieszczać*) arrange; ~ **się** *vr*: ~ **się w szeregu** line up

ustąpić *perf vt vi* (*wycofać się*) retire, retreat; (*ulec*) give in, yield; (*minąć*) recede; ~ **(komuś) miejsca** give up one's seat to sb; ~ **ze stanowiska** resign

usterka *f* defect, fault

ustęp *m* toilet; (*urywek*) paragraph

ustępować *imperf vi*: **nie ~ nikomu w czymś** yield to nobody in sth; *zob*. **ustąpić**
ustępstw|o *n* concession; **iść na ~a** make concessions
ustn|y *adj*: **~a umowa** verbal agreement; **egzamin ~y** oral exam(ination)
usunąć *perf vt* remove; (*zwolnić*) dismiss; **~ ząb** extract a tooth; **~ ciążę** (*o kobiecie*) have an abortion; **~ się** *vr* (*odejść*) withdraw, retire
usypiać *imperf vt zob*. **usnąć, uśpić**
uszczelka *f techn*. gasket, washer, seal
uszczelniać, uszczelnić *imperf perf* seal
uszkodzić *perf vt* harm, damage
uścisk *m* grip; **~ dłoni** handshake
uśmiech *m* smile
uśmiechać się, uśmiechnąć się *imperf perf vr* smile (**do kogoś** at sb)
uśpić *perf vt* put to sleep; *med*. anaesthetze; (*zwierzę*) put to sleep
uświadomić *perf vt*: **~ coś komuś** make sb aware of sth, make sb realize sth; **~ sobie, że** realize that; **~ kogoś** tell sb the facts of life
utalentowany *adj* talented, gifted
utknąć *perf vi* (*uwięznąć*) stick fast, get stuck; (*ugrzęznąć*) stall; *pot*. (*osiąść*) settle; **~ w martwym punkcie** come to a standstill
utonąć *perf vi* drown; (*o statku*) sink
utopić *perf vt* drown; **~ się** *vr* drown
utrzeć *perf vt* (*rozetrzeć*) grind, rub; (wy*mieszać*) stir; (*na tarce*) grate; *przen*. **~ komuś nosa** take sb down a peg
utrzymani|e *n* maintenance; (*wyżywienie*) board; **być na czyimś ~u** depend financially on sb; **mieć rodzinę na ~u** have a family to support; **źródło ~a** livelihood
utrzymywać *imperf vt vi* (*dźwigać*) bear, carry; (*zapewniać byt*) support, provide for, keep; (*twierdzić*) maintain; **~ kogoś przy życiu** keep sb alive; **~ się** *vr*: **~ się z czegoś** make a living by <off> doing sth; **~ się na nogach** stand on one's legs
utworzyć *perf vt* create, form
utwór *m* piece, work, composition
utyć *perf vi* grow fat
uwag|a *f* (*koncentracja*) attention; (*komentarz*) remark, comment; (*wymówka*) reprimand, reproof; **brać pod ~ę** take into consideration; **zwracać na coś ~ę** pay attention to sth; **nie zwracać na coś ~i** take no notice of sth; **z ~i na coś** owing to sth; **~a!** look out!, be careful!

uważa|ć *imperf vi* (*skupiać się*) pay attention (**na coś** to sth); (*być ostrożnym*) be careful; (*sądzić*) think; **~j na siebie!** take care!; *vt* (*poczytywać*) consider; **~ć kogoś za przyjaciela <wroga>** consider sb a friend <an enemy>
uważny *adj* attentive; (*ostrożny*) careful
uwielbiać *imperf vt* adore, worship
uwieść *perf vt* seduce
uwolnić *perf vt* free, set free; **~ się** *vr* free o.s. (**od kogoś <czegoś>** from sb <sth>)
uwzględnić *perf vt* take into account <consideration>, allow for
uzależnić *perf vt* (*uczynić zależnym*) condition, subject to; **~ się** *vr* become dependent (**od kogoś <czegoś>** on sb <sth>); **~ się od narkotyków** become addicted to drugs
uzależnienie *n* (*od narkotyków*) addiction
uzasadniać *imperf vt* justify
uzbrojenie *n woj.* armament(s), weapons *pl*
uzdolniony *adj* talented, gifted
uzdrawiać *imperf vt* heal, cure; *przen.* reorganize
uzdrowiciel *m* healer
uzdrowisko *n* health resort; (*z wodami mineralnymi*) spa
uziemienie *n elektr.* earth, *am.* ground
uznać *perf vt* acknowledge, recognize; **~ dziecko** own a child; **~ kogoś za winnego** find sb guilty; **~ coś za zaszczyt** deem sth as an honour; **~ za stosowne coś zrobić** see <think> fit to do sth
uznanie *n* respect; (*przyjęcie*) recognition
uzupełniać, uzupełnić *imperf perf vt* supplement, complete; **~ zapasy** replenish a stock
użyci|e *n* use, usage; **przepis ~a** directions for use; **wyjść z ~a** go out of use
użyć *perf vt zob.* **używać**
użyteczny *adj* useful
użytkownik *m* user
użytkow|y *adj*: **sztuka ~a** applied art
używać *imperf vt* use, employ; **~ przemocy** resort to violence; **~ życia** live it up
używany *adj* used, second-hand

W

w, we *praep* (*oznacza miejsce*) in, at; **w Anglii** in England; **w ogrodzie** in the garden; **w domu** at home; (*oznacza kierunek*) to; **jechać w góry** go to the mountains; **iść w górę <dół>** go up <down>; **w prawo <lewo>** to the right <left>; (*ozna-*

cza czas) in, on, at, during; **w dzień** during the day; **w nocy** at night; **w środę** on Wednesday; **w styczniu** in January; **w lecie** in the summer; **w południe** at noon; (*oznacza ubiór*) in; **człowiek w płaszczu** a man in an overcoat; **pani w kapeluszu** a lady with a hat on; (*inne*) **grać w karty <szachy>** play cards <chess>; **słowo w słowo** word for word; **w końcu** at last; **w kropki <paski>** dotted <striped>

wachlarz *m* fan; *przen.* range

wada *f* fault, defect

wafel *m* wafer

wag|a *f* (*ciężar*) weight; (*przyrząd*) scales, balance; *przen.* importance; (*np. kupować*) **na ~ę** by weight; **przywiązywać ~ę do czegoś** attach importance to sth; **stracić <przybrać> na wadze** lose <put on> weight

wagary *pl* truancy; **iść na ~** play truant <*am.* hooky>

wagon *m* (*kolejowy*) carriage, coach, *am.* car; **~ towarowy** wagon, truck; **~ sypialny** sleeping car

wahać się *imperf vr* (*o człowieku*) hesitate; (*o cenach*) vary

wakacje *pl* holiday(s), *am.* vacation; **jechać na ~** go on holidays <*am.* vacation>

walc *m* waltz

walczyć *imperf vi* fight <struggle> (**o coś** for sth); **~ z czymś** combat sth, fight (against) sth; (*współzawodniczyć*) compete; **~ z pokusą** fight off temptation

waleriana *f* valerian

walić *imperf vt pot.* bang, pound; (*huczeć*) boom; (*o sercu*) thump; (*tłumnie przybywać*) crowd in; **~ pięścią w stół** bang one's fist on the table; *przen.* **~ głową w mur** bang one's head against a brick wall; **~ się** *vr* (*rozpadać się*) tumble, collapse

Walijczyk *m* Welshman

walijski *adj* Welsh

walizka *f* suitcase

walk|a *f* struggle, fight, combat; **~a o byt** struggle for survival; **~a zbrojna** armed fighting; **~a z przestępczością** fight against crime; **pole ~i** battlefield; **w wirze ~i** in the thick of the fray; *sport.* **~a bokserska** boxing match

waln|y *adj* general; **~e zgromadzenie** general assembly

waloryzacja *f* valorization

walut|a *f* currency; **obca ~a** foreign currency <exchange>; **kurs wymiany ~** foreign exchange rate

walutowy *adj* monetary

wałek *m* (*do ciasta*) rolling-pin; (*do włosów*) roller, curler

wampir *m* vampire

wanilia *f* vanilla

wanna *f* bath(tub)

wapno *n* lime

warcaby *pl* draughts, *am.* checkers
warga *f* lip
wariat *m* madman; lunatic, nut; **udawać ~a** play the fool; *pot.* **dom ~ów** madhouse
wariować *imperf vi pot.* go mad; **~ za kimś <czymś>** be crazy about sb <sth>
warkocz *m* plait, *am.* braid
warstw|a *f* layer, coat; **pokryte ~ą czegoś** coated with sth
warszawianin, warszawiak *m* Varsovian
warszawski *adj* Warsaw *attr*
warsztat *m* workshop, shop; *przen.* technique; **~ samochodowy** garage, service station
wart *adj* worth; **~ zachodu** worthwhile
war|ta *f* guard (duty); **stać na ~cie** be on guard
warto *inv*: **to ~ przeczytać** it's worth reading; **~ być uczciwym** it pays to be honest
wartościow|y *adj* valuable; **papiery ~e** securities
wartoś|ć *f* value, worth; **mieć poczucie własnej ~ci** have a high selfesteem
warun|ek *m* condition; (*wymaganie*) requirement; *pl* **~ki** conditions *pl*; (*okoliczności*) circumstances *pl*; (*umowy*) terms *pl*; **pod ~kiem, że...** on condition (that)..., providing (that)...
warzywo *n* vegetable
wasz (wasza, wasze) *pron* your; (*bez rzeczownika*) yours; **~ dom** your house; **ten jest ~** this one is yours
wata *f* cotton wool
wazelina *f* vaseline
wazon *m* vase
ważniak *m pot.* bigwig, big nose
ważnoś|ć *f* importance; (*prawomocność*) validity; **data ~ci** expiry date; **stracić ~ć** expire, run out
ważn|y *m* (*istotny*) important; (*prawomocny*) valid; *pot.* (*wyniosły*) self-important; **~a osoba** Very Important Person, VIP
waż|yć *imperf vt vi* weigh; **~yć się** *vr* weigh o.s.; **ani mi się ~!** don't you dare!
wąchać *imperf vt* smell; (*o zwierzętach*) sniff
wągier *m* blackhead
wąsy *pl* moustache
wąski *adj* narrow; *przen.* **~e gardło** bottleneck
wątpi|ć *imperf vi* doubt (**w coś** sth); **~ę** I doubt it
wątpliwość *f* doubt
wątpliwy *adj* doubtful, questionable
wątroba *f anat.* liver
wąż *m zool.* snake; (*gumowy*) hose
wbić, wbijać *perf imperf vt* strike <drive> in; **~ w coś gwóźdź** drive <hammer> a nail into sth; **~ nóż** plunge a knife; **~ do czegoś jajko** mix an egg in sth; *przen.* **~ wzrok w kogoś <coś>** fix one's eyes on sb

<sth>; *przen.* ~ **sobie coś do głowy** get sth into one's head

wbrew *praep* contrary to, despite, against

wcale *adv* (*w ogóle*) (not) at all; (*dość*) quite, pretty; ~ **nie** not at all; ~ **nieźle** quite <pretty> good, not bad

wchodzić *imperf vi* enter, come <walk> in(to); (*do samochodu*) get in; ~ **na drzewo <po schodach>** climb a tree <the stairs>; ~ **komuś w drogę** get in sb's way; ~ **w czyjeś położenie** put oneself in sb's place; *przen.* ~ **w życie** come into force; come into effect; **to nie wchodzi w grę** it's out of the question; **to mu weszło w krew** it's become a habit with him

wciągać, wciągnąć *imperf perf vt* pull <draw, drag> into; (*ubranie*) pull on; ~ **flagę** hoist a flag; ~ **brzuch** pull in one's stomach; ~ **powietrze** breathe in air; ~ **kogoś na listę** enter sb's name on a list; ~ **się** *vr*: *przen.* ~ **się w coś** get into the swing of sth

wciąż *adv* (*stale*) constantly, continually; (*jeszcze*) still

wcielenie *n* incarnation; (*przyłączenie*) incorporation

wczasy *pl* holiday(s), *am.* vacation

wczesn|y *adj* early; **~a młodość** early youth; **we ~ych godzinach rannych** in the small hours

wcześnie *adv* early; ~ **rano** early in the morning; **przyjść za** ~ be too early

wczoraj *adv* yesterday; ~ **wieczorem** last night

wdech *m* inhalation

wdowa *f* widow

wdowiec *m* widower

wdzięcznoś|ć *f* gratitude; **z ~cią** gratefully, thankfully

wdzięczny *adj* grateful, thankful; (*powabny*) graceful; **być ~m** appreciate (**za coś** sth), be grateful (**komuś za coś** to sb for sth)

wdzięk *m* grace

według *praep* according to, after, by; ~ **mnie** in my opinion

wegetacja *f* vegetation

wegetarianin *m* vegetarian

wegetariański *adj* vegetarian

wejście *n* entrance, entry; **główne** ~ main entrance

wejściówka *f pot.* pass

wejść *perf vi zob.* **wchodzić**

weksel *m ekon.* bill of exchange

welon *m* veil

wełna *f* wool

wenerycz|ny *adj*: **choroba ~a** venereal disease

wentyl *m* valve

wentylacja *f* ventilation

wentylator *m* fan, ventilator

weranda *f* veranda, porch

wersalka *f* sofa bed

wersja *f* version

wesele *n* wedding; **srebrne** ~ silver wedding

wesoł|y *adj* cheerful, joyful,

merry; **~e miasteczko** funfair, *am.* amusement park

westchnąć *perf vi* sigh

wesz *f* louse

weteran *m* veteran

weterynarz *m* veterinary surgeon, *pot.* vet, *am.* veterinarian

wewnątrz *praep* inside, within; *adv* inside; **do ~** inward(s); **od ~** from the inside, from within

wewnętrzn|y *adj* internal, inside, interior, inner; **numer ~y** extension; **~a strona** the inside; **Ministerstwo Spraw Wewnętrznych** Home Office; *am.* Ministry of the Interior

wezwać *perf vt zob.* **wzywać**

wezwanie *n* call, summons; *prawn.* citation; **~ do wojska** call-up, *am.* draft

węch *m* (sense of) smell

wędk|a *f* fishing rod; **łowić na ~ę** angle

wędkarz *m* angler

wędlina *f* smoked meat(s) *pl*

wędrown|y *adj* (*ptaki*) migratory; (*plemię*) nomadic; **wczasy ~e** walking tour

wędrówka *f* (*piesza*) hike; (*podróż*) travel

węg|iel *m* coal; (*do rysowania*) charcoal; **~iel kamienny <brunatny>** hard <brown> coal; **~iel drzewny** charcoal; **dwutlenek ~la** carbon dioxide

Węgier *m* Hungarian

węgierski *adj* Hungarian

węgorz *m zool.* eel

węzeł *m* knot; (*jednostka miary*) knot; **~ kolejowy** railway junction

wiadomo: o ile mi ~ for all I know; **ogólnie ~** it is generally known; **nigdy nie ~** you never know

wiadomoś|ć *f* (piece of) news, message; *pl* **~ci** (*program np. telewizyjny*) the news *pl*; (*wiedza*) knowledge; **podać coś do ~ci** make sth known; **przyjąć coś do ~ci** accept sth as a fact

wiadro *n* bucket, pail

wiadukt *m* viaduct

wiar|a *f* faith, belief; **~a w kogoś <coś>** faith in sb <sth>; **~a w siebie** self-confidence; **nie do ~y** unbelievable; **w dobrej wierze** in good faith

wiatr *m* wind; **pod ~** into <against> the wind; *pot.* **wystawić kogoś do ~u** (*nie przyjść na spotkanie*) stand sb up

wiatraczek *m* (*wentylator*) fan

wiatrak *m* windmill

wiatrówka *f* windcheater, *am.* windbreaker; (*broń*) airgun

wiązać *imperf vt* tie, bind; (*łączyć*) combine; *przen.* **~ koniec z końcem** make ends meet

wiązanka *f* (*kwiatów*) bunch

wicedyrektor *m* deputy manager; (*szkoły*) deputy head

wiceminister *m* undersecretary of state, *am.* undersecretary

wichura *f* gale

widać: jak ~ as one <you> can see; **nic nie ~** I can't see anything

widelec *m* fork

wideo *n* video

wideoklip *m* video

wideoteka *f* video collection

widły *pl* fork; *przen.* **robić z igły ~** make a mountain out of a molehill

widno *adv*: **jest ~** it is (day)light

widny *adj* light

widocznie *adv* apparently; (*wyraźnie*) clearly, visibly

widoczność *f* visibility

widoczny *adj* visible; (*oczywisty*) apparent, evident; **~ gołym okiem** visible to the naked eye

widok *m* view, sight; *przen.* **mieć coś na ~u** have sth in view; **na sam ~** at the very sight; **~i na przyszłość** prospects for the future

widokówka *f* picture postcard

widowisko *n* spectacle, show

widownia *f* the house; (*publiczność*) audience

widz *m* viewer, spectator

widzeni|e *n* sight, vision; (*w więzieniu*) visit; **do ~a** goodbye; **punkt ~a** point of view, viewpoint; **pole ~a** field of vision

widz|ieć *imperf vi vt* see; **~ę coś** I (can) see sth; **~ę, że...** I can see that...; **~ieć się** *vr*: **~ieć się z kimś** see sb

wiec *m* rally

wieczność *f* eternity

wieczn|y *adj* eternal, perpetual; *pot.* endless, everlasting; **~e pióro** fountain pen; **~y spoczynek** last sleep; *rel.* **życie ~e** eternal life

wieczorow|y *adj* evening *attr*; **szkoła ~a** night school

wiecz|ór *m* evening; **dobry ~ór!** good evening!; **~orem** in the evening; **(dzisiaj) ~orem** this evening, tonight

wiedz|a *f* knowledge; **bez mojej ~y** without my knowledge

wiedzieć *imperf vt vi* know

wiedźma *f* witch; *pot.* hag

wiek *m* age; (*stulecie*) century; **~ szkolny** school age; **w kwiecie ~u** in one's prime; **w średnim ~u** middle aged; **dożyć sędziwego ~u** live to an old age; **ona nie wygląda na swój ~** she doesn't look her age; **na ~i** for ever

wielbłąd *m zool.* camel

wiele *adv* much, a lot; **o ~ lepszy <więcej>** much <a lot> better <more>

Wielkanoc *f* Easter

wielk|i *adj* large, big; *przen.* great; **Wielki Piątek** Good Friday; **~i post** Lent; **na ~ą skalę** on a large scale

wielkoś|ć *f* size, dimension; (*ogrom*) magnitude; (*cecha*) greatness; *mat.* quantity; **być ~ci czegoś** be the size of sth; **tej samej ~ci** the same size; **mania ~ci** megalomania

wielokrotny *adj* multiple *attr*
wieloryb *m zool.* whale
wieniec *m* wreath
wieprzowina *f* pork
wierność *f* faithfulness
wierny *adj* faithful
wiersz *m* (*linijka*) line; (*utwór*) poem; **pisać od nowego ~a** begin a new paragraph
wiertarka *f* drill
wierzący *m* believer
wierzba *f bot.* willow
wierzch *m* (*górna część*) top; (*dłoni*) back; (*tkaniny*) outside; **leżeć na ~u** be <lie> on top; **wkładać coś na ~** put sth on top; **jeździć ~em** ride on horseback
wierzchołek *m* top, peak
wierzyciel *m* creditor
wierz|yć *imperf vi* believe (**komuś** sb); **~yć w Boga <duchy>** believe in God <ghosts>; **~yć w kogoś <coś>** have faith <confidence> in sb <sth>; **nie ~ę własnym oczom** I can't believe my own eyes
wieszać *imperf vt* hang; **~ się** *vr* hang o.s.
wieszak *m* (*na ścianie*) peg, rack; (*stojący*) stand; (*przy ubraniu*) loop; (*ramiączko*) hanger
wieś *f* village; (*okolica*) country; **na wsi** in the country
wieśniak *m* peasant
wietrzyć *imperf vt* air; (*poczuć*) smell
wiewiórka *f* squirrel
wieża *f* tower
wieżowiec *m* high-rise building, tower block
wieźć *imperf vt* carry, transport
więc *conj* so, therefore; **tak ~** thus; **(a) więc...** well...
więcej *adv* more; **mniej ~** more or less
większoś|ć *f* majority; **~ć ludzi** most people; **w ~ci przypadków** in most cases
większy *adj* larger, bigger, greater; (*znaczny*) major
więzieni|e *n* prison, jail; (*kara*) imprisonment, prison; **siedzieć w ~u** be in prison <jail>, *pot.* do time
więzień *m* prisoner
wigilia *f* (*kolacja*) Christmas Eve Supper; **Wigilia** (*dzień przed Bożym Narodzeniem*) Christmas Eve
wiklinowy *adj* wicker *attr*
wilgotny *adj* moist, humid, damp
wilk *m zool.* wolf
willa *f* villa; (*dom jednorodzinny*) (detached) house
win|a *f* guilt, blame; (*przewinienie*) fault; **poczuwać się do ~y** feel guilty; *prawn.* **(nie) przyznać się do ~y** plead (not) guilty; **to nie moja ~a** it's not my fault
winda *f* lift, *am.* elevator; **~ towarowa** hoist
winiarnia *f* wine bar
winien, winny *adj* guilty (**czegoś** of sth); **jestem mu ~ 50**

złotych I owe him 50 zlotys; *m* culprit
wino *n* wine; ~ **czerwone <wytrawne>** red <dry> wine
winogrona *pl* grapes *pl*
winowajca *m* culprit
wiolonczela *f muz.* cello
wiosło *n* oar, paddle
wiosłować *imperf vi* row
wiosn|a *f* spring; **na ~ę, ~ą** in the spring
wiraż *m* (*zakręt*) tight bend
wirus *m* virus
wisi|eć *imperf vi* hang; (*o ubraniu na kimś*) hang loose (on sb); *przen.* **~eć na włosku** hang by a thread; *przen.* **coś ~ w powietrzu** something is in the air
wisiorek *m* pendant
wiśnia *f* cherry; (*drzewo*) cherry (tree)
witać *imperf vr* greet, welcome; **~ się** *vr* (*pozdrawiać się*) greet (**z kimś** sb), say hallo (**z kimś** to sb); (*podać sobie ręce*) shake hands (with sb)
witamina *f* vitamin
wiza *f* visa; **~ wjazdowa <wyjazdowa, tranzytowa>** entry <exit, transit> visa
wizyt|a *f* visit, call; **złożyć komuś ~ę** pay sb a visit, call on sb
wizytowy *adj*: **strój ~** formal dress
wizytówka *f* visiting card, *pot.* (business) card; *przen.* showcase
wjazd *m* gateway; (*czynność*) entering; (*podjazd*) drive(way)
wjechać, wjeżdżać *perf imperf vi* drive <go, come> into, enter; (*na górę*) drive <go, come> up; **~ na słup** run <drive, crash> into a post
wklęsły *adj* concave
wkład *m* (*udział*) contribution; (*depozyt*) deposit; (*inwestycja*) investment; (*do notesu, do pióra*) refill; *techn.* input
wkładać *imperf vt* (*umieszczać*) put in, insert; (*ubierać się*) put on; (*dawać jako wkład*) invest, deposit; **~ w coś dużo pracy <wiele wysiłku>** put a lot of work <effort> into sth
wkładka *f* insert
wkrótce *adv* soon, shortly
wkurzyć *perf vt pot.* piss off; **~ się** *vr* be pissed off
wlec się *imperf vr* (*o czasie*) drag; (*o człowieku*) drag along
wliczyć *perf vt*: **~ coś w cenę <koszty>** include sth in the price <costs>
wlot *m* inlet, entry
władz|a *f* power, authority, rule; **~e** *pl* (*organy władzy*) the authorities; **~e umysłowe** faculties, mental powers; **sprawować ~ę** exercise power; **stracić ~ę w nogach** lose the use of one's legs; **mieć nad kimś ~ę** have sb in one's grasp <power>
włamać się *perf vr* break in; **~ do czegoś** burgle sth

włamani|e *n* burglary; **dokonać ~a** break in
własność *f* (*posiadanie*) ownership; (*mienie*) property, possessions; **~ osobista** personal possessions; **~ prywatna** private property; **mieć coś na ~** own sth
własn|y *adj* own; **imię ~e** proper name; **miłość ~a** self-respect; **na ~ą rękę** on one's own; **we ~ej osobie** in person; **w obronie ~ej** in self-defence
właściciel *m* owner, proprietor
właściwy *adj* (*odpowiedni*) proper, adequate; (*stosowny*) appropriate; (*rzeczywisty*) real, actual; (*charakterystyczny*) characteristic, typical; **ciężar ~** specific weight; **we ~m czasie** in due time
właśnie *adv* just, precisely, exactly
włączyć *perf vi* include; *elektr.* (*silnik*, *światło*) switch <turn> on; *elektr.* **~ coś do prądu** plug sth in
Włoch *m* Italian
włos *m* hair; *pl* **~y** hair; *pot.* **o mały ~ nie zdałem** I only passed by the skin of my teeth; *przen.* **~y się jeżą od czegoś** sth makes one's hair stand on end; **dzielić ~ na czworo** be splitting hairs; **wyrywać sobie ~y z głowy** be tearing one's hair out
włoski *adj* Italian
włoszczyzna *f* vegetables needed to make of soup
włożyć *perf vt zob.* **wkładać**
włóczęga *m* (*wędrówka*) roaming, roving; (*osoba*) tramp, vagrant
włóczka *f* yarn
włóczyć się *imperf vr* rove, roam, ramble
wnętrze *n* interior, inside
wnios|ek *m* conclusion; (*propozycja*) motion; (*podanie*) application; **dojść do ~ku** come to a conclusion
wnuczka *f* granddaughter
wnuk *m* grandson
wobec *praep* (*w obecności*) in the presence of, in front of; (*w stosunku*) to, towards, in relation to; **~ tego** in that case; **wszem i ~** to all concerned
wod|a *f* water; **~a słodka** fresh water; **~a zdatna do picia** drinking <potable> water; **~a mineralna** mineral water; **~a gazowana** soda water; **~a kolońska** (eau de) cologne; **pod ~ą** below the water-level, under water; **jak ~a po gęsi** like water off a duck's back; *pot.* **lać ~ę** waffle
wodn|y *adj* water *attr*, aquatic; **para ~a** steam; **znak ~y** watermark; **narty ~e** water skis; **elektrownia ~a** hydroelectric power plant
wodociąg *m* water-supply (system)
wodolot *m* hydrofoil

wodorow|y *adj* hydrogen *attr*; **bomba ~a** hydrogen bomb, H-bomb
wodospad *m* waterfall
wodoszczelny *adj* waterproof, watertight
wodór *m* hydrogen
w ogóle *adv zob.* **ogół**
województwo *n* province
wojn|a *f* war, combat; **~a domowa** civil war; **prowadzić ~ę** be at war (**z kimś <czymś>** with sb <sth>); *przen.* combat (**z czymś** sth)
wojsk|o *n* army; *pot.* military service; **zaciągnąć się do ~a** enlist; **służyć w ~u** do military service; **być w ~u** be in the army
wojskowy *adj* military; *m* military man
wokalista *m* vocalist, singer
wokoło, wokół *adv* all around; *praep* round, around
wol|a *f* will; **siła ~i** will power; **do ~i** at will; **z własnej ~i** of one's own free will
woleć *imperf vt* prefer
wolno[1] *adv* (*powoli*) slowly; **puścić ~** set free
wolno[2] *v* may, be allowed to; **nie ~ mu palić** he mustn't smoke; **wszystko mu ~** he is allowed to do everything
wolnoś|ć *f* freedom, liberty; **~ć słowa** freedom of speech; **na ~ci** (*nie w więzieniu*) at liberty <large>; **wypuścić na ~ć** set free
woln|y *adj* free; (*powolny*) slow; (*czas*) free, spare; **dzień ~y od pracy** day off; **~y rynek** free market; **~y wstęp** free admission; **~y od podatku** tax-free; **dać komuś ~ą rękę** give sb a free hand
wołać *imperf vi vt* call
wołowina *f* beef
woń *f* scent, fragrance; **przykra ~** unpleasant odour
worek *m* bag, sack; **~ bez dna** bottomless sack
wosk *m* wax
wotum *n*: **~ zaufania <nieufności>** vote of confidence <no confidence>
wozić *imperf vt zob.* **wieźć**
woźny *m* (*w szkole*) caretaker, *am.* janitor
wódka *f* vodka
wódz *m* leader; (*plemienia*) chief
wówczas *adv* then
wóz *m* (*konny*) cart, wagon; (*samochód*) car; **~ strażacki** fire engine
wózek *m* (*głęboki*) pram, *am.* baby carriage; (*spacerowy*) pushchair, *am.* stroller; (*w sklepie*) trolley
wpaść *perf vi* fall in(to); (*wbiec*) rush; **~ w długi** fall into debt; **~ w złe towarzystwo** fall into bad company; **~ w gniew** fly into a passion; **~ w panikę** panic; **~ na pomysł** hit on an idea; **~ pod pociąg** be run over by a train; *przen.* **~ komuś w oko** catch sb's fancy; ~

w poślizg skid; **~ do kogoś** drop in on sb

wpisać *perf vt* write down <inscribe> (**coś do czegoś** sth in sth); (*na listę*) list; **~ się** *vr* write <put down> one's name (**w czymś** in sth); **~ się na listę** enroll o.s.

wpłat|a *f* payment; **dokonać ~y** make a payment

wpłynąć *perf vi* (*do portu*) make port; (*o pieniądzach*) come in; **~ na kogoś <coś>** influence sb <sth>, affect

wpływ *m* influence, impact, effect; *pl* **~y** (*przychody*) receipts *pl*, (*znajomości*) connections *pl*; **pod ~em alkoholu** under the influence of alcohol

wpływać *imperf vi zob*. **wpłynąć**

w poprzek *adv* crosswise

wpół *adv*: **~ do drugiej** half past one; **objąć kogoś ~** take sb by the waist

wpraw|a *f* skill, proficiency, practice; **nabrać ~y** acquire proficiency <skill> (**w czymś** in sth)

wprost *adv* straight, directly; **powiedzieć coś ~** say sth outright; **~ przeciwnie** just the opposite

wprowadzać, wprowadzić *imperf perf vt* introduce, usher; (*wkładać*) insert; **~ kogoś do pokoju** usher <show> sb into a room; **~ w błąd** mislead sb; **~ zamieszanie** cause confusion; **~ coś w życie** bring sth into effect; **~ się** *vr* move in

wracać *imperf vi* return, come back; **~ do zdrowia** recover; **~ do normy** return to normal

wrażenie *n* impression; **zrobić na kimś dobre <złe> ~** make a good <bad> impression on sb

wrażliwy *adj* sensitive

wreszcie *adv* at last, finally

wręczać, wręczyć *imperf perf vt* give, present, hand in

wrodzony *adj* inborn, innate

wrona *f zool*. crow

wrotki *pl* roller skates *pl*

wróbel *m zool*. sparrow

wrócić *perf vt zob*. **wracać**

wróg *m* enemy, foe

wróżba *f* prediction, omen; (*wróżenie*) fortune-telling

wróżka *f* fortune-teller; (*z bajki*) fairy

wróżyć *imperf vi* predict, foretell; (*być zapowiedzią*) herald

wrzątek *m* boiling water

wrzesień *m* September

wrzos *m bot*. heather

wrzód *m* ulcer; **~ żołądka** gastric ulcer

wsadzić *perf vt* put (in), insert; *pot*. (*do więzienia*) lock up, put away

wschodni *adj* eastern, easterly

wschód *m* (*strona świata*) (the) east; **~ słońca** sunrise; **Bliski <Daleki> Wschód** Near <Far> East; **na ~ od czegoś** (to the) east of sth

wsiadać, wsiąść *imperf perf vi* get in <on>

wskazówk|a *f* (*zegara*) hand; (*podpowiedź*) hint, clue; *pl* **~i** (*pouczenia*) instructions *pl*, directions *pl*

wskazywać *imperf vt vi* indicate, show, point at; **~ komuś drogę** show sb the way

wskaźnik *m* (*wskazówka*) indicator, gauge; (*liczba*) index, ratio; **~ zużycia paliwa** fuel gauge <*am.* gage>

wskutek *praep*: **~ czegoś** in consequence <as a result> of sth

wspaniały *adj* magnificent, splendid

wspierać *imperf vt* support; (*pomagać*) aid, assist

wspinać się *imperf vr* climb; **~ na górę <drzewo>** climb a mountain <tree>; **~ na palce** stand on one's toes

wspominać, wspomnieć *imperf perf vt* recall, remember, recollect; (*robić wzmiankę*) mention

wspomnieni|e *n* memory, recollection; *pl* **~a** (*utwór literacki*) memoirs

wspólnik *m* partner; *prawn.* (*przestępstwa*) accomplice

wspólnota *f* community; **~ interesów** community of interests; **małżeńska ~ majątkowa** joint property of spouses

wspóln|y *adj* common, joint; **mieć z kimś <czymś> coś ~ego** have sth in common with sb <sth>

współczesny *adj* contemporary

współczuci|e *n* sympathy, compassion; **wyrazy ~a** condolences

współczuć *imperf vi*: **~ komuś** feel <be> sorry for sb

współpraca *f* cooperation, collaboration

współpracować *imperf vi* cooperate, collaborate

współpracownik *m* co-worker, associate; (*policji*) informer

współudział *m* participation; *prawn.* complicity

współzawodnictwo *n* competition, rivalry

wstać, wstawać *perf imperf vi* get up, stand up, rise; (*o słońcu*) rise; **wcześnie wstać** get up early; **proszę nie wstawać** remain seated

wstawiony *adj pot.* tight, tipsy

wstąpić *perf vi*: **~ do kogoś** drop in <on> sb; **~ gdzieś** stop by <call (by)>; **~ do organizacji <wojska>** join an organization <the army>

wstążka *f* ribbon

wstecz *adv* back(wards); *prawn.* **działać ~** retroact

wstęp *m* (*wejście*) entrance, admission; (*przedmowa*) preface, introduction; **~ wolny** admission free; **~ wzbroniony** no entry; **na ~ie** to begin with

wstępn|y *adj* preliminary, ini-

tial; **egzamin ~y** entrance examination; **słowo ~e** foreword
wstępować *imperf vi zob.* **wstąpić**
wstrętny *adj* repulsive, disgusting, abominable
wstrząs *m* shock; *med.* **~ mózgu** concussion
wstrzymać, wstrzymywać *perf imperf vt* stop, withhold, cease; **~ oddech** hold one's breath; **~ ruch uliczny** stop the traffic; **~ wykonanie wyroku na kimś** reprieve sb; **~ się** *vr* abstain (**od czegoś** from sth), refrain (**od robienia czegoś** from doing sth)
wstyd *m* shame, disgrace; **~ mi** I am ashamed; **przynosić komuś ~** be a disgrace to sb; **płonąć ze ~u** blush for shame
wstydliwy *adj* shy, bashful
wstydzić się *imperf vr* be ashamed (**czegoś** of sth); **~ za kogoś** be ashamed of sb
wszechstronny *adj* versatile, broad
wszechświat *m* universe
wszerz *adv* widthways; **przejechać coś wzdłuż i ~** travel the length and breadth of sth
wszędzie *adv* everywhere
wszyscy *pron* all; (*każdy*) everybody, everyone; **~ bez wyjątku** one and all
wszyst|ek (wszystka, wszystko) *pron* all, everything; **~ko mi jedno** it's all the same to me; **przede ~kim** first of all; **mimo ~ko** after all; **on jest dla mnie ~kim** he means everything to me; **~ek cukier** all the sugar
wściekły *adj* furious, wild; (*o zwierzęciu*) rabid
wśród *praep* among, amid
wtedy *adv* then
wtorek *m* Tuesday
wtrącać *imperf vr* (*dodawać*) throw in, add; **~ się** *vr* interfere <meddle> (**do czegoś** in sth)
wtyczka *f elektr.* plug; *pot.* (*szpieg*) mole
wuj, wujek *m* uncle
wulgarny *adj* vulgar
wulkan *m* volcano
wulkanizacja *f* retreading
wwóz *m* importation
wy *pron* you
wybaczać, wybaczyć *imperf perf vt* forgive, pardon
wybierać *imperf vt* (*dokonywać wyboru*) choose, select, pick out; (*przez głosowanie*) elect; (*wyjmować*) take out; **~ się** *vr*: **~ się w podróż <na wycieczkę>** be going away <on a trip>
wybitny *adj* outstanding, eminent
wyborca *m* voter
wyborczy *adj* election *attr*, electoral
wybory *pl* election(s *pl*)
wyb|ór *m* choice, selection; (*przez głosowanie*) election; **do ~oru, do koloru** at a great variety; **nie mieć ~oru** have no choice

wybrać *perf vt zob.* **wybierać**
wybrzeże *n* coast
wybuch *m* explosion, outburst; (*wojny, epidemii*) outbreak; **~ wulkanu** eruption of a volcano; **~ złości** a burst of rage
wybuchnąć *perf vi* explode, go off; (*o wojnie*) break out; **~ płaczem <śmiechem>** burst out crying <laughing>
wybulić *perf vi pot.* fork out
wycena *f* valuation, pricing
wychodzi|ć, wyjść *imperf perf vi* go out, come out, leave; (*pojawić się*) appear, come out; (*o oknach*) overlook (**na coś** sth); **wyjść do apteki** go (out) to the chemist's; **wyjść za mąż** get married; **~ć na spacer** go out for a walk; **dobrze coś ~** sth works out fine; **~ć z mody** go out of fashion; **wyjść z domu** leave home; **wyjść na jaw** come to light; *pot.* **wyjść z siebie** (*postarać się*) bend over backwards, *pot.* (*stracić panowanie*) be beside o.s.; **~ na to, że...** it looks like; **~ć z założenia** assume that...; **wyjść zwycięsko** get the upper hand; **dobrze na czymś wyjść** profit from sth; **wyjść na swoje** break even; *pot.* **na jedno ~** it's one and the same; **wyjść na durnia** look a fool
wychować *perf vt zob.* **wychowywać**
wychowanie *n* upbringing; (*nauka*) education; **~ fizyczne** physical education; **dobre <złe> ~** good <bad> manners
wychowywać *imperf vt* bring up, raise; (*kształcić*) educate; **~ się** *vr* be brought up
wyciąg *m* (*wypis*) abstract; (*z ziół*) extract; (*dźwig*) hoist; (*narciarski*) ski lift; (*kuchenny*) extractor; **~ krzesełkowy** chairlift; **~ orczykowy** T-bar lift
wyciągać, wyciągnąć *imperf perf vt* (*wydobywać*) pull out, draw out; (*nogi*) stretch; *przen. pot.* (*umrzeć*) kick the bucket; **~ wniosek** draw a conclusion; **~ korzyści z czegoś** profit from sth; **~ kogoś z kłopotów** get sb out of trouble; *pot.* **~ od kogoś pieniądze** scrounge money off sb; *pot.* **~ kogoś gdzieś** drag sb out *pot.*; **~ się** *vr* (*kłaść się*) stretch o.s. out; (*wydłużać się*) extend, stretch (out)
wycieczk|a *f* excursion, trip; **pojechać na ~ę** go on an excursion
wycieraczka *f* (*do butów*) (door)mat; (*w samochodzie*) wiper
wycierać *imperf vt* wipe; (*zmazywać*) wipe away, rub off; **~ nogi** (*buty*) wipe one's shoes; **~ ręce** wipe <dry> one's hands; **~ nos** wipe one's nose; **~ kurz** dust; **~ coś gumką** erase sth; **~ się** *vr* (*np. ręcznikiem*) dry o.s.; (*niszczyć się*) wear (out)
wyciskać, wycisnąć *imperf perf*

vt (*wyżymać*) wring out; squeeze <press> out
wycofać *perf vt* withdraw; **~ się** *vr* withdraw; (*z interesów*) retire
wyczerpać *perf vt* (*zużyć*) exhaust, use up; **~ się** *vr* (*o baterii*) run down
wydać *perf vt zob.* **wydawać**
wydajność *f* efficiency, output
wydanie *n* edition, issue
wydarzenie *n* event
wydarzyć się *perf vr* happen, occur
wydatek *m* expense, expenditure
wydawać *imperf vt* (*dawać*) give (out), issue; (*pieniądze*) spend; (*książki*) publish; *pot.* (*zdradzać*) give away; **~ komuś resztę** give sb his change; **~ obiad <przyjęcie>** give a dinner <party>; **wydać córkę za mąż** give one's daughter away in a marriage; **wydać opinię** express one's opinion; **wydać zarządzenie o czymś** enact sth; **wydać rozkaz** give an order; **~ głos** utter a sound; **wydać wyrok** bring in a verdict; **~ się** *vr* (*wyglądać*) seem, appear; **wydaje mi się, że...** it seems to me that...
wydawca *m* publisher
wydawnictwo *n* publishing house; (*publikacja*) publication
wydruk *m* printout
wydział *m* department; (*uniwersytecki*) faculty
wygadać *perf vt pot.* let slip; *pot.* **~ się** *vr* (*zdradzić się*) spill the beans
wygasać, wygasnąć *imperf perf vi* (*o ogniu*) go <burn> out; (*tracić ważność*) expire
wygląd *m* appearance, looks *pl*
wygląda|ć *imperf vi* (*mieć wygląd*) look, appear; **~ć przez okno** look out (of) the window; **świetnie <źle> ~ć** look great <bad>; **jak on ~?** what does he look like?; **~ na to, że...** it looks like <as if>...
wygłupiać się *imperf vr* fool about <around>
wygoda *f* comfort, convenience
wygodny *adj* comfortable
wygrać, wygrywać *perf imperf vi vt* win; **~ wojnę** win a war; **~ zakład** win a bet
wyjaśniać, wyjaśnić *imperf perf vt* explain, clear up; **~ się** *vr* become clear
wyjaśnienie *n* explanation, clarification
wyjazd *m* (*odjazd*) departure; (*miejsce*) exit; **~ służbowy** business trip
wyjąć *perf vt zob.* **wyjmować**
wyjąt|ek *m* exception; **z ~kiem** except (for), with the exception of
wyjechać, wyjeżdżać *perf imperf vi* go <drive> out, leave; **~ do Warszawy** leave for Warsaw; **~ w podróż** go on a trip
wyjmować *imperf vt* take <get> out

wyjrzeć *perf vi zob.* **wyglądać**

wyjści|e *n* (*czynność*) departure; (*miejsce*) exit; (*rozwiązanie*) solution, way out; **~e awaryjne** emergency exit; **po jego ~u** after he (had) left; **nie mieć ~a** not have a choice

wyjść *perf vi zob.* **wychodzić**

wykałaczka *f* toothpick

wykaz *m* (*lista*) list, register; (*zestawienie*) statement

wykluczać, wykluczyć *imperf perf vt* exclude, rule out

wykład *m* lecture; **chodzić na ~y** attend lectures; **prowadzić ~y** give lectures

wykładzina *f* (*dywanowa*) fitted carpet

wykonać *perf vt zob.* **wykonywać**

wykonalny *adj* feasible, workable

wykonanie *n* execution, realization

wykonywać *imperf vt* perform, carry out, do, make; **~ rozkazy** obey orders

wykorzystać *perf vt* (*zużytkować*) use, utilize, make use of; (*osiągnąć korzyść*) take advantage of; **~ kogoś** use sb; **~ coś do czegoś** make use of sth for sth <to do sth>

wykres *m* chart, graph

wykręcić *perf vi vt* (*skręcić*) turn; (*śrubę*) unscrew; (*obrócić*) turn, twist; **~ żarówkę** unscrew a bulb; **~ komuś rękę** twist sb's arm; **~ się** *vr* turn round; *pot.* (*uniknąć*) get out of sth

wykroczenie *n* offence, *am.* offense

wykrzyknik *m gram.* exclamation mark

wykształcenie *n* education; **średnie <wyższe> ~** secondary <university> education

wykwalifikowany *adj* qualified

wylać *perf vt zob.* **wylewać**

wylądować *perf vi* land

wyleczyć *perf vt* cure, heal; **~ się** *vr* be cured, recover

wylew *m* (*rzeki*) flood, inundation; *med.* **~ krwi do mózgu** cerebral hemorrhage, stroke

wylewać *imperf vt vi* pour out; (*rozlewać*) spill; *pot.* (*z pracy*) fire; *pot.* (*ze szkoły*) expel; (*o rzece*) overflow

wyliczać, wyliczyć *imperf perf vt* (*wymieniać*) enumerate

wylot *m* (*odlot*) departure; (*otwór*) outlet, exit; *pot.* **znać coś na ~** know sth inside out

wyłączać *imperf vt zob.* **wyłączyć**

wyłącznik *m elektr.* switch

wyłączny *adj* exclusive

wyłączyć *perf vt* (*światło, radio*) switch <turn> off; (*wykluczyć*) exclude; (*z prądu*) unplug, disconnect

wymagający *adj* demanding

wymagania *pl* requirements *pl*, demands *pl*

wymawiać *imperf vt* (*wypowiadać*) pronounce, utter; (*wypominać*) reproach (**coś komuś**

sb with sth); **~ umowę** cancel a contract; **~ komuś pracę** give sb notice
wymeldować się *perf vr* (*z hotelu*) check out
wymiana *f* exchange; (*zastąpienie*) replacement, change; **~ oleju** change of oil; **~ zdań** exchange of opinions
wymia|r *m* dimension, measurement; *pl* **~ry** (*człowieka*) measurements *pl*; **~r sprawiedliwości** administration of justice; **najwyższy ~r kary** capital punishment; **pracować w niepełnym ~rze godzin** work part time
wymieniać, wymienić *imperf perf vt* exchange; (*zastąpić*) replace, change; (*przytaczać*) mention; **~ pieniądze** change money; **~ po nazwisku** mention by name
wymienialny *adj* convertible, exchangeable
wymienny *adj* replaceable; **handel ~** barter
wymijać, wyminąć *imperf perf vt* (*mijać*) pass; (*wyprzedzać*) overtake
wymiotować *imperf vi* vomit, *pot.* throw up
wymowa *f* pronunciation
wymówić *perf vt zob.* **wymawiać**
wymówienie *n* notice; **dostać ~** to be given notice
wymówka *f* (*zarzut*) reproach, reproof; (*wykręt*) excuse
wymyślać *imperf vt* invent, make up, think up; (*ubliżać*) abuse <revile> (**komuś** sb)
wynagrodzenie *n* (*nagroda*) reward, gratification; (*zapłata*) pay, salary, wages; (*odszkodowanie*) compensation
wynająć, wynajmować *perf imperf vt* (*mieszkanie*) let, rent; (*samochód*) hire, rent; (*do pracy*) hire
wynajem *m* renting, hiring
wynalazek *m* invention
wynieść *perf vt zob.* **wynosić**
wynik *m* result, outcome; *sport.* (*meczu*) score; **w ~u czegoś** as a result of sth
wyno|sić *imperf vt* take <carry> out <away>; *mat.* amount to; *pot.* **~sić się** *vr* (*odchodzić*) clear out; **~ś się stąd!** get out of here!
wyobrazić *perf vt zob.* **wyobrażać**
wyobraźnia *f* imagination
wyobrażać *imperf vt* represent; **~ sobie** imagine
wyobrażenie *n* idea, notion, conception
wypa|dać, wypaść *imperf perf vi* (*o włosach*) fall out; **~ść przez okno** fall out of the window; *przen.* **~ść z domu** burst off the house; **~dać w niedzielę** fall on (a) Sunday; **~dło mi pióro** my pen has slipped; **~dło po 100 na głowę** it worked out at a hundred each; *pot.* **coś mu ~dło** something came up <cropped up>; **dob-**

rze <źle> ~ść get well <badly>; **wszystko dobrze ~dło** everything came off well; **~da na ciebie** it's your turn; **co ~da zrobić?** what's the right thing to do?

wypad|ek *m* accident; (*zdarzenie*) event, incident; **w takim ~ku** in that case; **w żadnym ~ku** on no account; **na wszelki ~ek** just in case; **w najlepszym ~ku** at best

wypaść *perf vi zob.* **wypadać**

wypełniać, wypełnić *imperf perf vt* (*napełniać*) fill (up); (*formularz*) fill in <out>; (*spełniać*) fulfil, *am.* fulfill

wypis *m* extract

wypisa|ć *perf vt* (*pisać*) write (down); **~ć czek** make <write> out a cheque; **~ć kogoś ze szpitala** discharge sb from a hospital; **~ł się długopis** the pen has run out; **~ć się** *vr*: **~ć się z czegoś** withdraw from sth

wypluć *perf vt* spit out

wypłacić *perf vt* pay

wypłat|a *f* payment; (*pobory*) pay, salary, wages; (*z konta*) withdrawal; **dzień ~y** payday

wypocząć *perf vi* get some rest

wypoczynek *m* rest

wypoczywać *imperf vi* rest, have a rest

wypogadzać się, wypogodzić się *imperf perf vr* be clearing up, clear up

wyposażenie *n* equipment

wypowiedzenie *n* notice; **dostać ~** be given notice; **~ wojny** declaration of war

wypożyczalnia *f*: **~ książek** lending library; **~ kaset wideo** video library; **~ samochodów** car hire, *am.* automobile rental

wypracowanie *n* (*szkolne*) composition

wyprawa *f* expedition

wyprowadzać, wyprowadzić *imperf perf vt* lead <take> out; **~ kogoś z równowagi** make sb's blood boil; **~ się** *vr* move out

wypróżnić *perf vt* empty; **~ się** *vr* defecate

wyprzedaż *f* (clearance) sale

wyprzedzać, wyprzedzić *imperf perf vt* overtake, outstrip; **~ swoją epokę** be ahead of one's time

wypukły *adj* convex

wypuszczać, wypuścić *imperf perf vt* (*upuszczać*) let go off; (*wodę*) let out; (*uwalniać*) release, set free; (*puszczać w obieg*) emit, issue; **~ powietrze** let out air; **~ liście** send forth leaves

wyrabia|ć *imperf* (*wytwarzać*) produce, manufacture, make; (*ciasto*) knead; **~ć sobie pogląd** form an opinion; *pot.* **co ty ~sz?** what do you think you're doing?; *pot.* (*na czas*) **~ć się** *vr* make it

wyraz *m* word; (*przejaw*) expression; **środki ~u** means of expression; **pełen ~u** expressive; **bez ~u** blank; **dać ~ czemuś** express sth; **~y szacunku** compliments

wyrażać, wyrazić *imperf perf vt* express; **~ coś słowami** put sth into words; **~ zgodę na coś** give one's consent to sth; **~ się** *vr* express o.s.; *pot.* swear

wyraźny *adj* clear, distinct, visible

wyrażać *imperf vt zob.* **wyrazić**

wyrażenie *n* expression, phrase

wyrok *m* sentence, verdict; **wydać ~** pass <pronounce> sentence

wyrostek *m* youngster; *anat.* **~ robaczkowy** appendix

wyróżniać, wyróżnić *imperf perf vt* distinguish, single out; (*nagradzać*) honour; (*faworyzować*) favour; **~ się** *vr*: **~ się czymś** be distinguished by sth

wyróżnienie *n* (*w konkursie*) honourable mention

wyruszać, wyruszyć *imperf perf vi* set out <off> (**w podróż** on a journey)

wyrzucać, wyrzucić *imperf perf vt* throw out <away>; (*ze szkoły*) expel; (*z pracy*) fire; (*zarzucać*) reproach (**komuś coś** sb with sth); **~ śmieci** throw the rubbish <*am.* garbage> away <out>; **~ kogoś za drzwi** throw sb out (of) the door

wyrzut *m* (*wymówka*) reproach; **~ sumienia** remorse

wyrzygać *perf vi wulg.* puke (up)

wysiadać, wysiąść *imperf perf vi* get off (**z autobusu** the bus); get out (**z samochodu** of the car); *pot.* pack up

wysiłek *m* effort

wysłać *perf vt* (*wyprawić*) send (out), dispatch

wysok|i *adj* high; (*o człowieku*) tall; **~i na metr** a metre high; **~ie napięcie** high voltage; **~ie mniemanie o kimś** high opinion of sb; **~a stopa życiowa** high standard of living

wysoko *adv* high (up); *przen.* **~ stać** hold a high position; **~ mierzyć** aim high; *pot.* **zajść ~** climb high up the social ladder; **~ ceniony** highly regarded; **~ cenić kogoś <coś>** think highly of sb <sth>

wysokoś|ć *f* height; (*n.p.m.*) altitude; (*sumy*) amount; **na ~ci 5 metrów** to the level of 5 metres; **do ~ci x złotych** to the amount of x zlotys; **stanąć na ~ci zadania** rise to the occasion

wyspa *f* island

wystarcz|ać, wystarczyć *imperf perf vi* suffice, be sufficient <enough>; **~y** enough; **to ~y** this will be enough <will do>; **~y przycisnąć i...** just press and...

wystawa *f* exhibition, display; (*sklepowa*) shop window

wystawiać, wystawić *imperf perf*

vt put <take> out(side); (*dokument*) issue; (*sztukę*) put on, stage; **~ czek** write out a cheque; **~ coś na sprzedaż** put sth up for sale; **~ kogoś na próbę** put sb to the test; *pot.* **~ kogoś do wiatru** lead sb up the garden path
wystąpi|ć *perf vi* (*naprzód*) step forward; (*jako artysta*) perform; (*pojawić się*) appear; (*wypisać się*) leave; **~ć w czyjejś obronie** come out in sb's defence; **~ć przeciwko czemuś** declare o.s. against sth; **~ć w przedstawieniu** take part in a performance; **~ć w telewizji** appear on television; **~ć z koncertem** give a concert; **u pacjenta ~ły objawy grypy** the patient showed symptoms of flue
występ *m* (*coś wystającego*) projection, protrusion; (*popis*) performance
występować *imperf vi zob.* **wystąpić**
wystrzał *m* firing, (gun)shot
wysyłać *imperf vt zob.* **wysłać**
wysypka *f med.* rash
wyścig *m* race; **~ zbrojeń** the arms race; **~i konne** horse races; **~ z czasem** race against time
wytłumaczyć *perf vt* explain; **~ się** *vr* excuse o.s.
wytrwać *perf vi* hold <last> out, persist
wytrwały *adj* persistent, persevering
wytrzeć *perf vt zob.* **wycierać**
wytrzymać *perf vt vi* bear, stand, hold out, endure
wytrzymałoś|ć *f* endurance; *techn.* durability; **być u kresu ~ci** be at the end of one's tether
wytwarzać *imperf vt* produce, manufacture; (*tworzyć*) create
wytwórnia *f* factory, plant; **~ filmowa** film company
wywabiacz *m*: **~ plam** stain remover
wywar *m* brew, infusion; *kulin.* stock
wywiad *m* interview; *woj.* intelligence; **przeprowadzić ~** interview (**z kimś** sb)
wywierać, wywrzeć *imperf perf vt* exert; **~ nacisk na kogoś** put pressure on sb; **~ wpływ na coś <kogoś>** exert an influence on sb <sth>; **~ dobre wrażenie na kimś** make a good impression on sb
wywietrznik *m* ventilator
wywieźć *perf vt* take <drive> away; (*usunąć*) remove
wywoł|ać, wywoływać *perf imperf vt* (*wezwać*) call; (*spowodować*) evoke, cause, produce; (*zdjęcia*) develop; (*duchy*) invoke; **~ać wspomnienia** call forth memories; **~ać podziw** elicit admiration; **~ać śmiech** raise a laugh; *przen.* **nie ~uj wilka z lasu** let sleeping dogs

lie; **~ać w kimś litość** move sb to pity

wywóz *m* (*śmieci*) removal, disposal; (*towarów*) exportation

wyzdrowieć *perf vi* recover

wyznaczać, wyznaczyć *imperf perf vt* (*znaczyć*) mark; (*określać*) fix, determine; (*mianować*) appoint, designate; **~ termin** fix a date; **~ nagrodę** set a prize; **~ kogoś na stanowisko** appoint sb to a post

wyznanie *n* (*wyjawienie*) confession; (*religia*) religion; **~ miłosne** declaration of love; **~ wiary** profession of faith

wyzwolenie *n* liberation, deliverance

wyzwolić *perf vt* liberate, release; **~ się** *vr* free o.s. (**z czegoś** of sth)

wyż *m*: **~ atmosferyczny** high (pressure); **~ demograficzny** population boom

wyżej *adv* higher; (*w tekście*) above; **~ wymieniony** mentioned above; *pot.* **mieć <kogoś> czegoś ~ uszu** be fed up with sb <sth>

wyższ|y *adj* higher; (*o człowieku*) taller; (*rangą*) superior; **siła ~a** act of God; **~e wykształcenie** university education; **~e cele <uczucia>** lofty goals <sentiments>

wyżyna *f* upland(s *pl*); *przen.* summit

wyżywienie *n* food; **pełne ~** full board

wzajemny *adj* mutual, reciprocal

w zamian *adv* in return (**za coś** for sth)

wzbudzać, wzbudzić *imperf perf vt* arouse, awake, excite; **~ ciekawość** excite curiosity; **~ podejrzenia <nadzieje>** raise suspicions <hopes>; **~ szacunek** command respect; **~ gniew** stir up anger

wzdłuż *praep* along; *adv* lengthways; **~ i wszerz** all over

wzgl|ąd *m* regard, consideration; (*punkt widzenia*) respect; **pod ~ędem czegoś** as regards sth; **przez ~ąd na kogoś <coś>** for sb's <sth's> sake; **z tego ~ędu** for that reason; **pod pewnym ~ędem** in some respect; *pl* **~ędy** (*powody*) considerations *pl*, (*przychylność*) favours *pl*; **~ędy bezpieczeństwa** safety reasons

względny *adj* relative

wzgórze *n* hill

wziąć *perf vt zob.* **brać**

wzmacniacz *m* amplifier

wzmacniać *imperf vt zob.* **wzmocnić**

wzmianka *f* mention

wzmocnić *perf vt* strengthen, reinforce; **~ się** *vr* (*o człowieku*) get stronger

wznak *adv*: **leżeć na ~** lie supine, on one's back

wznieść, wznosić *perf imperf vt* raise; (*zbudować*) erect; ~

toast propose a toast; ~ **się** *vr* rise, ascend, go up

wzorowy *adj* model *attr*, exemplary

wzór *m* pattern, model, example; *mat*. formula; **brać z kogoś ~** follow sb's example; ~ **doskonałości** paragon

wzrok *m* sight; (*spojrzenie*) look

wzrost *m* growth, increase; (*człowieka*) height; **być niskiego <średniego> ~u** be short <medium height>; **mieć x cm ~u** be x centimetres tall

wzruszać się, wzruszyć się *imperf perf vr* be moved <touched>

wzruszenie *n* emotion

wzwyż *adv* up(wards); **skok ~** high jump

wzywać *imperf* call; (*urzędowo*) summon; ~ **lekarza** call in a doctor; ~ **pomocy** call for help; ~ **kogoś na świadka** call sb a witness

Z

z, ze *praep* (*oznacza punkt wyjścia*) from, of, out of; **ze szkoły <z domu>** from school <home>; **widzieć coś z daleka** see sth from a distance; **z przodu** in front; **z tyłu** at the back; **zbiec ze schodów** run down the stairs; **to ładnie z twojej strony** it's nice of you; (*oznacza źródło informacji*) from; **z książek <gazet>** from books <newspapers>; **z doświadczenia** from experience; (*o czasie*) from, of; **z zeszłego roku** from last year; **list z 5 kwietnia** letter of April 5; **z początku** in the beginning; **z rana** in the morning; (*o zbiorowości*) from, of; **z dobrej rodziny** of a good family; **jeden z wielu** one out of many; (*o tworzywie*) of; **z drewna <plastiku>** of wood <plastic>; (*o przyczynie*) (out) of; **z głodu** (out) of hunger; **z ciekawości** out of curiosity; (*z kimś, z czymś*) with; **ze mną** with me; **mężczyzna z teczką** man with a suitcase; (*z czasownikiem*) at, of; **śmiać się z kogoś** laugh at sb; **cieszyć się z czegoś** be glad of sth; (*inne*) **z płaczem** crying; **z grubsza** roughly; **z kolei** in turn; **z wyjątkiem** except for; **ze dwa miesiące** about two months; **nauczyciel z zawodu** teacher by profession

za *praep* (*o miejscu*) beyond, over, behind; **za miastem** out of town; **za oknem** behind the window; **za rogiem** round the corner; **za czyimiś plecami** behind one's back; **iść za kimś** follow sb; **jeden za drugim** one after another; **obejrzeć się za**

siebie look back; (*o celu, o przyczynie*) for, after; **za wolność** for freedom; **dziękować za obiad** thank for dinner; (*o trzymaniu*) by; **trzymać kogoś za rękę <szyję>** hold sb by the arm <neck>; (*w zamian*) for; **za x złotych** for x zlotys; **za darmo** free of charge; **za wszelką cenę** at any cost; **za kaucją** on bail; **płacić za coś** pay for sth; (*z powodu*) for; **odszkodowanie za coś** damages for sth; **przepraszam za spóźnienie** I'm sorry I'm late; (*jako*) as; **przebrać się za kogoś** dress up as sb; (*w zastępstwie*) in place of; (*następstwo*) after; **za mną** after me; (*po upływie*) in; **za godzinę** in an hour; **za pięć szósta** five to six; (*podczas*) in, during; **za czyjegoś życia** in sb's lifetime; **za młodu** in one's youth; **za czyjegoś panowania** during the rein of sb; (*inne*) **służyć za przykład** serve as an example; **za i przeciw** pros and cons; **za dużo** too much <many>; **za młody <wcześnie>** too young <early>; **co to za człowiek?** what kind of man is he?; **co za dzień!** what a day!

zaawansowany *adj* advanced

zabaw|a *f* play, game; (*bal*) party; **dla ~y** for fun

zabawiać *imperf vt* entertain; **~ się** *vr* amuse o.s.

zabawka *f* toy

zabezpieczyć *perf vt* protect, guard, secure; **~ się** *vr* protect o.s.

zabi|ć, zabijać *perf imperf vt* kill; **serce mu ~ło** his heart started thumping; **~ć się** *vr* kill o.s.; *pot.* **~jać się o coś** fight for sth tooth and nail

zabieg *m med.* (minor) operation; *pl* **~i** endeavours *pl*

zabit|y *adj*: **spać jak ~y** sleep like a log; *pot.* **dziura ~a deskami** godforsaken country place

zabiera|ć, zabrać *imperf perf vt* (*brać ze sobą*) take, bring; (*usuwać*) take away; **~ć dużo czasu** take a lot of time; **~ć głos** take the floor; **~ć się** *vr*: **~ć się do czegoś** get down to sth; *pot.* **~j się stąd!** get out of here!

zabijać *imperf vt zob.* **zabić**

zabłądzić *perf vi* lose one's way, get lost

zabójstwo *n* killing, assassination

zabrać *perf vt zob.* **zabierać**

zabraniać, zabronić *imperf perf vt* forbid, prohibit

zabudowa *f* (*czynność*) building, development

zabudowania *pl* buildings *pl*

zaburzenie *n* disorder, disturbance(s *pl*); *med.* disorder

zabytek *m* monument

zabytkowy *adj* antique, historic

zachęcać, zachęcić *imperf perf vt* encourage

zachęta *f* encouragement, incentive
zachmurzenie *n* clouds *pl*
zachodni *adj* western, west; **~ wiatr** west <westerly> wind; **~a kultura** western culture
zachodzić, zajść *imperf perf vi* (*o słońcu*) set; (*odwiedzać*) look <drop> in; (*zdarzać się*) occur; **zachodzić na siebie** overlap; **zaszło nieporozumienie** there was a misunderstanding; **zajść za daleko** go too far; **zajść w ciążę** become pregnant; **zajść chmurami** cloud over; **zajść komuś drogę** intercept sb's way
zachorować *perf vi* fall ill <be taken ill> (**na coś** with sth); *przen.* **~ na coś** go crazy about sth
zachować *perf vt* keep, maintain, preserve; **~ w tajemnicy** keep secret; **~ coś dla siebie** keep sth to o.s.; **~ pozory** keep up appearances; **~ się** *vr* behave, carry on; (*przetrwać*) remain, survive
zachowanie *n* behaviour, conduct
zachód *m* west; **~ słońca** sunset; **na ~ od** (to the) west of
zachrypnięty *adj* hoarse
zachwycać, zachwycić *imperf perf vt* delight, enchant; **~ się** *vr*: **~ się czymś** marvel at sth
zaciąć się, zacinać się *perf imperf vr* cut o.s.; (*w mowie*) stammer; (*o urządzeniu*) jam, get stuck
zacierać *imperf vt* (*ślady*) cover (up)
zacofany *adj* backward; **~ gospodarczo** underdeveloped
zacząć, zaczynać *perf imperf vt* begin, start; **~ się** *vr* begin, start
zaczepiać *imperf vt* (*przymocowywać*) fasten; (*zagadywać*) accost; (*o coś*) catch on sth
zaćmienie *n* eclipse; *pot.* (mental) block
zadani|e *n* task, job, assignment; **stanąć na wysokości ~a** rise to the occasion
zadat|ek *m* down payment; *pl* **~ki** makings *pl*; **mieć ~ki na kogoś** have the makings of sb
zadłużenie *n* debt
zadowolenie *n* satisfaction
zadowolony *adj* satisfied, pleased
zaduch *m* stuffy air
zadymka *f* snowstorm, blizzard
zadyszka *f* breathlessness
zagadka *f* riddle, puzzle; (*tajemnica*) mistery
zagadnienie *n* problem, issue, question
zagapić się *perf vr* (*nie uważać*) fail to pay attention
zagęszczać, zagęścić *imperf perf vt* thicken
zagład|a *f* extermination, annihilation; **broń masowej ~y** weapon of mass destruction
zagłówek *m* headrest

zagranica *f* foreign countries *pl*
zagraniczn|y *adj* foreign; **handel ~y** foreign trade; **podróż ~a** travel abroad
zagrożeni|e *n* menace, threat; **stan ~a** state of emergency
zahamować *perf vi vt* come to a stop, bring to a stop
zaimek *m gram.* pronoun
zainteresowanie *n* interest
zajazd *m* wayside, inn
zając *m zool.* hare
zająć, zajmować *perf imperf vt* (*miejsce – zapełnić*) occupy, take up; (*miejsce – zarezerwować*) reserve, keep, book; (*miejsce – usiąść*) take a seat; **~ czyjeś miejsce** (*przejąć funkcje*) take up the functions of sb; **~ pierwsze miejsce** come <be> first; **~ stanowisko w sprawie...** take a stand on...; **~ czas** take time; **~ jakiś obszar** occupy a territory; **~ się** *vr*: **zajmować się handlem** be engaged in business; **zajmować się robieniem czegoś** be busy doing sth
zajezdnia *f* depot
zajęci|e *n* occupation; (*mienia*) seizure; *pl* **~a** (*na uczelni*) classes
zajście *n* incident
zajść *perf vi zob.* **zachodzić**
zakaz *m* prohibition, ban; **~ wjazdu** no entry; **~ postoju** no waiting
zakazać, zakazywać *perf imperf vt* forbid, prohibit
zakaźny *adj* infectious, contagious
zakażenie *n* infection
zakąska *f* hors d'oeuvre, appetizer, starter
zakład *m* works, plant, workshop; (*umowa*) bet; **~ fryzjerski** hairdresser's shop
zakładać, założyć *imperf perf vi vt* (*przypuszczać*) assume, suppose; (*ustanowić*) establish, found, set up; (*o ubraniu*) put on; **założyć rodzinę** set up home; **~ firmę** establish <start up> a firm; **~ okulary** put on glasses; **~ nogę na nogę** cross one's legs; **~ gniazdo** build a nest; **~ się** *vr* bet, wager
zakładnik *m* hostage
zakochać się *perf vr* fall in love (**w kimś** with sb)
zakon *m* order
zakonnica *f* nun
zakonnik *m* monk, friar
zakończenie *n* end, ending
zakres *m* range, extent, scope; **we własnym ~ie** within one's capacity
zakręci|ć *perf vi vt* turn, twist; (*o linii*) bend, wind; **~ć kran** turn off the tap; **~ć włosy** curl one's hair; **~ć się** *vr* turn round; **~ło mi się w głowie** I felt dizzy
zakręt *m* bend, corner
zakrętka *f* cap
zakryć, zakrywać *perf imperf vt* cover; **~ się** *vr* cover o.s.
zakup *m* purchase; **iść na ~y**

go shopping; **robić ~y** do the <one's> shopping
zalecać *imperf vt* recommend; **~ się** *vr* court (**do kogoś** sb)
zalecenie *n* recommendation
zaledwie *adv* hardly, merely, barely
zalegać *imperf vi*: **~ z czymś** be behind with sth
zaległość *f* backlog; (*w płaceniu*) arrears *pl*
zaległy *adj* overdue
zaleta *f* virtue, advantage
zalew *m* reservoir; (*zatoka*) bay, gulf; *przen.* flood
zależ|eć *imperf vt* depend (**od kogoś <czegoś>** on sb <sth>); **~y mu na niej** he cares about her; **to ~y** it depends; **to ~y od niej** it's up to her
zaliczka *f* advance <down> payment
zaliczyć *perf vt* (*egzamin*) pass; **~ się** *vr*: **~ się do** be rated among
zaludnienie *n* population
załamać się *perf vr* collapse, break down
załamanie *n*: **~ nerwowe** (nervous) breakdown
załatwiać, załatwić *imperf perf vt* settle, arrange, take care of; **~ interesy** take care of business; **~ klientów** attend to customers; *pot.* **~ się** *vr* relieve o.s.
załącznik *m* (*do listu*) enclosure, annex(e)
załoga *f* crew; (*pracownicy*) staff
założenie *n* assumption
założyć *perf vt zob.* **zakładać**
zamach *m* (*zabicie*) assassination; (*bombowy*) bomb attack; **~ stanu** coup d'etat; **za jednym ~em** at one go <stroke>
zamarznąć *perf vi* freeze; (*umrzeć*) freeze to death
zamek[1] *m* (*budowla*) castle
zamek[2] *m* (*u drzwi*) lock; **~ błyskawiczny** zip (fastener), *am.* zipper
zameldować *perf vi* report; **~ się** *vr* report; (*w hotelu*) check in
zamężna *adj* married
zamiana *f* exchange, conversion
zamiar *m* intention
zamiast *praep* instead (of)
zamiatać *imperf vi* sweep
zamieniać, zamienić *imperf perf vt* exchange (**coś na coś** sth for sth), turn <transform> (**kogoś <coś> w coś** turn sb <sth> into sth); **~ się** *vr* (*wymieniać się*) exchange; (*przemieniać się*) turn, be transformed
zamienn|y *adj*: **części ~e** spare parts
zamierzać *imperf vt* intend, mean, be going (**co zrobić** to do sth)
zamieszanie *n* confusion, commotion
zamieszki *pl* riots *pl*
zamieść *perf vi zob.* **zamiatać**
zamknąć, zamykać *perf imperf*

vt close, shut; (*na klucz*) lock; (*zlikwidować*) close down; ~ **oczy** (*umrzeć*) close one's eyes; ~ **kogoś** (*w więzieniu*) lock sb up; ~ **gaz** turn off the gas; ~ **drogę** bar the way; ~ **zebranie** close a meeting; ~ **się** *vr* close, shut, be closed, be shut; (*odosobnić się*) lock o.s. in; ~ **się w sobie** withdraw into o.s.; *pot.* **zamknij się!** shut up!
zamożny *adj* rich, well-off
zamówić *perf vt* order, book, reserve; ~ **rozmowę** place a telephone call; ~ **wizytę** make an appointment
zamówienie *n* order; **robiony na** ~ custommade
zamrażać *imperf vt* freeze
zamrażarka *f* freezer
zamrozić *perf vt zob.* **zamrażać**
zamsz *m* suede
zamykać *imperf vt zob.* **zamknąć**
zamyślić się *perf vr* be lost in thought
zaniedbać, zaniedbywać *perf imperf vt* neglect (**coś** sth); ~ **się** *vr* let o.s. go; ~ **się w obowiązkach** be negligent in one's duties
zan|ieść, zanosić *perf imperf vt* take, carry; ~**ieść się** *vr*: ~**osi się na deszcz** it looks like rain
zanik *m* disappearance; *med.* atrophy; ~ **pamięci** memory loss
zanikać, zaniknąć *imperf perf vi* (*zginąć z oczu*) disappear, fade away; (*wyginąć*) disappear, die out
zanim *conj* before
zanosić *imperf vt zob.* **zanieść**
zaoczn|y *adj*: **studia ~e** extramural studies
zaopatrywać, zaopatrzyć *imperf perf vt* provide <supply> (**kogoś w coś** sb with sth); (*w sprzęt*) equip, furnish; ~ **ludzi w wodę <prąd>** supply people with water <gas>; **zaopatrywać sklep w towary** supply a shop with goods; **zaopatrzyć dokument w pieczęć** affix a stamp to a document; ~ **się** *vr* provide <equip> o.s. (**w coś** with sth)
zapach *m* smell, odour; (*przyjemny*) fragrance, aroma, scent; (*przykry*) reek, stench
zapalać *imperf vt zob.* **zapalić**
zapalenie *n med.* inflammation; ~ **płuc** pneumonia
zapalić *perf vt*: ~ **zapałkę** strike a match; ~ **światło** turn <switch> the light on; ~ **papierosa <lampę>** light a cigarette <lamp>; ~ **silnik** start an engine; ~ **się** *vr* catch fire; *przen. pot.* ~ **się do czegoś** become enthusiastic about sth
zapalniczka *f* lighter
zapał *m* zeal, ardour
zapałka *f* match
zaparzyć *perf vt* brew, infuse
zapas *m* supply, stock; (*do pióra*) refill; *pl* ~**y** provisions *pl*,

sport. wrestling; **na ~** (*przedwcześnie*) prematurely

zapasow|y *adj* spare; **~e wyjście** emergency exit

zapewnić *perf vt* assure (**kogoś o czymś** sb of sth), secure (**komuś coś** sth for sb)

zapiąć, zapinać *perf imperf vt* fasten; **~ na guziki** button <do> up; **~ na suwak** zip up; **~ pas (bezpieczeństwa)** fasten <buckle> one's seat-belt

zapiekanka *f kulin.* casserole

zapinać *imperf vt zob.* **zapiąć**

zapisy *pl* (*na uczelnię*) registration, enrolment

zapisać, zapisywać *perf imperf vt* write down, put down; (*kandydatów*) enrol, register; (*lekarstwo*) prescribe; *prawn.* **~ coś komuś** bequeath sth to sb; **~ się** *vr* (*do szkoły*) enrol

zaplombować *perf vt* (*zamknąć*) seal; (*ząb*) fill

zapła|cić *perf vt* pay; **~cić za przejazd** pay the fare; **~cić za przysługę** repay a service; **drogo za to ~cisz** you'll pay dearly for this; **Bóg ~ć** may God requite you

zapłon *m mot.* ignition

zapobiec, zapobiegać *perf imperf vt* prevent (**czemuś** sth); **~ wypadkom** avert <prevent> accidents

zapominać, zapomnieć *imperf perf vt* forget; (*zostawiać*) leave behind; **zapomnieć języka w gębie** be tongue-tied; **zapomnieć o czymś na śmierć** forget all about sth

zapomoga *f* supplementary benefit

zapora *f* barrier; **~ wodna** dam

zapowie|dź *f* announcement; (*zwiastun*) herald; (*zła wróżba*) portent; *pl* **~dzi** (*w kościele*) banns *pl*

zapoznać się *perf vr* acquaint <familiarize> o.s. (**z czymś** with sth)

zapraszać, zaprosić *imperf perf vt* invite, ask; **~ kogoś na przyjęcie <obiad>** invite sb to a party <to dinner>; **~ kogoś do tańca** ask sb to dance

zaprawa *f* (*murarska*) mortar; *sport.* training, practice

zaprosić *perf vt zob.* **zapraszać**

zaproszenie *n* invitation

zaprzeczać, zaprzeczyć *imperf perf vt* deny (**czemuś** sth); (*być sprzecznym*) negate <contradict> (**czemuś** sth)

zaprzeczenie *n* denial; (*przeciwieństwo*) negation, contradiction

zaprzeczyć *perf vt zob.* **zaprzeczać**

zaprzyjaźnić się *perf vr* make friends (**z kimś** with sb)

zapytać *perf vt* ask

zapytani|e *n* question; **znak ~a** question mark

zarabiać *imperf vi* earn; **~ na życie** earn a living; **~ na czymś** make profit on sth

zaraz *adv* at once, right away;

od ~ starting right now; **~ wracam** I'll be right back <back soon>
zarazić, zarażać *perf imperf vt* infect; **~ się** *vr* get infected
zaraźliwy *adj* infectious, contagious
zarażać *imperf vt zob.* **zarazić**
zarezerwować *perf vt* book, reserve, make a reservation
zaręczyć się *perf vr* get engaged
zarobić *perf vi zob.* **zarabiać**
zarobki *pl* earnings *pl*
zarod|ek *m* embryo; *przen.* **stłumić coś w ~ku** nip sth in the bud
zarost *m* facial hair
zarośla *pl* thicket
zarozumiały *adj* conceited, *pot.* cocky, cocksure
zarówno *adv*: **~..., jak...** as well... as..., both... and...
zarys *m* outline; (*szkic*) sketch, draft; **przedstawić coś w ~ie** outline sth
zarząd *m* board (of directors)
zarządzać, zarządzić *imperf perf vt* (*kierować*) administer <manage> (**czymś** sth); (*nakazać*) give orders
zarządzanie *n* management, managing
zarządzenie *n* order, instruction; (*rozporządzenie*) regulation
zarzucać, zarzucić *imperf perf vt* (*przerzucać*) throw over; (*zaniechać*) give up, abandon; (*ubranie*) throw on; (*pokrywać*) scatter, spread; (*obwiniać*) reproach; *vi* (*o aucie*) skid; **~ komuś ręce na szyję** fling one's arms round sb's neck; **~ wędkę** cast a fishing line; **zarzucić coś papierami** scatter papers all over sth; **~ kogoś prezentami** shower sb with presents
zarzut *m* (*wymówka*) reproach; **bez ~u** beyond reproach; **czynić komuś ~y** reproach sb; **pod ~em czegoś** on a charge of sth
zasa|da *f* principle, rule; *chem.* alkali; **z ~dy** as a rule; **w ~dzie** in principle
zasadzka *f* ambush
zasięg *m* reach, range; **w ~u wzroku <ręki>** within sight <one's reach>
zasilacz *m* power supply adaptor
zasiłek *m* benefit, allowance; **~ dla bezrobotnych** unemployment benefit
zaskakiwać, zaskoczyć *imperf perf vt* surprise, take by surprise
zasłabnąć *perf vi* faint
zasłaniać *imperf vt zob.* **zasłonić**
zasłona *f* curtain; **~ dymna** smokescreen
zasłonić *perf vt* (*zakryć*) cover (up); (*zasłoną*) curtain; (*ograniczyć widoczność*) block out; (*bronić*) shield; **~ komuś światło** stand in sb's light; **~**

się *vr* (*obronić się*) protect <shield> o.s.; *przen.* **~ się niewiedzą** plead ignorance

zasługa *f* merit

zasłużon|y *adj* well-deserved, well-earned; **~a nagroda <kara>** just reward <punishment>

zasłużyć *perf vt* deserve (**na coś** sth)

zasnąć *perf vi* fall asleep

zas|ób *m* store, stock; supply; **bogaty ~ób słów** rich vocabulary; *pl* **~oby** (*naturalne*) resources *pl*, (*finansowe*) funds *pl*

zaspa *f* snowdrift

zaspokoić *perf vt* satisfy; **~ głód** appease one's hunger; **~ pragnienie** quench one's thirst; **~ ciekawość <żądanie>** satisfy one's curiosity <demand>

zastać *perf vt* find, meet

zastanawiać się, zastanowić się *imperf perf vr* think, wonder

zastanowieni|e *n* reflection, thought; **bez ~a** without thinking

zastaw *m* security, collateral; **dać ~** put up collateral; **pożyczyć pod ~** lend on security

zastawka *f anat.* valve

zastąpić *perf vt* (*zająć miejsce*) replace (**kogoś** sb), substitute (**kogoś** for sb); **~ komuś drogę** bar sb's way <path>

zastępca *m* replacement, substitute; **~ dyrektora** deputy director

zastępczy *adj* substitute *attr*

zastępować *imperf vt zob.* **zastąpić**

zastępstw|o *n* replacement, substitute; **działać w czyimś ~ie** act in sb's name <as a substitute for sb>; **w ~ie** by proxy

zastosować *perf vt* apply, employ, use; **~ się** *vr* comply (**do czegoś** with sth), conform (**do czegoś** to sth)

zastój *m* standstill, stagnation

zastrzeże|nie *n* reservation; **bez ~ń** unconditionally, without reservation

zastrzyk *m* injection, shot; **~ domięśniowy <dożylny>** intramuscular <intravenous> injection

zasuwa, zasuwka *f* bolt

zaszczepić się *perf vr* get vaccinated (**przeciwko czemuś** against sth)

zaszczyt *m* honour, *am.* honor; **przynosić ~ rodzinie** bring credit to sb's family

zaświadczenie *n* certificate

zatarg *m* dispute, conflict

zatoka *f* bay, gulf; *anat.* sinus

zatrucie *n* poisoning; **~ pokarmowe** food poisoning

zatrudniać, zatrudnić *imperf perf pot. vt* employ, engage

zatrudnieni|e *n* employment; **urząd ~a** employment agency

zatrzask *m* (*do drzwi*) latch; (*przy ubraniu*) snap fastener, press stud

zatrzymać, zatrzymywać *perf imperf vt* stop; (*samochód*) pull over; (*aresztować*) arrest; (*zachować*) retain, keep; ~ **się** *vr* stop, come to a stop

zatwardzenie *n med.* constipation

zatwierdzić *perf vt* approve

zatyczka *f* stopper, plug

zaufani|e *n* confidence, trust; **godny ~a** trustworthy; **mieć do kogoś ~e** have confidence in sb; **telefon ~a** helpline

zauważyć *perf vt* notice, perceive; (*napomknąć*) observe, remark

zawał *m* heart attack; *med.* coronary

zawartość *f* contents *pl*; (*składnik*) content

zawiadamiać, zawiadomić *imperf perf vt* inform, notify

zawiadomienie *n* notice, notification

zawierać, zawrzeć *imperf perf vt* (*mieścić w sobie*) contain, include; ~ **umowę** enter into a contract; ~ **małżeństwo** contract a marriage; ~ **układ** conclude a treaty

zawieść *perf vt vi* (*sprawić zawód*) let down, disappoint; (*o maszynie*) fail; ~ **się** *vr* be disappointed (**na kimś <czymś>** with sb <sth>)

zawieźć *perf vt* drive, take

zawijać, zawinąć *imperf perf vt vi* wrap (up); ~ **do portu** call at a port; ~ **rękawy** roll up one's sleeves

zawinić *perf vi* be at fault, be guilty

zawodnik *m* competitor, contestant

zawodowiec *m* professional

zawodowy *adj* professional

zawodówka *f pot.* vocational school

zawody *pl* competition, contest

zawodzić *imperf vt zob.* **zawieść**

zaw|ód *m* profession; (*rozczarowanie*) disappointment; **sprawić komuś ~ód** disappoint sb; **doznać ~odu** be disappointed

zawracać, zawrócić *imperf perf vi vt* turn round <back>; ~ **komuś głowę** bother sb; ~ **komuś w głowie** turn sb's head

zawrót *m* (*głowy*) dizziness, vertigo

zawrzeć *perf vt zob.* **zawierać**

zawsze *adv* always; **na ~** for ever; **raz na ~** once and for all

zazdrosny *adj* jealous, envious

zazdrościć *imperf vt* envy (**komuś czegoś** sb sth)

zazdrość *f* jealousy, envy

zaziębić się *perf vr* catch a cold

zaziębienie *n* cold

zaznaczyć *perf vt* mark; (*podkreślić*) stress

zazwyczaj *adv* usually

zażalenie *n* complaint

ząb *m* tooth; *pl* **zęby** teeth; ~ **mądrości <mleczny>** wisdom <milk> tooth; *pot.* **nie rozumieć ani w ~** not understand a thing; *pot.* **dać komuś w zę-**

by punch sb in <on> the jaw; **uzbrojony po zęby** armed to the teeth; **zacisnąć zęby** clench one's teeth
zbankrutować *perf vi* go bankrupt
zbędny *adj* (*rzecz*) superfluous, redundant
zbić, zbijać *perf imperf vt* (*gwoździami*) nail together; (*rozbić*) break, smash; (*skaleczyć*) bruise; (*pobić*) beat up; **zbić kogoś na kwaśne jabłko** beat sb to a pulp; **zbić kogoś z tropu** confuse sb; **~ czyjeś argumenty** refute sb's arguments; **~ kogoś z nóg** knock sb off their feet; **zbić się** *vr* (*rozbić się*) break
zbieg *m* (*uciekinier*) fugitive, runaway; **~ okoliczności** coincidence
zbieracz *m* collector
zbiera|ć, zebrać *imperf perf vt* collect, gather; (*zrywać*) pick; **~ć myśli** gather one's thoughts; **~ć siły** gather one's strength; **~ć fundusze** raise funds; **~ć ze stołu** clear the table; **~ć się** *vr* (*gromadzić się*) gather, get together; (*przygotowywać się*) get ready, prepare; **~ się na deszcz** it's going to rain; **~ mi się na wymioty** I'm going to be sick, I feel nauseous
zbiornik *m* reservoir, container
zbiorow|y *adj* collective; **umowa ~a** collective agreement
zbi|ór *m* collection; (*z pola*) harvest; *komp.* file; *pl* **~ory** (*plon*) crop
zbiórka *f* (*gromadzenie się*) assembly; (*pieniężna*) fund raising, collection
zbliżać, zbliżyć *imperf perf vt* bring near <closer>; **~ się** *vr* approach (**do kogoś** sb)
zbocze *n* slope
zboczeniec *m* pervert
zboże *n* corn, cereal
zbrodnia *f* crime
zbrodniarz *m* criminal
zbroić *imperf vt* arm; (*teren*) develop; **~ się** *vr* arm
zbroje|nia *pl* armaments *pl*; **wyścig ~ń** the arms race
zbrojny *adj* armed, military
zbyt[1] *m* sale(s *pl*), market; **rynek ~u** market
zbyt[2] *adv* too; **~ wiele osób** too many people
zbyteczny *adj* needless, unnecessary
zda|ć, zdawać *perf imperf vt* (*przekazać*) turn over, return; **~ć sobie z czegoś sprawę** realize sth; **~ć relację z czegoś** relate <recount> sth; **~wać egzamin** take an exam; **~wać na studia** take one's entrance exams to college; **~ć egzamin** pass an exam; **~ć na studia** get into college; **~ć do następnej klasy** be promoted; **~wać się** *vr* seem, appear; **~wać się na kogoś <coś>** depend on sb <sth>; **~ć się na własny rozum** use one's own

discretion; **~je mi się, że...** it seems to me that..., I think that...

zdaln|y *adj*: **~e sterowanie** remote control

zda|nie *n gram.* sentence; (*pogląd*) opinion, view; **moim ~niem** in my opinion; **różnica ~ń** difference of opinions; **zmienić ~nie** change one's mind; **być innego ~nia** hold a different opinion

zdarzać się, zdarzyć się *imperf perf vr* happen, occur

zdarzenie *n* event, incident, occurrence

zdarzyć się *perf vr zob.* **zdarzać się**

zdawać *imperf vt zob.* **zdać**

zdążyć *perf vi* be <make it> in time (**na coś** for sth); **~ coś zrobić** manage to do sth (on time); **nie ~ na pociąg** miss one's train

zdechły *adj* dead

zdecydowany *adj* firm, determined; (*niewątpliwy*) unquestionable

zdejmować, zdjąć *imperf perf vt* (*ubranie*) take off; (*z góry*) take down; (*usuwać*) remove; **zdjąć komuś ciężar z serca** relief sb of a burden; **zdjąć sztukę z afisza** take off a play; **zdjął go strach** he was seized with fear

zdenerwowany *adj* nervous, irritated, vexed

zderzak *m mot.* bumper

zderzenie *n* crash, collision; **~ czołowe** head-on collision

zderzyć się *perf vr* crash, collide

zdjąć *perf vt zob.* **zdejmować**

zdjęci|e *n* picture, photo(graph); (*usunięcie*) removal; **robić ~a** take pictures <photo(graphs)>

zdobyć, zdobywać *perf imperf vt* (*zagarnąć*) conquer, capture; (*dostać*) acquire; **zdobyć nagrodę** win a prize; **zdobyć bramkę** score a goal; **zdobyć szczyt** reach the summit; **~ szacunek <doświadczenie>** gain respect <experience>; **zdobyć się** *vr*: **zdobyć się na odwagę** summon up enough courage

zdolnoś|ć *f* ability; *pl* **~ci** gift, talent, skills *pl*

zdolny *adj* able, capable, gifted; **~ uczeń** gifted student; **~ do matematyki** apt at mathematics; **~ do zrobienia czegoś** capable of doing sth; *woj.* **~ do służby** effective

zdrada *f* betrayal, treachery; (*przestępstwo*) treason; **~ małżeńska** adultery

zdradzać, zdradzić *imperf perf vt* betray; **~ zainteresowanie** show interest; **~ żonę** be unfaithful to one's wife; **~ tajemnicę** give away a secret

zdrajca *m* traitor

zdrowi|e *n* health; **ośrodek ~a** health centre; **służba ~a** healthcare; **wracać do ~a** recover;

na ~e! *(po kichnięciu)* (God) bless you!, *(toast)* cheers!
zdrow|y *adj* healthy; **cały i ~y** safe and sound; **~y jak ryba** (as) fit as a fiddle; **~y rozum** common sense; **~a żywność** health food
zdrzemnąć się *perf vr* have <take> a nap
zdumiewający *adj* astonishing, amazing
zdumiony *adj* astonished, amazed
zdziwić *perf vt* surprise, astonish; **~ się** *vr* be surprised <astonished> (**czymś** at sth)
zdziwienie *n* surprise, astonishment
zdziwiony *adj* surprised, astonished
ze *praep zob.* **z**
zebra *f zool.* zebra; *pot.* *(przejście)* zebra crossing
zebrać *perf vt zob.* **zbierać**
zebranie *n* meeting
zegar *m* clock; **~ słoneczny** sundial; **~ z kukułką** cuckoo clock; **~ stojący** grandfather clock
zegarek *m* watch
zegarmistrz *m* watchmaker
zegarynka *f* speaking clock
zejście *n* descent; *med.* decease
zejść *perf vi zob.* **schodzić**
zelówka *f* sole
zemdleć *perf vi* faint
zemst|a *f* revenge, vengeance; **z ~y** out of revenge (**za coś** for sth)
zemścić się *perf vr* to have <take> revenge (**na kimś** on sb)
zepsuć *perf vt* spoil, damage; **~ komuś apetyt** spoil sb's appetite; **~ sobie zdrowie** ruin one's health; **~ dziecko** spoil a child; **~ się** *vr* spoil, get spoiled; *(pogorszyć się)* deteriorate, worsen
zepsuty *adj* broken; *(o dziecku)* spoilt, spoiled; *(zdemoralizowany)* corrupt, depraved
zero *n* zero, nought; *sport.* nil, love; *przen.* *(o człowieku)* nothing, nobody
zerwa|ć, zrywać *perf imperf vt vi*: **~ć linę** break a rope; **~ć kwiaty** pick flowers; **~ć umowę <zaręczyny>** break off an agreement <engagement>; **~ć z kimś <czymś>** break (up) with sb <sth>, have done <finished> with sb <sth>; **~ć się** *vr* *(przerwać się)* break, snap; *(oderwać się)* come off, get torn away; **~ć się gwałtownie** start up, jump up; **~ć się z łóżka** jump out of bed; **~ła się burza** a storm arose
zespołow|y *adj* collective; **praca ~a** teamwork
zespół *m* *(ludzi)* group, team; **~ muzyczny** band; **~ roboczy** working gang
zestaw *m* set, combination; **~ narzędzi** tool kit
zeszły *adj* last; **w ~m roku** last year

zeszyt *m* notebook, exercise book

zetknąć się *perf vr*: *przen*. **~ z kimś <czymś>** encounter sb <sth>

zewnątrz *adv praep* outside; **z ~** from (the) outside; **na ~** outside

zewnętrzn|y *adj* outside, external, exterior; **strona ~a** the outside, the exterior; **warunki ~e** the exterior

zeznać *perf vt vi zob*. **zeznawać**

zeznanie *n* testimony; **~ podatkowe** tax return; **składać ~** testify, give evidence

zeznawać *imperf vt vi* testify, give evidence

zezować *imperf vi* squint

zezwalać, zezwolić *imperf perf vt* allow, permit

zezwolenie *n* permission; (*dokument*) permit, licence, *am*. license

zezwolić *perf vt zob*. **zezwalać**

zgadnąć, zgadywać *perf imperf vt* guess

zgadza|ć się *imperf vr* agree <consent> (**na coś** to sth); (*być zgodnym*) tally (**z czymś** with sth); (*o rachunkach*) square; **~m się z tobą** I agree with you; **~ć się na czyjąś propozycję** accept sb's suggestion; **~ć się ze sobą** (*żyć w zgodzie*) get along fine (with each other)

zgaga *f* heartburn

zginąć *perf vi* (*zostać zabitym*) be killed, die; (*przepaść*) auish, perish; (*zgubić się*) get lost, disappear

zgłaszać, zgłosić *imperf perf vt* notify (**coś komuś** sth to sb), submit (**coś komuś** sth to sb); **~ pretensje do czegoś** lay claim to sth; **~ propozycję** submit a proposal; **~ się** *vr* report, apply, turn up; **~ się u kogoś** call on sb; **~ się do lekarza** come and see a doctor

zgłoszenie *n* application; (*zawiadomienie*) notification

zgniły *adj* rotten

zgo|da *f* consent, agreement; (*harmonia*) harmony, concord; **być w ~dzie z kimś <czymś>** be in agreement with sb <sth>; **wyrazić ~dę na coś** give one's consent <assent> to sth; **za czyjąś ~dą** with sb's consent; **~da!** agreed!

zgodnie *adv* according (**z czymś** to sth), in accordance (**z czymś** with sth); (*bez konfliktów*) in harmony

zgodzić się *perf vr zob*. **zgadzać się**

zgrabny *adj* (*kształtny*) shapely; (*zręczny*) deft, adroit

zgromadzenie *n* gathering, assembly; **walne ~** general meeting; **~ narodowe** national assembly

zgromadzić *perf vt* (*rzeczy*) gather, accumulate; (*ludzi*) assemble, bring together; ~ **się** *vr* gather, assemble

zgub|a *f* (*rzecz*) lost property; (*zagłada*) ruin, undoing; **doprowadzić kogoś do ~y** bring sb to ruin

zgubić *perf vt* lose; ~ **się** *vr* get lost

ziarno *n* grain

ziele *n* herb; ~ **angielskie** pimento, allspice

zieleń *f* (*rośliny*) greenery

zielon|y *adj* green; *pot.* **nie mam ~ego pojęcia** I haven't the foggiest idea

ziemi|a *f* (*kula ziemska*) earth; (*gleba*) soil, ground, earth; (*ląd, kraina*) land; (*podłoga*) floor; **trzęsienie ~** earthquake; **nie z tej ~** out of this world; **upaść na ~ę** fall to the ground <floor>; *pot.* **gryźć ~ę** bite the dust; *przen.* **wrócić na ~ę** come down to earth; **~a ojczysta** homeland; **~a obiecana** the promised land; **Ziemia Święta** the Holy Land

ziemniak *m* potato

ziewać, ziewnąć *imperf perf vi* yawn

zięć *m* son-in-law

zim|a *f* winter; **~ą** in the winter

zimn|o[1] *n* cold; (*opryszczka*) cold sore; **drżeć z ~a** shiver with cold

zimno[2] *adv* cold; **jest ~** it's cold; **jest mi ~** I'm cold

zimn|y *adj* cold; **z ~ą krwią** in cold blood; **zachować ~ą krew** keep one's cool

ziołowy *adj* herbal

zjawić się *perf vr* (*pojawić się*) appear; (*przybyć*) show up, turn up

zjawisko *n* phenomenon

zjazd *m* (*jazda w dół*) downhill ride <drive>; (*zebranie*) convention, meeting; *sport.* run

zjechać, zjeżdżać *perf imperf vi* (*opuszczać się*) go down, descend; (*po zboczu*) go <ride, drive> downhill; (*zboczyć*) turn; (*przybyć*) arrive; ~ **komuś z drogi** make way for sb; ~ **się** *vr* arrive

zjednoczenie *n* unification; (*organizacja*) union

zjednoczony *adj* united; **Organizacja Narodów Zjednoczonych** United Nations Organization

zjeżdżać *imperf vi zob.* **zjechać**

zjeżdżalnia *f* slide

zlecenie *n* order

zlewozmywak, zlew *m* sink

zlot *m* rally

złamać *perf* (*rozłamać*) break; (*przezwyciężyć*) overcome, crush; (*naruszyć*) break, violate; ~ **czyjś opór** overcome one's resistance; ~ **prawo** break <violate> the law; *przen.* ~ **komuś serce** break sb's heart; ~ **się** *vr* break, get broken; (*poddać się*) give in; *zob.* **łamać**

złamanie *n med.* fracture; *pot.* **na ~ karku** at breakneck speed

złapa|ć *perf vt* catch, seize, grasp; **~ć kogoś za rękę** grasp sb by the arm; *pot.* **~ć gumę** get a puncture; **~ć kogoś na kłamstwie** catch sb out in a lie; **~ć kogoś na gorącym uczynku** catch sb redhanded; **~ć taksówkę** hail a cab; **~ł mnie skurcz** I was seized with cramp; **~ć się** *vr* (*schwycić się*) clutch, grasp; **~ć się w pułapkę** be <get> trapped; *przen.* **~ć się na coś** be taken in by sth

zło *n* evil; **naprawić ~** right the wrong

złodziej *m* thief; **~ kieszonkowy** pickpocket

złościć *imperf vt* anger, make angry; **~ się** *vr* be angry (**na kogoś o coś** with sb about sth)

złość *f* anger; **wpaść w ~** lose one's temper

złośliwy *adj* malicious; *med.* **nowotwór ~** malignant tumour

złot|o *n* gold; **kopalnia ~a** goldmine; **nie wszystko ~o, co się świeci** all is not gold that glitters

złotówka *f* one zloty

złot|y[1] *adj* gold, golden; **~y medal** gold medal; **~a rączka** handyman; *przen.* **mieć ~e serce** have a heart of gold

złoty[2] *m* zloty

złożyć *perf vt zob.* **składać**

złudzenie *n* illusion

zły *adj* bad; (*niemoralny*) evil, wicked; (*zagniewany*) angry, cross; **zła wola** ill will; **~ duch** evil spirit; **~ humor** bad temper; **zła godzina** fatal hour; **zła pogoda** bad <nasty> weather; **być ~m na kogoś** be cross with sb; **uwaga, ~ pies** beware of the dog; **nie ma w tym nic złego** there is nothing wrong in that; **mieć komuś coś za złe** bear sb ill will for sth; **nie mam ci tego za złe** I don't blame you for that; **nie chciałem zrobić nic złego** I meant no harm

zmarły *adj* dead, deceased; **~ mąż** the <one's> late husband; *m* the diseased

zmarszczka *f* wrinkle, crease

zmartwienie *n* worry, trouble

zmartwychwstanie *n* the Resurrection

zmęczenie *n* tiredness, fatigue

zmęczony *adj* tired

zmęczyć *perf vt* tire; *przen.* wade through; **~ się** *vr* get tired

zmian|a *f* change; (*czas pracy*) shift; **robić coś na ~ę** take turns in doing sth; **pracować na ~y** do shift work

zmieniać, zmienić *imperf perf vt* change, alter; **~ mieszkanie** move house; **~ zamiar** change one's mind; **~ się** *vr* change, vary; **~ się na lepsze** change for the better; **~ się w**

coś turn into sth; ~ **się z kimś** take turns

zmienny *adj* variable, changeable; *elektr*. **prąd** ~ alternating current

zmierzch *m* dusk, twilight; *przen*. twilight

zmieścić *perf vt* (*zawrzeć*) contain, accomodate, hold; ~ **się** *vr* go <get> (**w czymś** into sth)

zmniejszać, zmniejszyć *imperf perf vt* decrease, diminish, reduce; ~ **szybkość** reduce speed; ~ **się** *vr* decrease, diminish

zmusić, zmuszać *perf imperf vt* force, compel

zmyć *perf vt zob*. **zmywać**

zmysł *m* sense; *pl* **~y** (*popęd płciowy*) sexuality; *pl* **~y** (*rozum*) reason; **być przy zdrowych ~ach** be sane; **odchodzić od ~ów z rozpaczy** be beside o.s. with despair; **utrata ~ów** insanity

zmyślać *imperf vt* invent, make up

zmywać *imperf vt* wash (off), wash away; ~ **naczynia** wash <do> the dishes, wash up

zmywarka *f* dishwasher

znaczek *m* mark; (*pocztowy*) (postage) stamp; (*odznaka*) badge

znaczeni|e *n* (*sens*) meaning, significance; (*ważność*) significance, importance; **to nie ma ~a** it doesn't matter; **mieć duże ~e** be of great importance

znaczy|ć *imperf vt* (*robić znak*) mark; (*wyrażać*) mean; (*mieć znaczenie*) matter; **co to ~?** what does that mean?; **to ~,...** that is, (to say)...

znać *imperf vt* know; ~ **kogoś z nazwiska <z widzenia>** know sb by name <by sight>; **dać komuś** ~ let sb know (**o czymś** of sth); ~ **coś na pamięć** know sth by heart; **tego nie będzie** ~ that won't show; ~ **się** *vr* (*siebie*) know o.s.; (*nawzajem*) know each other; ~ **się na czymś** be experienced with sth, know all about sth; ~ **się na ludziach** know human nature; ~ **się na żartach** know how to take a joke

znajdować się *imperf vr* (*mieścić się*) be located, be situated

znajomoś|ć *f* acquaintance; **zawrzeć z kimś ~ć** make sb's acquaintance; **mieć ~ci** have connections

znajomy *m* acquaintance; *adj* familiar

znak *m* sign, mark; ~ **fabryczny** trade mark; ~ **szczególny** distinguishing mark; **zły** ~ bad omen; ~ **drogowy** traffic sign; ~ **czasów** sign of the times; ~ **zapytania** question mark; ~ **dodawania** plus sign; ~ **zodiaku** sign of the zodiac; **dać komuś** ~ sign to sb; **dawać się we ~i** (*o człowieku*) be a nuisance; **na ~...** as a sign..., in token of...

znaleźć *perf vt* find; **~ się** *vr* (*być*) be, be present, find o.s.; (*o zgubie*) be found; **~ się w trudnej sytuacji** find o.s. in difficulties; **~ się w więzieniu** land in jail
znany *adj* (well-)known, famous, familiar
znawca *m* expert
zniecierpliwienie *n* impatience
znieczulać *imperf vt* anaesthetize, *am*. anesthetize
znieczulenie *n* anaesthetic, *am*. anesthetic
znieczulić *perf vt zob*. **znieczulać**
znieść *perf vt zob*. **znosić**
znieważać, znieważyć *imper perf vt* insult
znikać, zniknąć *imperf perf vi* disappear, vanish
zniszczenie *n* destruction, devastation
zniszczyć *perf vt* destroy, vandalize
zniżać *imperf vt* lower; **~ się** *vr* go down, descend; **~ się do czegoś** stoop to sth
zniżka *f* reduction, discount
znosić *imperf vt* (*na dół*) carry down; (*gromadzić*) gather; (*unieważniać*) cancel out, abolish; (*cierpieć*) bear, endure; *perf* (*odzież, buty*) wear down; **~ jajka** lay eggs; **~ prawo** repeal a law; **nie znoszę go** I can't stand him
znowu *adv* again
znudzony *adj* bored
znużony *adj* weary
zobacz|yć *perf vt* see; **~ę** I'll see; **~yć się** *vr*: **~yć się z kimś** see sb
zobowiązać *perf vt zob*. **zobowiązywać**
zobowiązanie *n* obligation, commitment; **złożyć ~** make a commitment
zobowiązywać *imperf vt* oblige, bind; **~ się** *vr* commit o.s. (**w sprawie...** on sth)
zodiak *m* zodiac; **znaki ~u** signs of the zodiac
zoo *n* zoo
z o.o. *skr.* Ltd.
zorganizować *f* organize, arrange
zostać *perf vi* stay, remain; (*stać się*) become; (*być zostawionym*) be left, remain; **~ na noc** stay overnight; **~ w tyle** fall behind; **~ bez dachu nad głową** be left homeless; **~ przy życiu** stay alive
zostaw|ić *perf vt* leave; **~ić kogoś** (*opuścić*) leave <abandon> sb; **~ mnie w spokoju!** leave me alone!; **~ to mnie** leave that to me
zręczny *adj* deft, skilful, adroit
zrobi|ć *perf vt* make, do, perform; **~ć dobre wrażenie** make a good impression; **~ć komuś miejsce** make room for sb; **~ć komuś dużą przyjemność** give sb great pleasure; **~ć postępy** make progress; **~ć komuś wstyd** bring shame on sb; **~ć**

się *vr* become, grow, get; **~ło mi się niedobrze** I felt sick; **~ło mi się smutno <żal>** I felt sad <sorry>; **~ło się zimno <ciemno>** it grew cold <dark>

zrywać *imperf vt zob.* **zerwać**

zrzec się, zrzekać się *perf imperf vr* renounce <relinquish> (**czegoś** sth)

zrzeszenie *n* association

zsiadać, zsiąść *imperf perf vi* (*z konia*) dismount, get off; **~ się** *vr* (*o mleku*) curdle

zszywacz *m* stapler

zupa *f kulin.* soup

zupełny *adj* complete, absolute

zużycie *n* consumption; (*zniszczenie*) wear

zużyć, zużywać *perf imperf vt* (*zasób czegoś*) use up, spend; (*zniszczyć*) wear out; **~ się** *vr* wear away <off>, get worn out

zużyty *adj* used up

zużywać *imperf vt zob.* **zużyć**

zwalniać *imperf vt zob.* **zwolnić**

zwany *adj*: **tak ~** so-called

zwarcie *n elektr.* short circuit

zwariować *perf vi* get, mad, become insane, *pot.* go mad

zwariowany *adj* mad, crazy; **~ na punkcie czegoś** mad <crazy> about sth

zważyć *perf vt* weigh

związać *perf vt* tied, bind; (*powiązać*) connect, relate; **~ komuś ręce** tie sb's hands; **~ się** *vr*: **~ się z kimś** associate with sb; (*intymnie*) become a couple

związ|ek *m* (*powiązanie*) connection, relation; (*zrzeszenie*) association, union; (*stosunek*) relationship; **w ~ku z czymś** in connection with sth; **~ek zawodowy** trade union; **~ek małżeński** marriage, matrimony

zwichnąć *perf vt med.* dislocate

zwiedzać, zwiedzić *imperf perf vt* visit, tour

zwierzchnik *m* superior

zwierzę *n* animal; **~ domowe** domestic animal; **dzikie ~** wild animal

zwiększać, zwiększyć *imperf perf vt* increase; **~ się** *vr* increase

zwięzły *adj* concise

zwlekać *imperf vi* delay (**z robieniem czegoś** in doing sth)

zwłaszcza *adv* particularly, especially; **~ że...** particularly <especially> as...

zwłok|a *f* delay; **bez ~i** without delay; **grać na ~ę** play for time; **sprawa nie cierpiąca ~i** urgent matter

zwłoki *pl* (dead) body, corpse

zwolennik *m* follower, supporter

zwolnić *perf vt* (*tempo*) slow (down); (*uwolnić*) set free, release; (*pracownika*) dismiss, fire; **~ kroku** slacken one's pace; **~ pokój** vacate a room; **~ kogoś z obowiązku** release

sb from a duty; ~ **się** *vr* (*odejść z pracy*) quit; (*o miejscu*) become vacant
zwolnienie *n* (*lekarskie*) sick leave
zwracać, zwrócić *imperf perf vt* (*oddać*) give back, return; (*pokarm*) bring up; ~ **komuś uwagę** admonish sb; ~ **uwagę na kogoś <coś>** take note of sb <sth>; ~ **czyjąś uwagę** draw sb's attention (**na coś** to sth); ~ **się** *vr* (*odwracać się*) turn (towards); (*o kosztach*) pay off; ~ **się do kogoś o coś** turn to sb for sth
zwrot *m* return; (*obrót*) turn; (*wyrażenie*) phrase, expression; **w tył ~!** about turn!
zwrotka *f* stanza
zwrotnik *m* tropic
zwrócić *perf vt zob.* **zwracać**
zwycięstwo *n* victory
zwycięzca *m* winner
zwyciężać, zwyciężyć *imperf perf vi* win; *vt* overcome
zwyczaj *m* (*obyczaj*) custom; (*nawyk*) habit; **mieć ~ coś robić** be in the habit of doing sth
zwyczajny *adj* common, ordinary, regular
zwykle *adv* usually, generally, as a rule; **jak ~** as usual
zwykły *adj* usual, habitual
zysk *m* gain, profit; **czysty ~** clear profit; **stopa ~u** profit rate
zyskać *perf vi vt* (*mieć zysk*) profit; (*pozyskać coś*) gain, earn, win; ~ **na czasie** gain time; ~ **popularność** gain popularity
zza *praep* (*spoza*) from behind, from beyond; ~ **rogu** from around the corner

Ź

źle *adv* badly, wrongly, poorly; ~ **się czuć** feel unwell; ~ **wyglądać** look bad; **być ~ wychowanym** be ill-mannered; ~ **się zachowywać** misbehave; **to bardzo ~!** (that's) too bad!
źrenica *f anat.* pupil
źródło *n* spring; source; (*przyczyna*) source

Ż

żaba *f zool.* frog
żaden (żadna, żadne) *pron* no; (*zamiast rzeczownika*) none; (*z dwojga*) neither; **w żadnym razie** on no condition
żagiel *m* sail
żaglówka *f* sailing boat, *am.* sailboat

żakiet *m* jacket
żal *m* (*smutek*) sorrow, grief; (*skrucha*) regret; **~ mi go** I feel sorry for him; **mieć ~ do kogoś** bear a grudge against sb; **~ za grzechy** repentance
żaluzja *f* Venetian blind
żałob|a *f* mourning; **nosić ~ę** be in mourning
żałować *imperf vi vt* (*odczuwać żal*) regret (**czegoś** sth), pity (**kogoś** sb), be sorry (**kogoś** for sb); (*skąpić*) grudge (**komuś czegoś** sb sth)
żargon *m* slang, jargon
żarłok *m* glutton
żarówka *f* (light) bulb
żart *m* joke; **~em** in jest; **dla ~u** for laughs <fun>
żartować *imperf vi* joke; (*nabierać kogoś*) kid; **~ z kogoś <czegoś>** make fun of sb <sth>
żądać *imperf vt* demand
żądanie *n* demand, request; **na ~** on demand; **przystanek na ~** request stop, *am.* flag stop
żądza *f* lust; **~ władzy** lust for power
że *conj* that; **myślę, że...** I think that...; **dlatego że** because; **mimo że** although
żebrak *m* beggar
żebro *n anat.* rib
żeby *conj* (*cel*) (in order) to, in order that; (*gdyby*) if; (*oby*) may; (*rozkaz*) see that; **chcę, ~ poszedł** I want him to go; **~ nie ten wypadek** if it weren't for that accident; **przyjdę, chyba ~ padało** I'll come unless it rains; **~ już wreszcie skończył!** may he finally finish!
żeglarstwo *n* sailing, yachting
żeglarz *m* yachtsman
żeglować *imperf vi* sail
żegluga *f* navigation
żegna|ć *imperf vt* say goodbye (**kogoś** to sb); **~j!** farewell!; **~ć się** *vr* say goodbye; (*znakiem krzyża*) cross o.s.; *zob.* **pożegnać**
żelazko *n* iron
żelazn|y *adj* iron; *przen.* **~e nerwy** nerves of steel
żelazo *n* iron
żenić się *imperf vr* get married (**z kimś** to sb); marry sb
żeński *adj* female, girls', women's *attr*
żeton *m* token; (*w kasynie*) chip
żłobek *m* crèche, *am.* day nursery
żmija *f zool.* viper, adder
żniwa *pl* harvest
żołądek *m anat.* stomach
żołądź *m bot.* acorn
żołnierz *m* soldier
żona *f* wife
żonaty *adj* married
żółtaczka *f med.* jaundice
żółtko *n* yolk
żółty *adj* yellow
żółw *m zool.* tortoise, turtle
żreć *imperf vt pot.* eat greedily; gobble
żuć *imperf vt* chew
żuk *m zool.* beetle

żuraw *m zool.* crane
żurek *m kulin.* soup made of fermented rye
żwir *m* gravel
życi|e *n* life; (*utrzymanie*) living; **~e wieczne** eternal life; **zarabiać na ~e** earn one's living; **ubezpieczenie na ~e** life insurance; **tryb ~a** life style; **wprowadzić coś w ~e** put sth into effect; **sprawa ~a i śmierci** matter of life and death
życiorys *m* biography; (*dokument*) curriculum vitae, CV
życzeni|e *n* wish; **na ~e** on request; **na czyjeś ~e** at sb's request; **składać komuś ~a** wish sb (all the best); **~a urodzinowe** birthday wishes <greetings>

NAZWY GEOGRAFICZNE GEOGRAPHICAL NAMES*

Adriatyk, Morze Adriatyckie Adriatic, Adriatic Sea
Afganistan Afghanistan
Afryka Africa
Alabama Alabama
Alaska Alaska
Albania Albania
Alberta Alberta
Algier Algiers
Algieria Algeria
Alpy Alps
Amazonka Amazon
Ameryka America; ~ **Północna <Południowa>** North <South> America
Andora Andorra
Andy Andes
Anglia England
Ankara Ankara
Antarktyda Antarctic; Antarctic Continent
Antyle Antilles
Antypody Antipodes
Apeniny Appenines
Arabia Saudyjska Saudi Arabia
Argentyna Argentina
Arizona Arizona
Arkansas Arkansas
Arktyka Arctic
Armenia Armenia
Ateny Athens
Atlantyk, Ocean Atlantycki Atlantic, Atlantic Ocean
Atlas Atlas Mts
Auckland Auckland
Australia Australia
Austria Austria
Azja Asia
Azerbejdżan Azerbaijan
Azory Azores

Bahamy The Bahamas
Bałkany Balkans; **Półwysep Bałkański** Balkan Peninsula
Bałtyk, Morze Bałtyckie Baltic, Baltic Sea
Bangladesz Bangladesh
Belfast Belfast
Belgia Belgium
Belgrad Belgrade
Berlin Berlin
Bermudy the Bermudas
Berno Bern(e)
Białoruś Byelorussia
Birma Burma
Birmingham Birmingham
Boliwia Bolivia
Bonn Bonn
Boston Boston
Bośnia Bosnia

* *Uwaga: skróty* Ils *i* Mts *odpowiadają wyrazom* Islands *i* Mountains.

Brazylia (*państwo*) Brazil; (*stolica*) Brasilia
Bruksela Brussels
Brytania Britain; **Wielka ~** Great Britain
Buckingham Buckingham
Budapeszt Budapest
Buenos Aires Buenos Aires
Bukareszt Bucharest
Bułgaria Bulgaria

Cambridge Cambridge
Canberra Canberra
Cejlon Ceylon; *zob.* **Sri Lanka**
Chicago Chicago
Chile Chile
Chiny China
Chińska Republika Ludowa Chinese People's Republic
Chorwacja Croatia
Cieśnina Beringa Bering Strait
Cieśnina Kaletańska Strait of Dover
Cieśnina Magellana Strait of Magellan
Connecticut Connecticut
Cypr Cyprus
Czechy Czech Republic

Dakota Południowa South Dakota
Dakota Północna North Dakota
Damaszek Damascus
Dania Denmark
Dardanele Dardanelles
Delaware Delaware
Delhi Delhi
Detroit Detroit
Dover Dover
Dublin Dublin
Dunaj Danube
Dżakarta Djakarta

Edynburg Edinburgh
Egipt Egypt
Ekwador Ecuador
Estonia Estonia
Etiopia Ethiopia
Europa Europe

Filadelfia Philadelphia
Filipiny Philippines, Philippine Ils
Finlandia Finland
Floryda Florida
Francja France

Gdańsk Gdansk
Gdynia Gdynia
Genewa Geneva
Georgia Georgia
Ghana Ghana
Gibraltar Gibraltar
Glasgow Glasgow
Góry Skaliste Rockies, Rocky Mts
Grecja Greece
Greenwich Greenwich
Grenlandia Greenland
Gruzja Georgia
Gwatemala Guatemala
Gwinea Guinea

Haga the Hague
Haiti Haiti
Hawaje, Wyspy Hawajskie Hawaii, Hawaiian Ils

Hawana Havana
Hebrydy Hebrides
Hel Hel Peninsula
Helsinki Helsinki
Himalaje Himalayas
Hiszpania Spain
Holandia Holland, the Netherlands

Idaho Idaho
Illinois Illinois
Indiana Indiana
Indie India
Indonezja Indonesia
Indus Indus
Iowa Iowa
Irak Irak, Iraq
Iran Iran
Irlandia Ireland, (*Republika Irlandzka*) Eire
Islandia Iceland
Izrael Israel

Jamajka Jamaica
Japonia Japan
Jawa Java
Jemen Yemen
Jerozolima Jerusalem
Jordania Jordan
Jugosławia Yugoslavia

Kair Cairo
Kalifornia California
Kambodża Cambodia
Kanada Canada
kanał La Manche English Channel
Kanał Panamski Panama Canal
Kanał Sueski Suez Canal
Kansas Kansas
Karolina Południowa South Carolina
Karolina Północna North Carolina
Karpaty Carpathians, Carpathian Mts
Katowice Katowice
Kaukaz Caucasus
Kenia Kenya
Kentucky Kentucky
Kijów Kiev
Kiszyniów Kishinev
Kolorado Colorado
Kolumbia Columbia; (*państwo*) Colombia
Kolumbii Dystrykt District of Columbia
Kongo Congo
Kopenhaga Copenhagen
Kordyliery Cordilleras
Korea Korea; **Koreańska Republika Ludowo-Demokratyczna** Democratic People's Republic of Korea
Kornwalia Cornwall
Korsyka Corsica
Kostaryka Costa Rica
Kraków Cracow
Kreta Crete
Krym Crimea
Kuba Cuba
Kuwejt Kuwait, Kuweit

Labrador Labrador
La Manche *zob.* **kanał La Manche**
Laos Laos

Liban Lebanon
Liberia Liberia
Libia Lybia, Libia
Liechtenstein Liechtenstein
Litwa Lithuania
Liverpool Liverpool
Lizbona Lisbon
Londyn London
Los Angeles Los Angeles
Luizjana Louisiana
Luksemburg Luxemburg

Łotwa Latvia
Łódź Lodz

Macedonia Macedonia
Madagaskar Madagascar
Madryt Madrid
Maine Maine
Malaje Malaya
Malajski Archipelag Malay Archipelago
Malajski Półwysep Malay Peninsula
Malezja Malaysia
Malta Malta
Manchester Manchester
Manitoba Manitoba
Maroko Morocco
Martynika Martinique
Maryland Maryland
Massachusetts Massachusetts
Meksyk Mexico
Melanezja Melanesia
Melbourne Melbourne
Michigan Michigan
Minnesota Minnesota
Mińsk Minsk
Missisipi Missisipi
Missouri Missouri
Mołdawia Moldavia
Monako Monaco
Mongolia Mongolia
Montana Montana
Montreal Montreal
Morze Arabskie Arabian Sea
Morze Bałtyckie Baltic Sea
Morze Czarne Black Sea
Morze Czerwone Red Sea
Morze Egejskie Aegean Sea
Morze Jońskie Ionian Sea
Morze Karaibskie Caribbean Sea
Morze Kaspijskie Caspian Sea
morze Marmara Marmara, Sea of Marmara
Morze Martwe Dead Sea
Morze Północne North Sea
Morze Śródziemne Mediterranean Sea
Morze Tyrreńskie Tyrrhenian Sea
Morze Żółte Yellow Sea
Moskwa Moscow

Nebraska Nebraska
Nepal Nepal
Nevada Nevada
New Hampshire New Hampshire
New Jersey New Jersey
Niagara, wodospad Niagara Niagara Falls
Niemcy Germany
Niger Niger
Nigeria Nigeria
Nil Nile
Norwegia Norway

Nowa Fundlandia Newfoundland
Nowa Gwinea New Guinea
Nowa Południowa Walia New South Wales
Nowa Szkocja Nova Scotia
Nowa Zelandia New Zealand
Nowe Delhi New Delhi
Nowy Brunszwik New Brunswick
Nowy Jork New York
Nowy Meksyk New Mexico
Nowy Orlean New Orleans
Nysa Nysa

Ocean Atlantycki *zob.* **Atlantyk**
Ocean Indyjski Indian Ocean
Ocean Lodowaty Północny Arctic Ocean
Ocean Spokojny *zob.* **Pacyfik**
Odra Oder
Ohio Ohio
Oklahoma Oklahoma
Oksford, Oxford Oxford
Ontario Ontario
Oregon Oregon
Oslo Oslo
Ottawa Ottawa

Pacyfik, Ocean Spokojny Pacific Ocean
Pakistan Pakistan
Panama Panama
Paragwaj Paraguay
Paryż Paris
Pekin Beijing
Pensylwania Pennsylvania
Peru Peru
Phenian Pyongyang
Pireneje Pyrenees
Polinezja Polynesia
Polska Poland
Portugalia Portugal
Poznań Poznan
Praga Prague

Quebec Quebec
Queensland Queensland

Ren Rhine
Republika Południowej Afryki Republic of South Africa
Rejkiawik Reykjavik
Rhode Island Rhode Island
Rosja Russia
Rumunia R(o)umania
Ryga Riga
Rzym Rome

Sahara Sahara
San Francisco San Francisco
San Marino San Marino
Sardynia Sardinia
Sekwana Seine
Senegal Senegal
Serbia Serbia
Singapur Singapore
Skandynawia Scandinavia
Słowacja Slovakia
Słowenia Slovenia
Sofia Sofia
Somalia Somalia
Sri Lanka Sri Lanka
Stany Zjednoczone Ameryki United States of America
Sudan Sudan
Suez Suez
Sumatra Sumatra

Sycylia Sicily
Sydney Sydney
Syjam *hist.* Thailand; *zob.* **Tajlandia**
Syria Syria
Szczecin Szczecin
Szkocja Scotland
Sztokholm Stockholm
Szwajcaria Switzerland
Szwecja Sweden
Śląsk Silesia

Tajlandia Thailand
Tajwan Taiwan
Tallin Tallinn
Tamiza Thames
Tasmania Tasmania
Tatry Tatra Mts
Teheran Teheran
Teksas Texas
Tennessee Tennessee
Terytoria Północno-Zachodnie North-West Territories
Terytorium Północne Northern Territory
Tirana Tirana
Tokio Tokyo
Toronto Toronto
Tunezja Tunisia
Tunis Tunis
Turcja Turkey
Tybet Tibet

Uganda Uganda
Ukraina Ukraine
Ulster Ulster
Ułan Bator Ulan Bator
Ural Ural
Urugwaj Uruguay
Utah Utah

Vermont Vermont

Walia Wales
Warszawa Warsaw
Waszyngton Washington
Watykan Vatican City
Wellington Wellington
Wenezuela Venezuela
Węgry Hungary
Wiedeń Vienna
Wielka Brytania Great Britain
Wietnam Vietnam
Wiktoria Victoria
Wilno Vilnius
Wirginia Virginia
Wirginia Zachodnia West Virginia
Wisconsin Wisconsin
Wisła Vistula
Włochy Italy
Wołga Volga
Wrocław Wroclaw
Wyoming Wyoming
Wyspy Brytyjskie British Ils
Wyspy Kanaryjskie Canary Ils
Wyspy Normandzkie Channel Ils

Zair Zaire
Zambia Zambia
Zatoka Adeńska Gulf of Aden
Zatoka Baskijska Biscay, Bay of Biscay
Zatoka Botnicka Bothnia, Gulf of Bothnia
Zatoka Gdańska Gulf of Gdansk

Zatoka Gwinejska Gulf of Guinea
Zatoka Meksykańska Gulf of Mexico
Zatoka Perska Persian Gulf
Zatoka Świętego Wawrzyńca Gulf of St Lawrence
Zjednoczone Królestwo Wielkiej Brytanii i Północnej Irlandii United Kingdom of Great Britain and Northern Ireland
Związek Australijski Commonwealth of Australia

PRZEWODNIK KULINARNY	FOOD GUIDE
Przystawki	**Starters, Hors d'oeuvres** [`stɑtərz, ɔ `dɜvr]
awokado	avocado ['ævə`kɑdəʊ]
befsztyk tatarski	Tartar beefsteak [`tɑtə`bifsteɪk]
grzyby	mushrooms [`mʌʃrumz]
jajka	eggs [egz]
karczochy	artichokes [`artɪtʃəʊks]
karp	carp [kɑp]
kawior	caviar(e) [`kævɪɑ]
krewetki	shrimps [ʃrɪmps]
małże	mussels [`mʌslz]
łosoś wędzony	smoked salmon [`sməʊkt `sæmən]
ostrygi	oysters [oɪstəz]
pasztet z zająca	hare pâté [heə pɑ`te]
polędwica	loin [`loɪn]
półmisek szwedzki	dish of cold meats ['dɪʃ əv `kəʊld `mits]
sardele	anchovies [`æntʃəvɪz]
salami	salami [sə`lɑmɪ]
sałatka z kurczakiem	chicken salad [`tʃɪkən sæləd]
sardynki w oliwie	sardines in oil [sɑ`dinz ɪn oɪl]
szynka	ham [hæm]
śledź w oliwie	herring in oil [`herɪŋ ɪn oɪl]
ślimaki	snails [sneɪlz]
tuńczyk	tuna fish [`tunə fɪʃ]

Zupy	**Soups** [sups]
barszcz czerwony	beetroo soup [`bitrut sup]
bulion	bouillon [`bujõŋ]
cebulowa	onion soup [`ʌnjən sup]
chłodnik	vegetable or fruit soup served cold
grzybowa	mushroom soup [`mʌʃrum sup]
jarzynowa	vegetable soup [`vedʒtəbəl sup]
kapuśniak	cabbage soup [`kæbɪdʒ sup]
krupnik	barley soup [`bɑrlɪ sup]
ogórkowa	cucumber soup [`kjukʌmbə(r) sup]
owocowa	fruit soup [`frut sup]
pomidorowa	tomato soup [tə`mɑtəʊ sup]
rosół z kury	chicken soup [`tʃɪkən sup]
Ryby i owoce morza	**Fish and Seafood** [`fɪʃ ənd `si-fud]
dorsz	cod [`kod]
homar	lobster [`lobstə(r)]
jesiotr	sturgeon [`stɜdʒən]
karp	carp [kɑp]
krab	crab [kræb]
makrela	mackerel [`mækrəl]
okoń	perch [pɜtʃ]
płastuga	plaice [pleɪs]
pstrąg	trout [trɑʊt]
sola	sole [səʊl]
szczupak	pike [pɑɪk]
węgorz	eel [il]
Mięso i drób	**Meats and Poultry** [`mits ənd `pəʊltrɪ]
baranina	lamb [læm]
bażant	pheasant [`feznt]

boczek	bacon [`beɪkən]
bryzol	veal chop ['vil`tʃop]
cielęcina	veal [vil]
dziczyzna	game, venison [geɪm, `venɪzən]
dzik	wild bore [waɪld bɔ(r)]
gęś pieczona	baked goose [beɪkt gus]
indyk	turkey [`tɜkɪ]
kaczka	duck [dʌk]
klopsy	meatballs [`mitbɔlz]
kotlet schabowy	pork chop ['pɔk`tʃop]
kotlet z baraniny	mutton chop ['mʌtn`tʃop]
królik	rabbit [`ræbɪt]
kurczak	chicken [`tʃɪkən]
kuropatwa	partridge [`pɑtrɪdʒ]
polędwica	loin [`loɪn]
potrawka z zająca	jugged hare [`dʒʌgd `heə]
stek	steak [steɪk]
wątróbka	liver [`lɪvə(r)]
wieprzowina	pork [pɔk]
wołowina	beef [bif]
zając	hare [heə]

Sposób przygotowania	**Ways of Preparing** [weɪz əv prɪ`peərɪŋ]
dobrze wypieczony	well-done ['wel`dʌn]
duszony	stewed, braised [stud, breɪzd]
gotowany	boiled [`boɪld]
lekko wypieczony	medium [`midɪəm]
mało wypieczony	rare, underdone [reə, ʌn-də(r)-`dʌn]
marynowany	pickled [`pɪkld]
nadziewany	stuffed [`stʌft]
pieczony (*np. mięso*)	roasted [`rəʊstɪd]
pieczony na ruszcie	grilled [grɪld]
sauté	sauteed [`səʊteɪd]
siekany	chopped [tʃɔpt]
smażony	fried [fraɪd]

suszony	dried [draɪd]
wędzony	smoked [`sməʊkt]

Warzywa	**Vegetables** [`vedʒtəbəlz]
brukselka	Brussels sprouts [`brʌsəlz `sprɑʊts]
burak	beetroot [`bitrut]
cebula	onion [`ʌnjən]
cykoria	chicory [`tʃɪkərɪ]
czosnek	garlic [`gɑ(r)lɪk]
fasola	beans [`binz]
fasola szparagowa	string beans ['strɪŋ`binz]
groch	peas [piz]
groszek zielony	green peas ['grin`piz]
grzyby	mushrooms [`mʌʃrumz]
kalafior	cauliflower [`kolɪflɑʊə(r)]
kapusta	cabbage [`kæbɪdʒ]
karczoch	artichoke [`ɑtɪtʃəʊk]
kukurydza	corn [kɔn]
marchew	carrot [`kærət]
ogórek	cucumber [`kjukʌmbə(r)]
oliwki	olives [`olɪvz]
papryka	pepper [`pepə(r)]
pomidor	tomato [tə`mɑtəʊ]
por	leek [lik]
sałata	lettuce [`letɪs]
seler	celery [`selərɪ]
soczewica	lentills [`lentls]
szparagi	asparagus [ə`spærəgəs]
szpinak	spinach [`spɪnɪdʒ]
trufle	truffles [`trʌfəlz]
ziemniaki	potatoes [pə`teɪtəʊz]

Potrawy różne, przyprawy i napoje	**Other dishes, condiments and beverages** [ʌðə(r) `dɪʃəz `kondɪmənts ənd `bevrɪdʒɪz]
aperitif	aperitif [ə'perɪ`tif]
bigos	hot sauerkraut with meats and spices
cytryna	lemon [`lemən]
frytki	chips, French fries [tʃɪps, 'frentʃ `frɑɪz]
gołąbki	minced meat in cabbage leaves
kakao	cocoa [`kəʊkəʊ]
kanapka	sandwich [`sænwɪdʒ]
kasza gryczana	buckwheat groats [`bʌkwit grəʊts]
kluski	noodles [`nudlz]
knedle ze śliwkami	plums in dough [`plʌmz ɪn `dəʊ]
koniak	cognac [`konjæk]
likier	liqueur [lɪ`kjʊə(r)]
makaron	pasta [pæstə]
mleko	milk [mɪlk]
musztarda	mustard [`mʌstəd]
naleśniki	pancakes [`pæŋkeɪks]
ocet	vinegar [`vɪnɪgə(r)]
oliwa	olive oil ['olɪv `oɪl]
omlet	omelette [`omlɪt]
pieprz czarny <biały>	pepper black <white> [`pepə(r) blæk <wɑɪt>]
pierogi	boiled dough pockets filled with meat or cheese
piwo	beer [bɪə(r)]
płatki zbożowe	cereals [`sɪərɪəlz]
ryż	rice [rɑɪs]
sok	juice [dʒus]
sos do mięs	sauce [sɔs]
sos do sałaty	dressing [`dresɪŋ]
sos mięsny	gravy [`greɪvɪ]
sól	salt [sɔlt]

szampan	champagne [ʃæm`peɪn]
whisky	whisky [`wɪskɪ]
wino	wine [wɑɪn]
woda mineralna	mineral water ['mɪnərəl `wotə(r)]
wódka	vodka [`vodkə]

Desery	**Desserts** [dɪ`zɜ(r)ts]
budyń	pudding [`pʊdɪŋ]
ciastko	cake, cookie [keɪk, `kʊkɪ]
cukierki	candies, sweets [`kændɪs, swits]
czekolada	chocolate bar [`tʃoklɪt bɑ(r)]
galaretka	jelly [`dʒelɪ]
herbata	tea [ti]
herbatniki	biscuits [`bɪskɪts]
kawa	coffee [`kofɪ]
kompot	stewed fruit
krem	whipped cream [wɪpt krim]
lody	ice-cream ['ɑɪs `krim]
placek	pie [pɑɪ]

Owoce	**Fruit** [frut]
ananas	pineapple [`pɑɪnæpəl]
arbuz	watermelon [`wɔtəmelən]
banan	banana [bə`nɑnə]
brzoskwinia	peach [pitʃ]
cytryna	lemon [`lemən]
czarna borówka	blueberry [`blubərɪ]
czarna porzeczka	blackcurrant [blæk`kʌrənt]
czerwona porzeczka	redcurrant [redkʌrənt]
daktyl	date [deɪt]
figa	fig [fig]
grejpfrut	grapefruit [`greɪpfrut]
gruszka	pear [peə(r)]
jabłko	apple [`æpəl]
jagoda	bilberry [`bɪlbərɪ]

kasztan	chestnut [`tʃesnʌt]
kokos	coconut [`kəʊkənʌt]
malina	raspberry [`ræspbərɪ]
mandarynka	tangerine ['tændʒə`rin]
migdały	almonds [`ɑməndz]
morela	apricot [`eɪprɪkot]
orzech	nut [nʌt]
orzech laskowy	hazelnut [`heɪzəlnʌt]
orzech włoski	walnut [`wɔlnʌt]
pomarańcza	orange [`orɪndʒ]
rodzynki	raisins [`reɪzɪnz]
śliwka	plum [plʌm]
śliwka suszona	prune [prun]
truskawka	strawberry [`strɔbərɪ]
winogrona	grapes [greɪps]
wiśnia	cherry [`tʃerɪ]
żurawina	cranberry [`krænbərɪ]

Część druga

Idiomy

Spis treści

Idiomy angielskie

Wstęp

Idiomy angielskie to zbiór najczęściej używanych idiomów, wyrażeń i zwrotów, a także powiedzeń i przysłów oraz phrasal verbs. Angielskie hasła główne zapisano wersalikami, pismem półgrubym w porządku alfabetycznym. Ponieważ idiomy, wyrażenia i zwroty składają się zazwyczaj z kilku wyrazów, zastosowano zasadę, według której hasłem kluczowym jest:

- pierwszy, pełniący funkcję podmiotu **rzeczownik**
- w przypadku braku rzeczownika – pierwszy **czasownik**
- w przypadku braku czasownika – inne **słowo kluczowe**.

Wyrażenia znajdujące się pod hasłem głównym uszeregowano według częstotliwości użycia danego zwrotu w języku angielskim.

Zamieszczony zbiór idiomów i zwrotów uzupełniają dwa indeksy – angielski i polski.

Kwalifikatory i znaki umowne

am.	amerykańska odmiana j. ang.
bryt.	brytyjska odmiana j. ang.
dosł.	dosłowny
ekon.	ekonomiczny
gr.	grecki
iron.	ironiczny
lit.	literacki
łac.	łaciński
med.	medyczny
mot.	motoryzacja
p.	patrz
pot.	potoczny
prawn.	prawniczy
przen.	przenośnie
przysł.	przysłowie
sb	ktoś
skr.	skrót
slang.	slangowy
sth	coś
wulg.	wulgarny

/ Kreska ukośna oddziela wyrazy używane wymiennie.

() W nawiasach okrągłych podano wyrazy lub wyrażenia, które można opuścić, a kursywą objaśnienia dotyczące haseł.

A

ABACK

- be taken **aback** – być bardzo zaskoczonym

ABIDE

- **abide** by sth – dotrzymywać czegoś; obstawać przy czymś

ABILITY

- to the best of one's **ability** – najlepiej jak się potrafi

ABODE

- of no fixed **abode** *prawn.* – bez stałego miejsca zamieszkania

ABOVE

- **above** all – nade wszystko, przede wszystkim
- mentioned **above** – wyżej wspomniany

ABSENCE

- she was conspicuous by her **absence** – jej nieobecność rzucała się w oczy *przen.*

ACCENT

- broad **accent** – wyraźny akcent (*np. szkocki*)

ACCESS

- easy of **access** – łatwo dostępny
- give **access** to – prowadzić do
- have **access** to – mieć dostęp do; mieć możliwość kontaktów z

ACCESSORY

- **accessory** to – współsprawca

ACCIDENT

- by **accident** – przypadkowo, przypadkiem
- meet with an **accident** – ulec wypadkowi, mieć wypadek

ACCORD

- be in **accord** – być w zgodzie
- of one's own **accord** – dobrowolnie, z własnej woli
- with one **accord** – zgodnie

ACCORDANCE

- in **accordance** with – zgodnie z

ACCORDING

- **according** to – według; zgodnie z

ACCOUNT

- **account** for – wyjaśniać; stanowić
- bring/call into **account** – pociągać do odpowiedzialności
- buy on **account** – kupować na kredyt
- by his own **account** – według jego własnych słów
- by no **account** – w żadnym wypadku, pod żadnym pozorem
- call sb to **account** for sth –

pociągać kogoś do odpowiedzialności za coś; żądać od kogoś wyjaśnień w sprawie czegoś
- keep an **account** – prowadzić rejestr
- of no **account** – bez znaczenia
- on **account** of – z uwagi na
- on no **account** – pod żadnym pozorem
- on one's own **account** – z własnej inicjatywy; na własną rękę *przen.*; na własny rachunek
- on this/that **account** – z tego względu
- settle/square **accounts**/an **account** – rozliczać się; wyrównywać rachunki *przen.*
- take **account** of – brać pod uwagę
- take sb/sth into **account** – brać kogoś/coś pod uwagę
- by/from all **accounts** – podobno, jak mawiają

ACCUSTOMED
- be **accustomed** to – być przyzwyczajonym do
- become/get **accustomed** to – przyzwyczajać się do

ACE
- have an **ace** up one's sleeve – mieć asa w rękawie *przen.*, mieć coś w zanadrzu *przen.*

ACHING
- be **aching** for sth – marzyć o czymś, tęsknić do czegoś

ACQUAINTANCE
- make sb's **acquaintance** – zawierać z kimś znajomość
- on further/closer **acquaintance** – przy bliższym poznaniu
- passing **acquaintance** – pobieżna znajomość

ACQUAINTED
- get/become **acquainted** with – poznawać, zaznajamiać się z

ACQUIT
- **acquit** oneself well – dobrze się spisywać

ACROSS
- **across** from – naprzeciwko
- **across** the street – po drugiej stronie ulicy

ACT
- **act** up to sth – postępować zgodnie z czymś
- in the (very) **act** – na gorącym uczynku

ACTION
- bring a legal **action** against sb – wnosić sprawę przeciwko komuś
- killed in **action** – polegly na polu chwały *przen.*
- put in **action** – wprawiać w ruch
- put/bring/call into **action** – wprowadzać w życie *przen.*
- take **action** – czynić kroki

ACTUALLY
- **actually** – faktycznie, w rzeczywistości

AD
- wanted **ads** *am.* – ogłoszenia drobne

ADDICT
- drug **addict** – narkoman

ADDITION

▪ in **addition** – w dodatku, na dodatek

▪ in **addition** to – poza, oprócz

ADDRESS

▪ have an **address** – wygłaszać przemówienie

▪ of no fixed **address** – bez stałego adresu

ADMISSION

▪ free **admission** – wstęp wolny

ADMITTANCE

▪ no **admittance** – wstęp wzbroniony

ADO

▪ much **ado** about nothing – wiele hałasu o nic

▪ without further **ado** – bez zbędnych ceremonii, bez dalszych wstępów

ADVANCE

▪ in **advance** – przed czasem; z góry

▪ make **advances** – zalecać się

ADVANTAGE

▪ take **advantage** of – korzystać; wykorzystywać

▪ to sb's **advantage** – z korzyścią dla kogoś, korzystnie dla kogoś

▪ to the best **advantage** – jak najkorzystniej

ADVERTISE

▪ **advertise** for – poszukiwać (poprzez ogłoszenia)

ADVICE

▪ follow (out) **advice** – postępować zgodnie z radą

▪ seek **advice** – szukać porady

▪ take (legal) **advice** – zasięgać porady (prawniczej)

AFAR

▪ from **afar** – z daleka

AFFAIR

▪ (love) **affair** – romans

AFFECTION

▪ play fast and loose with sb's **affections** – igrać z czyimiś uczuciami

AFFORD

▪ I can/can't **afford** it – stać/nie stać mnie na to

AFOOT

▪ there is sth **afoot** – zanosi się na coś, coś się święci

AFRAID

▪ I'm **afraid** (not/so) – obawiam się (że nie/tak)

AFTER

▪ **after** all – w końcu; a jednak; mimo to

▪ **after** you! – pan pierwszy/pani pierwsza!, proszę przodem!

AFTERMATH

▪ in the **aftermath** of – w następstwie (*czegoś*)

AFTERNOON

▪ good **afternoon**! – dzień dobry! (*używa się po południu*)

AGAIN

▪ **again** and **again** – stale, wciąż

AGAINST

▪ as **against** – w porównaniu z

▪ chances/odds **against** sth – prawdopodobieństwo, że coś się nie zdarzy

Idiomy

AGE
- come of **age** – osiągać pełnoletność
- under **age** – niepełnoletni
- for **ages** *pot.* – wieki *pot.*, kopę lat

AGENCY
- through/by the **agency** of – za pośrednictwem

AGONY
- be in **agony** *przen.* – przeżywać tortury *przen.*

AGREE
- **agree** on – uzgadniać
- they **agreed** to differ – każdy pozostał przy swoim zdaniu
- **agree** that – przyznawać, że
- **agree** with – zgadzać się z; służyć; pokrywać się z

AGREEMENT
- by mutual **agreement** – za obopólną zgodą

AID
- **aid** and abet *prawn.* – być współsprawcą *prawn.*
- come to **aid** – przychodzić z pomocą
- first **aid** – pierwsza pomoc
- go to **aid** – iść z pomocą
- in **aid** of sb/sth – na rzecz kogoś/czegoś
- with/by the **aid** of – przy pomocy; za pomocą

AIM
- **aim** to do sth – zamierzać coś zrobić
- take **aim** – mierzyć, celować

AIMED
- be **aimed** at – mieć na celu

AIN'T
- **ain't** *pot.* = **am not**, **is not**, **are not**, **have not**, **has not** – nie jestem, nie jesteś itd.; nie mam, nie masz itd.

AIR
- be on the **air** – nadawać, być na antenie
- out of thin **air** *pot.* – ni stąd ni zowąd; z niczego
- vanish into thin **air** – znikać bez śladu
- walk on **air** – być w siódmym niebie *przen.*, być wniebowziętym *przen.*
- put on **airs** – wywyższać się

AISLE
- roll in the **aisles** *pot.* – tarzać się ze śmiechu *przen.* (*o publiczności*)

ALARM
- false **alarm** – fałszywy alarm

ALECK
- smart **alec(k)** *slang.* – mądrala

ALERT
- be on the **alert** – być w gotowości

ALIBI
- cast-iron **alibi** – żelazne alibi

ALL
- **all** alone – sam (*jeden*); samodzielnie
- **all** along – przez cały czas, od samego początku
- **all** dressed up – wystrojony
- **all** in **all** – ogólnie biorąc
- **all** over – dookoła

▪ **all** over again – od nowa, znów
▪ **all** right – zgoda; w porządku; na pewno
▪ **all** the better/worse – tym lepiej/gorzej, tym lepszy/gorszy
▪ **all** the same – wszystko jedno; mimo wszystko
▪ **all's** well that ends well – wszystko dobre, co się dobrze kończy
▪ **all** told – ogólnie biorąc; łącznie
▪ at **all** – wcale, w ogóle
▪ for **all** I can tell – o ile wiem
▪ it's **all** over – wszystko skończone
▪ most of **all** – najwięcej; przede wszystkim
▪ not at **all** – nie ma za co; wcale nie

ALLEY
▪ blind **alley** *przen.* – ślepy zaułek
▪ bowling **alley** – kręgielnia

ALLOWANCE
▪ make **allowances** for – uwzględniać

ALLOWED
▪ I'm not **allowed** to smoke – nie wolno mi palić

ALONG
▪ **along** with – razem z

ALTOGETHER
▪ not **altogether** – nie całkiem, nie do końca

A.M.
▪ **a.m.** (*skr. łac.* **ante meridiem**) – przed południem

AMBUSH
▪ in **ambush** – na czatach

AMENDS
▪ make **amends** – wyrównywać straty, pokrywać straty

AMISS
▪ take sth **amiss** – poczuć się czymś urażonym
▪ there is sth **amiss** – coś jest nie tak *pot.*

AMOK
▪ run **amok** – wpaść w szał *przen.*

ANGER
▪ boil with **anger** – kipieć ze złości *przen.*

ANIMAL
▪ draught **animal** – zwierzę pociągowe

ANSWER
▪ **answer** for – odpowiadać za; ręczyć za
▪ **answer** back – odpowiadać niegrzecznie, odcinać się

APART
▪ **apart** from – poza, z wyjątkiem

APPEARANCE
▪ at first **appearance** – na pierwszy rzut oka
▪ have the **appearance**/all the **appearances** – mieć wszelkie znamiona
▪ in order of **appearance** – w kolejności pojawiania się
▪ make one's **appearance** – ukazywać się, pojawiać się
▪ put in/make an **appearance** – pojawiać się, pokazywać się (*np. w towarzystwie*)

Idiomy

- against all **appearances** – wbrew pozorom
- contrary to all **appearances** – wbrew pozorom
- for the sake of **appearances** – w celu zachowania pozorów
- judge by **appearances** – sądzić z pozorów
- keep up **appearances** – zachowywać pozory
- to/by all **appearances** – według wszelkich pozorów

APPLE
- be the **apple** of one's eye – być czyimś oczkiem w głowie *przen.*

APPLY
- **apply** for – ubiegać się o
- **apply** to – stosować się do, dotyczyć
- **apply** oneself to – przykładać się do

APPOINTMENT
- keep an **appointment** – stawiać się na spotkanie
- make/fix an **appointment** – umawiać się na spotkanie
- visits by **appointment** – umówione wizyty (*np. u lekarza*)

APPROACH
- **approach** sb about sth – zwracać się do kogoś o coś
- easy/difficult to **approach** – przystępny/nieprzystępny (*o człowieku*)

APPROVAL
- meet with sb's **approval** – spotykać się z czyjąś aprobatą
- on **approval** – na próbę

APRIL
- **April** Fool's Day – prima aprilis

APT
- he's **apt** to forget – on często zapomina, on lubi zapominać *pot.*

ARGUMENT
- heated **argument** – ożywiona dyskusja

ARM
- **arm** in **arm** – pod rękę
- (coat of) **arms** – herb
- take up **arms** – chwytać za broń *przen.*
- under **arms** – pod bronią *przen.*

ARMOUR, ARMOR *am.*
- **armo(u)r**-plated car – opancerzony samochód

AROUND
- I've been **around** *pot.* – bywałem tu i ówdzie, niejedno widziałem

ARREST
- under **arrest** – aresztowany

ARTS
- fine **arts** – sztuki piękne

AS
- **as** for/to – co do, co się tyczy
- **as** I see/understand it – według mnie
- **as** many **as** three – aż trzy
- **as** if /though – jakby, jak gdyby
- **as** it is – faktycznie
- **as** of/from – (począwszy) od
- **as** you go along *pot.* – na poczekaniu

▪ **as** you like – jak chcesz
▪ **as** you wish – jak sobie życzysz

ASIDE
▪ **aside** from *am.* – poza, z wyjątkiem

ASK
▪ **ask** after sb – pytać o kogoś, pytać co u kogoś słychać
▪ **ask** for sb – chcieć z kimś rozmawiać
▪ he **asked** for it! – sam się o to prosił!
▪ **ask** sb in/out – prosić kogoś, żeby wszedł/wyszedł
▪ **ask** sb up – prosić kogoś, żeby wszedł na górę

ASS
▪ make an **ass** of oneself *pot.* – robić z siebie durnia
▪ smart **ass** *pot.* – mądrala

ASSAULT
▪ **assault** and battery *prawn.* – czynna napaść *prawn.*

ASSENT
▪ with one **assent** – jednomyślnie, jednogłośnie

ASSOCIATION
▪ in **association** with – we współpracy z

ASSUMPTION
▪ on the **assumption** that – zakładając, że

ASSURE
▪ I can **assure** you – zapewniam cię

ASTONISHMENT
▪ in **astonishment** – zdziwiony
▪ to his **astonishment** – ku jego/swojemu zdziwieniu

ASTRAY
▪ go **astray** – ginąć, gubić się

ATTEMPT
▪ **attempt** on sb's life – zamach na czyjeś życie

ATTENDANCE
▪ dance **attendance** on sb – skakać koło kogoś *przen.*, nadskakiwać komuś

ATTENTION
▪ arrest sb's **attention** – przykuwać czyjąś uwagę
▪ **Attention**! – Baczność!; Uwaga!
▪ attract/catch **attention** – przyciągać uwagę, interesować
▪ draw **attention** – zwracać uwagę, wskazywać
▪ fasten one's **attention** on sth – skupiać uwagę na czymś
▪ for the **attention** of – do wiadomości
▪ I'm all **attention** – zamieniam się w słuch *przen.*
▪ pay **attention** – zwracać uwagę, uważać; interesować się
▪ pay no **attention** – nie zwracać uwagi
▪ stand to/at **attention** – stawać na baczność

AU PAIR
▪ **au pair** (girl) – młoda cudzoziemka, która mieszka u obcej rodziny, uczy się języka i opiekuje się dziećmi w zamian za utrzymanie i kieszonkowe

AUSPICES
- under the **auspices** – pod patronatem

AUTHORITY
- be in **authority** – mieć władzę; kierować
- have the **authority** to do sth – być władnym coś zrobić, być upoważnionym do zrobienia czegoś

AVAIL
- of no **avail** – daremny
- to no **avail** – daremnie

AVERAGE
- above/below (the) **average** – powyżej/poniżej średniej
- **average** out – wynosić średnio
- on (an) **average** – średnio, przeciętnie

AWAKE
- wide **awake** – całkowicie przytomny; rozgarnięty
- be **awake** to sth – być świadomym czegoś, zdawać sobie z czegoś sprawę

AWE
- stand in **awe** of sb – czuć respekt przed kimś

AWFULLY
- I'm **awfully** sorry – ogromnie mi przykro

AWHILE
- for **awhile** – przez chwilę

AXE
- have an **axe**, **ax** *am.* to grind – chcieć upiec własną pieczeń (przy czyimś ogniu) *przen.*

B

B
- **b** and **b** (*bryt. skr.* **bed and breakfast**) – nocleg ze śniadaniem, pensjonat

B.A.
- **B.A.** (*skr.* **Bachelor of Arts**) – licencjat nauk humanistycznych (także bakałarz)

BABE, BABY
- **babe, baby** *am. pot.* – kochanie, skarbie
- be left holding the **baby** *pot.* – zostać wrobionym w coś *pot.*
- change a **baby** – przewijać dziecko
- deliver a **baby** – odbierać poród
- have a **baby** – rodzić dziecko
- throw the **baby** out with the bathwater *przen.* – wylać dziecko z kąpielą *przen.*

BACHELOR
- **Bachelor** of Arts/Science – licencjat nauk humanistycznych/ścisłych (także bakałarz)
- confirmed **bachelor** – zatwardziały kawaler *przen.*

BACK
- **back** and forth *am.* – tam i z powrotem
- **back** to **back** – plecami do siebie; jeden po drugim, kolejny

- **back** to front – tyłem naprzód; (*znać*) na wylot
- be at the **back** of sth *przen.* – pociągać za sznurki *przen.*
- behind sb's **back** – poza plecami
- get off my **back** *pot.* – daj mi spokój, odczep się ode mnie *pot.*
- have one's **back** to the wall – być przypartym do muru *przen.*
- put one's **back** into sth – ciężko fizycznie przy czymś pracować
- the **back** of beyond – dziura *pot.*, koniec świata *pot.*
- turn one's **back** on – ignorować, nie zwracać uwagi na
- you scratch my **back** and I'll scratch yours *przysł.* – przysługa za przysługę
- **back** away – cofać się, wycofywać się
- **back** down – wycofywać się
- **back** out (of) – wycofywać się (z)
- **back** up – popierać; cofać się; *komp.* robić zapasową kopię
- live off the **backs** of sb *pot.* – wykorzystywać kogoś

BACKBONE

- have the **backbone** to do sth – mieć odwagę coś zrobić
- to the **backbone** – gruntownie, od podszewki *przen.*; do szpiku kości *przen.*

BACKGROUND

- against a **background** – na tle
- be/keep in the **background** – pozostawać w cieniu

BACKWARD(S)

- **backward(s)** and forward(s) – tam i z powrotem

BACON

- **bacon** and eggs – jajka na boczku
- save one's **bacon** *bryt. pot.* – ocalić skórę

BAD

- go **bad** – psuć się (*o jedzeniu*)
- go from **bad** to worse – pogarszać się
- not **bad**! *pot.* – nieźle!
- (it's/that's) too **bad**! *pot.* – (jaka) szkoda!; trudno!
- you have to take the **bad** with the good – trzeba pogodzić się z tym, że nie zawsze wszystko idzie dobrze

BAG

- **bag** of bones *pot.* – skóra i kości *pot.*
- in the **bag** – (*mieć coś*) w kieszeni *przen.*
- **bags** of *bryt. pot.* – masa *pot.*, mnóstwo
- pack one's **bags** – pakować manatki

BAIL

- go **bail** for sb – składać kaucję za kogoś; ręczyć za kogoś
- **bail** sb out – wybawiać kogoś z kłopotu
- go/stand/post **bail** – składać kaucję

BAIT

- raise to/take the **bait** – łapać się na przynętę *przen.*, łapać się na haczyk *przen.*

Idiomy

BALANCE
▪ **balance** out – równoważyć się
▪ be/lie/hang in the **balance** – ważyć się, być niepewnym
▪ be off **balance** – nie zachowywać równowagi
▪ on **balance** – po namyśle
▪ strike a **balance** – zachowywać proporcje
▪ the **balance** swings/tips in sb's favo(u)r – szala przechyla się na czyjąś stronę
▪ throw sb off **balance** – wytrącać kogoś z równowagi

BALL
▪ be behind the eighth **ball** *pot.* – być w opałach
▪ carry the **ball** – być przy piłce *pot.*; kierować, dopilnowywać spraw
▪ be on the **ball** – być zorientowanym
▪ play **ball** *pot.* – stosować się do czyichś życzeń
▪ the **ball** is in his court – decyzja zależy od niego
▪ start/set the **ball** rolling *przen.* – puszczać w ruch mechanizm *przen.*; dawać początek rozmowie, rozwiązywać języki *przen.*

BANANAS
▪ go **bananas** *pot.* – zwariować *pot.*, oszaleć *pot.*

BAND
▪ brass **band** – orkiestra dęta

BANE
▪ it's the **bane** of my life – to przekleństwo mojego życia

BANG
▪ **bang! bang!** – pif-paf!
▪ **bang** about/around – tłuc się *pot.*, hałasować

BANK
▪ **bank** on – liczyć na, stawiać na
▪ break the **bank** – rozbijać bank *pot.*
▪ that won't break the **bank** *pot.* – nie jest to zawrotna suma

BANKRUPT
▪ go **bankrupt** – bankrutować

BAR
▪ **bar** none – bez wyjątku

BAREBACK
▪ ride a **bareback** – jechać na oklep

BARGAIN
▪ **bargain** for – spodziewać się, oczekiwać
▪ drive a hard **bargain** – zawzięcie się targować
▪ get the best of the bad **bargain** – nadrabiać miną; godzić się z losem
▪ into the **bargain** – na dodatek, w dodatku
▪ strike/make a **bargain** – dobijać targu

BARGE
▪ **barge** in/into – wtrącać się do

BARS
▪ behind **bars** *pot.* – za kratkami, w więzieniu

BASH
▪ have a **bash** at sth *pot.* – próbować coś zrobić

BASIS
- on a daily **basis** – codziennie
- on a first name **basis** – po imieniu, na ty
- on an equal **basis** – na równych prawach
- on a regular **basis** – regularnie, stale
- on the **basis** – na podstawie

BAT
- as blind as a **bat** – całkiem ślepy
- do sth off one's own **bat** – robić coś z własnej inicjatywy
- right off the **bat** *pot.* – z miejsca *pot.*, od razu

BATH
- have a **bath** – kąpać się, brać kąpiel
- run a **bath** – napuszczać wodę do wanny, przygotowywać kąpiel

BATTLE
- fight a losing **battle** – toczyć beznadziejną walkę

BAY
- be at **bay** – być w sytuacji bez wyjścia
- keep/hold sb at **bay** – trzymać kogoś na dystans

BE
- as happy/calm as can/could **be** – w miarę szczęśliwy/spokojny
- **be** about to do sth – właśnie mieć coś zrobić
- **be** accustomed to sb/sth – być przyzwyczajonym do kogoś/czegoś
- **be**-all and end-all – początek i koniec wszystkiego, cały sens
- **be** alarmed – być zatrwożonym
- **be** alive to sth – być świadomym czegoś
- **be** anxious about sb/sth – niepokoić się o kogoś/coś
- **be** anxious to do sth – pragnąć coś zrobić
- **be** around – być, być obecnym
- **be** awake – nie spać, czuwać
- **be** awake to sth – zdawać sobie sprawę z czegoś, być świadomym czegoś
- **be** aware of sth – zdawać sobie z czegoś sprawę; wiedzieć o czymś
- **be** behind – zostawać w tyle
- **be** bad for sb – szkodzić komuś
- **be** badly off – mieć mało pieniędzy
- **be** beside oneself with – nie posiadać się z (*np. radości*)
- **be** besotted with sb/sth – być zaślepionym kimś/czymś
- **be** better – wyzdrowieć
- **be** bound by – podlegać
- **be** brief – mówić krótko, streszczać się
- **be** broke *pot.* – być spłukanym *pot.*
- **be** buggered *bryt.* – być wykończonym *pot.*
- **be** burned alive – spalić się żywcem
- **be** burning to do sth – palić się, żeby coś zrobić *pot.*

Idiomy

- **be** bursting to do sth *pot.* – palić się do czegoś *pot.*
- **be** camera-shy – nie lubić się fotografować
- **be** carried away – nie panować nad sobą
- **be** caught napping *pot.* – zostać przyłapanym
- **be** concerned – interesować się, zajmować się
- **be** concerned with – dotyczyć, odnosić się do
- **be** cross with sb *pot.* – gniewać się na kogoś
- **be** cut out for sth – być do czegoś stworzonym *przen.*
- **be** cut out to do sth – być stworzonym do tego, by coś robić *przen.*
- **be** deaf to – być głuchym na, być nieczułym na *przen.*
- **be** delighted – zachwycać się, być zachwyconym
- **be** desperate for sth – bardzo czegoś chcieć, bardzo czegoś potrzebować
- **be** done (with) *pot.* – skończyć (z) *pot.*
- **be** down for sth – być zapisanym na coś *pot.*, być na jakiejś liście
- **be** down with – chorować na
- **be** driving at sth *pot.* – zmierzać do czegoś, pić do czegoś *pot.*
- **be** due to do sth – mieć coś zrobić
- **be** dying for sth/to do sth *pot.* – palić się do czegoś *pot.*
- **be** early/late – przychodzić za wcześnie/spóźniać się
- **be** even (with sb) *pot.* – być (z kimś) kwita
- **be** expecting – spodziewać się dziecka
- **be** familiar with sth – znać coś; być obeznanym z czymś
- **be** fast/sound asleep – spać twardym snem
- **be** fed up *pot.* – mieć dość *pot.*
- **be** fired – zostać wyrzuconym z pracy
- **be** flat broke *pot.* – być spłukanym *pot.*
- **be** fond of sth – bardzo coś lubić
- **be** found guilty/not guilty – zostać uznanym za winnego/za niewinnego
- **be** going to do sth – mieć zamiar coś robić
- **be** good at sth – być dobrym w czymś
- **be** hard of hearing – nie dosłyszeć, być głuchym
- **be** hooked on sth *pot.* – być uzależnionym od czegoś
- **be** hung over *pot.* – mieć kaca
- **be** killed outright – ginąć na miejscu
- **be** knocking on *pot.* – zbliżać się do, dobijać do (*np. czterdziestki*) *pot.*
- **be** laid up *pot.* – leżeć w łóżku, chorować
- **be** led astray – dać się zwieść
- **be** mad about sb/sth *pot.* – szaleć za kimś/czymś

- **be** mad at sb *pot.* – być na kogoś wściekłym
- **be** made up of – składać się z
- **be** mixed up with – być związanym z
- **be** no good at sth/not be any good at sth – być w czymś bardzo słabym
- **be** not averse to – nie mieć nic przeciwko
- **be** not wild about sth *pot.* – niespecjalnie coś lubić, nie być entuzjastą czegoś
- **be** oneself – być sobą, być naturalnym
- **be** out of keeping – nie pasować
- **be** particular about/over sth – być wymagającym jeśli chodzi o/wybrednym w czymś
- **be** potty about sb/sth *pot.* – mieć bzika na punkcie kogoś/czegoś *pot.*
- **be** retired – być na emeryturze
- **be** second to none – nie ustępować nikomu (*w czymś*)
- **be** short of sth – mieć za mało czegoś
- **be** sick (and tired) of sth – mieć czegoś dość
- **be** sorry for sb – współczuć komuś
- **be** stark staring/raving mad *pot.* – być skończonym wariatem *pot.*
- **be** struck blind – nagle oślepnąć
- **be** struck dumb – nagle zaniemówić
- **be** taken aback – być bardzo zaskoczonym
- **be** tempted to do sth – mieć ochotę coś zrobić
- **be** that as it may – mniejsza o to
- **be** through with – kończyć z
- **be** tickled pink – szaleć z radości
- **be** up to no good – knuć coś
- **be** used to sth/doing sth – być przyzwyczajonym do czegoś/robienia czegoś
- **be** well off *pot.* – być dobrze sytuowanym, być zamożnym
- **be** well-to-do – być dobrze sytuowanym, być zamożnym
- don't **be** long – wracaj szybko
- so **be** it – niech tak będzie
- to **be** frank/honest – faktycznie
- to **be** or not to **be** – być albo nie być
- **be** on/onto sb *pot.* – podejrzewać kogoś
- **be** on/onto sth *pot.* – wpadać na pomysł (*rozwiązania czegoś*)

BEAM

- broad in the **beam** *pot.* – szeroki w biodrach

BEAN

- broad **bean(s)** – bób
- French/haricot **bean(s)** – fasola
- string/runner **bean(s)** – fasolka szparagowa

▪ I haven't a **bean** *pot.* – nie mam grosza (przy duszy)
▪ (it) isn't worth a **bean** *pot.* – (to) nie jest warte złamanego grosza
▪ full of **beans** *pot.* – pełen animuszu, pełen werwy
▪ spill the **beans** *pot.* – wygadać się, puścić farbę *pot.*

BEAR
▪ **bear** left/right – trzymać się lewej/prawej strony
▪ I can't **bear** it – nie cierpię tego

BEARING
▪ ball **bearing** – łożysko kulkowe
▪ have a **bearing** – mieć wpływ; mieć związek
▪ this is beyond/past all **bearing** – to przekracza ludzką wytrzymałość
▪ get/find/take one's **bearings** – ustalać swoje położenie w terenie
▪ lose one's **bearings** – tracić orientację, gubić się

BEAST
▪ **beast** of prey – drapieżnik

BEAT
▪ **beat** down – lać (*o deszczu*); prażyć (*o słońcu*)
▪ **beat** hollow – bić na głowę
▪ **beat** it! *pot.* – zjeżdżaj! *pot.*, spływaj! *pot.*
▪ **beat** sb black and blue – zbić kogoś na kwaśne jabłko
▪ **beat** sb to it – uprzedzać kogoś, wyprzedzać kogoś
▪ be on the **beat** – być na służbie, mieć obchód (*o policji*)
▪ that **beats** everything – to przekracza wszelkie pojęcie, to szczyt wszystkiego
▪ that **beats** me – zupełnie tego nie rozumiem
▪ **beat** down – prażyć (*o słońcu*)
▪ **beat** sb down – wytargować od kogoś niższą cenę
▪ **beat** out – wystukiwać (*rytm*)
▪ **beat** up – pobić, zbić

BEAUTY
▪ **beauty** is only skin deep *przysł.* – uroda to nie wszystko
▪ that's the **beauty** of it – na tym polega urok tego

BEAVER
▪ (as) busy as a **beaver** – bardzo zajęty
▪ **beaver** away – ciężko pracować
▪ eager **beaver** *pot.* – pracowity jak mrówka, pracuś

BECAUSE
▪ **because** of – z powodu, przez

BECK
▪ at sb's **beck** and call – na czyjeś skinienie

BECOME
▪ **become** attached – przywiązywać się
▪ it **becomes** us to – wypada, żebyśmy
▪ what has **become** of him? – co się z nim stało?, co u niego słychać?

BECOMING
▪ it looks **becoming** on you – do twarzy ci w tym; dobrze ci w tym
BED
▪ be confined to one's **bed** – być przykutym do łóżka *przen.*
▪ **bed** and breakfast *bryt.* – nocleg ze śniadaniem; pensjonat
▪ **bed** of roses – życie usłane różami
▪ change a **bed** – zmieniać pościel
▪ get out of **bed** on the wrong side – wstać z łóżka lewą nogą *przen.*
▪ go to **bed** – iść do łóżka, iść spać
▪ make the **bed** – słać łóżko
▪ you have made your **bed** and now you must lie in it – jak sobie pościelisz, tak się wyśpisz *przysł.*
▪ go to **bed** with the chickens – chodzić spać z kurami *przen.*
▪ **bed** down – przespać się
▪ **bed** sb down – kłaść kogoś do łóżka
▪ hedge one's **beds** – zabezpieczać się na dwie strony
BEDPOST
▪ between you and me and the **bedpost** – mówiąc w największym zaufaniu
BEE
▪ busy **bee** *pot.* – pracowity jak mrówka, pracuś
▪ have a **bee** in one's bonnet about sth – mieć bzika na punkcie czegoś *pot.*
BEEF
▪ **beef** about *pot.* – narzekać, utyskiwać
BEELINE
▪ make a **beeline** for a place *pot.* – biec prosto dokądś *pot.*
BEER
▪ **beer** on draught – piwo z beczki
BEFORE
▪ **before** long – niedługo, wkrótce
BEG
▪ I **beg** to differ – pozwolę sobie nie zgodzić się
BEGGAR
▪ lucky **beggar**! *pot.* – szczęściarz!
▪ poor **beggar** – biedak, biedaczysko
▪ **beggars** can't be choosers – darowanemu koniowi nie zagląda się w zęby *przysł.*
BEGIN
▪ to **begin** with – po pierwsze; z początku
BEGINNING
▪ a good **beginning** is half the battle *przysł.* – dobry początek połowa roboty *przysł.*
BEHALF
▪ on **behalf** of sb/on sb's **behalf** – w czyimś imieniu
BEHAVE
▪ **behave** (yourself)! – zachowuj się przyzwoicie!; bądź grzeczny! (*do dziecka*)

Idiomy

BEHIND
- close/not far **behind** – bardzo szybko po tym, zaraz po tym

BEING
- call/bring into **being** – powoływać do życia
- come into **being** – zaistnieć, powstać
- human **being** – istota ludzka

BELIEF
- beyond **belief** – nie do wiary
- contrary to popular **belief** – wbrew powszechnemu mniemaniu
- in the **belief** that – wierząc, że, w nadziei, że
- to the best of my **belief** – o ile mi wiadomo

BELIEVE
- **believe** in – wierzyć w; być zwolennikiem
- **believe** it or not – możesz mi nie uwierzyć
- I **believe** – chyba; wydaje mi się, że

BELL
- as sound as a **bell** – zdrów jak ryba
- that rings a **bell** *pot.* – coś mi to przypomina

BELLYFUL
- I've had a **bellyful** of that *pot.* – mam tego dość, mam tego powyżej uszu

BELONG
- **belong** together – stanowić całość, stanowić komplet
- I **belong** in there – tam jest moje miejsce

BELT
- below the **belt** *pot.* – cios poniżej pasa *pot.*
- **belt** out *pot.* – wyśpiewywać (na cały głos)
- tighten one's **belt** – zaciskać pasa *przen.*

BELTING
- give sb a **belting** *pot.* – sprawić komuś lanie

BENCH
- serve/sit on the **bench** – pracować jako sędzia

BEND
- **bend** double – zginać się wpół
- **bend** over backwards – wychodzić z siebie *pot.*, bardzo się starać
- be round the **bend** – postradać zmysły
- drive/send sb round the **bend** – doprowadzać kogoś do szału *przen.*

BENEATH
- it's **beneath** me – (to) uwłacza mojej godności, nie zniżę się do

BENEFIT
- children **benefit** – dodatek na dzieci
- for the **benefit** of – specjalnie dla, na rzecz
- fringe **benefit** – dodatek, dodatkowe świadczenie
- give sb the **benefit** of the doubt – interpretować wątpliwości na czyjąś korzyść
- unemployment **benefit** – zasiłek dla bezrobotnych

BENT

- have a **bent** for – mieć zmysł do

BEST

- all the **best** – wszystkiego najlepszego
- as **best** you can – jak najlepiej
- at **best** – w najlepszym razie
- be at one's **best** – być w swojej najlepszej formie
- do/try one's **best** – dokładać wszelkich starań, robić co w czyjejś mocy
- do one's level **best** – robić co można
- for the **best** – w najlepszej intencji
- look one's **best** – wyglądać jak najlepiej
- make the **best** of a bad job – starać się wybrnąć z trudnej sytuacji; robić dobrą minę do złej gry *przen.*
- make the **best** of sth – robić z czegoś użytek
- Sunday **best** – odświętne ubranie
- to the **best** of my belief – o ile mi wiadomo

BET

- I wouldn't **bet** on that – nie liczyłbym na to
- do you want a/to **bet**? – chcesz się założyć?
- you **bet!** *pot.* – (no) pewnie!
- it's a good/safe **bet** that – to więcej niż pewne, że
- hedge one's **bets** – zabezpieczać się, nie ryzykować

BETTER

- all/so much the **better** – tym lepiej
- **better** late than never – lepiej późno niż wcale
- for **better** or for worse – na dobre i złe
- get the **better** of – brać górę nad
- he's **better** off – lepiej mu się powodzi
- he would be **better** off in hospital – lepiej by mu było w szpitalu
- I'd **better** go – lepiej już pójdę
- I should have known **better** – powinienem był wiedzieć
- know **better** than that – dobrze wiedzieć
- so much/all the **better** – tym lepiej
- the more/the sooner the **better** – im więcej/wcześniej, tym lepiej
- you'd **better** be careful – lepiej uważaj

BETWEEN

- **between** you and me/ourselves – między nami mówiąc

BEYOND

- it's **beyond** me *pot.* – nie pojmuję tego, to przekracza moje wyobrażenie

BID

- **bid** sb farewell/goodbye – żegnać kogoś

▪ make a **bid** for sth – składać ofertę kupna czegoś
▪ no **bid** – pas (*w kartach*)

BIG

▪ **big** brother/sister – starszy brat/starsza siostra

BIKE

▪ on your **bike!** *bryt. pot.* – zjeżdżaj! *pot.*, już cię tu nie ma! *pot.*

BILL

▪ **bill** of exchange – weksel
▪ **bill** of fare – spis potraw, menu
▪ **bill** of sale – akt sprzedaży
▪ **bill** sb – przesyłać komuś rachunek
▪ fit the **bill** – nadawać się, być odpowiednim
▪ foot the **bill** – uiszczać rachunek
▪ pass the **bill** – uchwalić ustawę
▪ sell sb a **bill** of goods *pot.* – wciskać komuś kit *przen.*, *pot.*

BIN

▪ loony **bin** *pot.* – dom wariatów *pot.*

BINGE

▪ go on a **binge** *pot.* – iść w tango *przen.*

BINGO

▪ **bingo!** *pot.* – udało się!; trafiłeś!

BIRD

▪ a **bird** in the hand is worth two in the bush *przysł.* – lepszy wróbel w garści niż gołąbek na dachu *przysł.*
▪ **bird** *pot.* – kociak *pot.*, laska *pot.*
▪ **bird** of prey – ptak drapieżny
▪ **birds** of feather flock together *przysł.* – ciągnie swój do swego *przysł.*
▪ kill two **birds** with one stone *przysł.* – upiec dwie pieczenie przy jednym ogniu *przysł.*
▪ the early **bird** catches worm *przysł.* – kto rano wstaje, temu Pan Bóg daje *przysł.*
▪ for the **birds** *slang.* – do kitu *pot.*
▪ teach sb about **birds** and bees – uświadamiać kogoś seksualnie

BIRTH

▪ by **birth** – z racji urodzenia
▪ give **birth** – dawać początek, zapoczątkowywać

BIRTHDAY

▪ happy **birthday**! – wszystkiego najlepszego w dniu urodzin!

BIT

▪ a (little) **bit** *pot.* – trochę
▪ a **bit** much/strong – trochę za dużo/mocny
▪ **bit** by **bit** *pot.* – po trochu, stopniowo
▪ do one's **bit** *pot.* – robić co do kogoś należy
▪ every **bit** as good/clever *pot.* – tak samo dobry/mądry *pot.*
▪ every **bit** of it – całkowicie, najzupełniej
▪ for a **bit** *pot.* – (przez) chwilę, na chwilę
▪ for quite a **bit** *pot.* – (przez) dłuższy czas
▪ get/take the **bit** between one's

teeth – zabierać się do czegoś z entuzjazmem
▪ not a **bit** *pot.* – ani trochę, wcale nie
▪ not a **bit** of it *pot.* – nic z tych rzeczy
▪ quite a **bit** *pot.* – sporo
▪ **bits** and bobs *pot.* – drobiazgi
▪ **bits** and pieces *pot.* – wszystkiego po trochu; drobiazgi
▪ fall to **bits** – rozpadać się na kawałki

BITE
▪ **bite** back – ugryźć się w język *przen.*
▪ **bite** off more than one can chew – porywać się na coś, co kogoś przerasta
▪ have a **bite** *pot.* – przegryźć coś *pot.*
▪ have another/second **bite** at the cherry *pot.* – mieć jeszcze jedną szansę

BITTER
▪ we must take the **bitter** with the sweet – trzeba pogodzić się z tym, że w życiu nie zawsze dobrze się układa

BLACK
▪ be in the **black** – nie mieć debetu na koncie; być w dobrej kondycji finansowej
▪ **black** and blue – posiniaczony
▪ he's not as **black** as he's painted – on nie jest taki straszny jak opowiadają
▪ in **black** and white – czarno na białym
▪ **black** out – tracić przytomność; zaciemniać; zamazywać

BLAME
▪ be to **blame** – ponosić winę, być winnym
▪ lay the **blame** on sb/at sb's door – obarczać kogoś winą

BLANK
▪ draw a **blank** *pot.* – doznać zawodu, nie mieć szczęścia

BLAST
▪ (at) full **blast** – na cały regulator *pot.*; pełną parą

BLAZE
▪ **blaze** away – buchać płomieniem
▪ **blaze** up – wybuchać płomieniem, zapłonąć

BLAZES
▪ like **blazes** *pot.* – zawzięcie, jak diabli *pot.*
▪ what the **blazes**? *pot.* – co do diabła? *pot.*
▪ who the **blazes**? *pot.* – kto do diabła? *pot.*
▪ go to **blazes**! *pot.* – idź do diabła! *pot.*

BLAZING
▪ **blazing** red – jaskrawoczerwony

BLEED
▪ **bleed** sb dry/white – doprowadzać kogoś do ruiny *przen.*

BLEND
▪ **blend** in/into – zlewać się z

BLESS
▪ **bless** you! – na zdrowie! (*do kogoś, kto kichnął*)

BLESSING
- **blessing** in disguise – szczęście w nieszczęściu
- count your **blessings** – bądź wdzięczny za to, co masz

BLIND
- **blind** drunk – pijany jak bela
- **blind** man's buff – zabawa w ciuciubabkę
- the **blind** leading the **blind** – wiódł ślepy kulawego
- Venetian **blind** – żaluzja

BLINDFOLD
- do sth **blindfold** – robić coś z zamkniętymi oczami *przen.*, robić coś bez zastanowienia

BLINK
- **blink** of an eye/eyelid – mgnienie oka *przen.*, chwila, moment
- be/go on a **blink** *pot.* – psuć się, nawalać *pot.*

BLINKERS
- wear **blinkers** – mieć klapki na oczach *przen.*

BLITZ
- have a **blitz** on sth *pot.* – ostro się za coś zabierać

BLOCK
- **block** sb in – zastawiać kogoś (*samochodem*)
- **block** sb's view – zasłaniać komuś widok
- **block** sb's way/path – zastawiać komuś drogę
- **block** off – uszczelniać
- **block** out – blokować; zasłaniać
- **block** up – zatykać, zaślepiać
- knock sb's **block** off *pot.* – przyłożyć komuś *pot.*
- mental **block** – zaćmienie umysłu *przen.*
- three **blocks** away – trzy przecznice dalej

BLOCKHEAD
- **blockhead** *pot.* – bałwan *pot.*, gamoń

BLOOD
- bad **blood** – zła krew *przen.*, niechęć
- be after sb's **blood** – zamierzać się z kimś pokłócić
- curdle one's **blood** – mrozić krew w żyłach *przen.*
- give/donate **blood** – oddawać krew
- in cold **blood** – z zimną krwią *przen.*
- it's in his **blood** – on to ma we krwi *przen.*
- make sb's **blood** freeze/run cold – mrozić komuś krew w żyłach *przen.*
- my **blood** was up – krew we mnie zawrzała *przen.*
- new/fresh **blood** *przen.* – świeża krew *przen.*
- sweat **blood** *pot.* – pocić się jak mysz *przen.*

BLOODY
- **bloody** *bryt. pot.* – cholerny *pot.*, parszywy *pot.*

BLOOM
- be in (full) **bloom** – kwitnąć

BLOSSOM
- be in (full) **blossom** – kwitnąć (*o drzewach*)

BLOT
- be a **blot** on the reputation – psuć opinię
- **blot** out – przesłaniać; wymazywać, wykreślać

BLOW
- at one/a **blow** – za jednym razem, za jednym zamachem
- **blow** hot and cold – często zmieniać zdanie
- **blow** on sb – zdradzać kogoś
- fetch sb a **blow** *pot.* – zdzielić kogoś *pot.*, walnąć kogoś *pot.*
- come to **blows** – przechodzić do rękoczynów
- **blow** out – gasnąć; zdmuchiwać, gasić
- **blow** over – przechodzić, przemijać
- **blow** up – wybuchać; nadmuchiwać; robić powiększenie; wysadzać w powietrze

BLOWED
- I'll be **blowed**! *pot.* – niech mnie diabli! *pot.*

BLUE
- **blue**-collar work/worker – praca fizyczna/pracownik fizyczny
- out of the **blue** – nie stąd, ni zowąd

BLUES
- have (got) the **blues** *pot.* – mieć chandrę

BLUFF
- call sb's **bluff** – zachęcać kogoś do spełnienia pogróżek

BLUNDER
- **blunder** against/into sth – niespodziewanie natknąć się na coś
- **blunder** along – błądzić, iść po omacku
- **blunder** out a secret – wygadać się *pot.*, zdradzić tajemnicę

BLUNT
- to be **blunt** – mówiąc bez ogródek

BLURT
- **blurt** out – wypaplać *pot.*, wygadać się z *pot.*

BLUSH
- spare sb's **blush** – oszczędzać komuś wstydu

BOARD
- above **board** *pot.* – uczciwy; uczciwie
- across the **board** – po równo, bez wyjątku
- back to the drawing **board** – trzeba zaczynać wszystko od początku
- **board** and lodging – zakwaterowanie z wyżywieniem
- **board** up – zabijać deskami
- full **board** – pełne wyżywienie
- on **board** – na pokładzie; w pojeździe
- sweep the **board** – zgarniać wszystko *przen.*, zdobywać wszystko
- take a job on **board** – podejmować się jakiegoś zadania
- take on **board** *pot.* – przyjmować do wiadomości, rozumieć

▪ the plan went by the **board** – plan poszedł do kosza *przen.*

BOAT

▪ be in the same **boat** – być w takiej samej sytuacji, mieć taki sam problem

▪ gravy **boat** – sosjerka

▪ miss the **boat** *pot.* – tracić okazję

▪ rock the **boat** *pot.* – powodować kłopoty

▪ burn one's **boats** *pot.* – palić za sobą mosty *przen.*

BOB

▪ **bob** up – nagle się pojawiać, wyskakiwać

BODE

▪ **bode** ill/no good – źle/niedobrze wróżyć

▪ that **bodes** well – to dobrze wróży

BODY

▪ keep **body** and soul together – wegetować *przen.*

▪ dead **body** – zwłoki, trup

▪ over my dead **body** *pot.* – po moim trupie *przen.*

BOIL

▪ bring to the **boil** – doprowadzać do wrzenia, zagotowywać

▪ come to the **boil** – wrzeć, zagotować się

▪ **boil** down to – sprowadzać się do *przen.*

▪ **boil** over – kipieć; wybuchać

▪ **boil** up – zagotowywać

BOLSTER

▪ **bolster** up – wspierać

BOLT

▪ **bolt** upright – sztywny jakby kij połknął

▪ like a **bolt** from/out of the blue – jak grom z jasnego nieba

▪ make a **bolt** – czmychać, umykać

BONE

▪ as dry as a **bone** – suchy jak pieprz

▪ **bone** dry – wyschnięty na kość

▪ **bone** of contention – kość niezgody

▪ have a **bone** to pick with sb – mieć z kimś na pieńku

▪ to the **bone** – do szpiku kości *przen.*

▪ feel/know sth in one's **bones** – wyczuwać coś przez skórę

▪ make no **bones** – nie robić problemu, nie robić ceregieli

BOOK

▪ **book** in/into *bryt.* – meldować się *(w hotelu)*

▪ bring sb to **book** – żądać od kogoś wytłumaczenia/sprawozdania

▪ by the **book** *pot.* – zgodnie z zasadami

▪ in my **book** – według mnie

▪ it's a closed **book** to me – nie mam o tym pojęcia

▪ keep a **book** – przyjmować zakłady

▪ lost in a **book** – zatopiony w lekturze

▪ throw the **book** at sb *pot.* – oskarżać kogoś o wszystkie

możliwe przewinienia; wymierzać komuś najwyższą karę
▪ be in sb's bad/black **books** – nie cieszyć się czyjąś sympatią
▪ be in sb's good **books** – cieszyć się czyjąś sympatią
▪ cook the **books** *pot.* – oszukiwać
▪ keep the **books** – prowadzić księgowość
▪ reference **books** – encyklopedie, słowniki itp.

BOOKED
▪ be fully **booked** (up) – mieć wyprzedane wszystkie miejsca; mieć zajęte wszystkie terminy

BOOT
▪ get the **boot**/be given the **boot** *pot.* – zostać wylanym z pracy
▪ kick the **boot** in *pot.* – kopać leżącego *przen.*
▪ the **boot** is on the other foot – role się odwróciły
▪ to **boot** – do tego jeszcze, na dodatek
▪ get too big for one's **boots** *pot.* – mieć o sobie zbyt wysokie mniemanie
▪ lick sb's **boots** – lizać komuś stopy *przen.*, płaszczyć się przed kimś
▪ shake/quake in one's **boots** – trząść się ze strachu

BOOZE
▪ be on the **booze** *pot.* – dużo pić (*alkoholu*), upijać się

BORDER
▪ **border** on – graniczyć z, być na granicy (*np. wytrzymałości*)

BORE
▪ **bore** sb stiff *pot.* – śmiertelnie kogoś nudzić
▪ his eyes **bore** into me – on świdruje mnie wzrokiem

BORN
▪ **born** teacher/musician – urodzony nauczyciel/muzyk

BOSS
▪ be one's own **boss** – być samemu sobie szefem
▪ **boss** sb (about/around) – rządzić kimś, dyrygować kimś

BOTCH
▪ **botch** (up) *pot.* – knocić *pot.*, partaczyć *pot.*

BOTHER
▪ don't **bother** yourself about me – nie rób sobie kłopotu z mojego powodu
▪ go to (all) the **bother** – zadawać sobie trud
▪ I'm sorry to **bother** you – przepraszam, że przeszkadzam
▪ it doesn't **bother** me – nie przeszkadza mi, nie mam nic przeciwko
▪ it's no **bother** – to żaden kłopot

BOTHERED
▪ I can't be **bothered** to cook – nie zamierzam zawracać sobie głowy gotowaniem

BOTTLE
▪ **bottle** out *bryt. pot.* – tchórzyć
▪ **bottle** up – tłumić, taić
▪ hit the **bottle** *pot.* – dużo pić (*alkoholu*), upijać się
▪ take to the **bottle** – rozpijać się

BOTTOM

▪ at **bottom** – faktycznie, w rzeczywistości
▪ at the **bottom** of one's heart – w głębi serca
▪ from the **bottom** of one's heart – z głębi serca
▪ get to the **bottom** – docierać do sedna
▪ hit **bottom** *pot.* – sięgać dna *przen.*, osiągać dno *przen.*
▪ lie/be at the **bottom** of – leżeć u podłoża, być przyczyną
▪ **bottoms** up! *bryt. pot.* – na zdrowie! (*toast*)

BOUNCE

▪ **bounce** back – odbić się *przen.*, pozbierać się

BOUND

▪ be **bound** for – zdążać do
▪ **bound** up with – związany z, powiązany z
▪ he's **bound** to win/come – na pewno wygra/przyjdzie, musi wygrać/przyjść
▪ I'm **bound** to say/to admit – muszę powiedzieć/przyznać
▪ know no **bounds** – nie mieć granic, być bezmiernym
▪ out of **bounds** – zabroniony, zakazany

BOW

▪ **bow** and scrape – płaszczyć się *przen.*
▪ **bow** out of – żegnać się z *przen.*
▪ take a **bow** – kłaniać się

BOWELS

▪ move/relieve/empty one's **bowels** – oddawać stolec

BOWL

▪ **bowl** along – jechać bardzo szybko, mknąć
▪ **bowl** over – zwalać z nóg, rzucać na kolana *przen.*

BOX

▪ ballot **box** *przen.* – wybory
▪ **box** in – blokować, zastawiać
▪ **box** off – odgradzać

BOY

▪ **boy**! *pot.* – o rany! *pot.*
▪ **boys** will be **boys** – tacy są chłopcy, przecież to chłopcy

BOYFRIEND

▪ **boyfriend** – chłopak *pot.*, sympatia; przyjaciel

BRACE

▪ **brace** oneself – zebrać się w sobie *przen.*, zebrać się na odwagę

BRAIN

▪ blow sb's **brain** out – przestrzelić komuś głowę
▪ **brain** sb *pot.* – rozwalić komuś łeb *pot.*
▪ fix sth in one's **brain** – utrwalać sobie coś w pamięci
▪ I've got that on the **brain** *pot.* – prześladuje mnie to, nie daje mi to spokoju
▪ use one's **brain** – wysilać umysł, myśleć
▪ cudgel one's **brains** *pot.* – głowić się, łamać sobie głowę *przen.*
▪ have **brains** – mieć rozum, mieć głowę *przen.*
▪ pick sb's **brains** *pot.* – radzić się kogoś

▪ rack one's **brains** – łamać sobie głowę *przen.*

BRANCH

▪ **branch** off – odgałęziać się, odchodzić w bok; odbiegać od, robić dygresję

▪ **branch** out – rozwidlać się; rozszerzać działalność

BRAND

▪ **brand**-new – zupełnie nowy, nowiutki

BRASS

▪ as bold as **brass** *pot.* – odważny jak lew

BRAZEN

▪ **brazen** it out – nadrabiać bezczelnością

BREACH

▪ **breach** of the peace *prawn.* – zakłócenie porządku publicznego *prawn.*

▪ step into the **breach** – zapełniać lukę, zastępować kogoś

BREAD

▪ **bread** and butter – chleb z masłem; *przen.* źródło utrzymania

BREADTH

▪ by a hair's **breadth** *przen.* – o włos

BREAK

▪ at the **break** of day – o brzasku

▪ **break** a piece of news – podawać wiadomość

▪ **break** even – wychodzić na zero *pot.*

▪ **break** free/loose – uwalniać się

▪ **break** open – otwierać siłą, wyważać

▪ give me a **break**! *pot.* – daj mi spokój!, przestań!

▪ make a **break** from prison – uciekać z więzienia

▪ **break** away – odłamywać się; odrywać się

▪ **break** down – burzyć, rozbierać; psuć (się); załamywać się

▪ **break** in/into – włamywać się do

▪ **break** in (on) – wtrącać się (do)

▪ **break** off – zrywać; odrywać się; przerywać

▪ **break** out – wybuchać; wyrywać się, uciekać

▪ **break** through – przedzierać się przez; pokonywać; pojawiać się

▪ **break** up – łamać się, kruszyć się; rozpadać się; przerywać

▪ **break** up with sb – zrywać z kimś

BREAKFAST

▪ continental **breakfast** *bryt.* – śniadanie kontynentalne (*lekkie śniadanie składające się zwykle z chleba, masła i dżemu*)

▪ English **breakfast** – brytyjskie śniadanie (*śniadanie składające się z jajek na boczku, chleba, masła i dżemu*)

BREAST

▪ make a clean **breast** of sth – przyznawać się do czegoś, wyznawać coś

BREATH

▪ bad **breath** – nieświeży oddech
▪ be out of **breath** – nie móc złapać tchu, być zdyszanym
▪ be short of **breath** – mieć zadyszkę
▪ be the **breath** of life to sb – być czyimś całym życiem
▪ **breath** of wind – powiew wiatru
▪ catch one's **breath** – łapać oddech
▪ draw **breath** – odetchnąć, wytchnąć
▪ fight for **breath** – z trudem łapać oddech
▪ get one's **breath** again – odzyskiwać oddech
▪ hold one's **breath** – wstrzymywać oddech
▪ in the same **breath** – jednym tchem, jednocześnie
▪ save your **breath** – szkoda słów
▪ take one's **breath** away – zapierać dech w piersiach
▪ under one's **breath** – półszeptem
▪ waste one's **breath** *pot.* – mówić na darmo
▪ with one's last/dying **breath** – wydając ostatnie tchnienie
▪ you're wasting your **breath** – szkoda słów

BREEZE

▪ **breeze** in/into – wpadać do, wbiegać do

BREW

▪ **brew** sth up – knuć coś
▪ a crisis/war is **brewing** (up) – kryzys/wojna wisi w powietrzu, zanosi się na kryzys/wojnę

BRIDGE

▪ I'll cross that **bridge** when I come to it – nie będę się tym zawczasu martwić
▪ burn one's **bridges** – palić za sobą mosty *przen.*

BRIEF

▪ be given a **brief** – otrzymywać oficjalne instrukcje
▪ in **brief** – w skrócie; krótko mówiąc

BRIGHT

▪ **bright** and early – z samego rana

BRIGHTEN

▪ **brighten** (up) – rozjaśniać (się), ożywiać (się)

BRIM

▪ to the **brim** – po brzegi
▪ **brim** over with sth – być przepełnionym czymś
▪ **brim** over with joy – nie posiadać się z radości

BRING

▪ I cannot **bring** myself to do that – nie mogę się zmusić, żeby to zrobić
▪ **bring** about – powodować, wywoływać
▪ **bring** along – przyprowadzać (ze sobą)
▪ **bring** back – przywracać; przypominać
▪ **bring** down – obalać; zestrzeliwać

▪ **bring** forth – powodować, wywoływać; wydawać na świat
▪ **bring** forward – przybliżać; przenosić (na drugą stronę); przedstawiać, przytaczać
▪ **bring** in – wprowadzać; przynosić, dawać
▪ **bring** off *pot.* – przeprowadzać pomyślnie
▪ **bring** on – prowadzić do, doprowadzać do
▪ **bring** out – wprowadzać, lansować; wydawać (*np. książkę*); wywoływać; uwydatniać, uwypuklać
▪ **bring** sb out – ośmielać kogoś, zachęcać kogoś
▪ **bring** over – przywozić, przyprowadzać
▪ **bring** round – cucić; przekonywać
▪ **bring** sb to – cucić kogoś
▪ **bring** up – wychowywać; poruszać; *pot.* wymiotować

BRINK
▪ be on the **brink** of sth – być na krawędzi czegoś *przen.*, być na granicy czegoś *przen.*

BROADEN
▪ **broaden** out – rozszerzać (się)

BROADLY
▪ **broadly** (speaking) – mówiąc najogólniej

BROKE
▪ flat **broke** – zupełnie spłukany *przen.*, bez grosza *przen.*

BROKEN
▪ **broken** English/Polish – łamana angielszczyzna/polszczyzna

BROOD
▪ **brood** on/over – rozpamiętywać

BROWS
▪ knit one's **brows** – marszczyć brwi

BRUNT
▪ he bore/took the **brunt** – on najbardziej ucierpiał

BRUSH
▪ have a **brush** with – stykać się z, mieć do czynienia z
▪ **brush** aside/away – odsuwać na bok
▪ **brush** by/past – przemykać obok
▪ **brush** sb off – spławiać kogoś *pot.*
▪ **brush** up (on) – doskonalić, polerować

B.Sc.
▪ **B.Sc.** (*skr.* **Bachelor of Science)** – licencjat nauk ścisłych (także bakałarz)

BUBBLE
▪ **bubble** over – kipieć, promieniować (*o człowieku*)
▪ **bubble** up – pienić się
▪ burst like a **bubble** – pryskać jak bańka mydlana

BUCK
▪ **buck** *pot.* – dolar, papier *pot.*
▪ make a fast/quick **buck** *pot.* – szybko zarobić duże pieniądze *pot.*
▪ pass the **buck** *pot.* – spychać na innych
▪ **buck** sb up *pot.* – dodawać komuś otuchy, pokrzepiać kogoś

▪ **buck** up! *pot.* – rozchmurz się!; pośpiesz się!

BUCKET

▪ kick the **bucket** *pot.* – walnąć w kalendarz *pot.*, wykitować *pot.*

▪ she cried **buckets** *pot.* – zalewała się łzami, wylewała łzy

BUCKETING

▪ it's **bucketing** (down) *pot.* – leje jak z cebra

BUCKLE

▪ **buckle** down (to sth) – zabierać się energicznie (do czegoś)

BUD

▪ **bud** *am. pot.* – kolega

▪ be in **bud** – mieć pączki (*o drzewie*)

▪ nip sth in the **bud** – dusić coś w zarodku

BUDDY

▪ **buddy** *pot.* – przyjaciel; kolega

BUDGET

▪ **budget** for sth – przewidywać coś w wydatkach

BUFF

▪ blind man's **buff** – zabawa w ciuciubabkę

BUG

▪ be/get bitten by a **bug** *pot.* – połknąć bakcyla *przen.*

BUGGER

▪ **bugger** (it)! *bryt.* – cholera! *pot.*

▪ **bugger** about/around *bryt.* – obijać się

▪ I don't give/mind a **bugger** *bryt.* – nic mnie to nie obchodzi

▪ poor **bugger** *bryt.* – biedak, biedaczysko

BUILD

▪ **build** into – wbudowywać; włączać, dołączać

▪ **build** on/upon – opierać na; wykorzystywać

▪ **build** up – zwiększać; gromadzić; wzmacniać, podbudowywać; zabudowywać

BULK

▪ **bulk** buy – kupować w większych ilościach

▪ **bulk** large – nabierać znaczenia

▪ in **bulk** – hurtowo, hurtem

BULL

▪ like a **bull** in a china shop – jak słoń w składzie porcelany

▪ take the **bull** by the horns – chwytać byka za rogi *przen.*

BULLET

▪ bite the **bullet** *pot.* – przemóc się

BULL'S-EYE

▪ hit the **bull's-eye** – trafiać w dziesiątkę *także przen.*

BULLSHIT

▪ **bullshit**! *wulg.* – bzdura!

▪ **bullshit** sb *wulg.* – oszukiwać kogoś, nabierać kogoś

BULLY

▪ **bully** sb – zastraszać kogoś

▪ **bully** for you! *pot.* – gadaj zdrów!

BUM

▪ **bum** about/around – włóczyć się

BUMP

▪ **bump** into sb – wpadać na

kogoś *pot.*, spotykać kogoś przypadkiem
▪ **bump** off *pot.* – zakatrupić *pot.*
▪ **bump** up *pot.* – podbijać (*cenę*)
▪ get goose **bumps** – dostawać gęsiej skórki
BUMPER
▪ **bumper** to **bumper** – zderzak w zderzak
BUNCH
▪ **bunch** together – zbijać się w grupy, grupować się
▪ the best of the bad **bunch** – nie taki zły, i tak lepszy niż reszta
▪ the best/pick of the **bunch** – najlepszy w grupie (*np. rówieśników*)
BUNDLE
▪ **bundle** of nerves – kłębek nerwów *przen.*
BURN
▪ **burn** down – spalać się doszczętnie
▪ **burn** out – spalać (się), wypalać się
▪ **burn** up – spłonąć
BURNER
▪ put sth on the back **burner** *pot.* – odkładać coś na później
BURST
▪ **burst** out laughing/crying – wybuchać śmiechem/płaczem
BUS
▪ miss the **bus** *przen.* – nie wykorzystać okazji; mieć pecha
BUSH
▪ beat about the **bush** – nie mówić wprost; zwlekać; tracić czas
BUSINESS
▪ funny **business** *pot.* – matactwa, kombinacje
▪ get down to **business** – przystępować do rzeczy
▪ have no **business** to do sth – nie mieć prawa czegoś zrobić
▪ mean **business** *pot.* – mówić poważnie
▪ mind one's own **business** *pot.* – pilnować własnych spraw
▪ monkey **business** *pot.* – lewe interesy *pot.*
▪ on **business** – służbowo
▪ that's none of your **business** – to nie twoja sprawa
BUT
▪ **but** for – poza, z wyjątkiem
▪ **but** then – zresztą; z drugiej strony
▪ one/you cannot **but** admire him *pot.* – można go tylko podziwiać, trzeba go podziwiać
BUTT
▪ be the **butt** of teasing/jokes – być obiektem żartów
▪ **butt** in (on) – wtrącać się (do)
BUTTER
▪ **butter** sb up – przypochlebiać się komuś
▪ look as if **butter** wouldn't melt in one's mouth – mieć wygląd osoby chłodnej i nieczułej
BUTTERFLY
▪ have **butterflies** (in one's stomach) *pot.* – niepokoić się, denerwować się

BUTTONHOLE
- **buttonhole** sb – przyczepiać się do kogoś *pot.*

BUY
- **buy** in – kupować w większych ilościach na zapas
- **buy** into – kupować udziały w
- **buy** off/over – przekupywać
- **buy** out – wykupywać
- **buy** up – wykupywać, skupować

BUZZ
- **buzz** off! *pot.* – zjeżdżaj! *pot.*, spadaj! *pot.*
- give sb a **buzz** *pot.* – dzwonić do kogoś

BY
- (all) **by** oneself – (całkiem) sam
- **by** and large – na ogół, ogólnie biorąc
- **by** law/the rules – według prawa/zasad

BYE
- **bye(-bye)**! *pot.* – cześć!, pa!
- by the **bye** – nawiasem mówiąc

C

CAB
- **cab** *am.* – taksówka

CABBAGE
- **cabbage** *pot.* – głąb, gamoń

CAHOOTS
- be in **cahoots** – być w zmowie

CAKE
- a piece of **cake** – bułka z masłem *pot.*, małe piwo *pot.*
- you can't eat your **cake** and have it *pot.* – nie można mieć dwóch rzeczy naraz, albo..., albo...
- it sells like hot **cakes** – (to) sprzedaje się jak ciepłe bułeczki

CALL
- be on **call** – być na wezwanie
- **call** collect *am.* – dzwonić na koszt abonenta
- **call** it quits *pot.* – odchodzić; uważać sprawę za załatwioną
- have/feel a **call** – mieć/czuć powołanie
- pay sb a **call** – odwiedzać kogoś
- payable on/at **call** – płatny na żądanie
- there is no **call** to blush – nie ma powodu do wstydu
- within **call** – w zasięgu głosu, w pobliżu
- **call** at – zatrzymywać się
- **call** back – dzwonić ponownie; oddzwaniać
- **call** by *pot.* – wpadać (*do kogoś*)
- **call** for – przyjeżdżać do, przychodzić po; domagać się, wymagać
- **call** forth – wzbudzać, wywoływać
- **call** sb in – wzywać kogoś
- **call** off – odwoływać
- **call** on sb – odwiedzać kogoś, wpadać do kogoś

▪ **call** on/upon sb to do sth – wzywać kogoś do zrobienia czegoś

▪ **call** sb out – wzywać kogoś na pomoc; wzywać kogoś do strajku

▪ **call** up – wywoływać, przywoływać; *pot.* dzwonić, telefonować; powoływać do wojska

CALF

▪ kill the fatted **calf** – przygotowywać wyszukane potrawy

CALM

▪ **calm** down – uspokajać się

CAMP

▪ **camp** out – nocować w namiocie

CAN

▪ **can** *am. pot.* – pudło *pot.*; kibel *pot.*

▪ in the **can** *pot.* – z głowy *pot.*, załatwione

CANDID

▪ to be **candid** – szczerze mówiąc

▪ **candid** camera – ukryta kamera

CANDLE

▪ burn the **candle** at both ends *pot.* – nie szanować zdrowia, rujnować sobie zdrowie

▪ he cannot hold the **candle** to her *pot.* – on się do niej nie umywa

CANNON

▪ **cannon** fodder – mięso armatnie *przen.*

▪ **cannon** into sb/sth – wpadać na kogoś/coś

CANOE

▪ paddle one's own **canoe** *przen.* – radzić sobie

CANVAS

▪ under **canvas** – w namiocie

CAP

▪ **cap** in hand – pokornie

CAPACITY

▪ do sth in one's **capacity** as – robić coś w ramach swoich uprawnień jako

▪ filled to **capacity** – wypełniony po brzegi, szczelnie wypełniony

CAPITAL

▪ make **capital** (out) of – zbijać kapitał na, wykorzystywać

CARD

▪ lay/put one's **cards** on the table *pot.* – wykładać karty na stół *przen.*

▪ on the **cards** – bardzo prawdopodobne

▪ play one's **cards** right – dobrze coś rozgrywać

CARE

▪ **care** for/about – dbać o, opiekować się

▪ for all I **care** – jeśli o mnie chodzi

▪ I don't **care** – wszystko mi jedno, nie obchodzi mnie to

▪ in **care** – w zakładzie, pod opieką państwa

▪ I wouldn't **care** less *pot.* – nic mnie to nie obchodzi

▪ not **care** for – nie lubić

▪ take **care** – zajmować się, opiekować się

▪ take **care** (of yourself)! *pot.* – trzymaj się! *pot.*
▪ with **care** – ostrożnie, z dbałością
▪ would you **care** for a cake? – masz ochotę na ciastko?
▪ would you **care** to come? – masz ochotę przyjść?
▪ who **cares?** *pot.* – co to kogo obchodzi?

CARPET

▪ on the **carpet** *pot.* – na cenzurowanym

CARRY

▪ **carry** everything/all before oneself – z łatwością zwyciężać
▪ **carry** oneself – zachowywać się
▪ **carry** about – nosić/mieć przy sobie
▪ **carry** along – nosić ze sobą
▪ **carry** away – zabierać; porywać; przemóc
▪ **carry** off – przeprowadzać; zdobywać
▪ **carry** on – prowadzić; kontynuować; zachowywać się
▪ **carry** out – wykonywać, przeprowadzać; spełniać; wywiązywać się
▪ **carry** over – przenosić
▪ **carry** through – przeprowadzać

CART

▪ put the **cart** before the horse – odwracać kota ogonem *przen.*

CASE

▪ as/whatever the **case** may be – zależnie od okoliczności
▪ **case** in point – dobry/trafny przykład
▪ dismiss a **case** *prawn.* – oddalać sprawę/zarzuty *prawn.*
▪ in any **case** – w każdym razie
▪ in **case** (of) – w razie (*czegoś*)
▪ in no **case** – w żadnym razie, w żadnym wypadku
▪ in that **case** – w takim razie
▪ it's not the **case** – nie o to chodzi
▪ just in **case** – na wszelki wypadek
▪ make (out) a **case** for/against – przytaczać mocne argumenty za/przeciw

CASH

▪ **cash**-and-carry – duża hurtownia, w której zaopatrują się firmy
▪ **cash** in (on) – zarabiać (na), wykorzystywać
▪ **cash** on delivery – za pobraniem (pocztowym)
▪ hard **cash** – gotówka

CAST

▪ be **cast** away – ulec rozbiciu (*o statku*)
▪ **cast** aside – odrzucać; odkładać
▪ **cast** back – odrzucać, rzucać z powrotem; spoglądać wstecz *przen.*; wracać, cofać się
▪ **cast** down – spuszczać (*oczy*); deprymować
▪ **cast** off – rzucać, odrzucać; wykluczać; odwiązywać
▪ **cast** out – wyrzucać, wypędzać

▪ **cast** up – obliczać; dodawać, sumować; wymiotować; wznosić (*wzrok*)

CASTLE

▪ **castles** in the air/in Spain – zamki na lodzie *przen.*

CAT

▪ let the **cat** out of the bag – wyjawiać sekret, wygadać się

▪ look what the **cat's** brought in! – patrzcie kogo wiatry przygnały! *przen.*

▪ set/put the **cat** among the pigeons – wsadzać kij w mrowisko *przen.*

▪ it's raining **cats** and dogs *pot.* – leje jak z cebra

▪ while the **cat's** away, the mice will play *przysł.* – myszy tańcują, gdy kota nie czują *przysł.*

CATCH

▪ **catch** sb red-handed – przyłapać kogoś na gorącym uczynku

▪ it's **catch**-22 – (to) błędne koło

▪ **catch** on – przyjmować się, chwytać *pot.*

▪ **catch** on to – rozumieć, załapywać *pot.*

▪ **catch** sb out – przyłapywać kogoś (*na czymś*)

▪ **catch** up with sb – doganiać kogoś

▪ **catch** up on/with sth – nadrabiać coś

CAUSE

▪ for a good **cause** – na dobry cel (*np. charytatywny*)

▪ in a good **cause** – w dobrej sprawie

CEILING

▪ hit the **ceiling** *pot.* – wybuchać, wściekać się

CENTRE

▪ **centre** (a)round – skupiać (się) na

CEREMONY

▪ stand on **ceremony** – zachowywać się zbyt oficjalnie

CERTAIN

▪ be **certain** (of/about sb/sth) – być pewnym (kogoś/czegoś)

▪ for **certain** – na pewno

CERTIFY

▪ this is to **certify** that *prawn.* – zaświadcza się, że

CHAIN

▪ daisy **chain** *bryt.* – wianek ze stokrotek

CHAIR

▪ be in the **chair** – przewodniczyć zebraniu/dyskusji

▪ take the **chair** – obejmować przewodnictwo

▪ the **chair** *am. pot.* – krzesło elektryczne

CHALK

▪ better by a long **chalk** – o niebo lepszy

▪ (as) different as **chalk** and cheese – jak niebo i ziemia *przen.*

▪ she doesn't know **chalk** from cheese – ona się na niczym nie zna

▪ not true by a long **chalk** – dalekie od prawdy

CHANCE

▪ by (sheer/pure) **chance** – przez (czysty) przypadek

▪ by (any) **chance** – przypadkiem
▪ **chance** on/upon – natykać się na
▪ fat **chance**! *pot.* – akurat!
▪ grab a **chance** – wykorzystywać możliwość, wykorzystywać szansę
▪ have a snowball's **chance** in hell – nie mieć najmniejszej szansy
▪ if you **chance** to see him – jeśli go przypadkiem zobaczysz
▪ leap at a **chance** – skwapliwie korzystać z okazji
▪ leave nothing to **chance** – nie pozostawiać nic przypadkowi
▪ no **chance**! *pot.* – wykluczone!
▪ not stand much **chance** – nie mieć wielkich szans
▪ stand a **chance** – mieć szanse
▪ take (no) **chances** – (nie) ryzykować
▪ take one's **chances** – wykorzystywać możliwości

CHANGE
▪ all **change**! – koniec trasy, proszę wysiadać!
▪ **change** (one's clothes) – przebierać się, zmieniać ubranie
▪ **change** for the better/worse – zmieniać się na lepsze/gorsze
▪ **change** (buses/trains) – przesiadać się
▪ for a **change** – dla odmiany
▪ small **change** – drobne (pieniądze)
▪ **change** down/up – zmieniać bieg na niższy/wyższy *mot.*
▪ **change** over – zmieniać (się)

CHAP
▪ **chap** *pot.* – facet, gość *pot.*; kolega, przyjaciel

CHAPTER
▪ **chapter** of accidents – seria nieszczęść
▪ give **chapter** and verse – podawać dokładne źródła

CHARACTER
▪ behave in/out of **character** – zachowywać się jak zwykle/inaczej niż zwykle

CHARGE
▪ be in **charge** – kierować, odpowiadać za
▪ bring a **charge** against sb – wnosić oskarżenie przeciwko komuś
▪ cover **charge** – cena wstępu
▪ free of **charge** – bezpłatny
▪ take **charge** – przejmować kierownictwo
▪ dismiss **charges** *prawn.* – oddalać zarzuty *prawn.*

CHASE
▪ **chase** sb up – ponaglać kogoś, przyciskać kogoś *pot.*
▪ wild goose **chase** – daremny trud

CHAT
▪ have a **chat** – gawędzić

CHEAP
▪ **cheap** and nasty – tandetny
▪ dirt **cheap** – śmiesznie tani(o), tani jak barszcz

- on the **cheap** – tanio, tanim kosztem

CHEAT
- **cheat** on sb *pot.* – oszukiwać kogoś; być niewiernym komuś

CHECK
- **check** in (at a hotel) – meldować się (w hotelu)
- **check** off – sprawdzać, odhaczać *pot.*
- **check** out – sprawdzać dokładnie
- **check** out (of a hotel) – wymeldowywać się (z hotelu)
- **check** (up) on – sprawdzać
- double **check** – sprawdzać dwukrotnie
- I'll take a rain **check** on it – zastanowię się nad tym, rozważę to
- keep/hold in **check** – trzymać w ryzach

CHEEK
- **cheek** by jowl – w wielkiej zażyłości
- have (the) **cheek** – mieć śmiałość, mieć czelność
- turn the other **cheek** – nadstawiać drugi policzek
- **cheeks** *pot.* – pośladki

CHEER
- **cheer** up! – głowa do góry!
- **cheer** sb on – dopingować kogoś, kibicować komuś
- **cheer** up – rozchmurzać się, nabierać otuchy; pocieszać
- **cheer** sb up – pocieszać kogoś

CHEERIO
- **cheerio**! *bryt.pot.* – cześć!, do widzenia!

CHEERS
- **cheers**! *bryt. pot.* – na zdrowie!; cześć!; dzięki! *pot.*

CHEESE
- cottage **cheese** – twarożek
- say **cheese**! – uśmiechnij się!

CHEESECAKE
- **cheesecake** *pot.* – nieprzyzwoite zdjęcia

CHEMISTRY
- **chemistry** *pot.* – wzajemna fascynacja, wzajemny pociąg

CHEQUE
- give sb a blank **cheque** *przen.* – dawać komuś wolną rękę *przen.*

CHEST
- get sth off one's **chest** *pot.* – zrzucać kamień z serca *przen.*

CHESTNUT
- old **chestnut** *pot.* – stary kawał, oklepany żart

CHEW
- **chew** on/over *pot.* – przemyśliwać, zastanawiać się nad

CHICKEN
- be no spring **chicken** *pot.* – nie być już młodzieniaszkiem *pot.*
- **chicken** and egg situation *pot.* – sytuacja, w której nie wiadomo co stanowi przyczynę, a co skutek
- **chicken** out *pot.* – tchórzyć
- count one's **chickens** (before

they're hatched) *pot.* – dzielić skórę na niedźwiedziu *przen.*

CHIEF

▪ in-**chief** – główny, naczelny

▪ too many **chiefs** and not enough Indians/all **chiefs** and no Indians *pot.* – sami szefowie i nikogo do roboty

CHILD

▪ **child** prodigy – cudowne dziecko

CHILL

▪ catch a **chill** – przeziębiać się

CHIME

▪ **chime** in – wtrącać (się)

▪ that **chimes** in with what I've heard – to się zgadza z tym, co słyszałem

CHIN

▪ take it on the **chin** *pot.* – przyjmować bez mrugnięcia okiem

▪ wag one's **chin** *slang.* – trzaskać dziobem *slang.*

CHINK

▪ **chink** in sb's armour – czyjś słaby punkt

CHIP

▪ blue **chip** – bezpieczna/korzystna inwestycja

▪ **chip** off the old block *pot.* – nieodrodne dziecko swoich rodziców

▪ **chip** in *pot.* – składać się, zrzucać się; wtrącać (się)

▪ have a **chip** on one's shoulder *pot.* – być skorym do kłótni z powodu urazy

▪ the (silicon) **chip** – nowoczesna technika komputerowa

▪ **chips** *bryt.* – frytki, *am.* chipsy

▪ when the **chips** are done *pot.* – gdy przyjdzie co do czego

▪ you've had your **chips** *pot.* – (już) miałeś szansę

CHOICE

▪ by **choice** – z wyboru, celowo

▪ have no **choice** – nie mieć wyboru

▪ it's your **choice** – sam zdecydowałeś, sam wybrałeś

CHOKE

▪ **choke** back – powstrzymywać, dusić w sobie

CHOOSE

▪ pick and **choose** – przebierać, grymasić

CHOP

▪ **chop** and change – wciąż zmieniać zdanie

CHORD

▪ strike/touch a **chord** – uderzać w czułą strunę *przen.*, wywoływać wzruszenie

CHORUS

▪ in **chorus** – chórem; jednogłośnie *przen.*

CHRISTMAS

▪ **Christmas** Day – pierwszy dzień świąt Bożego Narodzenia

▪ **Christmas** Eve – Wigilia Bożego Narodzenia

CIRCLE

▪ I've come full **circle** – wróciłem do punktu wyjścia

▪ vicious **circle** – błędne koło

▪ go round in **circles** *pot.* – kręcić się w kółko, nie posuwać się naprzód
▪ run round in **circles** *pot.* – biegać wkoło, uganiać się
CIRCUMSTANCES
▪ in/under the **circumstances** – w tych warunkach, w tej sytuacji
▪ under no **circumstances** – w żadnym wypadku, pod żadnym pozorem
CLAIM
▪ lay **claim** to – rościć prawo do
CLAM
▪ he shut up like a **clam** *pot.* – zamilkł, zamurowało go *przen.*
CLASS
▪ be in a **class** of one's own – być klasą dla samego siebie
CLEAN
▪ **clean** out – oczyszczać, opróżniać; *pot.* oskubywać *pot.*
▪ **clean** up – sprzątać; robić porządek; *pot.* zbijać kasę *pot.*
CLEAR
▪ be in the **clear** *pot.* – być wolnym od podejrzeń; być bezpiecznym
▪ **clear** away – uprzątać, usuwać
▪ **clear** off/out! *bryt. pot.* – wynoś się!, zjeżdżaj! *pot.*
▪ **clear** out – wyrzucać; *pot.* zmywać się *pot.*
▪ **clear** up – sprzątać, uprzątać; wyjaśniać; poprawiać się
CLIMB
▪ be on the **climb** – robić karierę
CLOCK
▪ according to the **clock** – z zegarkiem w ręku
▪ by the **clock** – z zegarkiem w ręku
▪ grandfather's **clock** – zegar stojący
▪ put/turn the **clock** back *przen.* – cofać wskazówki zegara, cofać czas *przen.*
▪ round the **clock** – całą dobę, na okrągło *pot.*
▪ watch the **clock** *pot.* – spoglądać cały czas na zegarek
▪ work against the **clock** – walczyć z czasem
CLOCKWORK
▪ like **clockwork** – jak w zegarku
CLOSE
▪ bring to a **close** – kończyć
▪ come/draw to a **close** – zbliżać się do końca
▪ **close** by – blisko, obok
▪ **close** at/to hand – blisko, obok
▪ **close** down – zamykać, kończyć działalność
▪ **close** in – nadciągać, zbliżać się (*o dniach*)
▪ **close** in on – otaczać, okrążać
▪ **close** off – zamykać
▪ **close** up – zamykać; ścieśniać
▪ **close** up/to – z bliska
CLOSET
▪ **closet** *am.* – szafa w ścianie, schowek
▪ come out of the **closet** – wychodzić z ukrycia

CLOTHES
- in plain **clothes** – w cywilnym ubraniu, po cywilnemu

CLOUD
- on **cloud** nine *pot.* – w siódmym niebie *przen.*

CLUB
- **club** together *bryt.* – składać się, zrzucać się

CLUE
- not have (got) a **clue** – nie mieć pojęcia

CLUTCHES
- fall into sb's **clutches** – wpadać w czyjeś ręce

C/O
- **c/o** (*skr.* **care of**) – napis na kopercie, gdy list jest przeznaczony dla innej osoby niż adresat

COALS
- carry **coals** to Newcastle *przen.* – drwa do lasu wozić *przysł.*
- haul/drag sb over the **coals** *pot.* – zwymyślać kogoś

COAST
- the **coast** is clear – zagrożenie minęło

COAT
- **coat** of arms – herb
- cut one's **coat** according to one's cloth *przen.* – tak krawiec kraje, jak mu materii staje *przysł.*

COAT-TAILS
- ride on sb/sth's **coat-tails** *pot.* – wykorzystywać kogoś/coś

COBBLE
- **cobble** together *pot.* – sklecać naprędce

COCK
- the **cock** of the walk – mądrala

CODE
- zip **code** *am.* – kod pocztowy
- penal **code(s)** – kodeks karny
- area **code** *am.* – numer kierunkowy

COG
- be a **cog** in the machine/wheel – być trybikiem w maszynie

COIN
- pay sb back in his own **coin** – odpłacać tą samą monetą *przen.*, odpłacać się tym samym
- toss (up)/the **coin** – rzucać monetę

COINCIDENCE
- by **coincidence** – przez przypadek, przypadkowo

COLD
- catch a **cold** – przeziębiać się
- common **cold** – przeziębienie
- I'm/I feel **cold** – zimno mi
- leave sb out in the **cold** *pot.* – pomijać kogoś

COLLAR
- hot under the **collar** – wściekły *przen.*

COLLECT
- **collect** oneself – opanować się

COLOUR, COLOR *am.*
- have a high **colo(u)r** – mieć niezdrowe wypieki
- with flying **colo(u)rs** – doskonale i z łatwością
- nail one's **colo(u)rs** to the mast – mieć niezłomne zasady, nie zmieniać zasad

- sail under false **colo(u)rs** – stroić się w cudze piórka *przen.*
- see the **colo(u)r** of sb's money *slang.* – sprawdzić, czy ktoś ma pieniądze, zobaczyć pieniądze *przen.* (*np. za wykonaną pracę*)

COLUMN
- spinal **column** – kręgosłup

COMB
- go over/through sth with a fine-tooth(ed) **comb** – dokładnie coś badać

COME
- **come** again? *pot.* – co?
- **come** alive – ożywiać się
- **come** and go – zmieniać się regularnie
- **come** clean *pot.* – przyznawać się
- **come** first – być najważniejszym, być na pierwszym miejscu
- **come** in handy/useful – przydawać się
- **come** to believe – dochodzić do przekonania
- **come** true – sprawdzać się
- **come** what may – niech się dzieje co chce
- easy **come**, easy go – lekko przyszło, lekko poszło *przysł.*
- (when you) **come** to think of it – jeśli się tak zastanowić
- **come** about – zdarzać się, wydarzać się
- **come** across – napotykać; trafiać, docierać
- **come** along – nadchodzić, pojawiać się
- **come** along! – no, dalej!; pośpiesz się!
- **come** apart – rozpadać się (*na części*)
- **come** around *pot.* – wpadać z wizytą
- **come** back – wracać
- **come** before – być ważniejszym od
- **come** from – pochodzić z
- **come** on! – no, dalej!; no wiesz!
- **come** on in! – wejdź!
- **come** over – przyjeżdżać, przychodzić
- **come** round – przekonywać się; nadchodzić; odzyskiwać przytomność; przychodzić z wizytą
- **come** through – przechodzić, przeżywać; nadchodzić
- **come** to – odzyskiwać przytomność
- **come** under – podlegać; być zaliczanym do
- **come** up – zbliżać się; pojawiać się
- **come** up against – napotykać, zderzać się z
- **come** upon – natykać się na
- **come** of/from – wynikać z
- **come** up to – sprostać, podołać; zbliżać się do
- **come** up against sth – zderzać się z czymś; natrafiać na coś; nadziewać się na coś *przen.*
- **come** up to expectations – spełniać oczekiwania

- **come** up with – wymyślać, proponować; oferować
- if it **comes** to that – jeśli o to chodzi
- when it **comes** to – jeśli chodzi o

COMFORT
- take **comfort** – pocieszać się

COMMAND
- be in **command** of oneself – panować nad sobą
- have a good **command** of sth – dobrze coś znać
- have sth at one's **command** – dysponować czymś
- take **command** – obejmować dowództwo

COMMA
- inverted **commas** – cudzysłów

COMMENT
- no **comment** – bez komentarza

COMMIT
- **commit** oneself to – zobowiązywać się do

COMMON
- have sth in **common** (with) – mieć coś wspólnego (z)
- out of the **common** – niezwykły

COMPANY
- be good **company** – być dobrym kompanem
- in **company** with – razem z, wspólnie z
- keep bad **company** – obracać się w złym towarzystwie
- keep sb **company** – dotrzymywać komuś towarzystwa
- low **company** – złe towarzystwo
- part **company** – rozstawać się; nie zgadzać się, różnić się zdaniem

COMPARE
- beyond **compare** – niezrównanie, niezrównany
- not **compare** with – nie dorównywać, być nieporównanie gorszym od

COMPARED
- **compared** to/with – w porównaniu z

COMPARISON
- in **comparison** with/to – w porównaniu z
- in/by **comparison** – na zasadzie kontrastu
- make/draw a **comparison** – porównywać
- stand/bear **comparison** – wytrzymywać porównanie

COMPLAINT
- lodge a **complaint** – składać skargę

COMPLETE
- **complete** with – wraz z

COMPLIANCE
- in **compliance** with – stosownie do, zgodnie z

COMPLIMENT
- backhanded **compliment** – dwuznaczny komplement
- **compliment** sb on sth – gratulować komuś czegoś
- pay **compliments** – prawić komplementy

▪ with **compliments** – z pozdrowieniami, z wyrazami szacunku

CONCERN

▪ **concern** oneself – troszczyć się, niepokoić się

▪ going **concern** – dobrze prosperujący interes

▪ it's no **concern** of ours – to nie nasza sprawa

▪ to whom it may **concern** – do wszystkich zainteresowanych

CONCERT

▪ benefit **concert** – koncert na rzecz

▪ in **concert** – wspólnie

CONCLUSION

▪ arrive at a **conclusion** – dochodzić do wniosku

▪ come to the **conclusion** – dochodzić do wniosku

▪ in **conclusion** – na zakończenie, na koniec

▪ jump/leap to **conclusions** – wyciągać pochopne wnioski

CONDITION

▪ on **condition** that – pod warunkiem, że

▪ out of **condition** – w słabej formie, w słabej kondycji

CONDITIONAL

▪ be **conditional** on/upon – być uzależnionym od, zależeć od

CONDITIONED

▪ be **conditioned** by – podlegać

CONFIDE

▪ **confide** in sb – zwierzać się komuś

CONFIDENCE

▪ let sb into one's **confidence** – wtajemniczać kogoś

▪ take sb into one's **confidence** – zwierzać się komuś

CONFORM

▪ **conform** to/with – dostosowywać się do; przestrzegać

CONFORMITY

▪ in **conformity** with/to – zgodnie z, stosownie do

CONJUNCTION

▪ in **conjunction** (with) – razem (z)

CONJURE

▪ **conjure** up – wyczarowywać

CONNECTION

▪ in **connection** with – w związku z

▪ in this/that **connection** – w związku z tym

CONSCIENCE

▪ have a bad/guilty **conscience** – mieć nieczyste sumienie

▪ in all/good **conscience** – z ręką na sercu *przen.*

CONSENT

▪ with one **consent** – jednomyślnie

CONSEQUENCE

▪ in **consequence** – w rezultacie

▪ of **consequence** – znaczący, doniosły

▪ take/suffer the **consequences** – ponosić konsekwencje

CONSERVATION

▪ energy **conservation** – poszanowanie/oszczędność energii

▪ nature **conservation** – ochrona przyrody

CONSIDERATION

▪ take into **consideration** – brać pod uwagę

▪ under **consideration** – rozważany

▪ of no **consideration** – nieważny, bez znaczenia

▪ out of **consideration** for – przez wzgląd na

CONSIDERING

▪ **considering** – zważywszy, biorąc pod uwagę

CONSIST

▪ **consist** in – polegać na

▪ **consist** of – składać się z

CONSPIRACY

▪ **conspiracy** of silence – zmowa milczenia

CONSTRUCTION

▪ under **construction** – w budowie

CONTEMPT

▪ beneath (one's) **contempt** – poniżej (wszelkiej) krytyki

▪ have/hold in **contempt** – gardzić, mieć w pogardzie

▪ **contempt** (of court) *prawn.* – obraza sądu *prawn.*; niestosowanie się do nakazu sądu

CONTEND

▪ **contend** with – zmagać się z, borykać się z

▪ **contend** with sb for – rywalizować z kimś o

CONTENT

▪ to one's heart's **content** – ile dusza zapragnie *przen.*

▪ (table of) **contents** – spis treści

CONTINUED

▪ to be **continued** – ciąg dalszy nastąpi

CONTRACT

▪ be under **contract** – być zobowiązanym umową, być na umowie *pot.*

CONTRADICTION

▪ **contradiction** in terms – wewnętrzna sprzeczność

CONTRARY

▪ **contrary** to – wbrew

▪ on the **contrary** – przeciwnie, na odwrót

▪ quite the **contrary** – wręcz przeciwnie

CONTRAST

▪ in **contrast** to/with – w przeciwieństwie do

CONTROL

▪ be in **control** – panować nad, kontrolować

▪ get out of **control** – wymykać się spod kontroli

CONVENIENCE

▪ at your earliest **convenience** – przy najbliższej okazji, niezwłocznie

▪ at your **convenience** – kiedy panu/pani będzie wygodnie

CONVICTION

▪ carry **conviction** – być przekonywającym

COOK

▪ too many **cooks** (spoil the broth) *przysł.* – gdzie kucharek sześć (tam nie ma co jeść) *przysł.*

▪ **cook** up *pot.* – knuć
▪ something is **cooking** *pot.* – coś wisi w powietrzu *przen.*, coś się święci *przen.*

COOKIE
▪ blow one's **cookies** *slang.* – rzygać *pot.*

COOL
▪ **cool** *pot.* – fajny, super *pot.*
▪ **cool** down – uspokajać (się)
▪ **cool** it! – uspokój się!
▪ lose one's **cool** *pot.* – denerwować się

COOP
▪ **coop** up – tłoczyć się, gnieść się

COPE
▪ **cope** with – radzić sobie z; borykać się z

CORD
▪ extension **cord** – przedłużacz

CORE
▪ to the **core** – z krwi i kości; do żywego
▪ touch to the **core** – dotykać do żywego *przen.*

CORNER
▪ be in a tight **corner** – być przypartym do muru *przen.*
▪ drive/force sb into a **corner** – przypierać kogoś do muru *przen.*
▪ (just) (a)round the **corner** – (zaraz) za rogiem, tuż obok
▪ tight **corner** – impas
▪ turn the **corner** – brać zakręt, skręcać na rogu; *przen.* wychodzić na prostą *przen.*
▪ cut **corners** – ułatwiać sobie pracę

CORRESPONDENCE
▪ enter into **correspondence** – nawiązywać korespondencję

COST
▪ at all **cost(s)** – za wszelką cenę
▪ to one's **cost** – na własnej skórze

COTTON
▪ **cotton** on – zorientować się

COUGH
▪ **cough** up *pot.* – wybulać *pot.*, bulić *pot.*

COUNT
▪ keep **count** – prowadzić rachunek, liczyć
▪ lose **count** – tracić rachubę
▪ **count** in – wliczać, brać w rachubę
▪ **count** on/upon – liczyć na, polegać na
▪ **count** out – odliczać
▪ **count** towards – być wliczanym do
▪ not **counting** – nie licząc, wyłączając

COUNTER
▪ buy under the **counter** – kupować spod lady
▪ run **counter** to – być niezgodnym z

COUNTRY
▪ mother **country** – ojczyzna

COURAGE
▪ call on/upon all one's **courage** – zebrać się na odwagę
▪ Dutch **courage** *pot.* – odwaga po pijanemu

▪ muster up **courage** – zbierać się na odwagę
▪ pluck up the **courage** – zbierać się na odwagę
▪ screw up one's **courage** – zbierać się na odwagę

COURSE

▪ **course** *pot.* = of **course** – oczywiście
▪ **course** of action – sposób postępowania
▪ in due **course** – w odpowiednim/swoim czasie
▪ in the **course** of time – z czasem, z upływem czasu
▪ of **course** – oczywiście
▪ stay/stick the **course** – doprowadzać sprawy do końca

COURT

▪ take sb to **court** – podawać kogoś do sądu
▪ out of **court** – polubownie
▪ laugh sb/sth out of **court** – wyśmiewać się z kogoś/czegoś

COURTESY

▪ (by) **courtesy** of – dzięki uprzejmości; dzięki (*komuś*)

COUSIN

▪ first **cousin** – brat cioteczny, siostra cioteczna

COVER

▪ break **cover** – wychodzić z ukrycia
▪ take **cover** – kryć się, chronić się
▪ under **cover** – pod osłoną
▪ under plain **cover** – w zwykłej kopercie z adresem
▪ under separate **cover** – w osobnej przesyłce
▪ **cover** up – okrywać, zakrywać; ukrywać, osłaniać

COWS

▪ till the **cows** come home *pot.* – do końca, do późna, do nocy *pot.*

CRACK

▪ get a fair **crack** of the whip – mieć szansę pokazać co się potrafi
▪ have a **crack** *pot.* – próbować swoich sił
▪ paste/paper over the **cracks** – tuszować niedociągnięcia

CREDIT

▪ be a **credit** to one's family – być chlubą rodziny
▪ **credit** where **credit's** due – trzeba przyznać
▪ it does him **credit** – to dobrze o nim świadczy

CREDITED

▪ he is **credited** with – przypisuje mu się

CREEK

▪ be up the **creek** – być w tarapatach

CREEP

▪ **creep** in – wkradać się do, przenikać do
▪ **creep** up on sb – skradać się do kogoś
▪ it gives me the **creeps** *pot.* – ciarki mnie przechodzą, skóra mi cierpnie *przen.*

CRISP

▪ burnt to a **crisp** *pot.* – spalony na węgiel *pot.*

CROP

▪ **crop** out – pojawiać się, wychodzić na powierzchnię

▪ **crop** up *pot.* – pojawiać się nagle

CROPPER

▪ come to a **cropper** *pot.* – dawać plamę *przen.*; wyłożyć się *pot.*, wywalić się *pot.*

CROSS

▪ **cross** off – skreślać, wykreślać

▪ **cross** out – skreślać, wykreślać; przekreślać

CROSSFIRE

▪ be caught in the **crossfire** – znajdować się między młotem a kowadłem *przen.*

CROSS-PURPOSES

▪ be at **cross-purposes** – nie rozumieć się nawzajem, myśleć o różnych sprawach

CROSSROADS

▪ be at a **crossroads** – znajdować się na rozdrożu

CROW

▪ as the **crow** flies – w linii prostej

CROWD

▪ (a) (whole) **crowd** of *pot.* – mnóstwo

▪ follow the **crowd** *pot.* – bezmyślnie naśladować innych, postępować tak jak ogół

CROWN

▪ to **crown** it all – na dodatek, na domiar wszystkiego

CRUNCH

▪ if/when it comes to the **crunch** *pot.* – jeśli/jak przyjdzie co do czego *pot.*

CRUSH

▪ have a **crush** on sb – kochać się w kimś

CRY

▪ in full **cry** – w pogoni

▪ they are a far **cry** from – daleko im do

▪ **cry** down *pot.* – lekceważyć

▪ **cry** out against – oburzać się na

▪ **cry** out for – domagać się, żądać

▪ **cry** off – odwoływać; wycofywać się z

CUCUMBER

▪ (as) cool as a **cucumber** *pot.* – nieporuszony; opanowany

CUD

▪ chew the **cud** *przen.* – rozmyślać

CUDGEL

▪ carry the **cudgel** – kruszyć kopie *przen.*

▪ take up the **cudgel/cudgels** – kruszyć kopie *przen.*

CUE

▪ on **cue** – na znak, na sygnał

CUFF

▪ off the **cuff** *pot.* – z głowy *pot.*, bez przygotowania

CUP

▪ ballet isn't my **cup** of tea – nie przepadam za baletem

CURIOSITY

▪ **curiosity** killed the cat – ciekawość to pierwszy stopień do piekła *przysł.*

CURL
▪ **curl** up – zwijać się w kłębek *przen.*
CURRENCY
▪ have **currency** *przen.* – cieszyć się popularnością *przen.*
CURRICULUM
▪ **curriculum** vitae – życiorys
CUSTODY
▪ be in **custody** – być/siedzieć w areszcie
▪ **custody** of children – prawo do opieki nad dziećmi
▪ in the **custody** (of) – pod opieką
CUT
▪ be a **cut** above – przewyższać, górować nad
▪ be **cut** out for sth – być do czegoś stworzonym *przen.*, mieć do czegoś talent
▪ **cut** and run *pot.* – brać nogi za pas, ulatniać się *pot.*
▪ **cut** it a bit fine – ledwie zdążać, być na styk *pot.*
▪ **cut** it out! – przestań!, dość tego!
▪ **cut** sb dead – udawać, że się kogoś nie widzi
▪ **cut** short – przerywać
▪ **cut** sb short – przerywać komuś
▪ **cut** to the quick – dotykać do żywego *przen.*
▪ **cut** across – wykraczać poza
▪ **cut** back (on) – zmniejszać, ograniczać
▪ **cut** down (on) – obcinać, obniżać
▪ **cut** in – przerywać, wtrącać
▪ **cut** off – obcinać; odcinać; przerywać; rozłączać, odłączać
▪ **cut** out – wycinać; zaprzestawać; wyłączać; odcinać
▪ **cut** up – ciąć, kroić (*na kawałki*)
▪ **cut** up about sth – martwić się czymś, przejmować się czymś
C.V.
▪ **c.v.** (*skr.* **curriculum vitae**) – życiorys, CV

D

DAGGER
▪ be at **daggers** drawn – być na noże (*z kimś*) *przen.*
▪ look **daggers** at sb – rzucać komuś mordercze spojrzenia
DAISY
▪ as fresh as a **daisy** – wypoczęty, rześki
▪ push up **daisies** *pot.* – wąchać kwiatki od spodu *pot.*
DAMAGE
▪ the **damage** is done – stało się
▪ what's the **damage**? *pot.* – ile muszę wybulić? *pot.*
▪ award **damages** *prawn.* – przyznawać odszkodowanie *prawn.*

DAMMIT
▪ **dammit!** *pot.* – cholera! *pot.*, psia krew! *pot.*
DAMN
▪ **damn** (it)! *pot.* – cholera! *pot.*, psia krew! *pot.*
▪ **damn** you! *pot.* – niech cię szlag trafi! *pot.*
▪ I don't give/care a **damn** *pot.* – mam to gdzieś *pot.*
▪ not be worth a **damn** *pot.* – nie być nic wartym
DAMP
▪ **damp** down – tłumić
DAMPER
▪ put a **damper** *przen.* – studzić, ostudzać *przen.*
DANCE
▪ lead sb a merry/pretty **dance** – wpędzać kogoś w kłopoty
DARE
▪ don't you **dare**! – nie waż się!
▪ I **dare** say/**daresay** – możliwe; według mnie
DARK
▪ be in the **dark** about sth – nic nie wiedzieć o czymś
DART
▪ make a **dart** (towards) – rzucać się (w stronę/ku/do)
DASH
▪ I have to/must **dash** – muszę pędzić *pot.*, muszę lecieć *pot.*
▪ **dash** off – robić byle jak, odwalać *pot.*
DATE
▪ at a later **date** – w późniejszym terminie
▪ blind **date** – randka w ciemno
▪ **date** sb *am.* – spotykać się z kimś, chodzić z kimś
▪ **date** back to/from – pochodzić z, datować się z
▪ **date** of birth – data urodzenia
▪ effective **date** – data wejścia w życie
▪ fix the **date** – ustalać datę
▪ (up) to **date** – dotąd
DAWNED
▪ it **dawned** on/upon me that – zdałem sobie sprawę, że
DAY
▪ all **day** long – (przez) cały dzień
▪ April Fool's **Day** – prima aprilis
▪ Boxing **Day** – drugi dzień Świąt Bożego Narodzenia
▪ by the **day** – z dnia na dzień
▪ let's call it a **day** – kończymy na dziś
▪ carry the **day** – zwyciężać
▪ **day** and night/night and **day** – całą dobę, na okrągło *pot.*
▪ **day** in, **day** out – codziennie, każdego dnia
▪ **day** off – wolny dzień (*od pracy*)
▪ flag **day** – dzień zbiórki pieniędzy
▪ for a rainy **day** – na czarną godzinę *przen.*
▪ have a field **day** – mieć używanie *pot.*
▪ I'll make a **day** of it *pot.* – spędzę na tym cały dzień
▪ in this **day** and age – w dzisiejszych czasach

- late in the **day** – późno; w ostatniej chwili
- make sb's **day** *pot.* – cieszyć kogoś, uszczęśliwiać kogoś
- to the **day** – (dokładnie) co do dnia
- to this **day** – do dzisiaj, do dzisiejszego dnia
- one/some **day** – któregoś dnia, pewnego dnia
- the **day** before – poprzedniego dnia, dzień wcześniej
- the other **day** – któregoś dnia, parę dni temu
- this **day** week/month – od dzisiaj za tydzień/miesiąc
- win the **day** – wygrywać, zwyciężać
- lose the **day** – przegrywać
- it's early **days** – (jest) jeszcze za wcześnie
- it was one of those **days** *pot.* – to był straszny dzień
- one of these **days** – któregoś dnia, pewnego dnia
- those were the **days** – to były czasy

DAYLIGHT
- in broad **daylight** – w biały dzień
- knock/beat the living **daylights** out of sb *pot.* – zbić kogoś na kwaśne jabłko
- scare the living **daylights** out of sb *pot.* – przestraszyć kogoś na śmierć

DAZE
- in a **daze** – oszołomiony

DEAD
- at **dead** of night – w środku nocy
- **dead** drunk *pot.* – pijany jak bela
- **dead** and gone – dawno zmarły
- **dead** tired – skonany *pot.*
- give sb up for **dead** – uznawać kogoś za zmarłego
- I wouldn't be seen **dead** in a place like that *pot.* – w życiu bym się nie pokazał w takim miejscu

DEAF
- stone **deaf** – głuchy jak pień

DEAL
- a great/good **deal** – dużo, mnóstwo
- big **deal**! *pot.* – wielkie rzeczy!, wielkie mi co! *pot.*
- **deal** in sth – handlować czymś
- **deal** with – zajmować się; obchodzić się z; mieć do czynienia z
- get a raw **deal** *pot.* – zostać wykiwanym *pot.*
- it's a **deal**! *pot.* – zgoda!, umowa stoi! *pot.*
- strike a **deal** – dobijać targu

DEATH
- be **death** on – być szkodliwym dla; być bezlitosnym dla
- be put to **death** – zostać straconym
- be tickled to **death** – szaleć z radości
- bore sb to **death** *pot.* – śmiertelnie kogoś nudzić

▪ dice with **death** – igrać ze śmiercią
▪ flog to **death** *pot.* – zajeżdżać na śmierć *pot.*
▪ hang/hold on like grim **death** – trzymać się kurczowo
▪ she'll be the **death** of me – ona mnie wpędzi do grobu *przen.*

DEBATE
▪ in **debate** – wątpliwy, niepewny

DEBT
▪ be in/into **debt** – mieć długi
▪ be in sb's **debt** – być czyimś dłużnikiem
▪ run up a **debt/debts** – zaciągać dług/długi

DECK
▪ **deck** out – ozdabiać, stroić
▪ hit the **deck** *pot.* – padać na ziemię
▪ clear the **decks** *pot.* – przygotowywać się do akcji

DECLINE
▪ be on the **decline** – zanikać

DEED
▪ do one's good **deed** for the day *pot.* – zrobić dobry uczynek

DEEP
▪ **deep** (down) inside – w głębi duszy

DEFIANCE
▪ in **defiance** of – wbrew, z lekceważeniem

DEFEAT
▪ concede **defeat** – przyznać się do porażki

DEGREE
▪ to some/a certain **degree** – do pewnego stopnia, w pewnym stopniu
▪ by **degrees** – stopniowo

DELAY
▪ without **delay** – bezzwłocznie

DELIGHT
▪ take (a) **delight** in sth – rozkoszować się czymś

DELIVERY
▪ collect on **delivery** *am.* – za pobraniem
▪ general **delivery** *am.* – poste restante

DEMAND
▪ be in (great) **demand** – mieć (ogromne) powodzenie, być (bardzo) poszukiwanym
▪ on **demand** – na żądanie

DEMUR
▪ without **demur** – bez wahania; bez sprzeciwu

DENT
▪ make a **dent** – znacznie osłabiać

DEPARTMENT
▪ that's not my **department** *pot.* – to nie moja działka *pot.*

DEPEND
▪ it **depends** – (to) zależy
▪ **depending** on – w zależności od

DEPTH
▪ be out of one's **depth** – nie czuć gruntu pod nogami; *przen.* czuć się zagubionym
▪ in **depth** – dogłębnie
▪ plum the **depths** – osiągać dno *przen.*

DESCRIPTION
- beyond/past **description** – nie do opisania
- defy **description** – być nie do opisania
- it beggars **description** – tego się nie da opisać

DESERTS
- get one's just **deserts** – dostawać to, na co się zasłużyło

DESIGNS
- have **designs** on – mieć zakusy na, mieć apetyt na *przen*.

DESPITE
- **despite** oneself – wbrew sobie

DETAIL
- go into (the) **detail(s)** – wdawać się w szczegóły
- in **detail** – szczegółowo

DETRIMENT
- to the **detriment** of – ze szkodą dla

DEVICES
- leave sb to his own **devices** – zostawiać kogoś na pastwę losu

DEVIL
- better the **devil** you know than the devil you don't – lepsze zło znane niż nie znane *przysł*.
- between the **devil** and the deep blue sea *pot*. – między młotem a kowadłem *przen*.
- **devil** of a mess – potworny bałagan
- lucky **devil** – szczęściarz
- speak/talk of the **devil** – o wilku mowa
- what/who/where the **devil**? *pot*. – co/kto/gdzie do diabła? *pot*.

DICE
- no **dice!** *slang*. – nie ma mowy!

DIE
- **die** hard – łatwo się nie poddawać
- the **die** is cast – kości zostały rzucone *przen*.
- **die** away – zamierać; ginąć, zanikać; wygasać
- **die** down – uciszać się; uspokajać się
- **die** out – zanikać, wygasać

DIFFERENCE
- it makes no **difference**/it doesn't make any **difference** – (to) nie ma znaczenia, nie ma różnicy
- make a **difference** – mieć znaczenie
- out of **difference** – to z szacunku dla
- that makes all the **difference** – to całkiem coś innego
- with a **difference** – niezwykły, interesujący

DIG
- **dig** at sb *pot*. – czepiać się kogoś *pot*.
- **dig** in – zakopywać; okopywać się
- **dig** out – odkopywać, odgrzebywać
- **dig** up – wykopywać; wydobywać, wygrzebywać

DIGNITY
- beneath one's **dignity** – poniżej godności
- stand on one's **dignity** – zachowywać się wyniośle

DIN
- **din** sth into sb – wbijać coś komuś do głowy *przen.*

DINE
- **dine** in – jeść obiad w domu
- **dine** out – jeść obiad poza domem

DIP
- **dip** into one's purse/pocket – sięgać do portfela/kieszeni *przen.*

DIRT
- treat sb like **dirt** – mieć kogoś za nic

DIRTY
- do the **dirty** on sb *bryt.* – robić komuś świństwo

DISADVANTAGE
- be at a **disadvantage** – być w niekorzystnej sytuacji
- be/work to sb's **disadvantage** – działać na czyjąś niekorzyść

DISAGREE
- alcohol/chocolate **disagrees** with me – alkohol/czekolada mi szkodzi

DISARRAY
- in **disarray** – w nieładzie

DISCRETION
- at the **discretion** of – według uznania, za pozwoleniem

DISCUSSION
- under **discussion** – omawiany, dyskutowany

DISDAIN
- **disdain** to do sth – nie raczyć czegoś zrobić

DISEASE
- contract a **disease** – nabawić się choroby

DISGUST
- in **disgust** – ze wstrętem, z obrzydzeniem

DISH
- **dish** out *pot.* – rozdawać; udzielać; rozdzielać, obdzielać
- **dish** up – nakładać
- do the **dishes** – zmywać naczynia

DISLIKE
- take a **dislike** – poczuć niechęć

DISPLAY
- digital **display** – odczyt cyfrowy
- on **display** – wystawiony, na wystawie

DISPOSED
- be well **disposed** to – być przychylnie nastawionym do

DISPUTE
- be in/under **dispute** – być przedmiotem dyskusji; być przedmiotem sporu
- beyond **dispute** – bezsprzeczny, bezsporny; bezsprzecznie, bezspornie

DISTANCE
- within hailing **distance** – w zasięgu głosu
- within spitting **distance** of *pot.* – bardzo blisko, o krok od

DISTINCT
- as **distinct** from – w odróżnieniu od

DISTINCTION
- draw/make a **distinction** – rozróżniać

DISTRACTION
- drive sb to **distraction** – doprowadzać kogoś do szału *przen.*

DITHER
- in a **dither** *pot.* – roztrzęsiony, rozdygotany

DIVIDE
- **divide** and rule! – dziel i rządź!
- **divide** off – oddzielać
- **divide** up – dzielić; rozdzielać

DIVIDEND
- pay **dividends** – procentować, przynosić korzyści

DIVISION
- **division** of labour – podział pracy
- long **division** – dzielenie pod kreską (*działanie matematyczne*)

DO
- **do**-it-yourself – zrób to sam; majsterkowanie
- **do** without – obywać się bez
- how **do** you do? – dzień dobry!; miło mi pana/panią poznać
- it has sth to **do** with – to ma coś wspólnego z
- that will **do**! – dosyć tego!
- **do** away with – pozbywać się
- **do** sb in *pot.* – załatwiać kogoś *pot.*
- **do** sb out of sth *pot.* – obrobić kogoś z czegoś *pot.*
- **do** over *am. pot.* – odnawiać, przerabiać
- **do** sb over *pot.* – pobić kogoś
- **do** out *pot.* – oczyszczać, sprzątać; urządzać
- **do** up – zapinać; upinać; odnawiać, przemalowywać; obwiązywać
- **dos** and don'ts – nakazy i zakazy
- what am I to **do**? – co mam robić?

DOG
- beware of the **dog**! – uwaga, zły pies!
- every **dog** has its day – każdy ma swoje pięć minut *przen.*
- love me, love my **dog** – taki już jestem
- put on the **dog** *am. pot.* – zadzierać nosa *przen.*
- go to the **dogs** – schodzić na psy *przen.*
- let sleeping **dogs** lie – nie wywoływać wilka z lasu *przen.*

DOLDRUMS
- be in the **doldrums** – podupadać; mieć chandrę

DOLE
- be on the **dole** *bryt. pot.* – być na zasiłku
- **dole** out – rozdawać

DOLL
- **doll** up *pot.* – stroić się

DOLLAR
- look like a million **dollars** – świetnie wyglądać

DONKEY
- she can talk the hind legs off

a **donkey** *pot.* – ona przegada każdego

DOOR

▪ at death's **door** – u progu śmierci

▪ lay sth at sb's **door** – obarczać kogoś odpowiedzialnością za coś

▪ live next **door** – mieszkać obok

▪ next **door** (to) – obok

▪ see sb to the **door** – odprowadzać kogoś do drzwi

▪ shut/slam the **door** in sb's face – zamykać/zatrzaskiwać komuś drzwi przed nosem

▪ the **door** is on the latch – drzwi są zamknięte na klamkę

▪ behind closed **doors** – za zamkniętymi drzwiami *przen.*

▪ out of **doors** – na zewnątrz, na powietrzu

DOORNAIL

▪ dead as a **doornail** *pot.* – trup-nieboszczyk *pot.*; całkowicie popsuty

DOORSTEP

▪ on the **doorstep** *przen.* – (tuż) za progiem

DOT

▪ **dot** the i's and cross the t's – nadawać ostateczny szlif

▪ on the **dot** – punktualnie

DOUBLE

▪ at/on the **double** *pot.* – biegiem *pot.*

▪ **double** back – zawracać

▪ **double** up – dzielić pokój (*z kimś*)

DOUBT

▪ be in **doubt** – mieć wątpliwości

▪ beyond all/a **doubt** – ponad wszelką wątpliwość

▪ cast **doubt** – podawać w wątpliwość

▪ if/when in **doubt** – w razie wątpliwości

▪ leave no **doubt** – nie pozostawiać wątpliwości

▪ no **doubt** – niewątpliwie, na pewno

▪ without (a) **doubt** – bez wątpienia, niewątpliwie

▪ assailed by **doubts** – targany wątpliwościami

▪ have one's **doubts** – mieć pewne wątpliwości

DOWN

▪ **down** with...! – precz z...!

▪ (right) **down** to – łącznie z, aż do

▪ **down** sth – przełykać coś

▪ have a **down** on sb – zawziąć się na kogoś

DOWNER

▪ be on a **downer** – być przybitym *przen.*

DOZE

▪ **doze** off – zdrzemnąć się

DOZEN

▪ by the **dozen(s)** – na tuziny; tuzinami

▪ it's six of one and half a **dozen** of the other *pot.* – to jedno i to samo *pot.*

▪ baker's **dozen** – trzynaście

DRAG
- be a **drag** on sb *slang.* – być dla kogoś ciężarem *przen.*, być komuś kulą u nogi *przen.*
- **drag** up – wyciągać, wywlekać
- in **drag** – w kobiecym przebraniu
- take a **drag** *pot.* – zaciągać się, sztachać się *pot.*
- **drag** on/along – ciągnąć się, wlec się
- **drag** out – przeciągać, przedłużać
- **drag** sth out of sb – wyciągać coś od kogoś *pot.*

DRAGOON
- **dragoon** sb into sth *bryt.* – zmuszać kogoś do czegoś

DRAIN
- brain **drain** – drenaż mózgów *przen.*
- go down the **drain** – iść na marne, być marnowanym

DRAW
- quick on the **draw** *pot.* – szybki w gębie *przen.*
- **draw** aside – odciągać na bok; odsuwać się na bok
- **draw** away – oddalać się
- **draw** back – cofać się
- **draw** in – wjeżdżać (na stację)
- **draw** off – ściągać, odciągać
- **draw** on – zbliżać się, nadciągać; zaciągać się
- **draw** out – ruszać; przeciągać; ożywiać, rozweselać; wyciągać
- **draw** up – podjeżdżać; sporządzać; przysuwać; rozprostowywać się

DREAD
- I **dread** to think – boję się pomyśleć

DREAM
- **dream** up – wymyślać, obmyślać
- it's beyond my wildest **dreams** – to przechodzi moje najśmielsze oczekiwania
- of one's **dreams** – wymarzony, idealny
- sweet **dreams**! – przyjemnych snów!

DRESS
- **dress** down – besztać, rugać
- **dress** up as – przebierać się za
- fancy **dress** – kostium, przebranie
- full **dress** – strój galowy

DRESSED
- **dressed** to kill *pot.* – wystrojony *pot.*

DRIBS
- in **dribs** and drabs *pot.* – po trochu, partiami

DRIFT
- **drift** off to sleep – powoli zasypiać

DRILL
- **drill** sth into sb – wbijać coś komuś do głowy *przen.*

DRINK
- **drink** in – chłonąć, rozkoszować się
- **drink** to – pić za (*np. czyjeś zdrowie*)
- **drink** up – wypijać; dopijać

DRIVE
▪ **drive** away/off – odganiać, przepędzać; odjeżdżać
▪ **drive** sb crazy/mad – doprowadzać kogoś do szału *przen.*
▪ be **driving** at sth – zmierzać do czegoś

DRONE
▪ **drone** on – przynudzać *pot.*

DROOL
▪ **drool** over sb/sth *pot.* – pożerać kogoś/coś wzrokiem *przen.*

DROP
▪ at the **drop** of a hat – natychmiast, bez namysłu
▪ **drop** in the ocean – kropla w morzu *przen.*
▪ **drop** dead *pot.* – paść trupem *pot.*; odczepić się *slang.*
▪ **drop** by/round *pot.* – wpadać (z wizytą)
▪ **drop** in (on sb) *pot.* – wpadać (do kogoś)
▪ **drop** away – słabnąć, zmniejszać się
▪ **drop** behind – pozostawać w tyle
▪ **drop** off – podrzucać, podwozić; słabnąć, zmniejszać się; odpadać
▪ **drop** off (to sleep) – zasypiać
▪ **drop** out – wypadać; odpadać
▪ **drop** out of school – porzucać szkołę

DRUGS
▪ soft/hard **drugs** – miękkie/twarde narkotyki
▪ be on **drugs** – brać leki; brać narkotyki

DRUM
▪ **drum** sth in/into sb – wbijać coś komuś do głowy *przen.*
▪ **drum** up – zjednywać

DRY
▪ **dry** off/out – schnąć
▪ **dry** out *pot.* – leczyć się z alkoholizmu
▪ **dry** up – wysychać; suszyć; milknąć
▪ **dry** up! – zamknij się! *pot.*, cicho!

DUCK
▪ take to sth like a **duck** to water *pot.* – odkrywać, że jest się do czegoś stworzonym
▪ sitting **duck** – łatwa zdobycz *przen.*
▪ **duck** out – wymigiwać się
▪ play **ducks** and drakes – puszczać kaczki (*na wodzie*)

DUCKING
▪ give sb a **ducking** – zanurzać komuś głowę w wodzie

DUDGEON
▪ in high **dudgeon** – rozgniewany, wściekły

DUE
▪ **due** to – z powodu, w związku z
▪ give sb his/her **due** – oddawać komuś sprawiedliwość

DUMMY
▪ **dummy** (hand) – dziadek (*w brydżu*)

DUMPS
▪ be/feel down in the **dumps** *pot.* – być w dołku *pot.*

DUPLICATE

- in **duplicate** – w dwóch egzemplarzach

DUST

- (as) dry as **dust** – nudny jak flaki z olejem *pot.*
- bite the **dust** *pot.* – paść, polec (*w walce*)
- **dust** down – odkurzać
- let the **dust** settle *pot.* – pozwolić się sprawom uładzić
- like gold **dust** *pot.* – na wagę złota *przen.*

DUTCH

- double **Dutch** – niezrozumiały język, chińszczyzna *pot.*

DUTY

- on/off **duty** – na/po służbie/dyżurze

DWELL

- **dwell** on/upon – rozpamiętywać, rozwodzić się nad

E

EACH

- **each** other – się/siebie (wzajemnie)

EAR

- cock an **ear** – nadstawiać ucha *przen.*
- go in one **ear** and out the other – jednym uchem wchodzić, drugim wychodzić *przen.*
- lend an **ear** – słuchać, wysłuchiwać
- play by **ear** – grać ze słuchu
- play it by **ear** – improwizować, wymyślać na poczekaniu
- turn a deaf **ear** – nie słuchać, ignorować
- be all **ears** – zamieniać się w słuch
- be up to one's **ears** in sth – tkwić w czymś po uszy
- box sb's **ears** – trzepnąć kogoś po głowie
- my **ears** are buzzing – szumi/dzwoni mi w uszach
- prick up one's **ears** – nadstawiać uszu *przen.*
- wet behind the **ears** *pot.* – niedoświadczony, naiwny

EARLIEST

- at the **earliest** – najwcześniej, w najlepszym razie

EARNEST

- in **earnest** – na poważnie, na serio

EARSHOT

- be out of **earshot** – nie słyszeć (*nie być na tyle blisko*)
- be within **earshot** – słyszeć (*być na tyle blisko*)

EARTH

- come back to **earth** – wracać (z obłoków) na ziemię *przen.*
- cost the **earth** *pot.* – kosztować majątek
- down to **earth** – bezpośredni, szczery
- go to **earth** – zapadać się pod ziemię *przen.*

▪ pay the **earth** *pot.* – płacić majątek
▪ why on **earth** me? – dlaczego akurat ja?

EASE
▪ (stand) at **ease**! – spocznij!
▪ be at (one's) **ease** – czuć się zrelaksowanym
▪ **ease** off – słabnąć; spadać, obniżać się
▪ **ease** up on sb *pot.* – popuszczać komuś *pot.*
▪ ill at **ease** – nieswój, skrępowany

EASIER
▪ **easier** said than done – łatwo powiedzieć (trudniej zrobić)

EASY
▪ dead **easy** *pot.* – dziecinnie łatwe
▪ **easy** come, **easy** go – lekko przyszło, lekko poszło *przysł.*
▪ **easy** does it! *pot.* – ostrożnie!, powoli!
▪ go **easy** on sb – traktować kogoś mniej surowo, oszczędzać kogoś *przen.*
▪ go **easy** on sb – używać czegoś oszczędnie
▪ it's far from **easy** – nie jest łatwo
▪ it's none too **easy** – nie jest łatwo

EAT
▪ **eat** away – wymywać; wycierać; wyżerać
▪ **eat** in – jeść w domu (*nie w restauracji*)
▪ **eat** into – wnikać w, wżerać się w; pochłaniać
▪ **eat** out – jeść w restauracji (*nie w domu*)
▪ **eat** up – zjadać, dojadać
▪ **eat** up money/time/fuel – pożerać pieniądze/czas/paliwo *przen.*
▪ what's **eating** you? *pot.* – co cię gryzie? *pot.*

EATEN
▪ he was **eaten** up with jealousy/curiosity *pot.* – zżerała go zazdrość/ciekawość

EBB
▪ be at a low **ebb** *przen.* – przechodzić kryzys, być w dołku *przen.*
▪ the **ebb** and flow *przen.* – wzloty i upadki
▪ **ebb** away – słabnąć; niknąć; gasnąć

ECONOMY
▪ black **economy** – szara strefa *ekon.*

EDGE
▪ be on **edge** – być rozdrażnionym
▪ have the **edge** on/over – mieć przewagę nad
▪ not to put too fine an **edge** on it – mówiąc prosto z mostu, mówiąc bez ogródek
▪ take the **edge** off – stępiać, przytępiać

EDGEWAYS
▪ I couldn't get a word in **edgeways** – nie mogłem dojść do słowa

EFFECT
- come/go into **effect** – wchodzić w życie, zaczynać obowiązywać
- in **effect** – faktycznie, w praktyce
- put/bring/carry into **effect** – wprowadzać w życie, wprowadzać w czyn *przen.*
- take **effect** – przynosić efekty; wchodzić w życie, zaczynać obowiązywać
- the greenhouse **effect** – efekt cieplarniany
- to no **effect** – bezskutecznie
- with immediate **effect** – ze skutkiem natychmiastowym

EFFORT
- by an **effort** of will – wysiłkiem woli

EGG
- **egg** on – zachęcać, podpuszczać *pot.*
- as sure as **eggs** is **eggs** – jak amen w pacierzu
- lay an **egg** *pot.* – robić klapę *pot.* (*o przedstawieniu*)
- put all one's **eggs** in one basket – stawiać wszystko na jedną kartę

EITHER
- **either**... or – albo... albo; ani... ani

ELECTION
- general **election** – wybory powszechne

ELEMENT
- be in one's **element** – być w swoim żywiole

ELSE
- if nothing **else** – przynajmniej
- or **else** – bo jak nie, w przeciwnym razie

EMBARK
- **embark** on/upon – rozpoczynać, podejmować

EMERGENCY
- in an **emergency** – w razie niebezpieczeństwa

END
- at the **end** of the rainbow – nieosiągalny
- be at a loose **end** *pot.* – nie mieć nic do roboty
- be at one's wits' **end** – być w kropce *pot.*
- come/draw to an **end** – zbliżać się do końca
- come to/meet a sticky **end** *pot.* – źle kończyć
- dead **end** – ślepa uliczka *także przen.*
- **end** in itself – cel sam w sobie
- **end** it all – skończyć ze sobą
- **end** up as/doing sth – kończyć jako/robiąc coś
- **end** up in jail – kończyć w więzieniu
- for years/weeks on **end** – (całymi) latami/tygodniami
- get (hold of) the wrong **end** of the stick *pot.* – rozumieć na opak
- go off the deep **end** *pot.* – wpadać w złość
- in the **end** – w końcu
- loose **end** – nie wyjaśniony wątek

▪ on **end** – na sztorc
▪ put an **end** to sth – położyć czemuś kres
▪ to that **end** – w tym celu
▪ to the bitter/very **end** – aż do końca, aż do ostatka
▪ to the **end** of time – do końca życia
▪ he's on his beam **ends** *pot.* – on nie ma z czego żyć
▪ make (both) **ends** meet – wiązać koniec z końcem *przen.*

ENGAGED

▪ get **engaged** (to sb) – zaręczyć się (z kimś)
▪ be **engaged** in sth – zajmować się czymś

ENGLISH

▪ pidgin **English** – łamana angielszczyzna

ENOUGH

▪ it's **enough** to be going on with – (to) na razie wystarcza
▪ I've had **enough** – mam dość
▪ oddly/strangely/funnily **enough** – co dziwne

ENTER

▪ **enter** for – zapisywać się na
▪ **enter** into – wdawać się w; nawiązywać, rozpoczynać; zawierać (*umowę*)

ENTRY

▪ no **entry** – wstęp wzbroniony

EQUALITY

▪ **equality** of opportunity – równouprawnienie

ERRAND

▪ fool's **errand** – strata czasu
▪ go on/run an **errand** – iść coś załatwić

ESCAPE

▪ fire **escape** – droga przeciwpożarowa

ESSENCE

▪ be of the **essence** – mieć istotne znaczenie, być niezbędnym
▪ in **essence** – w istocie

ESSENTIALS

▪ in (all) **essentials** – w istocie, w zasadzie

ESTEEM

▪ hold sb/sth in high/great **esteem** – podziwiać kogoś/coś

ESTIMATE

▪ at a rough **estimate** – w przybliżeniu

EVE

▪ on the **eve** of – w przeddzień

EVEN

▪ be **even**-steven *pot.* – być kwita *pot.*
▪ **even** if – nawet jeśli
▪ **even** so – niemniej jednak, mimo to
▪ **even** though – chociaż, mimo że
▪ **even** out/up – wyrównywać

EVENING

▪ good **evening**! – dobry wieczór!

EVENT

▪ in any **event** – na wszelki wypadek
▪ in the **event** – w rzeczywistości
▪ in the **event** of – w razie, w przypadku

- in that **event** – w takim wypadku
- at all **events** – na wszelki wypadek

EVER
- as **ever** – jak zwykle
- **ever** after – odtąd (*zakończenie bajki*)
- **ever** since – odkąd, od czasu gdy
- for **ever** – na zawsze
- hardly **ever** – bardzo rzadko

EVERY
- **every** now and then – co jakiś czas
- **every** other/third – co drugi/co trzeci

EVIDENCE
- be in **evidence** – być widocznym
- bring **evidence** against sb – przedstawiać dowody przeciwko komuś
- firm **evidence** – niezbity dowód
- give **evidence** – składać zeznania
- show **evidence** of – zdradzać oznaki

EXACT
- to be **exact** – faktycznie, właściwie

EXACTLY
- not **exactly** – niezupełnie, nie do końca

EXAM
- flunk an **exam** *pot.* – oblać egzamin *pot.*

EXAMINATION
- sit/take an **examination** – zdawać egzamin
- pass/fail an **examination** – zdać egzamin/nie zdać egzaminu
- under **examination** – badany, rozpatrywany

EXAMPLE
- follow sb's **example** – iść za czyimś przykładem, brać przykład z kogoś
- for **example** – na przykład
- make an **example** of sb – karać kogoś dla przykładu
- set an **example** – dawać przykład

EXCEPT
- **except** for – poza, oprócz

EXCEPTION
- take **exception** – przeciwstawiać się; czuć się urażonym
- without **exception** – bez wyjątku
- with the **exception** of – z wyjątkiem

EXCESS
- in **excess** of – powyżej, ponad
- to **excess** – do przesady

EXCHANGE
- foreign **exchange** – obca waluta
- in **exchange** (for) – w zamian (za)
- stock **exchange** – giełda papierów wartościowych

EXCUSE
- **excuse** me! – przepraszam!

▪ **excuse** oneself for sth – tłumaczyć się z czegoś
▪ that's no **excuse**! – to żadne usprawiedliwienie!

EXISTENCE
▪ come into **existence** – powstawać

EXPAND
▪ **expand** on/upon – omawiać szerzej

EXPECTATIONS
▪ come/live up to sb's **expectations** – sprostać czyimś oczekiwaniom
▪ fall short of sb's **expectations** – nie spełniać czyichś oczekiwań
▪ measure up to one's **expectations** – sprostać czyimś oczekiwaniom

EXPECTING
▪ be **expecting** – spodziewać się dziecka

EXPENSE
▪ at sb's **expense** – na czyjś koszt; czyimś kosztem
▪ go to great **expense** – wykosztowywać się
▪ spare no **expense** – nie szczędzić kosztów

EXPRESSION
▪ find **expression** in sth – znajdować wyraz w czymś, wyrażać się w czymś

EXTENT
▪ to a certain/some **extent** – do pewnego stopnia, w pewnym stopniu
▪ to a large **extent** – w dużym stopniu, w dużej mierze

EXTENTION
▪ **extention** 55 – wewnętrzny (numer) 55

EXTREMES
▪ go to **extremes** – popadać w skrajności

EYE
▪ cast/run one's **eye** over – rzucać okiem na *przen.*, zerkać
▪ catch one's **eye** – spostrzegać, zauważać
▪ easy on one's **eye** *pot.* – przyjemny dla oka
▪ **eye** for an **eye** (and a tooth for a tooth) – oko za oko (ząb za ząb) *przysł.*
▪ **eye** sb up *pot.* – wpatrywać się w kogoś
▪ have a black **eye** – mieć podbite oko
▪ have an **eye** to the main chance – pilnować swojego interesu
▪ have one's **eye** on – obserwować, mieć na oku *przen.*
▪ keep a close **eye** on – nie spuszczać z oka *przen.*
▪ keep an **eye** on – pilnować, nie spuszczać z oka *przen.*
▪ keep one's **eye** on the ball *pot.* – być czujnym, obserwować, co się dzieje dookoła
▪ see **eye** to **eye** with sb – zgadzać się z kimś
▪ strike the **eye** – uderzać, rzucać się w oczy *przen.*
▪ that's one in the **eye** for him *pot.* – no i doigrał się! *pot.*

▪ to/in sb's **eyes** – według kogoś, w czyjejś opinii
▪ turn a blind **eye** to sth – przymykać na coś oko
▪ with the unaided/naked **eye** – nie uzbrojonym/gołym okiem
▪ avert one's **eyes** – odwracać oczy
▪ before my very **eyes** – na moich oczach
▪ before/in front of/under sb's **eyes** – na czyichś oczach
▪ be up to one's **eyes** in sth *pot.* – tkwić w czymś po uszy *pot.*
▪ cast one's **eyes** – rzucać spojrzenia
▪ clap/lay/set **eyes** on sb/sth *pot.* – spojrzeć na kogoś/coś
▪ cry one's **eyes** out – wypłakiwać oczy *przen.*
▪ feast one's **eyes** – napawać wzrok *przen.*
▪ keep one's **eyes** on the clock *pot.* – spoglądać cały czas na zegarek
▪ keep one's **eyes** open *pot.* – mieć oczy otwarte *przen.*
▪ keep one's **eyes** peeled/skinned *pot.* – uważać, być czujnym
▪ make **eyes** at sb *pot.* – robić słodkie oczy do kogoś
▪ shut/close one's **eyes** to sth – przymykać oczy na coś

EYEBROWS

▪ knit one's **eyebrows** – marszczyć brwi

EYELID

▪ without batting an **eyelid** *pot.* *przen.* – bez mrugnięcia powieką *przen.*

EYETEETH

▪ I would give my **eyeteeth** for – oddałbym wszystko za

F

FACE

▪ bury one's **face** in one's hands – ukrywać twarz w dłoniach *przen.*
▪ disappear/vanish off the **face** of the earth – zapadać się pod ziemię *przen.*, znikać jak kamfora *przen.*
▪ **face** to **face** – twarzą w twarz
▪ **face** up/down – twarzą do góry/w dół; stroną kopiowaną do góry/do dołu
▪ fall flat on one's **face** – ponosić druzgocącą klęskę
▪ fly in the **face** of – wyzywać, prowokować; zaprzeczać
▪ in the **face** of – wobec, w obliczu; wbrew, nie zważając na
▪ keep a straight **face** – zachowywać powagę
▪ let's **face** it – powiedzmy (sobie) szczerze
▪ long **face** – smutna mina
▪ my **face** fell – mina mi zrzedła
▪ not have the **face** to do sth

pot. – nie mieć śmiałości czegoś zrobić
- on the **face** of it – na oko, pozornie
- put on a brave/good **face** – nadrabiać miną
- save/lose **face** – zachowywać/tracić twarz *przen.*
- set one's **face** against sth – zdecydowanie się czemuś sprzeciwiać
- show one's **face** somewhere – pojawiać się gdzieś, pokazywać się gdzieś
- take sth at **face** value – brać coś za dobrą monetę; brać coś dosłownie
- (straight) to sb's **face** – (prosto) w oczy
- till you're blue in the **face** – (aż) do utraty tchu, do upadłego
- **face** down *am.* – onieśmielać; nie zważać na, ignorować
- **face** up to – stawiać czoła, radzić sobie
- make/pull **faces** – robić/stroić miny, wykrzywiać się

FACT
- for a **fact** – na pewno
- in (actual/point of) **fact** – w rzeczywistości, faktycznie; właściwie
- the **fact** is (that) – faktem jest, że
- bare **facts** – nagie fakty *przen.*
- the **facts** of life – sprawy związane z seksem

FADE
- **fade** away – znikać, zanikać; marnieć
- **fade** out – zanikać

FAIL
- I **fail** to see – nie rozumiem
- without **fail** – niechybnie, na pewno

FAIR
- to be **fair** – trzeba przyznać
- **fair** and square – uczciwie

FAIRNESS
- in all **fairness** – gwoli uczciwości

FAIT
- **fait** accompli – fakt dokonany

FAITH
- in good **faith** – w dobrej wierze

FALL
- **fall** asleep – zasypiać
- **fall** flat – ponosić klęskę
- **fall** foul of sb – narażać się komuś
- **fall** apart – rozpadać się; rozklejać się *przen.*
- **fall** away – odpadać; opadać, obniżać się; zmniejszać się
- **fall** back – upadać do tyłu, przewracać się do tyłu; cofać się
- **fall** back on – uciekać się do, znajdować oparcie w
- **fall** behind – ociągać się; pozostawać w tyle; zalegać
- **fall** down – upadać; przewracać się; zawalać się; walić się
- **fall** for *pot.* – zakochiwać się; nabierać się na *pot.*

▪ **fall** in – zapadać się, osuwać się; stawać w szeregu
▪ **fall** in with – zgadzać się na; stosować się do
▪ **fall** into – rozpoczynać; popadać w
▪ **fall** off – odpadać; obniżać się, zmniejszać się
▪ **fall** on/upon – spadać na; napadać na
▪ **fall** out – wypadać; rozchodzić się, rozpraszać się
▪ **fall** out with sb – poróżnić się z kimś
▪ **fall** over – przewracać się
▪ **fall** over oneself *pot.* – przechodzić samego siebie *przen.*
▪ **fall** through – nie dochodzić do skutku
▪ **fall** to – spadać na; zabierać się ochoczo do

FAMILY
▪ it runs in the **family** – wszyscy w rodzinie są tacy

FANCY
▪ **fancy** that! – coś takiego!
▪ take a **fancy** to – polubić
▪ tickle sb's **fancy** – bawić kogoś, radować kogoś

FAR
▪ as **far** as I can see – o ile rozumiem; o ile się orientuję
▪ as **far** as I know – o ile wiem
▪ as **far** as possible – na ile to możliwe
▪ as/so **far** as sb/sth is concerned *pot.* – jeśli chodzi o kogoś/coś
▪ by **far** – o wiele, o niebo (*np. lepszy*)
▪ **far** and away – o wiele, o niebo (*np. lepszy*)
▪ **far** away/off – daleko
▪ **far** from it – bynajmniej, broń Boże!
▪ **far** and near – wszędzie
▪ **far** and wide – wszędzie
▪ from **far** and wide – zewsząd
▪ so **far** – (jak) dotąd, do tej pory
▪ so **far** so good – jak dotąd dobrze

FASHION
▪ after a **fashion** – jako tako
▪ in **fashion**/out of **fashion** – modny/niemodny

FAST
▪ pull a **fast** one on sb – oszukiwać kogoś

FASTEN
▪ **fasten** up – zawiązywać; zapinać; upinać

FAT
▪ live off the **fat** of the land – opływać w dostatki

FATE
▪ tempt a **fate** – kusić los

FAULT
▪ be at **fault** – ponosić winę
▪ find **fault** with – krytykować, czepiać się *pot.*
▪ to a **fault** – do przesady

FAVOUR, **FAVOR** ***am.***
▪ ask sb a **favo(u)r** – prosić kogoś o przysługę
▪ be in **favo(u)r** of – być za, być zwolennikiem

▪ be in/out of **favo(u)r** with sb – cieszyć/nie cieszyć się czyimiś względami
▪ curry **favo(u)r** with sb – przypochlebiać się komuś
▪ do me a **favo(u)r**! *pot.* – chyba żartujesz!
▪ do sb a **favo(u)r** – wyświadczać komuś grzeczność/przysługę
▪ find **favo(u)r** – cieszyć się aprobatą, znajdować poparcie
▪ in sb's **favo(u)r** – na czyjąś korzyść

FEATHER
▪ **feather** in one's cap – powód do dumy

FEE
▪ entrance **fee** – opłata za wstęp; wpisowe

FEEL
▪ **feel** bound to do sth – czuć się zobowiązanym coś zrobić
▪ **feel** down *pot.* – mieć chandrę
▪ **feel** funny *pot.* – czuć się lekko chorym
▪ **feel** hard done by – czuć się oszukanym
▪ **feel** sorry for sb – współczuć komuś
▪ **feel** tempted to do sth – mieć ochotę coś zrobić
▪ get the **feel** – przyzwyczajać się
▪ I **feel** bad about it – przykro mi z tego powodu
▪ I **feel** done in *pot.* – jestem skonany *pot.*
▪ I **feel** like dancing – mam ochotę tańczyć
▪ not **feel** oneself – nie czuć się dobrze
▪ **feel** for – szukać po omacku
▪ it **feels** warm/cold – jest ciepło/zimno
▪ it **feels** like rain/snow – chyba będzie padać/spadnie śnieg

FEELERS
▪ put/have **feelers** out *pot.* – badać grunt *pot.*

FEELING
▪ arouse a **feeling** – wzbudzać uczucie
▪ have mixed **feelings** – mieć mieszane uczucia *przen.*

FEET
▪ be under sb's **feet** – plątać się komuś pod nogami
▪ drag one's **feet** – ociągać się
▪ fall at sb's **feet** – padać komuś do stóp
▪ fall on one's **feet** – spadać na cztery łapy *przen.*
▪ find one's **feet** – poczuć się pewnie, przyzwyczaić się
▪ have itchy **feet** – nie móc usiedzieć na miejscu *przen.*
▪ have one's **feet** on the ground – stać twardo na ziemi *przen.*
▪ land on one's **feet** – spadać na cztery łapy *przen.*
▪ stand on one's own two **feet** – stać na własnych nogach, być niezależnym

FENCE
▪ sit on the **fence** *przen.* – nie

opowiadać się po żadnej stronie, być bezstronnym
▪ mend (one's) **fences** *przen.* – poprawiać stosunki (*z kimś*)
FEND
▪ **fend** for oneself – troszczyć się o siebie, radzić sobie
FETCH
▪ **fetch** and carry – wysługiwać się, być na usługach
▪ **fetch** up somewhere *am. pot.* – lądować gdzieś *pot.*
FEVER
▪ hay **fever** – katar sienny
FEW
▪ a **few** – kilka
▪ a good **few** – dość dużo, sporo
▪ be **few** and far between *pot.* – występować w małej ilości, rzadko się zdarzać
▪ quite a **few** – dość dużo, sporo
FICTION
▪ pulp **fiction** – szmirowata literatura
FIDDLE
▪ be on the **fiddle** – robić szwindle *pot.*
▪ **fiddle** about/around – tracić czas na głupstwa
▪ **fiddle** (about/around) with sth – bezmyślnie bawić się czymś
▪ (as) fit as a **fiddle** *pot.* – w świetnej kondycji
▪ play second **fiddle** – grać drugorzędną rolę, pozostawać w cieniu
FIDGET
▪ **fidget** with sth – bezmyślnie bawić się czymś
▪ **fidget** about – kręcić się niespokojnie
FIELD
▪ **field** of vision/view – pole widzenia
▪ hold/lead the **field** – prowadzić, przodować
▪ play the **field** *pot.* – używać życia *przen.*
FIGHT
▪ hand to hand **fight** – walka wręcz
▪ put up a **fight** – dzielnie się bronić
▪ **fight** shy of sth – robić wszystko, by uniknąć czegoś
▪ **fight** back – bronić się, stawiać opór; zwalczać, przezwyciężać
▪ **fight** down – zwalczać, przezwyciężać
▪ **fight** off – opierać się; przezwyciężać; odpierać
FIGURE
▪ cut a fine **figure** – świetnie się prezentować
▪ cut a strange **figure** – dziwnie wyglądać
▪ **figure** of fun – pośmiewisko
▪ **figure** of speech – przenośnia, metafora
▪ **figure** out *am. pot.* – wymyślać, opracowywać; rozpracowywać; obliczać
▪ fine **figure** of a man – postawny mężczyzna
▪ I **figure** (that) *am. pot.* – myślę, że, uważam, że, wydaje mi się, że

- keep/lose one's **figure** – zachowywać/tracić figurę

FILE
- in Indian **file** – jeden za drugim, gęsiego
- (in) single **file** – rzędem, w rzędzie
- on **file** – w aktach
- on the **files** – w aktach

FILL
- eat/watch one's **fill** – najadać/napatrzeć się do syta
- have one's **fill** of sth – mieć czegoś do syta
- **fill** in – wypełniać; zapełniać; wpisywać, wypisywać
- **fill** in for sb – zastępować kogoś
- **fill** sb in – informować kogoś; *pot.* dawać komuś wycisk *pot.*
- **fill** out – zaokrąglać się; wypełniać; wypisywać
- **fill** up – zapełniać (się); wypełniać (się)

FIND
- **find** out – dowiadywać się, odkrywać
- **find** sb out – przyłapywać kogoś, nakrywać kogoś *przen.*
- he **finds** it hard – przychodzi mu z trudnością
- I don't **find** it funny – nie śmieszy mnie (to)
- please **find** enclosed – w załączeniu przesyłam(y)

FINE
- I'm doing **fine** – dobrze mi idzie, radzę sobie
- (that's) **fine** – dobrze, świetnie
- I'm **fine** – mam się dobrze; nic mi nie jest

FINGER
- have a **finger** in every pie – być zaangażowanym w wiele spraw
- have/keep one's **finger** on the pulse – trzymać rękę na pulsie *przen.*
- point the **finger** of scorn at sb – wyrażać się o kimś z pogardą
- put a **finger** on sb *pot.* – donosić na kogoś
- not lay a **finger** on – nie tknąć palcem
- not lift/raise/stir a **finger** – nie kiwnąć palcem *przen.*
- twist sb round one's little **finger** *pot.* – owijać sobie kogoś dookoła palca *przen.*
- burn one's **fingers** – sparzyć sobie palce, sparzyć się
- cross one's **fingers** – trzymać kciuki
- get one's **fingers** burnt – sparzyć się
- have green **fingers** – mieć rękę do roślin *przen.*
- keep one's **fingers** crossed – trzymać kciuki
- work one's **fingers** to the bone – urabiać sobie ręce po łokcie

FINGERTIPS
- at one's **fingertips** – pod ręką, w zasięgu ręki; w małym palcu *przen.*
- to the/one's **fingertips** – w każdym calu

FINISH
- **finish** off – dobijać; wykańczać, dokańczać; kończyć
- **finish** up – kończyć; wykańczać
- **finish** up as/in – kończyć w/jako
- **finish** with – kończyć z

FIRE
- beat out a **fire** – tłumić ogień
- be on **fire** – palić się, płonąć
- catch a **fire** – zapalać się, zajmować się
- come under **fire** – dostawać się pod obstrzał krytyki
- fight a **fire** – walczyć z ogniem
- fight **fire** with **fire** – walczyć tą samą bronią
- hold **fire** – wstrzymywać ogień
- play with **fire** *pot.* – igrać z ogniem
- set **fire** to sth – podpalać coś
- set sth on **fire** – podpalać coś

FIRST
- at **first** – na początku
- **first** come, **first** served – ci, którzy pierwsi przychodzą są obsługiwani jako pierwsi
- **first** of all – przede wszystkim
- **first** and foremost – przede wszystkim
- from the **first** – od początku
- when we **first** met – (na początku) gdy się poznaliśmy

FISH
- big **fish** *pot.* – gruba ryba *pot.*
- drink like a **fish** *pot.* – pić jak szewc
- have other **fish** to fry – mieć ważniejsze rzeczy do roboty *pot.*

FIT
- I laughed **fit** to burst – o mało nie pękłam/pękłem ze śmiechu *przen.*
- fighting **fit** – w świetnej formie
- have a **fit** – dostawać szału
- have a **fit** of laughter/coughing – mieć napad śmiechu/kaszlu
- **fit** in – wpychać, wciskać *pot.*
- **fit** in/into – pasować, nadawać się
- **fit** out/up – zaopatrywać, wyposażać
- be in **fits** – śmiać się do rozpuku, pękać ze śmiechu *przen.*
- by/in **fits** and starts – zrywami

FIVE
- give sb **five** – pomóc komuś; podać komuś rękę, przywitać się z kimś; *pot.* przybić piątkę *pot.*

FIX
- be in a **fix** *pot.* – być w tarapatach
- **fix** on/upon – ustalać
- **fix** up – organizować; szykować *pot.*
- **fix** sb up with sth – załatwiać komuś coś

FIZZLE
- **fizzle** out – spalić na panewce *przen.*

FLAG
- with **flags** flying – z triumfem

FLAKE
▪ **flake** out *pot.* – padać jak nieżywy

FLAMES
▪ burst into **flames** – stawać w płomieniach
▪ fan the **flames** – podsycać płomień
▪ go up in **flames** – stawać w płomieniach

FLANNEL
▪ give sb **flannel** *pot.* – nie mówić wprost

FLAP
▪ be in a **flap** – być bardzo poruszonym

FLASH
▪ **flash** in the pan – chwilowy sukces, jednorazowy wyczyn
▪ **flash** through – przemykać przez
▪ **flash** past/by – przemykać obok
▪ in a **flash** – w okamgnieniu, błyskawicznie
▪ quick as a **flash** – błyskawiczny

FLASK
▪ hip **flask** – piersiówka *pot.*
▪ vacuum **flask** – termos

FLAT
▪ and that's **flat!** – i koniec!, i basta!
▪ do sth **flat** out – robić coś pełną parą *przen.*
▪ in five/ten minutes **flat** – góra w pięć/dziesięć minut *pot.*
▪ on the **flat** – na równym (terenie)

FLATTER
▪ that dress/hairdo **flatters** her – dobrze jej w tej sukience/w tym uczesaniu
▪ **flatter** oneself on sth – szczycić się czymś

FLEA
▪ send sb away with a **flea** in his ear – dawać komuś ostrą odprawę

FLESH
▪ that's more than **flesh** and blood can bear – to przechodzi ludzką wytrzymałość
▪ in the **flesh** – we własnej osobie

FLICK
▪ **flick** through – przewracać kartki, kartkować

FLIGHT
▪ take (to) **flight** – uciekać, pierzchać

FLOOR
▪ first **floor** *bryt.* – pierwsze piętro; *am.* parter
▪ hold the **floor** – przemawiać
▪ take the **floor** – zatańczyć; zabierać głos
▪ walk the **floor** – nerwowo chodzić tam i z powrotem

FLOWER
▪ burst into **flower** – pokrywać się kwiatami

FLUTTER
▪ **flutter** about – nerwowo chodzić

FLY
▪ (let) **fly** at sb – rzucać się na kogoś; wymyślać komuś

- **fly** in the ointment – wada
- people are dropping (off) like **flies** – ludzie padają jak muchy *przen.*
- there are no **flies** on him – on nie jest taki głupi

FOGGIEST

- not have the **foggiest** (idea) – nie mieć zielonego pojęcia

FOLKS

- **folks** *am. pot.* – rodzice; bliscy krewni

FOLLOW

- **follow** through/out – realizować
- **follow** up – badać, sprawdzać
- as **follows** – następująco

FOND

- be **fond** of sb/sth – lubić kogoś/coś

FOOD

- convenience **food** – gotowe dania
- give/supply **food** for thought/reflection – skłaniać do przemyśleń/refleksji

FOOL

- **fool** about/around – wygłupiać się
- make a **fool** of sb/of oneself – ośmieszać kogoś/się
- play/act the **fool** – wygłupiać się *pot.*

FOOT

- **foot** it *pot.* – iść pieszo
- have one **foot** in the grave *pot.* – być jedną nogą w grobie *przen.*
- never put a **foot** wrong – nigdy nie popełniać błędów
- on **foot** – pieszo
- put one's best **foot** forward – pokazywać się z najlepszej strony *przen.*
- put one's **foot** down – być stanowczym, być nieugiętym; dodawać gazu *mot.*
- put one's **foot** in *pot.* – popełniać gafę
- start off on the wrong **foot** – źle zacząć
- get cold **feet** – przestraszyć się
- have **feet** of clay – mieć (swoje) wady (*o ludziach*)
- stand on one's own two **feet** *pot.* – stać na własnych nogach *przen.*, być niezależnym

FOOTSTEPS

- follow in sb's **footsteps** – iść w czyjeś ślady

FORCE

- come into **force** – wchodzić w życie
- in **force** – licznie, masowo; w mocy, ważny

FOREVER

- **forever/for ever** – na zawsze

FORGE

- **forge** ahead – posuwać się do przodu

FORGET

- **forget** it! – nie mówmy o tym; nieważne; nie ma mowy

FORK

- **fork** out *pot.* – wybulić *pot.*

FORM

- be on/off **form** – być w dobrej/złej formie

- fill in/out a **form** – wypełniać formularz
- **form** of address – forma zwracania się, sposób tytułowania
- **form** up – ustawiać się w szereg

FORTH
- and so **forth** – i tak dalej

FORTUNE
- tell sb's **fortune** – wróżyć komuś
- try one's **fortunes** – próbować szczęścia *przen.*

FOUL
- **foul** up *pot.* – psuć, zaprzepaszczać

FOURS
- on all **fours** – na czworakach

FRACTURE
- compound **fracture** – otwarte złamanie

FRAME
- **frame** of mind – nastrój
- **frame** sb *pot.* – wrabiać kogoś *pot.*

FREE
- for **free** – za darmo

FRESH
- **fresh** from – prosto z
- we're **fresh** out of milk *pot.* – właśnie skończyło nam się mleko

FRESHEN
- **freshen** up – odświeżać się

FRIDAY
- Good **Friday** – Wielki Piątek

FRIEND
- bosom **friend** – bliski przyjaciel
- **friend** in need is a **friend** indeed *przysł.* – prawdziwych przyjaciół poznaje się w biedzie *przysł.*
- **friend** of mine/yours – jeden z moich/twoich przyjaciół
- be/make **friends** – przyjaźnić się/zaprzyjaźniać się

FRIENDLY
- get **friendly** with sb *pot.* – spoufalać się z kimś

FRIES
- French **fries** *am.* – frytki

FRIGHTEN
- **frighten** away/off – odstraszać

FRO
- to and **fro** – tam i z powrotem

FROG
- have a **frog** in one's throat *pot.* – mieć chrypę

FROM
- **from**... on – odtąd, od momentu

FRONT
- in **front** of sb – przy kimś (*w czyjejś obecności*)

FROWN
- **frown** on/upon – krzywo patrzeć na *przen.*

FRUIT
- bear **fruit** – przynosić efekty
- live off **fruit** *pot.* – żywić się samymi owocami

FRY
- small **fry** *pot.* – płotki *pot.*, osoby nic nie znaczące

FUCK
- **fuck** off! *wulg.* – odpieprz się!

FUEL
- add **fuel** to the flames – dolewać oliwy do ognia *przen.*

FULL
- in **full** – w całości
- **full** up – pełen, zapełniony; *pot.* napchany *pot.*

FULLNESS
- in the **fullness** of time – w końcu, pewnego dnia

FUN
- for **fun** *pot.* – dla zabawy
- for the **fun** of it/the thing *pot.* – dla zabawy
- have **fun** – dobrze się bawić
- in/out of **fun** – dla żartu, dla zabawy
- make/poke **fun** – robić sobie żarty

FUR
- that'll make the **fur** fly – będzie draka, będzie pierze leciało *przen.*
- **fur** up – pokrywać się osadem

FURTHER
- **further** to – w nawiązaniu do

FUSS
- **fuss** sb *am. pot.* – zawracać komuś głowę
- make/kick up a **fuss** *pot.* – robić problem; robić dużo szumu *pot.*

FUTURE
- in **future** – na przyszłość
- in the **future** – w przyszłości
- tell the **future** – przepowiadać przyszłość

G

GAIN
- **gain** on – dościgać

GALE
- **gale** of laughter – salwa śmiechu

GALLERY
- play to the **gallery** – grać pod publiczkę *pot.*; schlebiać złym gustom

GAMBLE
- **gamble** on – stawiać na

GAME
- beat sb at their own **game** – pokonywać kogoś jego własną bronią
- board **game** – gra planszowa
- give the **game** away – wyjawiać sekret
- the **game** is not worth the while – gra niewarta świeczki
- the **game** is up – gra skończona
- what's your **game**? *pot.* – co knujesz?
- whole/completely new ball **game** *slang.* – całkiem inna sytuacja

GANG
- **gang** up *pot.* – zmawiać się

GAP
- generation **gap** – różnica pokoleń

GAS

- **gas** up *am. pot.* – tankować (benzynę)
- step on the **gas** *am. pot.* – dociskać gaz *przen.*

GATEPOST

- between you, me, and the **gatepost** *pot.* – tylko między nami

GAUNTLET

- pick up/take up the **gauntlet** – podejmować rękawicę *przen.*, podejmować wyzwanie
- run the **gauntlet** – ryzykować, narażać się
- throw down the **gauntlet** – rzucać rękawicę *przen.*, rzucać wyzwanie

GAZE

- avert **gaze** – odwracać wzrok

GEAR

- **gear** up to – przygotowywać się do, zbierać się do
- in **gear** *mot.* – na biegu *mot.*

GENERAL

- in **general** – ogólnie biorąc; zwykle, na ogół

GET

- **get** bogged down – zagłębiać się, grząźć
- **get** busy – zabierać się do roboty *pot.*
- **get** carried away – dawać się ponieść, nie panować nad sobą
- **get** cracking! *pot.* – ruszaj się! *pot.*, do roboty! *pot.*
- **get** equal with sb – mścić się na kimś; rewanżować się komuś
- **get** even (with sb) *pot.* – odpłacać (komuś), wyrównywać rachunki (z kimś)
- **get** hitched *pot.* – pobierać się, ochajtać się *pot.*
- **get** lost/stuffed! *pot.* – spadaj! *pot.*
- **get** rid of – pozbywać się
- **get** used to sth/doing sth – przyzwyczajać się do czegoś/robienia czegoś
- **get** wrong – źle zrozumieć
- **get** about – poruszać się, podróżować; rozchodzić się
- **get** across – docierać
- **get** sth across to sb – uświadamiać komuś coś
- **get** after – ścigać
- **get** ahead – robić postępy; awansować
- **get** along – iść; starzeć się, posuwać się *pot.*
- **get** along with – dobrze żyć z; radzić sobie z
- **get** around – przezwyciężać; obchodzić; rozchodzić się; podróżować
- **get** around to – dochodzić do
- **get** at – docierać do; dowiadywać się, odkrywać; *pot.* czepiać się *pot.*
- **get** away – wyrywać się, wyjeżdżać; uciekać
- **get** away (with you)! *pot.* – żartujesz!
- **get** back – wracać; odzyskiwać; cofać się
- **get** by – radzić sobie

- **get** down – schodzić; przygnębiać; schylać się; zapisywać
- **get** in – dostawać się; wchodzić; przyjeżdżać; wtrącać
- **get** in on *pot.* – dostawać się do, wkręcać się do *pot.*
- **get** in with sb – wkradać się w czyjeś łaski
- **get** into – wszczynać, wdawać się w; wsiadać do; dostawać się do
- **get** off – wysiadać; zsiadać; wyjeżdżać; wychodzić obronną ręką; zdejmować; wysyłać
- **get** off (to sleep) – zasypiać
- **get** (your hands) off! – zabierz ręce!
- **get** on – radzić sobie, robić postępy; wsiadać; wkładać na siebie; starzeć się
- **get** on to – przechodzić do
- **get** on to sb – kontaktować się z kimś
- **get** on with sb – być w dobrych stosunkach z kimś
- **get** on with sth – kontynuować coś
- **get** out – wydostawać (się); wychodzić; wysiadać; wynosić się; wycofywać się
- **get** over – przezwyciężać
- **get** over with sth – kończyć z czymś
- **get** round – przezwyciężać; obchodzić; rozchodzić się; przekonywać
- **get** round to – dochodzić do
- **get** through – uzyskiwać połączenie (telefoniczne); uporać się z, przebrnąć przez; przechodzić
- **get** through to sb – przekonywać kogoś; dodzwaniać się do kogoś
- **get** together – zbierać (się)
- **get** up – wstawać
- **get** oneself up in/like – przebierać się za
- **get** up to sth – wdawać się w coś, wplątywać się w coś *przen.*
- I **got** away with it – udało mi się, uszło mi na sucho
- what's **got** into her? *pot.* – co w nią wstąpiło? *pot.*

GHOST

- **ghost** of a chance *pot.* – cień szansy *przen.*
- he's given up the **ghost** *przen.* – wyzionął ducha *przen.*

GI

- **GI** – żołnierz armii amerykańskiej

GIDDY

- it makes me **giddy** – w głowie mi się miesza *przen.*; w głowie mi się kręci, dostaję zawrotu głowy

GIFT

- have the **gift** of the gab *pot.* – mieć dar wymowy, być wygadanym *pot.*

GILLS

- pale/green about the **gills** *pot.* – blady/zielony na twarzy

GIRL

- cover **girl** – dziewczyna z okładek kolorowych czasopism

GIVE
- **give** or take ten – plus minus dziesięć
- to **give** him his due – trzeba mu przyznać
- **give** away – rozdawać; wyjawiać; wydawać, oddawać
- **give** back – oddawać, zwracać
- **give** in – poddawać się; wręczać
- **give** off – wydzielać
- **give** out – rozdawać; przestawać działać; wyczerpywać się; ujawniać
- **give** over – oddawać, przekazywać; *pot.* przestawać, zarzucać; przekazywać
- **give** sb up – wydawać kogoś, zdradzać kogoś
- **give** up – poddawać się
- **give** up smoking – rzucać palenie
- **give** up on sb – rezygnować z kogoś

GLAD
- be **glad** – być zadowolonym, cieszyć się

GLANCE
- at a **glance** – od razu
- at first **glance** – na pierwszy rzut oka
- **glance** through/at – przeglądać pobieżnie

GLIMPSE
- catch a **glimpse** – dostrzegać, zauważać

GLORY
- **glory** in – szczycić się, chlubić się

GLOSS
- **gloss** over – tuszować

GLOVE
- fit like a **glove** – pasować jak ulał

GO
- as you **go** along *pot.* – na poczekaniu
- be on the **go** *pot.* – być w ruchu
- **go** as/so far as to – posuwać się (aż) do
- **go** astray – gubić się, zawieruszać się
- **go** bad – psuć się
- **go** berserk – wariować *pot.*, szaleć
- **go** blank – mieć pustkę w głowie *przen.*
- **go** broke *pot.* – plajtować *pot.*
- **go** dead – drętwieć, cierpnąć
- **go** Dutch *pot.* – płacić każdy za siebie, dzielić się kosztami
- **go** easy on sb *pot.* – oszczędzać kogoś, popuszczać komuś *pot.*
- **go** easy on sth *pot.* – używać czegoś oszczędnie
- **go** for broke *pot.* – iść na całość *pot.*; dawać z siebie wszystko *przen.*
- **go** funny *pot.* – psuć się, wariować *pot.*
- **go** halves – dzielić koszty po połowie
- **go** hot and cold – oblewać się zimnym potem
- **go** mad *pot.* – szaleć, wariować *pot.*

- **go** overboard *pot.* – wpadać w przesadę *przen.*
- **go** sour – kwaśnieć
- **go** spare *pot.* – wpadać w szał *przen.*
- **go** too far – posuwać się za daleko, za dużo sobie pozwalać
- **go** without – obywać się bez
- have a **go** at sth/doing sth *pot.* – próbować czegoś/coś robić
- make a **go** of sth *pot.* – mieć szczęście w czymś
- to **go** *am.* – na wynos
- **go** about – zabierać się do; kontynuować
- **go** after – poszukiwać, starać się zdobyć
- **go** against – nie zgadzać się z; postępować wbrew
- **go** ahead – posuwać się naprzód; iść/jechać przodem
- **go** ahead (with) – rozpoczynać, przystępować do (*np. do pracy*)
- **go** ahead! – proszę (bardzo)!
- **go** all out for sth *pot.* – wychodzić z siebie, żeby coś osiągnąć *przen.*
- **go** along – iść; posuwać się do przodu, postępować
- **go** along with – stosować się do, przestrzegać; zgadzać się z
- **go** around – chodzić; mieć zwyczaj; przebywać, zadawać się; krążyć; wystarczać
- **go** at – rzucać się na (*np. na przeciwnika*), atakować
- **go** away – odchodzić; wyjeżdżać
- **go** back – sięgać pamięcią wstecz; powracać; cofać (się)
- **go** by – upływać, mijać; stosować się do
- **go** down – schodzić; zjeżdżać; obniżać się
- **go** down as – być uważanym za, uchodzić za
- **go** down with a disease *pot.* – zapadać na chorobę
- **go** for – wybierać, woleć; rzucać się, atakować; dotyczyć
- **go** in – wchodzić
- **go** in for – zajmować się, zatrudniać się
- **go** into – wchodzić do; wchodzić w; wpadać na
- **go** off – wyruszać, wychodzić; wybuchać; przebiegać; tracić świeżość, psuć się; gasnąć
- **go** off *pot.* – przestawać lubić; zasypiać
- **go** on – kontynuować; zaczynać robić; posuwać się do przodu; dziać się; trwać; mijać; opierać się na
- **go** out – wychodzić, wyjeżdżać; chodzić; gasnąć; ukazywać się, pojawiać się; znikać; kończyć się
- **go** over – podchodzić; przebiegać; przelatywać
- **go** over to – przechodzić do/na
- **go** round – krążyć; obracać się; przychodzić (z wizytą)
- **go** through – przechodzić

(przez); przeszukiwać; przebiegać; być przyjętym
▪ **go** through with – przebrnąć, przecierpieć
▪ **go** under – iść pod wodę; upadać
▪ **go** up – iść, pójść; pojechać; iść/jechać w górę; wybuchać; podnosić się; wznosić się

GOAT
▪ act/play the **goat** *pot.* – wygłupiać się *pot.*
▪ get sb's **goat** *pot.* – denerwować kogoś

GOBBLE
▪ **gobble** down *pot.* – jeść chciwie, pożerać

GOD
▪ **God** bless you! – niech cię Bóg błogosławi!
▪ **God** forbid! – nie daj Boże!, niech Bóg broni!

GOING
▪ get out while the **going** is good – wycofać się póki można
▪ he's **going** on forty – on zbliża się do czterdziestki

GOLD
▪ all that glitters is not **gold** – nie wszystko złoto, co się świeci *przysł.*
▪ (as) good as **gold** – prawdziwy; autentyczny

GONE
▪ he is/he's **gone** – nie ma go

GONNA
▪ **gonna** *am. pot.* (*skr.* **be going to**) – mieć zamiar, zamierzać

GOOD
▪ for **good** – na dobre, na stałe, na zawsze
▪ for the common **good** – dla wspólnego dobra
▪ **good** for you! – brawo!, gratulacje!
▪ he made **good** and left – udało mu się wyjechać
▪ deliver the **goods** – dotrzymywać obietnicy, spisywać się

GOOSE
▪ cook sb's **goose** – szyć komuś buty *przen.*, intrygować przeciwko komuś
▪ kill the **goose** that lays the golden eggs – zarżnąć kurę, która złote jaja znosi *przysł.*

GOOSEBERRY
▪ play **gooseberry** – pełnić rolę przyzwoitki

GORGE
▪ **gorge** (oneself) – opychać się

GOTCHA
▪ **gotcha!** *pot.* (*skr.* I got you!, I've caught you) – mam cię!; rozumiem!

GOTTA
▪ **gotta** *am. pot.* (*skr.* **got to**) – musieć

GOTTEN
▪ **gotten** *am.* (*skr.* **got**) Past Participle czasownika **get**

GRABS
▪ be up for **grabs** *pot.* – być do wzięcia *pot.*

GRACE
▪ be in the **grace** – cieszyć się względami

▪ with (a) good/(a) bad **grace** – ochoczo/niechętnie
▪ have the (good) **grace** – mieć na tyle przyzwoitości, być na tyle przyzwoitym
▪ moment's **grace** – chwila wytchnienia

GRADE
▪ make the **grade** *pot.* – spełniać oczekiwania

GRAIN
▪ (sth) goes against the **grain** (with sb) – (coś) jest wbrew (czyjejś) naturze, (coś) się kłóci z (czyimiś) zasadami

GRANDMOTHER
▪ don't teach your **grandmother** to suck eggs – nie ucz ojca dzieci robić

GRAPES
▪ sour **grapes** – zawiść

GRASP
▪ have sth in one's **grasp** – panować nad czymś
▪ within one's **grasp** – w zasięgu ręki, osiągalny
▪ escape/slip from/out of one's **grasp** – wymykać się z rąk

GRASS
▪ **grass** on sb *pot.* – donosić na kogoś
▪ put sb out to **grass** *pot.* – wyrzucać kogoś na bruk *przen.*
▪ the **grass** is always greener on the other side of the fence – czyjeś zawsze wydaje się lepsze
▪ **grass** over – obsiewać trawą

GRAVE
▪ dig one's own **grave** *pot.* – kopać sobie grób *przen.*, działać na własną szkodę
▪ turn in one's **grave** *pot.* – przewracać się w grobie *pot.*

GRIEF
▪ come to **grief** – doznać niepowodzenia, źle skończyć; załamać się, nie powieść się

GRILL
▪ **grill** sb *pot.* – wypytywać kogoś, maglować kogoś *pot.*

GRIN
▪ **grin** and bear it – robić dobrą minę do złej gry

GRIND
▪ **grind** away *pot.* – harować *pot.*
▪ **grind** sb down – łamać w kimś wszelki opór *przen.*
▪ **grind** on – ciągnąć się, wlec się *pot.*
▪ **grind** out *pot.* – produkować, wypuszczać *pot.*

GRIP
▪ get/take a **grip** on oneself – brać się w garść *pot.*
▪ lose one's **grip** *przen.* – tracić kontrolę, opuszczać się *pot.*
▪ come/get to **grips** with sth – mierzyć się z czymś
▪ get to **grips** – brać się za bary *pot.*

GRIST
▪ **grist** to the mill – woda na młyn *przen.*

GROUND
▪ break fresh/new **ground** – wprowadzać zmiany

▪ breeding **ground** *przen.* – wylęgarnia *przen.*
▪ common **ground** – wspólna płaszczyzna *przen.*
▪ cut/sweep/dig the **ground** from under sb's feet – wytrącać komuś broń z ręki *przen.*
▪ flog into the **ground** *pot.* – zajeżdżać na śmierć *pot.*
▪ gain **ground** – upowszechniać się, zyskiwać popularność
▪ get off the **ground** – zaczynać, ruszać (z czymś)
▪ go to **ground** – ukrywać się, chować się
▪ on home **ground** – na znajomym terenie; na pewnym gruncie; na własnym boisku
▪ on sb's own **ground** – na własnym terenie; na czyimś polu
▪ prepare the **ground** – przygotowywać grunt, torować drogę
▪ run to **ground** – doścignąć, chwytać
▪ shift/change one's **ground** – zmieniać front *przen.*
▪ stand/hold one's **ground** – nie ustępować pola
▪ that suits me down to the **ground** – to mi bardzo odpowiada
▪ thick on the **ground** *pot.* – na pęczki, jak mrówek *pot.*
▪ to the **ground** – całkowicie, do cna
▪ on (the) **grounds** – na podstawie, z powodu

GROW
▪ **grow** apart – stopniowo oddalać się od siebie
▪ **grow** fat on sth – wzbogacać się na czymś
▪ **grow** away from – powoli się oddalać od
▪ **grow** into – stopniowo się wdrażać; dorastać do
▪ **grow** on sb *pot.* – coraz bardziej się komuś podobać
▪ **grow** out of – wyrastać z
▪ **grow** up – dorastać; dorośleć; rozwijać się

GRUDGE
▪ bear/have/hold a **grudge** – żywić urazę

GUARD
▪ be on **guard** – być na straży
▪ be on one's **guard** – mieć się na baczności, być czujnym
▪ catch sb off **guard** – zaskakiwać kogoś
▪ **guard** against – strzec się, wystrzegać się
▪ stand **guard** – strzec, chronić
▪ under **guard** – pod strażą

GUESS
▪ at a **guess** – na oko *pot.*
▪ **guess** what – wiesz co
▪ have/take a **guess** – zgadywać
▪ I **guess** *am. pot.* – wydaje mi się, przypuszczam
▪ I **guess** so – chyba tak
▪ it's anybody's/anyone's **guess** – trudno zgadnąć

GUEST
- be my **guest** *pot.* – nie krępuj się, proszę bardzo

GUIDE
- girl **guide** – harcerka

GULP
- **gulp** down – połykać w pośpiechu
- in/at one **gulp** – jednym haustem

GUM
- beat one's **gums** *slang.* – na próżno strzępić język *przen.*

GUN
- **gun** sb down – postrzelić kogoś
- **gun** for *pot.* – polować na
- jump the **gun** – popełnić falstart
- stick to one's **guns** *pot.* – obstawać przy swoim
- spike sb's **guns** – psuć komuś szyki *przen.*

GUNSHOT
- within/out of a **gunshot** – w zasięgu/poza zasięgiem strzału

GUT
- bust a **gut** *slang.* – wychodzić z siebie *przen.*, stawać na głowie *przen.*
- greedy **guts** *pot.* – obżartuch, żarłok
- work one's **guts** out – wypruwać z siebie flaki *przen.*
- hate sb's **guts** *pot.* – nie cierpieć kogoś *pot.*
- have the **guts** *pot.* – mieć odwagę, nie bać się
- scream one's **guts** out *pot.* – wrzeszczeć do upadłego

GUY
- fall **guy** – frajer *pot.*

H

HABIT
- be in/get into the **habit** of doing sth – mieć zwyczaj coś robić/nabierać zwyczaju robienia czegoś

HAIR
- fix one's **hair** – poprawiać fryzurę
- hang by a **hair** – wisieć na włosku *przen.*
- keep one's **hair** on *pot.* – zachowywać spokój
- tear one's **hair** out *pot.* – rwać (sobie) włosy z głowy *przen.*
- make sb's **hair** stand on end/rise *pot.* – powodować, że komuś włosy się jeżą/stają dęba *przen.*
- let one's **hair** down *pot.* – rozluźniać się
- not turn a **hair** *pot.* – zachowywać zimną krew *przen.*
- split **hairs** – dzielić włos na czworo *przen.*

HALF
- by **half** – o połowę
- in **half** – na połowę

- too clever by **half** – aż za sprytny
- do things by **halves** – robić wszystko połowicznie
- they went **halves** – podzielili się po połowie

HALT
- call a **halt** – powstrzymywać, przerywać
- come/draw to a **halt** – zatrzymywać się
- grind to a **halt** – powoli się zatrzymywać; stawać w miejscu *przen.*, być w zastoju
- **halt**! – stop!

HAMMER
- come under the **hammer** – iść pod młotek *przen.*
- go **hammer** and tongs – iść na noże *przen.*
- **hammer** and sickle – sierp i młot
- **hammer** out – wypracowywać

HAND
- (close/near) at **hand** – blisko
- be a dab **hand** at *bryt. pot.* – być mistrzem w, być specem od *pot.*
- by **hand** – ręcznie
- get the upper **hand** – zdobywać przewagę
- give a **hand** – pomagać
- give sb a free **hand** – dawać komuś wolną rękę
- **hand** and glove (with sb) – (*być*) bardzo blisko z kimś
- have one's **hand** in the till – kraść pieniądze z kasy
- **hand** down – przekazywać
- **hand** in – wręczać
- **hand** out – wydawać, rozdawać; udzielać
- **hand** over – przekazywać komuś
- **hand** over to sb – przekazywać obowiązki
- **hand** round – rozdawać; częstować
- have sth well in **hand** – panować nad czymś
- have the upper **hand** – mieć przewagę, być górą
- lend a **hand** – pomagać
- live from **hand** to mouth – żyć z dnia na dzień
- off **hand** – bez przygotowania
- on **hand** – pod ręką, do dyspozycji
- on the one **hand**... on the other **hand** – z jednej strony..., z drugiej strony
- out of **hand** – z miejsca, od ręki *przen.*
- try one's **hand** at sth – próbować czegoś, próbować swoich sił w czymś
- wait on sb **hand** and foot – usługiwać komuś
- change **hands** – przechodzić z rąk do rąk *przen.*
- fall into sb's **hands** – wpadać w czyjeś ręce *przen.*
- **hands** up! – ręce do góry!
- **hands** off! – ręce przy sobie!
- lay **hands** on *pot.* – kłaść/położyć łapę na *pot.*

▪ shake **hands** – witać się, podawać sobie ręce
▪ win **hands** down *pot.* – wygrywać z łatwością, wygrywać bez wysiłku
▪ with one's bare **hands** – gołymi rękami

HANDFUL
▪ by the **handful** – garścią; garściami

HANDLE
▪ fly off the **handle** – tracić panowanie nad sobą

HANG
▪ **hang** a few on *slang.* – wypijać kilka drinków/parę piw
▪ **hang** a left/right *slang.* – skręcać w lewo/prawo
▪ **hang** loose! *am. pot.* – spoko! *pot.*
▪ **hang** about/around *pot.* – kręcić się, pałętać się *pot.*
▪ **hang** (a)round (with sb) – spędzać dużo czasu (z kimś)
▪ **hang** back – zostawać; wahać się
▪ **hang** on – przeczekiwać; zależeć od
▪ **hang** on *pot.* – poczekać (chwilę)
▪ **hang** onto – kurczowo (się) trzymać
▪ **hang** out *pot.* – przebywać
▪ **hang** together – trzymać się razem
▪ **hang** up (on sb) – odkładać słuchawkę (w trakcie rozmowy z kimś)

HARD
▪ **hard** by – blisko, obok
▪ **hard** up – bez grosza, spłukany *pot.*

HARDLY
▪ **hardly** ever/anybody – prawie nigdy/nikt

HARM
▪ grievous bodily **harm** *prawn.* – ciężkie uszkodzenie ciała *prawn.*
▪ it does no **harm** to do sth – nie zaszkodzi coś zrobić
▪ mean no **harm** – nie mieć złych zamiarów
▪ no **harm** done *pot.* – nic się nie stało

HARNESS
▪ work in **harness** – pracować ramię w ramię

HARVEST
▪ reap the **harvest** – zbierać żniwo *przen.*, ponosić skutki

HASTE
▪ **haste** makes waste *przysł.* – gdy się człowiek śpieszy, to się diabeł cieszy *przysł.*

HAT
▪ be old **hat** *pot.* – być staromodnym; być niemodnym
▪ hang/hold on to your **hat**! *pot.* – przygotuj się na niespodziankę!, tylko nie spadnij z krzesła!
▪ hang up one's **hat** *pot.* – porzucać jakieś zajęcie *przen.*
▪ I'll eat my **hat** *pot.* – kaktus mi wyrośnie na dłoni *pot.*
▪ keep sth under one's **hat** *pot.*

– utrzymywać coś w tajemnicy
▪ knock/beat sb/sth into a cocked **hat** – bić coś/kogoś na głowę *przen.*
▪ pass the **hat** round *pot.* – robić zbiórkę pieniędzy
▪ take off one's **hat** to sb *pot.* – chylić przed kimś czoła *przen.*
▪ talk through one's **hat** *pot.* – pleść co ślina na język przyniesie *przen.*; przechwalać się

HATCHET
▪ bury the **hatchet** – zakopywać topór wojenny *przen.*

HAUL
▪ long **haul** – długa droga

HAVE
▪ **have** (got) to do sth – musieć coś zrobić
▪ **have** had it *pot.* – dostawać za swoje *pot.*
▪ **have** handy – mieć pod ręką
▪ **have** it in for sb *pot.* – zawziąć się na kogoś *przen.*
▪ **have** sb on *pot.* – nabierać kogoś *pot.*
▪ **have** sth about one – mieć coś przy sobie
▪ **have** sth done – kazać sobie coś zrobić, dawać coś do zrobienia
▪ **have** sth over with *pot.* – mieć coś za sobą
▪ I've **had** it *pot.* – mam dość

HAVOC
▪ play **havoc** with – siać spustoszenie w, powodować zamęt w

HAWK
▪ watch sb like a **hawk** – uważnie kogoś obserwować

HAY
▪ hit the **hay** *slang.* – uderzać w kimono *pot.*
▪ make **hay** while the sun shines – kuć żelazo, póki gorące *przysł.*

HAYWIRE
▪ go **haywire** – wariować, fiksować *pot.* (*o urządzeniach*)

HEAD
▪ bang one's **head** against a brick wall – walić głową w mur *przen.*
▪ be **head** and shoulder above – być o wiele wyższym; *przen.* bić na głowę *przen.*, być o niebo lepszym *przen.*
▪ be **head** over heels in love – być zakochanym bez pamięci
▪ bury/hide one's **head** in the sand *przen.* – chować głowę w piasek *przen.*
▪ cannot make **head** nor tail of sth *pot.* – nie móc się w czymś połapać *pot.*
▪ don't bother your **head** about me – nie zawracaj sobie mną głowy
▪ do sth standing on one's **head** *pot.* – robić coś bez najmniejszego wysiłku, robić coś z palcem w nosie *pot.*
▪ from **head** to foot – od stóp do głów
▪ have a good **head** for figures *pot.* – mieć głowę do liczb

- have a good **head** on one's shoulders – mieć głowę na karku *przen.*
- have one's **head** screwed on *pot.* – mieć głowę na karku *przen.*
- **head** over heels – do góry nogami
- it's over my **head** – to dla mnie za trudne do zrozumienia
- lay/put one's **head** on the block – nadstawiać karku *przen.*
- laugh one's **head** off *pot.* – śmiać się na cały głos
- shout one's **head** off *pot.* – krzyczeć wniebogłosy *przen.*
- get sth into one's/sb's **head** – uświadamiać sobie/komuś coś
- go to sb's **head** – uderzać do głowy (*np. o sukcesie*)
- I can't get my **head** round it *pot.* – nic z tego nie rozumiem
- lose/keep one's **head** – tracić głowę/nie tracić głowy *przen.*
- scratch one's **head** – zachodzić w głowę *przen.*
- talk sb's **head** off *pot.* – za dużo mówić
- **head** for – zmierzać do, udawać się do
- **heads** or tails? – orzeł czy reszka?

HEAR

- **hear** from sb – dostawać wiadomość od kogoś (*list, telefon*)
- **hear** sb out – wysłuchiwać kogoś

HEART

- break sb's **heart** – łamać komuś serce *przen.*
- by **heart** – na pamięć
- cross my **heart** (and hope to die)! *pot.* – słowo honoru!
- have one's **heart** in one's mouth – być bardzo wzruszonym
- have one's **heart** in the right place – mieć dobre intencje
- **heart** in one's mouth – z duszą na ramieniu *przen.*
- in one's **heart** of **hearts** – w głębi duszy
- lose **heart** – upadać na duchu *przen.*, tracić ducha *przen.*
- my **heart** sank – serce we mnie zamarło *przen.*
- pour out one's **heart** – wyżalać się
- throw oneself **heart** and soul into sth – angażować się w coś sercem i duszą
- to one's **heart's** content – do woli, ile dusza zapragnie *przen.*
- wear one's **heart** on one's sleeve – mieć serce na dłoni *przen.*

HEAVEN

- move **heaven** and earth – poruszać niebo i ziemię *przen.*
- (good) **heavens**! – wielkie nieba!
- **heavens** forbid! – broń Boże!

HEED

- take **heed** of – brać pod uwagę

HEEL

- be hot on sb's **heels** – deptać komuś po piętach *przen.*
- cool one's **heels** *pot.* – czekać
- dig one's **heels** in *przen.* – opierać się, zapierać się

▪ down at the **heels** – obdarty; odrapany
▪ drag one's **heels** – ociągać się
▪ follow hard on the **heels** of sth – następować szybko po czymś
▪ show a clean pair of **heels** – brać nogi za pas *pot.*
▪ take to one's **heels** *pot.* – brać nogi za pas *przen.*
▪ tread hard on sb's **heels** – deptać komuś po piętach *przen.*

HEIR
▪ **heir** apparent – prawowity następca (tronu)

HELL
▪ all **hell** broke loose – rozpętało się piekło *przen.*
▪ come **hell** or high water *pot.* – niech się dzieje co chce, niech się pali, niech się wali
▪ give sb **hell** *pot.* – dawać komuś popalić *pot.*
▪ **hell** of a girl *pot.* – świetna dziewczyna
▪ **hell** of a mess/noise – straszny bałagan/hałas
▪ like **hell** *pot.* – jak diabli *pot.*
▪ what/who the **hell**? *pot.* – co/kto do diabła/do cholery? *pot.*
▪ for the **hell** of it *pot.* – dla zgrywu

HELLUVA
▪ **helluva** *am. slang.* od **hell** of a *p.* **hell**

HELM
▪ take over the **helm** – przejmować ster *przen.*

HELP
▪ be of **help** to sb – być komuś pomocnym
▪ **help**! – ratunku!
▪ **help** yourself! – poczęstuj się!
▪ I can't **help** it – nic na to nie poradzę
▪ I can't **help** laughing – nie mogę powstrzymać się od śmiechu
▪ seek **help** – szukać pomocy
▪ **help** sb out – pomagać komuś

HERE
▪ **here**! – obecny!
▪ **here** and there – tu i tam, tu i ówdzie
▪ **here** he is – oto i on
▪ **here's** to...! – zdrowie...!, za...!
▪ **here** you are! – proszę! (*dając coś komuś*)
▪ **here** you go *am.* – proszę! (*dając coś komuś*)

HIDE
▪ **hide**-and-seek – zabawa w chowanego

HIDING
▪ give sb a **hiding** *pot.* – sprawić komuś lanie

HIGH
▪ **high** and dry *pot.* – na łasce losu *przen.*
▪ **high** and low – we wszystkich możliwych miejscach (*np. szukać*)

HINGE
▪ **hinge** on/upon – zależeć całkowicie od

HINT
▪ drop a **hint** – napomykać, robić aluzję

Idiomy

▪ give sb a **hint** – dawać komuś wskazówkę, naprowadzać kogoś
▪ take a **hint** – rozumieć aluzję

HIP

▪ shoot from the **hip** *pot.* – mówić prosto z mostu, walić prosto z mostu *pot.*

HIRE

▪ for **hire** – do wynajęcia

HISTORY

▪ go down in **history** – przechodzić do historii

HIT

▪ **hit** and/or miss – przypadkowy, losowy
▪ **hit** it off – z miejsca się zaprzyjaźniać
▪ make the **hit** with sb – robić wrażenie na kimś
▪ **hit** back – oddawać (cios); nie pozostawać dłużnym
▪ **hit** on/upon – wpadać na, wymyślić
▪ **hit** out at – uderzać na oślep; ostro krytykować

HOG

▪ go the whole **hog** *pot.* – iść na całość *pot.*

HOI

▪ **hoi** polloi – hołota

HOLD

▪ get **hold** of oneself – brać się w garść
▪ have a **hold** over sb – trzymać kogoś w garści; mieć władzę nad kimś
▪ **hold** captive – trzymać w niewoli
▪ **hold** fast – mocno się trzymać
▪ **hold** oneself aloof – trzymać się z daleka; zachowywać rezerwę
▪ **hold** sway – rządzić, władać
▪ **hold** back – powstrzymywać (się); zatajać
▪ **hold** down – przytrzymywać; uciskać, ciemiężyć; utrzymywać, zachowywać
▪ **hold** forth – rozwodzić się, rozprawiać
▪ **hold** in – powstrzymywać
▪ **hold** off – trzymać z dala, powstrzymywać; odkładać, odwlekać
▪ **hold** it/on! – stój!, zaczekaj!
▪ **hold** on – wytrzymywać; czekać chwilę
▪ **hold** on to – trzymać się, być wiernym
▪ **hold** out – wyciągać; wytrzymywać; robić nadzieję, obiecywać
▪ **hold** out on sb *pot.* – wytrzymywać kogoś *pot.*
▪ **hold** over – wykorzystywać przeciwko; odkładać, odraczać; utrzymywać
▪ **hold** together – trzymać (się) razem
▪ **hold** up – podnosić; podtrzymywać, podpierać; zatrzymywać; obrabowywać; wytrzymywać
▪ no **holds** barred – wszystkie chwyty dozwolone *przen.*

HOLE
- be in a **hole** *pot.* – być w kropce *przen.*
- **hole** up *pot.* – ukrywać się, zaszywać się
- pick **holes** *pot.* – znajdować słabe punkty; ostro krytykować

HOLLOW
- in the **hollow** of one's hand – w dłoni, w garści

HOLIER
- **holier** than thou – świętszy od papieża *przen.*

HOMAGE
- pay **homage** to – składać hołd

HOME
- be at **home** in – być obeznanym z, orientować się w
- bring **home** the bacon *pot.* – utrzymywać rodzinę, zarabiać na życie/chleb *przen.*
- bring sth **home** to sb – uświadamiać komuś coś
- drive **home** the point that... – wbijać komuś do głowy, że...
- hit **home** – trafiać (w samo sedno); trafiać w czuły punkt
- **home** from **home** – drugi dom *przen.*
- make oneself at **home** – rozgościć się, nie krępować się
- I'm **home** and dry *pot.* – udało mi się, jestem w domu *pot.*
- nothing to write **home** about *pot.* – nic szczególnego, nic nadzwyczajnego

HOMESICK
- be/feel **homesick** – tęsknić za domem

HONEY
- **honey** *am.* – kochanie, kotku

HOOK
- by **hook** or by crook – nie przebierając w środkach, za wszelką cenę
- get off the **hook** – wydostawać się, wyrywać się
- **hook** and eye – haftka
- release sb from the **hook** – zwalniać kogoś z obowiązku
- **hook** up – podłączać

HOOKED
- be **hooked** on sth *pot.* – bardzo coś lubić; być uzależnionym od czegoś

HOOKY
- play **hooky** *am. slang.* – wagarować

HOOP
- jump through **hoops**/a **hoop** *pot.* – stawać na głowie *pot.*
- make sb go/put sb through the **hoops** – wystawiać kogoś na ciężką próbę

HOOT
- **hoot** down – wygwizdywać
- I don't give a **hoot** *pot.* – nic mnie to nie obchodzi
- I don't care two **hoots** *pot.* – nic mnie to nie obchodzi

HOP
- catch sb on the **hop** *pot.* – zaskakiwać kogoś
- **hop** it! *pot.* – zjeżdżaj! *pot.*, spadaj *pot.*
- keep on the **hop** *pot.* – być w ruchu, krzątać się

HOPE
- hold out **hope** – dawać nadzieję
- **hope** against **hope** – mieć nadzieję mimo wszystko
- **hope** for the best – być dobrej myśli
- not have a **hope** in hell *pot.* – nie mieć żadnych szans
- dash **hopes** – rozwiewać nadzieje *przen.*

HORNS
- be on the **horns** of a dilemma – mieć trudny wybór
- lock **horns** with sb – wdawać się z kimś w kłótnię

HORSE
- don't look the gift **horse** in the mouth *przysł.* – darowanemu koniowi nie zagląda się w zęby *przysł.*
- flog a dead **horse** *pot.* – wysilać się na próżno
- **horse** of another/different colo(u)r – całkiem coś innego, całkiem inna sprawa

HOT
- **hot** up *pot.* – rozkręcać (się) *pot.*; podkręcać *pot.*

HOUR
- at the eleventh **hour** – za pięć dwunasta *przen.*, w ostatniej chwili
- by the **hour** – z godziny na godzinę; co godzinę
- on the **hour** – o pełnej godzinie
- rush **hour(s)** – godziny szczytu
- after **hours** – po godzinach, zamknięte
- at all **hours** – w różnych godzinach/porach
- small **hours** – wczesne godziny ranne
- till all **hours** – do późna
- until the small **hours** – do wczesnych godzin rannych

HOUSE
- apartment **house** *am.* – blok mieszkalny
- do a **house** over *pot.* – okraść dom, obrobić dom *pot.*
- eat sb out of **house** and home – objadać kogoś do szczętu
- full **house** – pełna widownia
- get on like a **house** on fire *pot.* – z miejsca się zaprzyjaźniać
- **house** of cards – domek z kart
- keep open **house** – prowadzić otwarty dom *przen.*
- like a **house** on fire – jak do pożaru *pot.*, jakby się paliło
- on the **house** *pot.* – na koszt firmy
- bring the **house** down *pot.* – wzbudzać entuzjazm wśród widowni

HOW
- **how** are you? – dzień dobry!, jak się masz!
- **how** about you? – a ty?
- **how** about going for a ride? – a co powiesz na przejażdżkę?
- **how** are you doing? *am.* – co słychać?

▪ **how** come? – jak to?, jak to się stało?
▪ **how** do you do? – dzień dobry; miło mi pana/panią poznać

HUE
▪ raise **hue** and cry – podnosić wrzawę, podnosić krzyk

HUFF
▪ **huff** and puff *pot.* – kręcić nosem *przen.*; ciężko dyszeć

HUG
▪ give sb a **hug** – uściskać kogoś, przytulić kogoś

HUM
▪ **hum** and haw – bąkać pod nosem

HUNG
▪ be **hung** up – być przeczulonym

HUNT
▪ **hunt** down – dopadać
▪ **hunt** for – poszukiwać, polować na
▪ **hunt** out/up – wyszukiwać

HURRY
▪ be in a **hurry** – śpieszyć się
▪ be in no **hurry** – nie śpieszyć się; nie kwapić się
▪ **hurry** up! *pot.* – pośpiesz się!
▪ in a **hurry** – w pośpiechu, pośpiesznie

HURT
▪ it won't/wouldn't **hurt** (to do sth) – nie zaszkodzi/nie zaszkodziłoby (coś zrobić)

HUSH
▪ **hush** up – tuszować

I

ICE
▪ be on thin **ice** – stąpać po niepewnym gruncie
▪ cut no **ice** – nie mieć sensu; nie mieć wpływu; nie wywierać wrażenia
▪ put on **ice** – odkładać na później

ICING
▪ **icing** on the cake – dodatkowe ozdoby

IDEA
▪ bright **idea** – genialny pomysł
▪ not have the faintest/foggiest **idea** – nie mieć najmniejszego/zielonego pojęcia
▪ vague **idea** – mgliste pojęcie

IDIOT
▪ blithering **idiot** *pot.* – skończony idiota *pot.*

IF
▪ as **if** – jakby, jak gdyby
▪ even **if** – nawet jeśli
▪ **if** I were you – na twoim miejscu
▪ **if** you ask me – moim zdaniem, według mnie
▪ **ifs** and buts – wątpliwości

IGNORANCE
▪ in blissful **ignorance** – w błogiej niewiedzy

IMAGE
▪ the living **image** of his father – żywy obraz swojego ojca *przen.*

▪ the spitting **image** of his father – wykapany ojciec

IMAGINATION

▪ my **imagination** failed me – zawiodła mnie wyobraźnia

IMPULSE

▪ on **impulse** – pod wpływem impulsu

INFORMATION

▪ hard and fast **information** – pewne/sprawdzone informacje

▪ inside **information** – poufne informacje

INK

▪ Indian **ink** – tusz kreślarski

INQUIRE

▪ **inquire** into – dochodzić, dociekać

INSIDE

▪ **inside** out – na lewą stronę; *pot.* na wylot

INSTANCE

▪ for **instance** – na przykład

▪ in the first **instance** – w pierwszej kolejności

INSTANT

▪ this **instant** – w tej chwili, natychmiast

INSTRUCTIONS

▪ follow (out) **instructions** – postępować zgodnie ze wskazówkami

INTENTS

▪ to all **intents** and purposes – praktycznie rzecz biorąc, w rzeczywistości, w istocie

INTEREST

▪ arouse sb's **interest** – wzbudzać czyjeś zainteresowanie

▪ compound **interest** – odsetki łączne

INTERIM

▪ in the **interim** – tymczasem, chwilowo

INTERVALS

▪ at **intervals** – co pewien czas

INVITE

▪ **invite** sb over/round *pot.* – zapraszać kogoś w gości

IRON

▪ strike while the **iron** is hot – kuć żelazo, póki gorące *przysł.*

▪ have too many **irons** in the fire – robić za dużo rzeczy naraz

IRRESPECTIVE

▪ **irrespective** of – bez względu na, niezależnie od

ISSUE

▪ **issue** from – wypływać z, wydostać się z

▪ make an **issue** (out) of sth – robić problem z czegoś

▪ raise an **issue** – poruszać temat, podnosić problem

▪ cloud/confuse the **issue** – zaciemniać sprawę

▪ take **issue** with – nie zgadzać się z, przeciwstawiać się

▪ bread and butter **issues** – codzienne/prozaiczne sprawy

ITCH

▪ I **itched** to tell him – język mnie świerzbił, żeby mu powiedzieć

ITEM

▪ collector's **item** – rzadki okaz, biały kruk *przen.*

J

JACK

- before you could say **Jack** Robinson *pot.* – zanim się obejrzysz *przen.*
- **Jack** of all trades – majster-klepka, złota rączka

JACKPOT

- hit the **jackpot** *slang.* – wygrać los na loterii; odnieść sukces

JAM

- be in a **jam** *pot.* – być w tarapatach

JEOPARDY

- in **jeopardy** – w niebezpieczeństwie

JEST

- in **jest** – żartem

JIFFY

- in a **jiffy** *pot.* – za sekundkę, za chwilkę

JOB

- do a hatchet **job** on sb *pot.* – niszczyć kogoś *pot.*
- full-time **job** *pot.* – robota na okrągło *pot.*
- give sb/sth up as a bad **job** – zaprzestawać wysiłków w stosunku do kogoś/czegoś
- good **job**! – dobra robota!
- odd **job** – dorywcze zajęcie

JOIN

- **join** in – przyłączać się do
- **join** up – łączyć (się)

JOINT

- put/throw sth out of **joint** *pot.* – psuć coś

JOKE

- practical **joke** – kawał, psikus
- crack **jokes** – opowiadać kawały

JUDGE

- as sober as a **judge** – zupełnie trzeźwy

JUDGEMENT

- pass **judgement** – wydawać opinię
- reserve **judgement** – wstrzymywać się z wydaniem opinii

JUDGING

- **judging** by – sądząc z, wnosząc z

JUMP

- be for the high **jump** *pot.* – dostawać za swoje *pot.*
- **jump** at – skwapliwie korzystać z
- **jump** in – wtrącać się
- **jump** on – krytykować

JUNIOR

- be sb's **junior** – być od kogoś młodszym (*także niższym rangą*)

JUSTICE

- do **justice** to sb/sth – oddawać komuś/czemuś sprawiedliwość, poradzić sobie z kimś/czymś, uporać się z kimś/czymś
- do oneself **justice** – pokazywać na co kogoś stać

K

KEEN

- be **keen** on – bardzo lubić, być wielkim miłośnikiem

KEEP

- **keep** alive – utrzymywać przy życiu
- **keep** aloof from – trzymać się z dala od
- **keep** cool *pot.* – zachowywać spokój, nie denerwować się
- **keep** dark – trzymać w tajemnicy
- **keep** fit – utrzymywać dobrą formę
- **keep** handy – mieć pod ręką
- **keep** mum *pot.* – pary z gęby nie puszczać *pot.*
- **keep** sb alive – utrzymywać kogoś przy życiu
- **keep** sb dangling – trzymać kogoś w niepewności
- **keep** sb guessing – nie zaspokajać czyjejś ciekawości
- **keep** sb happy – zadowalać kogoś
- **keep** sb waiting – kazać komuś czekać
- **keep** sth quiet – trzymać coś w tajemnicy
- **keep** away – trzymać (się) z daleka *przen.*
- play for **keeps** *slang.* – angażować się na stałe
- **keep** back – trzymać na później; zatajać
- **keep** down – nie pozwalać się podnieść; być pochylonym; tłumić; trzymać w ryzach
- **keep** in – trzymać w zamknięciu
- **keep** in with – trzymać (się) z
- **keep** off – trzymać (się) z dala od; nie dopuszczać; odstraszać
- **keep** on at – nudzić, nie dawać spokoju
- **keep** on doing sth – nadal coś robić
- **keep** trying! – próbuj nadal!
- **keep** out of – trzymać (się) z daleka od
- **keep** out! – wstęp wzbroniony!
- **keep** to – trzymać się (czegoś); przestrzegać
- **keep** up – utrzymywać; podtrzymywać; konserwować; trwać w; (kazać) czuwać; nie tracić ducha *przen.*
- **keep** up with – pozostawać w kontakcie z; dotrzymywać kroku, nadążać za

KEEPING

- be in/out of **keeping** (with) – pasować/nie pasować (do)
- in sb's **keeping** – pod czyjąś opieką

KETTLE

- that's another/different **kettle** of fish *pot.* – to inna para kaloszy *pot.*
- a fine/pretty **kettle** of fish! *pot.*

– masz babo placek! *pot.*, ładna historia!
▪ put the **kettle** on – nastawiać czajnik, nastawiać wodę *pot.*

KIBOSH
▪ put the **kibosh** on *pot.* – kończyć (sprawę) *pot.*

KICK
▪ get a **kick** *pot.* – podniecać się (*czymś*) *przen.*
▪ **kick** sb when/while he is down *przen.* – kopać leżącego *przen.*
▪ I could **kick** myself *pot.* – nie mogę sobie darować, pluję sobie w brodę *przen.*
▪ for **kicks** *pot.* – dla przyjemności
▪ **kick** about/around *pot.* – poniewierać się
▪ **kick** around *pot.* – rozpatrywać, obgadywać *pot.*
▪ **kick** off *pot.* – rozpoczynać
▪ **kick** out *pot.* – wyrzucać, wykopywać *pot.*

KICK-OFF
▪ for a **kick-off** *pot.* – na początek

KIDDING
▪ no **kidding** *am. pot.* – naprawdę, bez żartów

KILL
▪ be in at/on the **kill** *pot.* – widzieć na własne oczy, być na miejscu (wydarzeń)
▪ dressed to **kill** – wystrojony

KILLING
▪ make a **killing** *pot.* – obłowić się *pot.*

KIND
▪ **kind** of *pot.* – coś w rodzaju, jakby
▪ nothing of the **kind** – nic podobnego
▪ one of a **kind** – jedyny w swoim rodzaju

KISS
▪ give sb the **kiss** of life – robić komuś sztuczne oddychanie metodą usta-usta

KIT
▪ **kit** out *pot.* – wyposażać, ekwipować

KITE
▪ (as) high as a **kite** – na wysokich obrotach *pot.*

KITTEN
▪ be having **kittens** *pot.* – zachowywać się niespokojnie

KNEE
▪ bee's **knees** *pot.* – geniusz *pot.*, ósmy cud świata *przen.*
▪ fall to one's **knees** – padać na kolana *przen.*

KNIFE
▪ flick **knife** – nóż sprężynowy

KNOCK
▪ **knock** sb flat/sideways/for six – kompletnie kogoś zaskakiwać
▪ **knock** about/around *pot.* – rozbijać się po świecie *przen.*
▪ **knock** about/around with sb *pot.* – przebywać z kimś
▪ **knock** back *pot.* – pić; kosztować
▪ **knock** down – potrącić; przejechać; burzyć

▪ **knock** sb down *pot.* – stargować u kogoś cenę
▪ **knock** off – opuszczać, obniżać; skreślać; *pot.* kraść; produkować; kończyć; mordować
▪ **knock** out – pozbawiać przytomności; nokautować
▪ **knock** over – przewracać, potrącać
▪ **knock** together/up – naprędce sporządzać, sklecać (*coś*) *pot.*
▪ she must be **knocking** on 50 *pot.* – ona musi mieć koło pięćdziesiątki

KNOT

▪ tie the **knot** *pot.* – pobierać się, ochajtać się *pot.*
▪ cut the Gordian **knot** – przecinać węzeł gordyjski *przen.*

KNOW

▪ before you **know** it – zanim się obejrzysz *przen.*
▪ for what/for all I **know** – o ile wiem
▪ **know** better (than that) – dobrze wiedzieć
▪ **know** sth backwards/inside out – znać coś na wylot, znać coś jak własną kieszeń
▪ not that I **know** of – nic mi o tym nie wiadomo
▪ you **know** what I mean – wiesz, co mam na myśli, wiesz, o co mi chodzi

KNOWLEDGE

▪ carnal **knowledge** *prawn.* – stosunek cielesny, stosunek płciowy
▪ it's common **knowledge** – powszechnie wiadomo
▪ not to my **knowledge** – nic mi o tym nie wiadomo

L

LABOUR, LABOR *am.*

▪ be in **labo(u)r** – rodzić

LADDER

▪ extention **ladder** – drabina wysuwana

LAND

▪ **land** up – lądować
▪ spy out the **land** – badać grunt

LARGE

▪ at **large** – na ogół; na wolności

LAST

▪ at **last** – w końcu, nareszcie
▪ **last** but one – przedostatni
▪ **last** but not least – ostatni, lecz nie mniej ważny
▪ see the **last** of sb/sth – widzieć kogoś/coś po raz ostatni
▪ **last** out – wytrzymywać, przetrwać; wystarczać

LATE

▪ be **late** – spóźniać się
▪ of **late** – ostatnio, w ostatnim czasie

LATER

▪ **later** on – później, potem

LATEST
- at the **latest** – najpóźniej

LAUGH
- **laugh** at – śmiać się z, wyśmiewać
- **laugh** off – obracać w żart
- he **laughs** best who laughs last *przysł.* – ten się śmieje, kto się śmieje ostatni *przysł.*

LAUGHTER
- burst into **laughter** – wybuchać śmiechem
- dissolve into **laughter** – zanosić się śmiechem
- double up with **laughter** – zwijać się ze śmiechu *pot.*
- rock with **laughter** – trząść się ze śmiechu

LAUNCH
- **launch** into – rzucać się w, zapuszczać się w
- **launch** out on/into – angażować się w

LAUREL
- rest on one's **laurels** – spocząć na laurach *przen.*

LAW
- by **law** – według prawa
- common **law** – prawo zwyczajowe
- lay down the **law** – rozkazywać, rządzić się *pot.*

LAY
- **lay** aside – odkładać na bok; wyzbywać się
- **lay** bare – obnażać, odsłaniać
- **lay** before – przedkładać, przedstawiać
- **lay** down – odkładać na bok; rezygnować z, wyrzekać się; rysować, kreślić; ustanawiać
- **lay** in – robić zapasy, magazynować
- **lay** into *pot.* – rzucać się na, atakować
- **lay** off – zwalniać
- **lay** on – urządzać; zakładać, doprowadzać
- **lay** it on (thick) *pot.* – nie żałować/nie szczędzić pochwał
- **lay** out – rozkładać, wykładać; rozplanowywać, projektować
- **lay** over *am.* – zatrzymywać się (*w podróży*)
- **lay** up – odkładać, ciułać

LEAD
- extension **lead** – przedłużacz
- **lead** astray – prowadzić (*kogoś*) na manowce
- take a/the **lead** – obejmować przywództwo
- **lead** off – prowadzić; rozpoczynać
- **lead** on – zwodzić
- **lead** up to – doprowadzać do; zmierzać do

LEAF
- burst into **leaf** – pokrywać się liśćmi (*o drzewie*)
- take a **leaf** from sb's book – iść za czyimś przykładem
- turn over a new **leaf** – rozpoczynać nowe życie, zmieniać się
- **leaf** through – przeglądać, kartkować

LEAGUE
- be in **league** with sb – dzia-

łać w porozumieniu z kimś; być w zmowie z kimś

LEAK

▪ spring a **leak** – zaczynać przeciekać

▪ take a **leak** *pot.* – odlewać się *pot.*

▪ **leak** out – wychodzić na jaw

LEAN

▪ **lean** against – opierać się o

▪ **lean** on/upon sb – wywierać nacisk na kogoś; mieć oparcie w kimś

▪ **lean** out – wychylać się

▪ **lean** over – przechylać się

▪ **lean** over backwards for sb – starać się ze wszystkich sił komuś pomóc

LEAP

▪ **leap** at – skwapliwie korzystać z

▪ by **leaps** and bounds – z zawrotną szybkością

LEARN

▪ **learn** about/of sth – dowiadywać się o czymś

LEAST

▪ at **least** – przynajmniej

▪ not in the **least** – zupełnie nie, bynajmniej

LEAVE

▪ sick **leave** – zwolnienie lekarskie

▪ take **leave** of one's senses – postradać rozum *przen.*

▪ compassionate **leave** – nieobecność w pracy ze względów rodzinnych

▪ have a **leave** of absence – być na urlopie

▪ **leave** much/a lot/a great deal to be desired – pozostawiać wiele do życzenia

▪ **leave** it alone! – zostaw to!, nie ruszaj tego!

▪ **leave** me alone! – daj mi spokój!

▪ **leave** sb high and dry *pot.* – zostawiać kogoś na pastwę losu *przen.*; zostawiać kogoś bez środków do życia

▪ **leave** sb out in the cold *pot.* – pomijać kogoś

▪ **leave** behind – pozostawiać za sobą; zapominać; wyprzedzać

▪ **leave** off – pomijać; przestawać, kończyć

▪ **leave** out – opuszczać, pomijać

LEG

▪ not have a **leg** to stand on *pot.* – nie mieć najmniejszych podstaw; nie mieć żadnego uzasadnienia

▪ pull sb's **leg** *pot.* – robić komuś kawał, nabierać kogoś

▪ shake a **leg**! *pot.* – rusz się!

▪ be on one's last **legs** *pot.* – nie czuć nóg *pot.*, lecieć/padać z nóg

▪ she can talk the hind **legs** off a donkey *pot.* – ona przegada każdego

LEISURE

▪ at (one's) **leisure** – w spokoju

LEND
- **lend** oneself to sth – łatwo się poddawać czemuś

LENGTH
- at **length** – wreszcie, w końcu; szczegółowo, obszernie
- keep at arm's **length** – trzymać na dystans
- go to great **lengths** – zadawać sobie wiele trudu, nie szczędzić wysiłku

LESSER
- the **lesser** of two evils – mniejsze zło

LESSON
- teach sb a **lesson** *pot.* – dawać komuś nauczkę

LET
- **let** her stew (in her own juice) *pot.* – niech się pomartwi
- **let** it all hang out *am. pot.* – rozluźniać się *przen.*; *slang.* wszystko wygadać *pot.*, nie trzymać nic w sekrecie
- **let** alone – nie mówiąc już o
- **let** go – puszczać się; wypuszczać
- **let** it/things lie – zostawiać tak jak jest
- **let** me go! – puść mnie!
- **let** me see – zaraz, niech się zastanowię
- **let** oneself go – zaniedbywać się
- **let** sb know – zawiadamiać kogoś
- **let** that be – zostaw to
- to **let** – do wynajęcia
- **let** sb down – zawodzić kogoś
- **let** in – wpuszczać
- **let** sb in for sth *pot.* – wpuszczać kogoś w coś (*np. w maliny*) *pot.*
- **let** sb in on sth *pot.* – dopuszczać kogoś do czegoś (*np. do tajemnicy*)
- **let** off – zwalniać od; darować winę; odpalać, wystrzeliwać
- **let** on – zdradzać, wyjawiać
- **let** out – wypuszczać; wynajmować; podłużać, poszerzać
- **let** up – ustawać, przestawać
- **let's** assume – załóżmy, przypuśćmy
- **let's** face it *pot.* – spójrzmy prawdzie w oczy *przen.*, bądźmy szczerzy
- **let's** say – powiedzmy

LETTER
- covering **letter** – list przewodni
- **letter** of attorney *prawn.* – pełnomocnictwo
- **letter** of intent – list intencyjny
- registered **letter** – list polecony
- block **letters** – drukowane litery

LEVEL
- do one's **level** best – dokładać wszelkich starań
- **level** with sb – być z kimś szczerym
- on the **level** *pot.* – uczciwy
- **level** off/out – wyrównywać

LIBERTY
- at **liberty** – na wolności

▪ be not at **liberty** to do sth – nie być upoważnionym do zrobienia czegoś
▪ I took the **liberty** of calling you – pozwoliłem sobie zadzwonić do ciebie
▪ take a **liberty/liberties** with sb – spoufalać się z kimś

LICENCE
▪ under **licence/license** *am.* – za specjalnym pozwoleniem, na licencji
▪ driving **licence**, driver's **license** *am.* – prawo jazdy

LICK
▪ at a great/tremendous **lick** *pot.* – (*jechać*) cwałem, co koń wyskoczy
▪ **lick** sb *pot.* – zadać komuś klęskę; sprawić komuś lanie

LIE
▪ **lie** doggo *pot.* – ukrywać się, przyczajać się
▪ **lie** in ambush – czaić się, czatować
▪ **lie** about/around *pot.* – leniuchować, obijać się *pot.*; poniewierać się
▪ **lie** back *pot.* – odpuszczać sobie *pot.*
▪ **lie** behind – leżeć u podłoża *przen.*
▪ **lie** down – kłaść się
▪ **lie** in *pot.* – dłużej leżeć w łóżku

LIEU
▪ in **lieu** of – w zamian za, w miejscu

LIFE
▪ as big as **life** (and twice as ugly) – we własnej osobie
▪ give up one's **life** – oddawać życie
▪ live the **life** of Riley *pot.* – żyć beztrosko
▪ not on your **life**! *pot.* – nigdy w życiu! *pot.*
▪ risk **life** and limb – ryzykować życiem
▪ see **life** – używać życia
▪ the **life** and soul of the party – dusza towarzystwa *przen.*

LIFT
▪ give sb a **lift** – podwozić kogoś; *pot.* pomagać komuś, pobudzać kogoś

LIGHT
▪ begin to see the **light** – zaczynać rozumieć
▪ bring to **light** – wydobywać na jaw, ujawniać
▪ come to **light** – wychodzić na jaw
▪ cast/shed/throw **light** on *przen.* – rzucać światło na *przen.*
▪ in the **light** of – w świetle
▪ **light** up – oświetlać; rozjaśniać się; zapalać (*papierosa*)
▪ make **light** of sth – lekceważyć coś, bagatelizować coś

LIKE
▪ and the **like** – i tym podobne
▪ I would/I'd **like** – chciałbym
▪ if you **like** – jeśli chcesz

LIKELIHOOD
▪ in all **likelihood** – według

wszelkiego prawdopodobieństwa

LILY

▪ gild the **lily** – przedobrzyć *pot.*

LIMB

▪ go out on a **limb** *pot.* – wychylać się *pot.*

LIMBO

▪ be in **limbo** – być w zawieszeniu, być w niepewności

LIMELIGHT

▪ be in the **limelight** – być w centrum zainteresowania

LIMITS

▪ off **limits** *am.* – zakazany, zabroniony

▪ within **limits** – w (pewnych) granicach

LINE

▪ assembly **line** – linia montażowa, taśma *pot.*

▪ cut in **line** *am.* – wpychać się do kolejki

▪ draw the **line** at doing sth *pot.* – odmawiać robienia czegoś

▪ drop sb a **line** *pot.* – napisać do kogoś parę słów

▪ get a **line** on sb *pot.* – dostawać poufne informacje o kimś

▪ hold the **line**! – proszę nie odkładać słuchawki!

▪ in **line** with – w zgodzie z

▪ lay it on the **line** *pot.* – mówić szczerze i otwarcie

▪ on the **line** – w niebezpieczeństwie

▪ out of **line** – poza linią, nie w jednej linii

▪ side **line** – uboczne zajęcie

▪ toe the (party) **line** – podporządkowywać się, być posłusznym

▪ hard **lines**! *pot.* – a to pech!

▪ read between the **lines** – czytać między wierszami *przen.*

▪ **line** up – stawać w rzędzie; stawać w kolejce; ustawiać w rząd/rzędy; przygotowywać, planować

LINEN

▪ wash one's dirty **linen** in public – publicznie prać brudy *przen.*

LINGER

▪ **linger** behind – zostawać

LINK

▪ missing **link** – brakujące ogniwo

LIP

▪ keep a stiff upper **lip** – nie pokazywać (*czegoś*) po sobie *przen.*

▪ bite one's **lips** – zagryzać wargi

▪ lick one's **lips** – oblizywać się *także przen.*

LIST

▪ be on the danger **list** – być w bardzo ciężkim stanie

LISTEN

▪ **listen** in – podsłuchiwać

▪ **listen** (out) for – nasłuchiwać

LITTLE

▪ a **little** (bit) – trochę

▪ **little** by **little** – powoli, po trochu

LIVE

▪ **live** and learn – człowiek całe życie się uczy

▪ **live** and let **live** – żyj i pozwól żyć innym
▪ **live** it up *pot.* – korzystać z życia *przen.*
▪ **live** by – przestrzegać, stosować się do
▪ **live** for – żyć dla; żyć w oczekiwaniu na
▪ **live** in – mieszkać na miejscu, mieszkać tam, gdzie się uczy lub pracuje
▪ **live** off – żyć z; wykorzystywać, żerować na
▪ **live** on – żyć z; żywić się tylko...; żyć; być w dalszym ciągu żywym
▪ **live** out – przeżyć; mieszkać poza miejscem pracy/nauki
▪ **live** through – przeżyć
▪ **live** up to – sprostać, spełniać; żyć zgodnie z

LIVING
▪ earn/make a/one's **living** – zarabiać na życie

LOAD
▪ a **load** of, **loads** of *pot.* – mnóstwo
▪ **load** of rubbish *pot.* – stek bzdur *pot.*
▪ **load** sb down with sth – obciążać kogoś czymś
▪ **load** up – załadowywać

LOAF
▪ use your **loaf**! *pot.* – rusz głową! *przen.*
▪ **loaf** about/around *pot.* – obijać się *pot.*

LOAN
▪ on **loan** – pożyczony

LOCK
▪ **lock**, stock and barrel – w całości i bez zmian
▪ under **lock** and key – pod kluczem
▪ **lock** in – zamykać w
▪ **lock** out – odcinać dostęp

LOG
▪ sleep like a **log** – spać jak kamień

LOGGERHEADS
▪ be at **loggerheads** – nie zgadzać się, być w opozycji

LOINS
▪ gird (up) one's **loins** – szykować się do boju *przen.*, zbierać się w sobie *przen.*

LONG
▪ as/so **long** as – dopóki; o ile, pod warunkiem, że; podczas gdy
▪ before **long** – wkrótce
▪ **long** live! – niech żyje!
▪ so **long**! *pot.* – cześć!, do widzenia!

LONGER
▪ no **longer**/not any **longer** – już nie

LOOK
▪ have a **look** at – patrzeć na
▪ **look**! – (po)słuchaj!
▪ **look** flash *pot.* – wyglądać imponująco
▪ she **looked** fit to faint – wyglądała jakby miała zemdleć
▪ **look** after – opiekować się, zajmować się
▪ **look** ahead – patrzeć przed siebie, patrzeć w przyszłość *przen.*

▪ **look** back – wspominać, wracać myślą *przen.*; oglądać się za siebie
▪ **look** down on – spoglądać z góry na
▪ **look** forward to – oczekiwać z niecierpliwością, cieszyć się na
▪ **look** in – zaglądać do, wpadać do
▪ **look** into – badać
▪ **look** on – przyglądać się
▪ **look** out – wyglądać; uważać, mieć się na baczności; wyszukiwać
▪ **look** out! – uwaga!
▪ **look** out for – rozglądać się za, wypatrywać
▪ **look** over – przeglądać, rzucać okiem *przen.*
▪ **look** round – rozglądać się
▪ **look** through – przeglądać
▪ **look** to – zwracać się do; doglądać, dbać o; myśleć o
▪ **look** to it – dopilnowywać
▪ **look** up – spoglądać w górę; zaglądać do, sprawdzać w; składać wizytę
▪ **look** up to sb – podziwiać kogoś
▪ cast **looks** – rozglądać się
▪ good **looks** – uroda
▪ it **looks** like – wygląda na to, że

LOOKOUT
▪ be on the **lookout** – rozglądać się za
▪ keep a **lookout** for – uważać na, mieć się na baczności przed
▪ that's his/your **lookout** – to jego/twoja sprawa

LOOP
▪ **loop** the **loop** – zataczać koło, robić pętlę

LOOSE
▪ on the **loose** – na wolności

LOSE
▪ **lose** one's cool *slang*. – stracić panowanie nad sobą

LOSER
▪ be a good/bad **loser** – potrafić/nie potrafić przegrywać

LOSS
▪ be a dead **loss** – być do niczego *pot.*
▪ be at a **loss** – przynosić straty
▪ I'm at a **loss** – nie wiem, co robić
▪ sell at a **loss** – sprzedawać ze stratą

LOT
▪ a fat **lot** of good that will be *pot.* – figa z tego będzie *pot.*
▪ a **lot** of *pot.* – dużo, wielu, mnóstwo
▪ by **lot** – w drodze losowania; na los szczęścia
▪ cast in one's **lot** with sb – podzielić czyjś los
▪ parking **lot** *am.* – parking
▪ quite a **lot** – sporo
▪ the (whole) **lot** – wszystko; wszyscy
▪ the **lot** fell to me – padło na mnie *pot.*
▪ throw in one's **lot** with sb – decydować się dzielić z kimś swój los

- draw **lots** – ciągnąć losy
- **lots** of *pot.* – dużo, wielu, mnóstwo
- throw/cast **lots** – ciągnąć losy

LOUD
- out **loud** – na głos, głośno

LOUNGE
- **lounge** about/around – próżnować, obijać się *pot.*

LOVE
- be in **love** (with sb) – być zakochanym (w kimś)
- cupbooard **love** – interesowna miłość
- fall in **love** (with sb) – zakochiwać się (w kimś)
- for **love** or/nor money – za żadne skarby
- I'd **love** to/it – bardzo chętnie, z rozkoszą
- **love** is blind – miłość jest ślepa
- make **love** (to sb) – kochać się (z kimś)
- not for **love** or money – za nic, za żadne skarby
- puppy **love** – młodzieńcza miłość
- send/give him my **love** – pozdrów go ode mnie

LUCK
- bad/hard/tough **luck**! *pot.* – a to pech!, a to niefart! *pot.*
- be in **luck** – mieć szczęście
- good **luck**! – powodzenia!
- have the **luck** of the devil *pot.* – mieć niesamowite szczęście
- push/press one's **luck** – ryzykować
- the **luck** of the draw – dzieło przypadku
- try one's **luck** – próbować szczęścia *przen.*

LULL
- **lull** before the storm – cisza przed burzą *przen.*

LUMBER
- **lumber** sb with sth – obarczać kogoś czymś

LUMP
- have a **lump** in one's throat *pot.* – mieć ściśnięte gardło
- he'll have to **lump** it – będzie się musiał z tym pogodzić
- in the **lump** – na ogół; ogólnie biorąc

LUNCH
- blow one's **lunch** *slang.* – rzygać *pot.*

LURCH
- leave sb in the **lurch** *pot.* – zostawiać kogoś na lodzie *przen.*

M

MACHINE
- answering **machine** – automatyczna sekretarka

MAID
- **maid** of honour – starsza druhna

MAIN
- in the **main** – na ogół, przeważnie

MAJOR
- **major** in *am.* – specjalizować się w, wybrać jako przedmiot kierunkowy (*na uczelni*)

MAJORITY
- be in the/a **majority** – być w większości

MAKE
- be on the **make** – dorabiać się *pot.*
- he will **make** a good teacher/doctor – będzie z niego dobry nauczyciel/lekarz
- **make**-believe – udawanie, pozory; pozorny, udawany
- **make** certain of sth – upewniać się co do czegoś
- **make** do with sth – zadowalać się czymś
- **make** fast – przymocowywać
- **make** free with sth – używać czegoś bez ograniczeń
- **make** good – wywiązywać się; naprawiać, wynagradzać
- **make** it – docierać, przybywać; powieść się, udać się
- **make** it clear – dawać wyraźnie do zrozumienia
- **make** light of sth – lekceważyć coś, nie przywiązywać wagi do czegoś
- **make** oneself clear – wyrażać się jasno, stawiać sprawę jasno
- **make** sb crazy/mad – doprowadzać kogoś do szału *przen.*
- **make** sure – upewniać się, dopilnowywać, żeby
- **make** away with oneself – odebrać sobie życie *przen.*
- **make** for – kierować się do; zmierzać do
- **make** of – myśleć o; rozumieć
- **make** off – uciekać, ulatniać się *pot.*
- **make** out – odcyfrowywać, rozróżniać; rozumieć; udawać; wypełniać, wypisywać; *pot.* radzić sobie
- **make** over – przenosić własność *prawn.*
- **make** up – tworzyć, stanowić; zmyślać, wymyślać; przygotowywać; robić makijaż; godzić się
- **make** up for – nadrabiać
- **make** up to sb – przypochlebiać się komuś
- **make** it up to sb for sth – wynagradzać komuś coś

MAKE-UP
- fix one's **make-up** – poprawiać makijaż

MAKING
- be the **making** of sb – stanowić podstawę czyjegoś powodzenia
- have the **makings** of – mieć zadatki na

MALL
- (shopping) **mall** – centrum handlowe

MAN
- a drowning **man** catches at a straw – tonący brzytwy się chwyta *przysł.*

▪ as one **man** – jak jeden mąż *przen.*
▪ be one's own **man** – stanowić o sobie
▪ best **man** – drużba
▪ family **man** – mężczyzna żonaty; mężczyzna oddany rodzinie
▪ hit a **man** when he's down *pot.* – kopać leżącego *przen.*
▪ **man** of substance – człowiek majętny
▪ **man** to **man** – jak równy z równym
▪ old **man** *pot.* – ojciec
▪ self-made **man** – człowiek, który doszedł do wszystkiego sam
▪ the **man** in the street – przeciętny człowiek
▪ the odd **man** out – inny, różniący się od reszty
▪ to a **man** – co do jednego

MANAGE
▪ **manage** without – radzić sobie bez, dawać sobie radę bez

MANNER
▪ by any **manner** of means – w żadnym wypadku
▪ in a **manner** of speaking – że się tak wyrażę

MANY
▪ a good/great **many** – bardzo dużo, mnóstwo

MARCH
▪ steal a **march** on sb – uprzedzać kogoś

MARK
▪ be on/off the **mark** – trafiać/nie trafiać w sedno
▪ be quick off the **mark** *pot.* – nie zwlekać
▪ exclamation **mark** – wykrzyknik
▪ leave a/one's **mark** – odciskać ślad *przen.*
▪ make a/one's **mark** – wyróżniać się
▪ up to the **mark** – na poziomie
▪ **mark** down – zapisywać, notować; obniżać cenę; obniżać ocenę
▪ **mark** off – oddzielać; odróżniać; przekreślać
▪ **mark** out – wytyczać granice; wyróżniać
▪ **mark** up – podwyższać cenę
▪ full **marks** – najwyższa ocena; najwyższe uznanie
▪ on your **marks**, get set, go! – do biegu gotowi, start!

MARKET
▪ on the **market** – w sprzedaży
▪ play the **market** *pot.* – grać na giełdzie

MARROW
▪ to the **marrow** – do szpiku kości

MARY
▪ Bloody **Mary** – Krwawa Mary (*drink składający się z wódki i soku pomidorowego*)

MASTER
▪ like **master**, like man *przysł.* – jaki pan, taki kram *przysł.*
▪ **master's** (degree) – tytuł/stopień magistra

MATCH
▪ be no **match** for – nie móc się równać z

▪ make a good **match** – tworzyć dobraną parę, pasować do siebie
▪ **match** up to – odpowiadać, dorównywać
▪ meet one's **match** – trafiać na równego sobie

MATTER

▪ as a **matter** of course – zupełnie naturalnie; rzecz prosta
▪ as a **matter** of fact – faktycznie, prawdę mówiąc
▪ as a **matter** of form – dla formalności
▪ it doesn't **matter** – nie ma znaczenia, nie szkodzi; wszystko jedno
▪ **matter** of course – rzecz naturalna, rzecz sama przez się zrozumiała
▪ no **matter** how/what – nie ma znaczenia/nieważne jak/co
▪ what's the **matter**? – co się stało?, o co chodzi?
▪ to make **matters** worse – co gorsza

MAY

▪ **may** I help you? – czym mogę służyć?

MEAL

▪ square **meal** – solidny posiłek

MEAN

▪ **mean** to do sth – zamierzać coś zrobić
▪ **mean** well – mieć dobre intencje
▪ no **mean** writer/artist – niepośledni pisarz/artysta
▪ by all **means** – oczywiście; owszem; proszę bardzo
▪ by fair **means** or foul – nie przebierając w środkach
▪ by **means** of – za pomocą
▪ by no **means** – wcale nie, bynajmniej; w żadnym wypadku, pod żadnym pozorem
▪ live beyond one's **means** – żyć ponad stan

MEANTIME

▪ for the **meantime** – na razie
▪ (in the) **meantime** – tymczasem

MEANWHILE

▪ (in the) **meanwhile** – tymczasem

MEASURE

▪ beyond **measure** – niezmiernie
▪ for good **measure** – w dodatku
▪ in some/large **measure** – w pewnej/dużej mierze
▪ take/get sb's **measure** – oceniać kogoś
▪ **measure** out – odmierzać, wydzielać
▪ **measure** up to sb/sth – być równym komuś/czemuś, dorównywać komuś/czemuś
▪ half **measures** – półśrodki

MEDIUM

▪ strike a happy **medium** – znajdować złoty środek *przen.*

MEET

▪ **meet** sb halfway – wychodzić komuś naprzeciw
▪ **meet** up with – spotykać się z

- **meet** with – napotykać; odnosić (*sukcesy*)
- nice to **meet** you! – miło mi pana/panią poznać!

MEMORY
- commit sth to **memory** – zapamiętywać coś
- if my **memory** is not at fault – jeśli mnie pamięć nie myli
- within living **memory** – za ludzkiej pamięci

MEND
- he's on the **mend** *pot.* – poprawia mu się (*o chorym*) *pot.*

MENTION
- **mention** sth in passing – wspomnieć o czymś przelotnie
- not to **mention** – że nie wspomnę o, by nie wspomnieć o

MERCY
- be at the **mercy** of – być zdanym na łaskę

MERIT
- judge one on one's own **merits** – oceniać kogoś według jego zasług

MESS
- **mess** about/around *pot.* – obijać się; gmatwać sprawy; wygłupiać się
- **mess** sb about/around *pot.* – zwodzić kogoś
- **mess** up *pot.* – gmatwać; bałaganić; brudzić
- **mess** with *am. pot.* – wdawać się w

MESSAGE
- get the **message** *pot.* – rozumieć, załapywać *pot.*

METTLE
- show/prove one's **mettle** – wykazać się

MIDDLE
- in the **middle** of – w środku; w trakcie
- in the **middle** of nowhere *pot.* – na końcu świata *przen.*
- down the **middle** – na połowę

MIDST
- in the **midst** of – pomiędzy, pośród; w środku, w trakcie

MIGHT
- with all one's **might** (and main) – z całych sił

MILES
- **miles** from anywhere – na końcu świata *przen.*

MILK
- cry over spilled **milk** – płakać nad rozlanym mlekiem *przen.*
- skimmed **milk** – odtłuszczone mleko

MIND
- bear/keep in **mind** – pamiętać, mieć na uwadze
- be bored out of one's **mind** *pot.* – wariować z nudów *pot.*
- blow sb's **mind** *pot.* – zawładnąć czyimś umysłem *przen.*
- bring/call to **mind** – przypominać, przywodzić na myśl *przen.*
- broaden one's **mind** – poszerzać horyzonty *przen.*
- call to **mind** – przypominać, przywodzić na myśl *przen.*
- cast one's **mind** back – wracać wspomnieniami

▪ change one's **mind** – zmieniać zdanie, rozmyślać się
▪ come/spring to **mind** – przychodzić do głowy *przen.*, przychodzić na myśl *przen.*
▪ cross/enter one's **mind** – przychodzić do głowy/na myśl *przen.*
▪ do you **mind**? – czy nie masz nic przeciw temu?
▪ have a good **mind** to do sth – mieć wielką ochotę coś zrobić
▪ have half a **mind** to do sth *pot.* – być prawie zdecydowanym coś zrobić
▪ have in **mind** – myśleć, mieć na myśli
▪ have it in **mind** to do sth – nosić się z zamiarem zrobienia czegoś
▪ his name sticks in my **mind** – jego nazwisko utkwiło mi w pamięci *przen.*
▪ I don't **mind** – wszystko mi jedno; nie mam nic przeciwko (*komuś*, *czemuś*, *temu*) *pot.*
▪ if you don't **mind** – jeśli ci to nie przeszkadza
▪ it crossed my **mind** – przyszło mi na myśl, przyszło mi do głowy *przen.*
▪ it flashed through my **mind** – przemknęło mi przez myśl *przen.*
▪ it slipped/got out of my **mind** – wyszło mi z pamięci *pot.*, zapomniałem o tym
▪ know one's own **mind** – wiedzieć, czego się chce
▪ lose one's **mind** – tracić zmysły *pot.*, wariować *pot.*
▪ make up one's **mind** – decydować się, postanawiać
▪ **mind** one's P's and Q's – nie zapominać o dobrych manierach
▪ **mind** out! *pot.* – uważaj!, uwaga!
▪ **mind** you – proszę zwrócić uwagę, proszę zauważyć
▪ never **mind** – (nic) nie szkodzi, nieważne
▪ prey on sb's **mind** – dręczyć kogoś, trawić kogoś (*np. o smutku*)
▪ put in **mind** of sth – przywodzić na myśl *przen.*
▪ put one's **mind** to sth – starać się o coś
▪ put/set sb's **mind** at rest – uspokajać kogoś
▪ read sb's **mind** – czytać w czyichś myślach *przen.*
▪ set one's **mind** on doing sth – być zdecydowanym coś zrobić, chcieć koniecznie coś zrobić
▪ speak one's **mind** – wypowiadać swoje zdanie
▪ to my **mind** – według mnie, moim zdaniem
▪ turn sth over in one's **mind** – przemyśliwać coś
▪ you must be out of your **mind** – chyba oszalałeś *pot.*
▪ be in two **minds** – wahać się, być niezdecydowanym

MINIMUM
▪ bare/barest **minimum** – absolutne minimum

MINUTE
▪ half a **minute** *pot.* – chwileczkę, minutkę

MISCHIEF
▪ do oneself a **mischief** *pot.* – kaleczyć się

MISS
▪ **miss** out – opuszczać, pomijać; tracić

MISTAKE
▪ by **mistake** – przez pomyłkę, przypadkowo

MIXED
▪ I'm (all) **mixed** up – wszystko mi się miesza/myli

MOCKERY
▪ make a **mockery** of – robić z (*kogoś*, *czegoś*, *siebie*) pośmiewisko

MODERATION
▪ in **moderation** – z umiarem

MOMENT
▪ at the **moment** – teraz, w tej chwili
▪ for the **moment** – na razie, chwilowo

MONEY
▪ be flat out of **money** *pot.* – być bez grosza *przen.*
▪ be in the **money** *pot.* – być przy forsie *pot.*
▪ be rolling in **money** *pot.* – mieć pieniędzy jak lodu *pot.*
▪ get **money** for old rope *pot.* – dostawać pieniądze za nic *pot.*
▪ have **money** to burn *pot.* – mieć za dużo pieniędzy
▪ make away with **money** – defraudować pieniądze
▪ make **money** – zarabiać pieniądze
▪ raise **money** – zbierać pieniądze
▪ pour **money** down the drain *pot.* – wyrzucać pieniądze w błoto *przen.*
▪ put your **money** where your mouth is *pot.* – niech za słowami pójdą czyny, przejdź od słów do czynów

MONKEY
▪ **monkey** about/around *pot.* – wygłupiać się *pot.*, błaznować
▪ **monkey** about/around with *pot.* – mieszać się do *pot.*; bawić się, manipulować przy

MONTH
▪ **month** for **month** – co miesiąc

MOOD
▪ be in a **mood** – nie mieć humoru
▪ be in the **mood** for sth – mieć ochotę na coś/coś zrobić
▪ be in no **mood** for sth – nie mieć nastroju do czegoś

MOON
▪ be over the **moon** *pot.* – nie posiadać się z radości
▪ once in a blue **moon** *pot.* – raz od wielkiego dzwonu *przen.*
▪ **moon** over sb – wzdychać do kogoś
▪ want/cry for the **moon** *pot.* – pragnąć gwiazdki z nieba

MOPE
- **mope** about/around – wałęsać się z kąta w kąt

MORE
- **more** and **more** – coraz więcej; coraz bardziej
- **more** or less – mniej więcej
- no **more**/not any **more** – już nie
- what's **more** – co więcej, w dodatku

MORNING
- good **morning**! – dzień dobry! (*używa się przed południem*)

MOST
- at (the) **most** – co najwyżej; w najlepszym razie
- make the **most** of – wykorzystywać jak najlepiej
- **most** likely – prawdopodobnie

MOTHER
- be tied to one's **mother's** apron strings – trzymać się maminej spódnicy *przen.*

MOUNT
- **mount** up – rosnąć, wzrastać

MOUNTAIN
- make a **mountain** out of a molehill – z igły robić widły *przysł.*

MOUTH
- be/have a big **mouth** *pot.* – mieć długi język *przen.*, być paplą; głośno mówić
- down in the **mouth** *pot.* – przygnębiony
- melt in one's **mouth** – rozpływać się w ustach *przen.*
- straight from the horse's **mouth** – z pierwszej ręki *przen.*, z pewnego źródła *przen.*
- the salad makes my **mouth** water – ślinka mi cieknie na widok tej sałatki
- shoot one's **mouth** off *pot.* – paplać *pot.*

MOVE
- get a **move** on! *pot.* – rusz się! *pot.*
- **move** about/around – poruszać się, chodzić tam i z powrotem; przenosić się
- **move** along – przesuwać się
- **move** away – wyprowadzać się
- **move** down – obniżać się; przenosić się niżej
- **move** in/into – wprowadzać się; wchodzić; wtargnąć
- **move** off – ruszać, wyruszać
- **move** on – posuwać się dalej, iść naprzód; ruszać w dalszą drogę; mijać
- **move** out – wyprowadzać się
- **move** over – przenosić się; przesuwać się; usuwać się
- **move** up – przysuwać się; iść w górę

MUCH
- very **much** so – jak najbardziej

MUCK
- **muck** about/around – wałkonić się *pot.*
- **muck** in – włączać się
- **muck** up – partaczyć, zawalać *pot.*

MUDDLE
- **muddle** along – wegetować

▪ **muddle** through – jakoś sobie radzić

MUM

▪ **mum's** the word! *pot.* – ani pary z gęby! *pot.*

MUMBO

▪ **mumbo** jumbo *pot.* – bełkot, czarna magia *pot.*

MURDER

▪ attempted **murder** – usiłowanie zabójstwa

▪ scream/shout blue **murder** *pot.* – wrzeszczeć/krzyczeć wniebogłosy *pot.*

MUSIC

▪ face the **music** *pot.* – stawiać czoło komuś/czemuś; pić piwo, które się nawarzyło *przen.*

MUSTER

▪ **muster** up – zbierać się na, zdobywać się na (*np. odwagę*)

▪ pass **muster** – przechodzić pomyślnie próbę, nadawać się

MYSELF

▪ (all) by **myself** – sam; samodzielnie, bez pomocy

N

NAIL

▪ hit the **nail** on the head – trafiać w sedno *przen.*

▪ **nail** in sb's coffin – gwóźdź do trumny *przen.*

▪ **nail** sb down *pot.* – przyciskać kogoś, naciskać na kogoś

▪ as hard as **nails** – bezwzględny, bezlitosny

NAKED

▪ buck **naked** *pot.* – całkiem goły, golutki *pot.*

▪ stark **naked** – całkiem goły

NAME

▪ brand **name** – marka (*produktów*)

▪ double-barrelled **name** – dwuczłonowe nazwisko

▪ have a bad **name** – mieć złą reputację

▪ in **name** only – jedynie z nazwy

▪ make a **name** for oneself – wyrabiać sobie nazwisko *przen.*

▪ **name** sb after sb – dawać komuś imię po kimś

▪ under an assumed **name** – pod przybranym nazwiskiem

▪ call sb **names**/a **name** – wymyślać komuś

NAP

▪ have/take a **nap** – zdrzemnąć się

NAPE

▪ by the **nape** of the neck – za kark, za kołnierz (*zwykle w groźbach*)

NARROW

▪ **narrow** down – zawężać

NECK

▪ he's dead from the **neck** up *pot.* – on jest głupi, on jest niespełna rozumu

▪ break/wring sb's **neck** – skręcić komuś kark *przen.*
▪ breathe down sb's **neck** – patrzeć komuś na ręce *przen.*
▪ get in the **neck** *pot.* – dostawać po łbie *przen. pot.*
▪ **neck** and **neck** – łeb w łeb *przen.*
▪ risk one's **neck** – nadstawiać karku *przen.*
▪ save sb's **neck** *pot.* – wyratować kogoś z opresji
▪ stick one's **neck** out *pot.* – nadstawiać karku *przen.*
▪ win by a **neck** – wygrywać o głowę

NEED
▪ crying **need** – paląca potrzeba
▪ if **need** be – w razie potrzeby
▪ in **need** – w potrzebie
▪ should the **need** arise – jeśli zajdzie potrzeba

NEEDLE
▪ it's like looking for a **needle** in a haystack – to jest jak szukanie igły w stogu siana

NEEDLESS
▪ **needless** to say – oczywiście

NEIGHBOURHOOD, NEIGHBORHOOD ***am.***
▪ in the **neighbo(u)rhood** of – w przybliżeniu, w okolicy; w sąsiedztwie

NEITHER
▪ it's **neither** here nor there – (to) nie ma znaczenia; (to) nie ma nic do rzeczy
▪ **neither**... nor... – ani... ani...

NERVE
▪ strain every **nerve** – wytężać wszystkie siły
▪ touch a raw **nerve** – dotykać do żywego *przen.*
▪ have a/the **nerve** *pot.* – mieć czelność, mieć tupet
▪ have the brass **nerve** to do sth *pot.* – mieć czelność coś zrobić *pot.*, mieć odwagę coś zrobić
▪ get on sb's **nerves** – działać komuś na nerwy *przen.*

NEST
▪ feather one's **nest** – mościć sobie gniazdko *przen.*
▪ stir up a hornet's **nest** *pot.* – wkładać kij w mrowisko *przen.*

NETTLE
▪ grasp the **nettle** – chwytać byka za rogi *przen.*

NEVER
▪ it **never** rains but it pours – nieszczęścia chodzą parami *przen.*
▪ **never** mind – nic nie szkodzi; nieważne; nie wspominając (już) o
▪ **never** fear – nie martw się, nie bój się
▪ one **never** knows – nigdy nie wiadomo
▪ you **never** can tell – nigdy nie wiadomo
▪ you **never** know – nigdy nie wiadomo

NEXT
▪ **next** to – obok
▪ **next** to none/nothing – prawie nic

NICK
- in the **nick** of time *pot.* – w samą porę; w ostatniej chwili
- in good/bad **nick** *pot.* – w dobrym/złym stanie

NIGHT
- first **night** – premiera
- good **night**! – dobranoc!

NINES
- dress oneself up to the **nines** *pot.* – wystroić się jak stróż w Boże Ciało *pot.*

NINETEEN
- talk **nineteen** to the dozen *pot.* – bardzo szybko mówić, trajkotać *pot.*

NITS
- pick **nits** *pot.* – szukać dziury w całym *przen.*

NOD
- **nod** off *pot.* – drzemać

NONE
- I'll have **none** of it! *pot.* – nie będę tego tolerować!
- second to **none** – lepszy niż wszystkie/wszystko inne

NOOK
- every **nook** and cranny – każdy kąt, każdy zakamarek

NOSE
- blow one's **nose** – wydmuchiwać nos
- follow one's **nose** *pot.* – kierować się intuicją
- have a running **nose** – mieć katar
- keep one's **nose** out of *pot.* – nie wtrącać się do
- keep one's **nose** to the grindstone *pot.* – harować jak wół *pot.*
- lead sb by the **nose** *pot.* – prowadzić kogoś (*gdzieś*) siłą; wodzić kogoś za nos *przen.*
- look down one's **nose** at sb *pot.* – traktować kogoś z wyższością
- pay through the **nose** *pot.* – przepłacać
- poke/stick one's **nose** into sth *pot.* – wtykać nos w coś *przen.*
- put one's **nose** to the grindstone – przykładać się do pracy *przen.*
- put sb's **nose** out of joint *pot.* – mieszać komuś szyki
- rub sb's **nose** *pot.* – wytykać komuś coś
- turn one's **nose** at sth *pot.* – kręcić nosem na coś *przen.*
- win by a **nose** *pot.* – wygrywać o włos *przen.*
- **nose** about/around *pot.* – węszyć *pot.*
- **nose** out *pot.* – wywęszać *pot.*

NOT
- **not** at all – wcale nie; ależ skąd, nic podobnego
- **not** in the least – wcale nie; ależ skąd, nic podobnego

NOTE
- drop sb a **note** *pot.* – pisać do kogoś parę słów
- take **note** of – zwracać uwagę, zapamiętywać
- **note** down – notować

NOTHING

- for **nothing** – za darmo; na próżno
- **nothing** doing *pot.* – nic z tego *pot.*
- **nothing** of the kind/sort – nic szczególnego, nic nadzwyczajnego
- **nothing** to write home about – nic poważnego
- stop at **nothing** – nie cofać się przed niczym
- to say **nothing** of – nie wspominając o

NOTICE

- advance **notice** – wcześniejsze powiadomienie
- at a moment's **notice** – natychmiast
- at short **notice** – bezzwłocznie
- escape one's **notice** – umknąć uwadze
- give sb advance **notice** – dawać komuś wypowiedzenie z wyprzedzeniem
- hand in one's **notice** – składać wymówienie (z pracy)
- serve **notice** – uprzedzać, zawiadamiać
- take no **notice** – nie zwracać uwagi
- take **notice** – zwracać uwagę, zauważać
- until further **notice** – (aż) do odwołania
- without **notice** – bez uprzedzenia
- without prior **notice** – bez wcześniejszego powiadomienia

NOW

- (every) **now** and then/again – co jakiś czas, od czasu do czasu
- from **now** on – od tej pory, na przyszłość
- just **now** – dopiero co *pot.*, przed chwilą
- **now** that – teraz, gdy

NULL

- **null** and void – nieważny, nie posiadający mocy prawnej

NUMBER

- cardinal **number** – liczba główna
- look out for **number** one – myśleć tylko o sobie
- by the **numbers** *pot.* – zgodnie z zasadami

NUT

- hard/tough **nut** to crack *pot.* – twardy orzech do zgryzienia *przen.*
- **nuts** *pot.* – stuknięty *pot.*

NUTSHELL

- in a **nutshell** – w kilku słowach, zwięźle

O

OAR

- get/put/stick one's **oar** in *pot.* – wtrącać swoje trzy grosze *pot.*

OATH

- on/under **oath** – pod przysięgą

▪ take the **oath** – składać przysięgę

OCCASION

▪ on **occasion(s)** – od czasu do czasu

▪ rise to the **occasion** – stawać na wysokości zadania *przen.*

OCCUR

▪ it **occurred** to me – przyszło mi do głowy

ODD

▪ the **odd** man/one out – inny, różniący się od reszty

▪ twenty **odd** *pot.* – dwadzieścia kilka

▪ against all the **odds** – pomimo wszelkich przeciwności

▪ be at **odds** (with) – nie zgadzać się (z); być w sprzeczności (z)

▪ it makes no **odds** *pot.* – nie ma znaczenia, bez różnicy

▪ **odds** and ends *pot.* – różne drobiazgi

▪ the **odds** are in my favour – mam przewagę

OFFENCE, OFFENSE ***am.***

▪ no **offence/offense** *am.* – nie obraź się

▪ take **offence/offense** *am.* – obrażać się

OFFER

▪ jump at an **offer** – skwapliwie korzystać z propozycji

OIL

▪ burn the midnight **oil** – pracować do późna

▪ pour **oil** on troubled waters – załagadzać spór

▪ strike **oil** – mieć szczęście

OK, OKAY

▪ **OK/okay** – zgoda; w porządku

ON

▪ **on** and on – bez przerwy, stale

▪ **on** and off – od czasu do czasu, sporadycznie

ONCE

▪ (all) at **once** – nagle, niespodziewanie

▪ at **once** – od razu, natychmiast

▪ **once** and for all – raz na zawsze

▪ **once** again/more – jeszcze raz

▪ **once** bitten, twice shy – kto się na gorącym sparzy, ten na zimne dmucha *przysł.*

▪ **once** more – jeszcze raz

ONE

▪ **one** another – się/siebie (wzajemnie)

▪ **one** by **one** – jeden za drugim, pojedynczo

OPEN

▪ in the **open** – na (wolnym) powietrzu

▪ **open** to – otwarty na; narażony na

▪ **open** on to – wychodzić na (*np. o oknie*)

OPENERS

▪ for **openers** *pot.* – na początek

OPPORTUNITY

▪ grab/seize an **opportunity** – wykorzystywać sposobność

- leap at **opportunity** – skwapliwie korzystać z okazji

OPPOSITE
- just the **opposite** – wprost przeciwnie

ORDER
- call to **order** – przywoływać do porządku
- in **order** – w porządku
- in working **order** – na chodzie *pot.*
- out of **order** – niesprawny, zepsuty; nie po kolei, nie w kolejności
- place an **order** with sb – składać u kogoś zamówienie
- put in **order** – porządkować
- tall **order** *pot.* – wygórowane żądanie
- give sb his marching **orders** – dawać komuś odprawę *przen.*

ORDINARY
- out of the **ordinary** – niezwykły

OUTSET
- from the **outset** – od początku

OUTSIDE
- at the **outside** – (co) najwyżej; najpóźniej, najdalej

OVER
- **over** here/there – tu/tam

OWING
- **owing** to – z powodu, przez; dzięki

OWL
- night **owl** *pot.* – nocny marek

OWN
- have sth of one's **own** – mieć coś własnego
- on one's **own** – sam; samotnie; samodzielnie; zdany na własne siły
- **own** up to – przyznawać się do

P

PACE
- break one's **pace** – zmieniać rytm kroków
- keep **pace** with – dotrzymywać kroku *przen.*, nadążać za
- set the **pace** – narzucać tempo
- go through/show one's **paces** *przen.* – pokazywać co się potrafi
- put sb through his **paces** – poddawać kogoś próbie

PACK
- **pack** sb off *pot.* – wysyłać kogoś
- **pack** up *pot.* – psuć się, nawalać *pot.*

PAIN
- double up in **pain** – wić się z bólu
- on/under **pain** of sth – pod karą czegoś
- **pain** in the neck *pot.* – utrapienie

- go to great **pains** – zadawać sobie wiele trudu
- growing **pains** *przen.* – problemy związane z dorastaniem
- take **pains** – zadawać sobie trud

PAIR
- show a clean **pair** of heels – brać nogi za pas *przen.*
- **pair** off with sb – tworzyć z kimś parę

PAL
- **pal** up *pot.* – zaprzyjaźniać się

PALM
- grease sb's **palm** *pot.* – dawać komuś w łapę *pot.*
- have sb in the **palm** of one's hand – mieć kogoś w garści *przen.*
- **palm** off – wtryniać *pot.*, wciskać *pot.*
- **palm** sb off – zbywać kogoś

PAN
- out of the frying **pan**, into the fire – z deszczu pod rynnę *przen.*

PANCAKE
- as flat as a **pancake** – płaski jak deska

PANTS
- beat the **pants** off sb *pot.* – spuszczać komuś lanie; wygrywać z kimś, pobić kogoś (*w jakiejś dziedzinie*) *pot.*
- catch sb with his **pants** down *pot.* – zaskakiwać kogoś, nakrywać kogoś na czymś *pot.*

PAPER
- commit to **paper** – zapisywać, zanotowywać

PAR
- be on a **par** with – stać na równi z
- be below/under/not up to **par** – nie być w formie; być poniżej normy
- **par** for the course – typowy

PARDON
- I (do) beg your **pardon** – słucham?, przepraszam, nie dosłyszałem
- **pardon** me – przepraszam
- **pardon** me? – słucham?

PARK
- amusement **park** – wesołe miasteczko

PAROLE
- be on **parole** – być na warunkowym zwolnieniu (*z więzienia*)

PART
- be **part** and parcel of sth – być nieodłączną częścią czegoś
- for my **part** – jeśli o mnie chodzi
- for the most **part** – przeważnie; ogólnie
- in **part** – po części, częściowo
- on her **part** – z jej strony
- play a **part** – odgrywać rolę
- **part** with – rozstawać się z
- take **part** – brać udział

PARTIAL
- be **partial** to – mieć słabość do

PARTICULAR
- be **particular** – być wymagającym, być wybrednym
- in **particular** – w szczególności, szczególnie

PARTY
- be (a) **party** to sth – być zamieszanym w coś
- injured **party** *prawn.* – strona pokrzywdzona *prawn.*
- throw a **party** *pot.* – wydawać przyjęcie, robić imprezę *pot.*

PASS
- make a **pass** at sb *pot.* – zalecać się do kogoś
- **pass** away – odchodzić, umierać
- **pass** by – przechodzić
- **pass** down – przekazywać
- **pass** out – mdleć
- **pass** over – pomijać; umierać

PASSING
- in **passing** – przelotnie, mimochodem

PASSION
- fly into a **passion** – wpadać w furię

PAT
- give sb a **pat** on the back – chwalić kogoś
- have sth off **pat** – znać coś na wyrywki

PATCH
- **patch** up – łatać; naprawiać, łagodzić

PATH
- bar sb's **path** – zagradzać komuś drogę
- **path** of least resistance – linia najmniejszego oporu
- lead sb down the garden **path** – oszukać kogoś

PAY
- **pay** as you go – płacić od razu; płacić na bieżąco
- **pay** heed – zwracać uwagę

PEACE
- leave sb in **peace** – zostawiać kogoś w spokoju, dawać komuś spokój

PEANUTS
- work for **peanuts** *pot.* – pracować za grosze

PEN
- fountain **pen** – wieczne pióro
- put **pen** to paper – chwytać za pióro

PENALTY
- death **penalty** – kara śmierci

PHONE
- be on the **phone** – rozmawiać przez telefon

PICK
- **pick** and choose – przebierać, grymasić
- **pick** at sb *pot.* – czepiać się kogoś *pot.*
- **pick** at one's food – skubnąć trochę jedzenia
- **pick** out – dostrzegać; wybierać
- **pick** up – podnosić; odbierać; podrywać *pot.*
- **pick** oneself up – pozbierać się, podnosić się
- take one's **pick** – wybierać

PIE
- as easy as **pie** – dziecinnie łatwe, śmiesznie łatwe

- eat humble **pie** *pot.* – z pokorą przyznawać, że nie miało się racji; być pokornym

PIECE
- collector's **piece** – rzadki okaz
- **piece** by **piece** – (kawałek) po kawałku
- **piece** of cake *pot.* – małe piwo *pot.*, pestka *pot.*
- in **pieces** – w kawałkach
- pick sth to **pieces** – znajdować słabe punkty; ostro krytykować
- **piece** together – zbierać w całości
- a **piece** of cake *pot.* – małe piwo *przen.*, bułka z masłem *pot.*, pestka *przen.*
- break a **piece** of news – przekazywać wiadomość
- give sb a **piece** of one's mind – powiedzieć komuś (parę słów) do słuchu *pot.*
- break into **pieces** – rozbijać (się) na kawałki
- fall to **pieces** – rozpadać się na kawałki

PIG
- buy a **pig** in a poke – kupować kota w worku *przen.*
- guinea **pig** *przen.* – królik doświadczalny *przen.*

PIGEON
- homing **pigeon** – gołąb pocztowy

PIKESTAFF
- (as) plain as a **pikestaff** – jasne jak słońce

PILL
- be on the **pill** – brać pigułki antykoncepcyjne
- contraceptive **pills** – pigułki antykoncepcyjne

PILLOW
- consult one's **pillow** – przespać się z problemem *przen.*

PIMPLES
- goose **pimples** – gęsia skórka *przen.*

PIN
- so still/quiet you could hear a **pin** drop – cicho jak makiem zasiał *przen.*
- rolling **pin** – wałek do ciasta
- **pin** sb down – przyciskać kogoś (do muru) *przen.*, zmuszać kogoś
- get **pins** and needles – czuć mrowienie

PIP
- give sb the **pip** *pot.* – denerwować kogoś
- **pip** sb at the post – pobić kogoś *przen.*, pokonać kogoś

PIPELINE
- in the **pipeline** *przen.* – w przygotowaniu

PISS
- **piss** about/around *pot.* – obijać się *pot.*; wygłupiać się
- **piss** off! *wulg.* – odwal się! *wulg.*

PISSING
- it's **pissing** down *pot.* – leje jak z cebra

PLACE
- at sb's **place** – u kogoś (*w czyimś domu*)
- in the first **place** – po pierwsze
- out of **place** – nie na miejscu
- in **places** – miejscami
- all over the **place** – wszędzie
- be in sb else's **place** – być na miejscu kogoś innego *przen.*
- in **place** – na miejscu
- in **place** of – zamiast
- in the first **place** – przede wszystkim, najpierw; na początku; od początku, od razu
- out of **place** – nie na miejscu; niestosowny, niewłaściwy
- take **place** – odbywać się, dziać się
- change/swap **places** – zamieniać się miejscami

PLAN
- **plan** for/on – spodziewać się
- **plan** on – planować, zamierzać
- **plan** out – planować, rozplanowywać

PLANK
- as thick as two short **planks** *pot.* – głupi jak but *pot.*

PLAY
- **play** fair – grać czysto, grać fair
- **play** hooky *am. pot.* – wagarować
- **play** it cool! *pot.* – nie denerwuj się, spoko! *pot.*
- **play** (it) safe *pot.* – niepotrzebnie nie ryzykować
- **play** on words – gra słów
- **play** truant – wagarować
- **play** around with sth – bawić się czymś
- **play** at – bawić się w
- **play** back – przegrywać, odtwarzać
- **play** down – pomniejszać znaczenie
- **play** on – grać na (*np. uczuciach*); wykorzystywać
- **play** out – przeżywać
- **play** up – dodawać znaczenia; *pot.* psuć się, nawalać *pot.*; dokazywać, szaleć

PLEAD
- **plead** guilty/not guilty *prawn.* – przyznawać/nie przyznawać się do winy *prawn.*

PLENTY
- **plenty** of – mnóstwo
- in **plenty** – w bród, pod dostatkiem
- it should be **plenty** – to powinno wystarczyć

PLUG
- **plug** away – harować *pot.*, tyrać *pot.*
- **plug** in – włączać (*do kontaktu*)

PLUGHOLE
- down the **plughole** – na marne

PLUME
- **plume** oneself of sth – szczycić się czymś

PLUNGE
- take the **plunge** *przen.* – decydować się na stanowczy krok

P.M.
- **p.m.** (*skr. łac.* **post meridiem**) – po południu

POCKET
- line one's **pockets** – napychać sobie kieszenie *przen.*

POINT
- boiling **point** – temperatura wrzenia
- carry one's **point** – stawiać na swoim
- cardinal **point** – strona świata
- exclamation **point** (*am.* exclamation **mark**) – wykrzyknik
- get the **point** – rozumieć istotę sprawy
- I see your **point** – wiem, o co ci chodzi, zgadzam się
- it's beside the **point** – to nie ma nic do rzeczy
- make a **point** of doing sth – nie omieszkać czegoś zrobić
- not to put too fine a **point** on it *pot.* – mówiąc szczerze
- out of **point** – nie na temat
- sore **point** – drażliwy punkt
- there's no **point** – nie ma sensu
- to the **point** – do rzeczy, na temat
- **point** out – zwracać uwagę na; wskazywać; wykazywać
- cardinal **points** – strony świata

POKE
- **poke** about/around *pot.* – myszkować, szperać

POKER
- (as) stiff as a **poker** – sztywny jakby kij połknął

POLE
- be **poles** apart *przen.* – zasadniczo się różnić

POLISH
- **polish** up – polerować; doskonalić

POLL
- by deed **poll** – na drodze urzędowej

POP
- **pop** on *pot.* – wkładać, ubierać; włączać, nastawiać
- **pop** up – pojawiać się

PORE
- **pore** over – zagłębiać się w, ślęczeć nad

POSE
- strike a **pose** – przybierać pozę

POSITION
- be in a **position** to do sth – mieć możność coś zrobić

POSITIVE
- be **positive** – być całkowicie pewnym

POST
- (as) deaf as a **post** *pot.* – głuchy jak pień

POT
- go to **pot** *pot.* – schodzić na psy *przen.*, marnować się
- take a **pot** at *pot.* – strzelać na chybił trafił
- the **pot** calling the kettle black – przygania kocioł garnkowi (a sam smoli) *przysł.*

POTATO
- hot **potato** *pot.* – drażliwy temat

POUR
- **pour** in – napływać (masowo)
- **pour** out – wylewać się; *przen.* wylewać z siebie

POWER
- be in **power** – być u władzy
- **power** of attorney *prawn.* – pełnomocnictwo *prawn.*

PRACTICE
- be in **practice** – mieć praktykę, mieć wprawę
- be out of **practice** – wyjść z wprawy
- in **practice** – w praktyce, praktycznie
- put sth into **practice** – stosować coś w praktyce

PRAISE
- sing one's own **praises** – przechwalać się

PREACH
- **preach** at sb *przen.* – prawić komuś kazania

PRECISE
- to be **precise** – ściśle/ściślej mówiąc

PREFERENCE
- by **preference** – z wyboru
- in **preference** to – zamiast

PRESENCE
- **presence** of mind – przytomność umysłu

PRESENT
- at **present** – obecnie
- for the **present** – na razie, chwilowo

PRESS
- gutter **press** – prasa brukowa
- in **press** – w druku
- in the **press** – w prasie

PRESSURE
- bow to **pressure** – uginać się pod naciskiem/presją

PRETENCES
- under false **pretences** – pod pretekstem, pod pozorem

PREY
- fall **prey** – padać ofiarą

PRICE
- at any **price** – za wszelką cenę

PRICKS
- **pricks** of conscience – wyrzuty sumienia

PRIDE
- burst with **pride** – być przepełnionym dumą
- have/take **pride** in – szczycić się, być dumnym z
- swallow one's **pride** – zapominać o dumie, chować dumę do kieszeni *pot.*

PRIME
- in the **prime** of life – w kwiecie wieku

PRINCIPLE
- in **principle** – w zasadzie
- on **principle** – dla zasady

PRINT
- fine **print** – drobny druk
- in **print** – w sprzedaży (*o książce*); wydrukowany
- out of **print** – wyczerpany (*o nakładzie*)

PRISONER
- **prisoner** of war – jeniec wojenny

PRIVATE
- in **private** – na osobności

PRIZE
- consolation **prize** – nagroda pocieszenia
- get the body **prize** *pot.* – być ostatnim (*np. na mecie*)

PROBABILITY
- in all **probability** – według wszelkiego prawdopodobieństwa

PRODUCTION
- make a **production** out of sth *pot.* – robić z czegoś wielkie halo *pot.*

PROFILE
- keep a low **profile** – starać się nie zwracać na siebie uwagi

PROMISE
- be true to one's **promise** – dotrzymywać obietnicy

PROS
- the **pros** and cons – (wszystkie) za i przeciw

PROTEST
- lodge a **protest** – składać protest

PROVIDE
- **provide** for – utrzymywać, zapewniać byt; zaspokajać potrzeby; przewidywać; zabezpieczać

PROVIDED
- **provided** (that) – pod warunkiem, o ile

PROVIDENCE
- tempt **providence** – kusić los *przen.*

PROXY
- by **proxy** – przez pośrednika

PRY
- **pry** open *am.* – otwierać siłą
- **pry** sth out of sb *am.* – wyciągać coś z kogoś siłą *pot.*

PUBLIC
- general **public** – społeczeństwo

PULL
- have **pull** with sb *slang.* – mieć u kogoś wpływy *pot.*
- **pull** apart – rozdzielać
- **pull** away – ruszać; odrywać się
- **pull** back – wycofywać się
- **pull** down – burzyć, rozbierać; osłabiać
- **pull** in – zatrzymywać się; przyciągać; *pot.* zgarniać *pot.*
- **pull** off – ruszać; wyjeżdżać; zdołać
- **pull** out – odjeżdżać; zmieniać pas ruchu; wydostawać się; wycofywać się; wyciągać
- **pull** over – zjeżdżać na bok
- **pull** round – dochodzić do siebie *przen.*
- **pull** through – zdrowieć; przebrnąć
- **pull** together – współdziałać
- **pull** oneself together – wziąć się w garść
- **pull** up – zatrzymywać się; podciągać; przysuwać; wyrywać
- **pull** up *pot.* – wygarniać *pot.*, wymawiać *pot.*; podciągać się *pot.*; zwalniać

PULP

- beat sb to a **pulp** – zbić kogoś na kwaśne jabłko *przen.*

PUNCH

- not pull **punches** – nie szczędzić razów

PUNISHMENT

- capital **punishment** – kara śmierci

PURPOSE

- on **purpose** – celowo
- serve a **purpose** – służyć jakiemuś celowi
- to no **purpose** – bezcelowy

PUSH

- at a **push** *pot.* – na siłę *pot.*
- get the **push** *bryt. pot.* – dostawać kosza *przen.*
- **push** about/around *pot.* – pomiatać
- **push** ahead – robić postęp
- **push** along *pot.* – zmywać się *pot.*
- **push** aside – spychać na bok
- **push** in – wpychać się
- **push** off *pot.* – zmywać się *pot.*
- **push** on – jechać dalej
- **push** out *pot.* – wyrzucać z siebie
- **push** over – przewracać
- **push** through – przepychać

PUT

- **put** first – stawiać na pierwszym miejscu
- **put** paid to – przekreślać, niweczyć
- to **put** it briefly – krótko mówiąc
- **put** about/around – rozgłaszać
- **put** across – zdołać wyjaśnić
- **put** aside – odkładać; pomijać
- **put** away – chować; odkładać
- **put** back – kłaść z powrotem, odkładać; cofać; hamować
- **put** by – odkładać
- **put** down – kłaść, stawiać; zapisywać; tłumić, kłaść kres; wypuszczać, wysadzać; usypiać; *pot.* poniżać
- **put** down to – przypisywać
- **put** forward – wysuwać, przedstawiać
- **put** in – wkładać, poświęcać; składać; wtrącać; wkładać
- **put** it on *pot.* – udawać, że się jest przejętym
- **put** off – odkładać, odraczać; zbywać; odwodzić od; wysadzać
- **put** on – zakładać; nakładać; wystawiać; przybierać na; wprowadzać; włączać; nastawiać; wstawiać; stawiać na
- **put** sb on *pot.* – nabierać kogoś *pot.*
- **put** out – rozgłaszać; gasić; wystawiać; wyciągać; wytrącać z równowagi, denerwować; fatygować; sprawiać kłopot
- **put** through – łączyć; doprowadzać do skutku; przeprowadzać
- **put** together – składać; organizować; razem
- **put** up – stawiać; rozstawiać;

wieszać; dostarczać; podnosić; nocować
▪ **put** up with – znosić, godzić się z

Q

QUANDARY
▪ be in a **quandary** – nie móc się zdecydować

QUARTERS
▪ at close **quarters** – z bliskiej odległości

QUESTION
▪ it's beside the **question** – to nie ma nic do rzeczy; to jest bez znaczenia
▪ beyond **question** – z całą pewnością, na pewno
▪ call into **question** – kwestionować
▪ in **question** – omawiany, o którym mowa; wątpliwy
▪ it's out of the **question** – (to) nie wchodzi w rachubę, wykluczone
▪ without **question** – bez zastrzeżeń

QUEUE
▪ jump the **queue** *bryt.* – wpychać się poza kolejką

QUICK
▪ cut sb to the **quick** – ranić kogoś *przen.*

QUIET
▪ on the **quiet** – po cichu, w tajemnicy

R

RACK
▪ go to **rack** and ruin – popadać w ruinę

RAGE
▪ all the **rage** – ostatni krzyk mody *przen.*
▪ fly into a **rage** – wpadać we wściekłość

RAIL
▪ blaze a **rail** *pot.* – przecierać szlaki
▪ get off the **rails** – wykolejać się *przen.*

RAILWAY
▪ funicular **railway** – kolejka linowa

RAIN
▪ as right as **rain** *pot.* – jak nowy; zdrów jak ryba *przen.*
▪ come **rain** or shine – niezależnie od pogody
▪ it never **rains** but it pours – nieszczęścia chodzą parami

RAMROD
▪ (as) stiff/straight as a **ramrod** – sztywny jakby kij połknął

RANDOM
▪ at **random** – gdzie popadnie, na chybił trafił
RANGE
▪ at close **range** – z bliskiej odległości
RANK
▪ **rank** and file – zwykli żołnierze; zwyczajni członkowie
▪ break **ranks** – wyłamywać się
▪ close **ranks** – zwierać szeregi
▪ pull **ranks** – wykorzystywać stanowisko
RAP
▪ receive a **rap** on/over the knuckles – dostawać po łapach *przen.*
▪ take the **rap** *pot.* – obrywać *pot.*
RAT
▪ look like a drowned **rat** – wyglądać jak zmokła kura
▪ **rat** on sb *pot.* – donosić na kogoś
▪ smell a **rat** *pot.* – wyczuwać podstęp, węszyć podstęp *pot.*
RATE
▪ at any **rate** – w każdym razie
▪ exchange **rate** – kurs wymiany walut
RATHER
▪ I'd **rather** – wolałbym
RAW
▪ blazing **raw** – gwałtowna kłótnia
▪ in the **raw** *pot.* – nago, nagi
REACH
▪ beyond/out of **reach** – poza zasięgiem, niedostępny
▪ within easy **reach** – niedaleko, nieopodal
REAL
▪ for **real** – naprawdę
REAR
▪ bring up/take up the **rear** – trzymać się z tyłu
REASON
▪ it stands to **reason** – (to) jest logiczne
▪ within **reason** – w granicach rozsądku
RECALL
▪ beyond/past **recall** – nieodwołalny
RECOGNITION
▪ beyond/out of all **recognition** – nie do poznania
RECORD
▪ beat a **record** – pobić rekord, bić rekord
▪ off the **record** – nieoficjalny
RED
▪ be in the **red** – mieć debet na koncie
REFER
▪ **refer** to – wspominać o; odnosić się do; korzystać z
REFUGE
▪ take **refuge** – chronić się
REGARD
▪ in this/that **regard** – pod tym względem
▪ with/in **regard** to – co się tyczy, co do
▪ as **regards** – co się tyczy, co do

REIN
- keep a tight **rein** on – trzymać krótko, trzymać w ryzach

RELATE
- **relate** to – odnosić się do, dotyczyć

RELATION
- bear no **relation** to – nie mieć związku z, (zupełnie) nie przypominać

RELAY
- **relay** (race) – sztafeta
- in **relays** – na zmianę (*robić coś z kimś*)

RELIEF
- stand out in bold/sharp/clear **relief** – odcinać się, wyróżniać się

REMARK
- backhanded **remark** – dwuznaczna uwaga

REPAIR
- beyond **repair** – nie do naprawienia
- in good/bad **repair** – w dobrym/złym stanie

REQUIREMENTS
- meet the **requirements** – sprostać wymaganiom

RESCUE
- go/come to the **rescue** – iść/przychodzić na ratunek

RESEMBLANCE
- bear no **resemblance** – zupełnie nie przypominać (*kogoś, czegoś*)

RESORT
- as a last **resort** – w ostateczności
- in the last **resort** – w ostateczności

RESPECT
- in **respect** of – co się tyczy, odnośnie do
- in this **respect** – pod tym względem
- with **respect** to – co się tyczy, odnośnie do

RESPONSIBILITY
- assume **responsibility** – brać na siebie odpowiedzialność

REST
- give sth a **rest** – dawać czemuś spokój
- **rest** assured – bądź pewny

RÉSUMÉ
- **résumé** *am.* – życiorys

RESULT
- as a **result** of – na skutek, w wyniku

RETREAT
- beat a **retreat** – wycofywać się

RETURN
- in **return** (for) – w zamian (za)
- many happy **returns** (of the day)! – sto lat!, wszystkiego najlepszego z okazji urodzin!

REVENGE
- in **revenge** for – w odwecie za
- take **revenge** – brać (*na kimś*) odwet, mścić się

RHYME
- without **rhyme** or reason – ni stąd ni zowąd, bez powodu

RICH
- stinking/filthy **rich** *pot.* – nieprzyzwoicie bogaty *pot.*

RIDDANCE
- good **riddance** (to bad rubbish)! *pot.* – chwała Bogu, że sobie poszedł!, z Bogiem *pot.*

RIGHT
- is that **right?** – prawda?, zgadza się?
- **right** away – od razu, natychmiast
- **right** now *pot.* – teraz, w tej chwili

RING
- give sb a **ring** *bryt. pot.* – dzwonić do kogoś
- run **rings** round sb *pot.* – zakasowywać kogoś *pot.*
- **ring** off – odkładać słuchawkę
- **ring** up *pot.* – dzwonić, telefonować

RISE
- give **rise** to – powodować, wywoływać

RISK
- at **risk** – w niebezpieczeństwie
- run the **risk** of – narażać się na
- take a **risk** – podejmować ryzyko

RIVER
- sell sb down the **river** *pot.* – wydawać kogoś *przen.*, sprzedawać kogoś *pot.*

ROAD
- dirt **road** – droga gruntowa
- have one for the **road** *pot.* – wypić strzemiennego
- hit the **road** *pot.* – ruszać w drogę

ROBBERY
- daylight **robbery** *pot.* – rozbój w biały dzień *przen.*

ROCK
- between a **rock** and a hard place *pot.* – między młotem a kowadłem *przen.*
- on the **rocks** – z lodem

ROLL
- call the **roll** – odczytywać listę
- death **roll** – liczba ofiar śmiertelnych
- they are **rolling** in it *pot.* – nie wiedzą, co robić z pieniędzmi *przen.*

ROME
- do in **Rome** as the Romans do *przysł.* – kiedy wejdziesz między wrony, musisz krakać jak one *przysł.*
- **Rome** wasn't built in a day *przysł.* – nie od razu Kraków zbudowano *przysł.*

ROOF
- hit the **roof** *pot.* – wściekać się *pot.*; dostawać szału
- go through the **roof** *pot.* – wściekać się *pot.*, złościć się; gwałtownie rosnąć *przen.* (*o cenach*)
- raise/lift the **roof** – hałasować tak, że szyby wylatują z okien

ROOM
- **room** and board – mieszkanie z wyżywieniem

▪ **room** for manoeuvre – pole manewru
▪ spare **room** – pokój gościnny
▪ there is not enough **room** to swing the cat – nie ma gdzie się obrócić

ROOST
▪ rule the **roost** *pot.* – rządzić innymi, rozstawiać wszystkich po kątach *przen.*

ROOT
▪ **root** and branch – (*usuwać*) z korzeniami, (*niszczyć*) całkowicie
▪ take **root** – przyjmować się (*o roślinach*, *zwyczajach*)
▪ **root** about/around – szukać
▪ at the grass **roots** – wśród zwykłych ludzi
▪ put down **roots** – zapuszczać korzenie *przen.*

ROPES
▪ know the **ropes** – znać się na rzeczy

ROW
▪ in a **row** – z rzędu
▪ kick up a **row** *pot.* – wszczynać awanturę

RULE
▪ as a (general) **rule** – z reguły, zwykle
▪ bend the **rules** – naginać zasady *przen.*
▪ by the **rules** – według zasad
▪ hard-and-fast **rules** – sztywne zasady

RUMOUR, **RUMOR** ***am.***
▪ there is a **rumo(u)r** abroad – krąży pogłoska

RUN
▪ in the long/short **run** – na dłuższą/krótką metę
▪ be on the **run** – uciekać; być w odwrocie; być w ruchu
▪ **run** foul of sb – narażać się komuś
▪ **run** short (of sth) – zużyć prawie wszystko, mieć (czegoś) za mało
▪ **run** temperature/fever – mieć temperaturę/gorączkę
▪ **run** that by again *slang.* – powiedz to jeszcze raz
▪ **run** wild – rozszaleć się *przen.*
▪ **run** away – uciekać
▪ **run** down – oczerniać; osłabiać; wyczerpywać się; potrącać, przejeżdżać; dościgać
▪ **run** into – wpadać na; napotykać; zderzać się z
▪ **run** off – uciekać; wyciekać
▪ **run** out – wyczerpywać się; tracić ważność; odchodzić
▪ **run** over – przejeżdżać; powtarzać
▪ **run** through – przebiegać; przeglądać; ćwiczyć, praktykować
▪ **run** up – dochodzić do, osiągać
▪ **run** up against – napotykać

RUNNING
▪ five days **running** – pięć dni z rzędu

S

SACK
- get the **sack** *pot.* – zostać wylanym z pracy
- give sb the **sack** *pot.* – wylać kogoś z pracy
- hit the **sack** *slang.* – uderzać w kimono *pot.*

SAFE
- **safe** and sound – cały i zdrowy

SAKE
- for God's **sake** – na litość boską *przen.*
- for heaven's **sake** – na litość boską *przen.*
- for sb's/sth's **sake** – przez wzgląd na kogoś/coś
- for the **sake** of sb/sth – przez wzgląd na kogoś/coś

SALE
- for **sale** – na sprzedaż
- on **sale** – na wyprzedaży

SAME
- all the **same** – a jednak; niemniej; bez różnicy
- much the **same** – zupełnie taki sam
- **same** here *pot.* – ja też
- the **same** to you! – nawzajem!

SAY
- I **say**! – halo, proszę pana/pani!; świetnie!, brawo!
- I should **say** – sądzę, uważam
- **say** yes/no – zgadzać się/odmawiać
- that is to **say** – to jest, to znaczy
- to **say** nothing of – nie wspominając (już) o

SAYING
- it goes without **saying** – to się rozumie samo przez się *pot.*

SCALES
- tip the **scales** *pot.* – ważyć

SCENES
- behind the **scenes** – za kulisami

SCHEDULE
- ahead of **schedule** – przed czasem
- behind **schedule** – opóźniony
- on **schedule** – zgodnie z planem

SCHOOL
- comprehensive **school** *bryt.* – szkoła ogólnokształcąca
- drop out of **school** – porzucać szkołę
- public **school** *am.* – szkoła publiczna; *bryt.* prywatna szkoła średnia

SCORE
- by the **score** – w dużych ilościach
- on this/that **score** – pod tym względem
- settle a **score** – wyrównywać rachunki

SCORN
- laugh to **scorn** – wyszydzać, wyśmiewać

SCRATCH
- from **scratch** *pot.* – od podstaw, od zera

SCREW
- have a **screw** loose *pot.* – nie mieć piątej klepki *przen.*, być niespełna rozumu
- put the **screws** on sb *pot.* – wymuszać coś na kimś
- **screw** up *pot.* – chrzanić *pot.*, partolić *pot.*; wkurzać *pot.*

SEAMS
- burst/bulge at the **seams** *pot.* – pękać w szwach *pot.*

SEASON
- in high/low **season** – w/po sezonie

SEAT
- be in the driving **seat** – kontrolować sytuację
- by the **seat** of one's pants *pot.* – na wyczucie *pot.*; tylko dzięki szczęściu

SECOND
- half a **second** *pot.* – chwileczkę, sekundkę
- have **seconds** *pot.* – brać dokładkę

SEE
- as I **see** it – według mnie
- I **see** *pot.* – aha, rozumiem
- **see** fit – uważać za właściwe, uważać za stosowne
- **see** little of sb – rzadko kogoś widywać
- **see** plenty of sb *pot.* – często kogoś widywać
- **see** red *pot.* – być złym, złościć się
- **see** sb to the door/out – odprowadzać kogoś do drzwi
- **see** sb off – odprowadzać kogoś (wyjeżdżającego)
- **see** that – dopilnowywać, żeby
- **see** you! *pot.* – cześć!, na razie!
- **see** you later! *pot.* – cześć!, na razie!
- **see** you tomorrow! – do jutra!
- **see** to – dopilnowywać, doglądać, zajmować się
- **see** through – przejrzeć; wspierać

SELL
- **sell** off/up – wyprzedawać

SEND
- **send** sb packing *pot.* – kazać komuś wynosić się *pot.*
- **send** sb up *pot.* – przedrzeźniać kogoś

SENIOR
- be sb's **senior** – być starszym od kogoś (*także wyższym rangą*)

SENSE
- common **sense** – zdrowy rozsądek
- knock some **sense** into sb *pot.* – uczyć kogoś rozumu
- make **sense** – mieć sens, być zrozumiałym; mówić rozsądnie; rozumieć
- **sense** of direction – orientacja w terenie
- talk **sense** – mówić rozsądnie
- come to one's **senses** – odzy-

skiwać rozsądek, opamiętywać się

SERVE
- it **serves** him right – dobrze mu tak *pot.*

SERVICE
- be of **service** – być przydatnym, przydawać się

SET
- **set** about – zabierać się do
- **set** aside – odkładać; odkładać na bok; rezerwować
- **set** back – opóźniać; kosztować
- **set** down – wysadzać; zapisywać
- **set** in – zaczynać się, nastawać
- **set** off – wyruszać; wystrzeliwać; wywoływać
- **set** on – szczuć
- **set** out – wyruszać; zabierać się; wykładać, wystawiać
- **set** to – zabierać się energicznie
- **set** up – zakładać, wznosić; ustawiać; urządzać; montować
- **set** sb up *pot.* – wrabiać kogoś *pot.*

SETTLE
- **settle** down – osiadać, osiedlać się; ustatkowywać się; uspokajać się
- **settle** down to – zabierać się do, zasiadać do
- **settle** in – zadomawiać się
- **settle** on – decydować się na
- **settle** up – rozliczać się, regulować rachunki

SHAKE
- in a couple/two **shakes** *pot.* – migiem *pot.*

SHAME
- **shame** (on you)! – wstyd!, wstydź się!

SHAPE
- in/out of **shape** – w formie/nie w formie
- lick into **shape** – doprowadzać do stanu używalności
- lick/knock sb into **shape** *pot.* – doprowadzać kogoś do porządku; przywoływać kogoś do porządku
- **shape** up! *pot.* – popraw się!
- things **shape** up quite well *pot.* – sprawy dobrze się układają

SHARE
- lion's **share** – lwia część

SHARK
- loan **shark** *pot.* – lichwiarz

SHARP
- at two o'clock **sharp** – dokładnie o drugiej (*godzinie*)

SHAVE
- it was a close **shave**! *pot.* – o mały włos! *pot.*, mało brakowało!

SHED
- **shed** light on a problem – rzucać (nowe) światło na problem, wyjaśniać problem

SHEET
- (as) white as a **sheet** – biały jak ściana

SHEETING
- it's **sheeting** down – leje jak z cebra

SHIFTS
- work **shifts** – pracować na zmiany

SHIRT
- put one's **shirt** on sth – postawić wszystko na coś *przen.*

SHIVER
- it gives me the **shivers** *pot.* – ciarki mnie przechodzą

SHOES
- be in sb's **shoes** – być na czyimś miejscu
- fill/step into sb's **shoes** – zastępować kogoś, zajmować czyjeś miejsce

SHOOT
- **shoot** up – rosnąć, strzelać w górę

SHOP
- all over the **shop** *pot.* – dookoła
- set up **shop** – zakładać własny interes
- shut up **shop** – zamykać interes
- talk **shop** *pot.* – rozmawiać o sprawach zawodowych (po pracy)
- duty-free **shop** – sklep wolnocłowy

SHOT
- big **shot** *am. pot.* – szycha, gruba ryba *pot.*
- be a good/poor **shot** – dobrze/słabo strzelać
- have a **shot** at sth/doing sth – próbować czegoś/coś robić
- like a **shot** *pot.* – migiem *pot.*, piorunem *pot.*
- **shot** in the dark *pot.* – strzał w ciemno *przen.*
- call the **shots** *pot.* – podejmować decyzje, decydować

SHOULDER
- give sb the cold **shoulder** – traktować kogoś ozięble
- I needed a **shoulder** to cry on – musiałem wypłakać się w czyjąś kamizelkę *przen.*
- put one's **shoulder** to the wheel – zabierać się do ciężkiej pracy *przen.*
- rub **shoulders** with the famous – ocierać się o sławnych ludzi *przen.*
- **shoulder** one's way somewhere – przepychać się dokądś
- **shoulder** to **shoulder** – ramię przy ramieniu
- shrug (one's **shoulders**) – wzruszać ramionami
- straight from the **shoulder** – prosto z mostu, bez ogródek

SHOW
- steal the **show** – skupiać na sobie uwagę wszystkich
- **show** sb (a)round – oprowadzać kogoś
- **show** off – popisywać się; imponować; uwydatniać
- **show** up *pot.* – pojawiać się, pokazywać się

SHOWER
- have/take a **shower** – brać prysznic

SHRUG
▪ **shrug** (one's shoulders) – wzruszać ramionami
▪ **shrug** off – lekceważyć
SHUT
▪ **shut** down – zamykać; wyłączać
▪ **shut** up! *pot.* – cicho!, zamknij się! *pot.*
SICK
▪ be/get **sick** – wymiotować
▪ it makes me **sick** *pot.* – obrzydło mi, niedobrze mi się robi *pot.*
SIDE
▪ at/by sb's **side** – u czyjegoś boku
▪ be the wrong **side** of fifty – przekroczyć pięćdziesiątkę *pot.*, być po pięćdziesiątce *pot.*
▪ know which **side** one's bread is buttered on *pot.* – wiedzieć z czego ma się chleb *pot.*, wiedzieć komu się przypodobać
▪ look on the bright **side** – myśleć o dobrych stronach (*czegoś*)
▪ on the credit **side** – po stronie plusów, na plus
▪ **side** by **side** – obok siebie, jeden obok drugiego
▪ **side** with – trzymać (*czyjąś*) stronę *pot.*
▪ to be on the safe **side** – dla bezpieczeństwa, żeby uniknąć niespodzianek
▪ split one's **sides** – zrywać boki (ze śmiechu) *pot.*
▪ take **sides** – stawać po czyjejś stronie, opowiadać się po czyjejś stronie
▪ the other **side** of the coin – druga strona medalu *przen.*
SIDEWAYS
▪ knock sb **sideways** *pot.* – zwalać kogoś z nóg *pot.*
SIGHT
▪ catch **sight** – dostrzegać, zauważać
▪ have second **sight** – być jasnowidzem
▪ know by **sight** – znać z widzenia
▪ lose **sight** of – tracić z oczu; zatracać, zapominać
▪ out of **sight**, out of mind *przysł.* – co z oczu, to z serca *przysł.*
▪ **sight** better/worse *pot.* – o niebo lepszy/gorszy *pot.*
▪ **sight** for sore eyes *pot.* – radość dla oczu
▪ within **sight** – w zasięgu wzroku
SIGN
▪ equals **sign** – znak równości
▪ **sign** away – zrzekać się
▪ **sign** over – przepisywać na
▪ **sign** up – zapisywać się; werbować
SILENCE
▪ break one's **silence** – przerywać milczenie
SIN
▪ cardinal **sin** *przen.* – grzech śmiertelny *przen.*, zbrodnia *przen.*
▪ mortal **sin** – grzech śmiertelny
SINCERELY
▪ (Yours) **Sincerely** – z poważaniem

SINK
▪ take everything but/except the kitchen **sink** – zabierać mnóstwo niepotrzebnych rzeczy

SIT
▪ **sit** about/around *pot.* – przesiadywać
▪ **sit** back *pot.* – wygodnie sobie siedzieć
▪ **sit** by – bezczynnie się przyglądać
▪ **sit** down – siadać
▪ **sit** up – podnosić się, wyprostowywać się; nie kłaść się do późna

SIZE
▪ cut sb down to **size** *pot.* – utrzeć komuś nosa *przen.*
▪ **size** up *pot.* – mierzyć; oceniać

SIX
▪ it's **six** of one and half a dozen of the other *pot.* – to jedno i to samo *pot.*
▪ at **sixes** and sevens *pot.* – w kompletnym nieładzie

SKATE
▪ **skate** (a)round – obchodzić, omijać

SKELETON
▪ **skeleton** in the closet – sekret rodzinny

SKIN
▪ by the **skin** of one's teeth *pot.* – o (mały) włos *przen.*; ledwie, ledwie
▪ get under sb's **skin** *pot.* – zachodzić komuś za skórę *pot.*
▪ it makes my **skin** crawl – skóra mi cierpnie
▪ save sb's **skin** *pot.* – wyratować kogoś z opresji *przen.*
▪ **skin** and bone(s) – skóra i kości *pot.*
▪ soaked to the **skin** – przemoczony do suchej nitki *przen.*

SKY
▪ praise sb to the **skies** – wychwalać kogoś pod niebiosa *przen.*

SLACK
▪ take up the **slack** – napinać

SLAP
▪ **slap** in the face – policzek *przen.*

SLEEP
▪ **sleep** on sth – przespać się z czymś *przen.*, przespać się z problemem *przen.*

SLEEVE
▪ have sth up one's **sleeve** – mieć coś w zanadrzu *przen.*
▪ laugh up one's **sleeve** *pot.* – śmiać się w duchu *przen.*
▪ roll (up) one's **sleeves** – zakasywać rękawy
▪ in one's shirt **sleeves** – w samej koszuli (*bez marynarki*)

SLIP
▪ **slip** of the tongue – przejęzyczenie

SLOW
▪ **slow** down – zwalniać

SLY
▪ on the **sly** *pot.* – po cichu, w tajemnicy

SMILE
- force a **smile** – zdobywać się na uśmiech
- be all **smiles** – promieniować radością

SMOKE
- where there's **smoke** there's fire *przysł.* – nie ma dymu bez ognia *przysł.*

SMOKER
- heavy/chain **smoker** – nałogowy palacz

SO
- and **so** on (and so forth) – i tak dalej (i tak dalej)
- is that **so**? – czyżby?, naprawdę?
- **so-so** *pot.* – tak sobie, jako tako
- **so** to say/speak – że tak powiem, jak gdyby
- **so** what? *pot.* – i co z tego?

SOMETHING
- **something** like that – coś w tym rodzaju, coś takiego

SON
- **son** of a bitch *slang.* – sukinsyn *wulg.*
- **son** of a gun *pot.* – skurczybyk *pot.*

SONG
- buy sth for a **song** – kupować coś za bezcen

SOON
- as **soon** as possible – jak najszybciej, jak najwcześniej

SOONER
- no **sooner** said than done – zrobione! *pot.*
- **sooner** or later – prędzej czy później

SORE
- cold **sore** – opryszczka

SORROW
- drown one's **sorrows** – topić smutki (*w alkoholu*) *przen.*

SORRY
- I'm **sorry** – przepraszam; niestety, przykro mi
- be/feel **sorry** for sb – współczuć komuś

SORT
- nothing of the **sort** – nic podobnego
- **sort** of *pot.* – coś w rodzaju (*czegoś*)
- **sort** out – wyjaśniać, rozwiązywać
- be out of **sorts** *pot.* – źle się czuć; być nie w sosie *pot.*

SOUL
- bare one's **soul** – obnażać duszę *przen.*
- not a **soul** – ani żywej duszy

SOUR
- go/turn **sour** – kwaśnieć

SPACE
- be confined for **space** – mieć mało miejsca
- confined **space** – zamknięta przestrzeń
- take up **space** – zajmować miejsce, zabierać miejsce *przen.*

SPADE
- call a **spade** a **spade** – nazywać rzeczy po imieniu

SPARK
- bright **spark** *pot.* – geniusz *iron.*

Idiomy

SPEAK

▪ **speak** ill of sb – obgadywać kogoś *pot.*

▪ so to **speak** – że tak powiem, jak gdyby

▪ **speak** up! – mów głośniej!

SPEECH

▪ make/deliver a **speech** – wygłaszać przemówienie

SPEED

▪ pick up **speed** – nabierać szybkości

SPELL

▪ cast a **spell** on sb – rzucać na kogoś urok *przen.*

▪ be under sb's **spell** – być pod czyimś urokiem *przen.*

SPILL

▪ **spill** out – wyjawiać

SPIN

▪ **spin** out – przeciągać, przedłużać

SPIRITS

▪ be in high/low **spirits** – być w dobrym/złym nastroju

SPIT

▪ **spit** it out! *pot.* – gadaj! *pot.*, wyduś to z siebie! *pot.*

▪ the dead **spit** of her mother – wykapana matka *pot.*

▪ the **spit** and image of her mother – wykapana matka *pot.*

SPITE

▪ in **spite** of – pomimo; wbrew

SPLIT

▪ **split** up *pot.* – dzielić (się), rozdzielać (się); rozstawać się

SPONGE

▪ throw in the **sponge** – uznać się za pokonanego, poddać się

SPOOK

▪ **spook** sb *pot.* – wystraszyć kogoś

SPOON

▪ born with a silver **spoon** in one's mouth – w czepku urodzony *przen.*

SPORT

▪ (good) **sport** *pot.* – równy gość *pot.*

▪ make **sport** of – robić sobie żarty z

SPOT

▪ a **spot** of *pot.* – trochę, kapkę *pot.*

▪ be in the **spot** *pot.* – być w kropce *pot.*

▪ be on the **spot** – znajdować się na miejscu (wydarzeń); być w niezręcznej sytuacji

▪ blind **spot** – martwy punkt; słaby punkt

▪ do sth on the **spot** – robić coś na miejscu/na poczekaniu

▪ have a soft **spot** in one's heart for sb/sth – mieć do kogoś/czegoś słabość *przen.*

▪ hit the high **spots** *pot.* – robić tylko rzeczy najważniejsze

SPOUT

▪ up the **spout** *pot.* – wyssane z palca *przen.*; na marne; w poważnych tarapatach

SPUR

▪ on the **spur** of the moment – bez zastanowienia

SQUARE

- be back to **square** one *pot.* – być w punkcie wyjścia
- **square** up with sb *pot.* – rozliczać się z kimś

STAB

- **stab** sb in the back *pot.* – zadać komuś cios w plecy *przen.*

STAKE

- money/life is at **stake** – chodzi o pieniądze/życie

STAND

- **stand** easy! – spocznij!
- **stand** rooted (to the spot) – stanąć jak wryty *przen.*
- take the **stand** – występować jako świadek w sądzie
- **stand** by – przyglądać się bezczynnie; być w pogotowiu; podtrzymywać; trzymać się, trwać przy
- **stand** for – oznaczać, reprezentować; przedstawiać; tolerować, znosić
- **stand** in for sb – zastępować kogoś
- **stand** out – wyróżniać się; trwać

STANDING

- of long **standing** – wieloletni, długoletni

STANDSTILL

- at a **standstill** – w martwym punkcie
- grind to a **standstill** – stanąć w miejscu *przen.*, nie posuwać się

START

- for a **start** – po pierwsze
- get off to a flying **start** – mieć bardzo dobry początek, bardzo dobrze zaczynać
- **start** up – wstawać, podnosić się; wytrzymywać; przeciwstawiać się; stawać w obronie
- to **start** with – po pierwsze; na początku

STARTERS

- for **starters** *pot.* – na początek

STATION

- filling **station** – stacja benzynowa

STAY

- I was asked to **stay** behind – poproszono mnie, żebym został
- **stay** aloof from – trzymać się z dala od
- **stay** clear – trzymać się z daleka, unikać
- **stay** loose! *am. pot.* – spoko! *pot.*
- **stay** in – pozostawać w domu
- **stay** out – pozostawać poza domem; strajkować
- **stay** up – czuwać do późna w nocy

STEALTH

- by **stealth** – ukradkiem, po kryjomu

STEAM

- let off/out **steam** *pot.* – wyładowywać się *pot.*
- under one's own **steam** *pot.* – o własnych siłach

STEER

- **steer** clear – trzymać się z daleka, unikać

STEP
- mind the **step**! – uwaga pod nogi!
- **step** by **step** – krok po kroku, stopniowo
- watch your **step**! – ostrożnie!
- **step** aside/down – ustępować
- **step** in – wkraczać
- **step** up – wzmagać

STICK
- **stick** around *pot.* – pozostawać w pobliżu
- **stick**'em up! *slang.* – ręce do góry!
- **stick** out *pot.* – wystawać; wyróżniać się; wytrzymywać
- **stick** to – trzymać się; przestrzegać; trwać przy
- **stick** together *pot.* – trzymać się razem
- **stick** up – wieszać; sterczeć pionowo
- in the **sticks** *pot.* – na prowincji, na końcu świata *pot.*

STIR
- **stir** up – wzbijać; wzniecać, wzbudzać

STITCH
- not have (got) a **stitch** on *pot.* – nie mieć nic na sobie, być nagim
- be in **stitches** *pot.* – śmiać się do rozpuku *przen.*

STOCK
- in **stock** – na składzie
- laughing **stock** – pośmiewisko
- put **stock** in – wysoko oceniać
- take **stock** – rozważać, oceniać

STONE
- foundation **stone** – kamień węgielny
- leave no **stone** unturned – próbować wszelkich sposobów
- **stone's** throw away *pot.* – bardzo blisko, tuż obok

STOP
- full **stop** – kropka (*znak interpunkcyjny*)
- come to a full **stop** – zaprzestać, zaniechać
- **stop** at nothing – nie cofać się przed niczym *przen.*
- **stop** dead – stanąć jak wryty
- **stop** short – nagle przestawać; powstrzymywać się
- **stop** by *pot.* – wpaść do kogoś (*na chwilę*)
- **stop** it! *pot.* – przestań!
- **stop** off – zatrzymywać się, wstępować
- **stop** over – zatrzymywać się (*w podróży*)

STORE
- have sth in **store** – mieć coś w perspektywie *przen.*
- set great **store** on/by – pokładać ogromne nadzieje w, oczekiwać wiele po

STORY
- cock-and-bull **story** – niestworzona historia
- spin a **story** – zmyślać
- that's another **story** – to całkiem inna sprawa

▪ to cut/make the long **story** short – krótko mówiąc
▪ tell **stories** – zmyślać, opowiadać niestworzone historie

STORM
▪ **storm** in a teacup *pot.* – burza w szklance wody *przen.*
▪ take by **storm** *pot.* – podbijać

STRAW
▪ clutch at **straws** – chwytać się różnych sposobów
▪ make bricks without **straw** – robić coś z niczego
▪ **straw** in the wind – zwiastun przyszłych wydarzeń
▪ the **straw** that broke the camel's back – przepełniła się miara, to co przepełniło miarę

STREAK
▪ lucky **streak** – szczęśliwa passa
▪ winning **streak** – pasmo zwycięstw

STREET
▪ across the **street** – po drugiej stronie ulicy
▪ down the **street** – obok, przy tej samej ulicy
▪ be **streets** ahead of sb – zdecydowanie kogoś wyprzedzać (*w jakiejś czynności*)
▪ be **streets** apart – być jak niebo i ziemia

STRENGTH
▪ at full **strength** – w komplecie

STRETCH
▪ at a **stretch** – bez przerwy

STRIDE
▪ take sth in one's **stride** – z łatwością sobie z czymś radzić

STRIKE
▪ go on **strike** – strajkować
▪ **strike** it rich *pot.* – nagle się wzbogacić
▪ **strike** lucky *pot.* – mieć szczęście
▪ **strike** back – oddawać cios
▪ **strike** down – powalać
▪ **strike** off – wykreślać, usuwać
▪ **strike** on – wymyślać
▪ **strike** out – przekreślać
▪ **strike** up – zaczynać

STRING
▪ have more than one **string** to one's bow – mieć jeszcze coś w odwodzie *przen.*
▪ have sb on the **string** *pot.* – trzymać kogoś w niepewności *pot.*
▪ be tied to one's mother's apron **strings** – trzymać się maminej spódnicy *przen.*
▪ pull **strings** – używać wpływów
▪ with no **strings** attached – bez żadnych dodatkowych warunków

STROKE
▪ at a single **stroke** – za jednym zamachem *pot.*
▪ in one **stroke** – za jednym zamachem *pot.*
▪ not do a **stroke** (of work) *pot.* – nie ruszać palcem *przen.*
▪ **stroke** of genius – przebłysk geniuszu *przen.*, genialna myśl

STRUGGLE
- **struggle** on – kontynuować z trudem

STUDIES
- extra-mural **studies** – studia zaoczne
- field **studies** – badania w terenie

STUFF
- **stuff** and nonsense *pot.* – bzdury *pot.*

STUMBLE
- **stumble** across/on/upon – natykać się na

STUMP
- **stump** up *pot.* – wybulać *pot.*

SUBJECT
- be **subject** to – podlegać; ulegać
- change the **subject** – zmieniać temat
- **subject** to – pod warunkiem, z zastrzeżeniem

SUBSTANCE
- in **substance** – w istocie

SUCCESSION
- in **succession** – (*ileś razy*) z rzędu; kolejno, po kolei

SUCH
- **such** as – na przykład

SUICIDE
- commit **suicide** – popełnić samobójstwo

SUIT
- boiler **suit** *bryt.* – kombinezon roboczy
- file/bring a **suit** – wytoczyć proces
- flying/jump **suit** – kombinezon jednoczęściowy
- follow **suit** – iść za czyimś przykładem
- **suit** yourself – rób jak uważasz (za stosowne)

SUITCASE
- live out of a **suitcase** *pot.* – żyć na walizkach *pot.*

SUM
- in **sum** – w sumie, ogólnie
- lump **sum** – okrągła suma
- **sum** up – oceniać; podsumowywać

SUMMER
- Indian **summer** – babie lato (*pora roku*)

SUPPLY
- be in short **supply** – brakować, występować w małych ilościach

SUPPOSED
- I'm **supposed** to – powinienem

SURE
- make **sure** – upewniać się, dopilnowywać żeby
- **sure** (thing)! *am. pot.* – (no) pewnie!

SURFACE
- come/rise to the **surface** – wychodzić na jaw

SURGERY
- **surgery** hours – godziny przyjęć (*lekarza*)

SURPRISE
- he is in for a **surprise** – spotka go niespodzianka, będzie zaskoczony

▪ take sb by **surprise** – zaskakiwać kogoś

SUSPENSE

▪ keep sb in **suspense** – trzymać kogoś w niepewności

SUSPICION

▪ be under **suspicion** (of) – być podejrzanym (o)

▪ above/beyond **suspicion** – poza wszelkim podejrzeniem

SWALLOW

▪ one **swallow** doesn't make a summer *przysł.* – jedna jaskółka nie czyni wiosny *przysł.*

SWEAR

▪ **swear** blind – przysięgać na wszystko

SWEAT

▪ by the **sweat** of one's brow – w pocie czoła *przen.*

▪ in a (cold) **sweat** – zlany (zimnym) potem

▪ no **sweat**! *slang.* – bez problemu! *pot.*

▪ **sweat** it out *pot.* – jakoś wytrzymywać *pot.*

SWIM

▪ be in the **swim** of things *pot.* – znajdować się w centrum wydarzeń

SWING

▪ in full **swing** – w pełni, w pełnym rozwoju, w pełnym rozkwicie

SWOOP

▪ in one fell **swoop** – za jednym zamachem *pot.*

T

TAB

▪ pick up the **tab** *pot.* – płacić, bulić *pot.*

▪ keep **tabs** on sb *pot.* – nie spuszczać kogoś z oka *przen.*

TABLE

▪ drink sb under the **table** – upijać kogoś

▪ **table** of contents – spis rzeczy/treści

▪ turn the **tables** on sb – pobić kogoś jego własną bronią

▪ wait **tables** – pracować jako kelner/kelnerka

TACK

▪ get down to brass **tacks** – zaczynać mówić poważnie, przechodzić do rzeczy

TAIL

▪ the **tail** (is) wagging the dog – gdzie ogon rządzi, tam głowa błądzi *przysł.*

▪ turn **tail** – dawać nogę *pot.*

TAKE

▪ not **take** kindly to – nie być zachwyconym

▪ **take** amiss – brać za złe

▪ **take** captive – brać do niewoli

▪ **take** for granted – przyjmować jako rzecz oczywistą, jako coś co się należy

▪ **take** heed – być ostrożnym

▪ **take** it easy! – nie przejmuj się!; nie przemęczaj się!

▪ **take** it or leave it – albo tak, albo nie
▪ **take** me as you find me – taki już jestem
▪ **take** sth lying down *pot.* – nie reagować na coś, puszczać coś płazem
▪ **take** to drink – rozpijać się
▪ **take** after sb – być podobnym do kogoś (*z rodziny*)
▪ **take** along – zabierać ze sobą
▪ **take** apart – rozbierać (na części)
▪ **take** sb aside – brać kogoś na stronę
▪ **take** away – odbierać; zabierać; odejmować
▪ **take** back – zwracać; brać z powrotem; odwoływać, wycofywać; cofać
▪ **take** down – zdejmować; demontować; zapisywać, notować
▪ **take** in – przyjmować; nabierać; rozumieć; obejmować
▪ **take** off – startować; odnosić sukces; usuwać; odejmować; zdejmować; zabierać
▪ **take** on – brać na siebie, podejmować się; nabierać; zabierać; przyjmować
▪ **take** out – wyjmować
▪ **take** sb out – zabierać kogoś gdzieś
▪ **take** out on sb – wyładowywać się na kimś
▪ **take** over – przejmować; przyjmować na siebie; zastępować
▪ **take** to sb – nabierać sympatii do kogoś
▪ **take** to doing sth – zaczynać coś robić regularnie
▪ **take** up – zajmować (się); podejmować; przyjmować

TALE
▪ fairy **tale** – bajka *także przen.*
▪ his absence tells a **tale** – jego nieobecność jest wymowna
▪ what has happened tells its own **tale** – to co się stało mówi samo za siebie
▪ tell **tales** – skarżyć; kłamać, zmyślać

TALENT
▪ blessed with a **talent** – obdarzony talentem

TALK
▪ small **talk** – rozmowa o nieistotnych sprawach
▪ **talk** big *pot.* – przechwalać się, zmyślać
▪ **talk** back – niegrzecznie odpowiadać, pyskować *pot.*
▪ **talk** sb into doing sth – namawiać kogoś do zrobienia czegoś
▪ **talk** out – omawiać
▪ **talk** sb out of sth – wyperswadowywać coś komuś
▪ **talk** sb round – namawiać kogoś, przekonywać kogoś

TANGENT
▪ go off at a **tangent** – zmieniać temat

TAPE
▪ red **tape** – biurokracja

TASK
▪ take sb to **task** – krytykować kogoś, robić komuś wymówki

TASTE
- develop a **taste** for sth – zasmakować w czymś

TEAR
- **tear** apart – rozdzierać
- **tear** loose – wyrywać się
- **tear** off – odrywać; wyrywać się
- **tear** open – rozrywać
- **tear** up – rwać na kawałki; rozrywać
- bore sb to **tears** *pot.* – śmiertelnie kogoś nudzić
- burst into **tears** – wybuchać płaczem
- dissolve into **tears** – zalewać się łzami
- shed crocodile **tears** – lać krokodyle łzy *przen.*

TELL
- I can't **tell** them apart – nie mogę ich rozróżnić
- I **tell** you what *pot.* – coś ci powiem
- **tell** apart – rozróżniać
- **tell** off – besztać *pot.*, rugać *pot.*

TELLING
- there's no **telling** *pot.* – trudno zgadnąć

TEMPER
- lose one's **temper** – tracić panowanie nad sobą *przen.*
- fly into a **temper** – wpadać w złość

TENTERHOOKS
- be on **tenterhooks** – siedzieć jak na szpilkach *przen.*

TERMS
- be on familiar **terms** with sb – być z kimś w zażyłych stosunkach
- be on first-name **terms** – być (z kimś) na ty/po imieniu
- come to **terms** with – godzić się z
- not be on speaking **terms** – nie rozmawiać, gniewać się
- on equal **terms** – na równych prawach

THANKS
- **thanks** (a lot)! *pot.* – (wielkie) dzięki! *pot.*

THAT
- **that's** it – zgoda; koniec, skończone

THICK
- be **thick** with sb *pot.* – być z kimś w zażyłych stosunkach
- in the **thick** of – w wirze; w gąszczu
- it's/that's a bit **thick**! *pot.* – to już przesada!
- I've been through **thick** and thin – przeżyłem dobre i złe chwile

THING
- first **thing** in the morning – z samego rana
- have a **thing** about sb/sth *pot.* – mieć bzika na punkcie kogoś/czegoś *pot.*
- it was a close **thing**! *pot.* – o mały włos! *pot.*, mało brakowało!
- it wouldn't be a bad **thing** – byłoby nieźle, przydałoby się

▪ make a **thing** (out) of sth *pot.* – robić z czegoś wielki problem
▪ not know the first **thing** about sth – nie wiedzieć nic o czymś, nie mieć o czymś pojęcia
▪ one **thing** led to another – koniec końców *przen.*
▪ poor **thing** *pot.* – biedactwo
▪ say the wrong **thing** – powiedzieć coś niewłaściwego
▪ the best **thing** since sliced bread *pot.* – najlepsza rzecz na świecie, najlepsze, co dotychczas wymyślono
▪ all **things** being equal – w takich samych warunkach
▪ all **things** considered – wziąwszy wszystko pod uwagę
▪ be all **things** to all men – podobać się wszystkim
▪ first **things** first – po kolei
▪ how are **things**? *pot.* – jak leci? *pot.*
▪ imagine **things** *pot.* – wymyślać różne historie, mieć przywidzenia *przen.*
▪ let **things** run/take their course – zostawiać sprawy własnemu biegowi
▪ make **things** awkward for sb – uprzykrzać komuś życie
▪ never do **things** by halves – nigdy nie robić nic połowicznie
▪ take **things** easy *pot.* – nie przejmować się; nie przemęczać się
▪ to make **things** worse – co gorsza

THINK
▪ **think** fit – uważać za właściwe, uważać za stosowne
▪ **think** twice – dobrze się zastanawiać
▪ **think** of sth – myśleć o czymś; wymyślać coś
▪ **think** out – obmyślać
▪ **think** over – przemyśliwać, rozważać; zastanawiać się
▪ **think** through – przemyśliwać

THINKING
▪ wishful **thinking** – pobożne życzenia

THOUGHT
▪ give sth a second **thought** – zastanawiać się nad czymś
▪ lost in **thought** – zatopiony w myślach *przen.*
▪ collect one's **thoughts** – zbierać myśli *przen.*
▪ have second **thoughts** – nabrać wątpliwości
▪ on second **thoughts** – po namyśle, po zastanowieniu

THREAD
▪ hang by a **thread** – wisieć na włosku *przen.*

THROAT
▪ clear one's **throat** – odkasływać, odchrząkiwać
▪ I have a sore **throat** – boli mnie gardło

THROES
▪ death **throes** *przen.* – ostatnie podrygi *przen.*
▪ in the **throes** of – w wirze, w ferworze

THROUGH
- **through** and **through** – od początku do końca *przen.*, na wylot *przen.*

THROW
- stone's **throw** away – tuż obok, bardzo blisko
- **throw** overboard *pot.* – całkowicie odrzucać
- **throw** away – wyrzucać
- **throw** in – wrzucać; dorzucać, dokładać
- **throw** off – zrzucać; odrzucać
- **throw** on – narzucać
- **throw** out – wyrzucać; odrzucać
- **throw** up *pot.* – wymiotować; podrzucać do góry; sklecać naprędce; porzucać

THUMB
- have a green **thumb** *am.* – mieć rękę do roślin *przen.*
- be all (fingers and) **thumbs** – mieć dwie lewe ręce *przen.*
- stick out like a sore **thumb** *pot.* – być doskonale widocznym, bardzo się wyróżniać

TICK
- **tick** off – odfajkowywać *pot.*, odhaczać
- **tick** sb off *pot.* – besztać kogoś *pot.*

TIDY
- **tidy** up – sprzątać, robić porządek

TIE
- bow **tie** – muszka
- **tie** down – uwiązywać, krępować
- **tie** up – zawiązywać; związywać; przywiązywać; wiązać się
- be **tied** up – być zajętym

TIGHTROPE
- walk a **tightrope** – balansować na linie *także przen.*

TIME
- ahead of **time** – przed czasem, przed terminem
- all in due **time** – wszystko we właściwym czasie
- all the **time** – cały czas
- at a **time** – na raz, za jednym razem
- at the same **time** – jednocześnie
- beat **time** – wybijać rytm
- be dead on **time** – być punktualnie co do minuty
- be doing **time** *pot.* – siedzieć w więzieniu
- before one's **time** – przed czasem, za wcześnie
- behind the **time** – opóźniony
- be in **time** for dinner – zdążyć na obiad
- be pressed for **time** – nie mieć czasu, śpieszyć się
- bide one's **time** – cierpliwie czekać
- budget one's **time** – dokładnie wszystko planować
- fill in the **time** – wykorzystywać czas
- fix the exact **time** – ustalać dokładny czas
- for the **time** being – na razie, tymczasem

▪ from **time** to **time** – od czasu do czasu
▪ gain **time** – zyskiwać na czasie
▪ have a good **time** – dobrze się bawić, przyjemnie spędzać czas
▪ have the **time** of one's life – świetnie się bawić; bawić się jak nigdy w życiu
▪ in no **time** – bardzo szybko, migiem *pot.*
▪ in **time** – z czasem, w końcu
▪ in the alloted **time** – w przeznaczonym na to czasie
▪ it's about **time**! *pot.* – w końcu!, nareszcie!
▪ it's high **time** *pot.* – (już) najwyższy czas
▪ keep abreast of the **time** – podążać z duchem czasu, iść z postępem *przen.*
▪ make up for lost **time** – nadrabiać stracony czas
▪ once upon a **time** – kiedyś, dawno temu (*zw. początek bajki*)
▪ on **time** – na czas, punktualnie
▪ play for **time** *przen.* – grać na zwłokę
▪ spare **time** – czas wolny
▪ take your **time**! – nie śpiesz się!
▪ **time** is flying – czas leci, czas ucieka
▪ **time** is getting on – czas nagli
▪ **time's** up – już czas, nadszedł czas
▪ at odd **times** – co jakiś czas
▪ waste no **time** – nie tracić czasu
▪ at all **times** – zawsze

TIN
▪ live out of **tins** – żywić się jedzeniem z puszek

TIP
▪ on the **tip** of one's tongue – na końcu języka *przen.*
▪ **tip** off – ostrzegać
▪ it's **tipping** down *pot.* – leje jak z cebra

TIPTOE
▪ stand/walk on **tiptoe** – stać/chodzić na palcach

TIRED
▪ be **tired** of sb/sth – mieć dość kogoś/czegoś

TISSUE
▪ **tissue** of lies – stek kłamstw

TIT
▪ **tit** for tat *pot.* – wet za wet, oko za oko

TO
▪ **to** and fro – tam i z powrotem

TOE
▪ be on one's **toes** – być czujnym
▪ step/tread on sb's **toes** *przen.* – nadepnąć komuś na odcisk *przen.*, rozdrażnić kogoś

TOIL
▪ **toil** away – harować *pot.*

TOLL
▪ take a heavy **toll** – zbierać obfite żniwo *przen.*
▪ take a **toll** – dawać się we znaki *przen.*

TOKEN
- by the same **token** – tak samo; tym samym

TONGUE
- have a loose **tongue** – mieć długi język *przen.*
- have one's **tongue** in one's cheek – żartować, nie mówić poważnie
- he's lost his **tongue** – zapomniał języka w gębie *przen.*
- I cannot get my **tongue** round this – nie mogę tego wymówić
- mother **tongue** – język ojczysty

TOOTH
- **tooth** and nail – energicznie
- fight **tooth** and nail – zawzięcie walczyć
- have a sweet **tooth** – lubić słodycze
- I would give my eye **tooth** for that *pot.* – wszystko bym za to oddał
- be fed up to the (back) **teeth** *pot.* – mieć dość, mieć po uszy *przen.*
- grind/gnash one's **teeth** – zgrzytać zębami *przen.*
- grit one's **teeth** – zaciskać zęby *przen.*
- it sets your **teeth** on edge – zęby od tego bolą *przen.*
- lie through one's **teeth** – kłamać w żywe oczy *przen.*

TOP
- at the **top** of one's voice – na całe gardło, na cały głos
- from **top** to bottom – od góry do dołu
- from **top** to toe – od stóp do głów
- go over the **top** *pot.* – przesadzać, przeholowywać
- not have very much up **top** *pot.* – nie być zbyt lotnym
- off the **top** of one's head *pot.* – z głowy, bez przygotowania
- on **top** of each other – jeden na drugim
- **top** up – dopełniać

TOPSY-TURVY
- **topsy-turvy** *pot.* – odwrócony do góry nogami

TORCH
- carry the **torch** for sb – kochać się w kimś bez wzajemności, wzdychać do kogoś

TOSS
- I don't give a **toss** *pot.* – nie obchodzi mnie

TOUCH
- be/keep in **touch** – być w kontakcie (*z kimś*)
- be/keep in **touch** with sth – być z czymś na bieżąco
- get in **touch** – nawiązywać kontakt
- **touch** down – lądować
- **touch** on/upon – poruszać, napomykać

TOWER
- live in an ivory **tower** – żyć w nierealnym świecie

TRACK
- keep **track** of – śledzić
- lose **track** of – tracić ślad

- off the beaten **track** – na uboczu, z dala od cywilizacji
- be on the right/wrong **track** – być na właściwym/złym tropie *także przen.*
- **track** down – wyśledzić, wytropić
- make **tracks** *pot.* – ruszać w drogę
- stop in one's **tracks** – stanąć jak wryty

TRADE
- **trade** in – wymieniać
- **trade** off – zamieniać, wymieniać

TRAIN
- gravy **train** *pot.* – żyła złota *przen.*, źródło łatwego zysku
- ride a gravy **train** *pot.* – łatwo zarabiać pieniądze
- through **train** – bezpośredni pociąg

TRAVEL
- **travel** light – podróżować z niewielkim bagażem

TREE
- bark up the wrong **tree** – zwracać się do niewłaściwej osoby; niewłaściwie wybierać; niewłaściwie działać, wybierać niewłaściwą drogę *przen.*
- be up a gum **tree** *bryt. pot.* – być w kropce *przen.*

TRESPASSING
- no **trespassing** – wstęp wzbroniony

TRIAL
- be on **trial** – być sądzonym, mieć proces; być sprawdzanym, być poddawanym próbie
- by **trial** and error – metodą prób i błędów
- stand **trial** – być sądzonym

TRICK
- do the **trick** *pot.* – wystarczać, załatwiać sprawę
- she never misses a **trick** – nic nie uchodzi jej uwadze

TRIGGER
- be quick on the **trigger** *pot.* – być pyskatym *pot.*

TROOPER
- swear like a **trooper** – kląć jak szewc

TROUBLE
- ask for **trouble** – przysparzać sobie kłopotów, szukać guza *pot.*
- be in **trouble** – mieć kłopoty; być w tarapatach
- get into **trouble** – wpadać w tarapaty
- take the **trouble** – zadawać sobie trud

TRULY
- Yours **truly** – z poważaniem; *pot.* ja, mnie itd.

TRUMPET
- blow one's own **trumpet** *pot.* – chwalić się

TRUMPS
- turn up/come up **trumps** *pot.* – sprawiać miłą niespodziankę, spisywać się

TRUST
- take sth on **trust** – przyjmować coś na słowo

TRUTH
- home **truth** – gorzka prawda

TRY
- have a **try** – próbować
- **try** on – przymierzać
- **try** out – wypróbowywać

TUCK
- **tuck** away – chować; *pot.* zjadać, wsuwać *pot.*
- **tuck** in/up – otulać
- **tuck** in *pot.* – zjadać, wsuwać *pot.*

TUNE
- be out of **tune** – fałszować; być rozstrojonym (*o instrumencie*)
- be out of **tune** with sth – nie harmonizować z czymś
- call the **tune** – rządzić, decydować, nadawać ton
- cannot carry a **tune** – nie potrafić powtórzyć melodii, nie mieć słuchu
- dance to sb's **tune** *pot.* – tańczyć, jak ktoś zagra *pot.*
- **tune** in – nastawiać (odbiornik) (*na jakąś stację*)
- **tune** up – dostrajać

TURKEY
- talk **turkey** *am. pot.* – mówić poważnie *pot.*

TURN
- at every **turn** – na każdym kroku
- give sb a **turn** – szokować kogoś
- in **turn** – z kolei
- (it's) your **turn** – twoja kolej, kolej na ciebie
- out of **turn** – poza kolejnością
- **turn** sour – kwaśnieć
- wait one's **turn** – czekać na swoją kolej
- **turn** down – odrzucać; odmawiać; przykręcać; przyciszać
- **turn** in *pot.* – kłaść się spać; wręczać
- **turn** on/off – włączać/wyłączać
- **turn** out – pojawiać się; okazywać się; wyłączać; wywracać
- **turn** over – rozważać; przekazywać; przestawiać; okradać
- **turn** round – odwracać, przekręcać
- **turn** up – pojawiać się, przybywać; podkręcać; podwijać
- by **turns** – po kolei, kolejno
- take (it in) **turns** – zmieniać się kolejno

TWICE
- **twice** as big – dwa razy większy
- **twice** as much – dwa razy więcej, dwa razy tyle

TWINKLING
- in the **twinkling** of an eye – w okamgnieniu

TWIST
- round the **twist** *bryt. pot.* – niespełna rozumu *przen.*

TYPE
- in bold **type** – tłustym drukiem

U

UNCLE
- say **uncle** *pot.* – poddawać się

UNDERSTAND
- as I **understand** it – według mnie

UP
- it's **up** to you – to zależy od ciebie
- **ups** and downs – wzloty i upadki

UPSIDE
- **upside** down – do góry nogami

UPTAKE
- be quick/slow on the **uptake** *pot.* – szybko/wolno się orientować, szybko/wolno chwytać *przen.*

URGE
- **urge** on – zachęcać

USE
- for external **use** – do użytku zewnętrznego *med.*
- in common **use** – w powszechnym użyciu
- in current **use** – rozpowszechniony
- it's no **use** – nie ma sensu
- make extensive **use** of – korzystać w dużym stopniu z
- make **use** of – wykorzystywać, robić użytek z
- **use** up – zużywać, wyczerpywać

V

VAIN
- in **vain** – na próżno, bezskutecznie

VALUE
- be of **value** – być cennym; przydawać się
- take sth at face **value** – brać coś za dobrą monetę; brać coś dosłownie

VENGEANCE
- with a **vengeance** – zawzięcie; z nawiązką

VERGE
- be on the **verge** of – być na krawędzi, być bliskim (*czegoś*)

VERSE
- blank **verse** – wiersz biały *lit.*

VICINITY
- in the **vicinity** of – w sąsiedztwie, w pobliżu

VICTIM
- fall **victim** – padać ofiarą

VIEW
- be in **view** – być widocznym
- bird's eye **view** – widok z lotu ptaka
- come into **view** – ukazywać się
- command a **view** – mieć widok na, widzieć
- have sth in **view** – mieć coś

na widoku *przen.*, mieć coś na oku *przen.*

▪ in **view** of – wobec, biorąc pod uwagę; z powodu

▪ on **view** – wystawiony, do obejrzenia

▪ with a **view** to – z zamiarem, mając na względzie

VIRTUE

▪ by **virtue** of – na mocy; z tytułu, z racji

▪ make a **virtue** of sth – poczytywać sobie coś za zasługę

VISIT

▪ pay sb a **visit** – składać komuś wizytę

▪ **visits** by appointment – umówione wizyty (*np. u lekarza*)

VOGUE

▪ in **vogue** – w modzie, modny

VOID

▪ (null and) **void** *prawn.* – nieważny

VOLITION

▪ of one's own **volition** – z własnej woli, samorzutnie

VOLUME

▪ speak **volumes** – wymownie świadczyć, być wymownym świadectwem

VOTE

▪ cast a **vote** – oddawać głos (*głosować*)

VOUCH

▪ I can **vouch** for him – mogę za niego zaręczyć

W

WAIT

▪ I can hardly/I can't **wait** – nie mogę się doczekać

▪ **wait** on – obsługiwać, podawać do stołu (*w restauracji*)

▪ **wait** about/around – trzymać się w pobliżu na wszelki wypadek

▪ **wait** up – czekać do późna

WAKE

▪ **wake** up – budzić się; uprzytamniać sobie, uświadamiać sobie

WALK

▪ **walk** all over sb – źle kogoś traktować

▪ **walk** away – odchodzić

▪ **walk** away with sth *pot.* – z łatwością coś wygrywać

▪ **walk** out – wychodzić, opuszczać; strajkować

▪ **walk** up on sb – porzucać kogoś

WALL

▪ drive/send sb up the **wall** *pot.* – doprowadzać kogoś do szału

▪ drive/push/force sb to the **wall** – przypierać kogoś do muru *przen.*

WAR

▪ civil **war** – wojna domowa

WARRANT

▪ sign one's own death **warrant** – podpisywać na siebie wyrok *przen.*

WASTE
- go to **waste** – marnować się
- **waste** away – słabnąć, marnieć

WATCH
- be on **watch** – czuwać
- be on the **watch** for sth – wyglądać czegoś
- keep a close **watch** on – nie spuszczać z oka *przen.*
- keep **watch** – czuwać
- **watch** out – uważać, strzec się
- **watch** over – pilnować, czuwać nad

WATER
- be in deep **water** – być w opałach
- get into hot **water** *pot.* – wpadać w tarapaty
- fresh **water** – słodka woda
- hold **water** *pot.* – mieć sens, być logicznym
- like **water** off a duck's back – jak woda po kaczce *przen.*
- make/pass **water** – oddawać mocz
- test the **water(s)** – badać grunt *przen.*
- still **waters** run deep *przysł.* – cicha woda brzegi rwie *przysł.*

WAY
- all the **way** – przez cały czas
- bar sb's **way** – zagradzać komuś drogę
- be on one's **way** – być w drodze, wyjechać, wyjść
- be under **way** – być w toku
- butt one's **way** through – przedzierać się przez
- by **way** of – za pomocą; przez, via
- by the **way** – przy okazji, à propos
- clear the **way** – torować drogę
- elbow one's **way** – przepychać się
- feel one's **way** – poruszać się po omacku, czuć się niepewnie
- fight one's **way** – przedzierać się, pokonywać trudności, walczyć o swoje *przen.*
- force one's **way** – siłą torować sobie drogę, siłą się przedzierać
- get in sb's **way** – kręcić się komuś pod nogami *pot.*, zawadzać komuś
- get in the **way** – zawadzać
- get one's own **way** – stawiać na swoim
- go one's own sweet **way** – robić co się chce, robić po swojemu
- have a **way** with sb – potrafić postępować z kimś
- have a **way** with sth – mieć sposób na coś, potrafić coś zrobić
- in a big **way** – na dużą skalę
- in a/the family **way** *pot.* – w ciąży
- in a **way** – pod pewnymi względami, do pewnego stopnia
- learn the hard **way** – uczyć się na błędach, doświadczać czegoś

▪ make **way** – ustępować miejsca
▪ no **way**! *pot.* – nie ma mowy! *pot.*
▪ on the **way** – po drodze; w drodze
▪ one **way** or another/the other – tak czy inaczej; w tę czy w tamtą stronę
▪ out of harm's **way** – bezpieczny; nieszkodliwy
▪ pave the **way** *przen.* – torować drogę *przen.*, przygotowywać grunt *przen.*
▪ that's the **way** the cookie crumbles *pot.* – tak to już jest
▪ the other **way** (a)round – na odwrót
▪ under **way** – w toku
▪ have it both **ways** – mieć to i to, mieć jedno i drugie
▪ that cuts both **ways** – to jest broń obosieczna

WAYSIDE
▪ fall by the **wayside** – poddawać się, nie dawać sobie rady

WEAR
▪ **wear** out – zdzierać, niszczyć; wyczerpywać
▪ **wear** thin – stawać się nudnym; zużywać się

WEATHER
▪ broiling **weather** – upał
▪ feel under the **weather** – źle się czuć

WEDLOCK
▪ born out of **wedlock** – urodzony ze związku pozamałżeńskiego *prawn.*

WEEK
▪ **week** in, **week** out – cały czas, ciągle
▪ for **weeks** on end – całymi tygodniami, bardzo długo

WEIGHT
▪ carry (a lot of) **weight** – mieć (duże) znaczenie, cieszyć się (dużym) szacunkiem
▪ give short **weight** – oszukiwać na wadze
▪ put on/gain **weight** – przybierać na wadze, tyć
▪ worth its **weight** in gold – nieoceniony, wart wszystkich pieniędzy

WELCOME
▪ you're **welcome** *am.* – proszę (bardzo) (*w odpowiedzi na „dziękuję”*)

WELL
▪ as **well** – też, także
▪ as **well** as – jak również
▪ **well** done! – brawo!

WERE
▪ **were** it not for you – gdyby nie ty

WET
▪ dripping **wet** – całkiem przemoczony
▪ **wet** through – przemoczony do suchej nitki

WHALE
▪ have a **whale** of a time *pot.* – świetnie się bawić

WHAT
▪ **what** for? – po co?
▪ **what** if – a jeśli

- **what's** he up to? – co on kombinuje?, o co mu chodzi?
- **what's** up? *pot.* – o co chodzi?
- **what's** wrong with you? – co ci jest?

WHILE
- for a **while** – przez jakiś czas, chwilowo
- once in a **while** – raz na jakiś czas, rzadko
- worth sb's **while** – wart zachodu

WHISKER
- by a **whisker** – o włos *przen.*
- cat's **whiskers** – geniusz *pot.*, ósmy cud świata *przen.*

WHISTLE
- blow the **whistle** on sb – wydać kogoś, donieść na kogoś
- wet one's **whistle** – przepłukiwać gardło *przen.*

WHITE
- **white**-collar worker – pracownik umysłowy

WHOLE
- as a **whole** – jako całość
- on the **whole** – ogólnie biorąc

WICKET
- be on a sticky **wicket** *pot.* – znajdować się na niepewnym gruncie *przen.*

WILL
- at **will** – do woli; w dowolnym czasie
- of one's own free **will** – z własnej woli, dobrowolnie
- where there is a **will** there is a way *przysł.* – chcieć to móc *przysł.*

WILLY-NILLY
- **willy-nilly** – rad nierad, chcąc nie chcąc

WIN
- **win** over/round – pozyskiwać, kaptować

WIND
- get the **wind** up *pot.* – poczuć strach
- get **wind** of *pot.* – zwietrzyć coś *pot.*

WINK
- tip sb the **wink** *pot.* – dawać komuś znać
- catch fo(u)rty **winks** *pot.* – zdrzemnąć się

WIRE
- down to the **wire** – do ostatniej chwili, do końca; przy końcu

WISH
- I **wish** I had never been born – bodajbym się nigdy nie urodził, żałuję, że się urodziłem
- bow to sb's **wishes** – przystawać na czyjeś życzenia

WITNESS
- bear **witness** to sth – świadczyć o czymś, być świadectwem czegoś

WOLF
- cry **wolf** – podnosić fałszywy alarm
- throw sb to the **wolves** – rzucić kogoś na pożarcie *przen.*, poświęcić kogoś
- **wolf** in sheep's clothing – wilk w owczej skórze *przen.*

WONDER
- no/little/small **wonder** – nic dziwnego
- promise **wonders** – obiecywać złote góry *przen.*
- work/do **wonders** – dokonywać cudów, czynić cuda

WOOD
- touch **wood**! *pot.* – odpukać (w niemalowane drewno)!

WOOL
- pull the **wool** over sb's eyes *pot.* – mydlić komuś oczy *przen.*

WORD
- be true to one's **word** – dotrzymywać słowa
- buzz **word** *pot.* – modne słowo
- by **word** of mouth – ustnie; z czyichś ust
- dirty **word** – nieprzyzwoite słowo
- from the **word** go – od samego początku
- go back on one's **word** – łamać dane słowo
- hang on sb's each **word** – wsłuchiwać się w każde czyjeś słowo
- I couldn't get a **word** in egdeways – nie mogłem dojść do słowa
- mark my **word(s)** – wspomnisz moje słowa *pot.*, przypomnisz sobie moje słowa
- not breathe a **word** – nie puszczać pary z ust *przen.*
- in a **word** – mówiąc krótko, jednym słowem
- pledge one's **word** – dawać słowo
- say the **word** – dawać sygnał (do rozpoczęcia)
- take my **word** for it – uwierz mi na słowo
- **word** for **word** – słowo w słowo; dosłowny
- bandy **words** with sb – nawzajem sobie docinać
- be grateful beyond **words** – nie znajdować słów by wyrazić wdzięczność
- eat one's **words** – odwołać to, co się powiedziało
- have a few **words** with sb – zamieniać z kimś parę słów
- not mince one's **words** – nie przebierać w słowach, nie owijać w bawełnę *przen.*

WORK
- bury oneself in **work** – zagrzebywać się w pracy
- casual **work** – praca dorywcza
- do sb's dirty **work** – wykonywać za kogoś brudną robotę
- get/set to **work** – zabierać się do pracy
- it won't **work** – to się nie uda
- make short **work** of sth *pot.* – załatwiać coś w mig *pot.*
- **work** of art – dzieło sztuki
- in the **works** *pot.* – w przygotowaniu; w planach
- **work** flat out *pot.* – śpieszyć z robotą; pracować na pełnych obrotach
- **work** out – przeprowadzać;

opracowywać; rozpracowywać; powieść się; ćwiczyć
- **work** up – rozwijać; doprowadzać powoli do; opracowywać
- gum up the **works** *pot.* – powodować zastój

WORKER
- jobbing **worker** – osoba wykonująca dorywczą pracę
- white-collar **worker** – pracownik umysłowy

WORLD
- be all the **world** to sb – być dla kogoś wszystkim
- mean the **world** to sb – być dla kogoś wszystkim
- I wouldn't do it for the **world** – nie zrobiłbym tego za żadne skarby
- think the **world** of – bardzo cenić; nie widzieć świata poza

WORST
- at (the) **worst** – w najgorszym razie, w najgorszym wypadku
- if the **worst** comes to the **worst** – w najgorszym razie, w najgorszym wypadku

WORTHWHILE
- it's not **worthwhile** – to nie jest warte zachodu *przen.*

WOUND
- flesh **wound** – powierzchowne obrażenie, powierzchowna rana

WRECK
- nerve **wreck** – strzępek nerwów *przen.*

WRENCH
- throw a monkey **wrench** in the works *pot.* – pokrzyżować czyjeś plany

WRITE
- **write** down – zapisywać
- **write** off – skreślać; spisywać na straty

WRONG
- what's **wrong** with you? – co ci się stało?

Y

YARN
- spin a **yarn** – zmyślać historie

YEAR
- all **year** long – (przez) cały rok
- leap **year** – rok przestępny
- **year** after **year** – co roku
- **year** by **year** – z roku na rok
- be advanced in **years** – być w podeszłym wieku
- donkey's **years** *pot.* – szmat czasu *przen.*, kopę lat *pot.*

YET
- as **yet** – jak dotąd
- not **yet** – jeszcze nie

YUPPIE
- **yuppie** – młody człowiek z klasy średniej, który dużo zarabia, i wydaje pieniądze na drogie rzeczy i rozrywki

Z

ZERO

- **zero** in on sth *pot.* – koncentrować się na czymś

ZIP

- **zip** code *am.* – kod pocztowy

Indeks haseł angielskich*

*Indeks haseł angielskich to alfabetyczny spis wszystkich zamieszczonych idiomów, wyrażeń i zwrotów. Przy każdym wyrażeniu (nawet jeśli występuje kilkakrotnie) podano pismem półgrubym angielskie hasło główne, pod którym należy szukać tego wyrażenia, oraz numer strony.

A

Indeks angielski

Indeks angielski

Indeks angielski

B

Indeks angielski

Indeks angielski

Indeks angielski

Indeks angielski

Indeks angielski

C

Indeks angielski

D

Indeks angielski

F

Indeks angielski

Indeks angielski

G

Indeks angielski

Indeks angielski

H

Indeks angielski

I

Indeks angielski

Indeks angielski

Indeks angielski

J

K

Indeks angielski

L

Indeks angielski

M

N

O

Q

R

S

Indeks angielski

T

Indeks angielski

Y

Z

Indeks haseł polskich*

*Indeks haseł polskich zawiera alfabetyczny spis wszystkich polskich odpowiedników angielskich idiomów, wyrażeń i zwrotów. Przy każdym wyrażeniu (nawet jeśli występuje kilkakrotnie) podano pismem półgrubym angielskie hasło główne, pod którym należy szukać tego wyrażenia, oraz numer strony.

A

B

Indeks polski

Indeks polski

C

Indeks polski

D

Indeks polski

Indeks polski

E

F

G

H

I

Indeks polski

J

K

L

Ł

M

N

Indeks polski

Indeks polski

O

P

Indeks polski

Indeks polski

Indeks polski

R

S

Ś

T

U

W

Indeks polski

Indeks polski

Indeks polski

Z

Indeks polski

Indeks polski

Ź

Ż

Część trzecia

Gramatyka

Spis treści

Zarys gramatyki angielskiej

Wstęp

Zarys gramatyki angielskiej to zbiór wybranych zagadnień gramatycznych, czyli skrócony opis części mowy, czasów oraz konstrukcji zdań prostych.

Ten krótki rys gramatyczny został opracowany z myślą o tych, którzy znają język angielski i chcieliby przypomnieć sobie wybrane zagadnienia. Czytelnik nie znajdzie tu więc szczegółowych opisów czy obszernych omówień, ale otrzyma przejrzysty zbiór najważniejszych informacji dotyczących gramatyki angielskiej.

Sylwia Twardo

I. Wiadomości wstępne

1. Zaimki pytajne (Question Words)

Who? – *Kto?*
Whose? – *Czyj?, Czyja?, Czyje?* (dotyczy rzeczowników osobowych)
Whom? – *Kogo?* (dotyczy rzeczowników osobowych)
Which? – *Który?* (dotyczy rzeczowników nieosobowych)
What? – *Co?*
Where? – *Gdzie?, Dokąd?*
When? – *Kiedy?*
Why? – *Dlaczego?*
How? – *Jak?*

2. Powitanie i pożegnanie (Saying Hello and Goodbye)

Good morning – *Dzień dobry* (przed południem)
Good afternoon – *Dzień dobry* (po południu)
Good evening – *Dobry wieczór*
Goodbye – *Do widzenia*
Hello! – *Cześć!, Witaj!* (na przywitanie)
Hi! – *Cześć!, Hej!* (na przywitanie)
Bye! – *Cześć!* (na pożegnanie)
Good night – *Dobranoc*

3. Dni tygodnia (Days of the Week)

Monday – *poniedziałek*
Tuesday – *wtorek*

Wednesday – *środa*
Thursday – *czwartek*
Friday – *piątek*
Saturday – *sobota*
Sunday – *niedziela*

on Monday – *w poniedziałek*; on Mondays – *w poniedziałki*

4. Pory dnia (Times of the Day)

in the morning – *rano*
at noon – *w południe*
in the afternoon – *po południu*
in the evening – *wieczorem*
at night – *wieczorem, w nocy*
at midnight – *o północy*

5. Miesiące (Months)

January – *styczeń*
February – *luty*
March – *marzec*
April – *kwiecień*
May – *maj*
June – *czerwiec*
July – *lipiec*
August – *sierpień*
September – *wrzesień*
October – *październik*
November – *listopad*
December – *grudzień*

in January – *w styczniu*

6. Pory roku (Seasons)

Spring – *wiosna*
Summer – *lato*
Autumn – *jesień*
Winter – *zima*

in (the) Spring – *wiosną*

II. Rzeczownik (Noun)

1. Rzeczowniki policzalne (Countable Nouns)

Rzeczowniki policzalne mają liczbę pojedynczą i mnogą. W liczbie pojedynczej występują z przedimkiem nieokreślonym (**a**, **an**) i określonym (**the**) oraz z czasownikiem w liczbie pojedynczej. W liczbie mnogiej występują bez przedimka lub z przedimkiem określonym (**the**) oraz z czasownikiem w liczbie mnogiej. Niektóre rzeczowniki mogą być policzalne lub niepoliczalne, zależnie od znaczenia, np. **cake** (*ciasto*) – **a cake** (*ciastko*), **chicken** (*mięso kurze*) – **a chicken** (*kurczę*).

TWORZENIE LICZBY MNOGIEJ (PLURAL FORMS)

Rzeczownik	**Końcówka**	**Przykłady**
regularny	**-s**	**play – plays** **book – books**
zakończony w wymowie na spółgłoskę syczącą (np. **s**, **z**)	**-es**	**match – matches** **prize – prizes** **language – languages**
zakończony w pisowni na **-y** przed spółgłoską	**-ies**	**spy – spies** **poppy – poppies**
zakończony na **-o**[1]	**-es**	**potato – potatoes**
zakończony na **-f**[2]	**-ves**	**knife – knives**

Nieregularna liczba mnoga[3]
Istnieje pewna grupa rzeczowników o nieregularnej liczbie mnogiej (nieposiadającej końcówki **-s**), np. **man** – **men**, **woman** – **women**, **child** – **children**, **tooth** – **teeth**, **foot** – **feet**. Liczba mnoga rzeczowników obcego pochodzenia może być tworzona również zgodnie z zasadami obowiązującymi w danym języku, np. **stimulus** – **stimuli**, **stratum** – **strata**, **appendix** – **appendices**, **analysis** – **analyses**, **criterion** – **criteria**, **bureau** – **bureaux**[4].
Wśród rzeczowników można wyróżnić także takie, których postać liczby mnogiej jest taka sama, jak liczby pojedynczej, np. **sheep** – **sheep**, oraz takie, które występują wyłącznie w liczbie mnogiej, np. **trousers**, **scissors**, **goods**.

Odmiana
Rzeczowniki angielskie[5] posiadają trzy rodzaje gramatyczne: męski, żeński i nijaki. Czasami rodzaj rzeczownika oznaczony jest morfologicznie, np. **actor** – **actress** (*aktor – aktorka*), **god** – **goddess** (*bóg – bogini*), **hero** – **heroine** (*bohater – bohaterka*), **widower** – **widow** (*wdowiec – wdowa*). Niekiedy występują pary znaczeniowe, np. **king** – **queen** (*król – królowa*), **boy** – **girl** (*chłopiec – dziewczyna*).
Deklinacja reprezentowana jest przez dwa przypadki, tj. mianownik i dopełniacz (tzw. **Saxon Genitive**) używany głównie w odniesieniu do rzeczowników osobowych (**Mary's book**, **my brother's trousers**, **the workers' rights**, **the children's toys**).

2. Rzeczowniki niepoliczalne (Uncountable Nouns)

Rzeczowniki niepoliczalne (zwane także **Mass Nouns**) służą do nazywania przede wszystkim materiałów (**sand**, **wool**, **wood**, **water**), ale także pewnych pojęć abstrakcyjnych (**behaviour**, **information**, **advice**). Nie posiadają one liczby mnogiej i występują z czasownikiem w liczbie pojedynczej. Używa się ich z przedimkiem określonym (**the**), zaś w przypadku gdy rzeczownik jest nieokreślony, występuje on bez przedimka.

3. Grupa rzeczownikowa (Nominal Group)

Grupa rzeczownikowa składa się z:
- określnika (jednego lub więcej),
- przymiotnika (do trzech),
- rzeczownika,

np. **my beautiful car**, **a very interesting film**. Rzeczownik może być również określany przez wyrazy, które znajdują się po nim, np. **a cup of tea**, **the girl in the corner**.

III. Określnik (Determiner)

1. Określniki centralne (Central Determiners)

Określniki centralne są to wyrazy występujące przed rzeczownikiem i stanowiące część grupy rzeczownikowej. Zalicza się do nich przedimki, zaimki wskazujące, określniki dzierżawcze, zaimki względne oraz takie wyrażenia jak: **no**, **every**, **each**, **either**, **neither**, **some**, **any**, **enough**.

Przedimki (Articles)

Rzeczownik	**Przedimek nieokreślony**	**Przedimek określony**
policzalny (liczba pojedyncza)	**a** book **an** umbrella[6]	**the** book
policzalny (liczba mnoga)	books	**the** books
niepoliczalny	music	**the** music

Opuszczanie przedimka (Zero Article)
Zastosowanie
a) Gdy mówimy ogólnie o rzeczownikach policzalnych i niepoliczalnych, np.:
Books are useful. Exercise is good for you.

b) Używając nazw budynków w odniesieniu do instytucji, które się w nich znajdują (**school**, **hospital**, **prison**, **church**, **court**, **uni-**

versity, **college**), a także w odniesienu do niektórych innych „miejsc" (**class, work, sea, home**), np.:
She was very ill and had to go to hospital. Mary is at school now.

c) Przed nazwami kontynentów (**Europe, Asia**), państw (**France, Poland**)[7], miast (**London, Warsaw**)[8], ulic (**Carnaby Street**)[9], jezior (**Lake Victoria**), szczytów górskich (**Mount Everest**), wysp i półwyspów (**Rhode Island, Cyprus, Kerch Peninsula**)[10], cieśnin (**Torres Strait**), imionami własnymi (**John Brown**), nazwami posiłków (**breakfast, lunch, tea, dinner, supper**).

Przedimek nieokreślony (Indefinite Article)
Zastosowanie
a) Gdy mówimy po raz pierwszy o nieokreślonym wcześniej rzeczowniku policzalnym w liczbie pojedynczej, np.:
I live in a big city.
He works in a factory.

b) Podając zawód lub mówiąc o cechach osobowych, np.:
Bob is a teacher.
Brenda is an intelligent woman.

c) Opisując lub definiując gatunki i klasy, np. zwierząt:
A gerbil is a small animal, which is now becoming more and more popular as a pet[11].
A magazine is a periodical which appears once a week or once a month and contains articles on many subjects of general interest.

Przedimek określony (Definite Article)
Zastosowanie
a) Kiedy mówimy o rzeczowniku (policzalnym lub niepoliczalnym) po raz kolejny lub gdy wiadomo, o co chodzi z kontekstu sytuacyjnego, np.:
Mary and Sheila saw a woman in the street. The girls asked the woman the way.
Where is the cat? It's in the garden.

b) Gdy wymieniamy unikatowe przedmioty i zjawiska, np.:
Would you like to fly to the Moon?

c) Gdy określamy grupy narodowościowe i inne, np.:
The Italians eat spaghetti.
One should help the disabled, the unemployed, and the old.
The lion is a typical African animal.

d) Przed nazwami instrumentów (play **the piano**)[12], statków (**the Cutty Sark**), rzek (**the Amazon**, **the Vistula**), mórz i oceanów (**the Baltic Sea**, **the Black Sea**, **the Pacific Ocean**), łańcuchów górskich (**the Tatras**, **the Himalayas**), z określeniami czasu (**the past**, **the future**), ze stopniem najwyższym przymiotników (**the most interesting** of them all).

2. Pozostałe określniki są to wyrazy, które występują odpowiednio przed określnikiem centralnym (**Predeterminers**) lub po nim (**Postdeterminers**). Zalicza się do nich takie wyrazy jak **all**, **both**, **half** oraz **once**, **twice**, **three times**, **double** (**Predeterminers**), a także liczebniki porządkowe i określniki „ilościowe" (**Postdeterminers**).

Przykłady
Predeterminers: all the students; **half** a book; **once** a day.
Postdeterminers: the **two** women; the **first two** poems.

OKREŚLNIKI „ILOŚCIOWE" I WYRAŻENIA POKREWNE (NUMERAL DETERMINERS AND RELATED EXPRESSIONS)

Z rzeczownikiem policzalnym	**Z rzeczownikiem niepoliczalnym**
all – *wszyscy, wszystkie*	**all** – *cały, cała, całe*
every – *każdy, każda, każde*	
most – *większość*	**most** – *większość*
a great number – *wielu, wiele*	**a great deal** – *wiele*
	a great amount – *wiele*
a lot of, **lots of** – *wielu, wiele*	**a lot of**, **lots of** – *wiele*
many – *wiele*	**much** – *wiele*

some, **several** – *kilku, kilka*
a few – *kilku, kilka* (mniej niż **some**)
fewer – *mniej*
few – *mało*
no – *żaden, żadna, żadne*

some – *trochę*
a little – *trochę* (mniej niż **some**)
less – *mniej*
little – *mało*
no – *wcale*

HOW MANY? HOW MUCH?

Rzeczownik policzalny
How **many** books are there?
There are **a lot of** books.
There are **some** books.
There aren't **many** books.
There aren't **any** books.
There are **no** books.

Rzeczownik niepoliczalny
How **much** time have we got?
We have got **a lot of** time.
We have got **some** time.
We haven't got **much** time.
We haven't got **any** time.
We have **no** time.

IV. Zaimek (Pronoun)

1. Zaimki osobowe, zwrotne (emfatyczne) i dzierżawcze oraz określniki dzierżawcze [Personal, Reflexive (Emphatic) and Possessive Pronouns and Posessive Determiners]

	Zaim. osob. mian.	Zaim. osob. biern.	Zaim. zwr.[13]	Zaim. dzierż.[14]	Okr. dzierż.[15]
l.p.					
1. os.	**I** *ja*	**me** *mnie*	**myself**	**mine** *mój*	**my** *mój*
2. os.	**you** *ty*	**you** *ciebie*	**yourself**	**yours** *twój*	**your** *twój*
3. os.					
r. m.	**he** *on*	**him** *jego*	**himself**	**his** *jego*	**his** *jego*
r. ż.	**she** *ona*	**her** *ją*	**herself**	**hers** *jej*	**her** *jej*
r. n.	**it** *ono*	**it** *je*	**itself**	**its** *jego*	**its** *jego*
l.mn.					
1. os.	**we** *my*	**us** *nas*	**ourselves**	**ours** *nasz*	**our** *nasz*
2. os.	**you** *wy*	**you** *was*	**yourselves**	**yours** *wasz*	**your** *wasz*
3. os.	**they** *oni*	**them** *ich*	**themselves**	**theirs** *ich*	**their** *ich*

2. Zaimki wskazujące (Demonstrative Pronouns)

liczba pojedyncza	**this** – *ten, ta, to*	**that** – *tamten, tamta, tamto*
liczba mnoga	**these** – *ci, te*	**those** – *tamci, tamte*

3. Zaimki względne (Relative Pronouns)

who – *który, która, które* (osobowe)
which – *który, która, które* (nieosobowe)
whose – *którego, której, których* (osobowe)
whom – *którego, którą, które* (osobowe)
that – może zastępować **who** i **which** w zdaniach względnych określających (**Determining Relative Clauses**), zwłaszcza w mowie potocznej.

4. Zaimki nieokreślone (Indefinite Pronouns)

ZAIMKI I OKREŚLNIKI UNIWERSALNE (UNIVERSAL PRONOUNS AND DETERMINERS)

	Funkcja	**Policzalne**		**Niepoliczalne**
		osobowe	**nieosobowe**	
twierdzące				
l.p.	zaimek	**everyone** **everybody** **each**	**everything** **each**	**all**
	określnik	**each, every**		
l.mn.	zaimek i określnik	**all, both**		
przeczące				
l.p.	zaimek	**no one,** **nobody, none**	**nothing,** **none**	**none**
	zaimek i określnik	**neither**		
l.mn.	zaimek	**none**		
l.p. lub l.mn.	określnik	**no**		

Gramatyka

Zaimki częściowe (Partitive Pronouns)

	Funkcja	Policzalne		Niepoliczalne
		osobowe	nieosobowe	
twierdzące				
l.p.	zaimek	**someone** **somebody**	**something**	**some**
	określnik	**a (an)**		
l.mn.	zaimek i określnik	**some**		
przeczące				
l.p.	zaimek	**anyone** **anybody**	**anything**	**any**
	określnik	**either**, **any**		
l.mn.	zaimek i określnik	**any**		

V. Przyimek (Preposition)

Przyimki używane są m.in. do określania miejsca i czasu.

MIEJSCE (PLACE)

in – *w*: **in Poland**, **in Warsaw**, **in Marszałkowska Street**; **walk in the road**, **see in a mirror**, **live in the country**, **be in hospital**, **prison**, **in the cinema** (wewnątrz kina)

inside – *do środka, w środku*

outside – *na zewnątrz*

on – *na*: **on the floor**, ale też **be on the bus**, **plane**, **train**, **on television**, **on the right**

at – *w, na, pod*: **at school**, **at the back**, **at home**, **at work**, **at the cinema** (pod kinem – na zewnątrz)

above – *nad* (w górze): **the mountaintops above us**

over – *nad* (bezpośrednio powyżej): **the lamp over the table**, *na* (gdy jedna rzecz leży na drugiej): **a book over the pencil**

below – *niżej* (w dole): **the lake below the mountains**

under – *pod* (pod spodem): **the dog is under the table**

next to, beside – *obok* (bezpośrednio): **She sat next to me**

near, by – *obok* (w pobliżu): **The shop is near the cinema. It's about one hundred metres away.**

in front of – *przed*: **in front of the cinema**

behind – *za*: **behind the curtain**

CZAS (TIME)

in – *w*: **in 2002, in March, in winter, in the morning**

on – *w*: **on Thursday, on Christmas Day**, ale też **on March 2nd**

at – *o*: **at 12 o'clock, at noon, at night**

during – *podczas*: **during the holidays**

before – *przed*: **before the football match**

after – *po*: **after the lesson**

VI. Przymiotnik (Adjective)

1. Stopniowanie (Formation of Comparatives and Superlatives)

Przymiotnik może być stopniowany regularnie, nieregularnie i opisowo. Regularnie stopniuje się przymiotniki jednosylabowe (**big**, **smart**). Przymiotniki dwusylabowe stopniuje się również regularnie (**large, nice, easy**), chyba że zakończone są przyrostkiem i wtedy stopniowane są opisowo (**tiring, bored**). Przymiotniki trzy- lub więcej sylabowe stopniowane są zawsze opisowo.

Stopniowanie	Stopień		
	równy	wyższy	najwyższy
Regularne	**big**[16]	**bigger**	**the biggest**
Opisowe	**fascinating**	**more fascinating**	**the most fascinating**
Nieregularne	**good**	**better**	**the best**
	bad	**worse**	**the worst**
	far	**farther, further**	**the farthest, the furthest**
	little	**less**	**the least**
	much, many	**more**	**the most**

2. Kolejność przymiotników przed rzeczownikiem (Order of Adjectives)

Kolejność przymiotników przed rzeczownikiem zależna jest od tego, jakie cechy opisuje przymiotnik. Na pierwszym miejscu występują przymiotniki wyrażające opinię (**beautiful**) i/lub rozmiar (**small**), wiek (**new**), kształt (**square**), temperaturę (**cold**). Następne w kolejności są przymiotniki opisujące kolor (**blue**), materiał (**woollen**), cel (**football**, **swimming**). Przed rzeczownikiem nie mogą wystąpić więcej niż trzy przymiotniki, np. **a pair of *old blue woollen* socks**, **a *small new leather* briefcase** lub **my *lovely round swimming*-pool**.

3. Wyrażenia porównujące (Comparative Expressions)

Wyrażanie podobieństwa
Tom is **as** tall **as** Mike.

Wyrażanie różnicy **(stopień wyższy)**
John is **not as** tall **as** Mike.
John is **taller than** Mike.
Barbara is **a quicker worker than** Mark.
This play is **less interesting than** the one we saw last week.

Wyrażanie różnicy **(stopień najwyższy)**
Susan is **the best student** in the class, of them all.

VII. Przysłówek (Adverb)

Przysłówek określa czasownik i przymiotnik. Najczęściej tworzony jest przez dodanie do przymiotnika końcówki **-ly**, np. **slow – slowly**. Niektóre przysłówki mają taką samą formę jak przymiotniki, np. **fast**, **well**; występują również dwie podobne formy przysłówka, mające jednak różne znaczenia, np. **hard** (*ciężko*: **to work hard** – *ciężko pracować*), **hardly** (*zaledwie, prawie nie*: **she could hardly walk** – *mogła ledwo chodzić*) (pierwsza z tych form, **hard**, funkcjonuje również jako przymiotnik: **hard work** – *ciężka praca*).
Odrębną grupę stanowią przysłówki częstotliwości (**Adverbs of Frequency**), np. **never**, **always**, **often**, i czasu (**Adverbs of Time**), np. **now**, **then**, **today**, **yesterday**, **early**, **late**. Przysłówki stopniuje się opisowo (**more strongly**).

Wyrażenia porównujące
Tworzone są podobnie jak w przypadku przymiotnika, np. **Joan didn't drive as slowly as Tom. Pat walked more quickly than Jacob**.

VIII. Liczebnik (Number)

Liczebniki główne i porządkowe (Cardinal and Ordinal Numbers)

Liczebniki główne	**Liczebniki porządkowe**
0 nought, zero	
1 one	**1st** first
2 two	**2nd** second
3 three	**3rd** third
4 four	**4th** fourth
5 five	**5th** fifth
6 six	**6th** sixth
7 seven	**7th** seventh
8 eight	**8th** eighth
9 nine	**9th** ninth
10 ten	**10th** tenth
11 eleven	**11th** eleventh
12 twelve	**12th** twelfth
13 thirteen	**13th** thirteenth
14 fourteen	**14th** fourteenth
15 fifteen	**15th** fifteenth
16 sixteen	**16th** sixteenth
17 seventeen	**17th** seventeenth
18 eighteen	**18th** eighteenth
19 nineteen	**19th** nineteenth
20 twenty	**20th** twentieth
21 twenty one	**21st** twenty first
22 twenty two	**22nd** twenty second

23 twenty three (etc.)	**23rd** twenty third (etc.)
30 thirty	**30th** thirtieth
40 forty	**40th** fortieth
50 fifty	**50th** fiftieth
60 sixty	**60th** sixtieth
70 seventy	**70th** seventieth
80 eighty	**80th** eightieth
90 ninety	**90th** ninetieth
100 a (one) hundred	**100th** hundredth
120 a (one) hundred and twenty	**120th** hundred and twentieth
1,000 a (one) thousand	**1,000th** thousandth
1,500 a (one) thousand five hundred	**1,500th** thousand five hundreth
2,000 two thousand (etc.)	**2,000th** two thousandth (etc.)
100,000 a (one) hundred thousand	**100,000th** hundred thousandth
1,000,000 a (one) million	**1,000,000th** millionth
1,000,000,000 a (one) billion	**1,000,000,000th** billionth

Podstawowe działania matematyczne (Basic Mathematical Operations)

addition – *dodawanie*: 2 + 2 = 4 (two plus two equals four/two plus two is equal to four)

subtraction – *odejmowanie*: 5 - 3 = 2 (five minus three equals two)

multiplication – *mnożenie*: 2 x 2 = 4 (two multiplied by two equals four)

division – *dzielenie*: 6 : 3 = 2 (six divided by three equals two)

common/vulgar fractions – *ułamki zwykłe*: 1/2 a (one) half, 1/3 a (one) third, 2/3 two thirds, 3/4 three quarters, 4/5 four fifths

decimal fractions – *ułamki dziesiętne*: 0.10 zero point ten

raising to a power – *potęgowanie, podnoszenie do potęgi*: x^2 – x squared, x^3 – x cubed (x to the third power), x^n – x to the *n-th* power

extraction of a root – *wyciąganie pierwiastków*: *pierwiastek kwadratowy* – square root of *x*, *pierwiastek sześcienny* – cube root of *x*, *pierwiastek do potęgi n-tej z x* – the *n-th* root of *x*

percentages (proportions) – *procenty*: 10% – ten per cent; *promile*: 100‰ – one hundred per thousand (per mille)

Zapisywanie daty (The Dates)

January 22, 2003 albo 22 January, 2003 – *22 stycznia 2003 r.*
the 19th century – *XIX wiek*
the 21st century – *XXI wiek*
the 5th century B.C. (Before Christ), B.C.E (before the Common Era) – *V w. przed Chr. (p.n.e.)*
the 3rd century A.D. (*łac.* Anno Domini), C.E. (Common Era) – *III w. po Chr. (n.e.)*

Określanie godziny (The Hours)

1.00 – one o'clock – *pierwsza*
1.10 – ten (minutes) past one – *dziesięć po pierwszej*
1.15 – a quarter past one – *kwadrans po pierwszej*
1.30 – half past one – *w pół do drugiej*
1.40 – twenty (minutes) to two – *za dwadzieścia druga*
1.45 – a quarter to two – *za kwadrans druga*
12.00 – noon – *południe*
10.00 – ten a.m. (*łac.* ante meridiem) – *dziesiąta rano*
10.00 – ten p.m. (*łac.* post meridiem) – *dwudziesta druga*
24.00 – midnight – *północ*

IX. Czasownik (Verb)

1. Formy bezokolicznika (Forms of the Infinitive)

Strona czynna Forma podstawowa Aspekt Continuous Aspekt Perfect Aspekt Perfect Continuous	 **to take** **to be taking** **to have taken** **to have been taking**
Strona bierna Aspekt Perfect	**to be taken** **to have been taken**

2. Pozostałe formy czasownika (Other Verb Forms)

Imiesłów czynny (Present Participle)

Strona czynna Forma podstawowa Aspekt Perfect Aspect Perfect Continuous	 **taking** **having taken** **having been taking**
Strona bierna Forma podstawowa Aspekt Perfect	 **being taken** **having been taken**

Imiesłów bierny (Past Participle)

W przypadku czasowników regularnych imiesłów bierny tworzy się dodając do bezokolicznika końcówkę **-ed**, np. **painted**, zaś w przypadku czasowników nieregularnych używa się formy **Past Participle**, np. **hidden**.

Końcówki czasowników (Verb Inflections)

-ing – imiesłów czynny oraz formy czasów Continuos
-ed – imiesłów bierny oraz forma czasowników regularnych czasu Past Simple
-s – trzecia osoba liczby pojedynczej w czasie Present Simple

Zasady pisowni poszczególnych form czasowników

Czasowniki	**-s**	**-ed**	**-ing**
zak. na **-e** tracą **-e**		**change – chang-ed**	**change – chang-ing**
zak. na **-y** **-y** przed spół-głoską zamienia się na **-i**	**cry – cries**	**cry – cried**	
w wyrazach (...)* spółgłoska na końcu podwaja się		**beg – begged** **stop – stopped** **pre'fer – pre-'ferred** **'travel – 'travel-led** (wyjątek)	**dig – digging** **put – putting** **'travel – 'travel-ling**
zak. na **-s, -ss, -sh, -ch, -x** dodaje się **-es**	**dress – dresses** **relax – relaxes** **rush – rushes** **reach – reaches**		
zak. na **-o** dodaje się **-es**	**do – does** **go – goes**		

* jedno- lub wielosylabowych z akcentem na ostatnią sylabę i zakończonych pojedynczą samogłoską, po której następuje pojedyncza spółgłoska (dotyczy języka angielskiego w wersji brytyjskiej – British English) oraz w czasownikach będących wyjątkami

OPERATORY (OPERATORS)

	Forma twierdząca		Forma przecząca	
	pełna	skrócona	pełna	skrócona
to be				
czas teraźniejszy				
I	**am**	**'m**	**am not**	**aren't**
he, she, it	**is**	**'s**	**is not**	**isn't**
we, you, they	**are**	**'re**	**are not**	**aren't**
czas przeszły				
I, he, she, it	**was**		**was not**	**wasn't**
we, you, they	**were**		**were not**	**weren't**
to have				
czas teraźniejszy				
I, you, we, they	**have**	**'ve**	**have not**	**haven't**
he, she, it	**has**	**'s**	**has not**	**hasn't**
czas przeszły				
wszystkie osoby	**had**	**'d**	**had not**	**hadn't**
to do				
czas teraźniejszy				
I, you, we, they	**do**		**do not**	**don't**
he, she, it	**does**		**does not**	**doesn't**
czas przeszły				
wszystkie osoby	**did**		**did not**	**didn't**

Czasowniki modalne (Modal Verbs)[17]

Forma twierdząca		Forma przecząca	
pełna	**skrócona**	**pełna**	**skrócona**
can		**cannot, can not**	**can't**
could		**could not**	**couldn't**
may		**may not**	
might		**might not**	
shall	**'ll**	**shall not**	**shan't**
should		**should not**	**shouldn't**
will	**'ll**	**will not**	**won't**
would	**'d**	**would not**	**wouldn't**
must		**must not**	**mustn't**
ought to		**ought not to**	**oughtn't to**
need		**need not, do not need**	**needn't, don't need**

Inne wyrażenia zmodalizowane (Modal Idioms and Semi-Auxilliaries)

had better ('d better)
You**'d better** take umbrella in case it rains. *Lepiej weź parasolkę, bo może padać.*

would rather ('d rather)
I'd rather go for a walk than watch television. *Wolałabym iść na spacer niż oglądać telewizję.*

to have to, to have got to
I **have to** buy some food for my dog. *Muszę kupić mięso dla psa.*

to be to
Tom **is to** come back in a quarter of an hour. *Tom ma wrócić za kwadrans* (tak mu polecono).

to be able to
Do you think she**'ll be able to** do it? *Myślisz, że ona da sobie z tym radę?* (potrafi to zrobić)

to be bound to
This scheme **was bound to** fail. *Ten plan musiał skończyć się niepowodzeniem.*

to be due to
The plane **is due to** land in ten minutes. *Samolot ma wylądować za 10 minut* (takie jest oczekiwanie).

to be likely to
Mark **is not likely to** finish this exercise. *Mark najprawdopodobniej nie skończy tego ćwiczenia.*

3. Czasy gramatyczne (Tenses)

TWORZENIE CZASÓW GRAMATYCZNYCH (TENSE FORMS)

Czas	Aspekt Simple	Aspekt Continuous	Aspekt Perfect
Strona czynna			
Present	**I make**	**I am making**	**I have made**
Past	**I made**	**I was making**	**I had made**
Future	**I will make**	**I will be making**	**I will have made**
Future in the Past	**I would make**	**I would be making**	**I would have made**
Strona bierna			
Present	**It is made**	**It is being made**	**It has been made**
Past	**It was made**	**It was being made**	**It had been made**
Future	**It will be made**		
Future in the Past	**It would be made**		

Gramatyka

ZASTOSOWANIE PODSTAWOWYCH CZASÓW (USE OF BASIC TENSES)

Present Simple

Zastosowanie

Używany jest, gdy mówimy o czynnościach zwykle wykonywanych, stanach oraz faktach, które są zawsze prawdziwe. Dodatkowo czas ten stosowany jest do wyrażania tzw. **timetable future**, czyli gdy mówimy o tym, co nastąpi w przyszłości zgodnie z ustalonym rozkładem.

Przykłady

I often go to the cinema.
She works for the BBC.
Water boils at 100 degrees centigrade.
The plane lands at 6 o'clock.

Formy (pytania, przeczenia, krótkie odpowiedzi)

Do you often go to the cinema?
Where does she work?
I don't go to the cinema.
Yes, she does. No, they don't.

Podstawowe określenia czasu

every (day, Sunday), on (Mondays, Tuesdays), always, often, sometimes, usually, rarely, never

Present Continuous

Zastosowanie

Służy do wyrażania czynności i stanów mających miejsce w chwili obecnej oraz gdy mówimy o zajęciach, które odbędą się w przyszłości[18].

Przykłady

I am reading a book.
I am playing tennis tomorrow.

Formy

Are you reading a book?
What is she doing now, tomorrow?
He isn't talking on the phone.
They aren't playing tennis tomorrow.
Yes, he is. No, I'm not.

Podstawowe określenia czasu
now, at the moment

Present Perfect

Zastosowanie
Używany jest do opisywania stanów i czynności przeszłych, których wynik związany jest z teraźniejszością, a czas, w którym miały miejsce, nie jest istotny. Wydarzenia te mogą się powtarzać. Używany także z wyrażeniami, które precyzują, jak długo czynność trwa lub od kiedy się powtarza.

Przykłady
I have just baked a cake!
They have been to France three times so far.
She has read ten pages of this book since eight o'clock.

Formy
Have you finished your homework?
How many countries has he visited?
I haven't seen this film yet.
Yes, they have. No, she hasn't.

Podstawowe określenia czasu
just, yet, already, so far, up till now, since, for, lately, recently, always, often, never

Present Perfect Continuous

Zastosowanie
Używany jest, gdy omawiane są wydarzenia przeszłe, których wynik związany jest z teraźniejszością. Ważny jest czas trwania wydarzenia, które najczęściej nie jest zakończone.

Przykłady
They have been living here for twenty years.
Why are you crying? I've been cutting onions.

Formy
Have you been washing the dishes all morning?
How long has he been learning English?
Yes, she has. No they haven't.

Gramatyka

Podstawowe określenia czasu
all day, all evening, for weeks, for ages, lately, recently

Past Simple

Zastosowanie
Używany jest, gdy omawiane są wydarzenia, które miały miejsce w przeszłości, przy czym znany jest czas, w którym wydarzenia te nastąpiły, a także dotyczy wydarzeń, które powtarzały się w przeszłości. Używany jest również, gdy omawiane są wydarzenia, które następowały kolejno po sobie.

Przykłady
I saw a play in the theatre last Sunday.
When we were on holiday we went to the beach every day.
I got up early. I had breakfast and then went to work.

Formy
Did you see a play in the theatre last Sunday?
What did you do when you were on holiday?
We didn't see a play on Sunday.
Yes, he did. No they didn't.

Podstawowe określenia czasu
ago, last week, month, year, for (two years), in (May), at (five o'clock), on (Sunday)

used to
Zastosowanie
Używane jest, gdy mówimy o stanach i czynnościach przeszłych, ktore bezpowrotnie minęły.

Przykłady
They used to play cards when they didn't have a video.
I used to own a bicycle.

Formy
Did you use to go skiing when you were in primary school?
They didn't use to make such loud parties[19].

would

Zastosowanie

Służy do opisywania czynności przeszłych. Wyrażenie **would** jest często używane, gdy opisywane są dawne obyczaje.

Przykłady

We would all go to the beach in the evenings, play the guitar and sing songs. (This was how we spent our free time when we were teenagers.)

Formy

Would you really want to do that?
Yes, I would. No, they wouldn't.

Past Continuous

Zastosowanie

Opisuje czynności przeszłe, które trwały nieprzerwanie przez jakiś czas.

Przykłady

I was watching TV when the phone rang.
The sun was shining, the birds were singing: it was a beautiful day.

Formy

Were you talking on the phone when the bell rang?
What was he doing when you arrived?
Yes, she was. No, they weren't.

Podstawowe określenia czasu

when, while

Past Perfect

Zastosowanie

Służy do wyrażania czynności i wydarzeń, które miały miejsce w przeszłości, przed innym wydarzeniem. Ten czas stosowany jest zwłaszcza wtedy, gdy mówimy najpierw o wydarzeniu późniejszym, a potem wcześniejszym.

Gramatyka

Przykłady
When I came back I saw she had done the whole homework.

Formy
Had they painted the whole flat before it was flooded?
Yes, I had. No, we hadn't.

Podstawowe określenia czasu
before, after, when

Future Simple

Zastosowanie
Stosowany jest, gdy omawiane są wydarzenia, które, naszym zdaniem, wydarzą się w przyszłości. Używany także przy podejmowaniu decyzji w momencie mówienia, składania obietnic lub propozycji.

Przykłady
I think it will be sunny tomorrow.
O.K. I'll help you carry this suitcase.
I'll never do it again, I promise.

Formy
Will it rain on Sunday?
Which team'll win the match?
I'm sure, he won't come.
Yes, they will. No, she won't.

Podstawowe określenia czasu
tomorrow, next week, next month, next year

going to
Zastosowanie
Używany jest, gdy mówimy o podjętych decyzjach lub planach oraz o wydarzeniach, o których wiadomo, że zaraz nastąpią.

Przykłady
They're going to visit her son in Durham in August.
Be careful! You're going to drop these books!

Formy
Is she going to buy a new car?
Who are they going to invite to their party?

We aren't going to be back home until Friday.
Yes, he is. No, I'm not.

Podstawowe określenia czasu
tomorrow, next week, next month, next year

Future Continuous

Zastosowanie
Służy do opisywania sytuacji, która będzie trwała w przyszłości, lub gdy mówimy o czymś, co na pewno nastąpi, gdyż tak zostało u-stalone.

Przykłady
She'll be lying on the beach this time next week.
They'll be holding a meeting next Friday.

Formy
Will they still be having lunch if I come at two?
What will you be doing this time next year?
She won't be sleeping at that time of the day.
Yes, I will. No, they won't.

Podstawowe określenia czasu
tomorrow, next week, next month, next year, this time tomorrow

Future Perfect

Zastosowanie
Używany jest, gdy omawiane są wydarzenia, które nastąpią przed ustalonym terminem w przyszłości.

Przykłady
I'll have finished my essay by Friday.

Formy
Will the play have begun by the time we arrive?
Yes, it will. No, it won't.

Podstawowe określenia czasu
by (next Monday), by the time

X. Budowa zdania (Sentence Structure)

1. Zdania oznajmujące (Affirmative Sentences)

Okolicznik czasu	*Podmiot*	*Orzeczenie*	*Dopełnienie*	*Okolicznik sposobu*	*Okolicznik miejsca*	*Okolicznik czasu*
Last week	I	went			to the shops	
	I	bought	a very beautiful dress			
	I	enjoyed myself		very much		at that time

2. Zdania pytające (Interrogative Sentences/Questions)

Pytania tworzy się przez inwersję, tzn. zamieniając miejscami podmiot i operator (**Are you reading a book?**, **Will you help me?**). W czasach **Present Simple** i **Past Simple** przed podmiotem pojawia się odpowiednio czasownik **do/does** i **did** (**Do you go to school every day?**, **Did he give you a present?**), występujący jako operator.

Pytania dzielą się na ogólne, tj. takie, na które można udzielić tylko krótkiej odpowiedzi (**Can you do it? Yes, I can. No, I can't.**), oraz szczegółowe, tj. zaczynające się od słówka pytającego, na które należy udzielić takiej odpowiedzi, której treść nie zawiera się w pytaniu (**<u>Where</u> did he go? He went <u>to the cinema</u>.**)

Należy także wyróżnić pytania o podmiot, zaczynające się od słówka pytającego **Who** lub **What**, w których ze względu na brak podmiotu nie występuje inwersja (**Who has broken the glass?**). Pytania zaczynające się od **Who** lub **What** mogą być również pytaniami o dopełnienie i wtedy mają strukturę taką samą, jak inne pytania szczegółowe (**Who are you talking to?**).

3. Zdania rozkazujące (Imperative Sentences/Orders)

W drugiej osobie liczby pojedynczej i mnogiej zdania rozkazujące w formie twierdzącej i przeczącej mają następującą budowę:
Go home. *Idź do domu*. **Don't talk so loudly**. *Nie mów tak głośno*.
W pozostałych osobach tryb rozkazujący tworzy się za pomocą czasownika **let**.
Let me/her/him go. *Niech ja idę / on / ona idzie* albo *Puść / Puśćcie mnie / ją / go*). **Let us** (**Let's**)/**them go**. *Chodźmy / Niech oni idą / Puśćcie ich*.
Let them not quarrel. *Niech oni się nie kłócą*. albo **Don't let us (Don't let's) arque**. *Nie kłóćmy się*.

4. Strona bierna (Passive Voice)[20]

Strona bierna używana jest wtedy, gdy nie wiadomo, kto jest sprawcą działania lub stanu (**Agent**) (**Joanne's car was stolen a month ago.** *Miesiąc temu ukradziono Joannie samochód*[21]), lub gdy jest to oczywiste (**Later the police found that the car was abandoned on a lonely village road**. *Policja stwierdziła później, że porzucono go na pustej wiejskiej drodze* – samochód został porzucony przez sprawców kradzieży).
Stronę bierną można tworzyć tylko dla czasowników przechodnich (**Transitive Verbs**), tj. takich, które mają dopełnienie. W języku angielskim dotyczy to zarówno dopełnienia bliższego, jak i dalszego (**Mark gave a some food to his dog**. *Mark dał psu jedzenie*. **Mark's dog was given some food**. *Psu Marka dano jedzenie*. **Some food was given to Mark's dog**. – dosłowne tłumaczenie tego zdania nie jest możliwe w języku polskim).
Gdy w zdaniu w stronie biernej znajduje się **Agent**, wyrażenie to może być poprzedzone przyimkiem **by** albo **with**. W pierwszym

przypadku **Agent** jest sprawcą działania (**This play was written by Shakespeare**. *Ta sztuka została napisana przez Szekspira.*), zaś w drugim instrumentem, za pomocą którego działanie zostało wykonane (**This door is opened with the largest key**. *Te drzwi otwiera się największym kluczem.*).

have something done
Konstrukcja ta jest używana, gdy omawiane są czynności, które wykonuje za nas ktoś inny (**I am going to have my hair cut**. *Mam zamiar iść do fryzjera, który obetnie mi włosy.*), lub gdy mówimy o nieprzyjemnych wypadkach (**He had his wrist twisted in the fight**. *Podczas bójki wykręcono mu rękę w nadgarstku.*).

5. Niektóre konstrukcje zdań złożonych (Selected Complex Sentences)

MOWA ZALEŻNA (REPORTED SPEECH)

Zdania w mowie zależnej składają się ze zdania głównego, zawierającego czasownik „relacjonujący" (**Reporting Verb**), oraz zdania, które jest relacjonowane. **Reporting Verb** może być użyty w jednym z czasów teraźniejszych, przyszłych lub przeszłych. Gdy jest on w czasie przeszłym, w zdaniu podrzędnym stosuje się następstwo czasów.

Present Simple (**I do**)	Past Simple (**I did**)
Present Continuous (**I am doing**)	Past Continuous (**I was doing**)
Present Perfect (**I have done**)	Past Perfect (**I had done**)
Future (**I will do**)	Future in the Past (**I would do**)
Past Simple (**I did**)	Past Perfect (**I had done**)
Past Continuous (**I was doing**)	Past Perfect Continous (**I had been doing**)
am, is, are going to	**was, were going to**
must	**had to**

Oprócz czasów w mowie zależnej zmienia się także określenie czasu i miejsca: **tomorrow – the next day**; **yesterday – the day before**; **here – there**, a także odwołania do osób: **'I'm hungry,'** – **She told me she was hungry**.

Cytując dosłownie wypowiedzi w języku angielskim, używa się pojedynczych cudzysłowów, a wypowiedź kończy przecinkiem: **'I have bought a new dictionary,' said John**. – **John said he had bought a new dictionary**.

Zdania pytające

Jako **Reporting Verbs** używa się **ask, want to know**. Ponadto często stosuje się zdania pytające ze zwrotami w czasie teraźniejszym, takimi jak **Could you tell me, Do you know**, do wyrażenia uprzejmych pytań. Pytania w mowie zależnej tracą inwersję: **'Where are my glasses?' – She asked where her glasses were**.

Jeśli **Reporting Verb** jest w czasie teraźniejszym, następstwo czasów nie występuje.

Were is the bus station? – Could you tell me where the bus station is?

Jeśli na mowę zależną przekształcane jest pytanie ogólne, zamiast inwersji pojawia się słówko **if** lub **whether** (**Is there another train today? – Do you know if there is another train today?**), zaś struktura pytań o podmiot nie ulega zmianie (**Who won the match? – Have you any idea who won the match?**).

Zdania rozkazujące

Jako **Reporting Verbs** używa się takich wyrażeń jak **ask, tell, order**.

Open the door – He asked me to open the door.
Don't talk – She ordered us not to talk.

TRYB WARUNKOWY I WYRAŻENIE *I WISH* (CONDITIONAL SENTENCES AND *I WISH*)

Typ 0

Używany jest, gdy mówimy o zależnościach, które pozostają niezmienne.

Water **boils** if it **is heated** to the temperature of 100° centigrade. *Woda wrze, jeśli zostanie podgrzana do temperatury 100° Celsjusza.*

When it rains, we don't go outside. *Kiedy pada, nie wychodzimy na dwór*.

Gramatyka

Typ 1

Dotyczy sytuacji przyszłych, których ostateczne zakończenie nie jest znane. Osoba mówiąca nie wie, czy warunek zawarty w zdaniu po **if** zostanie spełniony.

If you don't work harder, you'll fail your exam. *Jeśli nie będziesz więcej pracować, nie zdasz egzaminu.*

Typ 2

Gdy mówimy o sytuacjach teraźniejszych lub przyszłych, o których wiadomo, że warunek nie może się spełnić.

If I had more money I'd (would) buy a car. *Gdybym miała więcej pieniędzy* (teraz albo w przyszłości), *kupiłabym samochód.*

Typ 3

Stosowany jest, gdy mówimy o sytuacjach przeszłych, przy czym wiadomo, że warunek nie został spełniony.

If they had been more careful, they wouldn't have lost their luggage. *Gdybyście byli ostrożniejsi, nie zgubilibyście bagażu.*

Typ mieszany

Dotyczy sytuacji, w których wcześniejsze wydarzenie lub stan ma wpływ na sytuację obecną.

If you had studied harder you wouldn't be in trouble now. *Gdybyś się uczyła, nie miałabyś teraz kłopotów.*

I wish

Zdania z ***I wish*** służą do wyrażenia życzeń (możliwych lub niemożliwych do spełnienia).

w przeszłości

Mary wishes she had gone to bed early. Now she is sleepy. *Mary żałuje, że nie poszła wcześnie spać. Teraz jest niewyspana*[22].

ogólnie

I wish I were richer. *Szkoda, że nie jestem bogatszy / bogatsza.*

postulat na przyszłość

I wish Tom and Barbara would stop arguing. *Życzyłbym / Życzyłabym sobie, żeby Tom i Barbara przestali się kłócić.*

I wish I could stay at home tomorrow. *Chciałbym / Chciałabym jutro zostać w domu.*

Wyrażenie **if only** zastępuje **I wish**.
If only I had gone to bed early.
If only I were richer.

ZDANIA WZGLĘDNE (RELATIVE CLAUSES)[23]

Zdania typu *Defining*

Zdania typu ***Defining*** służą do określania rzeczownika, precyzując jego znaczenie. Usunięcie zdania względnego spowoduje zmianę znaczenia zdania złożonego.
The man who is standing by the window is my brother. *Mężczyzna stojący koło okna jest moim bratem* (w pomieszczeniu jest wielu mężczyzn i zdanie podrzędne dokładnie określa, o kim jest mowa).

Zdania typu *non-Defining*

Zdania typu ***non-Defining*** uzupełniają informację na temat rzeczownika. Ich usunięcie nie spowoduje nieporozumienia, o kim jest mowa.
Agatha Christie, who was a famous author of detective stories, married Max Mallowan, an archaeologist. *Agatha Christie, słynna autorka powieści kryminalnych, poślubiła Maxa Mallowana, archeologa* (bez zdania względnego i tak wiadomo byłoby, o kogo chodzi).

Przypisy

[1] Od tej reguły istnieją wyjątki, np. **studio – studios**. Formę liczby mnogiej rzeczownika z końcówką **-o** najlepiej sprawdzać w słowniku.

[2] Od tej reguły istnieją wyjątki, np. **roof – roofs**. Formę liczby mnogiej rzeczownika z końcówką **-f** należy sprawdzać w słowniku.

[3] Słownik podaje wszystkie formy rzeczowników o nieregularnej liczbie mnogiej.

[4] Liczba mnoga takich rzeczowników często może być także tworzona w sposób regularny, np. **index – indices** albo **index – indexes**.

[5] Rodzaje gramatyczne dotyczą tylko rzeczowników osobowych, poza nielicznymi wyjątkami, np. **the Sun – he** (rodzaj męski), **the Moon – she** (rodzaj żeński).

[6] Gdy rzeczownik w wymowie zaczyna się na samogłoskę, przedimek nieokreślony przyjmuje formę **an** (**an hour**, **an umbrella**), jeśli zaś zaczyna się na spółgłoskę lub półsamogłoskę, przyjmuje formę **a** (**a dog**, **a house**, **a university**).

[7] Jeśli w nazwie państwa nie występuje rzeczownik pospolity, np. **Republic**, **States**, **Kingdom** (**the Republic of Poland**, **the United Kingdom**).

[8] Można także powiedzieć: **the city of Warsaw**.

[9] Wyjątkiem jest tu: **the High Street**.

[10] Ale: **the Isle of Man**, **the Isle of Wight**.

[11] Można też użyć liczby mnogiej: **Gerbils are small animals, which are becoming more and more popular as pets**.

[12] Mówiąc o grach, nie używamy określnika (**play bridge**).

[13] Zaimki te tłumaczy się jako *się, siebie* (**teach yourself**, **ask yourself**), *sobie* (**tell yourself**) lub *sam* (**do it yourself**).

[14] Zaimki te tłumaczy się tak jak określniki dzierżawcze (patrz przypis poniżej).

[15] Ta część mowy znana jest w języku polskim jako zaimek dzierżawczy; w języku angielskim odróżnia się określnik dzierżawczy, zwany również przymiotnikiem dzierżawczym (**Possessive Adjective**), który nie występuje bez rzeczownika (This is **my book** – *To jest moja książka*), od zaimka dzierżawczego, który występuje bez rzeczownika (This book is **mine** – *Ta książka jest moja*).

[16] W przymiotnikach, kończących się na **-y** i stopniowanych regularnie, **-y** zamienia się na **-i** (**easy** – **easier** – **the easiest**).

[17] Czasowniki modalne funkcjonują również jako operatory, różnią się jednak od czasowników **to be**, **to do** i **to have** tym, że nie występują jako czasowniki leksykalne (tzn. takie jak np. **go**, **make**, **play**, **listen**, **buy**).

[18] Czasowniki takie jak **have** (*mieć*), **belong to**, **contain**, **cost**, **depend on**, **own**, **believe**, **forget**, **like**, **hate**, **know**, **prefer**, **understand**, **think** (*sądzić*) nie występują w czasach **Continuous**.

[19] Pytania i przeczenia używane są rzadko.

[20] Sposoby tworzenia strony biernej w różnych czasach znajdują się w tabeli **Konstrukcje czasowe**.

[21] Tłumacząc zdania angielskie w stronie biernej na język polski, często trafniej jest zastosować formę bezosobową (formy te nie występują w języku angielskim).

[22] Dla potrzeb ćwiczeń gramatycznych wygodniej jest tłumaczyć **I wish** jako *życzyłbym / życzyłabym sobie*, gdyż wtedy zdanie polskie jest bardziej podobne do angielskiego: **I wish I had a car** – *Żałuję, że nie mam samochodu*, ale *Życzyłabym sobie mieć samochód*

[23] Zaimki względne, służące do tworzenia zdań względnych, przedstawione są w rozdziale IV.

Bibliografia

Alexander L.G., *Longman English Grammar* 1988 Longman.

Alexander L.G., *New Concept English, Practice and Progress* 1978 Longman.

Collins Cobuild Learner's Dictionary 2003 HarperCollins Publishers.

Greenbaum S., Quirk R., *A Student's Grammar of the English Language* 1990 Longman.

Hornby A.S, *Oxford Advanced Learner's Dictionary of Current English* 1974 Oxford University Press.

Murphy R., *English Grammar in Use* 2002 Cambridge University Press.

Smólska J., *Gramatyka języka angielskiego* 1974 Wydawnictwa Szkolne i Pedagogiczne.

Vince M., *First Certificate Language Practice* 1996 Heinemann.

Vince M., *Intermediate Language Practice* 1998 Macmillan Heinemann.